CW00382517

Werke in vier Bänden

Theodor Storm

Werke in vier Bänden

Band 3

Könemann

Die vorliegende Ausgabe folgt dem Text der Ausgabe »Theodor Storm. Sämtliche Werke in vierzehn Teilen«, herausgegeben von Alfred Biese, Leipzig o. J. Die Orthographie (Groß- und Kleinschreibung, Zusammenschreibung) entspricht weitestgehend der Vorlage. Nur wo es uns für das leichtere Verständnis unabdingbar erschien oder es darum ging, sinnentstellende Fehler zu tilgen, wurde in den Text eingegriffen. Dies betrifft jedoch nur ganz wenige Stellen.

© 1998 für diese Ausgabe
Könemann Verlagsgesellschaft mbH
Bonner Str. 126, D-50968 Köln

Herausgegeben von Rolf Toman
Herstellungsleiter: Detlev Schaper
Herstellungsassistenz: Nicola Leurs
Covergestaltung: Peter Feierabend
Satz und Gestaltung: Thomas Paffen, Münster
Printed in Hungary
ISBN 3-8290-0505-9

10 9 8 7 6 5 4 3 2 1

Inhalt

Eine biographische Skizze zu Theodor Storm findet der Leser am Ende des vierten Bandes.

Aquis submersus

In unserem zu dem früher herzoglichen Schlosse gehörigen, seit Menschengedenken aber ganz vernachlässigten »Schloßgarten« waren schon in meiner Knabenzeit die einst im altfranzösischen Stil angelegten Hagebuchenhecken zu dünnen, gespenstischen Alleen ausgewachsen; da sie indessen immerhin noch einige Blätter tragen, so wissen wir Hiesigen, durch Laub der Bäume nicht verwöhnt, sie gleichwohl auch in dieser Form zu schätzen; und zumal von uns nachdenklichen Leuten wird immer der eine oder andere dort zu treffen sein. Wir pflegen dann unter dem dürftigen Schatten nach dem sogenannten »Berg« zu wandeln, einer kleinen Anhöhe in der nordwestlichen Ecke des Gartens oberhalb dem ausgetrockneten Bette eines Fischteiches, von wo aus der weitesten Aussicht nichts im Wege steht.

Die meisten mögen wohl nach Westen blicken, um sich an dem lichten Grün der Marschen und darüberhin an der Silberflut des Meeres zu ergötzen, auf welcher das Schattenbild der langgestreckten Insel schwimmt; meine Augen wenden unwillkürlich sich nach Norden, wo, kaum eine Meile fern, der graue spitze Kirchturm aus dem höher belegenen, aber öden Küstenlande aufsteigt; denn dort liegt eine von den Stätten meiner Jugend.

Der Pastorssohn aus jenem Dorfe besuchte mit mir die »Gelehrtenschule« meiner Vaterstadt, und unzählige Male sind wir am Sonnabendnachmittage zusammen dahinaus gewandert, um dann am Sonntagabend oder Montags früh zu unserem Nepos oder später zu unserem Cicero nach der Stadt zurückzukehren. Es war damals auf der Mitte des Weges noch ein gut Stück ungebrochener Heide übrig, wie sie sich einst nach der einen Seite bis fast zur Stadt, nach der anderen ebenso gegen das Dorf erstreckt hatte. Hier summten auf den Blüten des duftenden Heidekrauts die Immen und weißgrauen Hummeln und rannte unter den dürren Stengeln desselben der schöne goldgrüne Laufkäfer; hier in den Duftwolken der Eriken und des harzigen Gagelstrauches schwebten Schmetterlinge, die nirgends sonst zu finden waren. Mein ungeduldig dem Elternhause zustrebender Freund hatte oft seine liebe Not, seinen träumerischen Genossen durch all die Herrlichkeiten mit sich fortzubringen; hatten wir jedoch das angebaute Feld erreicht, dann ging es auch um desto munterer vorwärts, und bald, wenn wir nur erst den langen Sandweg hinaufwateten, erblickten wir auch schon über dem dunklen Grün einer Fliederhecke den Giebel des Pastorhauses, aus dem das Studierzimmer des Hausherrn mit seinen kleinen blinden Fensterscheiben auf die bekannten Gäste hinabgrüßte.

Bei den Pastorsleuten, deren einziges Kind mein Freund war, hatten wir allezeit, wie wir hier zu sagen pflegen, fünf Quartier auf der Elle, ganz abgesehen von der wunderbaren Naturalverpflegung. Nur die Silberpappel, der einzig hohe und also auch einzig verlockende Baum des Dorfes, welche ihre Zweige ein gut Stück oberhalb des bemoosten Strohdaches rauschen ließ, war gleich dem Apfelbaum des Paradieses uns verboten und wurde daher nur heimlich von uns erklettert; sonst war, soviel ich mich entsinne, alles erlaubt und wurde je nach unserer Altersstufe bestens von uns ausgenutzt.

Der Hauptschauplatz unserer Taten war die große »Priesterkoppel«, zu der ein Pförtchen aus dem Garten führte. Hier wußten wir mit dem den Buben angeborenen Instinkte die Nester der Lerchen und der Grauammern aufzuspüren, denen wir dann die wiederholtesten Besuche abstatteten, um nachzusehen, wieweit in den letzten Stunden die Eier oder die Jungen nun gediehen seien; hier auf einer tiefen und, wie ich jetzt meine, nicht weniger als jene Pappel gefährlichen Wassergrube, deren Rand mit alten Weidenstümpfen dicht umstanden war, fingen wir die flinken schwarzen Käfer, die wir »Wasserfranzosen« nannten, oder ließen wir ein andermal unsere auf einer eigens angelegten Werft erbaute Kriegsflotte aus Walnußschalen und Schachteldeckeln schwimmen. Im Spätsommer geschah es dann auch wohl, daß wir aus unserer Koppel einen Raubzug nach des Küsters Garten machten, welcher gegenüber dem des Pastorates an der anderen Seite der Wassergrube lag; denn wir hatten dort von zwei verkrüppelten Apfelbäumen unseren Zehnten einzuheimsen, wofür uns freilich gelegentlich eine freundschaftliche Drohung von dem gutmütigen alten Manne zuteil wurde. – So viele Jugendfreuden wuchsen auf dieser Priesterkoppel, in deren dürrem Sandboden andere Blumen nicht gedeihen wollten; nur den scharfen Duft der goldknöpfigen Rainfarne, die hier haufenweis auf allen Wällen standen, spüre ich noch heute in der Erinnerung, wenn jene Zeiten mir lebendig werden.

Doch alles dieses beschäftigte uns nur vorübergehend; meine dauernde Teilnahme dagegen erregte ein anderes, dem wir selbst in der Stadt nichts an die Seite zu setzen hatten. – Ich meine damit nicht etwa die Röhrenbauten der Lehmwespen, die überall aus den Mauerfugen des Stalles hervorragten, obschon es anmutig genug war, in beschaulicher Mittagsstunde das Aus- und Einfliegen der emsigen Tierchen zu beobachten; ich meine den viel größeren Bau der alten und ungewöhnlich stattlichen Dorfkirche. Bis an das Schindeldach des hohen Turms war sie von Grund auf aus Granitquadern aufgebaut und beherrschte, auf dem höchsten Punkt des Dorfes sich erhebend, die weite Schau über Heide, Strand und Marschen. – Die meiste Anziehungskraft für mich hatte indes das Innere der Kirche; schon der ungeheure Schlüssel, der von dem Apostel Petrus selbst zu stammen schien, erregte meine Phantasie. Und in der Tat erschloß er auch, wenn wir ihn glücklich dem alten Küster abgewonnen hatten, die Pforte zu manchen wunderbaren Dingen, aus denen eine längst vergangene Zeit hier wie mit finsteren, dort mit kindlich frommen Augen, aber immer in geheimnisvollem Schweigen zu uns Lebenden aufblickte. Da hing mitten in die Kirche hinab ein schrecklich übermenschlicher Kruzifixus, dessen hagere Glieder und verzerrtes Antlitz mit Blut überrieselt waren; dem zur Seite an einem Mauerpfeiler haftete gleich einem Nest die braungeschnitzte Kanzel, an der aus Frucht- und Blattgewinden allerlei Tier- und Teufelsfratzen sich hervorzudrängen schienen. Besondere Anziehung aber übte der große geschnitzte Altarschrank im Chor der Kirche, auf dem in bemalten Figuren die Leidensgeschichte Christi dargestellt war; so seltsam wilde Gesichter, wie das des Kaiphas oder die der Kriegsknechte, welche in ihren goldenen Harnischen um des Gekreuzigten Mantel würfelten, bekam man draußen im Alltagsleben nicht zu sehen; tröstlich damit kontrastierte nur das holde Antlitz der am Kreuze hingesunkenen Maria; ja, sie hätte leicht mein Knabenherz mit einer phantastischen Neigung bestricken können, wenn nicht ein anderes mit noch stärkerem Reize des Geheimnisvollen mich immer wieder von ihr abgezogen hätte.

Unter all diesen seltsamen oder wohl gar unheimlichen Dingen hing im Schiff der Kirche das unschuldige Bildnis eines toten Kindes, eines schönen, etwa fünfjährigen Knaben, der, auf einem mit Spitzen besetzten Kissen ruhend, eine weiße Wasserlilie in seiner kleinen bleichen Hand hielt. Aus dem zarten Antlitz sprach neben dem Grauen des Todes, wie hilfeflehend, noch eine letzte holde Spur des Lebens; ein unwiderstehliches Mitleid befiel mich, wenn ich vor diesem Bilde stand.

Aber es hing nicht allein hier; dicht daneben schaute aus dunkelm Holzrahmen ein finsterer, schwarzbärtiger Mann in Priesterkragen und Sammar. Mein Freund sagte mir, es sei der Vater jenes schönen Knaben; dieser selbst, so gehe noch heute die Sage, solle einst in der Wassergrube unserer Priesterkoppel seinen Tod gefunden haben. Auf dem Rahmen lasen wir die Jahreszahl 1666; das war lange her. Immer wieder zog es mich zu diesen beiden Bildern; ein phantastisches Verlangen ergriff mich, von dem Leben und Sterben des Kindes eine nähere, wenn auch noch so karge Kunde zu erhalten; selbst aus dem düsteren Antlitz des Vaters, das trotz des Priesterkragens mich fast an die Kriegsknechte des Altarschranks gemahnen wollte, suchte ich sie herauszulesen.

– – Nach solchen Studien in dem Dämmerlicht der alten Kirche erschien dann das Haus der guten Pastorsleute nur um so gastlicher. Freilich war es gleichfalls hoch zu Jahren, und der Vater meines Freundes hoffte, solange ich denken konnte, auf einen Neubau; da aber die Küsterei an derselben Altersschwäche litt, so wurde weder hier noch dort gebaut. – Und doch, wie freundlich waren trotzdem die Räume des alten Hauses; im Winter die kleine Stube rechts, im Sommer die größere links vom Hausflur, wo die aus den Reformationsalmanachen herausgeschnittenen Bilder in Mahagonirähmchen an der weißgetünchten Wand hingen, wo man aus dem westlichen Fenster nur eine ferne Windmühle, außerdem aber den ganzen weiten Himmel vor sich hatte, der sich abends in rosenrotem Schein verklärte und das ganze Zimmer überglänzte! Die lieben Pastorsleute, die Lehnstühle mit den roten Plüschkissen, das alte tiefe Sofa, auf dem Tisch beim Abendbrot der traulich sausende Teekessel – es war alles helle, freundliche Gegenwart. Nur eines Abends – wir waren derzeit schon Sekundaner – kam mir der Gedanke, welch eine Vergangenheit an diesen Räumen hafte, ob nicht gar jener tote Knabe einst mit frischen Wangen hier leibhaftig umhergesprungen sei, dessen Bildnis jetzt wie mit einer wehmütig holden Sage den düsteren Kirchenraum erfüllte.

Veranlassung zu solcher Nachdenklichkeit mochte geben, daß ich am Nachmittage, wo wir auf meinen Antrieb wieder einmal die Kirche besucht hatten, unten in einer dunklen Ecke des Bildes vier mit roter Farbe geschriebene Buchstaben entdeckt hatte, die mir bis jetzt entgangen waren.

»Sie lauten C. P. A. S.«, sagte ich zu dem Vater meines Freundes; »aber wir können sie nicht enträtseln.«

»Nun«, erwiderte dieser, »die Inschrift ist mir wohlbekannt; und nimmt man das Gerücht zu Hilfe, so möchten die beiden letzten Buchstaben wohl mit *Aquis submersus,* also mit ›Ertrunken‹ oder wörtlich ›Im Wasser versunken‹ zu deuten sein; nur mit dem vorangehenden C. P. wäre man dann noch immer in Verlegenheit! Der junge Adjunktus unseres Küsters, der einmal die Quarta passiert ist, meint zwar, es könne *Casu Periculoso,* ›Durch gefährlichen Zufall‹ heißen; aber die alten Herren jener Zeit dachten logischer; wenn der Knabe dabei ertrank, so war der Zufall nicht bloß gefährlich.«

Ich hatte begierig zugehört. »*Casu*«, sagte ich; »es könnte auch wohl *Culpa* heißen?«

»*Culpa?*« wiederholte der Pastor. »Durch Schuld? – aber durch wessen Schuld!«

Da trat das finstere Bild des alten Predigers mir vor die Seele, und ohne viel Besinnen rief ich: »Warum nicht: *Culpa Patris?*«

Der gute Pastor war fast erschrocken. »Ei, ei, mein junger Freund«, sagte er und erhob warnend den Finger gegen mich. »Durch Schuld des Vaters? – So wollen wir trotz seines düsteren Ansehens meinen seligen Amtsbruder doch nicht beschuldigen. Auch würde er dergleichen wohl schwerlich von sich haben schreiben lassen.«

Dies letztere wollte auch meinem jugendlichen Verstande einleuchten; und so blieb denn der eigentliche Sinn der Inschrift nach wie vor ein Geheimnis der Vergangenheit.

Daß übrigens jene beiden Bilder sich auch in der Malerei wesentlich vor einigen alten Predigerbildnissen auszeichneten, welche gleich danebenhingen, war mir selbst schon klar geworden; daß aber Sachverständige in dem Maler einen tüchtigen Schüler altholländischer Meister erkennen wollten, erfuhr ich freilich jetzt erst durch den Vater meines Freundes. Wie jedoch ein solcher in dieses arme Dorf verschlagen worden, oder woher er gekommen und wie er geheißen habe, darüber wußte auch er mir nichts zu sagen. Die Bilder selbst enthielten weder einen Namen noch ein Malerzeichen.

Die Jahre gingen hin. Während wir die Universität besuchten, starb der gute Pastor, und die Mutter meines Schulgenossen folgte später ihrem Sohne auf dessen inzwischen anderswo erreichte Pfarrstelle; ich hatte keine Veranlassung mehr, nach jenem Dorfe zu wandern. – Da, als ich selbst schon in meiner Vaterstadt wohnhaft war, geschah es, daß ich für den Sohn eines Verwandten ein Schülerquartier bei guten Bürgersleuten zu besorgen hatte. Der eigenen Jugendzeit gedenkend, schlenderte ich im Nachmittagssonnenscheine durch die Straßen, als mir an der Ecke des Marktes über der Tür eines alten hochgegiebelten Hauses eine plattdeutsche Inschrift in die Augen fiel, die verhochdeutscht etwa lauten würde:

> Gleich so wie Rauch und Staub verschwindt,
> Also sind auch die Menschenkind.

Die Worte mochten für jugendliche Augen wohl nicht sichtbar sein; denn ich hatte sie nie bemerkt, so oft ich auch in meiner Schulzeit mir einen Heißewecken bei dem dort wohnenden Bäcker geholt hatte. Fast unwillkürlich trat ich in das Haus; und in der Tat, es fand sich hier ein Unterkommen für den jungen Vetter. Die Stube ihrer alten »Möddersch« (Mutterschwester) – so sagte mir der freundliche Meister –, von der sie Haus und Betrieb geerbt hätten, habe seit Jahren leer gestanden; schon lange hätten sie sich einen Gast dafür gewünscht.

Ich wurde eine Treppe hinaufgeführt, und wir betraten dann ein ziemlich niedriges, altertümlich ausgestattetes Zimmer, dessen beide Fenster mit ihren kleinen Scheiben auf den geräumigen Marktplatz hinausgingen. Früher, erzählte der Meister, seien zwei uralte Linden vor der Tür gewesen; aber er habe sie schlagen lassen, da sie allzusehr ins Haus gedunkelt und auch hier die schöne Aussicht ganz verdeckt hätten.

Über die Bedingungen wurden wir bald in allen Teilen einig; während wir dann aber noch über die jetzt zu treffende Einrichtung des Zimmers sprachen, war mein Blick auf ein im Schatten eines Schrankes hängendes Ölgemälde gefallen, das plötzlich meine ganze Aufmerksamkeit hinwegnahm. Es war noch wohlerhalten und stellte einen älteren, ernst und milde blickenden Mann dar, in einer dunkeln Tracht, wie in der Mitte des siebzehnten Jahrhunderts sie diejenigen aus den vornehmeren Ständen zu tragen pflegten, welche sich mehr mit Staatssachen oder gelehrten Dingen als mit dem Kriegshandwerke beschäftigten.

Der Kopf des alten Herrn, so schön und anziehend und so trefflich er immer gemalt sein mochte, hatte indessen nicht diese Erregung in mir hervorgebracht; aber der Maler hatte ihm einen blassen Knaben in den Arm gelegt, der in seiner kleinen schlaff herabhängenden Hand eine weiße Wasserlilie hielt – und diesen Knaben kannte ich ja längst. Auch hier war es wohl der Tod, der ihm die Augen zugedrückt hatte.

»Woher ist dieses Bild?« fragte ich endlich, da ich plötzlich inne wurde, daß der vor mir stehende Meister mit seiner Auseinandersetzung innegehalten hatte.

Er sah mich verwundert an. »Das alte Bild? Das ist von unserer Möddersch«, erwiderte er; »es stammt von ihrem Urgroßonkel, der ein Maler gewesen und vor mehr als hundert Jahren hier gewohnt hat. Es sind noch andere Siebensachen von ihm da.«

Bei diesen Worten zeigte er nach einer kleinen Lade von Eichenholz, auf welcher allerlei geometrische Figuren recht zierlich eingeschnitten waren.

Als ich sie von dem Schranke, auf dem sie stand, herunternahm, fiel der Deckel zurück, und es zeigten sich mir als Inhalt einige stark vergilbte Papierblätter mit sehr alten Schriftzügen.

»Darf ich die Blätter lesen?« fragte ich.

»Wenn's Ihnen Pläsier macht«, erwiderte der Meister, »so mögen Sie die ganze Sache mit nach Hause nehmen; es sind so alte Schriften; Wert steckt nicht darin.«

Ich aber erbat mir und erhielt auch die Erlaubnis, diese wertlosen Schriften hier an Ort und Stelle lesen zu dürfen; und während ich mich dem alten Bilde gegenüber in einen mächtigen Ohrenlehnstuhl setzte, verließ der Meister das Zimmer, zwar immer noch erstaunt, doch gleichwohl die freundliche Verheißung zurücklassend, daß seine Frau mich bald mit einer guten Tasse Kaffee regalieren werde. Ich aber las und hatte im Lesen bald alles um mich her vergessen.

So war ich denn wieder daheim in unserem Holstenlande; am Sonntage Kantate war es Anno 1661! – Mein Malgerät und sonstiges Gepäcke hatte ich in der Stadt zurückgelassen und wanderte nun fröhlich fürbaß, die Straße durch den maiengrünen Buchenwald, der von der See ins Land hinaufsteigt. Vor mir her flogen ab und zu ein paar Waldvöglein und letzeten ihren Durst an dem Wasser, so in den tiefen Radgeleisen stund; denn ein linder Regen war gefallen über Nacht und noch gar früh am Vormittage, so daß die Sonne den Waldesschatten noch nicht überstiegen hatte.

Der helle Drosselschlag, der von den Lichtungen zu mir scholl, fand seinen Widerhall in meinem Herzen. Durch die Bestellungen, so mein teurer Meister van der Helst im letzten Jahre meines Amsterdamer Aufenthalts mir zugewendet, war ich aller Sorge quitt geworden; einen guten Zehrpfennig und einen Wechsel auf Hamburg trug ich noch itzt in meiner Taschen; dazu war ich stattlich angetan: mein Haar fiel auf ein Mäntelchen mit feinem Grauwerk, und der Lütticher Degen fehlte nicht an meiner Hüfte.

Meine Gedanken aber eilten mir voraus; immer sah ich Herrn Gerhardus, meinen edlen großgünstigen Protektor, wie er von der Schwelle seines Zimmers mir die Hände würd' entgegenstrecken, mit seinem milden Gruße: »So segne Gott deinen Eingang, mein Johannes!«

Er hatte einst mit meinem lieben, ach, gar zu früh in die ewige Herrlichkeit genommenen Vater zu Jena die Rechte studieret und war auch nachmals den Künsten und Wissenschaften mit Fleiße obgelegen, so daß er dem Hochseligen Herzog Friedrich bei seinem edlen, wiewohl wegen der Kriegsläufte vergeblichen Bestreben um Errichtung einer Landesuniversität ein einsichtiger und eifriger Berater gewesen. Obschon ein adeliger Mann, war er meinem lieben Vater doch stets in Treuen zugetan blieben, hatte auch nach dessen seligem Hintritt sich meiner verwaisten Jugend mehr, als zu verhoffen, angenommen und nicht allein meine sparsamen Mittel aufgebessert, sondern auch durch seine fürnehme Bekanntschaft unter dem holländischen Adel es dahin gebracht, daß mein teurer Meister van der Helst mich zu seinem Schüler angenommen.

Meinte ich doch zu wissen, daß der verehrte Mann unversehrt auf seinem Herrenhofe sitze, wofür dem Allmächtigen nicht genug zu danken; denn derweilen ich in der Fremde mich der Kunst beflissen, waren daheim die Kriegsgreuel über das Land gekommen; so zwar, daß die Truppen, die gegen den kriegswütigen Schweden dem Könige zum Beistand hergezogen, fast ärger als die Feinde selbst gehauset, ja selbst der Diener Gottes mehrere in jämmerlichen Tod gebracht. Durch den plötzlichen Hintritt des schwedischen Carolus war nun zwar Friede; aber die grausamen Stapfen des Krieges lagen überall; manch Bauern- und Kätnerhaus, wo man mich als Knaben mit einem Trunke süßer Milch bewirtet, hatte ich auf meiner Morgenwanderung niedergeschenget am Wege liegen sehen und manches Feld in ödem Unkraut, darauf sonst um diese Zeit der Roggen seine grünen Spitzen trieb.

Aber solches beschwerete mich heut nicht allzusehr; ich hatte nur Verlangen, wie ich dem edeln Herrn durch meine Kunst beweisen möchte, daß er Gab und Kunst an keinen Unwürdigen verschwendet habe; dachte auch nicht an Strolche und verlaufen Gesindel, das vom Kriege her noch in den Wäldern Umtrieb halten sollte. Wohl aber tükkete mich ein anderes, und das war der Gedanke an den Junker Wulf. Er war mir nimmer hold gewesen, hatte wohl gar, was sein edler Vater an mir getan, als einen Diebstahl an ihm selber angesehen; und manches Mal, wenn ich, wie öfters nach meines lieben Vaters Tode, im Sommer die Vakanz auf dem Gute zubrachte, hatte er mir die schönen Tage vergället und versalzen. Ob er anitzt in seines Vaters Hause sei, war mir nicht kundgeworden, hatte nur vernommen, daß er noch vor dem Friedensschlusse bei Spiel und Becher mit den schwedischen Offiziers Verkehr gehalten, was mit rechter Holstentreue nicht zu reimen ist.

Indem ich dies bei mir erwog, war ich aus dem Buchenwalde in den Richtsteig durch das Tannenhölzchen geschritten, das schon dem Hofe nahe liegt. Wie liebliche Erinnerung umhauchte mich der Würzeduft des Harzes; aber bald trat ich aus dem Schatten in den vollen Sonnenschein hinaus; da lagen zu beiden Seiten die mit Haselbüschen eingehegten Wiesen, und nicht lange, so wanderte ich zwischen den zwo Reihen gewaltiger Eichbäume, die zum Herrensitz hinaufführten.

Ich weiß nicht, was für ein bang Gefühl mich plötzlich überkam, ohn' alle Ursach, wie ich derzeit dachte; denn es war eitel Sonnenschein umher, und vom Himmel herab klang ein gar herrlich und ermunternd

Lerchensingen. Und siehe, dort auf der Koppel, wo der Hofmann seinen Immenhof hat, stand ja auch noch der alte Holzbirnenbaum und flüsterte mit seinen jungen Blättern in der blauen Luft.

»Grüß' dich Gott!« sagte ich leis, gedachte dabei aber weniger des Baumes, als vielmehr des holden Gottesgeschöpfes, in dem, wie es sich nachmals fügen mußte, all Glück und Leid und auch all nagende Buße meines Lebens beschlossen sein sollte, für jetzt und alle Zeit. Das war des edlen Herrn Gerhardus Töchterlein, des Junkers Wulfen einzig Geschwister.

Item, es war bald nach meines lieben Vaters Tode, als ich zum erstenmal die ganze Vakanz hier verbrachte; sie war derzeit ein neunjährig Dirnlein, die ihre braunen Zöpfe lustig fliegen ließ; ich zählte um ein paar Jahre weiter. So trat ich eines Morgens aus dem Torhaus; der alte Hofmann Dieterich, der ober der Einfahrt wohnt und neben dem als einem getreuen Manne mir mein Schlafkämmerlein eingeräumt war, hatte mir einen Eschenbogen zugerichtet, mir auch die Bolzen von tüchtigem Blei dazu gegossen, und ich wollte nun auf die Raubvögel, deren genug bei dem Herrenhaus umherschrien; da kam sie vom Hofe auf mich zugesprungen.

»Weißt du, Johannes«, sagte sie; »ich zeig' dir ein Vogelnest; dort in dem hohlen Birnbaum; aber das sind Rotschwänzchen, die darfst du ja nicht schießen!«

Damit war sie schon wieder vorausgesprungen; doch eh sie noch dem Baum auf zwanzig Schritt nahgekommen, sah ich sie jählings stillstehen. »Der Buhz, der Buhz!« schrie sie und schüttelte wie entsetzt ihre beiden Händlein in der Luft.

Es war aber ein großer Waldkauz, der ober dem Loche des hohlen Baumes saß und hinabschauete, ob er ein ausfliegend Vögelein erhaschen möge. »Der Buhz, der Buhz!« schrie die Kleine wieder. »Schieß, Johannes, schieß!« – Der Kauz aber, den die Freßgier taub gemacht, saß noch immer und stierete in die Hohlung. Da spannte ich meinen Eschenbogen und schoß, daß das Raubtier zappelnd auf dem Boden lag; aus dem Baume aber schwang sich ein zwitschernd Vöglein in die Luft.

Seit der Zeit waren Katharina und ich zwei gute Gesellen miteinander; in Wald und Garten, wo das Mägdlein war, da war auch ich. Darob aber mußte mir gar bald ein Feind erstehen; das war der Kurt von der Risch, dessen Vater eine Stunde davon auf seinem reichen Hofe saß. In Begleitung seines gelahrten Hofmeisters, mit dem Herr Gerhardus gern der Unterhaltung pflog, kam er oftmals auf Besuch; und da er jünger war als Junker Wulf, so war er wohl auf mich und Katharinen angewiesen; insonders aber schien das braune Herrentöchterlein ihm zu gefallen. Doch war das schier umsonst; sie lachte nur über seine krumme Vogelnase, die ihm, wie bei fast allen des Geschlechtes, unter buschigem Haupthaar zwischen zwo merklich runden Augen saß. Ja, wenn sie seiner nur von fern gewahrte, so reckte sie wohl ihr Köpfchen vor und rief: »Johannes, der Buhz! der Buhz!« Dann versteckten wir uns hinter den Scheunen oder rannten wohl auch spornstreichs in den Wald hinein, der sich in einem Bogen um die Felder und danach wieder dicht an die Mauern des Gartens hinanzieht.

Darob, als der von der Risch des inne wurde, kam es oftmals zwischen uns zum Haarraufen, wobei jedoch, da er mehr hitzig denn stark war, der Vorteil meist in meinen Händen blieb.

Als ich, um von Herrn Gerhardus Urlaub zu nehmen, vor meiner Ausfahrt in die Fremde zum letztenmal, jedoch nur kurze Tage, hier verweilte, war Katharina schon fast wie eine Jungfrau; ihr braunes Haar lag itzt in einem goldenen Netz gefangen; in ihren Augen, wenn sie die Wimpern hob, war oft ein spielend Leuchten, das mich schier beklommen machte. Auch war ein alt gebrechlich Fräulein ihr zur Obhut beigegeben, so man im Hause nur »Bas' Ursel« nannte; sie ließ das Kind nicht aus den Augen und ging überall mit einer langen Trikotage neben ihr.

Als ich so eines Oktobernachmittags im Schatten der Gartenhecken mit beiden auf und ab wandelte, kam ein lang aufgeschossener Gesell, mit spitzenbesetztem Lederwams und Federhut ganz *à la mode* gekleidet, den Gang zu uns herauf; und siehe da, es war der Junker Kurt, mein alter Widersacher. Ich merkte alsogleich, daß er noch immer bei seiner schönen Nachbarin zu Hofe ging; auch daß insonders dem alten Fräulein solches zu gefallen schien. Das war ein »Herr Baron« auf alle Frag' und Antwort; dabei lachte sie höchst obligeant mit einer widrig feinen Stimme und hob die Nase unmäßig in die Luft; mich aber, wenn ich ja ein Wort dazwischengab, nannte sie stetig »Er« oder kurzweg auch »Johannes«, worauf der Junker dann seine runden Augen einkniff und an seinem Teile tat, als sähe er auf mich herab, obschon ich ihn um halben Kopfes Länge überragte.

Ich blickte auf Katharinen; die aber kümmerte sich nicht um mich, sondern ging sittig neben dem Junker, ihm manierlich Red' und Antwort gebend; den kleinen roten Mund aber verzog mitunter ein spöttisch stolzes Lächeln, so daß ich dachte: »Getröste dich, Johannes; der Herrensohn schnellt itzo deine Wage in die Luft!« Trotzig blieb ich zurück und ließ die anderen dreie vor mir gehen. Als aber diese in das Haus getreten waren und ich davor noch an Herrn Gerhardus' Blumenbeeten stand, darüber brütend, wie ich, gleich wie vormals, mit dem von der Risch ein tüchtig Haarraufen beginnen möchte, kam plötzlich Katharina wieder zurückgelaufen, riß neben mir eine Aster von den Beeten und flüsterte mir zu: »Johannes, weißt du was? Der Buhz sieht einem jungen Adler gleich; Bas' Ursel hat's gesagt!« Und fort war sie wieder, eh' ich mich's versah. Mir aber war auf einmal all Trotz und Zorn wie weggeblasen. Was kümmerte mich itzund noch der von der Risch! Ich lachte hell und fröhlich in den güldenen Tag hinaus; denn bei den übermütigen Worten war wieder jenes süße Augenspiel gewesen. Aber diesmal hatte es mir gerad ins Herz geleuchtet.

Bald danach ließ mich Herr Gerhardus auf sein Zimmer rufen; er zeigte mir auf einer Karte noch einmal, wie ich die weite Reise nach Amsterdam zu machen habe, übergab mir Briefe an seine Freunde dort und sprach dann lange mit mir, als meines lieben seligen Vaters Freund. Denn noch selbigen Abends hatte ich zur Stadt zu gehen, von wo ein Bürger mich auf seinem Wagen mit nach Hamburg nehmen wollte.

Als nun der Tag hinabging, nahm ich Abschied. Unten im Zimmer saß Katharina an einem Stickrahmen; ich mußte der griechischen Helena gedenken, wie ich sie jüngst in einem Kupferwerk gesehen; so schön erschien mir der junge Nacken, den das Mädchen eben über ihre Arbeit neigte. Aber sie war nicht allein; ihr gegenüber saß Bas' Ursel und las laut aus einem französischen Geschichtenbuche. Da ich nähertrat, hob sie die Nase nach mir zu: »Nun, Johannes«, sagte sie, »Er will mir wohl Ade sagen? So kann Er auch dem Fräulein gleich seine Reverenze machen!« – Da war schon Katharina von ihrer Arbeit aufgestanden; aber indem sie mir die Hand reichte, traten die Junker Wulf und Kurt mit großem Geräusch ins Zimmer; und sie sagte nur »Leb' wohl, Johannes!« Und so ging ich fort.

Im Torhaus drückte ich dem alten Dieterich die Hand, der Stab und Ranzen schon für mich bereithielt; dann wanderte ich zwischen den Eichbäumen auf die Waldstraße zu. Aber mir war dabei, als könne ich nicht recht fort, als hätt' ich einen Abschied noch zugute, und stand oft still und schauete hinter mich. Ich war auch nicht den Richtweg durch die Tannen, sondern, wie von selber, den viel weiteren auf der großen Fahrstraße hingewandert. Aber schon kam vor mir das Abendrot überm Wald herauf, und ich mußte eilen, wenn mich die Nacht nicht überfallen sollte. »Ade, Katharina, ade!« sagte ich leise und setzte rüstig meinen Wanderstab in Gang.

Da, an der Stelle, wo der Fußsteig in die Straße mündet – in stürmender Freude stund das Herz mir still –, plötzlich aus dem Tannendunkel war sie selber da; mit glühenden Wangen kam sie hergelaufen, sie sprang über den trockenen Weggraben, daß die Flut des seidenbraunen Haars dem güldenen Netz entstürzete; und so fing ich sie in meinen Armen auf. Mit glänzenden Augen, noch mit dem Odem ringend, schaute sie mich an. »Ich bin ihnen fortgelaufen!« stammelte sie endlich; und dann, ein Päckchen in meine Hand drückend, fügte sie leis hinzu: »Von mir, Johannes! Und du sollst es nicht verachten!« Auf einmal aber wurde ihr Gesichtchen trübe; der kleine schwellende Mund wollte noch was reden, aber da brach ein Tränenquell aus ihren Augen, und wehmütig ihr Köpfchen schüttelnd, riß sie sich hastig los. Ich sah ihr Kleid im finsteren Tannensteig verschwinden; dann in der Ferne hört' ich noch die Zweige rauschen, und dann stand ich allein. Es war so still, die Blätter konnte man fallen hören. Als ich das Päckchen auseinanderfaltete, da war's ihr güldener Patenpfennig, so sie mir oft gewiesen hatte; ein Zettlein lag dabei, das las ich nun beim Schein des Abendrotes. »Damit Du nicht in Not geratest«, stund darauf geschrieben. – Da streckt' ich meine Arme in die leere Luft: »Ade, Katharina, ade, ade!« – wohl hundertmal rief ich es in den stillen Wald hinein – und erst mit sinkender Nacht erreichte ich die Stadt.

– – Seitdem waren fast fünf Jahre dahingegangen. – Wie würd' ich heute alles wiederfinden?

Und schon stund ich am Torhaus und sah drunten im Hof die alten Linden, hinter deren lichtgrünem Laub die beiden Zackengiebel des Herrenhauses itzt verborgen lagen. Als ich aber durch den Torweg gehen wollte, jagten vom Hofe her zwei fahlgraue Bullenbeißer mit Stachelhalsbändern gar wild gegen mich heran; sie erhuben ein erschreckliches Geheul, und der eine sprang auf mich und fletschte seine weißen Zähne dicht vor meinem Antlitz. Solch einen Willkommen hatte ich noch niemalen hier empfangen. Da, zu meinem Glücke, rief aus den Kammern ober dem Tore eine rauhe, aber mir gar traute Stimme: »Hallo« rief sie; »Tartar, Türk!« Die Hunde ließen von mir ab, ich hörte es die Stiege herabkommen, und aus der Tür, so unter dem Torgang war, trat der alte Dieterich.

Als ich ihn anschaute, sahe ich wohl, daß ich lang' in der Fremde gewesen sei; denn sein Haar war schlohweiß geworden, und seine sonst so lustigen Augen blickten gar matt und betrübsam auf mich hin. »Herr Johannes!« sagte er endlich und reichte mir seine beiden Hände.

»Grüß' Ihn Gott, Dieterich!« entgegnete ich. »Aber seit wann haltet Ihr solche Bluthunde auf dem Hof, die die Gäste anfallen gleich den Wölfen?«

»Ja, Herr Johannes«, sagte der Alte, »die hat der Junker hergebracht.«

»Ist denn der daheim?«

Der Alte nickte.

»Nun«, sagte ich, »die Hunde mögen schon vonnöten sein; vom Krieg her ist noch viel verlaufen Volk zurückgeblieben.«

»Ach, Herr Johannes!« und der alte Mann stund immer noch, als wolle er mich nicht zum Hof hinauflassen. »Ihr seid in schlimmer Zeit gekommen!«

Ich sah ihn an, sagte aber nur: »Freilich, Dieterich; aus mancher Fensterhöhlung schaut statt des Bauern itzt der Wolf heraus; hab' dergleichen auch gesehen; aber es ist ja Frieden worden, und der gute Herr im Schloß wird helfen, seine Hand ist offen.«

Mit diesen Worten wollte ich, obschon die Hunde mich wieder anknurreten, auf den Hof hinausgehen; aber der Greis trat mir in den Weg. »Herr Johannes«, rief er, »ehe Ihr weitergehet, höret mich an! Euer Brieflein ist zwar richtig mit der Königlichen Post von Hamburg kommen; aber den rechten Leser hat es nicht mehr finden können.«

»Dieterich!« schrie ich »Dieterich!«

»– Ja, ja, Herr Johannes! Hier ist die gute Zeit vorbei; denn unser teurer Herr Gerhardus liegt aufgebahret dort in der Kapellen, und die Gueridons brennen an seinem Sarge. Es wird nun anders werden auf dem Hofe; aber – ich bin ein höriger Mann, mir ziemet Schweigen.«

Ich wollte fragen: »Ist das Fräulein, ist Katharina noch im Hause?« Aber das Wort wollte nicht über meine Zunge.

Drüben, in einem hinteren Seitenbau des Herrenhauses, war eine kleine Kapelle, die aber, wie ich wußte, seit lange nicht benutzt war. Dort also sollte ich Herrn Gerhard suchen.

Ich fragte den alten Hofmann: »Ist die Kapelle offen?« und als er es bejahete, bat ich ihn, die Hunde anzuhalten; dann ging ich über den Hof, wo niemand mir begegnete; nur einer Grasmücke Singen kam oben aus den Lindenwipfeln.

Die Tür zur Kapellen war nur angelehnt, und leis und gar beklommen trat ich ein. Da stund der offene Sarg, und die rote Flamme der Kerzen warf ihr flackernd Licht auf das edle Antlitz des geliebten Herrn; die Fremdheit des Todes, so daraufliag, sagte mir, daß er itzt eines anderen Lands Genosse sei. Indem ich aber neben dem Leichnam zum Gebete hinknien wollte, erhob sich über den Rand des Sarges mir gegenüber ein junges, blasses Antlitz, das aus schwarzen Schleiern fast erschrocken auf mich schaute.

Aber nur, wie ein Hauch verweht, so blickten die braunen Augen herzlich zu mir auf, und es war fast wie ein Freudenruf: »O Johannes, seid Ihr's denn? Ach, Ihr seid zu spät gekommen!« Und über dem Sarge hatten unsere Hände sich zum Gruß gefaßt; denn es war Katharina, und sie war so schön geworden, daß hier im Angesicht des Todes ein heißer Puls des Lebens mich durchfuhr. Zwar das spielende Licht der Augen lag itzt zurückgeschrecket in der Tiefe; aber aus dem schwarzen Häubchen drängten sich die braunen Löcklein, und der schwellende Mund war um so röter in dem blassen Antlitz.

Und fast verwirrt auf den Toten schauend, sprach ich: »Wohl kam ich in der Hoffnung, an seinem lebenden Bilde ihm mit meiner Kunst zu danken, ihm manche Stunde genüber zu sitzen und sein mild und lehrreich Wort zu hören. Laßt mich denn nun die bald vergehenden Züge festzuhalten suchen.«

Und als sie unter Tränen, die über ihre Wangen strömten, stumm zu mir hinübernickte, setzte ich mich in ein Gestühlte und begann auf einem von den Blättchen, die ich bei mir führte, des Toten Antlitz nachzubilden. Aber meine Hand zitterte; ich weiß nicht, ob alleine vor der Majestät des Todes.

Währenddem vernahm ich draußen vom Hofe her eine Stimme, die ich für die des Junker Wulf erkannte; gleich danach schrie ein Hund wie nach einem Fußtritt oder Peitschenhiebe; und dann ein Lachen und einen Fluch von einer anderen Stimme, die mir gleicherweise bekannt deuchte.

Als ich auf Katharinen blickte, sah ich sie mit schier entsetzten Augen nach dem Fenster starren; aber die Stimmen und die Schritte gingen vorüber. Da erhub sie sich, kam an meine Seite und sahe zu, wie des Vaters Antlitz unter meinem Stift entstund. Nicht lange, so kam draußen ein einzelner Schritt zurück; in demselben Augenblick legte Katharina die Hand auf meine Schulter, und ich fühlte, wie ihr junger Körper bebte.

Sogleich auch wurde die Kapellentür aufgerissen; und ich erkannte den Junker Wulf, obschon sein sonsten bleiches Angesicht itzt rot und aufgedunsen schien.

»Was huckst du allfort an dem Sarge!« rief er zu der Schwester. »Der Junker von der Risch ist dagewesen, uns seine Kondolenze zu bezeigen; du hättest ihm wohl den Trunk kredenzen mögen!«

Zugleich hatte er meiner wahrgenommen und bohrte mich mit seinen kleinen Augen an. – »Wulf«, sagte Katharina, indem sie mit mir zu ihm trat; »es ist Johannes, Wulf.«

Der Junker fand nicht vonnöten, mir die Hand zu reichen; er musterte nur mein violenfarben Wams und meinte: »Du trägst da einen bunten Federbalg; man wird dich ›Sieur‹ nun titulieren müssen!«

»Nennt mich, wie's Euch gefällt!« sagte ich, indem wir auf den Hof hinaustraten. »Obschon mir dorten, von wo ich komme, das ›Herr‹ vor meinem Namen nicht gefehlet – Ihr wißt wohl, Eueres Vaters Sohn hat großes Recht an mir.«

Er sah mich was verwundert an, sagte dann aber nur: »Nun wohl, so magst du zeigen, was du für meines Vaters Gold erlernet hast; und soll dazu der Lohn für deine Arbeit dir nicht verhalten sein.«

Ich meinete, was den Lohn anginge, den hätte ich längst vorausbekommen; da aber der Junker entgegnete, er werd' es halten, wie sich's für einen Edelmann gezieme, so fragte ich, was für Arbeit er mir aufzutragen hätte.

»Du weißt doch«, sagte er und hielt dann inne, indem er scharf auf seine Schwester blickte – »wenn eine adelige Tochter das Haus verläßt, so muß ihr Bild darin zurückbleiben.«

Ich fühlte, daß bei diesen Worten Katharina, die an meiner Seite ging, gleich einer Taumelnden nach meinem Mantel haschte; aber ich entgegnete ruhig: »Der Brauch ist mir bekannt; doch wie meinet Ihr denn, Junker Wulf?«

»Ich meine«, sagte er hart, als ob er einen Gegenspruch erwarte, »daß du das Bildnis der Tochter dieses Hauses malen sollst!«

Mich durchfuhr's fast wie ein Schrecken; weiß nicht, ob mehr über den Ton oder die Deutung dieser Worte; dachte auch, zu solchem Beginnen sei itzt kaum die rechte Zeit.

Da Katharina schwieg, aus ihren Augen aber ein flehender Blick mir zuflog, so antwortete ich: »Wenn Eure edle Schwester es mir vergönnen will, so hoffe ich Eueres Vaters Protektion und meines Meisters Lehre keine Schande anzutun. Räumet mir nur wieder mein Kämmerlein ober dem Torweg bei dem alten Dieterich, so soll geschehen, was Ihr wünschet.«

Der Junker war das zufrieden und sagte auch seiner Schwester, sie möge einen Imbiß für mich richten lassen.

Ich wollte über den Beginn meiner Arbeit noch eine Frage tun; aber ich verstummte wieder, denn über den empfangenen Auftrag war plötzlich eine Entzückung in mir aufgestiegen, daß ich fürchtete, sie könne mit jedem Wort hervorbrechen. So war ich auch der zwo grimmen Köter nicht gewahr worden, die dort am Brunnen sich auf den heißen Steinen sonnten. Da wir aber näherkamen, sprangen sie auf und fuhren mit offenem Rachen gegen mich, daß Katharina einen Schrei tat, der Junker aber einen schrillen Pfiff, worauf sie heulend ihm zu Füßen krochen. »Beim Höllenelemente«, rief er lachend, »zwo tolle Kerle; gilt ihnen gleich, ein Sauschwanz oder flandrisch Tuch!«

»Nun, Junker Wulf« – ich konnte der Rede mich nicht wohl enthalten –, »soll ich noch einmal Gast in Eueres Vaters Hause sein, so möget Ihr Euere Tiere bessere Sitten lehren!«

Er blitzte mich mit seinen kleinen Augen an und riß sich ein paarmal in seinen Zwickelbart. »Das ist nur so ihr Willkommsgruß, Sieur
Johannes«, sagte er dann, indem er sich bückte, um die Bestien zu strei-
cheln. »Damit jedweder wisse, daß ein ander Regiment allhier begonnen; denn – wer mir in die Quere kommt, den hetz' ich in des Teufels
Rachen!«

Bei den letzten Worten, die er heftig ausgestoßen, hatte er sich hoch
aufgerichtet; dann pfiff er seinen Hunden und schritt über den Hof
dem Tore zu.

Ein Weilchen schaute ich hinterdrein; dann folgte ich Katharinen,
die unter dem Lindenschatten stumm und gesenkten Hauptes die Freitreppe zu dem Herrenhaus emporstieg; ebenso schweigend gingen wir
mitsammen die breiten Stufen in das Oberhaus hinauf, allwo wir in
des seligen Herrn Gerhardus Zimmer traten. – Hier war noch alles,
wie ich es vordem gesehen; die goldgeblümten Ledertapeten, die Karten an der Wand, die sauberen Pergamentbände auf den Regalen, über
dem Arbeitstische der schöne Waldgrund von dem älteren Ruisdael –
und dann davor der leere Sessel. Meine Blicke blieben daran haften;
gleichwie drunten in der Kapellen der Leib des Entschlafenen, so
schien auch dies Gemach mir itzt entseelet und, obschon vom Walde
draußen der junge Lenz durchs Fenster leuchtete, doch gleichsam von
der Stille des Todes wie erfüllet.

Ich hatte auf Katharinen in diesem Augenblicke fast vergessen. Da
ich mich umwandte, stand sie schier reglos mitten in dem Zimmer, und
ich sah, wie unter den kleinen Händen, die sie daraufgepreßt hielt, ihre Brust in ungestümer Arbeit ging. »Nicht wahr«, sagte sie leise, »hier
ist itzt niemand mehr; niemand als mein Bruder und seine grimmen
Hunde?«

»Katharina!« rief ich; »was ist Euch? Was ist das hier in Eueres Vaters Haus?«

»Was es ist, Johannes?« Und fast wild ergriff sie meine beiden Hände; und ihre jungen Augen sprühten wie in Zorn und Schmerz. »Nein,
nein; laß erst den Vater in seiner Gruft zur Ruhe kommen! Aber dann
– du sollst mein Bild ja machen, du wirst eine Zeitlang hier verweilen
– dann, Johannes, hilf mir; um des Toten willen, hilf mir!«

Auf solche Worte, von Mitleid und von Liebe ganz bezwungen, fiel ich vor der Schönen, Süßen nieder und schwur ihr mich und alle meine Kräfte zu. Da lösete sich ein sanfter Tränenquell aus ihren Augen, und wir saßen nebeneinander und sprachen lange zu des Entschlafenen Gedächtnis.

Als wir sodann wieder in das Unterhaus hinabgingen, fragte ich auch dem alten Fräulein nach.

»O«, sagte Katharina, »Bas' Ursel! Wollt Ihr sie begrüßen? Ja, die ist auch noch da; sie hat hier unten ihr Gemach, denn die Treppen sind ihr schon längsthin zu beschwerlich.«

Wir traten also in ein Stübchen, das gegen den Garten lag, wo auf den Beeten vor den grünen Heckenwänden soeben die Tulpen aus der Erde brachen. Bas' Ursel saß, in der schwarzen Tracht und Krepphaube nur wie ein schwindend Häufchen anzuschauen, in einem hohen Sessel und hatte ein Nonnenspielchen vor sich, das, wie sie nachmals mir erzählte, der Herr Baron – nach seines Vaters Ableben war er solches itzund wirklich – ihr aus Lübeck zur Verehrung mitgebracht.

»So«, sagte sie, da Katharina mich genannt hatte, indes sie behutsam die helfenbeinern Pflöcklein umeinandersteckte, »ist Er wieder da, Johannes? – Nein, es geht nicht aus! *Oh, c'est un jeu très compliqué!*«

Dann warf sie die Pflöcklein übereinander und schauete mich an. »Ei«, meinte sie, »Er ist gar stattlich angetan; aber weiß Er denn nicht, daß Er in ein Trauerhaus getreten ist?«

»Ich weiß es, Fräulein«, entgegnete ich; »aber da ich in das Tor trat, wußte ich es nicht.«

»Nun«, sagte sie und nickte gar begütigend; »so eigentlich gehöret Er ja auch nicht zur Dienerschaft.«

Über Katharinens blasses Antlitz flog ein Lächeln, wodurch ich mich jeder Antwort wohl enthoben halten mochte. Vielmehr rühmte ich der alten Dame die Anmut ihres Wohngemaches; denn auch der Efeu des Türmchens, das draußen an der Mauer aufstieg, hatte sich nach dem Fenster hingesponnen und wiegete seine grünen Ranken vor den Scheiben.

Aber Bas' Ursel meinte, ja, wenn nur nicht die Nachtigallen wären, die itzt schon wieder anhüben mit ihrer Nachtunruhe; sie könne ohnedem den Schlaf nicht finden; und dann auch sei es schier zu abgelegen; das Gesinde sei von hier aus nicht im Aug' zu halten; im Garten draußen aber passiere eben nichts, als etwan, wann der Gärtnerbursche an den Hecken oder Buchsrabatten putze. –

– Und damit hatte der Besuch seine Endschaft; denn Katharina mahnte, es sei nachgerade an der Zeit, meinen wegemüden Leib zu stärken.

Ich war nun in meinem Kämmerchen ober dem Hoftor einlogieret, dem alten Dieterich zur sondern Freude; denn am Feierabend saßen wir auf seiner Tragkist', und ließ ich mir, gleichwie in der Knabenzeit, von ihm erzählen. Er rauchte dann wohl eine Pfeife Tabak, welche Sitte durch das Kriegsvolk auch hier in Gang gekommen war, und holete allerlei Geschichten aus den Drangsalen, so sie durch die fremden Truppen auf dem Hof und unten in dem Dorf hatten erleiden müssen; einmal aber, da ich seine Rede auf das gute Frölen Katharina gebracht und er erst nicht hatt' ein Ende finden können, brach er gleichwohl plötzlich ab und schauete mich an.

»Wisset Ihr, Herr Johannes«, sagte er, »'s ist grausam schad', daß Ihr nicht auch ein Wappen habet gleich dem von der Risch da drüben!«

Und da solche Rede mir das Blut ins Gesicht jagete, klopfte er mit seiner harten Hand mir auf die Schulter, meinend: »Nun, nun, Herr Johannes; 's war ein dummes Wort von mir; wir müssen freilich bleiben, wo uns der Herrgott hingesetzet.«

Weiß nicht, ob ich derzeit mit solchem einverstanden gewesen, fragete aber nur, was der von der Risch denn itzund für ein Mann geworden.

Der Alte sah mich gar pfiffig an und paffte aus seinem kurzen Pfeiflein, als ob das teure Kraut am Feldrain wüchse. »Wollet Ihr's wissen, Herr Johannes?« begann er dann. »Er gehöret zu denen munteren Junkern, die im Kieler Umschlag den Bürgersleuten die Knöpfe von den Häusern schießen; ihr möget glauben, er hat treffliche Pistolen! Auf der Geigen weiß er nicht so gut zu spielen; da er aber ein lustig Stücklein liebt, so hat er letzthin den Ratsmusikanten, der überm Holstentore wohnt, um Mitternacht mit seinem Degen aufgeklopft, ihm auch nicht Zeit gelassen, sich Wams und Hosen anzutun. Statt der Sonnen stand aber der Mond am Himmel, es war *octavis trium regum* und fror Pickelsteine; und hat also der Musikante, den Junker mit dem Degen hinter sich, im blanken Hemde vor ihm durch die Gassen geigen müssen! – – Wollet Ihr mehr noch wissen, Herr Johannes?

– Zu Haus bei ihm freuen sich die Bauern, wenn der Herrgott sie nicht mit Töchtern gesegnet; und dennoch – – aber nach seines Vaters Tode hat er Geld, und unser Junker, Ihr wisset's wohl, hat schon vorher von seinem Erbe aufgezehrt.«

Ich wußte freilich nun genug; auch hatte der alte Dieterich schon mit seinem Spruche: »Aber ich bin nur ein höriger Mann«, seiner Rede Schluß gemacht.

– – Mit meinem Malgerät war auch meine Kleidung aus der Stadt gekommen, wo ich im »Goldenen Löwen« alles abgelegt, so daß ich anitzt, wie es sich ziemete, in dunkler Tracht einherging. Die Tagesstunden aber wandte ich zunächst in meinen Nutzen. Nämlich, es befand sich oben im Herrenhause neben des seligen Herrn Gemach ein Saal, räumlich und hoch, dessen Wände fast völlig von lebensgroßen Bildern verhänget waren, so daß nur noch neben dem Kamin ein Platz zu zweien offen stund. Es waren das die Voreltern des Herrn Gerhardus, meist ernst und sicher blickende Männer und Frauen, mit einem Antlitz, dem man wohl vertrauen konnte; er selbsten in kräftigem Mannesalter und Katharinens frühverstorbene Mutter machten dann den Schluß. Die beiden letzten Bilder waren gar trefflich von unserem Landsmanne, dem Eiderstedter Georg Ovens, in seiner kräftigen Art gemalet; und ich suchte nun mit meinem Pinsel die Züge meines edeln Beschützers nachzuschaffen; zwar in verjüngtem Maßstabe und nur mir selber zum Genügen; doch hat es später zu einem größeren Bildnis mir gedienet, das noch itzt hier in meiner einsamen Kammer die teuerste Gesellschaft meines Alters ist. Das Bildnis seiner Tochter aber lebt mit mir in meinem Inneren.

Oft, wenn ich die Palette hingelegt, stand ich noch lange vor den schönen Bildern. Katharinens Antlitz fand ich in dem der beiden Eltern wieder: des Vaters Stirn, der Mutter Liebreiz um die Lippen; wo aber war hier der harte Mundwinkel, das kleine Auge des Junker Wulf? – Das mußte tiefer aus der Vergangenheit heraufgekommen sein! Langsam ging ich die Reih' der älteren Bildnisse entlang, bis über hundert Jahre weiter hinab. Und siehe, da hing im schwarzen, von den Würmern schon zerfressenen Holzrahmen ein Bild, vor dem ich schon als Knabe, als ob's mich hielte, stillgestanden war. Es stellte eine Edelfrau von etwa vierzig Jahren vor; die kleinen grauen Augen sahen kalt und stechend aus dem harten Antlitz, das nur zur Hälfte zwischen dem weißen Kinntuch und der Schleierhaube sichtbar wurde. Ein leiser Schauer überfuhr mich vor der so lang' schon heimgegangenen Seele; und ich sprach zu mir: »Hier, diese ist's! Wie rätselhafte Wege gehet die Natur! Ein Säkulum und drüber rinnt es heimlich wie unter einer Decke im Blute der Geschlechter fort; dann, längst vergessen, taucht es plötzlich wieder auf, den Lebenden zum Unheil. Nicht vor dem Sohn des edlen Gerhardus; vor dieser hier und ihres Blutes nachgeborenem Sprößling soll ich Katharinen schützen.« Und wieder trat ich vor die beiden jüngsten Bilder, an denen mein Gemüte sich erquickte.

So weilte ich derzeit in dem stillen Saale, wo um mich nur die Sonnenstäublein spielten, unter den Schatten der Gewesenen.

Katharinen sah ich nur beim Mittagstische, das alte Fräulein und den Junker Wulf zur Seiten; aber wofern Bas' Ursel nicht in ihren hohen Tönen redete, so war es stets ein stumm und betrübsam Mahl, so daß mir oft der Bissen im Munde quoll. Nicht die Trauer um den Abgeschiedenen war des Ursach, sondern es lag zwischen Bruder und Schwester, als sei das Tischtuch durchgeschnitten zwischen ihnen. Katharina, nachdem sie fast die Speisen nicht berührt hatte, entfernte sich allzeit bald, mich kaum nur mit den Augen grüßend; der Junker aber, wenn ihm die Laune stund, suchte mich dann beim Trunke festzuhalten; hatte mich also hiegegen und, so ich nicht hinaus wollte über mein gestecktes Maß, überdem wider allerart Floskuln zu wehren, welche gegen mich gespitzet wurden.

Inzwischen, nachdem der Sarg schon mehrere Tage geschlossen gewesen, geschahe die Beisetzung des Herrn Gerhardus drunten in der Kirche des Dorfes, allwo das Erbbegräbnis ist und wo itzt seine Gebeine bei denen seiner Voreltern ruhen, mit denen der Höchste ihnen dereinst eine fröhliche Urständ wolle bescheren!

Es waren aber zu solcher Trauerfestlichkeit zwar mancherlei Leute aus der Stadt und den umliegenden Gütern gekommen, von Angehörigen aber fast wenige und auch diese nur entfernte, maßen der Junker Wulf der Letzte seines Stammes war und des Herrn Gerhardus

Ehgemahl nicht hiesigen Geschlechts gewesen; darum es auch geschahe, daß in der Kürze alle wieder abgezogen sind.

Der Junker drängte nun selbst, daß ich mein aufgetragen Werk begönne, wozu ich droben in dem Bildersaale an einem nach Norden zu belegenen Fenster mir schon den Platz erwählet hatte. Zwar kam Bas' Ursel, die wegen ihrer Gicht die Treppen nicht hinauf konnte, und meinete, es möge am besten in ihrer Stuben oder im Gemach daran geschehen, so sei es uns beiderseits zur Unterhaltung; ich aber, solcher Gevatterschaft gar gern entratend, hatte an der dortigen Westsonne einen rechten Malergrund dagegen, und konnte alles Reden ihr nicht nützen. Vielmehr war ich am anderen Morgen schon dabei, die Nebenfenster des Saales zu verhängen, und die hohe Staffelei zu stellen, so ich mit Hilfe Dieterichs mir selber in den letzten Tagen angefertigt.

Als ich eben den Blendrahmen mit der Leinewand daraufgelegt, öffnete sich die Tür aus Herrn Gerhardus' Zimmer, und Katharina trat herein. – Aus was für Ursach, wäre schwer zu sagen; aber ich empfand, daß wir uns diesmal fast erschrocken gegenüberstanden; aus der schwarzen Kleidung, die sie nicht abgelegt, schaute das junge Antlitz in gar süßer Verwirrung zu mir auf.

»Katharina«, sagte ich, »Ihr wisset, ich soll Euer Bildnis malen; duldet Ihr's auch gern?«

Da zog ein Schleier über ihre braunen Augensterne, und sie sagte leise: »Warum doch fragt Ihr so, Johannes?«

Wie ein Tau des Glückes sank es in mein Herz. »Nein, nein, Katharina! Aber sagt, was ist, worin kann ich Euch dienen? – Setzet Euch, damit wir nicht so müßig überrascht werden, und dann sprecht! Oder vielmehr, ich weiß es schon. Ihr braucht mir's nicht zu sagen!«

Aber sie setzte sich nicht, sie trat zu mir heran. »Denket Ihr noch, Johannes, wie Ihr einst den Buhz mit Euerem Bogen niederschosset? Das tut diesmal nicht not, obschon er wieder ob dem Neste lauert; denn ich bin kein Vöglein, das sich von ihm zerreißen läßt. Aber, Johannes – ich habe einen Blutsfreund – hilf mir wider den!«

»Ihr meinet Eueren Bruder, Katharina!«

– »Ich habe keinen anderen. – – Dem Manne, den ich hasse, will er mich zum Weibe geben! Während unseres Vaters langem Siechbett habe ich den schändlichen Kampf mit ihm gestritten, und erst an seinem

Sarg hab' ich's ihm abgetrotzt, daß ich in Ruhe um den Vater trauern mag; aber ich weiß, auch das wird er nicht halten.«

Ich gedachte eines Stiftsfräuleins zu Preetz, Herrn Gerhardus' einzigen Geschwisters, und meinete, ob die nicht um Schutz und Zuflucht anzugehen sei.

Katharina nickte. »Wollt Ihr mein Bote sein, Johannes? – Geschrieben habe ich ihr schon, aber in Wulfs Hände kam die Antwort, und auch erfahren habe ich sie nicht, nur die ausbrechende Wut meines Bruders, die selbst das Ohr des Sterbenden erfüllet hätte, wenn es noch offen gewesen wäre für den Schall der Welt; aber der gnädige Gott hatte das geliebte Haupt schon mit dem letzten Erdenschlummer zugedecket.«

Katharina hatte sich nun doch auf meine Bitte mir gegenübergesetzet, und ich begann die Umrisse auf die Leinewand zu zeichnen. So kamen wir zu ruhiger Beratung; und da ich, wenn die Arbeit weiter vorgeschritten, nach Hamburg mußte, um bei dem Holzschnitzer einen Rahmen zu bestellen, so stelleten wir fest, daß ich alsdann den Umweg über Preetz nähme und also meine Botschaft ausrichtete. Zunächst jedoch sei emsig an dem Werk zu fördern.

Es ist gar oft ein seltsam Widerspiel im Menschenherzen. Der Junker mußte es schon wissen, daß ich zu seiner Schwester stand; gleichwohl – hieß nun sein Stolz ihn, mich geringzuschätzen, oder glaubte er mit seiner ersten Drohung mich genug geschrecket –, was ich besorget, traf nicht ein; Katharina und ich waren am ersten wie an den anderen Tagen von ihm ungestöret. Einmal zwar trat er ein und schalt mit Katharinen wegen ihrer Trauerkleidung, warf aber dann die Tür hinter sich, und wir hörten ihn bald auf dem Hofe ein Reiterstücklein pfeifen. Ein andermal noch hatte er den von der Risch an seiner Seite. Da Katharina eine heftige Bewegung machte, bat ich sie, auf ihrem Platz zu bleiben, und malete ruhig weiter. Seit dem Begräbnistage, wo ich einen fremden Gruß mit ihm getauscht, hatte der Junker Kurt sich auf dem Hofe nicht gezeigt; nun trat er näher und beschauete das Bild und redete gar schöne Worte, meinete aber auch, weshalb das Fräulein sich so sehr vermummet und nicht vielmehr ihr seidig Haar in feinen Locken auf den Nacken habe wallen lassen; wie es ein engelländischer

Poet so trefflich ausgedrücket, »rückwärts den Winden leichte Küsse
werfend?« Katharina aber, die bisher geschwiegen, wies auf Herrn
Gerhardus' Bild und sagte: »Ihr wisset wohl nicht mehr, daß das mein
Vater war!«

Was Junker Kurt hierauf entgegnete, ist mir nicht mehr erinnerlich;
meine Person aber schien ihm ganz nicht gegenwärtig oder doch nur
gleich einer Maschine, wodurch ein Bild sich auf die Leinewand malete. Von letzterem begann er über meinen Kopf hin dies und jenes
noch zu reden; da aber Katharina nicht mehr Antwort gab, so nahm
er alsbald seinen Urlaub, der Dame angenehme Kurzweil wünschend.

Bei diesem Wort jedennoch sah ich aus seinen Augen einen raschen
Blick gleich einer Messerspitzen nach mir zücken.

– – Wir hatten nun weitere Störnis nicht zu leiden, und mit der Jahreszeit rückte auch die Arbeit vor. Schon stund auf den Waldkoppeln
draußen der Roggen in silbergrauem Blust, und unten im Garten brachen schon die Rosen auf; wir beide aber – ich mag es heut wohl niederschreiben –, wir hätten itzund die Zeit gern stillestehen lassen; an
meine Botenreise wagten, auch nur mit einem Wörtlein, weder sie noch
ich zu rühren. Was wir gesprochen, wüßte ich kaum zu sagen; nur daß
ich von meinem Leben in der Fremde ihr erzählte und wie ich immer
heimgedacht; auch daß ihr güldener Pfennig mich in Krankheit einst
vor Not bewahrt, wie sie in ihrem Kinderherzen es damals fürgesorget, und wie ich später dann gestrebt und mich geängstet, bis ich das
Kleinod aus dem Leihhaus mir zurückgewonnen hatte. Dann lächelte
sie glücklich; und dabei blühete aus dem dunkeln Grund des Bildes
immer süßer das holde Antlitz auf; mir schien's, als sei es kaum mein
eigenes Werk. – Mitunter war's, als schaue mich etwas heiß aus ihren
Augen an; doch wollte ich es dann fassen, so floh es scheu zurück; und
dennoch floß es durch den Pinsel heimlich auf die Leinewand, so daß
mir selber kaum bewußt ein sinnberückend Bild entstand, wie nie zuvor und nie nachher ein solches aus meiner Hand gegangen ist. – – Und
endlich war's doch an der Zeit und festgesetzet, am anderen Morgen
sollte ich meine Reise antreten.

Als Katharina mir den Brief an ihre Base eingehändigt, saß sie noch
einmal mir gegenüber. Es wurde heute mit Worten nicht gespielet; wir
sprachen ernst und sorgenvoll mitsammen; indessen setzete ich noch

hie und da den Pinsel an, mitunter meine Blicke auf die schweigende Gesellschaft an den Wänden werfend, deren ich in Katharinens Gegenwart sonst kaum gedacht hatte.

Da, unter dem Malen, fiel mein Auge auch auf jenes alte Frauenbildnis, das mir zur Seite hing und aus den weißen Schleiertüchern die stechend grauen Augen auf mich gerichtet hielt. Mich fröstelte, ich hätte nahezu den Stuhl verrücket.

Aber Katharinens süße Stimme drang mir in das Ohr: »Ihr seid ja fast erbleichet; was flog Euch übers Herz, Johannes?«

Ich zeigte mit dem Pinsel auf das Bild. »Kennet Ihr die, Katharina? Diese Augen haben hier all die Tage auf uns hingesehen.«

»Die da? – Vor der hab' ich schon als Kind eine Furcht gehabt, und gar bei Tage bin ich oft wie blind hier durchgelaufen. Es ist die Gemahlin eines früheren Gerhardus; vor weit über hundert Jahren hat sie hier gehauset.«

»Sie gleicht nicht Euerer schönen Mutter«, entgegnete ich; »dies Antlitz hat wohl vermocht, einer jeden Bitte nein zu sagen.«

Katharina sah gar ernst zu mir herüber. »So heißt's auch«, sagte sie; »sie soll ihr einzig Kind verfluchet haben; am anderen Morgen aber hat man das blasse Fräulein aus einem Gartenteich gezogen, der nachmals zugedämmet ist. Hinter den Hecken, dem Walde zu, soll es gewesen sein.«

»Ich weiß, Katharina; es wachsen heut noch Schachtelhalm und Binsen aus dem Boden.«

»Wisset Ihr denn auch, Johannes, daß eine unseres Geschlechtes sich noch immer zeigen soll, sobald dem Hause Unheil droht? Man sieht sie erst hier an den Fenstern gleiten, dann draußen in dem Gartensumpf verschwinden.«

Ohnwillens wandten meine Augen sich wieder auf die unbeweglichen des Bildes. »Und weshalb«, frug ich, »verfluchte sie ihr Kind?«

»Weshalb?« – Katharina zögerte ein Weilchen und blickte mich fast verwirret an mit allem ihrem Liebreiz. »Ich glaub', sie wollte den Vetter ihrer Mutter nicht zum Ehgemahl.«

– »War's denn ein gar so übler Mann?«

Ein Blick fast wie ein Flehen flog zu mir herüber, und tiefes Rosenrot bedeckte ihr Antlitz. »Ich weiß nicht«, sagte sie beklommen; und leiser, daß ich's kaum vernehmen mochte, setzte sie hinzu: »Es heißt, sie hab' einen anderen liebgehabt; der war nicht ihres Standes.«

Ich hatte den Pinsel sinken lassen; denn sie saß vor mir mit gesenkten Blicken; wenn nicht die kleine Hand sich leis aus ihrem Schoße auf ihr Herz geleget, so wäre sie selber wie ein leblos Bild gewesen.

So hold es war, ich sprach doch endlich: »So kann ich ja nicht malen; wollet Ihr mich nicht ansehen, Katharina?«

Und als sie nun die Wimpern von den braunen Augensternen hob, da war kein Hehlens mehr; heiß und offen ging der Strahl zu meinem Herzen. »Katharina!« Ich war aufgesprungen. »Hätte jene Frau auch dich verflucht?«

Sie atmete tief auf. »Auch mich, Johannes!« – Da lag ihr Haupt an meiner Brust, und fest umschlossen standen wir vor dem Bild der Ahnfrau, die kalt und feindlich auf uns niederschaute.

Aber Katharina zog mich leise fort. »Laß uns nicht trotzen, mein Johannes!« sagte sie. – Mit Selbigem hörte ich im Treppenhause ein Geräusch, und war es, als wenn etwas mit dreien Beinen sich mühselig die Stiegen heraufarbeitete. Als Katharina und ich uns deshalb wieder an unseren Platz gesetzt und ich Pinsel und Palette zur Hand genommen hatte, öffnete sich die Tür, und Bas' Ursel, die wir wohl zuletzt erwartet hätten, kam an ihrem Stock hereingehustet. »Ich höre«, sagte sie, »Er will nach Hamburg, um den Rahmen zu besorgen; da muß ich mir nachgerade doch Sein Werk besehen!«

Es ist wohl männiglich bekannt, daß alte Jungfrauen in Liebessachen die allerfeinsten Sinne haben und so der jungen Welt gar oft Bedrang und Trübsal bringen. Als Bas' Ursel auf Katharinens Bild, das sie bislang noch nicht gesehen, kaum einen Blick geworfen hatte, zuckte sie gar stolz empor mit ihrem runzeligen Angesicht und frug mich alsogleich: »Hat denn das Fräulein Ihn so angesehen, als wie sie da im Bilde sitzet?«

Ich entgegnete, es sei ja eben die Kunst der edlen Malerei, nicht bloß die Abschrift des Gesichts zu geben. Aber schon mußte an unseren Augen oder Wangen ihr Sonderliches aufgefallen sein, denn ihre Blicke gingen spähend hin und wider. »Die Arbeit ist wohl bald am Ende?« sagte sie dann mit ihrer höchsten Stimme. »Deine Augen haben kranken Glanz, Katharina; das lange Sitzen hat dir nicht wohl gedienet.«

Ich entgegnete, das Bild sei bald vollendet, nur an dem Gewande sei noch hie und da zu schaffen.

»Nun, da braucht Er wohl des Fräuleins Gegenwart nicht mehr dazu! – Komm, Katharina, dein Arm ist besser als der dumme Stecken hier!«

Und so mußt' ich von der dürren Alten meines Herzens holdselig Kleinod mir entführen sehen, da ich es eben mir gewonnen glaubte; kaum daß die braunen Augen mir noch einen stummen Abschied senden konnten.

Am anderen Morgen, am Montag vor Johannis, trat ich meine Reise an. Auf einem Gaule, den Dieterich mir besorget, trabte ich in der Frühe aus dem Torweg; als ich durch die Tannen ritt, brach einer von des Junkers Hunden herfür und fuhr meinem Tiere nach den Flechsen, wann schon selbiges aus ihrem eigenen Stalle war; aber der oben im Sattel saß, schien ihnen allzeit noch verdächtig. Kamen gleichwohl ohne Blessur davon, ich und der Gaul, und langeten abends bei guter Zeit in Hamburg an.

Am anderen Vormittage machte ich mich auf und befand auch bald einen Schnitzer, so der Bilderleisten viele fertig hatte, daß man sie nur zusammenzustellen und in den Ecken die Zieraten daraufzutun brauchte. Wurden also handelseinig, und versprach der Meister, mir das alles wohlverpacket nachzusenden.

Nun war zwar in der berühmten Stadt vor einen Neubegierigen gar vieles zu beschauen; so in der Schiffergesellschaft des Seeräubers Störtebeker silberner Becher, welcher das zweite Wahrzeichen der Stadt genennet wird, und ohne den gesehen zu haben, wie es in einem Buche heißet, niemand sagen dürfe, daß er in Hamburg sei gewesen; sodann auch der Wunderfisch mit eines Adlers richtigen Krallen und Fluchten, so eben um diese Zeit in der Elbe war gefangen worden und den die Hamburger, wie ich nachmalen hörete, auf einen Seesieg wider die türkischen Piraten deuteten; allein, obschon ein rechter Reisender solcherlei Seltsamkeiten nicht vorbeigehen soll, so war doch mein Gemüte, beides, von Sorge und von Herzenssehnen, allzusehr beschweret. Derohalben, nachdem ich bei einem Kaufherrn noch meinen Wechsel umgesetzet und in meiner Nachtherbergen Richtigkeit getroffen hatte, bestieg ich um Mittage wieder meinen Gaul und hatte alsobald allen Lärm des großen Hamburg hinter mir.

Am Nachmittage danach langete ich in Preetz an, meldete mich im Stifte bei der hochwürdigen Dame und wurde auch alsbald vorgelassen. Ich erkannte in ihrer stattlichen Person alsogleich die Schwester meines teuren seligen Herrn Gerhardus; nur, wie es sich an unverehelichten Frauen oftmals zeiget, waren die Züge des Antlitzes gleichwohl strenger als die des Bruders. Ich hatte, selbst nachdem ich Katharinens Schreiben überreichet, ein lang und hart Examen zu bestehen; dann aber verhieß sie ihren Beistand und setzete sich zu ihrem Schreibgeräte, indes die Magd mich in ein ander Zimmer führen mußte, alwo man mich gar wohl bewirtete.

Es war schon spät am Nachmittage, da ich wieder fortritt; doch rechnete ich, obschon mein Gaul die vielen Meilen hinter uns bereits verspürete, noch gegen Mitternacht beim alten Dieterich anzuklopfen. – Das Schreiben, das die alte Dame mir für Katharinen mitgegeben, trug ich wohlverwahrt in einem Ledertäschlein unterm Wamse auf der Brust. So ritt ich fürbaß in die aufsteigende Dämmerung hinein; gar bald an sie, die eine, nur gedenkend und immer wieder mein Herz mit neuen lieblichen Gedanken schreckend.

Es war aber eine lauwarme Juninacht; von den dunkelen Feldern erhub sich der Ruch der Wiesenblumen, aus den Knicken duftete das Geißblatt; in Luft und Laub schwebete ungesehen das kleine Nachtgeziefer oder flog auch wohl surrend meinem schnaubenden Gaule an die Nüstern; droben aber an der blauschwarzen ungeheueren Himmelsglocke über mir strahlte im Südost das Sternbild des Schwanes in seiner unberührten Herrlichkeit.

Da ich endlich wieder auf Herrn Gerhardus' Grund und Boden war, resolvierte ich mich sofort, noch nach dem Dorf hinüberzureiten, welches seitwärts von der Fahrstraßen hinterm Wald belegen ist. Denn ich gedachte, daß der Krüger Hans Ottsen einen päßlichen Handwagen habe; mit dem solle er morgen einen Boten in die Stadt schicken, um die Hamburger Kiste für mich abzuholen; ich aber wollte nur an sein Kammerfenster klopfen, um ihm solches zu bestellen.

Also ritte ich am Waldesrande hin, die Augen fast verwirret von den grünlichen Johannisfünkchen, die mit ihren spielerischen Lichtern mich hier umflogen. Und schon ragte groß und finster die Kirche vor mir auf, in deren Mauern Herr Gerhardus bei den Seinen ruhte; ich hörte, wie im Turm soeben der Hammer ausholete, und von der Glokken scholl die Mitternacht ins Dorf hinunter. »Aber sie schlafen alle«, sprach ich bei mir selber, »die Toten in der Kirchen oder unter dem hohen Sternenhimmel hieneben auf dem Kirchhof, die Lebenden noch unter den niederen Dächern, die dort stumm und dunkel vor dir liegen.« So ritt ich weiter. Als ich jedoch an den Teich kam, von wo aus man Hans Ottsens Krug gewahren kann, sahe ich von dorten einen dunstigen Lichtschein auf den Weg hinausbrechen, und Fiedeln und Klarinetten schalleten mir entgegen.

Da ich gleichwohl mit dem Wirte reden wollte, so ritt ich herzu und brachte meinen Gaul im Stalle unter. Als ich danach auf die Tenne trat, war es gedrang voll von Menschen, Männern und Weibern, und ein Geschrei und wüst Getreibe, wie ich solches, auch beim Tanz, in früheren Jahren nicht vermerket. Der Schein der Unschlittkerzen, so unter einem Balken auf einem Kreuzholz schwebten, hob manch bärtig und verhauen Antlitz aus dem Dunkel, dem man lieber nicht allein im Wald begegnet wäre. – Aber nicht nur Strolche und Bauernbursche schienen hier sich zu vergnügen; bei den Musikanten, die drüben vor der Döns auf ihren Tonnen saßen, stund der Junker von der Risch; er hatte seinen Mantel über dem einen Arm, an dem anderen hing ihm eine derbe Dirne. Aber das Stücklein schien ihm nicht zu gefallen; denn er riß dem Fiedler seine Geigen aus den Händen, warf eine Handvoll Münzen auf seine Tonne und verlangte, daß sie ihm den neumodischen Zweitritt aufspielen sollten. Als dann die Musikanten ihm gar rasch gehorchten und wie toll die neue Weise klingen ließen, schrie er nach Platz und schwang sich in den dichten Haufen; und die Bauernburschen glotzten daraufhin, wie ihm die Dirne im Arme lag, gleich einer Tauben vor dem Geier.

Ich aber wandte mich ab und trat hinten in die Stube, um mit dem Wirt zu reden. Da saß der Junker Wulf beim Kruge Wein und hatte den alten Ottsen neben sich, welchen er mit allerhand Späßen in Bedrängnis brachte; so drohete er, ihm seinen Zins zu steigern, und schüttelte sich vor Lachen, wenn der geängstete Mann gar jämmerlich um Gnad' und Nachsicht supplizierte. – Da er mich gewahr worden, ließ

Frog

Hummingbird

butterfly

rhino

white caveworm

Monkey (black + white)

sculpture from the bottom
(Trumpet) of the sea

insect

Large furry mouse (black)
                        with white spots
Marsupial

Deutsche Evang.-Luth. Kirche St. M

St. Mary's with St. George's Germa

10 Sandwich Street, WC

Liebe Gemeindemitglieder,

wie Sie sicher schon wissen, ist unser liebes Gem
wenigen Tagen kurz vor seinem 97. Geburtstag v
In den letzten Jahren lebte er in Walmer. Er hat u
sehr dankbar für seinen Dienst.

Die Trauerfeier findet auf Wunsch der Familie a
Walmer (St. Mary`s Church) statt. Anschließend
eingeladen.

er nicht ab, bis ich selbdritt mich an den Tisch gesetzet; frug nach meiner Reise, und ob ich in Hamburg mich auch wohl vergnüget; ich aber antwortete nur, ich käme eben von dort zurück, und werde der Rahmen in Kürze in der Stadt eintreffen, von wo Hans Ottsen ihn mit seinem Handwäglein leichtlich möge holen lassen.

Indes ich mit letzterem solches nun verhandelte, kam auch der von der Risch hereingestürmet und schrie dem Wirte zu, ihm einen kühlen Trunk zu schaffen. Der Junker Wulf aber, dem bereits die Zunge schwer im Munde wühlete, faßte ihn am Arm und riß ihn auf den leeren Stuhl hernieder.

»Nun, Kurt!« rief er. »Bist du noch nicht satt von deinen Dirnen! Was soll die Katharina dazu sagen? Komm, machen wir *à la mode* ein ehrbar Hasard mitsammen!« Dabei hatte er ein Kartenspiel unterm Wams hervorgezogen. »*Allons donc! – Dix et dame! – Dame et valet!*«

Ich stand noch und sah dem Spiele zu, so dermalen eben Mode worden; nur wünschend, daß die Nacht vergehen und der Morgen kommen möchte. – Der Trunkene schien aber dieses Mal des Nüchternen Übermann; denn von der Risch schlug nacheinander jede Karte fehl.

»Tröste dich, Kurt!« sagte der Junker Wulf, indes er schmunzelnd die Speziestaler auf einen Haufen scharrte:

»Glück in der Lieb'
Und Glück im Spiel,
Bedenk', für einen
Ist's zu viel!

Laß den Maler dir hier von deiner schönen Braut erzählen! Der weiß sie auswendig; da kriegst du's nach der Kunst zu wissen.«

Dem anderen, wie mir am besten kund war, mochte aber noch nicht viel von Liebesglück bewußt sein; denn er schlug fluchend auf den Tisch und sah gar grimmig auf mich her.

»Ei, du bist eifersüchtig, Kurt!« sagte der Junker Wulf vergnüglich, als ob er jedes Wort auf seiner schweren Zunge schmeckete; »aber getröste dich, der Rahmen ist schon fertig zu dem Bilde; dein Freund, der Maler, kommt eben erst von Hamburg.«

Bei diesem Worte sah ich den von der Risch aufzucken gleich einem

Spürhund bei der Witterung »Von Hamburg heut? – So muß er Fausti Mantel sich bedienet haben; denn mein Reitknecht sah ihn heut zu Mittag noch in Preetz! Im Stift, bei deiner Base ist er auf Besuch gewesen.«

Meine Hand fuhr unversehens nach der Brust, wo ich das Täschlein mit dem Brief verwahret hatte; denn die trunkenen Augen des Junkers Wulf lagen auf mir; und war mir's nicht anders, als sähe er damit mein ganzes Geheimnis offen vor sich liegen. Es währete auch nicht lange, so flogen die Karten klatschend auf den Tisch. »Oho!« schrie er. »Im Stift, bei meiner Base! Du treibst wohl gar doppelt Handwerk, Bursch! Wer hat dich auf den Botengang geschickt?«

»Ihr nicht, Junker Wulf!« entgegnete ich; »und das muß Euch genug sein!« – Ich wollt' nach meinem Degen greifen, aber er war nicht da; fiel mir auch bei nun, daß ich ihn an den Sattelknopf gehänget, da ich vorhin den Gaul zu Stalle brachte.

Und schon schrie der Junker wieder zu seinem jüngeren Kumpan: »Reiß ihm das Wams auf, Kurt! Es gilt den blanken Haufen hier, du findest eine saubere Briefschaft, die du ungern möchtest bestellet sehen!«

Im selbigen Augenblick fühlte ich auch schon die Hände des von der Risch an meinem Leibe, und ein wütend Ringen zwischen uns begann. Ich fühlte wohl, daß ich so leicht, wie in der Bubenzeit, ihm nicht mehr über würde; da aber fügete es sich zu meinem Glücke, daß ich ihm beide Handgelenke packte und er also wie gefesselt vor mir stund. Es hatte keiner von uns ein Wort dabei verlauten lassen; als wir uns aber itzund in die Augen sahen, da wußte jeder wohl, daß er's mit seinem Todfeind vor sich habe.

Solches schien auch der Junker Wulf zu meinen; er strebte von seinem Stuhl empor, als wolle er dem von der Risch zu Hilfe kommen; mochte aber zu viel des Weins genossen haben, denn er taumelte auf seinen Platz zurück. Da schrie er, so laut seine lallende Zung' es noch vermochte: »He, Tartar! Türk! Wo steckt ihr! Tartar, Türk!« Und ich wußte nun, daß die zwo grimmen Köter, so ich vorhin auf der Tenne an dem Ausschank hatte lungern sehen, mir an die nackte Kehle springen sollten. Schon hörete ich sie durch das Getümmel der Tanzenden daherschnaufen, da riß ich mit einem Rucke jählings meinen Feind zu Boden, sprang dann durch eine Seitentür aus dem Zimmer, die ich schmetternd hinter mir zuwarf, und gewann also das Freie.

Und um mich her war plötzlich wieder die stille Nacht und Mond- und Sternenschimmer. In den Stall zu meinem Gaul wagt' ich nicht erst zu gehen, sondern sprang flugs über einen Wall und lief über das Feld dem Walde zu. Da ich ihn bald erreichet, suchte ich die Richtung nach dem Herrenhofe einzuhalten; denn es zieht sich die Holzung bis hart zur Gartenmauer. Zwar war die Helle der Himmelslichter hier durch das Laub der Bäume ausgeschlossen; aber meine Augen wurden der Dunkelheit gar bald gewohnt, und da ich das Täschlein sicher unter meinem Wamse fühlte, so tappte ich rüstig vorwärts; denn ich gedachte den Rest der Nacht noch einmal in meiner Kammer auszuruhen, dann aber mit dem alten Dieterich zu beraten, was allfort geschehen solle; maßen ich wohl sahe, daß meines Bleibens hier nicht fürder sei.

Bisweilen stund ich auch und horchte; aber ich mochte bei meinem Abgang wohl die Tür ins Schloß geworfen und so einen guten Vorsprung mir gewonnen haben: von den Hunden war kein Laut vernehmbar. Wohl aber, da ich eben aus dem Schatten auf eine vom Mond erhellete Lichtung trat, hörete ich nicht gar fern die Nachtigallen schlagen; und von wo ich ihren Schall hörte, dahin richtete ich meine Schritte; denn mir war wohl bewußt, sie hatten hierherum nur in den Hecken des Herrengartens ihre Nester; erkannte nun auch, wo ich mich befand, und daß ich bis zum Hofe nicht gar weit mehr hatte.

Ging also dem lieblichen Schallen nach, das immer heller vor mir aus dem Dunkel drang. Da plötzlich schlug was anderes an mein Ohr, das jählings näher kam und mir das Blut erstarren machte. Nicht zweifeln konnt' ich mehr, die Hunde brachen durch das Unterholz; sie hielten fest auf meiner Spur, und schon hörete ich deutlich hinter mir ihr Schnaufen und ihre gewaltigen Sätze in dem dürren Laub des Waldbodens. Aber Gott gab mir seinen gnädigen Schutz; aus dem Schatten der Bäume stürzte ich gegen die Gartenmauer, und an eines Fliederbaums Geäste schwang ich mich hinüber. – Da sangen hier im Garten noch die Nachtigallen; die Buchenhecken warfen tiefe Schatten. In solcher Mondnacht war ich einst vor meiner Ausfahrt in die Welt mit Herrn Gerhardus hier gewandelt. »Sieh dir's noch einmal an, Johannes!« hatte dermalen er gesprochen; »es könnt' geschehen, daß du bei deiner Heimkehr mich nicht daheim mehr fändest, und daß alsdann ein Willkomm nicht für dich am Tor geschrieben stünde – ich aber möcht' nicht, daß du diese Stätte hier vergäßest.«

Das flog mir itzund durch den Sinn, und ich mußte bitter lachen; denn nun war ich hier als ein gehetzet Wild; und schon hörete ich die Hunde des Junkers Wulf gar grimmig draußen an der Gartenmauer rennen. Selbige aber war, wie ich noch tags zuvor gesehen, nicht überall so hoch, daß nicht das wütige Getier hinüber konnte; und rings im Garten war kein Baum, nichts als die dicken Hecken und drüben gegen das Haus die Blumenbeete des seligen Herrn. Da, als eben das Bellen der Hunde wie ein Triumphgeheule innerhalb der Gartenmauer scholl, ersahe ich in meiner Not den alten Efeubaum, der sich mit starkem Stamme an dem Turm hinaufreckt; und da dann die Hunde aus den Hecken auf den mondhellen Platz hinausraseten, war ich schon hoch genug, daß sie mit ihrem Anspringen mich nicht mehr erreichen konnten; nur meinen Mantel, so von der Schulter geglitten, hatten sie mit ihren Zähnen mir herabgerissen.

Ich aber, also angeklammert und fürchtend, es werde das nach oben schwächere Geäste mich auf die Dauer nicht ertragen, blickte suchend um mich, ob ich nicht irgend besseren Halt gewinnen möchte; aber es war nichts zu sehen als die dunklen Efeublätter um mich her. – Da, in solcher Not, hörete ich ober mir ein Fenster öffnen, und eine Stimme scholl zu mir herab – möcht' ich sie wieder hören, wenn du, mein Gott, mich bald nun rufen läßt aus diesem Erdental! – »Johannes!« rief sie; leis, doch deutlich hörete ich meinen Namen, und ich kletterte höher an dem immer schwächeren Gezweige, indes die schlafenden Vögel um mich auffuhren und die Hunde von unten ein Geheul heraufstießen. – »Katharina! Bist du es wirklich, Katharina?«

Aber schon kam ein zitternd Händlein zu mir herab und zog mich gegen das offene Fenster; und ich sah in ihre Augen, die voll Entsetzen in die Tiefe starrten.

»Komm!« sagte sie. »Sie werden dich zerreißen.« Da schwang ich mich in ihre Kammer. – Doch als ich drinnen war, ließ mich das Händlein los, und Katharina sank auf einen Sessel, so am Fenster stund, und hatte ihre Augen dicht geschlossen. Die dicken Flechten ihres Haares lagen über dem weißen Nachtgewand bis in den Schoß hinab; der Mond, der draußen die Gartenhecken überstiegen hatte, schien voll herein und zeigete mir alles. Ich stund wie festgezaubert vor ihr; so lieblich fremde und doch so ganz mein eigen schien sie mir; nur meine Augen tranken sich satt an all der Schönheit. Erst als ein Seufzen ihre Brust erhob, sprach ich zu ihr: »Katharina, liebe Katharina, träumet Ihr denn?«

Da flog ein schmerzlich Lächeln über ihr Gesicht »Ich glaub' wohl fast, Johannes! – Das Leben ist so hart; der Traum ist süß!«

Als aber von unten aus dem Garten das Geheul aufs neu' heraufkam, fuhr sie erschreckt empor. »Die Hunde, Johannes!« rief sie. »Was ist das mit den Hunden?«

»Katharina«, sagte ich, »wenn ich Euch dienen soll, so glaub' ich, es muß bald geschehen; denn es fehlt viel, daß ich noch einmal durch die Tür in dieses Haus gelangen sollte.« Dabei hatte ich den Brief aus meinem Täschlein hervorgezogen und erzählte auch, wie ich im Kruge drunten mit den Junkern sei in Streit geraten.

Sie hielt das Schreiben in den hellen Mondenschein und las, dann schaute sie mich voll und herzlich an, und wir beredeten, wie wir uns morgen in dem Tannenwalde treffen wollten; denn Katharina sollte noch zuvor erkunden, auf welchen Tag des Junker Wulfen Abreise zum Kieler Johannismarkte festgesetzt sei.

»Und nun, Katharina«, sprach ich, »habt Ihr nicht etwas, das einer Waffe gleichsieht, ein eisern Ellenmaß oder so dergleichen, damit ich der beiden Tiere drunten mich erwehren könne?«

Sie aber schrak jäh wie aus einem Traum empor: »Was sprichst du, Johannes!« rief sie; und ihre Hände, so bislang in ihrem Schoß geruhet, griffen nach den meinen. »Nein, nicht fort, nicht fort! Da drunten ist der Tod; und gehst du, so ist auch hier der Tod!«

Da war ich vor ihr hingekniet und lag an ihrer jungen Brust, und wir umfingen uns in großer Herzensnot. »Ach, Käthe«, sprach ich, »was vermag die arme Liebe denn! Wenn auch dein Bruder Wulf nicht wäre; ich bin kein Edelmann und darf nicht um dich werben.«

Sehr süß und sorglich schauete sie mich an; dann aber kam es wie Schelmerei aus ihrem Munde: »Kein Edelmann, Johannes? – Ich dächte, du seiest auch das! Aber – ach, nein! Dein Vater war nur der Freund des meinen – das gilt der Welt wohl nicht!«

»Nein, Käthe; nicht das, und sicherlich nicht hier«, entgegnete ich und umfaßte fester ihren jungfräulichen Leib; »aber drüben in Holland, dort gilt ein tüchtiger Maler wohl einen deutschen Edelmann; die Schwelle von Mynheer van Dycks Palaste zu Amsterdam ist wohl dem Höchsten ehrenvoll zu überschreiten. Man hat mich drüben halten wollen, mein Meister van der Helst und andere! Wenn ich dorthin zurückginge, ein Jahr noch oder zwei; dann – wir kommen dann schon von hier fort; bleib mir nur feste gegen eure wüsten Junker!«

Katharinens weiße Hände strichen über meine Locken; sie herzte mich und sagte leise: »Da ich in meine Kammer dich gelassen, so werd' ich doch dein Weib auch werden müssen.«

– – Ihr ahnete wohl nicht, welch einen Feuerstrom dies Wort in meine Adern goß, darin ohnedies das Blut in heißen Pulsen ging. – Von dreien furchtbaren Dämonen, von Zorn und Todesangst und Liebe ein verfolgter Mann, lag nun mein Haupt in des vielgeliebten Weibes Schoß.

Da schrillte ein geller Pfiff; die Hunde drunten wurden jählings stille, und da es noch einmal gellte, hörete ich sie wie toll und wild von dannen rennen.

Vom Hofe her wurden Schritte laut, wir horchten auf, daß uns der Atem stillstand. Bald aber wurde dorten eine Tür erst auf-, dann zugeschlagen und dann ein Riegel vorgeschoben. »Das ist Wulf«, sagte Katharina leise; »er hat die beiden Hunde in den Stall gesperrt.« – Bald hörten wir auch unter uns die Tür des Hausflurs gehen, den Schlüssel drehen und danach Schritte in dem unteren Korridor, die sich verloren, wo der Junker seine Kammer hatte. Dann wurde alles still.

Es war nun endlich sicher, ganz sicher; aber mit unserem Plaudern war es mit einem Male schier zu Ende. Katharina hatte den Kopf zurückgelehnt; nur unser beider Herzen hörete ich klopfen – »Soll ich nun gehen, Katharina?« sprach ich endlich.

Aber die jungen Arme zogen mich stumm zu ihrem Mund empor; und ich ging nicht.

Kein Laut war mehr als aus des Gartens Tiefe das Schlagen der Nachtigallen und von fern das Rauschen des Wässerleins, das hinten um die Hecken fließt. – –

Wenn, wie es in den Liedern heißt, mitunter noch in Nächten die schöne heidnische Frau Venus aufersteht und umgeht, um die armen

Menschenherzen zu verwirren, so war es dazumalen eine solche Nacht. Der Mondschein war am Himmel ausgetan, ein schwüler Ruch von Blumen hauchte durch das Fenster, und dorten überm Walde spielete die Nacht in stummen Blitzen. – O Hüter, Hüter, war dein Ruf so fern?

– – Wohl weiß ich noch, daß vom Hofe her plötzlich scharf die Hähne krähten, und daß ich ein blaß und weinend Weib in meinen Armen hielt, die mich nicht lassen wollte, unachtend, daß überm Garten der Morgen dämmerte und roten Schein in unsere Kammer warf. Dann aber, da sie des inne wurde, trieb sie, wie von Todesangst geschreckt, mich fort.

Noch einen Kuß, noch hundert; ein flüchtig Wort noch: wann für das Gesind zu Mittage geläutet würde, dann wollten wir im Tannenwald uns treffen; und dann – ich wußte selber kaum, wie mir's geschehen – stund ich im Garten, unten in der kühlen Morgenluft.

Noch einmal, indem ich meinen von den Hunden zerfetzten Mantel aufhob, schaute ich empor und sah ein blasses Händlein mir zum Abschied winken. Nahezu erschrocken aber wurd' ich, da meine Augen bei einem Rückblick aus dem Gartensteig von ungefähr die unteren Fenster neben dem Turme streiften; denn mir war, als sähe hinter einem derselbigen ich gleichfalls eine Hand; aber sie drohete nach mir mit aufgehobenem Finger und schien mir farblos und knöchern gleich der Hand des Todes. Doch war's nur wie im Husch, daß solches über meine Augen ging; dachte zwar erstlich des Märleins von der wiedergehenden Urahne; redete mir dann aber ein, es seien nur meine eigenen aufgestörten Sinne, die solch Spiel mir vorgegaukelt hätten.

So, des nicht weiter achtend, schritt ich eilends durch den Garten, merkete aber bald, daß in der Hast ich auf den Binsensumpf geraten; sank auch der eine Fuß bis übers Änkel ein, gleichsam als ob ihn was hinunterziehen wollte. »Ei«, dachte ich, »faßt das Hausgespenste doch nach dir!« Machte mich aber auf und sprang über die Mauer in den Wald hinab.

Die Finsternis der dichten Bäume sagte meinem träumenden Gemüte zu; hier um mich her war noch die selige Nacht, von welcher meine Sinne sich nicht lösen mochten. – Erst da ich nach geraumer Zeit vom Waldesrande in das offene Feld hinaustrat, wurd' ich völlig wach.

Ein Häuflein Rehe stund nicht fern im silbergrauen Tau, und über mir vom Himmel scholl das Tageslied der Lerche. Da schüttelte ich all müßig Träumen von mir ab; im selbigen Augenblick stieg aber auch wie heiße Not die Frage mir ins Hirn: »Was weiter nun, Johannes? Du hast ein teures Leben an dich rissen; nun wisse, daß dein Leben nichts gilt als nur das ihre!«

Doch was ich sinnen mochte, es deuchte mir allfort das beste, wenn Katharina im Stifte sicheren Unterschlupf gefunden, daß ich dann zurück nach Holland ginge, mich dort der Freundeshilf' versicherte und alsobald zurückkäm, um sie nachzuholen. Vielleicht, daß sie gar der alten Base Herz erweichet; und schlimmsten Falles – es mußt' auch gehen ohne das!

Schon sahe ich uns auf einem fröhlichen Barkschiff die Wellen des grünen Zuidersees befahren, schon hörete ich das Glockenspiel vom Rathausturme Amsterdams und sah am Hafen meine Freunde aus dem Gewühl hervorbrechen und mich und meine schöne Frau mit hellem Zuruf grüßen und im Triumph nach unserem kleinen, aber trauten Heim geleiten. Mein Herz war voll von Mut und Hoffnung; und kräftiger und rascher schritt ich aus, als könnte ich bälder so das Glück erreichen.

– Es ist doch anders kommen.

In meinen Gedanken war ich allmählich in das Dorf hinabgelanget und trat hier in Hans Ottsens Krug, von wo ich in der Nacht so jählings hatte flüchten müssen. – »Ei, Meister Johannes«, rief der Alte auf der Tenne mir entgegen, »was hattet Ihr doch gestern mit unseren gestrengen Junkern? Ich war just draußen bei dem Ausschank; aber da ich wieder eintrat, fluchten sie schier grausam gegen Euch; und auch die Hunde raseten an der Tür, die Ihr hinter Euch ins Schloß geworfen hattet.«

Da ich aus solchen Worten abnahm, daß der Alte den Handel nicht wohl begriffen habe, so entgegnete ich nur: »Ihr wisset, der von der Risch und ich, wir haben uns schon als Jungen oft einmal gezauset; da mußt's denn gestern noch so einen Nachschmack geben.«

»Ich weiß, ich weiß!« meinete der Alte; »aber der Junker sitzt heut auf seines Vaters Hof; Ihr solltet Euch hüten, Herr Johannes; mit solchen Herren ist nicht sauber Kirschen essen.«

Dem zu widersprechen, hatte ich nicht Ursach', sondern ließ mir Brot und Frühtrunk geben und ging dann in den Stall, wo ich mir meinen Degen holete, auch Stift und Skizzenbüchlein aus dem Ranzen nahm.

Aber es war noch lange bis zum Mittagläuten. Also bat ich Hans Ottsen, daß er den Gaul mit seinem Jungen mög' zum Hofe bringen lassen; und als er mir solches zugesaget, schritt ich wieder hinaus zum Wald. Ich ging aber bis zu der Stelle auf dem Heidenhügel, von wo man die beiden Giebel des Herrenhauses über die Gartenhecken ragen sieht, wie ich solches schon für den Hintergrund zu Katharinens Bildnis ausgewählet hatte. Nun gedachte ich, daß, wann in zu verhoffender Zeit sie selber in der Fremde leben und wohl das Vaterhaus nicht mehr betreten würde, sie seines Anblicks doch nicht ganz entraten solle; zog also meinen Stift herfür und begann zu zeichnen, gar sorgsam jedes Winkelchen, woran ihr Auge einmal mocht' gehaftet haben. Als farbig Schilderei sollt' es dann in Amsterdam gefertiget werden, damit es ihr sofort entgegengrüße, wann ich sie dort in unsere Kammer führen würde.

Nach ein paar Stunden war die Zeichnung fertig. Ich ließ noch wie zum Gruß ein zwitschernd Vögelein darüberfliegen; dann suchte ich die Lichtung auf, wo wir uns finden wollten, und streckte mich nebenan im Schatten einer dichten Buche; sehnlich verlangend, daß die Zeit vergehe.

Ich mußte gleichwohl darob eingeschlummert sein; denn ich erwachte von einem fernen Schall und wurd' es inne, daß es das Mittagläuten von dem Hofe sei. Die Sonne glühte schon heiß hernieder und verbreitete den Ruch der Himbeeren, womit die Lichtung überdeckt war. Es fiel mir bei, wie einst Katharina und ich uns hier bei unseren Waldgängen süße Wegzehrung geholet hatten; und nun begann ein seltsam Spiel der Phantasie: bald sahe ich drüben zwischen den Sträuchen ihre zarte Kindsgestalt, bald stund sie vor mir, mich anschauend mit den seligen Frauenaugen, wie ich sie letztlich erst gesehen, wie ich sie nun gleich, im nächsten Augenblicke, schon leibhaftig an mein klopfend Herze schließen würde.

Da plötzlich überfiel mich's wie ein Schrecken. Wo blieb sie denn? Es war schon lang', daß es geläutet hatte. Ich war aufgesprungen, ich ging umher, ich stund und spähete scharf nach aller Richtung durch die Bäume; die Angst kroch mir zum Herzen; aber Katharina kam nicht; kein Schritt im Laube raschelte; nur oben in den Buchenwipfeln rauschte ab und zu der Sommerwind.

Böser Ahnung voll ging ich endlich fort und nahm einen Umweg nach dem Hofe zu. Da ich unweit dem Tore zwischen die Eichen kam, begegnete mir Dieterich. »Herr Johannes«, sagte er und trat hastig auf mich zu, »Ihr seid die Nacht schon in Hans Ottsens Krug gewesen; sein Junge brachte mir Euren Gaul zurück – was habet Ihr mit unseren Junkern vorgehabt?«

»Warum fragst du, Dieterich?«

– »Warum, Herr Johannes? – Weil ich Unheil zwischen euch verhüten möcht'.«

»Was soll das heißen, Dieterich?« frug ich wieder; aber mir war beklommen, als sollte das Wort mir in der Kehle sticken.

»Ihr werdet's schon selber wissen, Herr Johannes!« entgegnete der Alte. »Mir hat der Wind nur so einen Schall davon gebracht, vor einer Stunde mag's gewesen sein; ich wollte den Burschen rufen, der im Garten an den Hecken putzte. Da ich an den Turm kam, wo droben unser Fräulein ihre Kammer hat, sah ich dorten die alte Bas' Ursel mit unserem Junker dicht beisammenstehen. Er hatte die Arme unterschlagen und sprach kein einzig Wörtlein; die Alte aber redete einen um so größeren Haufen und jammerte ordentlich mit ihrer feinen Stimme. Dabei wies sie bald nieder auf den Boden, bald hinauf in den Efeu, der am Turm hinaufwächst. – Verstanden, Herr Johannes, hab' ich von dem allem nichts; dann aber, und nun merket wohl auf, hielt sie mit ihrer knöchern Hand, als ob sie damit drohete, dem Junker was vor Augen; und da ich näher hinsah, war's ein Fetzen Grauwerk, just wie Ihr's da an Euerem Mantel traget.«

»Weiter, Dieterich!« sagte ich; denn der Alte hatte die Augen auf meinem zerrissenen Mantel, den ich auf dem Arme trug.

»Es ist nicht viel mehr übrig«, erwiderte er; »denn der Junker wandte sich jählings nach mir zu und frug mich, wo Ihr anzutreffen wäret. Ihr möget mir es glauben, wäre er in Wirklichkeit ein Wolf gewesen, die Augen hätten blutiger nicht funkeln können.«

Da frug ich: »Ist der Junker im Hause, Dieterich?«

– »Im Haus? Ich denke wohl; doch was sinnet Ihr, Herr Johannes?«
»Ich sinne, Dieterich, daß ich alsogleich mit ihm zu reden habe.«

Aber Dieterich hatte bei beiden Händen mich ergriffen. »Gehet nicht, Johannes«, sagte er dringend; »erzählet mir zum wenigsten, was geschehen ist; der Alte hat Euch ja sonst wohl guten Rat gewußt!«

»Hernach, Dieterich, hernach!« entgegnete ich. Und also mit diesen Worten riß ich meine Hände aus den seinen.

Der Alte schüttelte den Kopf. »Hernach, Johannes«, sagte er, »das weiß nur unser Herrgott!«

Ich aber schritt nun über den Hof dem Hause zu. – Der Junker sei eben in seinem Zimmer, sagte eine Magd, so ich im Hausflur drum befragte.

Ich hatte dieses Zimmer, das im Unterhause lag, nur einmal erst betreten. Statt wie bei seinem Vater sel. Bücher und Karten, war hier vielerlei Gewaffen, Handröhre und Arkebusen, auch allerart Jagdgerät an den Wänden angebracht; sonst war es ohne Zier und zeigete an ihm selber, daß niemand auf die Dauer und mit seinen ganzen Sinnen hier verweile.

Fast wär' ich an der Schwelle noch zurückgewichen, da ich auf des Junkers »Herein!« die Tür geöffnet; denn als er sich vom Fenster zu mir wandte, sahe ich eine Reiterpistole in seiner Hand, an deren Radschloß er hantierete. Er schauete mich an, als ob ich von den Tollen käme. »So«, sagte er gedehnet; »wahrhaftig, Sieur Johannes, wenn's nicht schon sein Gespenste ist!«

»Ihr dachtet, Junker Wulf«, entgegnete ich, indem ich näher zu ihm trat, »es möcht' der Straßen noch andere für mich geben, als die in Euere Kammer führen!«

– »So dachte ich, Sieur Johannes! Wie Ihr gut raten könnt! Doch immerhin, Ihr kommt mir eben recht; ich hab' Euch suchen lassen!«

In seiner Stimme bebte was, das wie ein lauernd Raubtier auf dem Sprunge lag, so daß die Hand mir unversehens nach dem Degen fuhr. Jedennoch sprach ich: »Höret mich und gönnet mir ein ruhig Wort, Herr Junker!«

Er aber unterbrach meine Rede: »Du wirst gewogen sein, mich erstlich auszuhören! Sieur Johannes« – und seine Worte, die erst langsam waren, wurden allmählich gleichwie ein Gebrüll –, »vor ein paar Stunden, da ich mit schwerem Kopf erwachte, da fiel's mir bei und reuete mich gleich einem Narren, daß ich im Rausch die wilden Hunde dir auf die Fersen gehetzt hatte – seit aber Bas' Ursel mir den Fetzen vorgehalten, den sie dir aus deinem Federbalg gerissen – beim Höllenelement! mich reut's nur noch, daß mir die Bestien solch Stück Arbeit nachgelassen!«

Noch einmal suchte ich zu Worte zu kommen; und da der Junker schwieg, so dachte ich, daß er auch hören würde. »Junker Wulf«, sagte ich, »es ist schon wahr, ich bin kein Edelmann; aber ich bin kein geringer Mann in meiner Kunst und hoffe, es auch wohl noch einmal den Größeren gleich zu tun; so bitte ich Euch geziementlich, gebet Eure Schwester Katharina mir zum Ehgemahl – –«

Da stockte mir das Wort im Munde. Aus seinem bleichen Antlitz starrten mich die Augen des alten Bildes an; ein gellend Lachen schlug mir in das Ohr, ein Schuß – – – dann brach ich zusammen und hörete nur noch, wie mir der Degen, den ich ohn' Gedanken fast gezogen hatte, klirrend aus der Hand zu Boden fiel.

Es war manche Woche danach, daß ich in dem schon bleicheren Sonnenschein auf einem Bänkchen vor dem letzten Haus des Dorfes saß, mit matten Blicken nach dem Wald hinüberschauend, an dessen jenseitigem Rande das Herrenhaus belegen war. Meine törichten Augen suchten stets aufs neue den Punkt, wo, wie ich mir vorstellte, Katharinens Kämmerlein von drüben auf die schon herbstlich gelben Wipfel schaue; denn von ihr selber hatte ich keine Kunde.

Man hatte mich mit meiner Wunde in dies Haus gebracht, das von des Junkers Waldhüter bewohnt wurde; und außer diesem Manne und seinem Weibe und einem mir unbekannten Chirurgus war während meines langen Lagers niemand zu mir kommen. – Von wannen ich den Schuß in meine Brust erhalten, darüber hat mich niemand befragt, und ich habe niemanden Kunde gegeben; des Herzogs Gerichte gegen Herrn Gerhardus' Sohn und Katharinens Bruder anzurufen, konnte nimmer mir zu Sinne kommen. Er mochte sich dessen auch wohl getrösten; noch glaubhafter jedoch, daß er allen diesen Dingen trotzete.

Nur einmal war mein guter Dieterich dagewesen; er hatte mir in des Junkers Auftrage zwei Rollen ungarischer Dukaten überbracht als

Lohn für Katharinens Bild, und ich hatte das Geld genommen, in Gedanken, es sei ein Teil von deren Erbe, von dem sie als mein Weib wohl später nicht zuviel empfahen würde. Zu einem traulichen Gespräch mit Dieterich, nach dem mich sehr verlangete, hatte es mir nicht geraten wollen, maßen das gelbe Fuchsgesicht meines Wirtes allaugenblicks in meine Kammer schaute; doch wurde so viel mir kund, daß der Junker nicht nach Kiel gereiset und Katharina seither von niemandem weder in Hof noch Garten war gesehen worden; kaum konnte ich noch den Alten bitten, daß er dem Fräulein, wenn sich's treffen möchte, meine Grüße sage, und daß ich bald nach Holland zu reisen, aber bälder noch zurückzukommen dächte, was alles in Treuen auszurichten er mir dann gelobete.

Überfiel mich aber danach die allergrößeste Ungeduld, so daß ich gegen den Willen des Chirurgus und bevor im Walde drüben noch die letzten Blätter von den Bäumen fielen, meine Reise ins Werk setzete; langete auch schon nach kurzer Frist wohlbehalten in der holländischen Hauptstadt an, allwo ich von meinen Freunden gar liebreich empfangen wurde, und mochte es auch ferner vor ein glücklich Zeichen wohl erkennen, daß zwo Bilder, so ich dort zurückgelassen, durch die hilfsbereite Vermittelung meines teuren Meisters van der Helst beide zu ansehnlichen Preisen verkaufet waren. Ja, es war dessen noch nicht genug: ein mir schon früher wohlgewogener Kaufherr ließ mir sagen, er habe nur auf mich gewartet, daß ich für sein nach dem Haag verheiratetes Töchterlein sein Bildnis malen möge; und wurde mir auch sofort ein reicher Lohn dafür versprochen. Da dachte ich, wenn ich solches noch vollendete, daß dann genug des helfenden Metalles in meinen Händen wäre, um auch ohne andere Mittel Katharinen in ein wohlbestellet Heimwesen einzuführen.

Machte mich also, da mein freundlicher Gönner desselbigen Sinnes war, mit allem Eifer an die Arbeit, so daß ich bald den Tag meiner Abreise gar fröhlich nah und näher rücken sahe, unachtend, mit was vor übeln Anständen ich drüben noch zu kämpfen hätte.

Aber des Menschen Augen sehen das Dunkel nicht, das vor ihm ist. – Als nun das Bild vollendet war und reichlich Lob und Gold um dessentwillen mir zuteil geworden, da konnte ich nicht fort. Ich hatte in der Arbeit meiner Schwäche nicht geachtet, die schlechtgeheilte Wunde warf mich wiederum danieder. Eben wurden zum Weihnachtsfeste auf allen Straßenplätzen die Waffelbuden aufgeschlagen, da begann mein Siechtum und hielt mich länger als das erstemal gefesselt. Zwar der besten Arzteskunst und liebreicher Freundespflege war kein Mangel, aber in Ängsten sahe ich Tag um Tag vergehen, und keine Kunde konnte von ihr, keine zu ihr kommen.

Endlich nach harter Winterzeit, da der Zuidersee wieder seine grünen Wellen schlug, geleiteten die Freunde mich zum Hafen; aber statt des frohen Mutes nahm ich itzt schwere Herzenssorge mit an Bord. Doch ging die Reise rasch und gut vonstatten.

Von Hamburg aus fuhr ich mit der königlichen Post; dann, wie vor nun fast einem Jahre hiebevor, wanderte ich zu Fuße durch den Wald, an dem noch kaum die ersten Spitzen grüneten. Zwar probten schon die Finken und die Ammern ihren Lenzgesang; doch was kümmerten sie mich heute! – Ich ging aber nicht nach Herrn Gerhardus' Herrengut; sondern, so stark mein Herz auch klopfte, ich bog seitwärts ab und schritt am Waldesrand entlang dem Dorfe zu. Da stund ich bald in Hans Ottsens Krug und ihm gar selber gegenüber.

Der Alte sah mich seltsam an, meinete aber dann, ich lasse ja recht munter. »Nur«, fügte er bei, »mit Schießbüchsen müsset Ihr nicht wieder spielen; die machen ärgere Flecken als so ein Malerpinsel.«

Ich ließ ihn gern bei solcher Meinung, so, wie ich wohl merkete, hier allgemein verbreitet war, und tat vors erste eine Frage nach dem alten Dieterich.

Da mußte ich vernehmen, daß er noch vor dem ersten Winterschnee, wie es so starken Leuten wohl passieret, eines plötzlichen, wenn auch gelinden Todes verfahren sei. »Der freuet sich«, sagte Hans Ottsen, »daß er zu seinem alten Herrn da droben kommen; und ist für ihn auch besser so.«

»Amen!« sagte ich; »mein herzlieber alter Dieterich!«

Indes aber mein Herz nur, und immer banger, nach einer Kundschaft von Katharinen seufzete, nahm meine furchtsame Zunge einen Umweg, und ich sprach beklommen: »Was machet denn Euer Nachbar, der von Risch?«

»Oho«, lachte der Alte; »der hat ein Weib genommen«, und eine, die ihn schon zu Richte setzen wird.«

Nur im ersten Augenblick erschrak ich, denn ich sagte mir sogleich, daß er nicht so von Katharinen reden würde; und da er dann den Namen nannte, so war's ein ältlich, aber reiches Fräulein aus der Nachbarschaft; forschete also mutig weiter, wie's drüben in Herrn Gerhardus' Haus bestellet sei, und wie das Fräulein und der Junker miteinander hauseten.

Da warf der Alte mir wieder seine seltsamen Blicke zu. »Ihr meinet wohl«, sagte er, »daß alte Türm' und Mauern nicht auch plaudern könnten!«

»Was soll's der Rede?« rief ich; aber sie fiel mir zentnerschwer aufs Herz.

»Nun, Herr Johannes«, und der Alte sahe mir gar zuversichtlich in die Augen, »wo das Fräulein hinkommen, das werdet doch Ihr am besten wissen! Ihr seid derzeit im Herbst ja nicht zum letzten hier gewesen; nur wundert's mich, daß Ihr noch einmal wiederkommen; denn Junker Wulf wird, denk' ich, nicht eben gute Mien' zum bösen Spiel gemachet haben.«

Ich sahe den alten Menschen an, als sei ich selber hintersinnig worden; dann aber kam mir plötzlich ein Gedanke. »Unglücksmann!« schrie ich. »Ihr glaubet doch nicht etwan, daß Fräulein Katharina sei mein Eheweib geworden?«

»Nun, lasset mich nur los!« entgegnete der Alte – denn ich schüttelte ihn an beiden Schultern. – »Was geht's mich an! Es geht die Rede so! Auf alle Fäll'; seit Neujahr ist das Fräulein im Schloß nicht mehr gesehen worden.«

Ich schwur ihm zu, derzeit sei ich in Holland krank gelegen; ich wisse nichts von alledem.

Ob er's geglaubet, weiß ich nicht zu sagen; allein er gab mir kund, es solle dermalen ein unbekannter Geistlicher zur Nachtzeit und in großer Heimlichkeit auf den Herrenhof gekommen sein; zwar habe Bas' Ursel das Gesinde schon zeitig in ihre Kammern getrieben; aber der Mägde eine, so durch den Türspalt gelauschet, wolle auch mich über den Flur nach der Treppe haben gehen sehen; dann später hätten sie deutlich einen Wagen aus dem Torhaus fahren hören, und seien seit jener Nacht nur noch Bas' Ursel und der Junker in dem Schloß gewesen.

– – Was ich von nun an alles und immer doch vergebens unternommen, um Katharinen oder auch nur eine Spur von ihr zu finden, das
soll nicht hier verzeichnet werden. Im Dorfe war nur das törichte Geschwätz, davon Hans Ottsen mich die Probe schmecken lassen; darum machete ich mich auf nach dem Stifte zu Herrn Gehardus' Schwester; aber die Dame wollte mich nicht vor sich lassen; wurde im übrigen mir auch berichtet, daß keinerlei junges Frauenzimmer bei ihr gesehen worden. Da reisete ich wieder zurück und demütigte mich also,
daß ich nach dem Hause des von der Risch ging und als ein Bittender
vor meinen alten Widersacher hintrat. Der sagte höhnisch, es möge
wohl der Buhz das Vöglein sich geholet haben; er habe dem nicht nach-
geschaut; auch halte er keinen Aufschlag mehr mit denen von Herrn
Gerhardus' Hofe.

Der Junker Wulf gar, der davon vernommen haben mochte, ließ nach
Hans Ottsens Kruge sagen, so ich mich unterstünde, auch zu ihm zu
dringen, er würde mich noch einmal mit den Hunden hetzen lassen. –
Da bin ich in den Wald gegangen und hab' gleich einem Strauchdieb
am Weg auf ihn gelauert; die Eisen sind von der Scheide bloß geworden; wir haben gefochten, bis ich die Hand ihm wund gehauen und
sein Degen in die Büsche flog. Aber er sahe mich nur mit seinen bösen
Augen an; gesprochen hat er nicht. – Zuletzt bin ich zu längerem Ver-
bleiben nach Hamburg kommen, von wo aus ich ohne Anstand und
mit größerer Umsicht meine Nachforschungen zu betreiben dachte.

Es ist alles doch umsonst gewesen.

Aber ich will vors erste nun die Feder ruhen lassen. Denn vor mir liegt
dein Brief, mein lieber Josias; ich soll dein Töchterlein, meiner Schwester sel. Enkelin, aus der Taufe heben. – Ich werde auf meiner Reise
dem Walde vorbeifahren, so hinter Herrn Gerhardus' Hof belegen ist.
Aber das alles gehört ja der Vergangenheit.

Hier schließt das erste Heft der Handschrift. – Hoffen wir, daß der
Schreiber ein fröhliches Tauffest gefeiert und inmitten seiner Freundschaft an frischer Gegenwart sein Herz erquickt habe.

Meine Augen ruhten auf dem alten Bild mir gegenüber; ich konnte
nicht zweifeln, der schöne ernste Mann war Herr Gerhardus. Wer aber

war jener tote Knabe, den ihm Meister Johannes hier so sanft in seinen Arm gebettet hatte? – Sinnend nahm ich das zweite und zugleich
letzte Heft, dessen Schriftzüge um ein weniges unsicherer erschienen.
Es lautete, wie folgt:

> Geliek as Rook un Stoof verswindt,
> Also sind ock de Minschenkind.

Der Stein, darauf diese Worte eingehauen stehen, saß ob dem Türsims
eines alten Hauses. Wenn ich daran vorbeiging, mußte ich allzeit meine Augen dahinwenden, und auf meinen einsamen Wanderungen ist
dann selbiger Spruch oft lange mein Begleiter blieben. Da sie im letzten Herbst das alte Haus abbrachen, habe ich aus den Trümmern diesen Stein erstanden, und ist er heute gleicherweise ob der Türe meines
Hauses eingemauert worden, wo er nach mir noch manchen, der vor-
übergeht, an die Nichtigkeit des Irdischen erinnern möge. Mir aber
soll er eine Mahnung sein, ehbevor auch an meiner Uhr der Weiser stil-
lesteht, mit der Aufzeichnung meines Lebens fortzufahren. Denn du,
meiner lieben Schwester Sohn, der du nun bald mein Erbe sein wirst,
mögest mit meinem kleinen Erdengute dann auch mein Erdenleid da-
hinnehmen, so ich bei meiner Lebzeit niemandem, auch, aller Liebe
ohnerachtet, dir nicht habe anvertrauen mögen.

Item: Anno 1666 kam ich zum erstenmal in diese Stadt an der Nordsee; maßen von einer reichen Branntweinbrenner-Witwen mir der
Auftrag worden, die Auferweckung Lazari zu malen, welches Bild sie
zum schuldigen und freundlichen Gedächtnis ihres Seligen, der hiesigen Kirchen aber zum Zierat zu stiften gedachte, allwo es denn auch
noch heute über dem Taufsteine mit den vier Aposteln zu schauen ist.
Daneben wünschte auch der Bürgermeister, Herr Titus Axen, so früher in Hamburg Tumherr und mir von dort bekannt war, sein Konterfei von mir gemalet, so daß ich für eine lange Zeit allhier zu schaffen
hatte. – Mein Losament aber hatte ich bei meinem einzigen und älteren Bruder, der seit lange schon das Sekretariat der Stadt bekleidete;
das Haus, darin er als unbeweibter Mann lebte, war hoch und räumlich, und war es dasselbig Haus mit den zwo Linden an der Ecken von
Markt und Krämerstraße, worin ich, nachdem es mir durch meines lie-

ben Bruders Hintritt angestorben, anitzt als alter Mann noch lebe und
der Wiedervereinigung mit den vorangegangenen Lieben in Demut
entgegenharre.

Meine Werkstätte hatte ich mir in dem großen Pesel der Witwe eingerichtet; es war dorten ein gutes Oberlicht zur Arbeit, und bekam alles gemacht und gestellet, wie ich es verlangen mochte. Nur daß die
gute Frau selber gar zu gegenwärtig war; denn allaugenblicklich kam
sie draußen von ihrem Schenktisch zu mir hergetrottet mit ihren
Blechgemäßen in der Hand; drängte mit ihrer Wohlbeleibtheit mir auf
den Malstock und roch an meinem Bild herum; gar eines Vormittages,
da ich soeben den Kopf des Lazarus untermalet hatte, verlangte sie mit
viel überflüssigen Worten, der auferweckte Mann solle das Antlitz ihres Seligen zur Schau stellen, obschon ich diesen Seligen doch niemalen zu Gesicht bekommen, von meinem Bruder auch vernommen hatte, daß selbiger, wie es die Brenner pflegen, das Zeichen seines Ge-
werbes als eine blaurote Nasen im Gesicht herumgetragen; da habe ich
denn, wie man glauben mag, dem unvernünftigen Weibe gar hart den
Daumen gegenhalten müssen. Als dann von der Außendiele her wieder neue Kundschaft nach ihr gerufen und mit den Gemäßen auf den
Schank geklopfet, und sie endlich von mir lassen müssen, da sank mir
die Hand mit dem Pinsel in den Schoß, und ich mußte plötzlich des
Tages gedenken, da ich eines gar anderen Seligen Antlitz mit dem Stifte nachgebildet, und wer da in der kleinen Kapelle so still bei mir gestanden sei. – Und also rückwärts sinnend setzete ich meinen Pinsel
wieder an; als aber selbiger eine gute Weile hin und wider gegangen,
mußte ich zu eigener Verwunderung gewahren, daß ich die Züge des
edeln Herrn Gerhardus in des Lazari Angesicht hineingetragen hatte.
Aus seinem Leilach blickte des Toten Antlitz gleichwie in stummer
Klage gegen mich, und ich gedachte: So wird er dir einstmals in der
Ewigkeit entgegentreten!

Ich konnte heute nicht weitermalen, sondern ging fort und schlich
auf meine Kammer ober der Haustür, allwo ich mich ans Fenster setzte und durch den Ausschnitt der Lindenbäume auf den Markt hinabsah. Es gab aber groß Gewühl dort, und war bis drüben an die Rats-
wage und weiter bis zur Kirchen alles voll von Wagen und Menschen;
denn es war ein Donnerstag und noch zur Stunde, daß Gast mit Ga-

ste handeln durfte, also daß der Stadtknecht mit dem Griper müßig auf unseres Nachbarn Beischlag saß, maßen es vorderhand keine Brüchen zu erhaschen gab. Die Ostenfelder Weiber mit ihren roten Jacken, die Mädchen von den Inseln mit ihren Kopftüchern und feinem Silberschmuck, dazwischen die hochgetürmten Getreidewagen und darauf die Bauern in ihren gelben Lederhosen – dies alles mochte wohl ein Bild für eines Malers Auge geben, zumal wenn selbiger, wie ich, bei den Holländern in die Schule gegangen war; aber die Schwere meines Gemütes machte das bunte Bild mir trübe. Doch war es keine Reu', wie ich vorhin an mir erfahren hatte; ein sehnend Leid kam immer gewaltiger über mich; es zerfleischete mich mit wilden Krallen und sah mich gleichwohl mit holden Augen an. Drunten lag der helle Mittag auf dem wimmelnden Markte; vor meinen Augen aber dämmerte silberne Mondnacht, wie Schatten stiegen ein paar Zackengiebel auf, ein Fenster klirrte, und gleich wie aus Träumen schlugen leis und fern die Nachtigallen. O du mein Gott und mein Erlöser, der du die Barmherzigkeit bist, wo war sie in dieser Stunde, wo hatte meine Seele sie zu suchen? – –

Da hörete ich draußen unter dem Fenster von einer harten Stimme meinen Namen nennen, und als ich hinausschaute, ersahe ich einen großen hageren Mann in der üblichen Tracht eines Predigers, obschon sein herrisch und finster Antlitz mit dem schwarzen Haupthaar und dem tiefen Einschnitt ob der Nase wohl eher einem Kriegsmann angestanden wäre. Er wies soeben einem anderen, untersetzten Manne von bäuerischem Aussehen, aber gleich ihm in schwarzwollenen Strümpfen und Schnallenschuhen, mit seinem Handstocke nach unserer Haustür zu, indem er selbst zumal durch das Marktgewühle von dannen schritt.

Da ich dann gleich darauf die Türglocke schellen hörte, ging ich hinab und lud den Fremden in das Wohngemach, wo er von dem Stuhle, darauf ich ihn genötigt hatte, mich gar genau und aufmerksam betrachtete.

Also war selbiger der Küster aus dem Dorfe norden der Stadt, und erfuhr ich bald, daß man dort einen Maler brauche, da man des Pastors Bildnis in die Kirche stiften wolle. Ich forschete ein wenig, was für Verdienst um die Gemeinde dieser sich erworben hätte, daß sie solche Ehr'

55

ihm anzutun gedächten, da er doch seines Alters halben noch nicht gar lang' im Amte stehen könne; der Küster aber meinte, es habe der Pastor freilich wegen eines Stück Ackergrundes einmal einen Prozeß gegen die Gemeinde angestrenget, sonst wisse er eben nicht, was Sondres könne vorgefallen sein; allein es hingen allbereits die drei Amtsvorweser in der Kirchen, und da sie, wie er sagen müsse, vernommen hätten, ich verstünde das Ding gar wohl zu machen, so sollte der guten Gelegenheit wegen nun auch der vierte Pastor mit hinein; dieser selber freilich kümmere sich nicht eben viel darum.

Ich hörete dem allen zu; und da ich mit meinem Lazarus am liebsten auf eine Zeit pausieren mochte, das Bildnis des Herrn Titus Axen aber wegen eingetretenen Siechtums desselbigen nicht beginnen konnte, so hub ich an, dem Auftrage näher nachzufragen.

Was mir an Preis für solche Arbeit nun geboten wurde, war zwar gering, so daß ich erstlich dachte: sie nehmen dich für einen Pfennigmaler, wie sie im Kriegstrosse mitziehen, um die Soldaten für ihre heimgebliebenen Dirnen abzumalen; aber es mutete mich plötzlich an, auf eine Zeit allmorgendlich in der goldenen Herbstessonne über die Heide nach dem Dorf hinauszuwandern, das nur eine Wegstunde von unserer Stadt belegen ist. Sagete also zu, nur mit dem Beding, daß die Malerei draußen auf dem Dorfe vor sich ginge, da hier in meines Bruders Hause paßliche Gelegenheit nicht befindlich sei.

Des schien der Küster gar vergnügt, meinend, das sei alles hiebevor schon fürgesorget; der Pastor hab' sich solches gleichfalls ausbedungen; *item*, es sei dazu die Schulstube in seiner Küsterei erwählet; selbige sei das zweite Haus im Dorfe und liege nah am Pastorate, nur hintenaus durch die Priesterkoppel davon geschieden, so daß also auch der Pastor leicht hinübertreten könne. Die Kinder, die im Sommer doch nichts lernten, würden dann nach Haus geschicket.

Also schüttelten wir uns die Hände, und da der Küster auch die Maße des Bildes fürsorglich mitgebracht, so konnte alles Malgerät, des ich bedurfte, schon nachmittages mit der Priesterfuhr hinausbefördert werden.

Als mein Bruder dann nach Hause kam – erst spät am Nachmittage; denn ein Ehrsamer Rat hatte dermalen viel Bedrängnis von einer Schinderleichen, so die ehrlichen Leute nicht zu Grabe tragen wollten –, meinete er, ich bekäme da einen Kopf zu malen, wie er nicht oft auf einem Priesterkragen sitze, und möchte mich mit Schwarz und Braunrot wohl versehen; erzählete mir auch, es sei der Pastor als Feldkapellan mit den Brandenburgern hier ins Land gekommen, als welcher er's fast wilder als die Offiziers getrieben haben solle; sei übrigens itzt ein scharfer Streiter vor dem Herrn, der seine Bauern gar meisterlich zu packen wisse. – Noch merkete mein Bruder an, daß bei desselbigen Amtseintritt in unserer Gegend adelige Fürsprach eingewirket haben solle, wie es heiße, von drüben aus dem Holsteinischen her; der Archidiakonus habe bei der Klosterrechnung ein Wörtlein davon fallen lassen. War jedoch Weiteres meinem Bruder darob nicht kund geworden.

So sahe mich denn die Morgensonne des nächsten Tages rüstig über die Heide schreiten, und war mir nur leid, daß letztere allbereits ihr rotes Kleid und ihren Würzeduft verbrauchet und also diese Landschaft ihren ganzen Sommerschmuck verloren hatte; denn von grünen Bäumen war weithin nichts zu ersehen; nur der spitze Kirchturm des Dorfes, dem ich zustrebte – wie ich bereits erkennen mochte, ganz von Granitquadern auferbauet –, stieg immer höher vor mir in den dunkelblauen Oktoberhimmel. Zwischen den schwarzen Strohdächern, die an seinem Fuße lagen, krüppelte nur niedrig Busch- und Baumwerk; denn der Nordwestwind, so hier frisch von der See heraufkommt, will freien Weg zu fahren haben.

Als ich das Dorf erreichet und auch alsbald mich nach der Küsterei gefunden, stürzete mir sofort mit lustigem Geschrei die ganze Schul' entgegen; der Küster aber hieß an seiner Haustür mich willkommen. »Merket Ihr wohl, wie gern sie von der Fibel laufen!« sagte er. »Der eine Bengel hatte Euch schon durchs Fenster kommen sehen.«

In dem Prediger, der gleich danach ins Haus trat, erkannte ich denselbigen Mann, den ich schon tags zuvor gesehen hatte. Aber auf seine finstere Erscheinung war heute gleichsam ein Licht gesetzt; das war ein schöner blasser Knabe, den er an der Hand mit sich führte; das Kind mochte etwan vier Jahre zählen und sahe fast winzig aus gegen des Mannes hohe knochige Gestalt.

Da ich die Bildnisse der früheren Prediger zu sehen wünschte, so gingen wir mitsammen in die Kirche, welche also hoch belegen ist, daß man nach den anderen Seiten über Marschen und Heide, nach Westen aber auf den nicht gar fernen Meeresstrand hinunterschauen kann. Es mußte eben Flut sein; denn die Watten waren überströmet, und das Meer stund wie ein lichtes Silber. Da ich anmerkete, wie oberhalb desselben die Spitze des Festlandes und von der anderen Seite diejenige der Insel sich gegeneinanderstreckten, wies der Küster auf die Wasserfläche, so dazwischen liegt. »Dort«, sagte er, »hat einst meiner Eltern Haus gestanden; aber Anno 34 bei der großen Flut trieb es gleich hundert anderen in den grimmen Wassern; auf der einen Hälfte des Daches ward ich an diesen Strand geworfen, auf der anderen fuhren Vater und Bruder in die Ewigkeit hinaus.«

Ich dachte: »So stehet die Kirche wohl am rechten Ort; auch ohne den Pastor wird hier vernehmentlich Gottes Wort gepredigt.«

Der Knabe, welchen letzterer auf den Arm genommen hatte, hielt dessen Nacken mit beiden Ärmchen fest umschlungen und drückte die zarte Wange an das schwarze bärtige Gesicht des Mannes, als finde er so den Schutz vor der ihn schreckenden Unendlichkeit, die dort vor unseren Augen ausgebreitet lag.

Als wir in das Schiff der Kirche eingetreten waren, betrachtete ich mir die alten Bildnisse und sahe auch einen Kopf darunter, der wohl eines guten Pinsels wert gewesen wäre; jedennoch war es alles eben Pfennigmalerei, und sollte demnach der Schüler van der Helsts hier in gar sondere Gesellschaft kommen.

Da ich solches eben in meiner Eitelkeit bedachte, sprach die harte Stimme des Pastors neben mir: »Es ist nicht meines Sinnes, daß der Schein des Staubes dauere, wenn der Odem Gottes ihn verlassen; aber ich habe der Gemeine Wunsch nicht widerstreben mögen; nur, Meister, machet es kurz; ich habe besseren Gebrauch für meine Zeit.«

Nachdem ich dem finsteren Manne, an dessen Antlitz ich gleichwohl für meine Kunst Gefallen fand, meine beste Bemühung zugesaget, fragete ich einem geschnitzten Bilde der Maria nach, so von meinem Bruder mir war gerühmet worden.

Ein fast verachtend Lächeln ging über des Predigers Angesicht. »Da kommet Ihr zu spät«, sagt er, »es ging in Trümmer, da ich's aus der Kirche schaffen ließ.«

Ich sah ihn fast erschrocken an. »Und wollet Ihr des Heilands Mutter nicht in Euerer Kirche dulden?«

»Die Züge von des Heilands Mutter«, entgegnete er, »sind nicht überliefert worden.«

– »Aber wollet Ihr's der Kunst mißgönnen, sie in frommem Sinn zu suchen?«

Er sahe eine Weile finster auf mich herab; denn, obschon ich zu den Kleinen nicht zu zählen, so überragte er mich doch um eines halben Kopfes Höhe – dann sprach er heftig: »Hat nicht der König die holländischen Papisten dort auf die zerrissene Insel herberufen; nur um durch das Menschenwerk der Deiche des Höchsten Strafgericht zu trotzen? Haben nicht noch letztlich die Kirchenvorsteher drüben in der Stadt sich zwei der Heiligen in ihre Gestühlte schnitzen lassen? Betet und wachet! Denn auch hier geht Satan noch von Haus zu Haus! Diese Marienbilder sind nichts als Säugammen der Sinnenlust und des Papismus; die Kunst hat allezeit mit der Welt gebuhlt!«

Ein dunkles Feuer glühte in seinen Augen, aber seine Hand lag liebkosend auf dem Kopf des blassen Knaben, der sich an seine Knie schmiegte.

Ich vergaß darob, des Pastors Worte zu erwidern; mahnete aber danach, daß wir in die Küsterei zurückgingen, wo ich alsdann meine edele Kunst an ihrem Widersacher selber zu erproben anhub.

Also wanderte ich fast einen Morgen um den anderen über die Heide nach dem Dorfe, wo ich allezeit den Pastor schon meiner harrend antraf. Geredet wurde wenig zwischen uns; aber das Bild nahm desto rascheren Fortgang. Gemeiniglich saß der Küster neben uns und schnitzete allerlei Geräte gar säuberlich aus Eichenholz, dergleichen als eine Hauskunst hier überall betrieben wird; auch habe ich das Kästlein, woran er derzeit arbeitete, von ihm erstanden und darin vor Jahren die ersten Blätter dieser Niederschrift hinterleget, alswie denn auch mit Gottes Willen diese letzten darin sollen beschlossen sein. –

In des Predigers Wohnung wurde ich nicht geladen und betrat selbige auch nicht; der Knabe aber war allezeit mit ihm in der Küsterei; er stand an seinen Knien, oder er spielte mit Kieselsteinchen in der Ecke des Zimmers. Da ich selbigen einmal fragte, wie er heiße, antwortete

er: »Johannes!« – »Johannes?« entgegnete ich, »so heiße ich ja auch!«
– Er sah mich groß an, sagte aber weiter nichts.

Weshalb rühreten diese Augen so an meine Seele? – Einmal gar über-
raschete mich ein finsterer Blick des Pastors, daß ich den Pinsel müßig
auf der Leinewand ruhen ließ. Es war etwas in dieses Kindes Antlitz,
das nicht aus seinem kurzen Leben kommen konnte; aber es war kein
frommer Zug. So, dachte ich, sieht ein Kind, das unter einem kum-
merschweren Herzen ausgewachsen. Ich hätte oft die Arme nach ihm
breiten mögen; aber ich scheuete mich vor dem harten Manne, der es
gleich einem Kleinod zu behüten schien. Wohl dachte ich oft: »Welch
eine Frau mag dieses Knaben Mutter sein?« –

Des Küsters alte Magd hatte ich einmal nach des Predigers Frau be-
fraget; aber sie hatte mir kurzen Bescheid gegeben: »Die kennt man
nicht, in die Bauernhäuser kommt sie kaum, wenn Kindelbier und
Hochzeit ist.« – Der Pastor selbst sprach nicht von ihr. Aus dem Garten der Küsterei, welcher in eine dichte Gruppe von Fliederbüschen
ausläuft, sahe ich sie einmal langsam über die Priesterkoppel nach ihrem Hause gehen; aber sie hatte mir den Rücken zugewendet, so daß
ich nur ihre schlanke jugendliche Gestalt gewahren konnte, und außerdem ein paar gekräuselte Löckchen, in der Art, wie sie sonst nur
von den Vornehmeren getragen werden und die der Wind von ihren
Schläfen wehte. Das Bild ihres finsteren Ehgesponsen trat mir vor die
Seele, und mir schien, es passe dieses Paar nicht wohl zusammen.

– – An den Tagen, wo ich nicht da draußen war, hatte ich auch die
Arbeit an meinem Lazarus wieder aufgenommen, so daß nach einiger
Zeit diese Bilder miteinander nahezu vollendet waren.

So saß ich eines Abends nach vollbrachtem Tagewerke mit meinem
Bruder unten in unserem Wohngemache. Auf dem Tisch am Ofen war
die Kerze fast herabgebrannt, und die holländische Schlaguhr hatte
schon auf elf gewarnt; wir aber saßen am Fenster und hatten der Gegenwart vergessen; denn wir gedachten der kurzen Zeit, die wir mitsammen in unserer Eltern Haus verlebet hatten; auch unseres einzigen
lieben Schwesterleins gedachten wir, das im ersten Kindbette verstor-
ben und nun seit lange schon mit Vater und Mutter einer fröhlichen
Auferstehung entgegenharrete. – Wir hatten die Läden nicht vorgeschlagen; denn es tat uns wohl, durch das Dunkel, so draußen auf den

Erdenwohnungen der Stadt lag, in das Sternenlicht des ewigen Himmels hinaufzublicken.

Am Ende verstummeten wir beide in uns selber, und wie auf einem dunkeln Strome trieben meine Gedanken zu ihr, bei der sie allzeit Rast und Unrast fanden. – – Da gleich einem Stern aus unsichtbaren Höhen, fiel es mir jählings in die Brust: Die Augen des schönen blassen Knaben, es waren ja ihre Augen! Wo hatte ich meine Sinne denn gehabt! – – Aber dann, wenn sie es war, wenn ich sie selber schon gesehen! – Welch schreckbare Gedanken stürmten auf mich ein!

Indem legte sich die eine Hand meines Bruders mir auf die Schulter, mit der anderen wies er auf den dunkeln Markt hinaus, von wannen aber itzt ein heller Schein zu uns herüberschwankte. »Sieh nur!« sagte er. »Wie gut, daß wir das Pflaster mit Sand und Heide ausgestopfet haben! Die kommen von des Glockengießers Hochzeit; aber an ihren Stockleuchten sieht man, daß sie gleichwohl hin und wieder stolpern.«

Mein Bruder hatte recht. Die tanzenden Leuchten zeugeten deutlich von der Trefflichkeit des Hochzeitschmauses; sie kamen uns so nahe, daß die zwei gemalten Scheiben, so letzlich von meinem Bruder als eines Glasers Meisterstück erstanden waren, in ihren satten Farben wie in Feuer glühten. Als aber dann die Gesellschaft an unserem Hause laut redend in die Krämerstraße einbog, hörete ich einen unter ihnen sagen: »Ei freilich; das hat der Teufel uns verpurret! Hatte mich leblang darauf gespitzet, einmal eine richtige Hex' so in der Flammen singen zu hören!«

Die Leuchten und die lustigen Leute gingen weiter, und draußen die Stadt lag wieder still und dunkel.

»O weh!« sprach mein Bruder; »den trübet, was mich tröstet.«

Da fiel es mir erst wieder bei, daß am nächsten Morgen die Stadt ein grausam Spektakul vor sich habe. Zwar war die junge Person, so wegen einbekannten Bündnisses mit dem Satan zu Aschen sollte verbrannt werden, am heutigen Morgen vom Frone tot in ihrem Kerker aufgefunden worden; aber dem toten Leibe mußte gleichwohl sein peinlich Recht geschehen.

Das war nun vielen Leuten gleich einer kaltgestellten Suppen. Hatte doch auch die Buchführer-Witwe Liebernickel, so unter dem Turm der Kirche den grünen Bücherschranken hat, mir am Mittage, da ich wegen der Zeitung bei ihr eingetreten, aufs heftigste geklaget, daß nun das Lied, so sie im voraus darüber habe anfertigen und drucken lassen, nur kaum noch passen werde wie die Faust aufs Auge. Ich aber, und mit mir mein viellieber Bruder, hatte so meine eigenen Gedanken von dem Hexenwesen und freuete mich, daß unser Herrgott – denn der war es doch wohl gewesen – das arme junge Mensch so gnädiglich in seinen Schoß genommen hatte.

Mein Bruder, welcher weichen Herzens war, begann gleichwohl der Pflichten seines Amts sich zu beklagen; denn er hatte drüben von der Rathaustreppe das Urtel zu verlesen, sobald der Racker den toten Leichnam davor aufgefahren, und hernach auch der Justifikation sel-ber zu assistieren. »Es schneidet mir schon itzund in das Herz«, sagte er, »das greulhafte Gejohle, wenn sie mit dem Karren die Straße her-abkommen; denn die Schulen werden ihre Buben und die Zunftmei-ster ihre Lehrburschen loslassen. – An deiner Statt«, fügete er bei, »der du ein freier Vogel bist, würde ich aufs Dorf hinausmachen und an dem Konterfei des schwarzen Pastors weitermalen!«

Nun war zwar festgesetzet worden, daß ich am nächstfolgenden Ta-ge erst wieder hinauskäme; aber mein Bruder redete mir zu, unwis-send, wie er die Ungeduld in meinem Herzen schürete; und so geschah es, daß alles sich erfüllen mußte, was ich getreulich in diesen Blättern niederschreiben werde.

Am anderen Morgen, als drüben vor meinem Kammerfenster nur kaum der Kirchturmhahn in rotem Frühlicht blinkte, war ich schon von meinem Lager aufgesprungen; und bald schritt ich über den Markt, allwo die Bäcker, vieler Käufer harrend, ihre Brotschragen schon ge-öffnet hatten; auch sahe ich, wie an dem Rathause der Wachtmeister und die Fußknechte in Bewegung waren, und hatte einer bereits einen schwarzen Teppich über das Geländer der großen Treppe aufgehan-gen; ich aber ging durch den Schwibbogen, so unter dem Rathause ist, eilends zur Stadt hinaus.

Als ich hinter dem Schloßgarten auf dem Steige war, sahe ich drü-ben bei der Lehmkule, wo sie den neuen Galgen hingesetzet, einen mächtigen Holzstoß aufgeschichtet. Ein paar Leute hantierten noch daran herum, und mochten das der Fron und seine Knechte sein, die leichten Brennstoff zwischen die Hölzer taten; von der Stadt her aber kamen schon die ersten Buben über die Felder ihnen zugelaufen. – Ich achtete des nicht weiter, sondern wanderte rüstig fürbaß, und da ich hinter den Bäumen hervortrat, sahe ich mir zur Linken das Meer im ersten Sonnenstrahl entbrennen, der im Osten über die Heide empor-stieg. Da mußte ich meine Hände falten:

>»O Herr, mein Gott und Christ,
>Sei gnädig mit uns allen,
>Die wir in Sünd' gefallen,
>Der du die Liebe bist!« – –

Als ich draußen war, wo die breite Landstraße durch die Heide führt, begegneten mir viele Züge von Bauern; sie hatten ihre kleinen Jungen und Dirnen an den Händen und zogen sie mit sich fort.

»Wohin strebet ihr denn so eifrig?« fragte ich den einen Haufen; »es ist ja doch kein Markttag heute in der Stadt.«

Nun, wie ich's wohl zum voraus wußte, sie wollten die Hexe, das junge Satansmensch, verbrennen sehen.

– »Aber die Hexe ist ja tot!«

»Freilich, das ist ein Verdruß«, meinten sie; »aber es ist unserer Hebamme, der alten Mutter Siebzig, ihre Schwestertochter; da kön-nen wir nicht außenbleiben und müssen mit dem Reste schon fürlieb-nehmen.« –

– – Und immer neue Scharen kamen daher; und itzund tauchten auch schon Wagen aus dem Morgennebel, die statt mit Kornfrucht heut mit Menschen vollgeladen waren. – Da ging ich abseits über die Heide, obwohl noch der Nachttau von dem Kraute rann; denn mein Gemüt verlangte nach der Einsamkeit; und ich sahe von fern, wie es den Anschein hatte, das ganze Dorf des Weges nach der Stadt ziehen. Als ich auf dem Hünenhügel stund, der hier inmitten der Heide liegt, überfiel es mich, als müsse auch ich zur Stadt zurückkehren oder et-wan nach links hinab an die See gehen, oder nach dem kleinen Dorfe, das dort unten hart am Strande liegt; aber vor mir in der Luft schwe-bete etwas wie ein Glück, wie eine rasende Hoffnung, und es schüt-telte mein Gebein, und meine Zähne schlugen aneinander. »Wenn sie es wirklich war, so letztlich mit meinen eigenen Augen ich erblicket, und wenn dann heute –« Ich fühlte mein Herz gleich einem Hammer an den Rippen; ich ging weit um durch die Heide; ich wollte nicht sehen, ob auf der Wagen einem auch der Prediger nach der Stadt fahre. – Aber ich ging dennoch endlich seinem Dorfe zu.

Als ich es erreichet hatte, schritt ich eilends nach der Tür des Küsterhauses. Sie war verschlossen. Eine Weile stund ich unschlüssig; dann hub ich mit der Faust zu klopfen an. Drinnen blieb alles ruhig; als ich aber stärker klopfte, kam des Küsters alte halbblinde Trienke aus einem Nachbarhause.

»Wo ist der Küster?« fragte ich.

– »Der Küster? Mit dem Priester in die Stadt gefahren.«

Ich starrete die Alte an; mir war, als sei ein Blitz durch mich dahin geschlagen.

»Fehlet Euch etwas, Herr Maler?« frug sie.

Ich schüttelte den Kopf und sagte nur: »So ist wohl heute keine Schule, Trienke?«

– »Bewahre! Die Hexe wird ja verbrannt!«

Ich ließ mir von der Alten das Haus aufschließen, holte mein Malergeräte und das fast vollendete Bildnis aus des Küsters Schlafkammer und richtete, wie gewöhnlich, meine Staffelei in dem leeren Schulzimmer. Ich pinselte etwas an der Gewandung; aber ich suchte damit nur mich selber zu belügen; ich hatte keinen Sinn zum Malen; war ja um dessentwillen auch nicht hierhergekommen.

Die Alte kam hereingelaufen, stöhnte über die arge Zeit und redete über Bauern- und Dorfsachen, die ich nicht verstund; mich selber drängete es, sie wieder einmal nach des Predigers Frau zu fragen, ob selbige alt oder jung, und auch, woher sie gekommen sei; allein ich brachte das Wort nicht über meine Zungen. Dagegen begann die Alte ein lang' Gespinste von der Hex' und ihrer Sippschaft hier im Dorfe und von der Mutter Siebenzig, so mit Vorspuksehen behaftet sei; erzählte auch, wie selbige zur Nacht, da die Gicht dem alten Weibe keine Ruh' gelassen, drei Leichlaken über des Pastors Hausdach habe fliegen sehen; es gehe aber solche Gesichte allzeit richtig aus, und Hoffart komme vor dem Falle; denn sei die Frau Pastorin bei aller ihrer Vornehmheit doch nur eine blasse und schwächliche Kreatur.

Ich mochte solch Geschwätz nicht fürder hören; ging daher aus dem Hause und auf dem Wege herum, da wo das Pastorat mit seiner Fronte gegen die Dorfstraße liegt; wandte auch unter bangem Sehnen meine Augen nach den weißen Fenstern, konnte aber hinter den blinden Scheiben nichts gewahren als ein paar Blumenscherben, wie sie überall zu sehen sind. – Ich hätte nun wohl umkehren mögen; aber ich ging dennoch weiter. Als ich auf den Kirchhof kam, trug von der Stadtseite der Wind ein wimmernd Glockenläuten an mein Ohr; ich aber wandte mich und blickte hinab nach Westen, wo wiederum das Meer wie lichtes Silber am Himmelssaume hinfloß, und war doch ein tobend Unheil dort gewesen, worin in einer Nacht des Höchsten Hand viel tausend Menschenleben hingeworfen hatte. Was krümmete denn ich mich so gleich einem Wurme? – Wir sehen nicht, wie seine Wege führen!

Ich weiß nicht mehr, wohin mich damals meine Füße noch getragen haben; ich weiß nur, daß ich in einem Kreis gegangen bin; denn da die Sonne fast zur Mittagshöhe war, langete ich wieder bei der Küsterei an. Ich ging aber nicht in das Schulzimmer an meine Staffelei, sondern durch das Hinterpförtlein wieder zum Hause hinaus. – –

Das ärmliche Gärtlein ist mir unvergessen, obschon seit jenem Tage meine Augen es nicht mehr gesehen. – Gleich dem des Predigerhauses von der anderen Seite, trat es als ein breiter Streifen in die Priesterkoppel; inmitten zwischen beiden aber war eine Gruppe dichter Weidenbüsche, welche zur Einfassung einer Wassergrube dienen mochten; denn ich hatte einmal eine Magd mit vollem Eimer wie aus einer Tiefe daraus hervorsteigen sehen.

Als ich ohne viel Gedanken, nur mein Gemüte erfüllet von nicht zu zwingender Unrast, an des Küsters abgeheimseten Bohnenbeeten hinging, höret ich von der Koppel draußen eine Frauenstimme von gar holdem Klang, und wie sie liebreich einem Kinde zusprach.

Unwillens schritt ich solchem Schalle nach; so mochte einst der griechische Heidengott mit seinem Stabe die Toten nach sich gezogen haben. Schon war ich am jenseitigen Rande des Holundergebüsches, das hier ohne Verzäunung in die Koppel ausläuft, da sahe ich den kleinen Johannes mit einem Ärmchen voll Moos, wie es hier in dem kümmerlichen Grase wächst, gegenüber hinter die Weiden gehen; er mochte sich dort damit nach Kinderart ein Gärtchen angeleget haben. Und wieder kam die holde Stimme an mein Ohr: »Nun heb' nur an; nun hast du einen ganzen Haufen! Ja, ja; ich such' derweil noch mehr; dort am Holunder wächst genug!«

Und dann trat sie selber hinter den Weiden hervor; ich hatte ja längst schon nicht gezweifelt. – Mit den Augen auf dem Boden suchend, schritt sie zu mir her, so daß ich ungestöret sie betrachten durfte; und mir war, als gliche sie nur gar seltsam dem Kinde wieder, das sie einst gewesen war, für das ich den »Buhz« einst von dem Baum herabgeschossen hatte; aber dieses Kinderantlitz von heute war bleich und weder Glück noch Mut darin zu lesen.

So war sie mählich nähergekommen; ohne meiner zu gewahren; dann kniete sie nieder an einem Streifen Moos, der unter den Büschen hinlief; doch ihre Hände pflückten nicht davon; sie ließ das Haupt auf ihre Brust sinken, und es war, als wolle sie nur ungesehen vor dem Kinde in ihrem Leide ausruhen.

Da rief ich leise: »Katharina!«

Sie blickte auf; ich aber ergriff ihre Hand und zog sie gleich einer Willenlosen zu mir unter den Schatten der Büsche. Doch als ich sie endlich also nun gefunden hatte und keines Wortes mächtig vor ihr stund, da sahen ihre Augen weg von mir, und mit fast einer fremden Stimme sagte sie: »Es ist nun einmal so, Johannes! Ich wußte wohl, du seiest der fremde Maler; ich dachte nur nicht, daß du heute kommen würdest.«

Ich hörete das, und dann sprach ich es aus: »Katharina – – so bist du des Predigers Eheweib?«

Sie nickte nicht; sie sah mich starr und schmerzlich an. »Er hat das Amt dafür bekommen«, sagte sie, »und dein Kind den ehrlichen Namen.«

– »Mein Kind, Katharina?«

»Und fühltest du das nicht? Er hat ja doch auf deinem Schoß gesessen; einmal doch, er selbst hat es mir erzählet.«

– – Möge keines Menschen Brust ein solches Weh zerfleischen! – »Und du, du und mein Kind, ihr solltet mir verloren sein!«

Sie sah mich an, sie weinte nicht, sie war nur gänzlich totenbleich.

»Ich will das nicht!« schrie ich; »ich will …« Und eine wilde Gedankenjagd rasete mir durchs Hirn.

Aber ihre kleine Hand hatte gleich einem kühlen Blatte sich auf meine Stirn gelegt, und ihre braunen Augensterne aus dem blassen Antlitz sahen mich flehend an. »Du, Johannes«, sagte sie, »du wirst es nicht sein, der mich noch elender machen will.«

– »Und kannst denn du so leben, Katharina?«

»Leben? – – Es ist ja doch ein Glück dabei; er liebt das Kind – was ist denn mehr noch zu verlangen?«

– »Und von uns, von dem, was einst gewesen ist, weiß er davon?«

»Nein, nein!« rief sie heftig. »Er nahm die Sünderin zum Weibe: mehr nicht. O Gott, ist's denn nicht genug, daß jeder neue Tag ihm angehört!«

In diesem Augenblicke tönete ein zarter Gesang zu uns herüber. – »Das Kind«, sagte sie. »Ich muß zu dem Kinde; es könnte ihm ein Leids geschehen!«

Aber meine Sinne zieleten nur auf das Weib, das sie begehrten. »Bleib doch«, sagte ich, »es spielet ja fröhlich dort mit seinem Moose.«

Sie war an den Rand des Gebüsches getreten und horchete hinaus. Die goldene Herbstsonne schien so warm hernieder, nur leichter Hauch kam von der See herauf. Da hörten wir von jenseit durch die Weiden das Stimmlein unseres Kindes singen:

> »Zwei Englein, die mich decken,
> Zwei Englein, die mich strecken,
> Und zweie, so mich weisen
> In das himmlische Paradeisen.«

Katharina war zurückgetreten, und ihre Augen sahen groß und geisterhaft mich an. »Und nun leb' wohl, Johannes«, sprach sie; »auf Nimmerwiedersehen hier auf Erden!«

Ich wollte sie an mich reißen; ich streckte beide Arme nach ihr aus; doch sie wehrete mich ab und sagte sanft: »Ich bin des anderen Mannes Weib; vergiß das nicht.«

Mich aber hatte auf diese Worte ein fast wilder Zorn ergriffen. »Und wessen, Katharina«, sprach ich hart, »bist du gewesen, ehe bevor du sein geworden?«

Ein weher Klaglaut brach aus ihrer Brust; sie schlug die Hände vor ihr Angesicht und rief: »Weh mir! O weh mein entweihter armer Leib!«

Da wurd' ich meiner schier unmächtig; ich riß sie jäh an meine Brust, ich hielt sie wie mit Eisenklammern und hatte sie endlich, endlich wieder! Und ihre Augen sanken in die meinen, und ihre roten Lippen duldeten die meinen; wir umschlangen uns inbrünstiglich; ich hätte sie töten mögen, wenn wir also miteinander hätten sterben können. Und als dann meine Blicke voll Seligkeit auf ihrem Antlitz weideten, da sprach sie, fast erstickt von meinen Küssen: »Es ist ein langes, banges Leben! O Jesu Christ, vergib mir diese Stunde!«

– – Es kam eine Antwort; aber es war die harte Stimme jenes Mannes, aus dessen Munde ich itzt um ersten Male ihren Namen hörte. Der Ruf kam von drüben aus dem Predigergarten, und noch einmal und härter rief es: »Katharina!«

Da war das Glück vorbei; mit einem Blicke der Verzweiflung sahe sie mich an; dann stille wie ein Schatten war sie fort.

– – Als ich in die Küsterei trat, war auch schon der Küster wieder da. Er begann sofort von der Justifikation der armen Hexe auf mich einzureden. »Ihr haltet wohl nicht viel davon«, sagte er; »sonst wäret Ihr heute nicht aufs Dorf gegangen, wo der Herr Pastor gar die Bauern und ihre Weiber in die Stadt getrieben.«

Ich hatte nicht die Zeit zur Antwort; ein gellender Schrei durchschnitt die Luft; ich werde ihn leblang in den Ohren haben.

»Was war das, Küster?« rief ich.

Der Mann riß ein Fenster auf und horchete hinaus, aber es geschah nichts weiter. »So mir Gott«, sagte er, »es war ein Weib, das so geschrien hat; und drüben von der Priesterkoppel kam's.«

Indem war auch die alte Trienke in die Tür gekommen. »Nun, Herr?« rief sie mir zu. »Die Leichlaken sind auf des Pastors Dach gefallen!«

– »Was soll das heißen, Trienke?«

»Das soll heißen, daß sie des Pastors kleinen Johannes soeben aus dem Wasser ziehen.«

Ich stürzete aus dem Zimmer und durch den Garten auf die Priesterkoppel; aber unter den Weiden fand ich nur das dunkle Wasser und

Spuren feuchten Schlammes daneben auf dem Grase. – Ich bedachte mich nicht, es war ganz wie von selber, daß ich durch das weiße Pförtchen in des Pastors Garten ging. Da ich eben ins Haus wollte, trat er selber mir entgegen.

Der große knochige Mann sah gar wüste aus; seine Augen waren gerötet, und das schwarze Haar hing wirr ihm ins Gesicht. »Was wollt Ihr?« sagte er.

Ich starrete ihn an; denn mir fehlete das Wort. Was wollte ich denn eigentlich?

»Ich kenne Euch!« fuhr er fort. »Das Weib hat endlich alles ausgeredet.«

Das machte mir die Zunge frei. »Wo ist mein Kind?« rief ich.

Er sagte: »Die beiden Eltern habe es ertrinken lassen.«

– »So laßt mich zu meinem toten Kinde!«

Allein, da ich an ihm vorbei in den Hausflur wollte, drängete er mich zurück. »Das Weib«, sprach er, »liegt bei dem Leichnam und schreit zu Gott aus ihren Sünden. Ihr sollt nicht hin, um ihrer armen Seelen Seligkeit!«

Was dermalen selber ich gesprochen, ist mir schier vergessen; aber des Predigers Worte gruben sich in mein Gedächtnis. »Höret mich!« sprach er. »So von Herzen ich Euch hasse, wofür dereinst mich Gott in seiner Gnade wolle büßen lassen, und Ihr vermutendlich auch mich – noch ist eines uns gemeinsam. – Geht itzo heim und bereitet eine Tafel oder Leinewand! Mit solcher kommet morgen in der Frühe wieder und malet darauf des toten Knaben Antlitz. Nicht mir oder meinem Hause; der Kirchen hier, wo er sein kurz unschuldig Leben ausgelebet, möget Ihr das Bildnis stiften. Mög' es dort die Menschen mahnen, daß vor der knöchern Hand des Todes alles Staub ist!«

Ich blickte auf den Mann, der kurz vordem die edle Malerkunst ein Buhlweib in der Welt gescholten; aber ich sagte zu, daß alles so geschehen möge.

– – Daheim indessen wartete meiner eine Kunde, so meines Lebens Schuld und Buße gleich einem Blitze jählings aus dem Dunkel hob, so daß ich Glied um Glied die ganze Kette vor mir leuchten sahe.

Mein Bruder, dessen schwache Konstitution von dem abscheulichen Spektakul, dem er heute assistieren müssen, hart ergriffen war, hatte sein Bette aufgesucht. Da ich zu ihm eintrat, richtete er sich auf. »Ich muß noch eine Weile ruhen«, sagte er, indem er ein Blatt der Wochenzeitung in meine Hand gab; »aber lies doch dieses! Da wirst du sehen, daß Herrn Gerhardus' Hof in fremde Hände kommen, maßen Junker Wulf ohn' Weib und Kind durch eines tollen Hundes Biß gar jämmerlichen Todes verfahren ist.«

Ich griff nach dem Blatte, das mein Bruder mir entgegenhielt; aber es fehlte nicht viel, daß ich getaumelt wäre. Mir war's bei dieser Schreckenspost, als sprängen des Paradieses Pforten vor mir auf; aber schon sahe ich am Eingange den Engel mit dem Feuerschwerte stehen, und aus meinem Herzen schrie es wieder: O Hüter, Hüter, war dein Ruf so fern! – – Dieser Tod hätte uns das Leben werden können; nun war's nur ein Entsetzen zu den anderen.

Ich saß oben auf meiner Kammer. Es wurde Dämmerung, es wurde Nacht; ich schaute in die ewigen Gestirne, und endlich suchte auch ich mein Lager. Aber die Erquickung des Schlafes ward mir nicht zuteil. In meinen erregten Sinnen war es mir gar seltsamlich, als sei der Kirchturm drüben meinem Fenster nahgerückt; ich fühlte die Glockenschläge durch das Holz der Bettstatt dröhnen, und ich zählete sie alle die ganze Nacht entlang. Doch endlich dämmerte der Morgen. Die Balken an der Decke hingen noch wie Schatten über mir, da sprang ich auf, und ehbevor die erste Lerche aus den Stoppelfeldern stieg, hatte ich allbereits die Stadt im Rücken.

Aber so frühe ich auch ausgegangen, ich traf den Prediger schon auf der Schwelle seines Hauses stehen. Er geleitete mich auf den Flur und sagte, daß die Holztafel richtig angelanget, auch meine Staffelei und sonstiges Malergerät aus dem Hause herübergeschafft sei. Dann legte er seine Hand auf die Klinke einer Stubentür.

Ich jedoch hielt ihn zurück und sagte: »Wenn es in diesem Zimmer ist, so wollet mir vergönnen, bei meinem schweren Werk allein zu sein!«

»Es wird Euch niemand stören«, entgegnete er und zog die Hand zurück. »Was Ihr zur Stärkung Eures Leibes bedürfet, werdet Ihr drüben in jenem Zimmer finden.« Er wies auf eine Tür an der anderen Seite des Flures; dann verließ er mich.

Meine Hand lag itzund statt der des Predigers auf der Klinke. Es war totenstill im Hause; eine Weile mußte ich mich sammeln, bevor ich öffnete.

Es war ein großes, fast leeres Gemach, wohl für den Konfirmandenunterricht bestimmt, mit kahlen weißgetünchten Wänden; die Fenster sahen über öde Felder nach dem fernen Strand hinaus. Inmitten des Zimmers aber stund ein weißes Lager aufgebahret. Auf dem Kissen lag ein bleiches Kinderangesicht; die Augen zu; die kleinen Zähne schimmerten gleich Perlen aus den blassen Lippen.

Ich fiel an meines Kindes Leiche nieder und sprach ein brünstiglich Gebet. Dann rüstete ich alles, wie es zu der Arbeit nötig war; und dann malte ich – rasch, wie man die Toten malen muß, die nicht zum zweitenmal dasselbig Antlitz zeigen. Mitunter wurd' ich wie von der andauernden großen Stille aufgeschrecket; doch wenn ich innehielt und horchte, so wußte ich bald, es sei nichts dagewesen. Einmal auch war es, als drängen leise Odemzüge an mein Ohr. – Ich trat an das Bette des Toten, aber da ich mich zu dem bleichen Mündlein niederbeugte, berührte nur die Todeskälte meine Wangen.

Ich sahe um mich; es war noch eine Tür im Zimmer; sie mochte zu einer Schlafkammer führen, vielleicht daß es von dort gekommen war! Allein so scharf ich lauschte, ich vernahm nichts wieder; meine eigenen Sinne hatten wohl ein Spiel mit mir getrieben.

So setzete ich mich denn wieder, sahe auf den kleinen Leichnam und malete weiter; und da ich die leeren Händchen ansahe, wie sie auf dem Linnen lagen, so dachte ich: »Ein klein Geschenk doch mußt du deinem Kinde geben!« Und ich malete auf seinem Bildnis ihm eine weiße Wasserlilie in die Hand, als sei es spielend damit eingeschlafen. Solcher Art Blumen gab es selten in der Gegend hier, und mocht' es also ein erwünschet Angebinde sein.

Endlich trieb mich der Hunger von der Arbeit auf, mein ermüdeter Leib verlangte Stärkung. Legete sonach den Pinsel und die Palette fort und ging über den Flur nach dem Zimmer, so der Prediger mir angewiesen hatte. Indem ich aber eintrat, wäre ich vor Überraschung bald zurückgewichen; denn Katharina stund mir gegenüber, zwar in schwarzen Trauerkleidern und doch in all dem Zauberschein, so Glück und Liebe in eines Weibes Antlitz wirken mögen.

Ach, ich wußte es nur zu bald; was ich hier sahe, war nur ihr Bildnis, das ich selber einst gemalet. Auch für dieses war also nicht mehr Raum in ihres Vaters Haus gewesen. –Aber wo war sie selber denn? Hatte man sie fortgebracht, oder hielt man sie auch hier gefangen? – Lang', gar lange sahe ich das Bildnis an; die alte Zeit stieg auf und quälete mein Herz. Endlich, da ich mußte, brach ich einen Bissen Brot und stürzete ein paar Gläser Wein hinab; dann ging ich zurück zu unserem toten Kinde.

Als ich drüben eingetreten und mich an die Arbeit setzen wollte, zeigete es sich, daß in dem kleinen Angesicht die Augenlider um ein weniges sich gehoben hatten. Da bückete ich mich hinab, im Wahne, ich möchte noch einmal meines Kindes Blick gewinnen; als aber die kalten Augensterne vor mir lagen, überlief mich Grausen; mir war, als sähe ich die Augen jener Ahne des Geschlechtes, als wollten sie noch hier aus unseres Kindes Leichenantlitz künden: »Mein Fluch hat doch euch beide eingeholet!« – Aber zugleich – ich hätte es um alle Welt nicht lassen können – umfing ich mit beiden Armen den kleinen blassen Leichnam und hob ihn auf an meine Brust und herzete unter bitteren Tränen zum ersten Male mein geliebtes Kind. »Nein, nein, mein armer Knabe, deine Seele, die gar den finsteren Mann zur Liebe zwang, die blickte nicht aus solchen Augen; was hier herausschaut, ist alleine noch der Tod. Nicht aus der Tiefe schreckbarer Vergangenheit ist es heraufgekommen; nichts anderes ist da als deines Vaters Schuld; sie hat uns alle in die schwarze Flut hinabgerissen.«

Sorgsam legte ich dann wieder mein Kind in seine Kissen und drückte ihm sanft die beiden Augen zu. Dann tauchete ich meinen Pinsel in ein dunkles Rot und schrieb unten in den Schatten des Bildes die Buchstaben: C. P. A. S. Das sollte heißen: *Culpa Patris Aquis Submersus,* »Durch Vaters Schuld in der Flut versunken«. – Und mit dem Schalle dieser Worte in meinem Ohre, die wie ein schneidend Schwert durch meine Seele fuhren, malete ich das Bild zu Ende.

Während meiner Arbeit hatte wiederum die Stille im Hause fortgedauert, nur in der letzten Stunde war abermalen durch die Tür, hinter welcher ich eine Schlafkammer vermutet hatte, ein leises Geräusch hereingedrungen. – War Katharina dort, um ungesehen bei meinem schweren Werk mir nah zu sein? – Ich konnte es nicht enträtseln.

Es war schon zu spät. Mein Bild war fertig, und ich wollte mich zum

Gehen wenden; aber mir war, als müsse ich noch einen Abschied nehmen, ohne den ich nicht von hinnen könne.

So stand ich zögernd und schaute durch das Fenster auf die öden Felder draußen, wo schon die Dämmerung begunnte sich zu breiten; da öffnete sich vom Flure her die Tür, und der Prediger trat zu mir herein.

Er grüßte schweigend; dann mit gefalteten Händen blieb er stehen und betrachtete wechselnd das Antlitz auf dem Bilde und das des kleinen Leichnams vor ihm, als ob er sorgsame Vergleichung halte. Als aber seine Augen auf die Lilie in der gemalten Hand des Kindes fielen, hub er wie im Schmerze seine beiden Hände auf, und ich sahe, wie seinen Augen jählings ein reicher Tränenquell entstürzete.

Da streckte auch ich meine Arme nach dem Toten und rief überlaut: »Leb' wohl, mein Kind! O mein Johannes, lebe wohl!«

Doch in demselben Augenblicke vernahm ich leise Schritte in der Nebenkammer; es tastete wie mit kleinen Händen an der Tür; ich hörte deutlich meinen Namen rufen – oder war es der des toten Kindes? – Dann rauschte es wie von Frauenkleidern hinter der Türe nieder, und das Geräusch vom Falle eines Körpers wurde hörbar.

»Katharina!« rief ich. Und schon war ich hinzugesprungen und rüttelte an der Klinke der festverschlossenen Tür; da legte die Hand des Pastors sich auf meinen Arm: »Das ist meines Amtes!« sagte er. »Gehet itzo! Aber gehet in Frieden; und möge Gott uns allen gnädig sein!«

– – Ich bin dann wirklich fortgegangen; ehe ich es selbst begriff, wanderte ich schon draußen auf der Heide auf dem Weg zur Stadt.

Noch einmal wandte ich mich um und schaute nach dem Dorf zurück, das nur noch wie Schatten aus dem Abenddunkel ragte. Dort lag mein totes Kind – Katharina – alles, alles! – Meine alte Wunde brannte mir in meiner Brust; und seltsam, was ich niemals hier vernommen, ich wurde plötzlich mir bewußt, daß ich vom fernen Strand die Brandung tosen hörete. Kein Mensch begegnete mir, keines Vogels Ruf vernahm ich; aber aus dem dumpfen Brausen des Meeres tönte es mir immerfort, gleich einem finsteren Wiegenliede: *Aquis submersus – aquis submersus!*

Hier endete die Handschrift.

Dessen Herr Johannes sich einstens im Vollgefühle seiner Kraft vermessen, daß er's wohl auch einmal in seiner Kunst den Größeren gleichzutun verhoffe, das sollten Worte bleiben, in die leere Luft gesprochen.

Sein Name gehört nicht zu denen, die genannt werden; kaum dürfte er in einem Künstlerlexikon zu finden sein; ja selbst in seiner engeren Heimat weiß niemand von einem Maler seines Namens. Des großen Lazarusbildes tut zwar noch die Chronik unserer Stadt Erwähnung, das Bild selbst aber ist zu Anfang dieses Jahrhunderts nach dem Abbruch unserer alten Kirche gleich den anderen Kunstschätzen derselben verschleudert und verschwunden.

Aquis submersus

Renate

In einiger Entfernung von meiner Vaterstadt, doch so, daß es für Lustfahrten dahin nicht zu weit ist, liegt das Dorf Schwabstedt, welcher Name nach einigen Chronisten soviel heißen soll: *Suavestätte,* d. i. lieblicher Ort. Hoch oberhalb des weiten wiesenreichen Treenetales, durch welches sich der Fluß in schönen Krümmungen windet, ist der alte Kirchspielskrug, dessen Wirt bis zu der neuesten, alle Traditionen aufhebenden Zeit immer Peter Behrens hieß, und wo »Mutter Behrens«, je nach den Geschlechtern eine andere, aber immer eine saubere, sei es junge oder alte Frau, als eine wahre Mutter für die Leibesnotdurft ihrer Gäste sorgte. Die lange Lindenlaube mit dem »schlohweiß« gedeckten Kaffeetisch darunter, die steile granitene Treppe, die unter den alten Silberpappeln zum Fluß hinabführte, die Kahnfahrten zwischen den schwimmenden Teichrosen, diese Dinge werden bei vielen älteren Leuten ein hübsches Abseits ihres Jugendparadieses bilden.

Und Schwabstedt bot noch anderes für die jugendliche Phantasie; denn Sage und halberloschene Geschichte flechten ihren dunklen Efeu um diesen Ort. Freilich, wenn man sichtbare Spuren aufsuchen wollte, so mußte man genügsam sein: wo einst osten dem Dorfe ein Hafen der gefürchteten Vitalienbrüder gewesen sein sollte, sah man jetzt nur aus dem Flußtal eine Schlucht ins Land hinein; von dem festen Hause der schleswigschen Bischöfe, welches sich einst oberhalb des Flusses hart am Dorf erhob, war nichts mehr übrig als die Vertiefungen der Burggräben und karge Mauerreste, die hie und da aus dem Rasen hervorsahen; wenn man nicht etwa die Zähne von Wildschweinen hinzurechnen will, deren wir Knaben einmal eine Menge unter der Grasnarbe hervorwühlten, so daß wir das Zeugnis des großen Wild- und Waldreichtums, der einst hier geherrscht haben sollte, leibhaftig in den Händen hielten.

Aber noch mehr als durch diese Örtlichkeiten wurde meine Neugier durch ein sichtlich dem Verfalle preisgegebenes Gehöft erregt, das seitwärts von der Bischofshöhe lag, fast versteckt unter uralten hohen Eichbäumen. Das Haus, das schon durch seine zwei Stockwerke sich von den übrigen Bauernhäusern unterschied, gewann allmählich eine geheimnisvolle Anziehungskraft für mich, aber die Blödigkeit der Ju-

gend hinderte mich, näher heranzugehen. Ich mochte schon ein hoch-
aufgeschossener Junge sein, als ich dieses Wagstück ausführte; ich entsinne mich dessen noch mit allen Umständen.

Während ich zögernd auf der einsamen Hofstätte umherging und
bald auf die blinden Fenster des Hauses blickte, bald hinauf in das Gezweig der alten Bäume, wo ein paar Elstern aus ihrem Neste schrien,
kam ein altes Weib um die Ecke, die von dem herabgefallenen Astholz
in ihre Schürze sammelte. Als ich ihr unter den groben Strohhut guck-
te, erkannte ich das braune scharfe Gesicht der allbekannten »Mutter
Pottsacksch«, welche je nach der Jahreszeit mit Maililien und Wald-
meisterkränzen oder Nüssen und Moosbeeren in der Stadt hausieren
ging.

»Mutter Pottsacksch!« rief ich, »wohnt Sie hier in dem großen Hause?«

»Je, junge Herr«, erwiderte in ihrem Platt die Alte; »ick hol de Kram
hier man wat uprecht!«

Und auf weitere Fragen erfuhr ich, daß einst ein großes Bauerngut
bei diesem Hause gewesen, daß aber schon vor hundert Jahren das
Land davongekommen sei und in nächster Zeit auch der Hof – denn
so werde das Haus noch jetzt genannt – auf Abbruch verkauft und die
Bäume niedergeschlagen werden sollten.

Mich dauerten die armen Elstern, die droben so mühsam sich ihr
Nest gebaut hatten; dann aber fragte ich: »Und vor hundert Jahren,
wer hat denn damals hier gewohnt?«

»Dotomal?« rief die Alte und stemmte die freie Hand in ihre Seite.
»Dotomal hätt' de Hex hier wahnt!«

»De Hex?« wiederholte ich. »Hat's denn Hexen hier bei Euch gegeben?«

Die Alte winkte mit der Hand. »Oha! Lat de Herr dat man betäm-
men!« womit sie sagen wollte, ich solle das nur sachte angehen lassen,
es sei damit auch heut noch nicht geheuer.

Als ich frug, ob jene Hexe denn verbrannt sei, schüttelte sie heftig
ihren alten Kopf. »Oha, Oha!« rief sie wieder und gab dann zu verstehen, der Amtmann und der Landvogt hätten nur nicht heranwol-
len; denn – na, ich verstünde wohl – – und nun machte sie unter be-
deutsamem Kopfnicken die Gebärde des Geldzählens. Die Zerstük-

kelung des Gutes sei nämlich erst nach dem Tode der Hexe vor sich gegangen, sie selber habe noch ihre Wirtschaft streng betrieben und sei eine gewaltige Bäuerin gewesen.

Was diese Hexe denn aber eigentlich gehext habe, davon schien Mutter Pottsacksch nichts zu wissen. »Düwelswark, Herr!« sagte sie. »Wat so'n Slag bedrivt!« Soviel jedoch sei sicher: Sonntags, wenn andere Christenmenschen in der Kirche gesessen hätten, um Gottes Wort zu hören, dann habe sie sich auf ein Pferd gesetzt und sei nach Norden zu in Heide und Moor hinausgeritten; was sie dort betrieben habe, davon sei wohl übel Nachricht einzuholen. Plötzlich aber habe dieses aufgehört, und seitdem habe sie Sonntags ihr großes düsteres Zimmer nicht mehr verlassen; noch Mutter Pottsacksch Urgroßmutter habe das blasse Gesicht mit den großen brennenden Augen hinter den kleinen Fensterscheiben sitzen sehen.

Mehr vermochte ich von der Alten nicht herauszubringen.

»Und war das Pferd, worauf sie ritt, denn schwarz?« fragte ich endlich, um mein schnell geschaffenes Phantasiebild doch in etwas zu vervollständigen.

»Swart?« schrie Mutter Pottsacksch, wie entrüstet über eine so überflüssige Frage »Gnidderswart! Dat mag de Herr wull löwen (glauben)!«

Noch lange mußte ich an die Schwabstedter Hexe denken; auch tat ich nach verschiedenen Seiten hin noch manche Fragen nach ihrem näheren Geschick; allein was Mutter Pottsacksch nicht erzählt hatte, das konnten auch andere nicht erzählen. Mir ahnte freilich nicht, daß ich die Antwort in nächster Nähe, daß ich sie auf dem Boden meines elterlichen Hauses hätte suchen sollen.

Viele Jahre nachher, da ich diese Dinge längst vergessen hatte, saß ich vor einer dort beiseite gestellten Schatulle aus meines Großvaters Hausrat und kramte in ihren Schubfächern nach dessen Bräutigamsbriefen an meine Großmutter. Bei dieser Gelegenheit fiel mir ein Heft in augenscheinlich noch viel älterer Schrift in die Hände, welches ich, nachdem später noch ein demnächst zu erwähnender Fund hinzugekommen, nunmehr in nachstehendem mitteile.

An der Schreib- und Vortragsweise habe ich so viel geändert, als zur lebendigeren Darstellung des Inhalts nötig erschien; an einzelnen Stellen für manche Leser vielleicht kaum genug; an dem Inhalte selbst ist nicht von mir gerührt worden.

Und somit möge der Schreiber jenes alten Aufsatzes selbst das Wort nehmen.

1700. Um diese Zeit war mein lieber, nun in Gott ruhender Vater Kapellan oder Diakonus im Dorfe Schwesen, allwo er seine dürftige Einkünfte, als mehrenteils an Butter, Korn und Fleisch, von Haus zu Hause einsammeln und überdies zu seinem Predigtdienst auch noch die Schule halten mußte. Da aber meine lieben Eltern sich alles an ihrem Munde absparten und anderseits wohlgesinnte Leute mir mittags einen Platz an ihrem Tische gönneten, so kam ich auf die Lateinische Schule zu Husum, welcher derzeit der treffliche Nikolaus Rudlof als Rektor vorstund, und hatte bei einer frommen Schneiderswitwen mein Quartier. War auch mit Gottes Hilfe schon in die Sekunda aufgerücket, als mir eine Leibesgefahr widerfuhr, welche gar leicht allen Studien eine plötzliche Endschaft hätte bereiten können.

So war es am Nachmittage letzten Sonntages *Octrobris,* daß ich nach der gewöhnten Sonnabendseinkehr unter mein elterlich Dach von unserem Dorfe wieder nach der Stadt zurückwanderte! Ich hatte mich jedoch zuvor schon müd' gelaufen; denn da die Gemeinde einen Schweinehirten, wie mein Vater selig zu sagen pflegte, einen Gergesener, in den letzten Jahren nicht mehr dulden wollen, so waren unsere Ferkel von dem grünen Weideplane äußerst des Dorfes ausgerissen, also daß wir an diesem letzten heißen Tage des Jahres eine gar tolle Jagd hatten anstellen müssen. Schritt aber desunerachtet auch itzt, da es über solchem Beginnen spät geworden und schon die sinkende Sonne einen roten Dunst über die Heide warf, mit eilenden Schritten fürbaß; streifete nämlich nach dem erst jüngst verglichenen Kriege mit dem Könige von Dänemark allerlei loses Volk umher und verübte Raub und Einbruch; auch sollten drüben nach dem Holze zu, wo die alten Weiber die Moosbeeren holen, in voriger Nacht die Irrwisch gar arg getanzt haben, dessen Anblick in alle Wege besser zu umgehen.

Da ich endlich in die Stadt und nach dem Markt hinunterkam, stunden schon die Giebel der Häuser dunkel gegen den Abendhimmel, und war ob des Sonntages eine große Stille auf der Gassen; nur aus der alten Kirche hinter den Lindenbäumen tönete ein sanftes Orgelspiel.

Ich wußte wohl, es sei der Organiste Georg Bruhn, des noch berühmteren Nikolaus Bruhn Bruder und *successor,* der es liebte, in den Schummerstunden nur für sich und seinen Gott seine meisterliche Kunst zu üben; und da ich inne ward, daß die Kirchtür unter den sogenannten Mutterlinden offenstund, so ging ich hinein und setzete mich in der Nordseite still in eines der alten Mönchsgestühle. Es war aber, wenngleich die Bäume draußen schon die meisten Blätter abgeworfen hatten, hier innen eine Dämmerung, daß ich die Bilder und Figuren an den Epitaphien, so diese gewaltige Kirche zieren, nur kaum erkennen mochte. Gleichwohl spielte da droben der unvergleichliche Meister noch immerzu; und wie ich so in meiner Ecken saß, ganz allein hier unten, und von dem Dunkel immer mehr umhüllet ward, in das hinein die lieblichen Tongänge der Flöten und Oboen gleich sanften Lichtern spielten, da war mir, als wenn die beiden Engel drüben von dem Kruzifix des Altarbildes zu mir herabflögen und mich mit ihren goldenen Flügeln deckten. Wie lange ich in solcher Hut geruhet, ist mir unbewußt; schreckte aber itzt davon empor, daß der Schlag der Turmuhr dröhnend in den weiten Raum hinunterhallte. Durch die nahezu kahlen Bäume schien der Mond in die hohen Fenster; insonders war das mächtige Reiterstandbild des St. Jürgen mit dem Drachen, so eigentlich dem Gasthaus angehörte, zurzeit aber hier neben dem Altar aufgestellet war, in einer so hellen Beleuchtung, daß ich das grimme Antlitz des Ritters und unter den Hufen des bäumenden Hengstes gleicherweise den aufgesperrten Schlund des Drachen von meinem Sitze aus gar wohl erkennen mochte.

Aber das Tonspiel droben von der Orgel hatte aufgehört, und drüben an dem Altarbilde schwebten wieder die Engel zur Seiten des Gekreuzigten. Es war eine große Stille um mich her; nur da ich, um hinauszugehen, die Tür des Gestühltes öffnete, scholl es von meinen Tritten weithin durch das Schiff der Kirchen. Eilends rannte ich, erst an die Norder-, dann an die Turm-, dann an die Südertür, fand aber alle fest geschlossen, und alles Klopfen, so ich mit meinen Fäusten itzt vollführete, schien an keines Menschen Ohr zu reichen. Da ich mich dann ratlos umwandte, fielen meine Blicke auf das große Epitaphium, das sich gegenüber an dem Pfeiler zeigt, bei dessen Fuße der alte Bürgermeister Ägidius Herfort begraben lieget. Man hatte aber an selbigem vorgestellet, daß der Tod, als ein natürliches Gerippe ganz aus Holz geschnitzt, gleich einer ungeheueren Spinnen an dem Konterfei des seligen Mannes heraufkriechet. Solches wollte mir anitzt nicht eben wohl gefallen; denn durch die Schatten der vor den Fenstern wankenden Gezweige, so mit den Mondlichtern ihr Spiel darüber trieben, wollte mich fast bedünken, als ob das grimmig Unwesen mit dem Kopfe rucke und die spitzen Knochenfinger an des Seligen Gesicht hinaufstrecke. Da fuhr es mir gar noch durch den Sinn, selbiges könne auch wohl einmal abwärts an dem Pfeiler hinunterklettern oder sich gar umwenden und auf das nächste Gestühlte zuspringen. Wußte zwar, es sei das nur ein törichtes Phantasma, drückte mich aber doch längst dem Steige nach dem großen Reiterbilde des Heiligen, fast unwillens wähnend, daß ich bei selbigem Schutz und Hilfe finden müsse. Freilich fiel mir bei, daß dies papistische Gedanken und das hölzern Standbild nur gleichsam als ein Symbolum zu betrachten sei, legte aber doch meine Hand um den gespornten Fuß des Ritters. Da vernahm ich, wie drüben in der Vordertür der große Schlüssel rasselte, und wollte schon dem Ausgange zustürzen, als ich die schwere Tür sich auftun, aber in selbigem Augenblick sich wieder schließen sahe. Darauf vermochte ich hier innen weder etwas zu sehen noch eines Menschen Tritte zu vernehmen. Deuchte mir aber gleichwohl, daß etwas mit mir in der Kirchen sei, und itzo, da ich mit beklommenem Odem lauschte, hörte ich es deutlich schnaufen und drunten durch den Quergang trotten. Zitternd setzte ich meinen Fuß auf den des Reiterbildes, um solcherweise mich auf das hölzern Roß hinaufzuschwingen. Es mochte dabei einiges Geräusch erfolget sein; denn mit selbigem erscholl ein furchtbar dröhnend Geheul, und in weiten Sprüngen sahe ich einen schwarzen gar gewaltigen Hund gegen mich daherrennen. Aber schon stund ich oben auf dem Bug des Pferdes; die eine Hand hatte ich um des Ritters Hals geleget, mit der anderen nach des barmherzigen Gottes Eingebung dessen Lanze herausgerissen, so nur lose durch den Handschuh steckte.

Da gab es einen Kampf zwischen einem vierzehnjährigen Buben und einer gar grimmigen und starken Bestia. Mit funkelnden Augen sprang das Untier an mir auf, mit seinen Tatzen riß es an meinem Schuhzeug, und ich sahe in den offenen Rachen mit der roten dampfenden Zunge; nur einer Spannen Weite brauchte es, so hatten die weißen Zähne, die gegen mich gefletschet waren, mich gefaßt und auf den Grund gerissen. Aber ich wehrte mich meines Leibes und stach dem Untier mit meiner Lanzen in sein zottig Fell, daß es mehrmals heulend auf die Seite flog.

Mir ist nicht bewußt, daß ich in solcher Not der Menschen Hilfe angerufen, nur ein stumm und heiß Gebet zu Gott und seinen Engeln stieg aus meiner Brust; auch meiner lieben Eltern gedachte ich, wenn sie mich hier an Gottes Altar so elendiglich zerrissen finden sollten. Denn da das Tier unter heiserem Geschnaufe allzeit aufs neue gegen mich sprang, so sahe ich wohl, daß ich aufs letzt ihm doch zur Beute werden mußte. Schon begunnten die Sinne mir zu schwinden, und war mir, als sei es nun nicht mehr der Hund, sondern der Tod selber sei von dem Epitaphio herabgeklommen und von einem der Gestühlte auf mich zugesprungen. Schon packten die knöchern Hände meine Lanze, da vernahm ich drunten in der Kirchen ein Rufen und Getöse, und wurde mir allzugleich, als flöge oben von dem Kruzifix der eine Engel wiederum zu mir herab und risse mit seinen Armen den grimmen Tod von meinem jungen Leibe.

»Türk, Türk, du Mordshund!« hörte ich eine kleine tapfere Stimme unter mir, und als ich schwindelnd niederblickte, sahe ich hart an dem rauhen Kopf des Untiers ein gar lieblich Angesicht, das mit zwei dunklen Augen angstvoll zu mir emporstarrte. Wohl strebte das Untier noch mit Gewinsel zu mir auf; aber zwei braune Ärmchen hatten sich um seinen Hals geklammert und ließen es nicht los; auch leckte des Tieres Zunge ein paarmal wie liebkosend nach dem schönen Antlitz hin. Das alles gewahrte ich gleichsam mit einem Blick, da der Mond noch hell durch die Kirchenfenster leuchtete. Noch hörte ich eine Männerstimme rufen: »Ein Kind, ein Knabe, des Pastors Sohn aus Schwesen!«, dann vergingen mir die Sinne, und ich stürzte von dem hölzern Roß herab.

– – Da ich meiner wieder mächtig worden, fand ich mich in meinem Logement in meiner Bettstatt liegend und sahe meine alte Schneiderswitwen neben mir auf dem Stuhle, ihr grünes Fläschchen mit den Herztropfen auf dem Schoße. Ich tat aber gleichwohl, als ob ich noch in

Ohnmacht läge; denn das Gesichtlein neben dem Kopf des grimmen
Tieres stund mir gar lieblich vor, sobald ich nur die Augen schloß; erwog auch bei mir selber, wenn es ein Engel möge gewesen sein, so hab'
es doch das Haar unter ein goldglitzernd Käpplein zurückgestrichen
gehabt, wie es am Sonntag hierherum die Dirnen auf den Dörfern tragen; ja, überkam mich fast die Lust, noch einmal auf St. Jürgens Gaul
hinaufzuklettern. Erst als das gute Mütterchen mit der qualmenden
Lampe mir unter die Nase fuhr, richtete ich mich auf in meinen Kissen.
Da rief sie ein Mal über das andere ein großes Lobe-Gott; dann zapfte
sie mir aus ihrer grünen Flaschen und sagte: »Es ist gut, Josias, daß du
heut morgen bei deinem Vater Gottes Wort gehört; denn unter dem
Turm bei dem alten Taufstein soll unterweilen itzt der Teufel sitzen und
bös Ding sein, mit weltlichen Gedanken ihm vorbeizukommen.«

Ich aber frug gar ängstlich, ob sie mich denn dort hinausgetragen.

»Freilich, Josias«, entgegnete sie; »'s war ja der Küster; wer im Be-
ruf gehet, der braucht sich nicht zu fürchten.«

Da freuete ich mich, daß ich meiner Sinne ganz unmächtig gewesen;
denn ob meine Engelgedanken, die ich aus der Kirchen mitgenommen,
geistlich oder aber weltlich seien, das wollte mir allganz nicht deutlich
werden. Im übrigen fiel mir bei, daß der grausame Quadrupede, mit
welchem ich gekämpfet, des Küsters Albert Carstens seiner müsse gewesen sein; er hatte, wie ich wußte, einem dänischen Kapitän gehört,
der bei letzterem in Quartier gelegen, bei der Berennung der Finken-
hausschanze aber sein Leben hatte lassen müssen. Und erzählete mir
auch das gute Mütterlein, daß der vielen Einbrüch' wegen sie den
Hund zur Wache hätten in die Kirche eingelassen. Woher aber der Engel kommen, der mich vor ihm bewahret, das wurde mir nicht kund;
mochte auch späterhin, aus wes Ursach' war mir selber nicht bewußt,
bei anderen Leuten mich nicht darum befragen. Und ist mir in meiner
noch übrigen Schulzeit, soviel ich an den Markttagen danach spähete,
das lieblich Antlitz mit dem glitzernden Käpplein niemalen mehr begegnet.

Anno Dom. 1705. Es gab zwar zu Zeiten des *Administratoris*, Hoch-
fürstlichen Durchlaucht Christian August, mit denen geistlichen Äm-
tern sonderbaren Umgang; hatte doch der gewaltige Rat von Goertz

das Pastorat zu Böel in Angeln auf der Hamburger Börsen an den Meistbietenden verkaufen lassen; an einen Schlemmer und Spielbruder, dem man, da es hernach mit ihm zum Sterben ging, die Karten vorgehalten, ob er daran die Farben noch erkennen möge. Gleichwohl glückete es meinem lieben Vater, daß er aus seinem elendigen Diakonate zu Schwesen in das einträglichere Pastorat zu Schwabstätte gelangte und darin bestätiget wurde. Da ich bereits auf der Universität zu Kiel inskribieret war, so machten mich die von meinen lieben Eltern nun viel reichlicher fließenden Subsidien für eine Weile gar übermütig; denn ich stolzierte in hohen Stiefeln und einem roten Rockelor mit einem Degen an der Seiten; ja, hatte gar einmal einen Ehrenhandel mit einem aus dem Adel, maßen selbiger meines Hauswirts ehrbare Tochter, so mich aber sonsten nichts anging, vor eine Studentenmetze proklamiert hatte. Im übrigen blieb ich nicht dahinter, weder *in theologicis* noch *in philosophicis;* hielt mich in ersteren aber meist zu denen älteren *professoribus,* denn insonders unter den *magistris legentibus* waren derer, so entgegen der Lehre Pauli und unseres Dr. Martini die Macht des Teufels zu verkleinern und sein Reich bei den Kindern dieser Welt aufzuheben trachteten. Solches aber war nicht in meinem und meines lieben Vaters Sinne.

Weil nun aber nach dem alten Spruche die Repetition die Mutter der Studien ist, so wurde nach absolviertem *biennio* unter uns beschlossen, daß ich zu solchem Zwecke den Sommer des obbezeichneten Jahres im elterlichen Hause verleben, sodann aber zu weiterer Erudition für eine Zeitlang noch die berühmte Universität zu Halle beziehen solle. Langte also eines Nachmittages mit guter Gelegenheit in Husum an und bedienete mich für die noch übrige zwo Meilen der Beförderung der heiligen Apostel.

Ich war freilich bislang in Schwabstätte noch nicht gewesen und des Weges unbekannt; es führete selbiger aber zuerst durch die Marsch, wo er auf dem Lagedeiche geradehin läuft; und wo es aufwärts dann in Sand und Heide ging, zeigte sich wohl hie und da eine Kate, so daß ich mich leidlich weiterfragen mochte. Plötzlich, da der Weg sich zu einer Anhöhe hinaufgewunden und schon der Abend seine Schatten warf, sahe ich unter mir das Dorf mit seinen rauchenden Dächern, wie es zwischen Busch und Bäumen längs dem Ufer des lieblichen Treeneflusses hingestrecket lag. Da klopfte mir das Herz, daß ich zu meinen lieben Eltern käme, und warf nur kaum noch einen Blick auf den Turm des alten Bischofshauses, der im Abendgeleucht wie gülden an der Wasserseite aufragete, sondern schwang meinen Stab und sang gar lustig:

> »Hier oben von der Höhe,
> Da kommt der Herr Student!
> Herr Vater, o Frau Mutter,
> Nun schüttelt mir die Händ'!«

Mit solchem war ich auch schon unten, und die Dorfshunde fuhren bellend nach meinen Stiefeln, die Weiber, so vor den Türen stunden, glotzeten nach meinem roten Rocke und stießen sich mit den Ellenbogen. Da ich aber durch die kleinen Häuser in das Dorf hineinschritt, erblickte ich hinter denselben, nach dem Flusse zu, ein groß und zweistöckig Gebäu, das lag wie in Einsamkeit und nahezu versteckt unter gewaltigen Bäumen; war auch kein lebend Wesen dort zu sehen, weder am Hause noch an der Scheune, so dahinterlag; nur oben aus den Baumkronen erhub sich groß Gevögel und flog dazwischen hin und wider.

Da frug ich einen Alten: »Wer wohnt denn dort unten?«

– »Das wisset Ihr nicht?«

»Nein; ich frage Euch eben derohalben.«

– »Dort wohnet der Hofbauer«, entgegnete er, strich mit der Hand um seinen Stoppelbart und ging in seine Katen.

Schritt also mit solchem Bescheide fürbaß, wandte aber, unwillens fast, wiederholentlich den Kopf und sah rückwärts nach den Fenstern, die dorten so schwarz und heimlich unter den düsteren Bäumen glitzerten. Da, wie ich so eine Weile fast in Gedanken fortgegangen, hörete ich plötzlich »Josias, Josias!« wie aus der Luft zu mir herabgerufen. Und war es mein lieb Mütterlein, die stund oberhalb des Kirchhofes auf der Höhe, darauf sie das Glockenhaus gebaut, und hatte durch den Abend nach mir ausgesehen. Da war ich flugs an ihrer Seiten und hielt sie an meiner Brust und frug alsbald, wo unsere Heimstätte itzo denn belegen sei; und da sie nur über den Weg hinüber auf ein freundlich Haus und Garten zeigte, hub ich die fein und handlich Frau auf meine Arme und trug sie den Berg hinab.

Und wiederum, aber solches Mal vom Hause her, rief es: »Josias, Josias!« und unter herzlichem Lachen: »Aber gehet man so mit seiner Mutter um?« Das war mein lieber Vater; der war vor die Tür getreten und nahm sich nun die Mutter aus des Sohnes Armen; denn er war von denen, welche wohl wissen, was ein Scherz bedeute, der aus reiner Herzensfreude quillet. Da aber mein Mütterlein nach ihrer lebhaften Art ihn drängte, ihren stattlichen Sohn gleich ihr mit Worten zu bewundern, entgegnete er fürsichtig: »Ja, ja, Mutter; ich sehe, der Bruder Studiosus ist gar wohl geraten; wollen sehen, ob der Theologus darum nicht schlechter sei.«

Dann führten die Eltern mich in meine Kammer; die lag anmutig nach dem Wald hinaus, und hat selbiger mich dorten oftmals nach meinem Nachtgebete sanft in Schlaf gerauschet. Zwar war der Fußboden nur mit Backsteinen ausgelegt; aber mein Mütterlein hatte eine Decken übergebreitet, wie solche von den kleinen Leuten hier aus den Flußbinsen angefertigt werden.

Bald stellete ich meine Bücher und die wohlgebundenen Kollegienhefte auf den großen Tisch und saß zu meines lieben Vaters Freude mit großem Eifer über meiner Arbeit. Meine Mutter aber störete mich dann wohl, suchte mich ins Freie hinauszutreiben und sprach: »Was sollen doch die Leute denken, so dir in deiner Mutter Pflege die frischen Wangen einfielen!« Und eines Abends, da es eben neun vom Glockenturm geschlagen hatte, rief sie gar: »Da sitzest du noch, Josias, und weißt doch, daß des Kirchenältesten Tochter Hochzeit hält! Da will es sich schicken, daß auch des Pastors Sohn mit der Braut ein Tänzchen mache!« Dann hub sie meinen Rock vom Nagel, bürstete ihn säuberlich und steckte mir einen Hochzeitstaler in die Taschen. Und itzt vernahm ich auch von fern das Fiedeln und Trompeten, und währete es nicht lang', so war ich mitten in der Hochzeit.

Es sind aber nach altsächsischer Art die Häuser hier gebaut, also daß das Vieh, welches, wie dazumal im Sommer, auf den Koppeln oder Fennen weidet, zur Winterzeit zu beiden Seiten der großen Diele seinen Stand hat, die Stuben für den Bauern und seine Leute aber, was sie »Döns« benennen, der Torfahrt gegenüber zu unterst an der Dielen liegen.

Da ich nun von draußen aus der sommerlichen Abendstille eintrat, war mir erstan, als sehe ich ein seltsam und beweglich Schattenspiel; denn die Unschlittkerzen an den Ständern warfen nur karge rote Lichter über die Köpfe derer, die hier sich durcheinanderdrängten oder zu Paaren ihren Zweitritt tanzten und mit Juchzen und Gestampf den Musikanten Hilfe gaben. Und da der große Raum mit Gästen fast gefüllt war, so dauerte es eine Weile, ehe ich die Flitterkrone der Braut daraus emportauchen sahe; machte dann meine Reverenz und drehte mich, obschon in dem Gedrang eine eigene Bauernkunst dazu gehörte, ein Dutzend Male mit selbiger hindurch. Hienach aber setzete ich mich zu einem Krämer aus der Stadt, so von der Schulzeit mir bekannt war, oder zu dem und jenem von den älteren Bauern, die unter den Tonnen der Musikanten oder drinnen in der Döns an ihrem Bierkrug saßen.

Es mochte solcherweise die Zeit bis Mitternacht verflossen sein, da sahe ich auf dem Tritt zur Oberstuben eine Dirne stehen, abseits von den anderen, als zieme ihr nicht, sich in den Haufen zu verlieren; und da ich ihr im Rücken nähertrat, gewahrte ich, daß sie zwar in Bauerntracht gekleidet, ihr Röcklein aber von schwarzem Seidentaffet und das Käppchen auf ihrem braunen Haar von rotem Sammet und gar reich mit Gold gesticket war. Mit dem, da itzt die Musikanten auf einen neuen Tanz anhuben, war ein junger Knecht zu ihr herangetreten; der stieß einen Juchzer aus und winkte ihr, daß sie mit ihm in die Reihe träte. Aber sie wandte nur leichthin den Kopf, als sähe sie ihn kaum, und rührte sich nicht von ihrem Platze. Da stampfte der Bursche gar grimmig und mit einem Fluche auf den Boden; und dauerte es nicht lang', so sahe ich ihn mit einer anderen im Gedrang verschwinden.

Die zierliche Dirn' aber stund noch an dem Türgerüste; und hatte ich, da sie vorhin den Kopf gewandt, bemerket, daß sie die Kinderschuh' noch nicht gar lang' verworfen habe, denn ihre bräunlichen Wangen waren noch wie von zartem Pfirsichflaum bedeckt.

»Saget mir«, frug ich ein altes Weib, so eben mit einem Fäßchen Bier an mir vorüber wollte, »wer ist die feine Dirne dort?«

»Die, Jungherr? Das ist die Renate vom Hof.«

– »Vom Hof? Da norden vor dem Dorf?«

»Ja, ja, Herr! Oh, die ist stolz! Wollen immer was Bessers sein, die vom Hof; sind aber auch nur Bauern, sind sie!«

– »Und wer war«, frug ich wieder, »der junge Knecht, den sie soeben fortschickte?«

»Hab's nicht gesehen, Herr; wird aber wohl nicht hoch genug gewesen sein.«

Nach solchem sahe ich gar fröhlich auf meinen roten Rock und meine hohen Stiefel, zu mir selber sprechend: »Du bist der Rechte!« Ging also näher, und indem ich sanft mit der Hand an ihren Arm fassete, sprach ich: »Mit Verlaub, Jungfer, wir tanzen wohl einmal mitsammen!« Erhielt aber auf so zierliche Anrede von dem kleinen Ellenbogen einen Stoß, daß ich fast getaumelt wäre. »Was will der dumme Jung'!« rief sie; und als sie dabei das Köpfchen zu mir kehrte, da blickten ein Paar großer dunkler Augen gar zornig auf mich hin.

Da ich dann entgegnete: »Das war nicht fein, Jungfer; aber ich hab' dich wohl erschrecket«, geschah es mit einem Male, als fiele es mir wie Schuppen von den Augen: der Engel von Sankt Jürgens Standbild, er war es, und hatte mich gar eben kräftiglich gegrüßet! Da sie aber noch stumm mit offenem Mündlein mir ins Antlitz blickte, rief ich: »Ja, ja, Jungfer, gucket nur; ich bin's und habe den Engel nicht vergessen!«

Bei solchen Worten flog ein lieblich Rot über ihr junges Gesicht; da ich nun aber dachte, sie zum Tanze frischweg von ihrem Tritt herabzuziehen, setzten jählings die Musikanten ihre Geigen und Trompeten ab, und lief alles in großem Tumulte auf der Dielen durcheinander; angesehen nunmehr die Überreichung der Hochzeitsgaben vor sich gehen sollte. War auch bald eine Tafel hergerichtet; dahinter saßen Braut und Bräutigam, jeder von ihnen mit einer irden Schüssel vor sich. Da drängte alles sich heran und brachte, wie es Brauch ist, der eine einen Krontaler, der andere ein lübisch Markstück, die Fürnehmeren auch wohl ein silbern Gerätstück; und in wessen Schüssel es geleget wurde, der trank dem Geber aus einem Glase zu, so neben einer Flasche Weines gleichfalls vor ihrer jedem stund. Griff also auch in meine Taschen und hatte nicht groß Mühe, das schöne Silberstück darin zu finden; doch waren meine Gedanken bei dem Dirnlein, das ich schier nirgendwo erschauen mochte. So trat ich auf die Stufen, da sie zuvor gestanden; und siehe, mitten im Gedrange glitzerte das güldene Käpplein; gewahrte auch einen silbernen Suppenlöffel, so von einer kleinen Faust emporgehalten wurde. Aber hart vor dem Mädchen spreizete sich der junge Knecht, dem sie zuvor den Tanz versagt hatte; der winkte seinen Kameraden, worauf alle sich fest zusammenschlossen und also das Mädchen nicht mehr vorwärts konnte.

Ei Tausend, war ich rasch von meinem Tritt herunter und brauchte meine Arme, bis ich gar bald an ihrer Seiten war. »Renate«, frug ich, »darf ich dir helfen?«

Da nickte sie fast scheu zu mir hinüber; ich aber in dem dichten Haufen, wo wir stunden, suchte ihre freie Hand und sprach: »Nun danke ich dir auch herzlich für dazumalen an St. Jürgens Reiterbildnis.«

Sie schlug die Augen nieder und entgegnete: »O ja, Ihr hattet meinem armen Türk gar jämmerlich das Fell zerstochen!«

»Und wolltest du denn lieber, daß mich das grimmig Vieh zerrissen hätte?«

Da lachte sie leise auf; dann aber sprach sie traurig: »Das war ja gar kein grimmig Vieh; das war der frömmste Hund im ganzen Dorf!«

»Möchte ihm doch lieber nicht begegnen!« sagte ich.

»Begegnet ihm hier auch keiner mehr«, entgegnete sie; »die Tatern haben ihn über Nacht verlockt; er muß nun wohl ihre Karren ziehen oder ihre schmutzigen Kinder auf sich reiten lassen.«

Indem sie dieses sagte, rückten vor uns die Bursche nach dem Brauttische zu. Da fassete ich ihre kleine Hand fest in die meine. »Jetzt!« raunte ich ihr ins Ohr, und mit einem Rucke brach ich für uns beide Bahn; merkete aber noch, wie Renate das Näschen hob, als wolle sie ihrer keinen sehen, so da mit einem Fluche oder höhnischem Lachen auf die Seiten wichen. Dann aber traten wir mitsammen vor die Hochzeitleute. Ich warf mein Silberstück in des Bräutigams Schüssel und leerete das Glas, daraus er mir zutrank, auf einen Zug; da ich mich aber nach dem Mädchen wandte, sahe ich wohl, daß sie von ihrem Munde das volle Glas der Braut zurückgab.

Als wir sodann uns wieder rückwärts durch den Haufen drängten, erhub sich wiederum ein spöttlich Reden hinter uns, so daß ich sagte: »Du hast dir übel Feindschaft gemacht, Renate; war dir der junge Knecht nicht gut genug zum Tanze?«

Da sahe sie mich gar fürnehm aus ihren dunklen Augen an: »Den kennet Ihr nicht, Herr Studiosi; das ist des Bauervogten Sohn; der ist ein Prunkhans, er trotzet auf seines Vaters Geldsack und meinet, er brauche nur zu winken.«

Gläubete wohl ihrer Rede; denn es kostete dazumal noch die Last Gerste hundert und der Weizen mehr denn hundertundfünfzig Taler; das machte die Bauern übertätig, die Jungen mehr noch denn die Alten.

Wir stunden aber wiederum in dem offenen Türgerüste zu der Ober-stuben, darin von den städtischen Gästen mit den fürnehmeren Bau-ern am Kartentische saßen und viele Lichter brannten. So konnte ich in rechter Muße ihr Angesicht betrachten.

Betrachtete es also, so daß ich es von Stund' an nimmer hab' ver-gessen können; des klage ich zu Gott und danke ihm doch dafür. Es war aber von lieblich ovaler Bildung, die Stirn fast schmal und die obe-re Lippe ihres Mündleins ein wenig aufgeworfen, als hebe es eben an zu sprechen: »Ja, gläubet nur, ich lass' mir so nicht winken!«

Schon war der Brauttisch fortgeräumt, und die Musikanten von ih-ren hohen Sitzen probiereten wieder ihre Instrumente. »Wie wird's, Renate«, wollte ich eben fragen, »tanzen wir denn itzo miteinander?« Da hörte ich neben aus der Stuben des Mädchens Namen rufen; und da ich den Kopf wandte, sahe ich sie schon am Stuhle eines hageren Mannes stehen, der hatte gleich ihr so dunkle, spitze Wimpern an den Augen, und dachte wohl, daß es ihr Vater wäre. Sie hatte aber ihren Arm um des Mannes Nacken und er den seinen um ihren Leib gele-get; so hielt er müßig in der Hand sein Kartenspiel und schaute in sei-nes Kindes Angesicht, unachtend, daß die anderen Trumpf und Her-zendaus von ihm verlangten. Da Renate aber meines Vaters Namen nannte, so trat ich näher und grüßete den Mann.

Selbiger streifte mit einem scharfen Blick an meinem prunkenden Habit und sprach: »Ihr schaut gar lustig aus, Herr Studiosi; werden aber wohl bald die schwarzen Federn darüberwachsen!«

Worauf in gleichem Scherz ich gegenredete, die müßten freilich schon noch wachsen; gäb's ohne solche ja auch keinen ausgewachse-nen Raben, der doch, wie wohlbekannt, der Pastor unter dem Vogel-volke sei.

Hierauf sah er mich wieder mit seinen scharfen Augen an und mei-nete, er kenne auch so was die *modi* auf denen Universitäten: »denn«, sagte er, »Ihr wisset wohl, drüben in Husum meines Schwagers Sohn gehöret auch zu Euerem Orden.«

Da frug ich geziementlich, wie denn der Name sei, und erhielt die Antwort: »Es ist der Küster Albert Carstens; meine Renate war das letzte Jahr in seinem Hause, damit sie ein wenig mehr erlerne, als hier in der Bauernschul' zu kaufen ist.«

Hierüber erschrak ich sehr und dachte: »Weh deinem armen Engel, daß er unter eines solchen Atheisten Dach geraten!« War mir nämlich bewußt, daß selbiger Carstens, als derzeit noch ein Studiosus, hier im Dorf gewesen und gar heftig gegen den *exorcismum* geredet, auch ein alt *mandatum,* so die Gottorpischen Kalvinisten im vorigen *saeculo* zuwege gebracht, wieder vorgekramet habe, wonach es in der Taufeltern Belieben war gestellet worden, ob sie den Antichrist in ihrem Kinde wollten beschworen haben oder nicht. Des hatte mein Vater als bei seinem hiesigen Amtsantritte große Not gehabt, maßen der redefertige Neuerer auch den Diakonum und manchen sonst gläubigen Christen in seine Schwärmerei hineingezogen hatte.

Da mir nun solches gar widerwärtig meinen Sinn durchkreuzete, fühlte ich plötzlich meine Hand ergriffen: »Aber, Herr Studiosi«, sprach Renate, »Ihr wolltet ja mit des Hofbauern Tochter tanzen!«

»Ja, ja«, fügte der Bauer bei, »tanzet nun miteinander; Renate hat es in der Stadt gelernt. Und besuchet uns einmal, Herr Studiosi; der Hofbauer hat wohl noch eine Flasche Rheinischen in seinem Keller.«

Da flogen all schwere Gedanken fort. Mit dem schönen Dirnlein an der Hand tauchte ich gleichsam in das dunkle Gedräng' hinab, so daß mir deuchte, wir seien schier darin verloren. Über uns weg von ihren Tonnen bliesen und fiedelten die Musikanten; und um uns her stampfeten und schrien die jungen Knechte und Dirnen. Kümmerte aber das alles uns nicht sehr; so nur ein freier Raum entstund, fassete ich sie um und schwenkte das leichte Kind in meinen Armen, und wenn's nicht weitergehen wollte, stunden wir still und schaueten uns voll Freud und Neugier in die Augen. Und wenn ich heut zurückedenke, so wüßt' ich nicht zu sagen, wobei sich mein Herz zumeist ergötzete; auch nicht, wie in solch anmutigem Wechsel uns die Nacht zerronnen; denn da ich einmal über der Tänzer Köpfen nach dem offenen Tore blickte, waren am Himmel schier die Stern' erblichen und streifete ein bleicher Schein die Balken an der Bodendecke. »Sieh, Renate«, sprach ich, »so geht die Lust zu End'.«

Da fühlete ich, daß sie sich leise an mich drängte; aber sie entgegnete nichts und schaute auch nicht auf. Als ich aber gewahrete, wie ihre Wangen glühten, frug ich: »Dürstet dich auch, Renate? So wollen wir drüben zu dem Tische gehen.«

Und da sie nickte, gingen wir hin; und ich nahm einer frischen Dirne, so eben dort getrunken hatte, das Glas aus der Hand, um es aus einem Bierkrug wiederum zu füllen. Aber Renate ergriff ein anderes, das auf dem Tische stund, und bückte sich damit zu einem Eimer Wasser.

»Ei«, rief ich lachend, »trinkst du mit den Vögeln, was unser Herrgott selbst gebrauet?« Doch sie hatte das Glas nur ausgeschwenkt.

»O nein, Herr Studiosi«, entgegnete sie fast verschämet; »schenket nur ein; ich trink' schon, was die Männer trinken!«

Da sie dann aber ihr Hälschen aufreckte und gar durstig trank, kam eine sehr alte Frau mit einer schwarzen Kappen auf dem greisen Haar gelaufen, zupfte sie an ihrem Taffetröckchen und raunete: »Der Bauer ist schon heim; der Bauer ist schon heim!«

Und als Renate ihr Glas hinsetzte, rufend: »Marik, ich komme schon, Marik!« da war die Alte nimmermehr zu schauen.

Ich aber haschte des Mädchens Hand und sagte: »Du wolltest mir doch also nicht entlaufen? Ich gehe schon mit dir, Renate, so du gehst!«

Und so gingen wir schweigend mitsammen aus dem Hochzeithause. Und da wir auf die Höhe vor dem Bischofshause kamen, wo der Steig hinüberführt, blieben wir unter dem Turme stehen und schauten in die Tiefe unter uns; denn vor dem aufsteigenden Morgen floß dorten der Strom mit dunkelrotem Glanze in das noch dämmerige Land hinaus. Zugleich aber wehete eine scharfe Luft von Osten her, und da Renaten schauderte, legte ich meinen Arm ihr um das nackte Hälschen und zog ihre Wange dicht zu mir heran. Da wehrete sie mir sanft: »Lasset, Herr Studiosi«, sprach sie, »ich muß nun heim!«, und wies hinab nach ihres Vaters Hause, so seitwärts unter den düsteren Bäumen lag. Und als nun gar ein heller Hahnenkraht daraus emporstieg, da sahe ich sie schon den Berg hinunterlaufen; dann aber wandte sie sich und schaute unverhohlen mit ihren dunkeln Augen zu mir auf.

»Renate!« rief ich.

Da nickte sie noch einmal und schritt dann eilig über die betauten Wiesen nach dem Hofe zu. Ich aber stund noch lange oben in der scharfen Morgenluft und starrete hinunter auf die düsteren Eichen, aus deren dürrer Krone itzt ein paar Elstern aufflogen und krächzend den Nachtschlaf von den schweren Flügeln schüttelten.

Anderen Tages fiel die Sonne schon hoch in meine Kammer, da mein
Mütterlein mir die Morgensuppe an meine Bettstatt brachte; und da
sie in ihrer liebreichen Weise mich über die Lustbarkeit befragte, hörete sie nicht ungern von der Bekanntschaft mit des reichen Hofbauern
Tochter und spann, wie die Mütter pflegen, schon ihre festen Fäden
für die Zukunft. Als sie dann aber nachmittags, da ihr Gespinste nahezu fertig war, solches voll Freudigkeit vor meinem lieben Vater aus-
zubreiten begann, schien selbiger nicht völlig gleichen Sinnes, sondern
rieb sich, wie er in Zweifelsfällen es gewöhnt war, bedächtig mit dem
Finger an der Nasen und wiegte schweigend seinen Kopf dazu.

»Wie, Vater«, brausete die Mutter auf, »ist dir die liebe Gottesgabe,
das Geld und Gut, etwan im Wege? Und meinest du, daß ein künftiger Diener Gottes müsse allemal in Armut leben, weil solches, leider
Gottes, unser Teil gewesen ist?«

»Nein, o nein, Mutter!« entgegnete er. »Nein, das gewißlich nicht!«

»Nun, Gott sei gedanket!« rief Mutter. »Was ist denn nun noch für
ein Aber?«

– »Ja, Mutter, ihr Weiber wollet euch gar am eigenen Sohn den Kup-
pelpelz verdienen; aber – ich denke, der Josias geht wohl andere Wege.«

Damit ging er in seine Kammer und setzete sich zu seiner morgen-
den Sonntagspredigt; und hatte ich, der fast beschämt dabeigestanden,
nun wohl vermerket, daß mein lieber Vater von diesen Dingen nicht
mehr wolle geredet haben – nicht minder, daß wegen der Hofleute was
immer für eine Bedenklichkeit in ihm versiere.

Ich war aber hierdurch in eine gar üble Unruhe versetzet worden.
Ich lief aus dem Hause und über den Weg auf den Glockenberg und
sahe hinüber nach dem Schloßturm, von wo ich in der Frühe mit Renaten in das stille Land hinausgeblicket; lief wiederum zurücke, warf
mich an meine Arbeit und brachte aber nichts zustande, als daß ich den
Buchstaben R wohl hundertmal in meine Hefte malte, gleichsam als
hätt' ich's wegen dieses einen noch von der Schreibstub' nachzuholen.

Drum, als es Abend wurde, trieb mich's nach dem Kruge, der oberhalb der Treene liegt, ob ich dorten was erfahren möchte; redete auch
mit dem und jenem und kehrete dann gelegentlich das Wort auch auf
den Hofbauern. Da sahe ich wohl, daß er geringen Anhang hatte; redeten ihm nach, obschon er weitaus noch kein Bauer aus dem Funda-

mente sei, so schlage alles ihm doch zu! denn da vor Jahren hier die Seuche in das Vieh gekommen, so sei in seinem Stalle ihm kein Stück gefallen, und wenn auf ihrem Boden die Mäus' und Ratzen ihnen das Korn zerschroten, so habe in einer mondhellen Herbstnacht der Feldhüter es mit leiblichen Augen angesehen, wie aus des Hofbauern Scheune, gar greulich anzuschauen, sotanes Geschmeiß in hellen Haufen zur Treene hinabgerannt und sich mit Quieksen und Gepfeife in den Fluß gestürzet habe. Zog mich sogar der blasse Dorfschneider bei einem Rockknopf in die Ecken und sprach gar heimlich: »Jungherr, Jungherr! Wisset Ihr, was die schwarze Kunst bedeutet?« Schlug sich dann aufs Maul und zeigte mit der Hand dahin, als wo der Hof belegen.

War mir nun zwar bewußt, daß wohl gar geistliche Herren sich mit solcher Kunst befasset, wie denn der vorig Pastor in Medelbye darin gar sonderbar geschickt sollte gewesen sein; auch daß solches, wenngleich kein endgültig *pactum* mit dem Seelenfeinde, so doch ein frevelig Spiel um Seel' und Seligkeit sei, so bei der menschlichen Schwachheit gar leicht in das ewige Verderben führen könne; sahe aber gleicherweise, daß diese Leute dem Hofbauern seinen Reichtum neideten, ihm auch aufsätzig waren wegen seiner Hoffart und schon von seines Vaters wegen nicht vergessen konnten, daß selbiger gegen der Gemeinde Willen sich einen Emporstuhl in der Kirchen durchgesetzet.

– – Schritt also, wie ich dem Hofbauern das versprochen, am anderen Nachmittage nach der Predigt über die Bischofshöhe den Fußsteig zu dem Hof hinab. Da ich herzutrat, lag das große Gebäu gar stille unter seinen alten Eichbäumen; bellte auch kein Hund vom Flur heraus; nur droben in den Wipfeln erhuben die Elstervögel ein Gekrächze, als ob sie hier die Wacht am Hause hätten. Indem vernahm ich einen Tritt von drinnen, und das alte Bauernweib, so in der Nacht Renaten von der Hochzeit abgerufen hatte, öffnete die Haustür; dabei hatte sie einen langen Wollenstrumpf in Händen, an welchem sie sogleich wieder zu stricken fortfuhr.

»Ist Er des Priesters Sohn?« frug sie; und als ich das bejahete, tat sie ein Zimmer auf und sagte: »Geh Er nur hinein; da steht auch eine Faulbank; ich will den Bauern rufen.«

Und war das ein breit und hoch, aber gleichwohl düsteres Gemach; denn zu Nord und Osten, überall vor den Fenstern, hing das Gezweig

herab, so daß man aus den letzteren nur kaum noch an den Fluß hinunterschauen mochte. Unter den Stühlen war wohl auch ein Kanapee;
sonst aber an den weißgetünchten Wänden ein paar große Tragkisten
und sonstig Bauerngerät; doch prunkete auf einer Schatullen eine Tee-
kanne mit einem halben Dutzend Tassen, desgleichen ich bei Bauern
bislang nur noch auf den großen Marschhöfen gesehen hatte. Daneben aber erblickte ich, und deuchte mir solches wohl ein seltsam Zierat, ein unförmlich und scheußlich Graunbild, fast eines Fußes hoch
und wie mir schien, aus rotem Ton gebildet. Da ich solch Unding noch
mit widerwilliger Neubegier betrachtete, trat der Bauer in die Stuben.
»Ja, ja, Herr Studiosi«, sprach er und reichte mir die Hand, »beschaut's
Euch nur! Wird in der Welt zu allerlei Ding gebetet! Der Rote hier, das
ist ein Heidengötze, den hat mein Vaterbruder, so ein Steuermann gewesen, mit über See gebracht.«

Ich sahe nun erst, welch ein großgewachsener Mann es war, der solches redete. Sein Antlitz war etwas bleich; aber er trug seinen Kopf mit
dem schwarzen Bart und dem dunkelen, kurzgeschorenen Haupthaar
gar hoch auf seinen Schultern.

Das alte Weib, das mit dem Bauern eingetreten und mit ihrem langen Strickstrumpf auf und ab gewandert war, zeigete mit selbigem auf
den Götzen und raunte mir ins Ohr: »Das ist der Fingaholi! Der Pastor darf's nicht wissen; aber gläub' Er's mir, der ist gar gut gegen die
Mäus' und Ratten.«

Mir fielen die Reden des Schneiders bei; aber der Bauer, der es wohl
vernommen hatte, lachete und sprach: »Ich meint', daß du mir die vertrieben hätt'st, Marike!«

Die Alte warf ihm einen bösen Blick zu und begann, vor sich hin
scheltend und strickend, wieder auf und ab zu wandern.

Draußen in den Bäumen schrachelten die Elstern; mir war's mit ei-
nemmal gar einsam in dem großen, düsteren Gemache.

Da tat die Tür sich abermalen auf und geschahe mir, als sei es itzt
jählings helle worden; und war doch nur ein braun und bläßlich Dirnlein, so hereingetreten. Ein Brett mit Flasch' und Gläsern setzete sie
vor dem Kanapee auf den Tisch, worauf der Bauer rief: »Da kommt
der Rheinische, Herr Studiosi; setzet Euch nun, so wollen wir eins mitsammen reden.«

Renate aber, welche ein sorglich Auge auf die alte Frau gewendet, hing sich an deren Arm und redete ihr leise zu, indes sie einige Male mit ihr auf und ab wanderte. So wurde die Alte wieder ruhig und ging gar bald hinaus. »Es ist meines Vaters Kindsmagd, Herr Studiosi«, sprach das Mädchen; »sie meinet noch immer, sie allein nur könne ihm die Strümpfe stricken. Sonst aber ist sie nur schwach – wisset Ihr, da, hier herum!« Und dabei strich sie mit dem Finger über ihre Stirn. Dann trat sie zu dem Bauern, der schon den hellen Wein in die Gläser goß, und wie im Scherze mit ihrer kleinen Faust ihm drohend, sprach sie: »Vater, Vater, was hat Er mit Seiner Marike wieder angestellt.«

Der aber sahe sie unwirsch an und sagte: »Laß gut sein, Renate; der alte Tropf, es könnt' mich noch zu Ding und Recht reden! Kommet, Herr Studiosi«, fügte er bei, »und probet einmal! Weiß nicht, ob im Pastorshause besserer zu haben ist.«

Tat also Bescheid und entgegnete, im Pastorshause sei der Wein gar selten; aber daß in dem dumpfen Keller gar das Bier verderben müsse, des habe mein lieber Vater arge Not.

Da lachte der Mann und griff sich in die silbern Knöpfe seines Wamses: »Lasset den Pastor nur mit dem Hofbauern reden; er soll bald einen Keller für sein Bier bekommen.«

Ich sahe auf Renaten, die am Fenster saß und an einem Namenstüchlein stichelte. Dachte immer, sie solle einmal wieder die großen Augen auf mich wenden; aber sie schaute nur auf ihre Arbeit, und ich, des jungfräulichen Herzens unkundig, wurde in mir fast unwillig, daß sie unsere Bekanntschaft also verleugnen mochte. Dachte aber, ich müsse der höflichen Anerbietung des Bauern eins entgegenbringen und begann also die anmutige Lage seines Hofes oberhalb des Treeneflusses in das Licht zu stellen, was er gar gern zu hören schien.

»Das möget Ihr wohl sagen, Herr Studiosi«, hub er an, »und hat auch seine eigene Bewandtnis. Der stammet noch aus der katholischen Zeit vom alten Gottorpschen Bischof Schondeleff, der drüben in dem wüsten Turmgebäu residieret, wo später der König seinen Amtmann sitzen hatte. Müsset nämlich wissen, bevor sie Anno 1621 dadrunten die Stadt und die große Eiderschleuse bauten, kam die Flut auch hier herauf, und was Ihr drunten durch das Fenster sehet, war damals ein breit und mächtig Wasser, so mit seinen Buchten in den Wald hineinging.

Trieb sich aber damals auf allen Meeren ein wild und gefährlich Gesindel um, die sich Likedeler hießen; Ihr wisset, die Vitalienbrüder unter dem Godeke Michels und dem Störtebeker, dem sie auf dem Hamburger Grasbrooke den Kopf herunterschlugen.«

Von denen hatte ich denn freilich wohl vernommen. Nicht minder, daß selbige, so sie von den Hansestädten oder den Mecklenburgern gejaget wurden, sich oftmalen mit ihren Schiffen die Treene hier heraufretirieret hätten, allwo ihnen der dicke Wald im Rücken war. Merkte das also an und sagte auch: »Es wird aber erzählet, der Bischof selber habe hier den Räubern einen Hafen angewiesen.«

Da lachte der Bauer und griff in seinen schwarzen Bart: »Ihr meinet nach der Regel, wo der Marder sein Nest hat, da holet er die Hühner nicht! Ist aber Altweiberrede; der alte Schondeleff hatte gar übeln Vertrag mit denen und hätte wohl gar sein Leben an sie lassen müssen, wenn meiner Mutter Urahn ihn nicht mit seiner guten Axt herausgehauen hätte. Derohalben aber hat er ihn mit diesem Hof nebst Wald und Gründen begabt und ihm den Namen ›Ohm‹ beigeleget, weil er nicht als ein Diener, sondern als ein Freund und Ohm an ihm gehandelt habe.«

Und da ich frug, wo solche Kriegstat denn geschehen sei, antwortete der Bauer: »Es ist nur ein Viertelstündchen osten dem Dorfe, an dem Vitalienhafen, der freilich itzo nichts als eine leere Höhlung ist, darum sie es auch ›Holbek‹ zu nennen pflegen; aber hart dahinter stehet noch der Wald wie dazumal, und von der Höhe ist ein Ausblick weit in das Dithmarscher Land hinaus.«

Muß wohl bekennen, daß bei solchem Zwiesprach meine Gedanken nur halb zugegen waren; sie gingen nach drüben zu dem Fenster, daran Renate saß; noch immer über ihre Nätherei geneiget. Hier innen war's noch düsterer geworden; aber draußen hinter den Bäumen spielten die Lichter der Nachmittagssonne, daß sich der Abriß ihres lieblichen Angesichtes gleich einem Schattenbilde auf grüngüldenem Grunde abhub.

»Nun, Herr Studiosi«, rief der Bauer, da ich im Hinschauen wohl schier mochte verstummt sein, »was gucket Ihr so ans Fenster? Ihr meinet auch wohl, ich sollte ein paar Klafter Holz aus meinen alten Bäumen hauen?«

Da stürzte ich rasch mein Glas herunter; war es mir doch schier, als sei ich auf verbotenem Weg ertappet worden; ingleichen aber, als ob der Bauer mit seinem Rheinischen mich hier am Tisch gefangen halte. Sprang also von meinem Stuhle auf und sprach: »Was meinet Ihr, Hofbauer; draußen ist noch lichter Tag; kommet mit Eurer Tochter und zeiget mir, wo Euer Ohm den Bischof freigehauen!«

Der Bauer entgegnete, er wolle schon mit durchs Dorf hinaus; danach aber habe er noch einen Gang aufs Moor, wo in der Woche seine Leute bei dem Torf gearbeitet; doch werde seine Tochter mir den Weg schon weisen.

Und als ich hinsah, nickte Renate ihrem Vater zu und stund von ihrem Stuhle auf; der Bauer aber ging noch erst mit mir auf seine Hofstelle und durch Stall und Scheuer; und gewahrete ich dadrinnen manches, das deuchte mir anders und auch verständiger, als wie es sonst von Vater auf den Sohn die Bauern sich herzurichten pflegen.

»Sehet einmal hier, Herr Studiosi«, sagte der Hofbauer, »Ihr mögt's mir glauben, um dieser Rinne wegen möchten die Kerle hier mich gar am liebsten fressen; nur weil ich letzt beim Neubau den alten Ungeschick nicht wiederum verneuern wollte. Aber, 's ist schon richtig, die Ochsen, wenn sie ziehen sollen, müssen das Brett vorm Kopfe haben.« Er nahm eine Furke, so am Wege lag, und warf sie mit kraftvollem Schwung in eine Ecken.

Als wir aus dem Stalle traten, kam Renate zu uns, und wir schritten miteinander durch das Dorf. Einen Büchsenschuß dahinter, unweit des Waldes, nahm der Bauer seinen Abschied. »Ihr kennet nun den Hof«, sagte er; »und vergesset das Wiederkommen nicht; ich muß hier nach Norden zu. In Husum der Ratsverwandte Feddersen soll ein Dutzend Tagesgrift für seine Brauerei geliefert haben, da muß ich schauen, ob auch die richtige Stückzahl in den Ringeln ist.«

Und dann gingen wir zu zweien weiter.

Nur das Moor liegt zwischen hier und dorten, ein Vogel mag sich bald hinüberschwingen; aber auch wohl dreißig Jahre sind seit jenem Tag zur Ewigkeit gegangen – ohne sie zu mehren; denn nur der Mensch ist in der Zeitlichkeit –, im Dorfe Ostenfelde sitze ich hier als ein zu früh mit Körperschwäche befallener *emeritus* und leidiger Kostgänger bei dem *pastor loci,* meinem lieben kerngesunden Vetter Christian Mer-

catus. Hätte somit der Muße genug, um, wie meine übrigen Lebens-
umstände, so auch die Vorgänge jenes Nachmittages aufzuzeichnen.
Lieget mir selbiger doch gleich einem Überschwang holdseliger Erinnerung im Gemüte; habe auch einen ganzen Bogen Papieres dazu hergerichtet und mir die Federn von dem Küster schneiden lassen, und
nun vermag mein inneres Auge nichts zu sehen als vor mir einen einsamen Weg zwischen grünen Knicken, der sich allgemach zum Wald
hinaufwindet. Weiß aber wohl, es ist der Weg, den wir dazumal an jenem Nachmittage gingen, und ist mir, als wehe noch ein sommerlich
Düften von Geißblatt und Hagerosen um mich her. – –

»Renate!« sagte ich, nachdem wir lange stumm dahingeschritten.

»Ja, Herr Studiosi?« Sie hatte den Kopf gewandt und hielt die dunkeln Augen mir entgegen.

Da wußt' ich nimmer, was ich sagen sollte, und dachte doch: »Es muß
nicht gelten, daß ein Studierter und zukünftiger Kanzelmann einem
Bauerndirnlein gegenüber also den Text verlieret.« Aber selbiges Dirnlein war ja der Engel von St. Jürgens Bildnis, und so fiel's mir bei: »Renate«, frug ich »habet ihr denn itzo keinen Hund auf eurem Hofe?«

»Einen Hund? Nein, Herr Studiosi; es wollt' nicht gehen mit dem
Aufziehen. Ich mag auch keinen, seit sie meinen Türk gestohlen haben.«

– »Ich mein' aber, der Türk habe dem Küster in Husum zugehört?«

»Freilich; aber er hatte sich mir zugewöhnt und ist mir nachgelaufen; da hat ihn der Vetter mir gelassen.«

– »Und nun«, sagte ich, »habet ihr nur die Krähenvögel in euren alten Bäumen.«

»Ihr spaßet, Herr Studiosi«, entgegnete sie; »aber es braucht bei uns
kaum eines Hundes; mein armer Vater leidet an der Luft und schläft
allzeit nur leis. Wenn es arg ihn überfällt, rufet er wohl nach mir; wir
wandern dann gar manche Stunde miteinander, in der Stube und über
den Flur in den Pesel, wo das Bild vom Schloß und von dem alten Bischof hängt. Da sind die draußen nimmer sicher, daß nicht ein Paar
Augen durchs Fenster in die Nacht hinausschauen.«

Sie sahe gar bekümmert aus, da sie solches erzählte, und ich sagte:
»Du bist doch noch so jung, Renate!«

– »Ja; aber mein Vater hat gar niemanden sonst; meine Mutter ist
lang' schon tot.«

Und somit waren wir unter die breiten Buchen in den Wald geschritten; da schlug noch eine Drossel aus dem Wipfel eines Baumes,
und in der Ferne hörten wir es durch die Büsche brechen. »Das sind
die Hirsche«, sagte das Mädchen; »zu Herzog Adolfs Zeiten soll die
Unmenge hier gewesen sein.«

Dann teilete sie mit den Händen das Gezweige voneinander und
sprach: »Hier ist's, Herr Studiosi!« – Und wir standen oben an Stör-
tebekers Hafen und sahen unter uns in das weite Treenetal hinaus. Es
war aber nur eine Höhlung, so in das sandige Hochland hier hineinging; das Wasser floß itzt fern davon in seinem schön geschlängelten
Laufe durch die Wiesen. Renate führte mich zu einer dicken schrun-
digen Eichen und zeigete auf einen schier vernarbten Spalt in deren
Stamme. »Sehet, Herr Studiosi, hier hat der Urahn seine Axt hinein-
gehauen, als die Kriegsarbeit getan war und die Räuber da hinab zu
ihren Schiffen rannten. Er hat auch eine Tochter gehabt, die hat, wie
ich, Renate geheißen, und weil ihr Vater im Gefecht es so gelobet, so
hat sie in ein Kloster sollen; da sie aber aufgewachsen, hat sie dazu nein
gesprochen und ist hernach dann meine Ahne worden.«

Sie hatte sich an den Baum gelehnt und ihre Hände vor sich in den
Schoß gefaltet; so schauete sie in das Abendgold hinaus, das itzo allgemach am Erdenrand emporglomm. Ich aber blickte auf dies junge
ernste Antlitz und mußte mich fast sorglich fragen, was denn wohl sie
in solchem Fall gesprochen haben würde; und lobete im stillen unseren Vater, Dr. Martinum, daß er dem Unwesen der Klöster bei uns ein
Ziel gesetzet.

Indem ich solches dachte, richtete sie sich jählings auf. »Nehmt's
nicht für ungut«, sprach sie hastig; »aber ich bitt' Euch, wollet itzo mit
mir durch das Holz gehen; es führt von hier ein Richtsteig nach dem
Moor hinüber.«

Und da ich eine Unruhe auf ihrem Antlitz las, so frug ich, ob sie etwan um ihren Vater sorge.

Da schüttelte sie sich als wie aus einem Traume und sagte: »Es wird
nichts sein, Herr Studiosi; aber wenn Ihr wollt, so lasset uns eilen; vielleicht, er mag uns dann entgegenkommen!«

So gingen wir in den tiefen Wald hinein. Immer stiller wurde es um
uns her, und immer mächtiger wuchs die Dunkelheit; nur kaum noch

mochte ich Renatens anmutige Gestalt erkennen, wie selbige unter den hohen Stämmen so rasch vor mir dahinschritt. War mir mitunter, als gaukele vor mir dort mein Glück, und müsse ich es halten, wenn ich's nicht verlieren wolle. Wußte aber gar wohl, daß des Mädchens Sinnen itzo auf nichts als einzig nur auf ihren Vater zielete.

Endlich dämmerte es durch die Bäume wie graues Abendlicht, der Wald höret auf, und da lag es vor uns – weit und dunstig; hie und da blänkerte noch ein Wassertümpel, und schwarze Torfringeln ragten daneben auf; ein großer dunkler Vogel, als ob er Verlorenes suchte, revierete mit trägem Flügelschlage über dem Boden hin. An meiner Seite stund Renate; ich hörte ihren Odem gehen und konnte gewahren, wie ihre Augen angstvoll und nach allen Seiten in die vor uns hingestreckete Nacht hinausschauten; denn uns im Rücken hinter den gewaltigen Schatten des Waldes lag das letzte Tagesleuchten. Da mußte ich mit dem Psalmisten sprechen: »Herr, du machest Finsternis, und es wird Nacht; aber Himmel und Erde sind dein: denn du hast sie gegründet und alles, was darinnen ist!«

Indem aber rühret Renate mit der einen Hand an meine Schulter, und mit der anderen wies sie auf das Moor hinaus.

»Was meinest du, Renate?« frug ich.

– »Sehet Ihr nicht? Dort?«

Und da ich meine Augen anstrengte, meinete ich fern im Duste einen Schatten schreiten zu sehen; aber nur eines Atemzuges lang. »War das dein Vater?« frug ich wieder.

Da nickte sie und sprach: »Verzeihet, meine Angst war töricht; er ist schon jenseits unseres Moores auf der festen Geest.«

»So lasset uns eilen«, rief ich; »ob wir ihn noch erreichen mögen!«

Aber sie ergriff mit beiden Händen meinen Arm: »Das Moor, Herr Studiosi, kennt Ihr das Moor? Wir können nimmermehr hinüber!« Dann, als ob ein plötzliches Grauen sie befiele, zog sie mich zurück und sagte: »Kommet, hier führt der Weg am Wald hinab!« und ließ meine Hand nicht los, so lange wir den düsteren Ungrund an unseren Seiten …

Die Handschrift ist hier lückenhaft; zunächst fehlen einige Blätter gänzlich, das dann Folgende ist durch Wasserflecke fast zerstört. Doch ist zu ersehen, daß der Studiosus Josias ein Musikfreund und mit seinem Vater der Ansicht Dr. Luthers war, die lateinische Sprache habe viel feiner *musica* und Gesanges in sich, daher man sie keineswegs aus dem Gottesdienste solle wegkommen lassen. – Schon als Knabe hatte er zu den auserwählten Schülern gehört, welche dem derzeitigen Husumer Kantor Petrus Steinbrecher vor der Frühpredigt assistierten und »zur Ehre Gottes und zur Erweckung eines jedes Christen Devotion« von der Orgel in die damalige gewaltige Kirche hinab das *Te Deum laudamus* mitgesungen. Hier in Schwabstedt werden derzeit sich auch noch Reste des lateinischen Kirchengesanges erhalten haben; denn es gelingt ihm – wo, ist nicht ersichtlich – eine Anzahl junger Kirchensänger und -sängerinnen um sich zu versammeln, wie es heißt, »zur besseren Einübung der bekannten, sowie Erlernung einiger neu hinzugebrachter Lieder«. Renatens Stimme, welche »gleich einem silbern Licht ob allen anderen schwebete«, scheint den Zauber noch verstärkt zu haben, den die Bauerntochter so unbewußt auf unseren Gottesgelahrten ausübte. Worauf sonst in jenem Sommer der Verkehr der beiden jungen Menschen sich erstreckt habe, ist nicht erkennbar; erst mit dem Ende desselben beginnen wieder die bis zu einem gewissen Punkte fortlaufend erhaltenen Teile der Handschrift, der nun wieder wie vorhin das Wort gelassen wird.

… war es eines Abends Ende *Septembris,* als ich mit meinem Vater sel. in dessen Studierstüblein über Abfassung einer Supplike an unseren allergnädigsten Herzog beisammensaß; denn da meinen lieben Vater wegen übermäßiger *studia* in seiner Jugend eine Augenschwäche befallen, so hatte er es gern, wenn ich für ihn die Feder führete. Wollte nämlich die Angelegenheit mit unserem Keller noch immer keinen Fortgang nehmen. Zwar hatte der Hofbauer, nur auf meine frühere Rede – denn mein Vater wollte ihn nicht um seine Dienste angehen – die Sache noch einmal in der Gemeinde fürbracht; aber die Bauern hatten ihm erwidert, der alte Pastor habe bei seinem Bier gut predigen können, so werd' der Keller auch wohl für den neuen reichen.

Es war nun an diesem Abend ein gar wüstes Wetter, und brausete es draußen von dem Walde her, daß man hier innen oft die Worte kaum erfassen konnte.

»Schreibe nun so«, sagte mein Vater, indem er zu mir rückte: »Obgleich die meisten meiner Beichtkinder mir herzlich gern einen besseren Keller gönneten, so waren doch derer, die halsstarrig dawider stritten; von Mitten *Maji* bis hieher habe kein frisch und kühl, sondern nur sauer Bier gehabt; und was mir das vor eine Plage gewesen, ist Gott am besten bekannt; wieviel aber von solchen Gaben Gottes, *salvo honore,* zum Schweinetrank hingießen lassen, will ich hier seufzend übergehen.«

Ich entsinne mich noch aller dieser Worte meines lieben Vaters; denn ich setzete die Feder ab, weil mich ein Bedenken anwandelte, Hochfürstliche Gnaden also wegen des *pastoris* sauerem Bier in Compassion zu nehmen. Als ich aber solchen eben nur geäußert, hörte ich draußen auf der Hausdiele ein laut Gerede mit unserer alten Margret. Wurde dann auch unsere Stubentür gewaltsam aufgerissen, und erschien ein Mann in schier beschmutzten Reisekleidern, scheinbar von meines Vaters Alter und auch wohl geistlichen Standes, aber mit vollem, braunrotem Antlitz, daraus ein Paar kleine blanke Augen gar hurtige Blicke über uns hinlaufen ließen. »*Salve, Christiane, confrater dilectissime!*« schrie er; »komme gar spät unter dein gastlich Dach! aber der Teufel, der mir als seinem scharfen Widersacher allzeit auf den Hacken ist, hatte mit seiner höllischen Kunst meinen Gaul vom Wege in das Moor hineingegaukelt, also daß ich ihn durch ein paar Kätner zwischen den Bülten habe müssen herausgraben lassen; der Unsaubere hat es wohl gerochen, daß ich unter meinem Wamse eine neugeschmiedete Waffen gegen ihn am Leibe trug.« Und dabei schlug der heftige Mann gegen seine Brust und zog alsdann unter seinem Mantel ein dick *manuscriptum* herfür; das warf er vor uns auf den Tisch in meine Schreiberei hinein. »Siehe da«, rief er »mein ›höllischer Morpheus‹ hat zwar dem holländischen Schwarmgeist, dem unverschämten Dr. Balthasar Beckern und seiner ›Bezauberten Welt‹, den Text gefeget; aber der verworfenen Zauberer- und Hexenadvokaten erstehen immer mehr! *Nitimur in vetitum,* Herr Bruder! Es tut not, der unvernünftigen Vernunft den Daumen gegenzuhalten!«

Aus solcher Rede wurd' mir inne, daß ein gar hochgelahrter Mann in unser Haus getreten; und war es Herr *Petrus* Goldschmidt, derzeitiger Pastor zu Sterup, welcher als ein Husumer einstmals mit meinem

lieben Vater auf dortiger Schulen und später auf der Universität beisammen gewesen. Er hatte aber nach seinem hochberühmten »Morpheus« ein zweites Werk fertiggestellet, und zwar gegen den Halli-
schen Professor Thomasius, der in seinem derzeit erst verdeutscheten
Buche »*De crimine magiae*« all Teufelsbündnis vor ein Hirngespinst
erkläret und solcher Weise als ein rechter *advocatus* das unselige He-
xen- und Trudenvolk der irdischen Gerechtigkeit zu entreißen strebte. Fehlete dem Herrn Petrus zur Edierung seines neuen Werkes nur
noch die Einsicht etlicher Schriften, so er selber nicht besaß, aber wußte, daß selbige unter meines Vaters Büchern seien; *ad exemplum* des
Remigii *Daemonologia*, des Christ. Kortholdi Traktätlein von dem glühenden Ringe und etliche andere.

»Habe zwar einen festen Kopf, *Christiane*«, rief er; »mißtraue aber
weislich der menschlichen Schwachheit; und würde doch dem Pastor
zu Sterup übel anstehen, sich von dem Vater der Lügen über faulen Zi-
taten ertappen zu lassen!«

Da nun mein Vater ihn willkommen hieß, warf er Hut und Mantel
hochvergnüget von sich, und hörete ich mit Attention der beeden
wohlerfahrenen Männer Wechselreden, so bald emsig hin und wider
gingen. Zwar hatte ich wegen meiner Studien und um jugendlicher
allotria willen, mit denen ich meine Zeit erfüllet, weder den Gold-
schmidtischen Morpheus noch seiner Widersacher Schriften gelesen,
fassete aber gegen letztere, da der gelahrte Mann sie explizierte, gar
bald einen lebhaften Abscheu und wurde auch, da ich solchen kund-
tat, von selbigem weidlich belobt und verwarnet, daß ich auch künf-
tighin mich nicht zu denen Atheisten und Schwarmgeistern gesellen
möge.

Auch über dem Reisbrei, den meine liebe Mutter dem Gaste zu Ehren auf die Abendtafel brachte, nahmen diese Gespräche ihren Fortgang, so daß mein Mütterlein wohl gern von anderem gehöret hätte,
und sie lieber anhub, ihr mäßig Bier mit vielen Worten zu entschuldigen und die Elendigkeit des Kellers zu beklagen.

Der Mann Gottes aber ergriff den vor ihm stehenden vollen Krug,
stürzete ihn mit eins hinunter und sprach mit gravitätischer Verbeugung: »Frau Pastorin, man soll auch so der Gottesgabe nicht ver-
schmähen!« Dann stäubte er sich mit der Hand die Tropfen aus dem

Barte und begann ein neu Gespräch vom *exorcismo,* so daß meiner lieben Mutter nichts verblieb, als den geleerten Krug zu neuer Füllung an das Faß zu tragen. Herr Petrus aber frug nun meinen Vater, was eine *formula* bei der Taufen allhier gebräuchlich sei, und da dieser entgegnete, daß er zum Täufling rede: »Entsagest du dem bösen Geist und seinen Werken?«, so sprang der gewaltige Mann von seinem Stuhle auf, daß ihm der Löffel über den Tisch hinüberflog. »*Christiane, eheu Christiane!*« rief er. »Was weiß denn solch ein Saugkalb, ob es den Widerchrist in seinen dünnen Därmen hat! *Exi immunde spiritus!* Fahre aus, unsauberer Geist! So sollst du sprechen! Dann mag es dir wohl glücken, daß du den Argen als einen stinkenden Rauch aus des Täuflings Mündlein herfürgehen siehest!« Er ergriff aufs neue seinen Löffel, den meine Mutter auf seinen Platz zurückgeleget, und tat der wohlmeinenden Gastfreundschaft meiner lieben Eltern nochmals alle Ehre an. Da aber mein Vater geziementlich fürbrachte, daß doch das Kind durch der Gevattern Mund die Antwort gebe, da schüttelte der Herr Petrus nur seinen Löwenkopf und meinete: »Ja, wenn die Klotzköpfe der unsauberen Geister nur nicht in ihrem eigenen Leibe hätten!«

Über solcher Materie war es nach Mitternacht worden, daß wir den verehrten Mann zum Schlaf in seine Kammer brachten.

»Laß dich nicht stören, *Petre,* so du etwas hören solltest«, sagte mein Vater, indem er ihm das Nachtlicht auf den Tisch setzte; »es sind nur die Ratten, die auf unserem Boden hausen.«

Da entfuhr mir das Wort, das ich im Scherze sagte: »Wir müssen den Hofbauern nur um seinen Fingaholi bitten!«

Auf solches stutzete der Gast und frug: »Was ist das mit dem Fingaholi?«

Und da ich's ihm erzählet hatte, kniff er mit Daumen und Zeigefinger sich seine starken Lippen und sagte: »Der Fingaholi, wie Ihr ihn nennet, junger Mann, ist nur ein Fetisch; aber dem mit unseres Gottes Zulassung die Herrschaft über das Geschmeiß verliehen wurde, ist gar ein anderer und kein lebbos und unmächtig Bild gleich diesem Heidengötzen oder den papistischen Heiligen.«

Hierauf entgegnete ich, es sei das nur ein alt und schwachsinnig Weib, das diese Dinge hingeredet habe. Er aber wandte sich zu meinem Vater und rief abermalen: »*Christiane, Christiane!* Siehe zu in der

Gemeinde! Und packe den höllischen Gaukelnarren, so du ihn findest, feste bei den Ohren, daß du ihn samt seinem Sauschwanze *fundatim* exstirpieren mögest!«

– – In dieser Nacht lag ich gar lange wachend in meiner Bettstatt, sahe durch die Scheiben die schwarzen Wolken über den hellen Himmel fliegen und hörte auf das Brausen, das vom Wald herüberfuhr. Wollte mich fast reuen, daß ich das von dem Fingaholi gegen unseren Gast herausgeredet; denn an die leutselige Art meines lieben Vaters gewöhnet, wollte dessen gewaltige Rede mir nicht sogleich gefallen, obschon seine geistliche Weisheit und Eifer für das Reich Gottes meine gerechte Ehrerbietung heischeten.

Er selber aber schien indessen eines gar kräftigen Schlafes zu genießen; denn da gegen Morgen draußen das Toben sich geleget hatte, hörte ich durch Böden und Wände von der Gastkammer herauf sein mächtig und ebenmäßig Schnarchen.

In den zweien Tagen, welche Herr *Petrus* Goldschmidt noch bei uns verblieb, saß selbiger am Vormittage eifrig unter meines Vaters Büchern, wobei er, wenn ich zu ihm eintrat, durch seine prompte Kenntnis der sonderbarsten *loci* mein gerechtes Staunen herausforderte. Meine Anerbietung, ihm dabei zu dienen, wies er mit einer ruhevollen Bewegung seiner Hand zurück: »Betreibet Euere eigenen *studia,* junger Mann! Was *einer* vermag, dazu soll man nicht *zweie* brauchen!«

Am Nachmittage aber, wenn mein lieber Vater der Ruhe pflegte, nahm er seinen Stock und Dreispitz und wanderte im Dorf umher, redete mit Weibern und Greisen und klopfete die Kinder auf ihre blonden Köpfe, daß am anderen Tage schon alles vor die Türen lief, da er wieder mit seinem tönenden Räuspern nur von fern dahergeschritten kam.

Als sodann am dritten Tage der merkwürdige Mann seinen Gaul bestiegen hatte und davongeritten war, wurde es gar still in unserem Hause. Mein lieber Vater sahe ein wenig müde aus, und meine Mutter sagte scherzend: »Ich muß dich pflegen, Christian; eine so gewaltige und robuste Gottesgelahrtheit ist nicht vor eines jeden Konstitution!«

Im Dorfe aber war es wie in einem Bienenstocke, der da schwärmen soll; überall ein Gemunkel, welches nicht lautwerden wollte und doch nicht stumm sein konnte; die Älteren redeten wieder von der Hexen, so sie vor zwanzig Jahren in Husum hätten einäschern sehen sollen, der aber die Nacht zuvor in der Fronerei ihr Herr und Meister das Genick gebrochen; aus Flensburg kam einer, der hatte auf dem Südermarkt gehört, die Hexen hätten wieder einmal in der Förde alle Fische vergiftet; im Dorfe selber wurde Unheimliches über den und jenen gedeutet; so fast beklommen ich aber aufmerkete, des Hofbauern geschah darunter nicht Erwähnung.

So rückete die Zeit heran, daß auch ich, und auf gar lange, meinen Abschied nehmen sollte. Renate war seit etlichen Tagen bei dem Husumer Küster auf Besuch, und da ich abends vor meiner Abreise auf den Hof kam, war sie noch nicht wieder da. »Ich hätt' sie heut erwartet«, sagte der Bauer; »nun wird's wohl morgen werden; da möget Ihr sie unterweges treffen oder in Husum zu dem Küster gehen!«

Mit dem kam die alt Marike mit ihrem langen Strickstrumpf in die Tür, sahe den Bauer fast verstöret an und wollte wieder fort. Der aber rief ihr zu, sie solle heut als wie zum Abschiedstrunke noch eine von den Rheinischen aus dem Keller holen; und die Alte brummelt so etwas für sich hin und lief zur Tür hinaus. Nach einer Weile kam auch die Jungmagd und setzete eine Flasche auf den Tisch; aber der gute Wein wollte mir heut gar übel munden, da wir in dem weiten Gemache so allein beisammensaßen. Nahm deshalben auch bald meinen Abschied und war mir gar seltsam im Gemüte, da ich aus dem Hause unter die alten Eichen hinaustrat, welche mit ihrem gelben Herbstlaub schon den Grund bestreuet hatten.

Der Hofbauer stund noch und hatte meine Hand gefaßt. »Lebet wohl, Herr Studiosi«, sagte er; »habet nur da draußen recht die Augen offen; und wenn Ihr heimkommet, ich denke, des Hofbauern Tür, die werdet Ihr wohl wiederfinden!«

Er schaute mich mit seinen dunklen Augen an, als wolle er mich noch zurückhalten oder als habe er noch etwas mir zu sagen. Aber er sprach nichts mehr, und ich ging fort, ohn' Ahnung, daß ich diesen Mann niemalen sollte wiedersehen.

– – Da ich an diesem Abend meinen lieben Eltern gute Nacht gegeben hatte, öffnete ich mein Kammerfenster und schaute auf das Dorf hinaus. Eine Weile sahe ich nach einem einzeln Lichtschein drüben in des *diaconi* Hause, bis auch der erlosch; aber mein Gemüte war voll Unruh', und endlich, da es vom Glockenturm die eilfte Stunde schlug, war ich schon draußen in der freien Nacht und schritt bald danach über die Bischofshöhe den bekannten Steig hinab.

Es war aber Anfang *Octobris,* und eine klare Mondhelle stund über der schönen Gotteswelt; der Hof unter seinen düsteren Bäumen lag, als ob er schliefe, in dem mit sanftem Licht erfüllten Erdenraume. Es war so still, daß ich nur das Fallen der Blätter hörte und unterweilen den Schrei eines Hirschen aus dem Wald herüber. Ich horchte nach dem Hause; aber dorten war kein Laut zu hören; dann trat ich unter die Bäume und schaute durch ein Fenster in die große Stube. Dicht vor mir sahe ich die Lehne von Renatens Stuhle ragen; sonst war es still und finster drinnen. Ich konnte gleichwohl nicht von hinnen finden und ging hart an der Mauer und um die Ecke herum, bis wo die Haustür ist. Dort, in dem tiefen Schatten, regete sich etwas, und ein Freudenschauer überströmete mein Herz; denn obschon ich nichts gewahren konnte, so wußte ich doch, es war das Rauschen ihres Kleides, welches ich vernommen hatte.

»Renate!« rief ich.

Da lagen ein paar warme Hände in den meinen. »Ich wußte wohl, Josias, daß Ihr kommen würdet!«

Sie horchte noch einmal in die Tür; dann zog ich sie in den hellen Mondschein hinaus, denn mich verlangte sehr nach ihrem Anblick.

Wir schlossen unsere Hände ineinander und schritten so mitsammen über die weite Hofstatt nach dem Flusse zu. Was wir sprachen, mag nicht viel gewesen sein; doch ist mir noch bewußt, wir sahen beid' auf unsere Schatten, wie sie vereinet vor uns auf den Rasen fielen, und so das Mondlicht zwischen ihnen Platz gewinnen wollte, neigeten wir uns schweigend zueinander und schaueten darauf hin, wie sie aufs neue in eins zusammenflossen. Dann stunden wir auf der Uferhöhe und sahen schweigend in das Land hinaus und hörten auf das Strömen des Flusses, der darunten mit seinen Wassern nach dem Meer hinabzog.

Da schlug es Mitternacht vom Dorf herüber; und mit jedem Schlage, auf den wir mit verhaltenem Odem lauschten, schlossen unsere Hände sich fester ineinander »Renate«, sagte ich leise; »das war der letzte Tag.«

»Ja, Josias!« entgegnete sie ebenso.

– »Und werde ich dich denn hier noch finden, so ich wieder heim-gekommen?«

»Ich denke; wer sollte mich denn holen?«

– »Wer, Renate? Versuch' es nur, sie nicht mehr fortzustoßen!«

Ich weiß nicht, was mich also zwang zu reden; denn einem Geier gleich hatte plötzlich die Angst der Eifersucht mich überfallen. Sie aber warf das Köpfchen in den Nacken, daß das Gold auf ihrem Käpplein glitzerte.

»Was redet Ihr, Josias!« sprach sie. »Mit denen Lümmeln hab' ich nichts zu schaffen; sie mögen kommen oder nicht!«

Das war nun wohl ein hoffärtig Wort; und müßte doch lügen, daß es sich mir derzeit nicht wie Balsam auf mein Herz geleget.

Aber es kam itzt ein anderes, das solche Gedanken jählings von mir nahm.

Wir stunden nämlich, da wir solches sprachen, vor dem großen Scheunentor, welches fast taghell vom Mond beleuchtet war. Vor etlichen Wochen hatte ich dort unter Peitschenknall den schweren Gottessegen einfahren sehen; nun lag alles da in großer Stille.

Und doch; oder hatte mich mein Ohr getäuschet? Dadrinnen in der Scheuer rührete es sich; Renatens Hand zuckte in der meinen, und ihre Augen starreten; und itzt, gleich einem breiten grauen Schatten, quoll es unter dem Scheunentor herfür, immer mehr und mehr, als ob's von unhörbarem Peitschenschlag getrieben würde. Das rannte, daß wir kaum die Füße wahreten, an uns vorbei und über die betaueten Wiesen nach dem Fluß hinab; und weiß ich nimmer, wo es in der Nacht verschwunden blieb.

Wohl merkte ich, wie Renate am ganzen Leibe bebte; ich aber schwieg lange Zeit, denn was meine Augen hier gesehen, das konnte ich fürder nicht vor mir verleugnen. Endlich sagte ich: »Das war gar wunderbar, Renate; du bist gar sehr erschrocken!«

Da richtete sie sich auf und sprach: »Die Ratten machen mich nicht fürchten, die laufen hier und überall; aber ich weiß gar wohl, was sie von meinem Vater reden, ich weiß es gar wohl! Aber ich hasse sie, das dumm und abergläubig Volk! Wollt' nur, daß er über sie käme, den sie allezeit in ihren bösen Mäulern führen!«

Wegen solcher Rede entsetzete ich mich arg, denn das Mädchen hatte dräuend ihre kleine Faust zum Himmel aufgehoben. »Renate!« rief ich, »Renate!«

»Ja, ja; ich wollt' es!« sprach sie wieder. »Aber er ist unmächtig; er kann nicht kommen!«

Ich hatte ihre erhobene Hand herabgezogen. »Berufe ihn nicht, Renate«, rief ich; »bete zu Gott und unserem Heiland, daß sie ihn von dir halten! Aber es ist der Geist des Husumer Atheisten, der aus deinem jungen Munde redet.«

»Atheist?« frug sie. »Ich kenne das Wort nicht; wen wollt Ihr damit schelten?«

Was Art Erklärung ich ihr hierauf gegeben, entsinne mich nicht mehr. Aber sie schüttelte nur den Kopf und sagte traurig: »Und unser arm alt Mariken, das haben sie mir nun auch allganz verwirret, daß schier nicht mehr mit ihr zu hausen ist! Es wird gar einsam werden, wenn auch Ihr nicht mehr kommt, Josias.«

Ich nahm ihr Antlitz in meine beiden Hände, und da ich es gegen das volle Mondlicht wandte, sahe ich, daß es sehr blaß war und ihre Augen voll von Tränen stunden. Da konnte ich es nicht lassen, daß ich sie an mich zog; und sie duldete es und legte ihren Kopf, als ob sie müde sei, in meinen Arm und sahe zu mir auf, als ob sie also ruhen möchte.

Im selbigem Augenblick aber wurde aus der Tiefe des Hauses, so daß ich schier davor erschrak, mit einer angstvollen und stöhnenden Stimme ihr Namen wiederholentlich gerufen.

»Mein Vater! Mein armer, lieber Vater!« stieß sie da herfür. Dann fühlte ich ihre Arme um meinen Hals und einen warmen Kuß auf meinem Munde. »Leb' wohl, Josias! Lieber Josias, lebe wohl!«

Und da sich dann von innen auch die Haustür schloß, so stund ich alleine auf der Hofstatt und hörete wieder nur den Fall des Laubes und den leisen nächtlichen Gesang der Wasser. Aber das unheimlich Wesen, das vorhin ich hatte tagen sehen, lag noch gleich einem Schauder auf mir und stritt wider meines jungen Herzens Seligkeit.

Am anderen Morgen, da ich von meinen lieben Eltern Abschied genommen hatte und schon auf den Wagen steigen wollte, kam der blasse Schneider angelaufen, bittend, er solle zur Stadt zum Ellenkrämer, ob er mit dem Jungherrn die Gelegenheit benützen dürfe. Hatte also einen Reisegefährten; dazu einen, dem allezeit das Maul überlief, während ich doch lieber mit meinem bedrängten Herzen allein dahingefahren wäre. Wickelte mich auch in meinen Mantel und hörete nur halb im Traum, wie seine unruhige Zunge in allem Unholden rührete, was die letzte Zeit unter den Dorfleuten war im Schwang gewesen.

Als wir aber eben von der Sandgeest in die Marsch hinunterfuhren, hub er an und mochte wohl wissen, daß er damit sich Gehör erwerbe: »Ja, Jungherr«, sprach er; »Ihr kennet ihn ja besser als wie ich, den fremden Pastor; aber das ist einer, so ein Allerweltskerl! Auch dem alt Mariken auf dem Hofe hat er das Maul aufgetan. Ihr habet wohl gesehen, Jungherr, wie dem Bauern allzeit der eine Strumpf um seine Hacke schlappet. Hat immer schon geheißen, er dürfe nur ein Knieband tragen, sonst sei es mit all seinem Reichtum und mit ihm selbst am bösen Ende; möcht' Euch aber geraten haben, rühret nicht daran; denn da mich eines Tages der Fürwitz plagte, fuhr er mir übers Maul: ›Ja, Schneider‹, sprach er, ›das eine hat die Katz' geholt; willst du das ander haben, um deinen dürren Hals daran zu henken?‹«

Als ich entgegnete, daß ich dergleichen an des Bauern Strümpfen nicht gesehen, meinte er: »Ja, ja; Ihr kommet nur des Sonntags auf den Hof, da trägt der Bauer seine hohen Stiefeln!«

Da sich das in Wahrheit also verhielt, so schwieg ich; der Schneider schob sich einen Schrot Tabak hinter seine magere Wange und sagte, seinen Hals zu meinem Ohre reckend: »Es liegen wohl oftmalen zwei der Strumpfbänder vor seinem Bette; aber der Bauer hütet sich; er weiß es wohl, wer ihm das zweite hingelegt! Die alte Marike hat zwar versucht, die Strümpf' ihm enger zu stricken, damit sie nicht herunterfallen; aber wenn sie drankommt – sie hat's mir gestern selbst erzählt –, so tanzet es ihr wie Fliegen vor den Augen oder wimmelt wie Unzeug über ihren alten Leib. Will auch wohl scheinen, als ob dem – Ihr wisset, wen ich meine, Jungherr – das Spiel schon allzulange währe; denn der Bauer hat nächtens oft harte Anfechtungen zu bestehen, daß er in seinem Bett nicht dauern kann; es wälzet sich was über ihn und dränget ihm den Odem ab; dann springt er auf und wandert umher in seinen finsteren Stuben und schreit nach seinem Kinde.«

Als ich bei diesen Worten mich in meinem Sitze aufhub, sagte der Schneider: »Ich weiß, Jungherr, Ihr habet vielen Aufschlag gehabt mit dem Mädchen; wüßt' auch kein Untätlein an ihr, als daß sie gar stolz tut gegen unsereinen; mag aber auch besser zu Euresgleichen passen!«

Der Mann redete in solcher Art noch lange fort, obschon ich fürder mit keinem Wörtlein ihn ermunterte. War aber eine üble Wegzehrung, welche ich also mitbekommen. Zwar sagte ich mir zu hundert Malen: es war ein Schwätzer, der dir solches zutrug, so einer, der die schwimmenden Gerüchte sich fetzenweise aus der Luft herunterholet, um seinen leeren Kopf damit zu füllen; wollte aber gleichwohl der bittere Schmack mir nicht von meiner Zungen weichen.

1706. In Anbetracht meiner Studien zu Halle will hier nur anmerken, daß ich dort manche hochberühmte *Theologos* und andere zu meinem Zwecke arbeitende Männer hörte und deren *collegia* gewissenhaft frequentierte, so daß ich hoffen durfte, in kurzem eine solide systematische Erudition mir anzueignen. Spürete auch kein Verlangen, meinen schwarzen Habit, so ich vor meiner Abreise mir von dem blassen Schneider hatte anmessen lassen, aufs neu mit einem roten zu vertauschen.

Nur unterweilen, zumal wenn ich zum abendlichen Spaziergange dem Ufer der Saale entlang wandelte, wenn die Wasser sich röteten und ihr sanftes Strömen an mein Ohr klang, überfielen mich wohl schwere sehnende Gedanken nach der Heimat; und wenn dann im Südost der Mond emporstieg und mit seinem bleichen Licht die Gegend füllte, so sahe ich in jedem düstern Fleck den Hof am fernen Treeneflusse, und mein Herz schrie nach dem Mädchen, so ich dort verlassen hatte.

Nach einem solchen Gang, da schon ein Jahr verflossen und wiederum der Herbst sein rotes Laub verstreute, kam ich eines Abends heim auf meine Kammer, und da ich das Licht mir angezündet, fand ich einen dicken Brief mit meines lieben Vaters Handschrift auf dem Tische liegen. Ich brach das Siegel, und meine Hände zitterten vor Freude; denn auch meine Mutter pflegte stets ein Blättlein anzulegen, und wenn auch nur ein kurz und unterlaufend Wörtlein von Renaten drinnen stand, so konnt' ich's wohl zu hundert Malen lesen. Aber das

Schreiben, so ich gleich den wenigen, welche ich noch von dieser verehrten Hand erhalten sollte, getreulich aufbewahret, war allein von meinem Vater und lautete nach viel herzlichen Worten, wie hier folget:

»Was aber die Gemeinde in solche Wirrnis setzet, daß selbst mein mahnend Wort nur kaum gehöret wird, das darf auch Dir, mein Josias, nicht gar verschwiegen bleiben.

Es war am letzten Sonnabend, da ich nachmittags an meiner Predigt saß, als der Höftmann Hansen mit ungestümen Schritten zu mir eintrat. ›Was habt Ihr, Höftmann?‹ sagte ich; ›Ihr wisset, daß ich um diese Zeit ungern gestöret bin.‹

›Ja, ja, Herr Pastor‹, sprach er; ›wisset Ihr's denn schon? Fort ist er und wird nicht wiederkommen!‹

Und da ich schier erschrocken nachfrug: ›Wer ist denn fort?‹ entgegnete er: ›Wer anders als der Hofbauer! Hab's mir schon lang' gedacht, daß es so kommen müsse!‹

›So sprecht, Höftmann‹, sagte ich und schob mein Schreibewerk zurück; ›was ist's mit dem?‹

›Weiß nicht, Herr Pastor; aber ein Stöhnen und Ramenten haben die Mägde nachts von seiner Kammer aus gehört; doch da die Tochter nicht daheim ist, so hat keine sich hineingetrauet; erst als die alt Marike aufgestanden, haben sie der sich an den Rock gehangen. Ist auch ein groß Geschrei geworden, da sie in die Kammertür getreten; denn als sei die ganze Bettstatt umgestürzet, so hat alles, Pfühl und Kissen, über den Fußboden hin verstreut gelegen; das alte Weib aber ist auf ihren Knien in dem Wust umhergerutscht, hat darin umhergefunselt und jedes Häuflein Bettstroh sorgsam aufgehoben, als wolle sie darunter ihren Bauern suchen, von dem doch keine Spur zu finden war.‹

›Nun, Höftmann‹, sagte ich fürsichtig; ›es ist noch früh am Tage; der Hofbauer wird schon wiederkommen.‹

Der aber schüttelte den Kopf: ›Herr Pastor, es ist schon über eine Stunde Mittag.‹

Da ich dann erfuhr, daß die Tochter wieder einmal bei dem Küster und Klosterprediger Carstens in Husum auf Besuch sei, so vermochte ich den Höftmann, ihres Vaters Wagen mit Botschaft nach der Stadt zu schicken. Aber schon um drei Uhr ist sie von selber wieder auf dem

Hof gewesen; und hat es die Weiber, welche dort zusammengelaufen, schier verwundert, daß das Mädchen, so doch kaum achtzehn Jahre alt, so schweigend zwischen ihnen hingegangen und nicht geweinet, noch eine Klage um den Vater ausgestoßen; nur ihre Augen seien noch viel dunkler in dem blassen Angesicht gestanden. In den alten Bäumen, so wird erzählet – habe es von den Vögeln an diesem Tag gelärmet, als seien alle Elstern aus dem ganzen Wald dahinberufen worden.

Das Mädchen hat aber fürgeben, ihr Vater müsse auf dem Moor bei seinem Torf verunglückt sein, wo er die letzten Tage noch habe fahren lassen; da sie jedoch außer ihren beiden Knechten noch Leute aus dem Dorf hat aufbieten wollen, so sind nur gar wenige ihr dahin gefolget, denn sie fand keinen Glauben mit ihren Worten, und auch die Wenigen sind schon vor Dunkelwerden heimgekehret; denn bei den Torfgruben sei vom Bauer keine Spur zu finden, und sei das Moor zu unermeßlich groß, um alle Sümpf' und Tümpel darin durchzusuchen.

Als nun der allmächtige Gott Wald und Felder und auch das wüste Moor mit Finsternis gedecket, ist der Schmied Held Carstens, der seine Schwiegermutter, so ihrer Tochter in den Wochen beigestanden, nach Ostenfeld zurückgebracht, um Mitternacht am Rand des Waldes wieder heimgefahren. Der Mann hat sein alt treuherzig Gespann am Zügel gehabt und ist schier ein wenig eingenicket; da aber die sonst so frommen Gäule plötzlich unruhig worden und mit Schnauben nach der Waldseite zu gedränget, so hat er sich ermuntert und ist nun selber schier erschrocken; denn drüben auf dem Moore hat aus der Finsternis ein Schein gleich einem Licht gezucket; das ist bald stillgestanden, bald hat es hin und her gewanket. Er hat gemeinet, daß die Irrwisch ihren Tanz beginnen würden, hat aber als ein beherzter Mann während dem Fahren noch mehrmals hingesehen, und da es letztlich näherkommen, ist eine dunkle Gestalt ihm kenntlich worden, so neben dem Irrschein zwischen den schwarzen Gruben und Bülten umgegangen. Da hat er ein still Gebet gesprochen und auf seine Gäule losgepeitschet, damit er nur nach Hause komme. Am anderen Morgen in der Frühe aber haben die Leute drunten an der Straße des Hofbauern Tochter ohne Kappe, mit zerzausetem Haar und eine zertrümmerte Laterne in der Hand, langsam nach ihres Vaters Hofe zuschreiten sehen.

Als ich am Vormittage dann dahinging, wie es meine Amtspflicht heischet, vernahm ich, daß sie abermalen mit ihren Knechten nach dem Moore hinaus sei; da ich aber spät am Nachmittage wiederkam, trat sie in schier zerrissenen und besudelten Kleidern mir entgegen und sahe mich fast finster aus ihren dunkeln Augen an. Ich wollte sie auf den verweisen, ohn' dessen Hilf' und Willen all unsere Kraft nur eitel Unmacht ist; allein sie sprach: ›Habet Dank, Herr Pastor, für die gute Meinung; aber es ist nicht Zeit zu dem; schaffet mir Leute, so Ihr helfen wollet!‹ Was ich entgegnete, hörte sie schon nicht mehr; denn sie war nach Leitern und Stricken mit ihren Knechten der Scheune zugegangen. Auf dem Heimweg, den ich also notgedrungen antrat, glückte es mir, ihr ein paar junge Burschen nachzusenden; und auf deiner guten Mutter Zureden, dem jungen Blut zum Troste, wie sie meinte, hat auch unsere Margret sich denselben angeschlossen. Diese verständige und, wie auch dir bekannt, in keine Wege schreckbare Person ist jedoch am späten Abend mit wankenden Knien und verstürzetem Antlitz wieder heimgekommen. Das Suchen nach dem verlorenen Mann – so berichtete sie, alsbald sie ihres Odems wieder Herr geworden – sei ganz umsonst gewesen. Aber da endlich alle jungen Knechte schier verdrossen fortgegangen und Margret mit dem Mädchen, das nicht wegzubringen gewesen, nur dorten ganz allein verblieben, so ist mit Dunkelwerden ein Irrwisch nach dem anderen aus dem Moore aufgeduket und ein Gemunkel und Geflimmer angegangen, daß sie das Blänkern des Wassertümpels habe sehen können, an welchem dieser greueliche Tanz sich umgedrehet. – Lasse das dahingestellet. Es ist aber noch ein anderes geschehen, und will dir zuvor ins Gedächtnis bringen, daß wir unsere Margret auf einer Lügen niemals noch betreten haben.

Als nämlich die Irrwisch so getanzet, hat des Bauern Tochter gleich einer stummen Säulen darauf hingeschaut; da aber Margret sie bei der Hand gezogen, daß sie schleunig mit ihr heimgehe, hat sie plötzlich überlaut um ihren Vater gejammert und wie in das Leere hineingeschrien, ob ihr etwas von ihm Kunde geben möchte. Und hat es darauf eine kurze Weile nur gedauert, so ist aus der finsteren Luft gleichwie zur Antwort ein erschreckliches Geheul herabgekommen, und ist es gewesen, als ob hundert Stimmen durcheinanderriefen und eine mehr noch habe künden wollen als die andere.

Da hat die Alte Gott und seine Heerscharen angerufen, hat aber das

Mädchen, als ob es angeschmiedet gewesen, mit ihren starken Armen nicht vom Platze bringen können, als bis das Toben über ihnen, gleich wie es gekommen, so wieder in der Finsternis verschollen war.

Wenn Dich, mein Josias, schmerzet, was ich hier hab' schreiben müssen, da des Mädchens irdische Schönheit, wie mir wohlbewußt, Dein unerfahren Herz betöret hat, so gedenke dessen und baue auf ihn, welcher gesprochen: ›Wer sein Leben verlieret um meinetwillen, der findet es.‹ Und sinne diesem nach, daß Du das Rechte wählest!

Will dann zum Schlusse noch Erwähnung tun, daß unser Gastfreund Petrus Goldschmidt, welchen in meiner geistlichen Bedrängnis wegen obbemeldter Dinge ich mir vielmals hergewünschet, letzthin zum Superintendenten in der Stadt Güstrow, sowie ob seiner Gelahrtheit und Verdienste um das Reich Gottes von der … (die Handschrift ist hier unleserlich) Fakultät zum *Doctor honoris causa* ist kreieret worden.«

– – Also lautete meines lieben Vaters Brief. Und will hier nicht vermerken, was Herzensschwere ich davon empfangen, wie ich in vielen schlaflosen Nächten mit mir und meinem Gott gerungen, auch gemeinet, ich könnte nicht anders, als daß ich heim müsse, um der Armen Leib und Seel' zu retten, und wie dann immer das erwachend Tageslicht mir die Unmöglichkeit für solch Beginnen klargeleget.

Aber, wie die Rede ist, es sei das eine Leid ein Helfer für das andere, so geschahe es auch mir. Denn noch vor dem heiligen Christfeste empfing ich von meiner Mutter einen Brief, daß mein lieber Vater mit unvermuteter Schwachheit befallen sei und selbige allen gebrauchten irdischen Mitteln entgegen ihn fast sehr entkräftet habe; und dann nach wenig Wochen einen zweiten, der mich drängte, meine Studien zu vollenden, da der teure und getreue Mann nicht lang' mehr selber seines Amtes werde warten können.

Solche mein Herz aufs neu erschütternde Nachrichten trieben mich früh und spät zu strenger Arbeit, und wurd' ich bald auch dessen inne, daß ich nur so den Weg zur Heimat kürzen könne.

1707. Es währete doch noch bis gegen den März des beigefügten Jahres, daß ich als ordinierter Adjunktus meines Vaters in meiner lieben Eltern Hause eintraf. Nur noch zum Troste, nicht zur Freude; denn ich fand meinen Vater auf seinem Siechbette, von dem ich wohl sahe, daß er nach Gottes allweisem Ratschluß nicht mehr erstehen solle. Da er nun in den Tagen, die er als seine letzten wohl erkannte, seines einzigen Kindes nicht entbehren mochte, so hatte ich niemanden aus dem Dorfe noch gesehen; auch Renaten nicht. Meine Eltern itzt nach ihr zu fragen, trug ich billig Scheu, und so höret ich nur noch einmal von unserer alten Margret, was ich in meines Vaters Briefe schon gelesen hatte.

Es war aber am Sonntage *Reminiscere,* an welchem ich zum ersten Male für meinen lieben Vater predigen sollte. Er hatte das heilige Abendmahl seit lange nicht erteilen können, und so hatten viele sich gemeldet, um es bei seinem Sohne zu empfangen. Dachte auch, Renate würde unter ihnen kommen; aber sie kam nicht.

Die Nacht zuvor, in welcher mit meiner lieben Mutter ich die Krankenwacht geteilet, hatte der Sturm gar laut gebraust; nun aber lag alles in der lichten Morgensonne, und eben, da ich in den Kirchhof eintrat, scholl mir gleich Auferstehungsgruß ein Drosselschlag vom Wald herüber. Und währete es nicht lange, so stund ich in der Kirchen vor dem Altar und sprach aus inbrünstigem Herzen das »*Ostende nobis, Domine, misericordiam tuam*«; und die Gemeinde respondierte andächtig: »*Et salutare tuum da nobis!*« »Ja, Gott Vater«, sprach ich leise nach, »dein Heil schenke uns; und auch ihr, für die ich hier im Staube zu dir flehe!« Und da itzt der Gesang anhub: »*Benedicamus Domino*«, wobei die rauhen Kehlen der Männer mit dareinsangen, da schwamm gleich einem silbern Lichtlein ein Ton dazwischen, der leuchtete hinab in mein bekümmert Herz; denn ich wußte, welche Stimme ich gehöret hatte.

Also in fast freudigem Mute erstieg ich die Stufen zu der Kanzel, und da ich die Augen aufhub, sah ich gegenüber in dem Emporstuhl ein blasses Angesicht, das ich des Gitters ohnerachtet wohl erkennen mochte. Da hub ich meine Predigt an: »Und siehe, ein kannäisch Weib schrie ihm nach: ›Ach, Herr, du Sohn Davids, erbarme dich meiner; meine Tochter wird vom Teufel übel geplaget!‹ und er entgegnete ihr kein Wort. Da aber die Jünger sprachen: ›Laß sie von dir, Herr; denn sie schreitet uns nach‹, antwortete er und sprach: ›Ich bin nicht gesandt, denn nur zu den verlorenen Schafen von dem Hause Israel!‹« Und mein Herz schwoll mir, und das Wort kam auf meine Lippen; was ich daheim für meine Predigt angemerket, war nur ein Staub, darüber meine Seele sich erhob, und meine Rede ging hervor einem Strome gleich aus heiligen Quellen. In der vollen Kirchen war kaum eines Odems Leben; Männer und Greise sahen zu mir auf, und die Weiber in ihren Gestühlten saßen mit betendem Angesicht. Neben mir in dem Stundenglase verrann der Sand; aber ich merkte es nicht und wußte nicht, wie ich an das Ende meiner Rede kam: »Herr, Herr! Locke sie mit deiner lieblichen Stimme; denn dein Tisch steht bereitet, wo sie dich empfahen mögen und dein Heil und deine Gnade. Amen.«

Und da ich nach dem Vaterunser einen Blick genüber nach dem Gitter warf, sahe ich in dem blassen Angesicht die großen, dunkelen Augen starr auf mich gerichtet.

»Mit deiner Stimme, Herr, o locke sie!« So betete ich nochmals und schritt dann hinab in die Sakristei, um mit dem feierlichen Meßgewand mich zu bekleiden, so derzeit noch gebräuchlich war.

Da ich dann vor den Altar trat, brannten auf selbigem schon die Kerzen in den großen Leuchtern, und aus den Gestühlten drängten sie sich heran, Mann und Weib, alt und jung; doch indes ich den Leib des Herrn austeilete und den Kelch an aller Lippen reichte, rief es unaufhörlich in meinem Herzen: »Herr, bringe auch sie, auch sie zu deinem Tische!« Aber über dem Gesang der Gemeinde schwebte noch immerfort der silberne Ton ihrer Stimme. Da plötzlich, als schon die Letzten sich dem Altar naheten, verstummte er, und ich vernahm einen leichten Schritt die Stufen des Emporstuhles herabkommen. – Aber noch waren andere, so auch des Heils begehrten; ein Greis und eine Greisin, von ihren Enkeln unterstützt, kamen herangewankt und schauten mit blöden Augen zu mir auf; und da ich ihnen den Kelch bot, vermochten ihre zitternden Lippen den Rand desselben kaum zu fassen.

Sie wurden hinweggeführt; und dann stand sie, Renate, vor mir; blaß und mit gesenkten Augen, in schwarz Gewand gekleidet, ein schwarzes Käpplein auf den braunen Haaren. Nach fast zwei Jahren sahe ich sie hier zum ersten Male wieder; ich zögerte, denn mein Herz wallete mir über; und indem ich dann die Hostie aus der Patene nahm und zwischen ihre Lippen legte, betete ich: »Herr, mache meine Seele heilig!« Dann erst sprach ich: »Nimm hin! Dies ist mein Leib, der für euch gegeben wurde!«

Ich wandte mich zum Altare und nahm den Kelch. Da ich aber selbigen an ihre Lippen brachte, sahe ich, wie ihr schönes Antlitz sich verzog und wie sie schauderte ob dem Trunke, der darinnen war. Da sprach ich die Einsetzungsworte: »Das ist mein Blut, das für euch vergossen wurde!« Und sie neigete ihr Antlitz in den fast geleerten Kelch; ob ihre Lippen ihn berührt, vermochte ich nicht zu sehen. Da ich aber – aus wes Ursach', vermag ich nicht zu sagen – auf die Seite blickte, gewahrete ich die Hostie in dem Schmutz des Fußbodens; ihre Lippen hatten sie verschmähet, und die Spitze ihres Schuhes trat das Brot, so als den Leib des Herrn sie empfangen hatte.

Mein Gebein erzitterte, und fast wäre der Kelch aus meiner Hand gestürzet. »Renate!« rief ich leise; in Todesangst brach dieser Ruf aus meinem Munde: »Renate!«

Wohl sahe ich, daß ein Zittern über die schöne Gestalt des Mädchens hinlief; dann aber, ohne aufzusehen, ihr weißes Sacktuch in die Hände pressend, wandte sie sich ab, und bei dem Schlußgesange der Gemeinde sahe ich sie langsam den langen Steig hinabschreiten.

– – Wie ich mein Meßgewand abgeleget und in meiner Eltern Haus zurückgekommen, vermöchte ich kaum zu sagen; wußte nur, als ich daheim an meinem Pulte stand, daß auch wohl ein junger Prediger, der ich war, nicht mit also ungestümen Schritten über den Kirchsteig hätte dahinstürmen sollen. An meines Vaters Krankenbette vermochte ich itzo nicht zu treten; ich stützte den Kopf in beide Hände, und mit geschlossenen Augen spähete ich nach dem Weg der Pflicht, den ich zu gehen hatte.

Aber nur eine kurze Weile; dann schritt ich den wohlbekannten Fußsteig nach dem Hof hinab. Wieder, wie vor Jahren, schrien die Elstern oben in den Bäumen; und da ich links vom Flur in das Zimmer eingetreten war, schien es mir weiter und einsamer, als ich es zuvor gesehen. Dennoch hatte ich Renaten sogleich erblickt; sie saß drüben auf ihrem Platz am Fenster, den Kopf gesenkt, die Hände vor sich hin gefaltet. Da ich dann nähertrat, erhub sie sich langsam, als ob sie müde sei; und in dem langen schwarzen Gewande, das sie itzo trug, erschien sie mir größer und fast gleich einer Fremden. Als ich aber stehenblieb und sie mit ihrem Namen anredete, rief auch sie: »Josias!« und streckte beide Arme gegen mich.

War es die Liebe, so Gott zwischen Mann und Frau gesetzet, die aus ihrer Stimme klang, oder war es ein Hilferuf, ich vermochte das nicht zu erkennen; aber ich zog sie nicht an meine Brust, wozu mein Herz mich mit gewaltigen Schlägen drängte, sondern beharrete auf meinem Platz und sprach: »Du irrest, Renate; es ist nicht Josias, es ist der Priester, der hier vor dir stehet.«

Da ließ sie die Arme sinken und sagte dumpfen Tones: »So sprecht! Was habt Ihr mir zu sagen?«

Und wie sie mich itzt aus dem ernsten Antlitz mit ihren großen Augen ansah, da schrie es in mir auf: »Du kannst sie nimmer lassen; in diesem Weibe ist all dein irdisch Glück!« Aber ich rief zu meinem Gott, und er half mir, bei meinem heiligen Amte die weltlichen Gedanken in die Tiefe bannen.

»Renate!« sprach ich, »wer war es, der dich zu der Todsünde versuchte, daß du den Leib des Herrn von deinen Lippen spiest? Nenne seinen Namen, daß wir mit Gottes Engeln ihn besiegen!«

Aber sie wiegete nur das Haupt. »O die armen alten Leute!« rief sie. »Ich weiß, es war eine Sünde! Aber da ich ihr Antlitz sahe, von den greisenhaften Gebresten so ganz entstellt, da schauderte mich, daß ich mit ihnen aus einem Kelche trinken sollte, und die heilige Hostie entfiel meinen Lippen in den Staub. Bete für mich, Josias, daß ich dieser Schuld entlastet werde!«

Ich glaubte ihren Worten nicht. »So«, dachte ich, »will der Versucher dir entrinnen«, und sprach laut: »Vor einem Schenkenglase mag dir ekeln; aber der Kelch des Herrn ist rein für alle, denen er geboten wird! Ein höllisch Blendwerk hat dein Aug' verwirret; und es kommt von dem, mit welchem auch dein Vater sein unselig Spiel getrieben, bis Leib und Seele ihm dabei verloren worden.«

Bei diesen meinen Worten stürzete sie auf ihre Knie und hub die Arme auf und schrie: »Mein Vater, o mein armer Vater!«

»Ja, schreie nur um ihn, Renate!« sprach ich. »Und möge unseres Gottes Allbarmherzigkeit in seinen tiefen Pfuhl hinunterleuchten!«

Sie sahe zu mir auf und sprach mit fester Stimme: »Die wird ihm leuchten, Josias, so gut wie allen anderen, die ein jäher Tod ereilet!«

Ich aber rief: »Das ist des Teufels Hochmut, der von deinen Lippen redet! Demütige dich gegen den, bei dem alleine Rettung ist, und schütte dein Herz aus vor mir, der hier stehet an seiner Statt!« Und da sie hierauf schwieg, so sprach ich weiter: »Da du mit unserer alten Margret nächtens auf dem Moore gingest, wen hast du angerufen, daß er dir von deinem Vater Kunde brächte, und was war es, das aus der leeren Luft herab mit schrecklichem Geheul dir Antwort gab?«

»Ich weiß von keinem Geheul«, entgegnete sie; »aber du, Priester Gottes« – und ein trotzig Feuer brannte in ihren schönen Augen – ,»so ich wüßte, daß dort Kunde wär', zur Stund' noch ging ich und schrie meine Not ins Moor hinaus und fragete nicht viel, von wannen mir die Antwort käme!«

»Renate!« rief ich »*Exi immunde spiritus!*« und spreizete beide Hände ihr entgegen. »Bekenne! Bekenne! Mit welch argen Geistern hast auch du dein Spiel getrieben?«

Sie hatte sich vom Boden aufgerichtet; und da ich sie anschaute, war ein kalter Glanz in ihren Augen. Sie strich mit den Händen über ihr Gewand und sagte: »Ich verstehe nicht, was Ihr redet; aber mir ist, als sei das große Gemach hier so düster, wie es nimmer noch gewesen.« Und da in diesem Augenblicke an die Tür gepocht ward, welcher ich den Rücken wandte, und selbige sich auftat, setzete sie hinzu: »Tretet näher, Margret! Euer Herr ist hier!«

Ich aber wandte mich um und sahe unsere alte Margret vor mir stehen; die schaute mich gar ernsthaft an und sprach nach einer Weile: »Kommet heim, Herr Josias; denn Euer lieber Vater will nun sterben, und ihn verlangt nach einem letzten Wort mit Euch.«

Da war mir, als bräche der Boden unter mir zusammen, und ich verließ Renaten und eilete nach meines Vaters Sterbekammer. – Da ich eintrat, saß er laut redend in seinen Kissen, aber seine Stimme deuchte mir fremd, gleich als hätt' ich nimmer sie gehöret.

»Es ist dein Großvater, von dem er redet«, raunete mir meine Mutter zu.

»Er sieht mich nicht, Mutter!« entgegnete ich leise.

»Nein, Josias, er ist bei denen, die ihm zu Gottes Thron vorausgegangen.«

Und mein Vater sahe mit glänzenden Augen vor sich hin und redete weiter: »Lang', gar lange habe ich für ihn gepredigt – Josias täte das gar gerne auch für mich – denn er wurde sehr alt; sein leiblich Augenlicht war erloschen und der Schall der Welt drang nur verworren noch zu seinem Ohre. Aber da er seine Stunde nahen fühlte, hieß er mich und meine Schwestern ihn in die Kirche führen, und wir geleiteten ihn auf die Kanzel. Da wandte er sein Antlitz ringsumher und grüßte unmerklich mit der Hand; und sein silbern Haar hing über seine blinden Augen. Er meinete, es sei Sonntag und die Gemeinde sei versammelt. Er irrte; die Schwestern waren oben an seiner Seiten, und drunten war nur ich allein. Aber der Greis auf der Kanzel erhub seine Stimme, und sie scholl stark in der leeren Kirchen; denn er nahm Abschied und redete erschütternd zu allen, die hier nicht zugegen waren.«

Der Kranke hatte die Arme über des Deckbett hingestreckt, und sein abgezehrtes Antlitz leuchtete wie von innerem Lichte. »Ja, mein Vater«, rief er, »aus der Ewigkeit herüber höre ich deine Stimme, wie du sprachest: ›Und so wie einst herauf, so führe an deiner Hand mich jetzt hinab von dieser Stätte! Aber, mein Gott und Herr, du hellest das Dunkel vor mir; gleich meinen Vätern werden Sohn und Enkelsöhne von deinem Stuhle aus dein Wort verkünden. Laß sie dein sein, o Herr! Nimm ihren schwachen Geist in deiner Gnaden Schutz!‹«

Nach diesen Worten schwieg mein lieber Vater; und als nun meine Mutter ihre Arme um ihn schlang, da sank sein Haupt zurück auf ihre Schulter. – Aber er erhub es wieder; und da sie zu ihm redete: »Mein Christian, spare deine Kräfte und ruhe nun«, da schüttelte er leise mit dem Haupt und sagte nur: »Nachher, nachher, Maria!« Dann sahe er liebevoll, aber mit fast flehentlichen Blicken zu mir auf und sprach langsam und wie mit großer Mühe: »Du kommst vom Hof, Josias; ich weiß es. Der Bauer ist nicht mehr, und möge Gott ihm ein barmherziger Richter sein – aber seine Tochter lebt! Josias, das rechte Leben ist erst das, wozu der Tod mir schon die Pforten aufgetan!«

Die Hand des Sterbenden haschete ins Leere nach der meinen, und da ich sie ihm gegeben, hielt er sie sehr fest in seinen mageren Fingern.

Noch einmal begann er: »Wir sind ein alt Geschlecht von Predigern; die ersten von den Unseren saßen zu Dr. Martins und Melanchthons Füßen. Josias!« – er rief meinen Namen, daß es gleich Schwertesschnitt durch meine Seele ging –, »vergiß nicht unseres heiligen Berufes! – – Des Hofbauern Haus ist keines, daraus der Diener Gottes sich ein Weib zur Ehe holen soll!«

Der Odem des Sterbenden wurde stärker; aber seine Stimme sank zu einem Flüstern, und da wir lautlos horchten, kamen wie fernhin verhallend noch die Worte: »Versprich – – das Irdische ist eitel – –«

Darauf verstummte er ganz; seine Finger löseten sich von meiner Hand, und der Friede des Herrn ging über sein erbleichend Angesicht. Ich aber neigete mich zu dem Ohr des Toten und rief: »Ich gelobe es, mein Vater! Mög' die entfliehende Seele noch deines Sohnes Wort vernehmen!«

Da sahe meine Mutter mich voll Mitleid an; dann zog sie das Laken über das geliebte Totenantlitz, fiel an dem Bette nieder und sprach: »Gott gebe uns selige Nachfolge und sammle uns wieder in der frohen Ewigkeit.«

Als meines lieben Vaters Grab geschlossen war, kamen noch mehr der ersten Frühlingstage; von dem Strohdach unseres Hauses tropfete der Schnee herab, und die Vögel trugen den Sonnenschein auf ihren Schwingen; aber das Schöpfungswort: »Es werde Licht!« wollte sich noch nicht an mir bewähren. Da geschahe es am Sonntage danach, nachmittages, daß ich von dem Dorfe Hude auf dem Fußsteig nach Schwabstedte zurückging; ich war in meiner Amtstracht, denn ich hatte einen Kranken mit den Tröstungen unserer heiligen Religion versehen. Die ersten Tage meines Amtes waren schwer gewesen, und ich ging dahin in tiefem Sinnen.

Unweit vom Dorfe aber schneidet ein Bach den Weg, der aus dem Walde zu dem Treenefluß hinabgeht. An selbigem pflegen die Vögel sich zu sammeln, welche das Wasser lieben, und war auch itzt von Finken und Amseln hier ein fröhlich Schallen, als wollten sie schon des Maien Ankunft melden. Und so von des Ortes Lieblichkeit gehalten, schritt ich nicht über den Steg, der von dem Fußweg hinüberführet, sondern ging diesseits ein paar Schritte an den Wald hinauf und setze mich an das Ufer, wo sich der Bach zu einem kleinen Teich erweitert. Das Wasser aber, wie es um diese Zeit zu sein pflegt, war so klar, daß ich am tiefen Grunde das Wurzelgeflecht der Teichrosen und die daran keimenden Blätter gar leicht erkennen und also Gottes Weisheit auch in diesen kleinen Dingen bewundern mochte, so für gewöhnlich unserem Aug' verborgen sind.

Da wurd' ich jählings aufgeschrecket, und auch die Vögel, die eben ihren durch meine Ankunft gestöreten Gesang aufs neue anhuben, rauschten auf und flogen fort; denn von jenseit des Baches kam ein Geschrei: Hoido! hoido!, und war es, als wie bei der Kloppjagd die Bauernkerle den Hirsch zu jagen pflegen. Da ich aber den Kopf wandte, sahe ich drüben aus den Tannen einen Haufen junger Knechte hervorbrechen. »Schwimmen! Schwimmen!« schrien sie. »Ins Wasser mit der Hex'!« Und jetzt erst gewahrte ich unter ihnen ein Frauenbild, das gescheuchet vor dem einen und dem anderen floh und nach dem Stege zu entkommen suchte. Aber einer von den Burschen sprang voran dahin und versperrte ihr so den Weg. Ich kannte ihn wohl, von Zeit der großen Hochzeit schon; denn es war der Sohn des Bauernvogts; und das Wild, so hier gejaget wurde, war Renate.

Nun kam ich eilends auf die Füße, lief zu dem Steg hinab und rief hinüber: »Ihr dort, was wollet ihr beginnen?«

Da schrien sie hinwider: »Die Hex'! Die Hex'!«

Ich aber frug sie: »Wollet ihr richten? Wer hat zu Richtern euch bestellt?« Und als sie hierauf schwiegen, trat einer aus dem Haufen und sprach: »Das Brennholz ist teuer worden; die Unholden laufen frei herum, und der Amtmann und der Landvogt fassen sie nicht an.« Und alle schrien wieder: »Hoido! hoido! Ins Wasser mit der Hex'!«

Da setzete ich meinen Fuß auf den Steg und rief: »Rühret sie nicht an! Im Namen Gottes, ich gebiete es euch!«

Aber der Bursche, welcher auf dem Stege war, drängte mich zurück. »Ihr trotzet auf Euer Priesterkleid!« sprach er. »Ihr würdet sonst die großen Worte sparen; ich rat' Euch, tut das nicht zu sicher!« Und dabei stund er vor mir mit gekniffenen Fäusten, und unter seinem Kraushaar funkelten die kleinen Augen.

Da überkam es mich, und ich lösete mein geistlich Gewand und warf es von mir auf den Boden; denn das junge Blut war damals noch in meinen Adern. Und als ich einen Blick nach drüben tat, sahe ich, daß einer von den Burschen Renaten gefaßt hatte und ihr die Hände über ihrem Rücken hielt; ihre Augen aber ruheten auf mir und waren wie leuchtend in dem blassen Angesicht.

»Gib Raum!« schrie ich und packte den Burschen mit meinen beiden Fäusten; und ich bin mir heut noch wohlbewußt, in den tiefsten

Abgrund hätt' ich ihn gestürzet, so ich das vermocht und solcher unter uns gewesen wäre.

Einen Augenblick wurd' eine Totenstille; denn er hatte auch mich ergriffen, und wir stunden wie in Erz gegossen aneinander. Da gewahrete ich, daß sie Renaten an den Bach hinabzuzerren strebten; und ohne Laut zu geben, rang ich mit meinem Feinde, Knie an Knie und Aug' in Auge. »Geduld, du Hexenpriester!« schrie er mit heiserer Stimme. »Erst soll sie schwimmen, eh' sie der Teufel dir ins Brautbett leget!«

Ein laut Gelächter und Hoido von drüben scholl als Antwort; vergebens suchte ich Renaten zu erblicken. Aber schon hatte ich den Burschen auf den Steg zurückgedrängt und griff nach seinem Hals, um ihn hinabzuwerfen, da empfing ich selber einen Stoß auf meine Brust, und mit einem Schrei, der mir unwillens von dem jähen Schmerz entfuhr, sank ich zu Boden.

Es mochte ein Schrecken dadurch in die ganze Schar gefallen sein; denn ich fühlte nicht, daß eine fremde Hand noch an mir sei, und hörte, wie jenseit des Wassers der Trupp von dannen zog.

Als ich aber mich mühselig aufgerichtet hatte, da schlangen zwei Weiberarme sich um meinen Hals, und die Stimme, welche ich niemalen hab' vergessen können, sprach leise meinen Namen: »Josias, ach, Josias!« Und da ich mit der Hand des Mädchens Haar zurückstrich, so ihr wirr auf Stirn und Augen fiel, da sahe ich um ihren Mund, was ich noch itzt ein selig Lächeln nennen muß, und ihr Antlitz erschien mir in unsäglicher Schönheit.

»Renate!« rief ich leise, und meine Augen hingen in sehnsüchtiger Begier an ihren Lippen.

Sie regeten sich noch einmal, als wollten sie mir Antwort geben; aber ich lauschte vergebens; des Mädchens Arme sanken von meinem Halse, ein Zittern flog um ihren Mund, und ihre Augen schlossen sich.

Ihr starrte angstvoll auf sie hin und wußte nicht, was ich beginnen sollte. Als ich aber auf dem schönen Antlitz das Leben also in den Tod vergehen sahe, wurd' mir mit einem Male, als blickten meine Augen weithin über den Rand der Erde, und vor meinen Ohren hörte ich meines sterbenden Vaters Stimme: »Vergiß nicht unseres heiligen Berufes! – – – Das Irdische ist eitel!«

Und da ich noch die ohnmächtige Gestalt in meinen Armen hielt, gewahrete ich, daß unser Nachbar, der Schmied Held Carstens, mit seinem Weibe von diesseit des Weges dahergegangen kam. Da erzählete ich ihnen, wie von den jungen Knechten das Mädchen sei geschrecket worden, und bat, daß sie sich um sie annehmen möchten; denn es sei eine andere Pflicht, so mich von hinnen rufe.

Der Schmied aber trat nur zögernd näher; und auf die Ohnmächtige hinblickend, sprach er: »Die da? – – Nun, wenn Ihr es heischet, Herr Josias?«

Da bat ich abermalen; und itzt kam auch das Weib heran, welches als gar verständig im ganzen Dorf berufen ist. Als ich dann aber des Mädchens Leib aus meinen Armen in die ihren sinken ließ, durchstach mir ein jäher Schmerz die Brust, daß nicht viel fehlete, es hätt' mich aufs neu dahingeworfen.

Und so, zwiefach verwundet, ging ich heim und sahe nicht mehr hinter mich zurück. Aber in meines Vaters Sterbekammer hab' ich an diesem Abend lang' inbrünstiglich gebetet.

Was meine liebe Mutter auch dagegen reden mochte, und obschon die Nachfolge in meines Vaters Amte mir so gut wie zugesaget war, ich wußte doch, daß meines Bleibens nicht mehr hier am Orte sei. Und so reisete ich schon anderen Tags nach Schleswig, um mich nach einem anderen Amte umzusehen. Aber dort angekommen, befiel mich eine Schwäche, daß meine Mutter zu meinem Krankenbett herbeigeholet werden mußte. Und als dann eines Nachts gar ein Blutstrom aus meinem Mund hervorbrach, da schrie sie laut, daß sie anitzo auch ihr einzig Kind dahingeben müsse.

Aber ich genas mit Gottes Hilfe, erhielt auch ein geistlich Amt im Norden unseres Landes, von Schwabstedte viele Meilen fern, und dienete noch über zwanzig Jahre dieser Gemeinde mit redlichem Willen und nach meinen besten Kräften. Ich begrub dort meine liebe Mutter und beweinete sie sehr; nach ihrem Tode hatte ich keine, in der die Liebe so sichtbarlich an meiner Seite ging.

Von Renaten höerte ich noch einige Male; zunächst und bald nach meinem Fortgange, daß sie derzeit über das Wasser und auf den Blättern der Teichrosen, welche sie getragen hätten, zu mir hingelaufen sei.

Ich aber weiß von solchem nichts; müßte auch ein Gaukelwerk des argen Geistes gewesen sein, maßen ich ja selbst die Mummelblätter unter dem Kristall des Wassers noch in ihren Hüllen hatte liegen sehen.

Dann, wohl fünf Jahre später, von einem Manne, der mit Binsenmatten durch das Land ging, wurde mir erzählet, daß eines Abends ein mächtig großer schwarzer Hund auf ihren Hof gekommen sei, beschmutzt und abgemagert und mit einem abgerissenen Strick an seinem Halse. Da sei sie zu ihm hingekniet und habe mit beiden Armen das alte Tier umfangen und seinen rauhen Kopf an ihre Brust gezogen.

– Ob sie noch itzt auf dieser Erde ist, ob Gott sich ihrer schon barmherzig angenommen, darüber ist mir keine Kunde mehr geworden.

Soweit die Handschrift.

Aber der Zufall, der uns vergönnt hat, das Bahrtuch über einem verschollenen Menschenleben aufzuheben, lüpft es noch einmal; wenn auch weniger, als manche, die dies lesen, wünschen mögen.

Die zu Anfang der Erzählung erwähnte Schatulle auf dem Boden unseres alten Erbhauses ward eine tönende Vergangenheit, sobald man Mut und Geduld hatte, den Staub in ihrem Inneren aufzuregen. Ich hatte das nicht immer. Aber ein paar Jahre nach dem Funde unserer Handschrift, an einem herbstlichen Sonntagnachmittage, saß ich doch wieder einmal vor ihren eingeklemmten Schubfächern und zog, oft mühsam, eines um das andere auf. Papiere über Papiere; und fast überall jene anheimelnde leserliche Schrift des vorigen Jahrhunderts. Von vielen Päckchen hatte ich schon die Bindfäden aufgelöst und sie, nachdem ich dies und das darin gelesen, wiederum zu ihrer Ruh' gelegt. Da kam ich an eines, welches allerlei Papiere über die Erbschaft eines alten Predigers in Ostenfeld enthielt; ein Bruder meines Urgroßvaters, wie ich aus beiliegenden, an ihn gerichteten Briefen sah, hatte sich dieser Angelegenheit für eine in Husum wohnende Predigerwitwe angenommen. Und bald nahm ein ungewöhnlich langes Schreiben, datiert von 1778 aus einem ostschleswigschen Dorfe und unterschrieben: »Jensen, *past.*«, meine ganze Aufmerksamkeit in Anspruch; denn es war augenscheinlich der Begleitbrief, mit dem einst das Manuskript des Pastors Josias, allerdings *sub pet. rem.*, an meinen Urgroßonkel übersandt war.

Die ersten Seiten beschäftigten sich unter Beifügung eines sauber ausgeführten Stammbaumes nur mit den Erbverhältnissen jenes Ostenfelder Pastors; wie bald ersichtlich, des Vetters unseres Josias, in dessen Hause er das Gedächtnis seines Jugendlebens niederschrieb. Dann aber hieß es weiter:

Unseres von dir erwähnten Schülerbesuchs bei meinen Junggesellen-Onkeln in dem Ostenfelder Pastorate entsinne ich mich gar wohl; und daß du den Onkel Josias in so warmer Affektion behalten, hat mir insonders wohlgetan; die Fragen aber, die du über ihn gestellet, wirst du in dessen hier angeschlossener eigener Handschrift insgesamt beantwortet finden.

In Wahrheit, es waren zwei recht verschiedene Menschen, der Herr Josias mit seinem Johanneskopfe und der derbe aufbrausende *pastor loci*. Oftmals in meiner eigenen Amtstätigkeit habe ich des ersten Sonntags dort gedenken müssen; du kamest erst des Abends zu uns, ich aber saß schon vormittags an Onkel Josias' Seite in der Kirche. Noch sehe ich unter den Abendmahlsgästen die leidtragenden Frauen vor dem Altare, welche nach damaliger Sitte bis über das Kinn in schwarze Decken eingehüllt waren; und wie der Onkel Pastor der einen mit den durch die ganze Kirche hin vernehmlichen Worten »Weg, weg damit!« die Decken voll Ungeduld zur Seite riß, indes er mit der anderen Hand den Kelch emporhielt. Onkel Josias aber schüttelte still den Kopf und lehnte mit einem Lächeln sich in seinen Stuhl zurück. Gleichwohl, wie ich später beobachtet, da ich den letzten Sommer vor dem großen Examen dort meine Repetitionen machte, lebten die beiden Verwandten in guter Eintracht miteinander. Beide waren Männer, die, wie man sagt, das Ihrige gelernet hatten und dies nicht in Vergessenheit geraten lassen wollten. Sie unterhielten sich oft über gelehrte Gegenstände und disputierten dann, auch wohl lateinisch, miteinander.

In einem Punkte aber stimmten sie völlig überein; sie beide glaubten noch an Teufelsbündnisse und an schwarze Kunst und erachteten solch törichten Wahn für einen notwendigen Teil des orthodoxen Christenglaubens. Der Ostenfelder Pastor tat dies im zornigen Bewußtsein eines wohlgerüsteten Kämpfers, der Onkel Josias dagegen, zu dessen zarter Gemütsbeschaffenheit dieser wilde Glaube gar übel paßte, schien selbigen mir gleich einer Last zu tragen. Deshalb suchte ich oft, wenn wir alleine waren, mit Gründen aus der Heiligen Schrift wie aus der menschlichen Vernunft ihm solches auszureden; allein mit allem seinem Scharfsinn, wenngleich als wie in schmerzlicher Ergebung, verteidigte er die gottlose Macht des Erzfeindes.

Als der Sommer zu Ende ging, wurde für seine Gesundheit die strengste Vorsicht nötig; er durfte Sonntags die Kirche nicht mehr besuchen, kaum noch das Haus verlassen; aber seine milde Freundlichkeit und seine, ich möchte sagen, schwermutsvolle Heiterkeit blieben sich auch dann noch gleich.

Da war es kurz vor meiner Abreise an einem Morgen im Oktober; der erste Reif war gefallen und eine frische Klarheit durch die Luft verbreitet. Ich wandelte im Garten auf und ab und sah dabei bisweilen in die Zeitung, welche der Stadtbote mir soeben durch den Zaun gereicht hatte. Als ich nun las, daß der einst vielberühmte, aber seit lange seines Amtes wegen Simonie entsetzte Petrus Goldschmidt als ein Schenkenwirt bei Hamburg das Zeitliche gesegnet habe, eilete ich ins Haus und dachte, nicht ohne eine kleine Schadenfreude, solches dem Onkel Josias zu verkünden.

Als ich zu ihm eintrat, war mir, als sei auch in dieses sonst etwas dunkle Zimmer der schöne lichte Morgen eingedrungen; denn trotz des brennenden Ofenfeuers standen beide Fensterflügel offen, und der Schall von den benachbarten Dreschtennen und von hellen Kinderstimmen hatten freien Eingang.

Aber zu meiner beabsichtigten Mitteilung kam ich nicht.

Feierlich, mit strahlendem Antlitz, trat Herr Josias mir entgegen. »Mein Andreas«, rief er, »wir werden fürder nicht mehr disputieren; ich weiß es itzt in diesem Augenblick: der Teufel ist nur ein im Abgrund liegender unmächtiger Geist!«

Indes ich vor Erstaunen schier verstummte, gewahrte ich das Buch des Thomasius von dem Laster der Zauberei auf seinem Tische aufgeschlagen. Ich hatte es nach unserer letzten Disputation dort heimlich hingelegt und frug nun, ob ihm daraus die heilvolle Erkenntnis zugekommen.

Aber Herr Josias schüttelte den Kopf. »Nein«, sprach er, »nicht aus jenem guten Buche; es hat das Licht sich plötzlich in mein Herz ergossen. Ich denke so, Andreas: die Schatten des Todes wachsen immer höher; da will der Allbarmherzige die anderen Schatten von mir nehmen.«

Seine Augen leuchteten wie in überirdischer Verklärung; er wandte sich gegen das Licht und breitete die Arme aus. »O Gott der Gnaden«, rief er, »aus meiner Jugend tritt ein Engel auf mich zu; verwirf mich nicht ob meiner finsteren Schuld!«

Ich wollte ihn stützen, denn er wurde totenbleich, und mir war, als sähe ich ihn wanken; er aber lächelte und sprach: »Ich bin nicht schwach in diesem Augenblick.«

Dann ging er an seinen Schrank und reichte mir daraus dasselbe *manuscriptum*, welches Du mit diesem Brief empfängst.

»Nimm es, mein Andreas«, sagte er, »und bewahre es zu meinem Gedächtnis; ich bedarf desselbigen nun nicht mehr.«

– – Kurz darauf reiste ich ab; und was nun folget, hat mir erst lange nachher der Sohn des dortigen Küsters erzählt, welcher einige Jahre hier im Dorfe Lehrer war.

Noch in dem Monat meiner Abreise nämlich verbreitete sich das Gerücht im Dorfe: wenn Sonntags alles in der Kirche und die Straßen leer seien, so stehe ein fahlgraues Pferd, desgleichen man sonst in der Gemeinde nicht gesehen, vor der Pforte des Pastorates angebunden; und bald danach: es komme von Süden her ein Weib über die Heide geritten, die binde ihr Pferd an den Mauerring und kehre im Pastorate ein; wenn aber der Pastor und der Strom der Gemeinde aus der Kirche heimkomme, dann sei sie jedesmal schon wieder fortgeritten.

Daß dieses Weib den Herrn Josias besuche, war unschwer zu erraten; denn um solche Stunde weilte niemand außer ihm im Hause. Dabei aber ereignete sich gar Sonderliches; denn obschon sie unzweifelhaft schon in älteren Jahren gestanden, so ist doch von etlichen, welche sie gesehen haben, dawider gestritten und behauptet worden, daß sie noch jung, von anderen, daß sie auch schön gewesen sei; wenn man aber des näheren nachgefragt, so hatten sie nichts wahrgenommen als zwei dunkle Augen, aus denen das Weib sie im Vorüberreiten angeblicket.

Im ganzen Dorfe ist nur ein einziger gewesen, der von diesen Dingen nichts erfahren hat, und zwar der Pastor selber; denn alle haben des Mannes aufflammende Heftigkeit gefürchtet, und alle haben den Onkel Josias liebgehabt.

Aber eines Sonntages, da es wieder Frühling worden und die Veilchen in den Gärten schon geblühet haben, ist die Heidefrau auch wieder dagewesen; und auch diesmal, da der Pastor aus der Kirche heimgekommen, hat er weder sie noch ihren Gaul gesehen; es ist wie immer alles still und einsam gewesen, da er seinen Hof und dann sein Haus betreten hat. Und da er, wie er itzo nach der Kirche pflegte, in seines Verwandten Zimmer ging, war es auch dort sehr still. Die Fenster standen offen, so daß von draußen aus dem Garten die Frühlingsdüfte den ganzen Raum erfüllet hatten, und der Eintretende sah Herrn Josias in seinem großen Lehnstuhl sitzen; doch, was ihn wundernahm, ein kleiner Vogel saß furchtlos auf einer seiner Hände, die er vor sich auf dem Schoß gefaltet hatte. Aber der Vogel flog fort und in die freie Himmelsluft hinaus, als der Pastor itzt mit seinem schweren Schritt herankam und sich über den Lehnstuhl beugte.

Herr Josias saß noch immer unbeweglich, und sein Angesicht war voller Frieden; nur war derselbe nicht von dieser Welt.

– Nun aber hat es bald ein laut Gerücht im Dorf gegeben, und auch dem Onkel Pastor haben alle es erzählt, von denen er es hat hören wollen; man wisse nun, die Hexe von Schwabstedte sei es gewesen, die auf ihrem Roß all Sonntags in das Dorf gekommen; ja derer etliche hatten sichere Kunde, daß sie, unter Vorspiegelung trügerischer Heilkunst, dem armen Herrn Josias das Leben abgewonnen habe.

Wir aber, wenn Du alles nur gelesen, Du und ich, wir wissen besser, wer sie war, die seinen letzten Hauch ihm von den Lippen nahm.

Carsten Curator

Eigentlich hieß er Carsten Carstens und war der Sohn eines Kleinbürgers, von dem er ein schon vom Großvater erbautes Haus an der Twiete des Hafenplatzes ererbt hatte und außerdem einen Handel mit gestrickten Wollwaren und solchen Kleidungsstücken, wie deren die Schiffer von den umliegenden Inseln auf ihren Seefahrten zu gebrauchen pflegten. Da er indes von etwas grübelnder Gemütsart und ihm, wie manchem Nordfriesen, eine Neigung zur Gedankenarbeit angeboren war, so hatte er sich von jung auf mit allerlei Büchern und Schriftwerk beschäftigt und war allmählich unter seinesgleichen in den Ruf gekommen, daß er ein Mann sei, bei dem man sich in zweifelhaften Fällen sicheren Rat erholen möge. Gerieten, was wohl geschehen konnte, durch seine Leserei ihm die Gedanken auf einen Weg, wo seine Umgebung ihm nicht hätte folgen können, so lud er auch niemanden dazu ein und erregte folglich dadurch auch niemandes Mißtrauen. So war er denn der Kurator einer Menge von verwitweten Frauen und ledigen Jungfrauen geworden, welche nach der damaligen Gesetzgebung bei allen Rechtsgeschäften noch eines solchen Beistandes bedurften.

Da bei ihm, wenn er die Angelegenheiten anderer ordnete, nicht der eigene Gewinn, sondern die Teilnahme an der Arbeit selbst voranstand, so unterschied er sich wesentlich von denen, welche sonst derartige Dinge zu besorgen pflegten; und bald wußten auch die Sterbenden als Vormund ihrer Kinder und die Gerichte als Verwalter ihrer Konkurs- und Erbmassen keinen besseren Mann als Carsten Carstens an der Twiete, der jetzt unter dem Namen »Carsten Curator« als ein unantastbarer Ehrenmann allgemein bekannt war.

Der kleine Handel freilich sank bei so vielen Vertrauensämtern, welche seine Zeit in Anspruch nahmen, zu einer Nebensache herab und lag fast nur in den Händen einer unverheirateten Schwester, welche mit ihm im elterlichen Hause zurückgeblieben war.

Im übrigen war Carsten ein Mann von wenig Worten und kurzem Entschluß, und, wo er eine niedrige Absicht sich gegenüber fühlte, auch auf eigene Kosten unerbittlich. Als eines Tages ein sogenannter »Ochsengräser«, der seit Jahren eine Fenne Landes, nach derzeitigen

Verhältnissen zu billigem Zinse, von ihm in Heuer gehabt hatte, unter Beteuerungen versicherte, daß er für das nächste Jahr bei solchem Preise nicht bestehen könne, und endlich, als er damit kein Gehör fand, sich dennoch zu dem früheren und, da jetzt auch dieses Angebot zurückgewiesen wurde, sogar zu einem höheren Heuerzinse verstand, erklärte Carstens ihm, daß es keineswegs seine Sache sei, jemanden mit seiner Fenne in unbedachten Schaden zu bringen, und gab hierauf das Landstück zu dem alten Preise an einen Bürger, der ihn früher darum angegangen war.

Und dennoch hatte es einen Zeitraum in seinem Leben gegeben, wo man auch über ihn die Köpfe schüttelte. Nicht als ob er in den ihm anvertrauten Angelegenheiten etwas versehen hätte, sondern weil er in der Leitung seiner eigenen unsicher zu werden schien; aber der Tod, bei einer Gelegenheit, die er öfters wahrnimmt, hatte nach ein paar Jahren alles wieder ins gleiche gebracht. – Es war während der Kontinentalsperre, in der hier sogenannten Blockadezeit, wo die kleine Hafenstadt sich mit dänischen Offizieren und französischem Seevolk und anderseits mit mancher Art fremder Spekulanten gefüllt hatte, als einer der letzteren auf dem Boden seines Speichers erhängt gefunden wurde. Daß dies durch eigene Hand geschehen, war nicht anzuzweifeln, denn die Verhältnisse des Toten waren durch rasch folgende Verluste in Ruin geraten; der einzige Aktivbestand seines Nachlasses, so wurde gesagt, sei seine Tochter, die hübsche Juliane; aber bis jetzt hätten sich viele Beschauer und noch keine Käufer gefunden.

Schon am anderen Vormittag gelangte von dieser die Bitte an Carstens, sich der Regulierung ihrer Angelegenheiten zu unterziehen; aber er wies das Ansuchen kurz zurück: »Ich will mit den Leuten nichts zu tun haben.« Als indessen der alte Hafenarbeiter, der dasselbe überbracht hatte, am Nachmittage wiederkam: »Seid nicht so hart, Carstens; es ist ja nur noch das Mädchen da; sie schreit, sie müsse sich ein Leides tun«, da stand er rasch auf, nahm seinen Stock und folgte dem Boten in das Sterbehaus.

In der Mitte des Zimmers, wohinein ihn dieser führte, stand der offene Sarg mit dem Leichnam; daneben auf einem niedrigen Schemel, mit angezogenen Knien, saß halb angekleidet ein schönes Mädchen. Sie hatte einen schildpattenen Friesierkamm in der Hand und stich sich damit durch ihr schweres goldblondes Haar, das aufgelöst über ihren Rücken herabhing; dabei waren ihre Augen gerötet, und ihre Lippen zuckten von heftigem Weinen; ob aus Ratlosigkeit oder aus Trauer über ihren Vater, mochte schwer entscheidbar sein.

Als Carstens auf sie zuging, stand sie auf und empfing ihn mit Vorwürfen: »Sie wollen mir nicht helfen?« rief sie; »und ich verstehe doch nichts von alledem. Was soll ich machen? Mein Vater hat viel Geld gehabt; aber es wird wohl nichts mehr da sein! Da liegt er nun; wollen Sie, daß ich auch so liegen soll?«

Sie setzte sich wieder auf ihren Schemel, und Carstens sah sie fast staunend an. »Sie sehen ja, Mamsell«, sagte er dann, »ich bin eben hier, um Ihnen zu helfen; wollen Sie mir die Bücher Ihres Vaters anvertrauen?«

»Bücher? Ich weiß nichts davon; aber ich will suchen.« Sie ging in ein Nebenzimmer und kam bald wieder mit einem Schlüsselbunde zurück. »Da«, sagte sie, indem sie es vor Carstens auf den Tisch legte; »Sie sollen ein guter Mann sein; machen Sie, was Sie wollen; ich kümmere mich nun um nichts.«

Carstens sah verwundert, wie anmutig es ihr ließ, da sie diese leichtfertigen Worte sprach; denn ein Aufatmen ging durch ihren ganzen Körper und ein Lächeln wie plötzlicher Sonnenschein über ihr hübsches Angesicht.

Und wie sie es gesagt hatte, so ward es: Carstens arbeitete, und sie kümmerte sich um nichts; wozu sie eigentlich ihre Zeit verbrauchte, konnte er nie erforschen. Aber die frischen roten Lippen lachten wieder, und der schwarze Traueranzug ward an ihr zum verführerischen Putze. Einmal, da er sie seufzen hörte, fragte er, ob sie Kummer habe; sie möge es ihm sagen. Sie sah ihn mit einem halben Lächeln an: »Ach, Herr Carstens«, sagte sie und seufzte noch einmal; »es ist so langweilig, daß man in den schwarzen Kleidern gar nicht tanzen darf!« Dann, wie ein spiellustiges Kind, fragte sie ihn, was er meine, ob sie dieselben nicht, mindestens für einen Abend, einmal würde wechseln können; der Vater hab' sie immer tanzen lassen, und nun sei er ja auch längstens schon begraben.

Als Carstens demungeachtet es verneinte, ging sie schmollend fort. Sie hatte längst gemerkt, daß sie ihn so für seine Sittenstrenge am be-

sten strafen könne; denn während unter seiner Hand die Vermögens-
verwirrung des Toten sich wenigstens insoweit gelöst hatte, daß Gut
und Schuld sich auszugleichen schienen, war er selbst in eine andere
Verwirrung hineingeraten: die lachenden Augen der schönen Juliane
hatten den vierzigjährigen Mann betört. Was ihn sonst wohl stutzen
gemacht hätte, erschien in dieser Zeit, wo der gleichmäßige Gang des
bürgerlichen Lebens ganz zurückgedrängt war, weit weniger bedenklich, und da anderseits das der Arbeit ungewohnte Mädchen einen sicheren Unterschlupf den sie sonst erwartenden Mühseligkeiten vorzog, so kam trotz Schwester Brigittens Kopfschütteln zwischen diesen beiden ungleichen Menschen ein rasch geschlossener Ehebund zustande. Die Schwester freilich, die jetzt in der Wirtschaft nur um so
unentbehrlicher war, hatte nichts als eine doppelte Arbeitslast dadurch
empfangen; den Bruder aber erfüllte der plötzliche Besitz von so viel
Jugend und Schönheit, worauf er nach seiner Meinung weder durch
seine Person noch durch seine Jahre einen Anspruch hatte, mit einem
überströmenden Dankgefühl, das ihn nur zu nachgiebig gegen die
Wünsche seines jungen Weibes machte. So geschah es, daß man den
sonst so stillen Mann bald auf allen Festlichkeiten finden konnte, mit
denen die stadt- und landfremden Offiziere bemüht waren, die Über-
fülle ihrer müßigen Stunden zu beseitigen; eine Geselligkeit, die nicht
nur über seinen Stand und seine Mittel hinausging, sondern in die man
ihn auch nur seines Weibes wegen hineinzog, während er selbst dabei
eine unbeachtete und unbeholfene Rolle spielte.

Doch Juliane starb im ersten Kindbett. – »Wenn ich erst wieder tanzen kann!« hatte sie während ihrer Schwangerschaft mehrmals geäußert; aber sie sollte niemals wieder tanzen, und somit war für Carsten
die Gefahr beseitigt. Freilich auch zugleich das Glück; denn mochte
sie auch kaum ihm angehört haben, wie sie vielleicht niemandem an-
gehören konnte, und wie man sie auch schelten mochte, sie war es doch
gewesen, die mit dem Licht der Schönheit in sein Werktagsleben hin-
eingeleuchtet hatte; ein fremder Schmetterling, der über seinen Garten hinflog und dem seine Augen noch immer nachstarrten, nachdem
er längst schon seinem Blick entschwunden war. Im übrigen wurde
Carstens wieder, und mehr noch, als er es zuvor gewesen, der verständige, ruhig abwägende Mann. Den von der Toten nachgelassenen

Knaben, der sich bald als der körperliche und allmählich auch als der geistige Erbe seiner schönen Mutter herausstellte, erzog er mit einer seinem Herzen abgekämpften Strenge; dem gutmütigen, aber leicht verführbaren Liebling wurde keine verdiente Züchtigung erspart; nur wenn die schönen Kinderaugen, wie es in solchen Fällen stets geschah, mit einer Art ratlosen Entsetzens zu ihm aufblickten, mußte der Vater sich Gewalt tun, um nicht den Knaben gleich wieder mit leidenschaftlicher Zärtlichkeit in seine Arme zu schließen.

Seit Julianens Tod waren über zwanzig Jahre vergangen. Heinrich – so hatte man nach seines Vaters Vater den Knaben getauft – war in die Schule und aus der Schule in die Kaufmannslehre gekommen; aber in seinem angeborenen Wesen hatte sich nichts Merkliches verändert. Seine Anstelligkeit ließ ihn sich leicht an jedem Platz zurechtfinden; aber auch ihm, wie einst seiner Mutter, stand es hübsch, wenn er den Kopf mit den lichtbraunen Locken zurückwarf und lachend seinen Kameraden zurief: »Muß gehen! Wir kümmern uns um nichts!« Und in der Tat war dies der einzige Punkt, in dem er gewissenhaft sein Wort zu halten pflegte; er kümmerte sich um nichts oder doch nur um Dinge, um die er besser sich nicht gekümmert hätte. Tante Brigitte weinte oftmals seinetwegen, und auch mit Carsten legte sich abends in seinem Alkovenbett etwas auf das Kissen, was ihm, er wußte nicht wie, den Schlaf verwehrte; und wenn er sich aufrichtete und sich besann, so sah er seinen Knaben vor sich, und ihm war, als fühle er mit Angst ihn größer werden.

Aber Heinrich blieb nicht das einzige Kind des Hauses. – Ein entfernter Verwandter, der mit Carstens durch gegenseitige Anhänglichkeit verbunden war, starb plötzlich mit Hinterlassung eines achtjährigen Mädchens; und da das Kind die Mutter bereits bei seiner Geburt verloren hatte, so wurde nach dem Wunsche des Verstorbenen Carstens nicht nur der Vormund der kleinen Anna, sondern sie kam auch völlig zu Kost und Pflege in sein Haus. Seine Treue gegen den Heimgegangenen aber bewies er insbesondere damit, daß er durch Leistung von Vorschüssen und derzeit nicht gefahrloser Bürgschaft für dessen Tochter derselben einen kleinen Landbesitz erhielt, der später unter verbesserten Zeitläuften zu erhöhtem Werte veräußert werden konnte.

Anna war einer anderen Mutter nachgeartet als der um ein Jahr ältere Heinrich. Dieser, trotz des besten Willens, brachte es nie zustande, sowenig wie sein eigenes, so auch nur der Allernächsten Wohl und Wehe bei seinem Treiben zu bedenken; bei Anna dagegen – wie oft griff Tante Brigitte in die Tasche und gab ihr zur Schadloshaltung einen Dreiling und einen derben Schmatz dazu: »Du dumme Trine, hast dich denn richtig wieder selbst vergessen!« Zu ihrem Bruder aber, wenn sie ihn erwischen konnte, sprach sie dann wohl: »Der Vetter Martin hat's doch gut mit uns gemeint; er hat uns seinen Segen nachgelassen!«

Bei aller Herzensgüte war das Wesen des Mädchens doch von einer frohen Sicherheit, und wenn Carstens auf seine mitunter ängstliche Erkundigung nach Heinrich von Brigitte die Antwort erhielt: »Er ist bei Anna; sie näht ihm Segel zu seinen Schiffen«, oder: »Sie hat ihn sich geholt; er muß ihr die Kirschbaumnetze flicken helfen«, dann nickte er und setzte sich beruhigt an seine Arbeit. – – Zur Zeit, wo wir diese Erzählung weiterführen, an einem Spätsommervormittage, war das Mädchen eben mündig geworden und stand, eine voll ausgewachsene blonde Jungfrau, mit ihrem grauhaarigen Vormunde auf dem Rathause vor dem Bürgermeister, um die infolgedessen nötigen Handlungen zu vollziehen.

»Ohm«, hatte sie vor dem Eintritt in das Gerichtszimmer gesagt, »ich fürcht' mich.«

– »Du, Kind? Das ist nicht deine Art.«

»Ja, Ohm; aber auf Herrendiele!«

Der alte hagere Mann, der dort ganz zu Hause war, hatte lächelnd auf das frische Mädchenantlitz geblickt, das mit heißen Wangen zu ihm aufsah, und dann die Tür des Gerichtszimmers aufgedrückt.

Aber der Bürgermeister war ein alter jovialer Herr. »Mein liebes Kind«, sagte er, mit Wohlgefallen sie betrachtend, »Sie wissen doch, daß Sie noch einmal wieder unmündig werden müssen; freilich nur, wenn Sie sich den goldenen Ring an den Finger stecken lassen! Mög' dann Ihr Leben in ebenso getreue Hand kommen!«

Er warf einen herzlichen Blick zu Carstens hinüber. Dem Mädchen aber, obgleich ein leichtes Rot ihr hübsches Antlitz überflog, war bei diesem Lobe ihres Vormundes alle Befangenheit vergangen. Ruhig ließ sie sich den Bestand ihres Vermögens vorlegen und sah, wie man es von ihr verlangte, alles sorgfältig und verständig durch; dann aber sagte sie fast beklommen: »Achttausend Taler! Nein, Ohm, das geht nicht.«

– »Was geht nicht, Kind?« fragte Carstens.

»Das da, Ohm, das mit den vielen Talern« – und sie richtete sich in ihrer ganzen jugendlichen Gestalt vor ihm auf –, »was soll ich damit machen? Ihr habt mich das nicht lernen lassen; nein, Herr Bürgermeister, verzeiht, ich kann heute noch nicht mündig werden.«

Da lachten die beiden Alten und meinten, das hülfe ihr nun nichts; mündig sei sie und mündig müsse sie für jetzt auch bleiben. Aber Carstens sagte: »Sei ruhig, Anna; ich werde dein Kurator; bitte nur den Herrn Bürgermeister, daß er mich dazu bestelle.«

– »Kurator, Ohm? Ich weiß wohl, daß die Leute Euch so heißen.«

»Ja, Kind; aber diesmal ist es so: du behältst mein und meiner alten Schwester Leib und Seele in deiner Obhut, und ich helfe dir wie bisher die bösen Taler tragen; so wird's wohl richtig sein.«

»Amen«, sagte der alte Bürgermeister; dann wurde die Quittung über richtige Verwaltung des Vermögens von Anna durch ihre saubere Namensunterschrift vollzogen.

Während sie und Carsten sich hierauf beurlaubten, hatte der Bürgermeister, wie von Geschäften aufatmend, einen Blick die Straße hinaus getan.

»O weh!« rief er; »Herr Makler Jaspers! Was mag der Stadtunheilsträger mir wieder aufzutischen haben!«

Carsten lächelte und faßte unwillkürlich die Hand seiner Pflegetochter.

Als die beiden draußen die breite Treppe ins Unterhaus hinabzusteigen begannen, stieg ein kleiner ältlicher Mann in einem braunen abgeschlissenen Rock dieselbe in die Höhe. Auf dem Treppenabsatz angelangt, stützte er sich keuchend auf sein schwankes Stöckchen und starrte aus kleinen grauen Augen zu den Herabsteigenden hinauf, indem er ein paarmal seinen hohen Zylinderhut über einer fuchsigen Perücke lüftete.

Carsten wollte mit einem kurzen »Guten Tag!« vorbeipassieren; aber der andere streckte seinen Stock vor den beiden aus. »Oho, Freundchen!« – Und es war eine wirkliche Altweiberstimme, die aus dem kleinen faltigen Gesicht herauskrähte. – »So kommt Ihr mir nicht durch!«

»Der Bürgermeister wartet schon auf Euch«, sagte Carsten und schob den Stock zur Seite.

»Der Bürgermeister?« Herr Jaspers lachte ganz vergnüglich. »Laßt ihn warten! Dieses Mal war's auf Euch abgesehen, Freundchen; ich wußte, daß Ihr hierherum zu haben waret.«

»Auf mich, Jaspers?« wiederholte Carstens, und aus seiner Stimme klang eine Unsicherheit, die ihm sonst nicht eigen war. Wie schon seit lange bei allem Unerwarteten, das ihm angekündigt wurde, war der Gedanke an seinen Heinrich ihm durch den Kopf gefahren. Derselbe stand seit kurzem bei einem hiesigen Senator im Geschäft; aber der strenge alte Herr, mit dem Carstens selbst einst bei dessen Vater in der Kaufmannslehre gewesen war, hatte sich bis jetzt zufrieden gezeigt und nur einmal ein scharfes Wort über den jungen Menschen fallen lassen. Erst gestern, am Sonntag, war Heinrich von einer Geschäftsreise für seinen Prinzipal zurückgekehrt. Nein, nein; von Heinrich konnte Herr Jaspers nichts zu erzählen haben.

Dieser hatte indes mit offenem Munde zu dem weit größeren Carstens aufgeblickt und voll augenscheinlichen Behagens dessen wechselnden Gesichtsausdruck beobachtet. »He, Freundchen!« rief er jetzt, und es klang eine einladende Munterkeit aus seiner Stimme. »Ihr wißt ja, 's kann immer noch schlimmer kommen; und wenn der Kopf auch weggeht, es bleibt doch immer noch ein Stummel sitzen.«

»Was wollt Ihr von mir, Jaspers?« sagte Carstens düster. »Tut's nur hier gleich von Euch, so seid Ihr die Last ja los.«

Doch Herr Jaspers zog ihn am Rockschoß zu sich herab. »Das sind nicht Dinge, von denen man hier im Rathaus spricht.« Dann, sich zu dem Mädchen wendend, setzte er hinzu: »Die Mamsell Anna findet wohl allein den Weg nach Hause.«

Und mit seiner haspeligen Hand, die immer nach etwas zu greifen schien, noch einmal den Zylinder lüftend, stapfte er geschäftig die Treppe wieder hinab.

Als sie aus dem Hause getreten waren, wies er mit seinem Stöckchen nach einer Nebengasse, an deren Ecke seine Wohnung lag. Anna blickte fragend ihren Vormund an; der aber winkte ihr schweigend mit der Hand und folgte wie unter lähmendem Bann dem »Stadtunheilsträger«, der jetzt an seiner Seite eifrig die Straße hinaufstrebte.

In dem kleinen Hofe hinter dem Hause an der Twiete stand außer dem Kirschbaum, für den die Kinder einst die Netze flickten, an der Längsseite eines schmalen Bleichplätzchens ein mächtiger Birnbaum, der die Freude der Nachbarkinder und zugleich eine Art Familienheiligtum war; denn der Großvater des jetzigen Besitzers hatte ihn gepflanzt, der Vater selbst in seiner Lehrzeit ihn aus den in der Stadt beliebtesten Sorten mit drei verschiedenen Reisern gepfropft, die jetzt, zu vielverzweigten Ästen aufgewachsen, je nach der ihnen eigenen Zeit eine Fülle saftiger Früchte reiften. Was davon mit der Brunnenstange zu erreichen war, das pflegte freilich nicht ins Haus zu kommen; sonst hätten die Kinder bei Jungfer Anna nicht so freien Anlauf haben müssen. So aber, wenn von den nach Westen anliegenden Höfen aus die Nachbarn ein herzliches Mädchenlachen hörten, wußten sie auch schon, daß Anna an dem Baum zu Gange war, und daß die junge Brut sich auf dem Rasen um die herabgeschlagenen Früchte balgte.

Auch jetzt, als sie vom Rathaus kommend ins Haus treten wollte, hatte Anna ein solches Nachbarspummelchen sich aufgesackt. Im Pesel, einem kühlen mit Fliesen ausgelegten Raume hinter dem Hausflur, legte sie Hut und Tuch ab und trat dann, das Kind rittlings vor sich auf den Armen haltend, durch die von hier nach dem Hofe führende Tür in den Schatten des mächtigen Baumes.

»Siehst du, Levke«, sagte sie, »da oben liegt die Katz'; die möchte auch die schöne gelbe Birne haben! Aber wart' nur, ich will die Stange holen.«

Als sie sich aber hierauf dem hinter der Hoftür des Hauses befindlichen Brunnen zuwandte, stieß sie einen Schrei aus und ließ das Kind fast hart zu Boden fallen. Auf der vermorschten Holzeinfassung, deren Erneuerung nur durch einen Zufall verzögert war, saß ihr Jugendgenosse, ihr Kindsgespiel, die Füße über der Tiefe hängend, den Kopf wie schon zum Sturze vorgebeugt.

Im selben Augenblicke aber war sie auch schon dort, hatte von hinten mit beiden Armen ihn umschlungen und zog ihn rückwärts, daß die morschen Bretter krachend unter ihm zusammenbrachen. Sie war in die Knie gesunken, während der blasse, fast weiblich hübsche Kopf des jungen Menschen noch an ihrer Brust ruhte.

Dieser rührte sich nicht; es war, als wenn er sich allem, was ihm ge-

schähe, willenlos überlassen habe. Auch als das Mädchen endlich aufsprang, blieb er, ohne sie anzusehen, mit aufgestütztem Kopfe zwischen den Brettertrümmern liegen. Sie aber sah in fast zornig an, indem ein paar Tränen in ihre blauen Augen sprangen. »Was fehlt dir,
Heinrich? Warum hast du mich so erschreckt? Weshalb bist du nicht
auf deinem Kontor beim Senator?«

Da strich er sich das seidenweiche Haar aus der Stirn und sah sie müde an. »Zum Senator geh' ich nicht wieder«, sagte er.

»Nicht wieder zum Senator?«

»Nein; denn ich habe nur noch zwei Wege; entweder hier in den
Brunnen oder zum Büttel ins Gefängnis.«

»Was sprichst du für dummes Zeug! Steh' auf, Heinrich! Bist du toll
geworden?«

Er stand gehorsam auf und ließ sich von ihr nach der kleinen Bank
unter dem Birnbaum führen. – Aber da war noch das Kind, das mit
verwunderten Augen dem allem zugesehen hatte. »Armes Ding«, sagte Anna, »hast noch immer keine Birne! Da, kauf' dir heute einen Drei-
lingskuchen!«

Und als das Kind mit der geschenkten Münze davongelaufen war,
stand das Mädchen wieder vor dem jungen Menschen.

»Nun sprich!« sagte sie, während sie sich den dicken blonden Zopf
wieder aufsteckte, der ihr vorhin in den Nacken gestürzt war. »Sprich
rasch, bevor dein Vater wieder da ist!«

Mit fliegendem Atem harrte sie einer Antwort; aber er schwieg und
sah zur Erde.

»Du kamst am Sonnabend von Flensburg!« sagte sie dann. »Du hattest Geld für den Senator einzukassieren!«

Er nickte, ohne aufzublicken.

»Sag's nur! Ich kann's schon denken – du bist einmal wieder leicht-
sinnig gewesen; du hast das Geld umherliegen lassen, im Gastzimmer
oder sonstwo! Und nun ist's fort!«

»Ja, es ist fort«, sagte er.

»Aber vielleicht ist es noch wiederzubekommen! Warum sprichst
du nicht? So erzähl' doch!«

»Nein, Anna – es ist nicht so verloren, wie du es meinst. Wir waren
lustig; es wurde gespielt –«

»Verspielt, Heinrich? Verspielt?« Die Tränen stürzten ihr aus den Augen, und sie warf sich an seine Brust, mit beiden Armen seinen Hals umschlingend.

Oben in der Krone des Baumes rauschte ein leiser Wind in den Blättern; sonst war nichts hörbar als dann und wann ein tiefes Schluchzen des Mädchens, in der alle kurz zuvor entwickelte Tätigkeit gebrochen schien.

Aber der junge Mensch selbst suchte sie jetzt mit sanfter Abwehr zu entfernen; die schöne Last, die das Mitleid ihm an die Brust geworfen hatte, schien ihn zu erdrücken. »Weine nicht so«, sagte er; »ich kann das nicht ertragen.«

Es hätte dieser Mahnung nicht bedurft; Anna war schon von selber aufgesprungen und suchte eilig ihre Tränen abzutrocknen. »Heinrich«, rief sie, »es ist schrecklich, daß du es getan hast; aber ich habe Geld, ich helfe dir!«

»Du, Anna?«

»Ja, ich! Ich bin ja mündig geworden. Sag’ nur, wieviel du dem Senator abzuliefern hast.«

»Es ist viel«, sagte er zögernd.

»Wieviel denn? Sprich nur rasch!«

Er nannte eine nicht eben kleine Summe.

»Nicht mehr? Gott sei Dank! Aber« – und sie stockte, als sei ein neues Hindernis ihr aufgestiegen – »du hättest heute auf deinem Kontor sein sollen. Wenn er fragt, was willst du dem Senator sagen?«

Heinrich schüttelte sich die weichen Locken von der Stirn, und schon flog wieder der alte Ausdruck sorglosen Leichtsinns über sein Gesicht. »Dem Senator, Anna? Oh, der wird nicht fragen; und wenn auch, das laß meine Sorge sein.«

Sie blickte ihn ernsthaft an. »Siehst du; nun müssen wir auch schon lügen!«

»Nur ich, Anna; und ich versprech’ es dir, nicht mehr, als nötig ist. Und das Geld –«

»Ja, das Geld!«

»Ich verzins’ es dir, ich stelle dir einen Schuldschein aus; du sollst keinen Schaden bei mir leiden.«

»Sprich nicht wieder so dummes Zeug, Heinrich. Bleib hier im Garten; wenn dein Vater kommt, werd’ ich ihn um die Summe bitten.«

Er wollte etwas erwidern; aber sie war schon ins Haus zurückgegangen. Behutsam schlich sie an der Küche vorüber, wo heute Tante Brigitte für sie am Herd hantierte, und dann hinauf in ihre Kammer, um sich zunächst die verweinten Augen klarzuwaschen.

Nicht viel jüngeren Datums als der alte Birnbaum waren Einrichtung und Gerät des schmalen Wohnzimmers, das mit seinen Ausbaufenstern nach dem Hafenplatze hinauslag. In dem Alkovenbette dort in der Tiefe desselben, dessen Glastüren über Tag geschlossen waren, hatten schon die Eltern des Hausherrn sich zum nächtlichen und nacheinander auch zum ewigen Schlafe hingelegt; schon derzeit, wie noch heute, stand in der Westecke des Ausbaues der lederbezogene Lehnstuhl, in dem nach beendigtem Einkauf die alten Kapitäne vor dem ihnen gegenübersitzenden Hausherrn ihr Gespinste abzuwickeln pflegten. Die Sachen waren dieselben geblieben; nur den Menschen hatten sich unmerklich andere untergeschoben; und während einst dem weiland Vater Carstens derlei Berichte aus fremden Welten nur einen Stoff zum behaglichen Weitererzählen geliefert hatten, regten sie in dem Sohne oft eine Kette von Gedanken an, für deren Verarbeitung er nur auf sich selber angewiesen war.

Auch der Tisch, der zwischen einem Stuhle und dem Ledersessel unter den Ausbaufenstern stand, hatte seinen alten Platz behauptet; nur waren die ausländischen Muscheln, welche jetzt auf demselben als Papierbeschwerer für allerlei Schriftwerk dienten, früher eine Zierde der seitwärtsstehenden Schatulle gewesen; statt dessen hatte auf dieser der jetzige Besitzer ein kleines Regal errichten lassen, auf welchem außer einzelnen mathematischen Werken und den Chroniken von Stadt und Umgegend auch Bücher wie Lessings »Nathan« und Hippels »Lebensläufe in auf- und absteigender Linie« zu finden waren.

Ein Kanapee war nicht ins Zimmer gekommen; es wäre auch kein Platz dazu gewesen. Anderseits aber fehlte es nicht an einem ziemlich stattlichen Ahnenbilde, in dessen Anschauung der kleinbürgerliche Mann, wenn auch nicht in der französischen Formulierung *»noblesse oblige«*, in schweren Stunden sein wankendes Gemüt zu stärken pflegte.

Es war dies freilich kein farbenbrennendes Ölbild, sondern ganz im

Gegenteil nur eine mächtig große Silhouette, welche, in braun unter-
malten Glasleisten eingerahmt, an der westlichen Wand zunächst dem
Ausbaue hing, so daß der Hausherr von seinem Arbeitstische aus die
Augen darauf ruhen lassen konnte. Sein Vater, von dem freilich nicht
viel mehr zu sagen ist, als daß er ein einfacher und sittenstrenger Mann
gewesen, hatte es bald nach dem Tod seiner Ehefrau von einem durch-
reisenden Künstler anfertigen lassen; so zwar, daß es einen Abend-
spaziergang der nun halbverwaisten Familie darstellte. Voran ging der
Vater selbst, wie jetzt der Sohn, eine hagere Gestalt, im Dreispitz und
langem Rockelor, eine gebückte alte Frau, die Mutter der Verstorbenen, am Arme führend; dann kam ein hoher Baum von unbestimmter
Gattung, sonst aber augenscheinlich auf den Spätherbst deutend; denn
seine Äste waren fast entlaubt, und unter dem Glase der Schilderei
klebten hier und dort kleine schwarze Fetzchen, die man mit einiger Phantasie als herabgewehte Blätter erkennen mochte. Dahinter
folgte ein etwa vierjähriger Junge, gar munter mit geschwungener Peitsche auf einem Steckenpferde reitend; den Beschluß machten ein sta-
kig aufgeschossenes Mädchen und ein anderer etwa zehnjähriger Knabe mit einer tellerrunden Mütze, welche beiden, wie es schien, in be-
wundernder Betrachtung des munteren Steckenreiters, keinen Blick
für die Anmut der Abendlandschaft übrig hatten. Und doch war hierzu just die rechte Stunde und solches auch in dem Bilde sinnig ausgeführt; denn während im Vordergrunde Baum und Menschen aus
tiefschwarzem Papier geschnitten waren, zogen sich dahinter, abend-
liche Ferne andeutend, die Linien einer sanftgehobenen Ebene, aus
dunklem und dann aus lichtgrauem Löschpapier gebildet. Das übrige
aber hatte die Malerei vollendet; hinter der letzten Ferne ergoß sich
durch den ganzen Horizont ein mildleuchtendes Abendrot, das die
Schatten der sämtlichen Spaziergänger nur um so schärfer hervortre-
ten ließ; darüber in braunvioletter Dämmerung kam dann die Nacht
herab.

Das lustige Reiterlein war bald nach Anfertigung des Bildes von den
schwarzen Blattern hingerafft, und nur sein Steckenpferdchen hatte
noch lange in dem Gehäuse der Wanduhr gestanden, die dem Bilde gegenüber noch jetzt wie damals mit gleichmäßigem Ticktack die fliegende Zeit zu messen suchte. Von den fünf Abendspaziergängern leb-

ten nur noch die beiden älteren Geschwister, wie damals unter demselben Dache und, selbst während der kurzen Ehe des Bruders, ungetrennt. Manchmal, in stiller Abendstunde oder wenn ein Leid sie überfiel, hatten sie – sie wußten selbst kaum wie – sich vor dem Bilde Hand in Hand gefunden und sich der Eltern Tun und Wesen aus der Erinnerung wachgerufen. »Da sind wir übrigen denn noch beisammen«, hatte der Vater gesagt, als er das Bild an demselben Stifte an die Wand hing, der es auch noch heute trug; »eure Mutter ist nicht mehr da, dafür ist nun das Abendrot am Himmel«; und dann nach einer Weile, nachdem er den Kindern sein Antlitz abgewendet und einige starke Hammerschläge auf den Stift getan: »Auch von den Toten bleibt auf Erden noch ein Schein zurück; und die Nachgelassenen sollen nicht vergessen, daß sie in seinem Lichte stehen, damit sie sich Hände und Antlitz rein erhalten.«

Tante Brigitte, die als alte Jungfer von etwas seufzender Gemütsart war und es liebte, mit völliger Uneigennützigkeit Luftschlösser in die Vergangenheit hineinzubauen, pflegte nach solchen Erinnerungen, auf den Schatten des kleinen Steckenreiters deutend, wohl hinzuzusetzen:

»Ja, Carsten, wenn nur unser Bruder Peter noch am Leben wäre! Meinst du nicht auch, daß er von uns dreien doch der Klügste war?« Und das Gespräch der Geschwister mochte dann etwa folgenden Verlauf nehmen.

»Wie meinst du das, Brigitte?« entgegnete der Bruder. »Er starb ja schon in seinem fünften Jahre.«

»Freilich starb er leider dessen, Carsten; aber du weißt doch, wie unsere große gelbbunte Henne immer ihre Eier hinter dem Aschberg weglegte! Er war erst vier Jahre alt, aber er war schon klüger als die Henne; er ließ sie erst ihre Eier legen, und dann eines schönen Morgens brachte er sein ganzes Schürzchen voll mir in die Küche. Ach, Carsten, des Senators Vater hatte ja zu ihm Gevatter gestanden; er würde gewiß auf die Lateinische Schule gekommen sein und nicht, wie du, bloß beim Rechenmeister.«

Und der lebende Bruder ließ sich eine solche Bevorzugung des früh Verstorbenen allzeit gern gefallen. – –

Das Zimmer mit seinem alten Geräte und seinen alten Erinnerungen war noch immer leer, obgleich nur die vor dem Hause stehende

Lindenreihe die Strahlen der schon hochgestiegenen Mittagssonne abhielt. Der weiße Seesand, womit Anna vor ihrem Gange nach dem Rathause die Dielen bestreut hatte, zeigte noch fast keine Fußspur, und die alte Wanduhr tickte in der Einsamkeit so laut, als wolle sie ihren Herrn an die gewohnte Arbeit rufen. Da endlich schellte die Haustürglocke, und Anna, die oben harrend in ihrer Kammer saß, hörte den Schritt ihres Pflegevaters, der gleich darauf unten in dem Wohnzimmer verschwand. Noch eine kleine Weile, dann richtete sie sich zu raschem Entschluß auf, drückte noch ein paarmal mit einem feuchten Tuch auf ihre Augen und ging ins Unterhaus hinab.

Als sie das Wohnzimmer betrat, sah sie ihren Pflegevater noch mit Hut und Stock in der Hand stehen, fast als müsse er sich erst besinnen, was er in seinen eigenen Wänden jetzt beginnen solle. Eine Furcht befiel das Mädchen; es kam ihr vor, als sei er auf einmal unsäglich alt geworden. Gern wäre sie unbemerkt wieder fortgeschlichen; aber sie hatte ja keine Zeit zu verlieren.

»Ohm!« sagte sie leise.

Der Ton ihrer Stimme machte ihn fast zusammenschrecken; als er aber das Mädchen vor sich stehen sah, trat ein freundliches Licht in seine Augen. »Was willst du von mir, mein Kind?« sagte er milde.

»Ohm!« – Nur zögernd brachte sie es heraus. »Ich bin doch mündig; ich möchte etwas von meinem Vermögen haben; ich brauche es ganz notwendig.«

»Jetzt schon, Anna? Das geht ja schnell.«

»Nicht viel, Ohm; das heißt, ich habe ja noch so viel mehr; nur etwa hundert Taler.«

Sie schwieg; und der alte Mann sah eine Weile stumm auf sie herab. »Und wozu wolltest du das viele Geld gebrauchen?« fragte er dann.

Ein flehender Blick traf ihn aus ihren Augen; sie murmelte etwas, das er nicht verstand.

Er faßte ihre Hand. »So sag' es doch nur laut, mein Kind!«

»Ich wollte es nicht für mich«, erwiderte sie zögernd.

»Nicht für dich, für wen denn anders?«

Sie hob wie ein bittendes Kind beide Hände gegen ihn auf. »Laß mich's nicht sagen, Ohm! Oh, ich muß, ich muß es aber haben!«

»Und nicht für dich, Anna?« – Wie in plötzlichem Verständnis ließ er die Augen auf ihr ruhen. »Wenn du es für Heinrich wolltest – da sind wir beide schon zu spät gekommen.«

»O nein, Ohm! O nein!« Und sie schlang ihre Arme um den Hals des alten Mannes.

»Doch, Kind! Was meinst du, daß Herr Jaspers mir anderes zu erzählen hatte? Schon gestern war der Senator von allem unterrichtet.«

»Aber wenn doch Heinrich ihm das Geld nun bringt?«

»Ich habe es ihm selber bringen wollen; aber er wollte weder mein Geld noch meinen Sohn. Und was das letzte anbelangt – ich konnte nichts dawider sagen.«

»Ach, Ohm, was wird mit ihm geschehen?«

»Mit ihm, Anna? Er wird mit Schande das ehrenwerte Haus verlassen.«

Als sie erschreckt das reine Antlitz zu dem ihres Pflegevaters emporhob, blickte ihr daraus ein Gram entgegen, wie sie ihn nie in einem Menschenangesichte noch gesehen hatte. »Ohm, Ohm!« rief sie. »Was aber habt denn Ihr verbrochen?« Und aus den jungfräulichen Augen brach ein so mütterliches Erbarmen, daß der alte Mann den grauen Kopf auf ihren Nacken senkte.

Dann aber, sich wieder aufrichtend und die Hand auf ihren blonden Scheitel legend, sprach er ruhig: »Ich, Anna, bin sein Vater. Geh nun und rufe mir meinen Sohn!!«

Auch dieser Tag verging. Nach dem schweren Vormittag eine Mittags- und später ebenso eine Abendmahlzeit, bei der die Speisen, fast wie sie aufgetragen, wieder abgetragen wurden; dazwischen ein nicht enden-wollender Nachmittag, während dessen Heinrich, durch den überlegenen Willen des Vaters gezwungen, noch einmal zum Senator mußte und von dem entlassen wurde. – Auch dieser Tag war endlich nun vergangen und die Nacht gekommen. Nur der Hausherr wanderte noch unten im Zimmer auf und ab; mitunter blieb er vor dem Bilde mit den Familienschatten stehen, bald aber strich er mit der Hand über die Stirn und setzte sein unruhiges Wandern fort. Daß Anna in raschem, jugendlichem Entschlusse ebenfalls bei dem Senator gewesen war, davon hatte er ebensowenig etwas erfahren, als daß dieser ihr gegenüber nur kaum, aber schließlich dennoch seine Unerbittlichkeit behauptet hatte.

Die kleine Schirmlampe, welche auf dem Arbeitstische brannte, beleuchtete zwei Briefe, der eine nach Kiel, der andere nach Hamburg adressiert; denn für Heinrich mußten auswärts neue Wege aufgesucht werden.

Carsten war ans Fenster getreten und blickte in die mondhelle Nacht hinaus; es war so still, daß er weit unten das Rinnenwasser in den Hafen strömen hörte, mitunter ein mattes Flattern in den Wimpeln der Halligschiffe. Jenseits des Hafens zog sich der Seedeich wie eine schimmernde Nebelbank; wie oft an der Hand seines Vaters war er als Knabe dort hinausgewandert, um ihre derzeit erworbene Fenne zu besichtigen!

Carsten wandte sich langsam um; dort lagen die beiden Briefe auf seinem Arbeitstische; er hatte ja jetzt selber einen Sohn.

In der Tiefe des Zimmers waren die Glastüren des Alkovens, wie jeden Abend, von Anna offengestellt, und die abgedeckten Kissen des darinstehenden Bettes schienen den an gute Bürgerszeit Gewöhnten einzuladen, dem überlangen Tag ein Ende zu machen. Er nahm auch seine große silberne Taschenuhr aus dem Gehäuse und zog sie auf. »Mitternacht!« sagte er, indem er in den Alkoven trat. Als er aber, wie er zu tun pflegte, die Uhr am Bettpfosten aufhängen wollte, hatte die stählerne Kette sich in einen goldenen Ring verhäkelt, den er am kleinen Finger trug, daß dieser herabgerissen wurde und klirrend auf dem Boden fortrollte. Mit fast jugendlicher Raschheit bückte sich der alte Mann danach, und als der Ring wieder in seiner Hand war, trat er in das Zimmer zurück und hielt ihn sorgsam unter den Schirm der Lampe. Seine Augen schienen nicht loszukönnen von dem Weibernamen, der auf der inneren Seite eingegraben war; aber aus seinem Munde brach ein Stöhnen, wie um Erlösung flehend.

Da hörte er auf dem Flur die Stiegen der Treppe krachen. Er machte eine hastige Bewegung, als wolle er den Ring an den Finger stecken, als eine Hand sich sanft auf seinen Arm legte. »Bruder Carsten«, sagte seine alte Schwester, die in ihrem Nachtgewande zu ihm eingetreten war, »ich hörte dich hier unten wandern; willst du noch nicht zur Ruhe gehen?«

Er sah ihr wie erwägend in die Augen. »Es gibt Gedanken, Brigitte, die uns keine Ruhe gönnen, die immer wieder ins Gehirn steigen, weil sie nie herausgelassen werden.«

Die alte Jungfrau blickte ihren Bruder völlig ratlos an. »Ach, Carsten«, sagte sie, »ich bin eine alte einfältige Person! Wäre unser Bruder Peter nur am Leben geblieben; vielleicht wäre er jetzt unser Pastor und hätte unseren Heinrich getauft und konfirmiert; der hätte gewiß auch heute Rat gewußt.«

»Vielleicht, Brigitte«, erwiderte der Bruder sanft; »vielleicht auch hätten wir uns nicht so ganz verstanden; du aber lebst und bist meine alte treue Schwester.«

»Ja, ja, Carsten, leider Gottes! Wir beide sind allein noch übrig.«

Er hatte ihre Hand gefaßt. »Brigitte«, sagte er hastig, »sahst du, wie blaß der Junge heute abend war, als er in seine Kammer hinaufging? Noch nimmer hat er seiner Mutter so geglichen; so sah Juliane in ihren letzten Tagen aus, als schon der Tod die irdischen Gedanken von ihr genommen hatte.«

»Sprich nicht von ihr, Bruder; das tut dir jetzt nicht gut; sie ruht ja längst.«

»Längst, Brigitte – aber nicht hier, hier nicht!« Und er drückte die Hand, in der er noch den Ring umschlossen hielt, an seine Brust. »Es kommt mir alles immer wieder; am letzten Ostersonntag waren es gerade dreiundzwanzig Jahre!«

»Am letzten Ostersonntage? Ja, ja, Bruder, ich weiß es nun wohl; ihr waret dazumal beide, wo ihr nimmer hättet sein sollen.«

»Schilt jetzt nicht, Schwester«, sagte Carsten; »du selber konntest nicht die Augen von ihr wenden, als du ihr damals die blaue Schärpe umgeknüpft hattest. Ich weiß jetzt wohl, daß sie nicht für mich ihr schönes Haar aufsteckte und die Atlasschuhe über ihre kleinen Füße zog; ich gehörte nicht in diese Gesellschaft vornehmer und ausgelassener Leute, wo sich niemand um mich kümmerte, am wenigsten mein eigenes Weib.«

»Nein, nein!« rief er, da die Schwester ihn unterbrechen wollte. »Laß mich es endlich einmal sagen! – Siehst du, ich wollte zwar auch meinen Platz ausfüllen, ich tanzte ein paarmal mit meiner Frau; aber sie wurde mir immer von den Offizieren fortgeholt. Und wie anders tanzte sie mit diesen Menschen! Ihre Augen leuchteten vor Lust; sie ging von Hand zu Hand; ich fürchtete, sie würden mir mein Weib zu Tode tanzen. Sie aber konnte nicht genug bekommen und lachte nur dazu, wenn ich sie bat, daß sie sich schonen möchte. Ich ertrug das nicht länger und konnt' es doch nicht ändern; darum setzte ich mich in die Nebenstube, wo die alten Herren an ihrem L'Hombre saßen, und nagte an meinen Nägeln und an meinen eigenen Gedanken.

Du weißt, Brigitte, der französische Kaperkapitän, den die anderen den ›schönen Teufel‹ nannten – wenn ich je zuweilen in den Saal hinguckte, immer war sie mit ihm am Tanzen. Als es gegen drei Uhr und der Saal schon halb geleert war, stand sie neben ihm am Schenktisch, beide mit einem vollen Glas Champagner in der Hand. Ich sah, wie sie rasch atmete, und wie seine Worte, die ich nicht verstehen konnte, ein Mal über das andere ein fliegendes Rot über ihr blasses Gesicht jagten; sie selber sagte nichts, sie stand nur stumm vor ihm; aber als beide jetzt das Glas an ihre Lippen hoben, sah ich, wie ihre Augen ineinandergingen. – Ich sah das alles wie ein Bild, als sei es hundert Meilen von mir; dann aber plötzlich überfiel es mich, daß jenes schöne Weib dort mir gehöre, daß sie mein Weib sei; und dann trat ich zu ihnen und zwang sie, mit mir nach Hause zu gehen.«

Carsten stockte, als habe er die Grenze seiner Erzählung erreicht; seine Brust hob sich mühsam, sein hageres Gesicht war gerötet. Aber er war noch nicht zu Ende; nur blickte er nicht wie vorhin zur Schwester hinab, er sprach über ihren Kopf weg in die leere Luft.

»Und als wir dann in unserer Kammer waren, als sie mir keinen Blick gönnte, sondern wie zornig Gürtel und Mieder von sich warf, und als sie dann mit einem Ruck den Kamm aus ihren Haaren riß, daß es wie eine goldene Flut über ihre Hüften stürzte – es ist nicht immer, wie es sein sollte, Schwester – denn was mich hätte von ihr stoßen sollen – ich glaub' fast, daß es mich nur mehr betörte.«

Die Schwester legte sanft die Hand auf seinen Arm. »Laß das Gespenst in seiner Gruft, Bruder; laß sie, sie gehörte nicht zu uns.«

Er achtete nicht darauf. »So« – sprach er weiter – »hatte ich nimmer sie gesehen; nicht in unserer kurzen Ehe und auch im Brautstande nicht. Aber es war nicht die Schönheit, die unser Herrgott ihr gegeben hatte, es war die böse Lust, die sie so schön machte, die noch in ihren Augen spielte. – Und so wie an jenem Abend und in jener Nacht war es noch viele Male, viele Wochen und Monde, bis nur ein halbes Jahr vor ihrem Tode übrig war – als alle diese Fremden unsere Stadt verließen.«

»Bruder Carsten«, sagte Brigitte wieder, »hast du nicht neues Leid genug? Wenn du schwach warst gegen dein Weib, weil du sie lieber hattest als dir gut war – es ist schon bald ein Menschenleben darüber hin; was quälst du dich noch jetzt damit!«

»Jetzt, Brigitte? Ja, warum sprech' ich denn dies alles jetzt zu dir? – War sie mein Eheweib in jener Zeit, wo ihre Sinne von leichtfertigen Gedanken taumelten, die nichts mit mir gemein hatten? – Und doch – aus dieser Ehe wurde jener arme Junge dort geboren. Meinst du« – und er bückte sich hinab zum Ohr der Schwester – »daß die Stunde gleich sei, in der unter des allweisen Gottes Zulassung ein Menschenleben aus dem Nichts hervorgeht? – Ich sage dir, ein jeder Mensch bringt sein Leben fertig mit sich auf die Welt; und alle, in die Jahrhunderte hinauf, die nur einen Tropfen zu seinem Blute gaben, haben ihren Teil daran.«

Draußen vom Kirchturm schlug es eins. »Stell' es dem lieben Gott anheim, Bruder« sagte Brigitte; »ich versteh' das nicht, was aus deinen Büchern dir im Kopf herumgeht; ich weiß nur, daß der Junge, leider Gottes, nach der Mutter eingeschlagen ist.«

Carsten fühlte wohl, daß er eigentlich nur mit sich selbst gesprochen habe und daß er nach wie vor mit sich allein sei. »Geh schlafen, meine gute alte Schwester«, sagte er und drängte sie sanft auf den Flur hinaus; »ich will es auch versuchen.«

Auf der untersten Treppenstiege, wo Brigitte es zuvor gelassen hatte, brannte ein Licht mit langer Schnuppe. Sie blickte noch einmal mit festgeschlossenen Lippen und gefalteten Händen den Bruder an; dann nickte sie ihm zu und ging mit dem Lichte in das Oberhaus hinauf.

Aber Carsten dachte nicht an Schlaf; nur allein hatte er wieder sein wollen. Noch einmal nahm er den kleinen Ring und hielt ihn vor sich hin; durch den engen Rahmen sah er, wie tief in der Vergangenheit, die Luftgestalt des schönen Weibes, deren außer ihm kein Mensch auf Erden noch gedachte. Ein seliges Selbstvergessen lag auf seinem Antlitz; dann aber zuckte plötzlich ein Schmerz darüber hin: sie schien so gar verlassen ihm dort unten. – Als er sich aufrichtete, steckte er den Ring an seinen Finger; und es geschah das mit einer feierlichen Innigkeit, als wolle er die Tote sich noch einmal, und fester als zuvor im Leben, an-vermählen; so wie sie einst gewesen war, in ihrer Schönheit und in ihrer Schwäche und mit der kargen Liebe, die sie einst für ihn gehegt hatte. Dann schritt er zur Tür und horchte auf den Flur hinaus; als alles ruhig blieb, ging er zur Treppe und stieg behutsam zur Kammer seines Sohnes hinauf. Er fand den jungen Menschen ruhig atmend und in tiefem Schlafe, obgleich der Mond sein volles Licht über das unter dem Fenster stehende Bett ausgoß. Bei dem gelockten lichtbraunen Haar, das sich seidenweich an die Schläfen legte, hätte man das hübsche blasse Antlitz des Schlafenden für das eines Weibes halten können.

Carsten war dicht herangetreten; ein leises Zittern lief durch seinen Körper. »Juliane!« sagte er. »Dein Sohn! Auch er wird mir das Herz zerreißen!« Und gleich darauf: »Mein Herr und Gott, ich will ja leiden für mein Kind, nur laß ihn nicht verlorengehen!«

Bei diesen unwillkürlich laut gesprochenen Worten schlug der Schlafende die Augen auf; seine Seele aber mochte schlummernd in den Schrecknissen des vergangenen Tages fortgeträumt haben; denn als er plötzlich in der Nacht die brennenden Augen und den zitternd über ihn erhobenen Arm des alten Mannes erblickte, stieß er einen Schrei aus, als ob er den Todesstoß von seines Vaters Hand erwarte; dann aber streckte er flehend beide Arme zu ihm auf.

Und mit einem Laut, als müsse es ihm die Brust zersprengen: »Mein Kind, mein einziges Kind!« brach der Vater an dem Bette des verbrecherischen Sohnes zusammen.

Durch einen Freund in Hamburg hatte Carstens es möglich gemacht, seinen Sohn dort in einem kleineren Geschäft unterzubringen. Indessen war trotz der Achtung, der er sich erfreute, dies Ereignis seines Hauses schonungslos genug in der kleinen Stadt besprochen, freilich bei dieser Gelegenheit auch das Gedächtnis der armen Juliane nicht eben sanft aus ihrer Gruft hervorgeholt worden. Nur Carsten selbst erfuhr nichts davon. Als er eines Tages aus einem befreundeten Bürgerhause auffallend gedrückt nach Haus gekommen war, fragte Brigitte ihn besorgt: »Was ist dir, Carsten? Du hast doch nichts Schlimmes über unseren Heinrich gehört?« – »Schlimmes?« erwiderte der Bruder; »o nein, Brigitte; man hat, seit er fort ist, auch nicht einmal seinen Namen gegen mich genannt.« – Und mit gesenktem Haupte ging er an seinen Arbeitstisch.

Briefe von Heinrich kamen selten, und oftmals forderten sie Geld, da mit dem geringen Gehalte sich dort nicht auskommen lasse. – Sonst ging das Leben seinen stillen Gang; der alte Birnbaum im Hofe hatte wieder einmal geblüht und dann zur rechten Zeit und zur Freude der Nachbarkinder seine Frucht getragen. Besonderes war nicht vorgefallen, wenn nicht, daß Anna den Heiratsantrag eines wohlstehenden jungen Bürgers abgelehnt hatte; sie war keine von den Naturen, die durch ihr Blut der Ehe zugetrieben werden: sie hatte ihre alten Pflegeeltern noch nicht verlassen wollen.

Als aber kurz vor Weihnachten Carstens seinem Sohne den plötzlich eingetroffenen Tod des Senators gemeldet hatte, erfolgte in einigen Tagen schon eine Antwort, worin Heinrich seinen Besuch zum Weihnachtsabend ansagte. Eine Geldforderung enthielt der Brief nicht; nicht einmal die Reisekosten hatte er sich ausgebeten.

Es war doch eine Freudenbotschaft, die sofort im Hause verkündigt wurde. Und wie eine glückliche Unruhe kam es über alle, da nun das Fest heranrückte; die Händedrücke, die Carsten im Vorbeigehen mit seiner alten Schwester zu wechseln pflegte, wurden inniger; mitunter haschte er sich die geschäftige Pflegetochter, hielt sie einen Augenblick an beiden Händen und sah ihr zärtlich in die heiteren Augen.

Endlich war der Nachmittag des heiligen Abends herangekommen. Im Hause hatte eine erwartungsvolle Tätigkeit gewaltet; doch bald schien alles zum Empfange des Christkinds und des Gastes vorbereitet. Vom Arbeitstische, der heute von allen Rechnungs- und Kontobüchern entlastet war, blinkte auf schneeweißem Damast das Teegeschirr mit goldenen Sternchen, während daneben die frischgebackenen Weihnachtskuchen dufteten. Der Tür gegenüber auf der Kommode war Heinrichs Bescherung von den Frauen ausgebreitet: ein Dutzend Strümpfe aus feinster Zephirwolle, woran die sorgsame Tante das ganze Jahr gestrickt hatte; daneben von Annas sauberen Händen eine reichgestickte Atlasweste und eine grünseidene Börse, durch deren Maschen die von Carsten gespendeten Dukaten blinkten. Dieser selbst ging eben in den Keller, um aus seinem bescheidenen Vorrat zwei ganz besondere Flaschen heraufzuholen, die er vor Zeiten von einem dankbaren Schutzbefohlenen zum Geschenk erhalten hatte; es sollte heute einmal nichts gespart werden.

Statt seiner trat Tante Brigitte herein, zwei blank polierte Leuchter in den Händen, auf denen schneeweiße russische Lichte in ebenso weißen Papiermanschetten steckten, denn schon war die Dämmerung des heiligen Abends hereingebrochen; draußen zogen schon die Scharen der kleinen Weihnachtsbettler, und ihr Gesang tönte durch die Straßen: »Vom Himmel hoch, da komm' ich her.«

Als Carsten wieder eintrat, brannten auch die Lichter schon; die Stube sah ganz festlich aus. Die alten Geschwister wandten die Gesichter gegeneinander und blickten sich herzlich an. »Es wird auch Zeit, Carsten!« sagte Brigitte; »die Post pflegt immer schon um vier zu kommen.«

Carsten nickte, und nachdem er noch eilig seine Flaschen hinter dem warmen Ofen aufgepflanzt hatte, langte er mit zitternder Hand seinen Hut vom Türhaken.

»Soll ich nicht mit Euch, Ohm?« rief Anna; »hier ist für mich nichts mehr zu tun.«

– »Nein, nein, mein Kind; das muß ich ganz allein.« Mit diesen Worten nahm er sein Bambusrohr aus dem Uhrgehäuse und ging hinaus.

Das Postgebäude lag derzeit hoch oben in der Norderstraße; aber es war völlig windstill, ein leichter Frostschnee sank ebenmäßig herab. Carsten schritt rüstig vorwärts, ohne rechts oder links zu sehen; als er jedoch fast sein Ziel erreicht hatte, hörte er sich plötzlich angerufen: »He, Freundchen, Freundchen, nehmt mich mit!« Und Herr Jaspers' selbst in der Dunkelheit nicht zu verkennende Gestalt schritt aus einer Nebenstraße, munter mit dem Schnupftuche winkend, auf ihn zu. »Merk's schon«, sagte er, »Ihr wollt Euren Heinrich von der Post holen? Hab' nur gehört, soll ein Staatskerl geworden sein, der junge Schwerenöter!«

»Aber«, sagte Carsten, indem er längere Schritte machte, denen der andere, mit beiden Armen schaukelnd, nachzukommen strebte, »ich dächte, Jaspers, Ihr hättet niemanden zu erwarten!«

»Nein, Gott sei Dank, Carsten! Nein, niemanden! Aber – zum Henker, Ihr braucht nicht so zu rennen! – man muß doch sehen, was zum lieben Fest für Gäste kommen.«

Sie waren an einer Straßenecke in der Nähe des Posthauses angelangt, wo sich bereits eine Anzahl Menschen angesammelt hatte, um die Ankunft der Post hier abzuwarten, als Herr Jaspers von einem vorübergehenden Amtsschreiber angerufen wurde.

»Hört Ihr nicht, Jaspers? Der Mann wünscht Euch zu sprechen«, sagte Carsten, der eben aus der Tiefe der Straße das Rummeln eines schweren Wagens heraufkommen hörte.

Aber der andere stand wie gemauert. »Ei, Gott bewahre, Carsten! Laßt den Hasenfuß laufen! Ich bleibe bei Euch, Freundchen; wer weiß, was noch passieren kann! Ihr kennt doch die Geschichte von dem Flensburger Kandidaten, der seine Liebste aus der Kutsche heben wollte, und dem ein schwarzer Negerjunge auf den Nacken sprang!«

»Ich kenne alle Eure Geschichten, Jaspers«, erwiderte Carsten ungeduldig; »aber wenn Ihr's denn wissen wollt, ich wünsche meinen Sohn allein zu empfangen; ich brauche Euch nicht dabei!«

Herrn Jaspers' unerschütterliche Antwort wurde von Peitschenknall und dem schmetternden Klange eines Posthorns übertönt; und gleich darauf rollte auch der schwerfällige Wagen vor die Tür des Posthauses, in den matten Schein, den die darüber befindliche Laterne auf die leichtbeschneite Straße hinauswarf. Dann sprang der Postillion vom Bock, vom Schirrmeister wurde die Wagentür aufgerissen, und die Leute drängten sich herzu, um die Fahrgäste aussteigen zu sehen.

Carsten war etwas zurück im Schatten der Mauer stehengeblieben. Da er von hoher Statur war, so konnte er auch von hier aus die in Mäntel und Pelze vermummten Gestalten, welche eine nach der anderen aus dem Wagenkasten auf die Straße traten, deutlich genug erkennen.

»Niemand mehr darin?« frug der Schirrmeister.

»Nein, nein!« tönte es von mehreren Seiten; und die Wagentür wurde zugeworfen.

Carsten umklammerte die Krücke seines Stockes und stützte sich darauf; sein Heinrich war nicht gekommen. – Er blickte wie abwesend auf die dampfenden Pferde, die auf dem Pflaster scharrten und klirrend ihre Messingbehänge schüttelten, und wollte sich endlich schon zum Gehen wenden, als er bemerkte, daß er hier nicht der einzige Getäuschte sei. Eine junge Dirne hatte sich an den Postillion herangemacht, der eben die Decken über seine Tiere warf, und schien ihn mit aufgeregten Fragen zu bedrängen. »Ja, ja, Mamsellchen«, hörte er diesen antworten, »es kann noch immer sein; es kommt noch eine Beichaise.«

»Noch eine Beichaise!« Carsten wiederholte die Worte unwillkür-lich; ein tiefer Atemzug entrang sich seiner Brust. Der Postillion war ihm bekannt; er hätte ihn fragen können: »Sitzt denn mein Heinrich mit darin?« Aber er vermochte sich nicht vom Fleck zu rühren; mit geschlossenen Lippen stand er und sah bald darauf den Wagen fort-fahren und blickte auf die leeren Geleise, die in dem Schnee erkenn-bar waren, und welche leis und unaufhaltsam neuer Schnee herabsank und sie bald bedeckte.

Um ihn her war es ganz still geworden; selbst Herr Jaspers schien verschwunden; das Mädchen hatte sich schweigend neben ihn gestellt, die Arme in ihr Umschlagetuch gewickelt. Mitunter klingelte eine Tür-schelle, dann sangen die Kinderstimmen: »Vom Himmel hoch, da komm' ich her!« Die kleinen Weihnachtsbettler mit ihrem tröstlichen Verkündigungsliede zogen noch immer von Haus zu Haus.

Endlich kam es abermals die Straße herauf, näher und näher kam es, noch einmal knallte die Peitsche und schmetterte das Posthorn, und jetzt rollte die verheißene Beichaise in den Laternenschein des Post-hauses hinein.

Und ehe die Pferde noch zum Stehen gebracht waren, sah Carsten die Gestalt eines hohen Mannes behende aus dem Wagen springen und gegen sich herankommen. »Heinrich!« rief er und stürzte vorwärts, daß er fast gestrauchelt wäre; aber der Mann wandte sich zu dem Mädchen, die jetzt mit einem Freudenschrei an seinem Halse hing. »Ich dachte schon, du wärst nicht mehr gekommen!« – »Ich? Nicht kommen, am Weihnachtsabend? Oh!«

Carsten blickte den beiden nach, wie sie durch den fallenden Schnee Arm in Arm die Straße hinabgingen; als er sich umwandte, war auch der Platz vor dem Hause leer, wo vorhin die Chaise gehalten hatte. »Er ist nicht gekommen, er wird krank geworden sein«, sagte er halblaut zu sich selber.

Da legte sich eine breite Hand auf seinen Arm. »Oho, Freundchen!« sprach dicht neben ihm Herrn Jaspers' wohlbekannte Stimme, »dach-te ich's nicht, daß Ihr Euch Grillen fangen würdet! Krank, meint Ihr? Nein, Carsten, das laßt Euch den heiligen Abend nicht verderben. Ihr wißt doch, in Hamburg gibt's ganz andere Weihnachten für die jun-gen Bursche als in Eurem alten Urgroßvaterhause an der Twiete. Aber, seht Ihr, war's nicht hübsch, daß ich Euch warten half? Da habt Ihr doch Gesellschaft auf dem Rückweg!«

Herrn Jaspers' Stimme hatte einen fast zärtlichen Ausdruck angenommen; aber Carsten hörte nicht darauf. Auch auf dem Rückwege ließ er Herrn Jaspers ungestört an seiner Seite traben; er war ein geduldiger Mann geworden.

Als er wieder in sein Haus trat, hörte er rasch die Stubentür von innen anziehen. »Noch einen Augenblick Geduld!« rief Annas helle Stimme; dann gleich darauf wurde die Tür weit aufgeschlagen, und die schlanke Mädchengestalt stand wie in einem Bilderrahmen auf der Schwelle. Sie schritt auch nicht hinaus, sie starrte regungslos auf ihren alten Pflegevater.

»Allein, Ohm?« fragte sie endlich.

»Allein, mein Kind.«

Dann gingen beide zu Tante Brigitte in die festlich aufgeschmückte Stube, und die Frauen, während Carsten schweigend in dem Ledersessel danebensaß, erschöpften sich in immer neuen Mutmaßungen, was es nur gewesen sein könne, das ihnen alle Freude so zerstört habe, bis endlich der Abend vergangen war und sie still die Lichter löschten und die Geschenke wieder forträumten, welche sie kurz zuvor so geschäftig zusammengetragen hatten.

Auch die Weihnachtsfeiertage verflossen, ohne daß Heinrich selber oder ein Lebenszeichen von ihm erschienen wäre. Als auch der Neujahrsabend herankam und die lang' erwartete Poststunde wieder so vorüberging, hatten in dem alten Manne die Sorgen der letzten Tage sich zu einer fast erstickenden Angst gesteigert. Was konnte geschehen sein? Wenn Heinrich krank läge dort in der großen fremden Stadt! Die diesmal ruhigere Überlegung der Frauen vermochte ihn nicht zurückzuhalten, er mußte selber hin und sehen. Vergebens stellten sie ihm die Beschwerlichkeit der langen Reise bei dem eingetretenen scharfen Frost vor Augen; er suchte sich das nötige Reisegeld zusammen und hieß Brigitte seinen Koffer packen; dann ging er in die Stadt, um sich zum anderen Morgen Fuhrwerk zu verschaffen.

Als er nach vielfachem Umherrennen erschöpft nach Hause kam, war ein Brief von Heinrich da; ein Versehen des Postboten hatte die

Abgabe verspätet. Hastig riß er das Siegel auf; die Hände flogen ihm, daß er kaum seine Brille aus der Tasche ziehen konnte. Aber es war ein ganz munterer Brief; Herr Jaspers hatte recht gehabt: mit Heinrich war nichts Besonderes vorgefallen, er hatte nur gedacht, es sei doch richtiger, den Weihnachtsmarkt in Hamburg zu genießen und dann später nach Haus zu kommen, wenn erst im Hof der große Birnbaum blühe und sie miteinander auf den Deich hinausspazieren könnten; dann folgte die lustige Beschreibung verschiedener Feste und Schaustellungen; von den Kümmernissen, die er den Seinen zugefügt, schien ihm keine Ahnung gekommen zu sein.

Auch eine Nachschrift enthielt der Brief: er habe auf eigene Hand mit einem guten Freunde einige Geschäfte eingefädelt, die schon hübschen Gewinn abgeworfen hätten; er wisse jetzt, wo Geld zu holen sei, sie würden bald noch anderes von ihm hören. – Wie gewagt, nach mehr als einer Seite hin, diese Geschäftsverbindung sei, davon freilich war nichts geschrieben.

Carsten, da er alles einmal und noch einmal gelesen hatte, lehnte sich müde in seinen Stuhl zurück; der Name »Juliane« drängte sich unwillkürlich über seine Lippen. Aber jedenfalls – Heinrich war gesund, es war nichts Schlimmes vorgefallen.

»Nun, Ohm?« fragte Anna, die auf Mitteilung harrend mit Tante Brigitte vor ihm stand.

Er reichte ihnen den Brief. »Leset selbst«, sagte er, »vielleicht daß ich heute einmal besser schlafe! Und dann, Anna, bestelle mir den Fuhrmann ab, meine alten Beine können nun nicht mehr!«

Er sah fast glücklich aus bei diesen Worten; ein Ruhepunkt war eingetreten, und er wollte ihn redlich zu benutzen suchen.

Am anderen Morgen wurden die Weihnachtsgeschenke aus den Schubladen wieder hervorgeholt und, sorgsam in ein Kistchen verpackt, an Heinrich auf die Post gegeben; obenauf lag ein Brief von Anna, voll herzlichen Zuredens und voll ehrlicher Entrüstung. Als Antwort erhielt sie nach einigen Monaten ein Osterei von Zucker, aus welchem, da es sich öffnen ließ, eine goldene Vorstecknadel zum Vorschein kam; einige neckende Knittelverse, welche für die guten Lehren dankten, waren auf einem Papierstreifchen darumgewunden.

Wenn die goldene Nadel ein Ertrag der eingefädelten Geschäfte war, so blieb sie jedenfalls das einzige Zeichen, das davon nach Haus gelangte; in den spärlichen Briefen geschah derselben entweder gar nicht oder nur noch in allgemeinen Andeutungen Erwähnung.

Die Zeit rückte weiter, und nach den Ostern war jetzt der Nachmittag des Pfingstfestes herangekommen. Die Frauen befanden sich beide auf dem sonnigen Hausflur in emsiger Beschäftigung; Tante Brigitte hatte das Gardinenbrett des Ladenfensters vor sich auf dem Zahltisch liegen, bemüht, einen blütenweißen Vorhang daran festzunadeln; Anna, der eine Anzahl grüner Waldmeisterkränze über dem einen Arm hingen, suchte gegenüber an der frischgetünchten Wand nach Haken oder Nägeln, um daran den Festschmuck zu befestigen. Zwei der Kränze waren glücklich angebracht; bei dem dritten saß der Nagel doch zu hoch, als daß der ausgestreckte Arm des schlanken Mädchens ihn mit dem Kranz erreichen konnte.

»Kind, Kind!« rief Tante Brigitte vom Ladentisch herüber; »du wirst ja kochheiß, so hol' doch einen Schemel!«

»Nein, Tante, es muß!« erwiderte Anna lachend und begann unter herzlichem Stöhnen ihre vergeblichen Anstrengungen zu erneuern.

Plötzlich wurde die Haustür aufgerissen, daß das Läuten der Schelle betäubend durch den Flur schallte; dazwischen rief eine jugendliche Männerstimme: »Mannshand oben!« und zugleich war auch der Kranz aus Annas ausgestreckter Hand genommen und hing im selben Augenblicke oben an dem Nagel. Anna selbst sah sich in den Armen eines schönen Mannes mit gebräuntem Antlitz und stattlichem Backenbarte, dessen Kleidung den Großstädter nicht verkennen ließ. Aber schon hatte sie mit einer so kräftigen Bewegung ihn von sich gestoßen, daß er geradeswegs auf Tante Brigitte zuflog, die vor ihrem Gardinenbrett beide Hände über dem Kopf zusammenschlug. Da brach der Mißhandelte in ein lustiges Gelächter aus, das noch das Ausläuten der Türschelle übertönte.

»Heinrich, Heinrich! Du bist es!« riefen die Frauen wie aus einem Munde.

»Nicht wahr, Tante Brigitte, das nennt man überraschen!«

»Jung«, sagte die Alte noch halb erzürnt; »in deinem modischen Rock steckt doch noch der alte Hans Dampf; wenn du dich ansagst, kann man sich zu Tode warten, und wenn du kommst, könnte man vor Schreck den Tod davon haben.«

»Nun, nun, Tante Brigitte, ihr sollt mich auch bald genug schon wieder loswerden; unsereiner hat nicht lange Zeit zu feiern.«

»Ei, Heinrich«, sagte die gute Tante, indem sie ihn mit sichtlicher Zufriedenheit betrachtete, »so sollte es nicht gemeint sein! Was du gesund aussiehst, Junge! Nun aber hilf auch mir noch ein paar Augenblicke mit deiner hübschen Leibeslänge!«

Mit einem Satz war Heinrich über den Ladentisch hinüber und stand gleich darauf auf der Fensterbank, das Gardinenbrett mit den daranhängenden weißen Fahnen in den Händen.

Als kurz darauf ein gemessenes Läuten der Türschelle die Ankunft des bisher abwesenden Hausherrn anzeigte, saß Heinrich bereits wohlversorgt im Zimmer vor dem Kaffeetische, den aufhorchenden Frauen Wunder der Großstadt und seiner eigenen Tätigkeit verkündend. Gleich darauf stand er dem Vater gegenüber, und dieser ergriff seine beiden Hände und sah ihm mit verhaltenem Atem in die Augen. »Mein Sohn!« sagte er endlich; und Heinrich fühlte, wie aus dem Körper des alten Mannes ein Zittern in den seinen überging.

Noch lange, als sie schon mit den anderen am Tische saßen, hingen so die Blicke des Vaters an des Sohnes Antlitz, während dessen bald wieder in Fluß gekommene Reden fast unverstanden an seinem Ohr vorübergingen. Heinrich schien ihm äußerlich fast ein Fremder; die Ähnlichkeit mit Juliane war zurückgetreten, er sagte sich das mit schmerzlicher Befriedigung; die Zeit seines Fortganges aus der Vaterstadt, obgleich nur wenige Jahre seitdem vergangen waren, lag jetzt weit dahinter. Ein freudiger Gedanke erfüllte plötzlich das Herz des Vaters: was auch damals geschehen war, es war nur der Fehler eines in der Entwickelung begriffenen, noch knabenhaften Jünglings, wofür die Verantwortlichkeit dem jetzt vor ihm sitzenden Manne nicht mehr aufgebürdet werden konnte. Carsten faltete unwillkürlich seine Hände; als Annas Blicke sich zufällig auf ihn wandten, hörte auch sie nicht mehr auf Heinrichs Wunderdinge: ihr alter Ohm saß da, als ob er betete.

Später freilich, als Sohn und Vater sich allein gegenübersaßen, mußte Heinrich auch diesem Rede stehen. Er war jetzt auf einer Geschäftsreise für seine Firma; am zweiten Festtag schon mußte er weiter, dem Norden zu. Aus dem eleganten Taschenbuche, das Heinrich hervorzog, wurde Carsten in manche Einzelheiten eingeweiht, und er nickte zufrieden, da er den Sohn in wohlgeordneter Tätigkeit erblickte. Weniger deutlich waren die Mitteilungen, die Heinrich über seine auf eigene Hand betriebenen Geschäfte machte; er verstand es, über diese selbst mit leichter Andeutung fortzugehen und sich dagegen ausführlich über neue Unternehmungen auszulassen, die mit dem unzweifelhaften Gewinn der ersteren begonnen werden sollten. Carsten war in solchen Dingen nicht erfahren; aber wenn in Heinrichs wortreicher Darlegung die Projekte immer höher stiegen und das Gold aus immer reicheren Quellen floß, dann war es mitunter, als blickten wieder Julianens Züge aus des Sohnes Antlitz, und zugleich in Angst und Zärtlichkeit ergriff er dessen Hände, als könnte er ihn so auf festem Boden halten.

Dennoch, als sie am anderen Vormittage miteinander in der Kirche saßen, konnte er sich einer kleinen Genugtuung nicht erwehren, wenn über den Gesangbüchern in allen Bänken sich die Köpfe nach dem stattlichen jungen Mann herumwandten; ja, es war ihm fast leid, daß heute nicht auch Herr Jaspers aus seinem gewohnten Stuhl herüberpsalmodierte.

Am Nachmittage, während drinnen Carsten und Brigitte ihr Schläfchen hielten, saßen Heinrich und Anna draußen auf der Bank unter dem Birnbaume. Auch sie hielten Mittagsruhe, nur daß die jungen Augen nicht zufielen wie die alten drinnen; zwar sprachen sie nicht, aber sie hörten auf den Sommergesang der Bienen, die tönend aus dem mit Blüten überschneiten Baume zu ihnen herabklang. Bisweilen, und dann immer öfter, wandte Anna den Kopf und betrachtete verstohlen das Gesicht ihres Jugendgespielen, der mit seinem Spazierstöckchen den Namen einer berühmten Kunstreiterin in den Sand schrieb. Sie konnte sich noch immer nicht zurechtfinden; der bärtige Mann an ihrer Seite, dessen Stimme einen so ganz anderen Klang hatte, war das der Heinrich noch von ehedem? – Da flog ein Star vom Dach herab auf die Einfassung des Brunnens, blickte sie mit seinen blanken Augen an und begann mit geschwellter Kehle zu schnattern, als wollte er ihr ins Gedächtnis rufen, wer dort statt seiner einst gesessen habe. Anna öffnete die Augen weit und blickte hinauf nach einem Stückchen blauen Himmels, das durch die Zweige des Baumes sichtbar war; sie fürchtete den Schatten, der drunten aus der Brunnenecke in diesen goldenen Sommertag hineinzufallen drohte.

Aber auch Heinrichs Erinnerung war durch den geschwätzigen Vogel geweckt worden; nur sahen seine Augen keinerlei Schatten aus irgendeiner Ecke. »Was meinst du, Anna«, sagte er, mit seinem Stöckchen nach dem Brunnen zeigend; »glaubst du, daß ich damals wirklich in das dumme Ding hineingesprungen wäre?«

Sie erschrak fast über diese Worte. »Wenn ich es glauben müßte«, erwiderte sie, »so wärest du jedenfalls nicht wert gewesen, daß ich dich davon zurückgerissen hätte.«

Heinrich lachte. »Ihr Frauen seid schlechte Rechenmeister! Dann hättest du mich ja jedenfalls nur sitzen lassen können!«

»O Heinrich, sage lieber, daß so etwas nie – nie wiedergeschehen könne!«

Statt der Antwort zog er seine kostbare goldene Uhr aus der Tasche und ließ diese und die Kette vor ihren Augen spielen. »Wir machen jetzt selbst Geschäfte«, sagte er dann; »nur noch einige Monate weiter, da werfe ich den Erben des Senators die paar lumpigen Taler vor die Füße; wollen sie's nicht aufheben, so mögen sie es bleiben lassen; denn freilich, bezahlt muß so was werden.«

»Sie werden es schon nehmen, wenn du es bescheiden bietest«, sagte Anna.

»Bescheiden?« Er hatte sich vor ihr hingestellt und sah ihr ins Gesicht, das sie sitzend zu ihm erhoben hatte. »Nun, wenn du meinst«, setzte er wie gedankenlos hinzu, während seine Augen den Ausdruck aufmerksamer Betrachtung annahmen. »Weißt du wohl, Anna«, rief er plötzlich, »daß du eigentlich ein verflucht hübsches Mädchen bist!«

Die Worte hatten so sehr den Ton unwillkürlicher Bewunderung, daß Anna fast verlegen wurde. »Du hast dir wohl andere Augen aus Hamburg mitgebracht«, sagte sie.

»Freilich, Anna; ich verstehe mich jetzt darauf! Aber weißt du auch wohl, daß du nun bald dreiundzwanzig Jahre alt bist! Warum hast du immer noch keinen Mann?«

»Weil ich keinen wollte. Was sind das für Fragen, Heinrich!«

»Ich weiß wohl, was ich frage, Anna; heirate mich, dann bist du aus aller Verlegenheit.«

Sie sah ihn zornig an. »Das sind keine schönen Späße!«

»Und warum sollen es denn Späße sein?« erwiderte er und suchte ihre Hand zu fassen.

Sie richtete sich fast zu gleicher Höhe vor ihm auf. »Nimmer, Heinrich, nimmer.« Und als sie diese Worte, heftig mit dem Kopfe schüttelnd, ausgestoßen hatte, machte sie sich los und ging ins Haus zurück; aber sie war blutrot dabei geworden bis in ihr blondes Stirnhaar hinauf.

Die Geschäfte, von denen Heinrich sich goldene Berge versprochen hatte, mußten doch einen anderen Erfolg gehabt haben. Kaum einen Monat nach seiner Abreise kamen Briefe aus Hamburg, von ihm selbst und auch von Dritten, deren Inhalt Carsten den Frauen zu verbergen wußte, der ihn aber veranlaßte, sich bei seinem Gönner, dem sowohl im bürgerlichen als im peinlichen Rechte wohlerfahrenen alten Bürgermeister, eine vertrauliche Besprechung zu erbitten. Und schon am nächsten Abend im Ratsweinkeller raunte Herr Jaspers bei seinem Spitzglas Roten seinem Nachbar, dem Stadtwagemeister, zu: der alte Carstens – der Narr mit seinem liederlichen Jungen –, es sei aus guter Quelle, daß er vormittags mehrere seiner besten Hypothekverschreibungen mit einer hübschen Draufgabe gegen Bares umgesetzt habe. Der Stadtwagemeister wußte schon noch mehr: das Geld, eine große Summe, war bereits am Nachmittage nach Hamburg auf die Post gegeben. Man kam überein, es müsse dort etwas geschehen sein, das rasche und unabweisbare Hilfe erfordert hatte. »Hilfe!« wiederholte Herr Jaspers, mit den dünnen Lippen behaglich den Rest seines Roten schlürfend; »Hans Christian wollte auch der Ratze helfen und füllte kochend Wasser in die Kesselfalle!«

Jedenfalls, wenn eine Gefahr vorhanden gewesen war, so schien sie für diesmal abgewendet; selbst Herr Jaspers konnte nichts Weiteres erkundschaften, und was an Gesprächen darüber in der kleinen Stadt gesummt hatte, verstummte allmählich. Nur an Carsten zeigte sich von dieser Zeit an eine auffallende Veränderung; seine noch immer hohe Gestalt schien plötzlich zusammengesunken, die ruhige Sicherheit seines Wesens war wie ausgelöscht; während er das eine Mal ersichtlich den Blicken der Menschen auszuweichen suchte, schien er ein andermal in ihnen fast ängstlich eine Zustimmung zu suchen, die er sonst nur in sich selbst gefunden hatte. Über mancherlei unbedeutende Dinge konnte er in jähem Schreck zusammenfahren; so wenn unerwartet an seine Stubentür geklopft wurde, oder wenn der Postbote abends zu ihm eintrat, ohne daß er ihn vom Fenster aus vorher gesehen hatte. Man hätte glauben können, der alte Carsten habe sich noch in seinen hohen Jahren ein böses Gewissen zugelegt.

Die Frauen sahen das; sie hatten auch wohl ihre eigenen Gedanken, im übrigen aber trug Carsten seine Last allein; nur sprach er mitunter sein Bedauern aus, daß er statt aller anderen Dinge nicht lieber seine ganze Kraft auf die Vergrößerung des ererbten Geschäftes gelegt habe, so daß Heinrich es jetzt übernehmen und in ihrer aller Nähe leben könnte. – Es stand nicht zum besten in dem Hause an der Twiete; denn auch Tante Brigitte, deren sorgende Augen stets an ihrem Bruder hingen, kränkelte; nur aus Annas Augen leuchtete immer wieder die unbesiegbare Heiterkeit der Jugend.

Es war an einem heißen Septembernachmittag, als die Glocke an der Haustür läutete und gleich darauf Tante Brigitte aus der Küche, wo sie mit Anna beschäftigt war, auf den Flur hinaustrat. »In Christi Namen!« rief sie, »da kommt der Stadtunheilsträger, wie der Herr Bürgermeister ihn nennt! Was will der von uns?«

»Fort mit Schaden!« sagte Anna und klopfte mit dem Messer, das sie in der Hand hielt, unter den Tisch. »Nicht wahr, Tante, das hilft?«

Mittlerweile stand der Berufene schon vor der offenen Küchentür. »Ei, schönsten guten Tag miteinander!« rief er mit seiner Altweiberstimme, indem er mit seinem blaukarierten Taschentuche sich die Schweißtropfen von den Haarspitzen seiner fuchsigen Perücke trocknete. »Nun, wie geht's, wie geht's? Freund Carstens zu Hause? Immer fleißig an der Arbeit?«

Aber bevor er noch eine Antwort bekommen konnte, hatte er die alte Jungfrau mit einem neugierigen Blick gemustert. »Ei, ei, Brigittchen, Ihr sehet übel aus; Ihr habt verspielt, seit wir uns nicht gesehen.«

Tante Brigitte nickte. »Freilich, es will nicht mehr so recht; aber der Physikus meint, jetzt bei dem schönen Wetter werd' es besser werden.«

Herr Jaspers ließ ein vergnügliches Lachen hören. »Ja, ja, Brigittchen, das meinte der Physikus auch bei der kleinen dänischen Marie im Kloster, als sie die Schwindsucht hatte. Ihr wißt, sie nannte ihr Stübchen immer ›min lütje Paradies‹« – er lachte wieder höchst vergnüglich –, »aber sie mußte doch fort aus dat lütje Paradies.«

»Gott bewahr' uns in Gnaden«, rief Tante Brigitte, »Ihr alter Mensch könntet einem ja mit Euren Reden den Tod auf den Hals jagen!«

»Nun, nun, Brigittchen; alte Jungfern und Eschenstangen, die halten manche Jahre!«

»Jetzt aber macht, daß Ihr aus meiner Küche kommt, Herr Jaspers«, sagte Brigitte; »mein Bruder wird Euch besser auf Eure Komplimente dienen.«

Herr Jaspers retirierte; zugleich aber hob er sich die dampfende Perücke von seinem blanken Schädel und reichte sie auf einem Finger gegen Anna hin. »Jungfer«, sagte er, »sei Sie doch so gut und hänge Sie mir derweile das Ding zum Trocknen auf ihren Plankenzaun; aber pass' Sie auch ein wenig auf, daß es die Katz' nicht holt.«

Anna lachte. »Nein, nein, Herr Jaspers; tragt Euer altes Scheusal nur selbst hinaus! Und unsere Katz', die frißt solch rote Ratzen nicht.«

»So, so? Ihr seid ja ein naseweises Ding!« sagte der Stadtunheilsträger, besah sich einen Augenblick seinen abgehobenen Haarschmuck, trocknete ihn mit seinem blaukarierten Taschentuche, stülpte ihn wieder auf und verschwand gleich darauf in der Tür des Wohnzimmers.

Als Carsten, der bei seinen Rechnungsbüchern saß, Herrn Jaspers' vor Geschäftigkeit funkelnde Äuglein durch die Stubentür erscheinen sah, legte er mit einer hastigen Bewegung seine Feder hin. »Nun, Jaspers«, sagte er, »was für Botschaft führt Ihr denn heute wiederum spazieren?«

»Freilich, freilich, Freundchen«, erwiderte Herr Jaspers, »aber Ihr wißt ja, des einen Tod, des anderen Brot!«

»Nun, so macht es kurz und schüttet Eure Taschen aus!«

Herr Jaspers schien den gespannten Blick nicht zu beachten, der aus den großen, tiefliegenden Augen auf sein kleines, faltenreiches Gesicht gerichtet war. »Geduld, Geduld, Freundchen!« sagte er und zog sich behaglich einen Stuhl herbei – »also: der kleine Krämer in der Süderstraße, wo die Ostenfelder immer ihre Notdurft holen – Ihr kennt ihn ja; das Kerlchen hatte immer eine blanke, wohlgekämmte Haartolle;

aber das hat ihm nichts geholfen, Carsten, nicht für einen Sechsling! Ich hoffe nicht, daß Ihr mit diesem kleinen Kiebitz irgendwo verwandt seid.«

»Ihr meint durch meinen Geldbeutel? Nein, nein, Jaspers; aber was ist mit dem? Es war bei seinen Eltern eine gute Brotstelle.«

»Allerdings, Carsten; aber eine gute Brotstelle und ein dummer Kerl, die bleiben doch nicht lang' zusammen; er muß verkaufen. Ich hab's in Händen; viertausend Taler Anzahlung, fünftausend proto-kollierte Schulden gehen in den Kauf. – Nun? Guckt Ihr mich an? – Aber ich dachte gleich, das wäre so etwas für Euren Heinrich, wie es Euch nicht alle Tage in die Hände läuft!«

Carsten hörte das; er wagte nicht zu antworten; unruhig schob er die Papiere, die vor ihm lagen, durcheinander. Dann aber sagte er, und die Worte schienen ihm schwer zu werden: »Das geht noch nicht; mein Heinrich muß erst noch älter werden!«

»Älter werden?« Herr Jaspers lachte wieder höchst vergnüglich. »Das meinte auch unser Pastor von seinem Jungen; aber Freundchen, was zu einem Esel geboren ist, wird sein Tage nicht kein Pferd.«

Carsten spürte starken Drang, gegen seinen Gast sein Hausrecht zu gebrauchen; aber er fürchtete unbewußt, die Sache selber mit zur Tür hinauszuwerfen.

»Nein, nein, Freundchen«, fuhr der andere unbeirrt fort; »ich weiß Euch besseren Rat: eine *Frau* müßt Ihr dem Heinrich schaffen, ver-steht mich, eine fixe; und eine, die auch noch so ein paar Tausende *in bonis* hat! Nun« – und er machte mit seiner Fuchsperücke eine Bewe-gung nach der Gegend der Küche hin –, »Ihr habt ja alles nahe bei.«

Carsten sagte fast mechanisch: »Was Ihr Euch doch um anderer Leu-te Kinder für Sorgen macht!«

Aber Herr Jaspers war aufgestanden und sah mit einem schlauen Blick auf den Sitzenden hinab. »Überlegt's Euch, Freundchen, ich muß noch auf die Kämmerei; bis morgen halt' ich Euch die Sache offen.«

Er war bei diesen Worten schon zur Tür hinaus. Carsten blieb mit aufgestütztem Kopf an seinem Tische sitzen; er sah es nicht, wie gleich darauf, während Herrn Jaspers' hoher Zylinder sich draußen an den Fenstern vorüberschob, die kleinen zudringlichen Augen noch einen scharfen Blick ins Zimmer warfen.

Die Vorschläge des »Stadtunheilträgers« schienen dennoch nachge-
wirkt zu haben. – Das war es ja, wonach Carsten sich so lange umge-
sehen; das zu Kauf gestellte, jetzt zwar herabgekommene Geschäft
konnte bei guter Führung und ohne zu hohe Zinsenlast als eine sichere Versorgung gelten. Hier am Orte konnte der Vater selbst ein Auge
darauf halten, und Heinrich würde allmählich auf sich selber stehen
lernen. Carsten faßte sich ein Herz; mit zitternder Hand holte er noch
einmal aus seinem Schreibpult jene Hamburger Briefe, die ihm vor
nicht langer Zeit den größten Teil seines kleinen Vermögens gekostet
hatten, und las sie, einen nach dem anderen, sorgsam durch. Dem letzten lag ein quittierter Wechsel bei; der Name unter dem Akzept war
mit vielen Strichen unleserlich gemacht.

Wie oft hatte er jene Briefe nicht schon durchgesehen, um immer aufs
neue sich zu überzeugen, daß alles geordnet sei, daß für die Zukunft
kein Unheil mehr daraus entstehen könne! Aber sie sollten endlich nun
vernichtet werden. Er zerriß sie in kleine Fetzen und warf sie in den
Ofen, wo dann das erste Winterfeuer sie ganz verzehren mochte.

Als habe er heimlich eine böse Tat begangen, so leise drückte er die
Tür des Ofens wieder zu. Dann stand er lange noch vor seinem offenen Pulte, den Schlüssel in der Hand; er atmete mühsam, und sein grauer Kopf sank immer tiefer auf die Brust. Aber dennoch – und immer
wieder stand ihm das vor Augen –, wozu die Verhältnisse der Großstadt den schwachen Sohn verführt hatten, hier in der kleinen Stadt
war das unmöglich! Wenn er ihn nur bald, nur gleich zur Stelle hätte!
Eine fieberhafte Angst befiel ihn, sein Sohn könne eben jetzt, im letzten Augenblick, wo doch vielleicht der sichere Hafen ihm bereitstehe,
noch einmal sich in jenen Strudel wagen.

Das Pult zwar wurde endlich abgeschlossen; aber wohl eine Stunde
lang ging der sonst nie müßige Mann wie zwecklos in Haus und Hof
umher, sprach bald mit den Frauen ein Wort über Dinge, um die er sich
nie zu kümmern pflegte, bald ging er durch den Pesel in den Hof, um
die seit lange hergestellte Brunneneinfassung zu besichtigen. Von hier
zurückkommend, öffnete er eine Tür, die aus dem Pesel in einen Seitenbau und in dessen oberem Stockwerk zu Julianens Sterbekammer
führte. Die schmale, seit Jahren nicht gebrauchte Treppe krachte unter seinen Tritten, als führe die alte Zeit aus ihrem Schlafe auf. Droben

in der Kammer, unter dem Fenster, das auf die düstere Twiete ging, stand ein leeres, von Würmern halb zerstörtes Bettgestell. Carsten zog den einzigen Stuhl heran und blieb hier sitzen. Vor seinen Augen füllten sich die nackten Bretter; aus weißen Kissen sah ein blasses Antlitz, zwei brechende Augen blickten ihn an, als wollten sie ihm jetzt verheißen, was zu gewähren doch zu spät war.

Erst spät am Nachmittage saß Carsten wieder an seinem Arbeitstisch. Doch waren es nicht die gewohnten Dinge, die er heute vornahm; eine Kuratelrechnung, obwohl sie morgen zur Konkurssache eingereicht werden sollte, war beiseite geschoben und dagegen ein kleines Buch aus dem Pult genommen, das den Nachweis des eigenen Vermögensstandes enthielt; die großen dunkeln Augen irrten unstet über die aufgeschlagenen Paginas. Der Alte seufzte; über die besten Nummern war ein roter Strich gezogen. Dennoch begann er sorgsam seinen Status aufzustellen: was gegenwärtig an Mitteln noch vorhanden war, worauf er in Zukunft noch zu rechnen hatte. Da es nicht reichen wollte, kalkulierte er überdies den Wert seiner kleinen Marschfenne, die er bisher noch immer festgehalten hatte; aber die Landpreise waren in jener Zeit nur unerheblich. Er dachte daran, zu seinen übrigen Arbeiten noch ein städtisches Amt zu übernehmen, das man ihm neulich angeboten, das er aber seiner geschwächten Gesundheit halber nicht anzunehmen gewagt hatte; nun meinte er, er sei zu zag gewesen; gleich morgen wolle er sich zu der noch immer unbesetzten Stelle melden. Und aufs neue machte er seine Berechnung; aber das gehoffte Resultat wollte nicht erscheinen. Er legte die Feder hin und wischte sich den Schweiß aus seinen grauen Haaren.

Da klang ihm vor den Ohren, was Herr Jaspers ihm geraten hatte, und seine Gedanken begannen in den wohlhabenden Bürgerhäusern herumzuwandern. Freilich, es waren schon Mädchen dort zu finden, wirtschaftlich und sittsam, und einzelne – so dachte er – wohl fest genug, um einen schwachen Mann zu stützen; aber würde er für seinen Heinrich dort anzuklopfen wagen?

Während er sich selbst zur Antwort langsam seinen Kopf schüttelte, trat Anna in der ganzen heiteren Entschlossenheit ihres Wesens in die Stube; wie ein Aufleuchten flog es über seine Augen, und unwillkürlich streckte er beide Arme nach ihr aus.

Anna sah ihn befremdet an. »Wolltet Ihr was, Carsten Ohm?« fragte sie freundlich.

Carsten ließ die Arme sinken. »Nein, Kind«, sagte er fast beschämt, »ich wollte nichts; laß dich nicht stören; du wolltest wohl zum Vesperbrote anrichten.«

Er nahm wieder die Feder, als wolle er in der vor ihm liegenden Berechnung fortfahren; aber seine Augen blieben an dem Mädchen hängen, während diese den Klapptisch von der Wand ins Zimmer rückte und dann, kaum hörbar, mit ihrer sicheren Hand die Dinge zum gewohnten Abendtee zurechtsetzte. Ein Bild der Zukunft stieg in seiner Seele auf, vor dem er alle seine Sorgen niederlegte. – – Aber nein, nein; er hatte immer treu für dieses Kind gesorgt! Ja, wenn das letzte nicht geschehen wäre!

Er war aufgestanden und vor sein bescheidenes Familienbild getreten. Als er es ansah, schien ihm das gemalte Abendrot zu flammen, und die Schattengestalten begannen einen Körper anzunehmen. Er nickte ihnen zu; ja, ja, das war sein Vater, seine Großmutter; das waren ehrliche Leute, die da spazierengingen!

– – Als bald darauf die Hausgenossen beim Abendbrot zusammensaßen, forschten Brigittens schwesterliche Augen immer eindringlicher in des Bruders Antlitz, das den Ausdruck der Verstörung nicht verhehlen konnte. »Tu's von dir, Carsten!« sagte sie endlich, seine Hand erfassend. »Was für eine Tracht Unheils hat der elende Mensch denn dieses Mal auf dich abgeladen?«

»Kein Unheil just, Brigitte«, erwiderte Carsten, »nur eine Hoffnung, die sich nicht erfüllen kann.« Und dann berichtete er den Frauen von dem Angebot des Geweses, von seinen Wünschen und endlich – daß es sich denn doch nicht zwingen lasse.

Es folgte eine Stille nach diesen Worten. Anna schaute auf das Teekraut in ihrer leeren Tasse; aber sie fand kein Orakel darin, wie die alten Weiber das verstehen. Ihr kleiner Reichtum drückte sie wieder einmal; endlich faßte sie sich Mut, und die Augen zu ihrem Pflegevater aufhebend, sagte sie leise: »Ohm!«

»Was meinst du, Kind?«

– »Zürnt mir nicht, Ohm! Aber Ihr habt nicht gut gerechnet!«

»Nicht gut gerechnet! Anna, willst du es etwa besser machen?«

»Ja, Ohm!« sagte sie fest, und ein paar helle Tränen sprangen aus ihren blauen Augen; »sind meine dummen Taler denn auch dieses Mal nicht zu gebrauchen?«

Carsten blickte eine Weile schweigend zu ihr hinüber. »Ich hätte es mir von dir wohl denken sollen«, sagte er dann; »aber, nein, Anna, auch diesmal nicht.«

– »Weshalb nicht? Saget nur, weshalb nicht?«

»Weil eine solche Vermögensanlage keine Sicherheit gewährt.«

»Sicherheit?« – – Sie war aufgesprungen, und seine beiden Hände ergreifend, war sie vor ihm hingekniet; ihr junges Antlitz, das sie jetzt zu ihm erhob, war ganz von Tränen überströmt. »Ach, Ohm, Ihr seid schon alt; Ihr haltet das nicht aus; Ihr solltet nicht so viele Sorgen haben!«

Aber Carsten drängte sie von sich. »Kind, Kind, du willst mich in Versuchung führen; weder ich noch Heinrich dürfen solches annehmen.«

Hilfesuchend wandte Anna den Kopf nach Tante Brigitte; die aber saß wie ein Bild, die Hände vor sich auf den Tisch gefaltet. »Nun, Ohm«, sagte sie, »wenn Ihr mich zurückstoßt, so werde ich an Heinrich selber schreiben.«

Carsten legte sanft die Hand auf ihren Kopf. »Gegen meinen Willen, Anna? Das wirst du nimmer tun.«

Das Mädchen schwieg einen Augenblick; dann schüttelte sie leise den Kopf unter seiner Hand. »Nein, Ohm, das ist wohl wahr, nicht gegen Euren Willen. Aber seid nicht so hart: es gilt ja doch sein Glück!«

Carsten hob ihr Antlitz von seinen Knien zu sich auf und sagte: »Ja, Anna, das denk' ich auch; aber den Einsatz darf nur einer geben; der eine, der ihm auch das Leben gab. Und nun, mein liebes Kind, nichts mehr von dieser Sache!«

Er drückte sie sanft von sich ab; dann schob er seinen Stuhl zurück und ging hinaus.

Anna blickte ihm nach; bald aber sprang sie auf und warf sich Tante Brigitte in die Arme.

»Wir wollen es dem lieben Gott anheimstellen«, sagte die alte Frau; »ich habe dieses Mal meinen Bruder wohl verstanden.« Dann hielt sie das große Mädchen noch lange in ihren Armen.

– – Carsten war in den Hof gegangen. In der schon eingetretenen Dunkelheit saß er unter dem alten Familienbaum, der längst von Früchten leer war und aus dessen Krone er jetzt Blatt um Blatt neben sich zu Boden fallen hörte. Er dachte rückwärts in die Vergangenheit; und bald waren es Bilder, die von selber kamen und vergingen. Die Gestalt seines schönen Weibes zog an ihm vorüber, und er streckte die Arme in die leere Luft; er wußte selbst nicht, ob nach ihr oder nach dem fernen Sohn, der ihn noch unauflöslicher an ihren Schatten band. Dann wieder sah er sich selber auf der Bank sitzen, wo er gegenwärtig saß; aber als einen Knaben, mit einem Buche in der Hand; aus dem Hause hörte er die Stimme seines Vaters, und der kleine Peter kam auf seinem Steckenpferde in den Hof geritten. Bald aber mußte er sich fragen, weshalb dieses friedensvolle Bild ihn jetzt mit solchem Weh erfüllte. Da überkam's ihn plötzlich: »Damals – – ja, damals hatte er sein Leben selbst gelebt; jetzt tat ein anderer das; er hatte nichts mehr, das ihm selbst gehörte – – keine Gedanken – – keinen Schlaf –«

Er ließ seinen müden Körper gegen den Stamm des Baumes sinken; fast beruhigend klang der leise Fall der Blätter ihm ins Ohr.

– – Aber es sollte noch ein anderes geschehen, ehe dieser Tag zu Ende ging. – Drinnen hatte Brigitte sich endlich in gewohnter Weise an ihr Spinnrad gesetzt, und Anna begann den Tisch abzuräumen. Als sie mit dem Geschirr auf den Flur hinaustrat, ging eben der Postbote vorüber. »Für die Mamsell«, sagte er und reichte ihr einen Brief durch die halb offene Haustür. Bei dem Lichte, das auf dem Ladentisch brannte, erkannte Anna mit Verwunderung in der Adresse Heinrichs Handschrift; er hatte niemals so an sie geschrieben. Nachdenklich nahm sie das Licht und zog, als sie hineingetreten war, die Tür der Küche hinter sich ins Schloß.

Es dauerte lange, bevor sie wieder in die Stube kam; aber Brigitte hatte es nicht gemerkt; ihr Spinnrad schnurrte gleichmäßig weiter, während Anna wie alle Tage jetzt den Tisch zusammenklappte und wieder an die Wand setzte. Nur etwas unsicherer und lauter geschah das heute; von dem Briefe sagte sie weder der alten Frau noch ihrem Pflegevater, als dieser nach einiger Zeit ins Zimmer kam und sich an seine Bücher setzte. Endlich gingen die Frauen in das Oberhaus nach ihrer gemeinschaftlichen Schlafkammer, welche gegen den Hof hinaus lag. Die Fenster hatten offengestanden und die Abendfrische eingelassen; aber Anna konnte den Schlaf nicht finden; in das Rauschen des Birnbaums trug der Wind in langen gemessenen Pausen den Schall der Kirchenuhr herüber, und sie zählte eine Stunde nach der anderen.

Auch Brigitte schien heute nicht zu ihrem Recht zu kommen; denn sie setzte sich auf und sah nach dem Bette des Mädchens, das dem ihrigen gegenüber an der Wand stand. »Kind, hast du noch immer nicht geschlafen?« fragte sie.

– »Nein, Tante Brigitte.«

»Nicht wahr, du grämst dich um meinen alten Bruder? Aber ich kenne ihn, bitte ihn nicht mehr darum; es wäre ganz um seine Ruhe geschehen, wenn du ihn bereden könntest.«

Anna antwortete nicht.

»Schläfst du, Kind?« fragte Brigitte wieder.

– »Ich will es versuchen, Tante.«

Brigitte fragte nicht mehr; Anna hörte sie bald im ruhigen Schlummer atmen.

Es war fast Vormittag, als das junge Mädchen aus einem tiefen Schlaf erwachte, den sie endlich doch gefunden und aus dem die gute Tante sie nicht hatte wecken wollen. Rasch war sie in den Kleidern und ging ins Unterhaus hinab, wo sie durch die offene Tür des Pesels Brigitte an einem der dort befindlichen großen Schränke beschäftigt sah; aber sie ging nicht zu ihr, sondern in die Küche und ließ sich auf dem hölzernen Stuhl am Herde nieder. Nachdem sie von dem Kaffee, der für sie warmgestellt war, in eine Tasse geschenkt, eine Weile müßig davorgesessen und dann dieselbe zur Hälfte ausgetrunken hatte, stand sie mit einer entschlossenen Bewegung auf und trat gleich darauf ins Wohnzimmer.

Carsten stand am Fenster und schaute müßig auf den Hafenplatz hinaus. Jetzt wandte er sich langsam zu der Eintretenden: »Du hast nicht schlafen können«, sagte er, ihr die Hand reichend.

– »O doch, Ohm; ich hab' ja nachgeschlafen.«

»Aber du bist blaß, Anna. Du bist zu jung, um für anderer Leute Sorgen deinen Schlaf zu geben.«

»Anderer Leute, Ohm?« Sie sah ihm eine Weile ruhig in die Augen. Dann sagte sie: »Ich habe auch für mich selber viel zu denken gehabt.«

– »So sprich es aus, wenn du meinst, daß ich dir raten kann!«

»Sagt mir nur«, erwiderte sie hastig, »ist das Gewese in der Süderstraße noch zu kaufen? Ich hab's doch nicht verschlafen? Herr Jaspers ist doch nicht schon wieder hier gewesen?«

Carsten sagte fast hart: »Was soll das, Anna? Du weißt, daß ich es nicht kaufen werde.«

– »Das weiß ich, Ohm, aber – –«

»Nun, Anna, was denn: aber?«

Sie war dicht vor ihn hingetreten. »Ihr sagtet gestern, ich dürfe nicht zu Heinrichs Glück den Einsatz geben; aber – wenn Ihr gestern recht hattet, es ist nun anders geworden über Nacht.«

»Laß das, Kind!« sagte Carsten; »du wirst mich nicht bereden.«

»Ohm, Ohm!« rief Anna, und eine freudige Zärtlichkeit klang aus ihrer Stimme; »es hilft Euch nun nichts mehr; denn Euer Heinrich hat mich zur Frau verlangt, und ich werde ihm mein Jawort geben.«

Carsten starrte sie an, als sei der Blitz durch ihn hindurchgeschlagen. Er sank auf den neben ihm stehenden Ledersessel, und mit den Armen um sich fahrend, als müsse er unsichtbare Feinde von sich abwehren, rief er heftig: »Du willst dich uns zum Opfer bringen! Weil ich dein Geld allein nicht wollte, so gibst du dich nun selber in den Kauf!«

Aber Anna schüttelte den Kopf. »Ihr irrt Euch, Ohm! So lieb ihr mir auch alle seid, das könnt' ich nimmer; danach bin ich nicht geschaffen.«

Zaghaft, als könne sein Wort das nahende Glück zerstören, entgegnete Carsten: »Wie ist denn das? Ihr waret doch allezeit nur wie Geschwister!«

»Ja, Ohm!« und ein fast schelmisches Lächeln flog über ihr hübsches Angesicht; »ich habe das auch gemeint; aber auf einmal war's doch nicht mehr so.« Dann plötzlich ernst werdend, zog sie einen Brief aus ihrer Tasche. »Da leset selbst«, sagte sie, »ich erhielt ihn gestern vor dem Schlafengehen.«

Seine Hände griffen danach; aber sie bebten, daß seine Augen kaum die Zeilen fassen konnten.

Was sie ihm gegeben hatte, war der Brief eines Heimwehkranken. »Ich tauge nicht hier!« schrieb Heinrich, »ich muß nach Hause; und wenn Du bei mir bleiben willst, Du, Anna, mein ganzes Leben lang, dann werde ich gut sein, dann wird alles gut werden.«

Der Brief war auf den Tisch gefallen; Carsten hatte mit beiden Armen das Mädchen zu sich herabgezogen. »Mein Kind, mein liebes Kind«, flüsterte er ihr zu, während unaufhörlich Tränen aus seinen Augen quollen, »ja, bleibe bei ihm, verlaß ihn nicht; er war ja doch ein so guter kleiner Junge!«

Aber plötzlich, wie von einem inneren Schrecken getrieben, drückte er sie wieder von sich. »Hast du es bedacht, Anna?« sagte er – »ich könnte dir nicht raten, meines Sohnes Frau zu werden.«

Ein leichtes Zucken flog über das Gesicht des Mädchens, während der alte Mann mit geschlossenen Lippen vor ihr saß. Ein paarmal nickte sie ihm zu: »Ja, Ohm«, sagte sie dann, »ich weiß wohl, er ist nicht der Bedachteste, sonst hättet Ihr ja keine Sorgen; aber was damals, vor Jahren hier geschah, Ihr sagtet selbst einmal, Ohm, es war ein halber Bubenstreich; und wenn er auch den Ersatz noch nicht geleistet hat, so etwas ist doch nicht mehr vorgekommen.«

Carsten erwiderte nichts. Unwillkürlich gingen seine Blicke nach dem Ofen, worin die Fetzen jener Briefe lagen. – Wenn er sie jetzt hervorholte! Wenn er vor ihren Augen sie jetzt wieder Stück für Stück zusammenfügte! – Weder Anna noch Brigitte wußten von diesen Dingen!

Seine Tränen waren versiegt; aber er nahm sein Schnupftuch, um sich die hervorbrechenden Schweißperlen von der Stirn zu trocknen. Er versuchte zu sprechen; aber die Worte wollten nicht über seine Lippen.

Das schöne, blonde Mädchen stand wieder aufgerichtet vor ihm; mit steigender Angst suchte sie die Gedanken von seinem stummen Antlitz abzulesen.

»Ohm, Ohm!« rief sie. »Was ist geschehen? Ihr waret so still und sorgenvoll die letzte Zeit!« – Aber als er wie flehend zu ihr aufblickte, da strich sie mit der Hand ihm die gefurchte Wange. »Nein, sorget Euch nur nicht so sehr; nehmt mich getrost zur Tochter an; Ihr sollet sehen, was eine gute Frau vermag!«

Und als er jetzt in ihre jungen mutigen Augen blickte, da vermochte er das Wort nicht mehr hervorzubringen, vor dem mit einem Schlag seines Kindes Glück verschwinden konnte.

Plötzlich ergriff Anna, die einen Blick durchs Fenster getan hatte, seine Hände. »Da kommt Herr Jaspers!« sagte sie. »Nicht so? Ihr macht nun alles richtig?« Und ohne eine Antwort abzuwarten, ging sie rasch zur Tür hinaus. Da wurde ihm die Zunge frei. »Anna, Anna!« rief er; wie ein Hilferuf brach es aus seinem Munde. Aber sie hörte es nicht mehr; statt ihrer schob sich Herrn Jaspers' Fuchsperücke durch die Stubentür, und mit ihm hinein drängten sich wieder die schmeichelnden Zukunftsbilder und halfen, unbekümmert um das Dunkel hinter ihnen, den Handel abzuschließen.

Mit dem Eckhause an der anderen Seite der Twiete beginnt vom Hafenplatz nach Osten zu die Krämerstraße, deren gegenüberliegende Häuserreihe, am Markt vorüber, sich in der langen Süderstraße fortsetzt. Dort, in einem geräumigen Hause, wohnten Heinrich und Anna. Vor dem Laden auf dem geräumigen Hausflur wimmelte es an den Markttagen jetzt wieder von einkaufenden Bauern, und Anna hatte dann vollauf zu tun, die Gewichtigeren von ihnen in die Stube zu nötigen, zu bewirten und zu unterhalten; denn das gewandte und umgängliche Wesen ihres Mannes hatte die Kundschaft nicht nur zurückgebracht, sondern auch vermehrt.

Carsten konnte es sich nicht versagen, täglich einmal bei seinen Kindern vorzugucken. Von dem Hafenplatze, dort, wo die Schleuse nach Osten zu die Häuserreihe unterbricht, führte ein anmutiger Fußweg hinter den Gärten jener Straßen, auf welchem man derzeit zu einer bestimmten Vormittagsstunde ihn unfehlbar wandern sehen konnte. Aber er gönnte sich Weile; gestützt auf seinen treuen Bambus, stand er oftmals im Schatten der hohen Gartenhecken und schaute nach der anderen Seite auf die Wiesen, durch welche der Meerstrom sich ins grüne Land hinausdrängt; jetzt zwar gebändigt durch die Schleuse, im Herbst oder Winter aber auch wohl darüber hinstürzend, die Wiesen überschwemmend und die Gärten arg verwüstend. – Bei solchen Gedanken kamen Stock und Beine des Alten wieder in Bewegung: er mußte sogleich doch Anna warnen, daß sie zum Oktober ihre schönen Sellerie zeitig aus der Erde nehme. Hatte er dann das Lattenpförtchen zu Annas Garten erreicht, so kam die hohe Frauengestalt ihm meistens auf dem langen Steige schon entgegen; ja, als es zum zweiten

Male Sommer wurde, kam sie nicht allein; sie trug einen Knaben auf ihrem Arm, der ihr eigen und der auf den Namen seines Vaters getauft war. Und wie gut ihr das mütterliche Wesen ließ, wenn sie, die frische Wange an die ihres Kindes lehnend, leise singend den Garten hinabschritt! Selbst Carsten hatte auf diesen Gängen jetzt Gesellschaft; denn durch das Kind war, trotz ihrer vorgeschrittenen Altersschwäche, auch Brigitte in Bewegung gebracht. Unten am Pförtchen schon, wenn droben kaum die junge Frau mit dem Kinde aus den Bäumen trat, riefen die alten Geschwister den beiden zärtliche Worte zu. Brigitte nickte, und Carsten winkte grüßend mit seinem Bambusrohr, und wenn sie endlich nahegekommen waren, so konnte Brigitte an dem Anblick des Kindes, Carsten noch mehr an dem der Mutter sich kaum ersättigen.

– – Das Glück ging vorüber, ja, es war schon fort, als Carsten und Brigitte noch in seinem Schein zu wandeln glaubten; ihre Augen waren nicht mehr scharf genug, um die feinen Linien zu gewahren, die sich zwischen Mund und Wangen allmählich auf Annas klarem Antlitz einzugraben begannen.

Heinrich, der anfänglich mit seinem rasch verfliegenden Feuereifer das Geschäft angefaßt hatte, wurde bald des Kleinhandels und des dabei vermachten persönlichen Verkehrs mit dem Landvolke überdrüssig. Zu mehrerem Unheil war um jene Zeit wieder einmal ein großsprechender Spekulant in die Stadt gekommen, nur wenig älter als Heinrich und dessen Verwandter von mütterlicher Seite; er war zuletzt in England gewesen und hatte von dort zwar wenig Mittel, aber einen Kopf voll halbreifer Pläne mit herübergebracht, für die er bald Heinrichs lebhafte Teilnahme zu entzünden wußte.

Zunächst versuchte man es mit einem Viehexport auf England, der bisher in den Händen einer günstig belegenen Nachbarstadt gewesen war. Nachdem dies mißlungen war, wurde draußen vor der Stadt unter dem Seedeich ein Austerbehälter angelegt, um mit den englischen Natives den hiesigen Pächtern Konkurrenz zu machen; aber dem an sich aussichtslosen Unternehmen fehlte überdies die sachkundige Hand, und Carsten, dessen Warnung man vorher verachtet hatte, mußte einen Posten nach dem anderen decken und eine Schuld über die andere auf seine Grundstücke einschreiben lassen.

Anna sah jetzt ihren Mann nur selten einen Abend noch im Hause;

denn der unverheiratete Vetter nahm ihn mit in eine Wirtsstube, in der er den Beschluß seines Tagewerkes zu machen pflegte. Hier, beim heißen Glase, wurden die Unterhandlungen beraten, womit man demnächst die kleine Stadt in Staunen setzen wollte; nachher, wenn dazu der Kopf nicht mehr taugte, kamen die Karten auf den Tisch, wo Einsatz und Erfolg sich rascher zeigte.

Heinrich hatte bei alledem die Augen für sein Weib noch nicht verloren. Warf das Glück ihm einen augenblicklichen Gewinn zu, der ihn in seinem Sinne jedesmal zum reichen Manne machte, so gab er wohl die Hälfte davon hin, sei es für goldene Ketten oder Ringe oder für einen kostbaren Stoff, um ihren schönen Leib damit zu schmücken. Aber was sollte Anna, als die Frau eines Kleinhändlers, mit diesen Dingen, zumal da nach und nach die ganze Leitung des Ladengeschäftes auf ihre Schultern gekommen war?

Eines Sonntags – die erste Ladung Austern war damals eben rasch und glücklich ausverkauft –, da sie, ihren Knaben auf dem Arm, im Zimmer auf und ab ging, trat Heinrich rasch und fröhlich zu ihr ein. Nachdem er eine Weile seine Augen auf ihrem Antlitz hatte ruhen lassen, führte er sie vor den Spiegel und legte dann plötzlich ein Halsband mit *à jour* gefaßten Saphiren um ihren Nacken; glücklich wie ein Kind betrachtete er sie. »Nun, Anna? – Laß dir's gefallen, bis ich dir Diamanten bringen kann!«

Der Knabe griff nach den funkelnden Steinen und stieß Laute des Entzückens aus, aber Anna sah ihren Mann erschrocken an. »O Heinrich, du hast mich lieb; aber du verschwendest! Denk' an dich, an unser Kind!«

Da war die Freude auf seinem Antlitz ausgelöscht; er nahm den Schmuck von ihrem Halse und legte ihn wieder in die Kapsel, aus der er ihn zuvor genommen hatte. »Anna!« sagte er nach einer Weile und ergriff fast demütig die Hand seiner Frau, »ich habe meine Mutter nicht gekannt, aber ich habe von ihr gehört – nicht zu Hause, mein Vater hat mir nie von ihr gesprochen; ein alter Kapitän in Hamburg, der in seiner Jugend einst ihr Tänzer war, erzählte mir von ihr –, sie ist schön gewesen; aber sie hat auch nichts anderes wollen, als nur schön und fröhlich sein; für meinen Vater ist ihr Tod vielleicht ein Glück gewesen – ich hatte oftmals Sehnsucht nach dieser Mutter; aber, Anna – ich glaube, ihren Sohn, den hättest du besser nicht zum Manne genommen.«

In leidenschaftlicher Bewegung schlang das junge Weib den freien Arm um ihres Mannes Nacken. »Heinrich, ich weiß es, ich bin anders als du, als deine Mutter; aber darum eben bin ich dein und bin bei dir; wolle auch du nur bei mir sein, geh nur abends nicht immer fort, auch um deines alten Vaters willen tu' das nicht! Er grämt sich, wenn er dich in der Gesellschaft weiß.«

Aber bei Heinrich hatte infolge der letzten Worte die Stimmung schon gewechselt. Er löste Annas Arm von seinem Halse, und mit einem Scherz, der etwas unsicher über seine Lippen kam, sagte er: »Was kann denn ich dafür, wenn der Wein, den ich trinke, meinem Vater Kopfweh macht?«

Mit einer heftigen Bewegung schloß Anna den Knaben an ihre Brust. »Sei versichert, Heinrich, ich werde treulich sorgen, daß dieses Kind das nicht dereinst von seinem Vater sage!«

»Nun, nun, Anna! Es war ja nicht so bös gemeint.«

– – Wie es immer gemeint sein mochte, anders war es deshalb nicht geworden. Der Nachtwächter, wenn er derzeit auf seiner Runde sich Heinrichs Hause näherte, sah oft den Kopf der jungen Frau aus dem offenen Fenster in die nächtlich stille Gasse hinaushorchen; er kannte sie wohl, denn er war der Vater jenes Nachbarkindes, mit dem Anna sich einst so liebreich umhergeschleppt hatte. Ehrerbietig, ohne von ihr bemerkt zu werden, zog er im Vorübergehen seinen Hut und rief erst weit hinter ihrem Hause die späte Stunde ab. Aber Anna hatte doch jeden Glockenschlag gezählt, und wenn endlich der bekannte Schritt von unten aus der Straße ihr entgegenscholl, so war er meistens nicht so sicher, als sie ihn am Tage doch noch zu hören gewohnt war. Dann floh sie ins Zimmer zurück und warf angstvoll die Arme über die Wiege ihres Kindes.

In der Stadt schüttelten schon längst die klugen wie die dummen Leute ihre Köpfe, und abends im Ratskeller konnte man von vergnüglichem Lachen die Fuchsperücke auf Herrn Jaspers' Haupte hüpfen sehen; ja, er konnte sich nicht enthalten, seinem Freunde, dem Stadtwagemeister, wiederholt die tröstliche Zuversicht auszusprechen, daß das Haus in der Süderstraße bald noch einmal durch seine schmutzigen Maklerhände gehen werde.

Indessen hatte Carsten einen stillen, immer wiederkehrenden Kampf mit seinem eigenen Kinde zu bestehen. Damals bei Eingehung der Ehe hatte er es bei den Brautleuten durchgesetzt, daß ein Teil von Annas Vermögen als deren Sondergut unter seiner Verwaltung geblieben war; jetzt sollte auch dieses in das Kompagniegeschäft hineingerissen werden; aber Anna, welche, seit sie Mutter geworden war, diesen Rest als das Eigentum ihres Kindes betrachtete, hatte alles in ihres Ohms und Vaters treue Hand gelegt. – Stöhnend, wenn nach solcher Verhandlung der Sohn ihn unwillig verlassen hatte, blickte der Greis wohl nach dem Ofen, in dem vor Jahren die Reste jener Briefe verbrannt waren, oder er stand vor seinem Familienbilde und hielt stumme, schmerzliche Zwiesprach' mit dem Schatten seiner eigenen Jugend.

Ein anscheinend unbedeutender Umstand kam noch hinzu. In einer Nacht, es mochte schon gegen zwei Uhr morgens sein, erkrankte die alte Brigitte plötzlich, und da nur über Tag eine Aushilfsfrau im Hause war, so machte Carsten sich selber auf, den Arzt zu holen.

Sein Rückweg führte ihn an jener vorerwähnten Wirtsstube vorüber, aus deren Fenstern allein in der dunkeln Häuserreihe noch ein Lampenschein auf die Straße hinausfiel. Gäste schienen nicht mehr dort zu sein, denn es war ganz still darinnen; und schon hatte Carsten das Haus im Rücken, da drang von dort ein heiserer Laut in seine Ohren, der ihn plötzlich stillstehen machte; in dieser häßlichen Menschenstimme, in der sich eine andere ihm bekannte zu verstecken schien, war etwas, das ihn auf den Tod erschreckte. Er konnte nicht weiter, er mußte zurück; lauernd und gierig, noch einmal und genauer dann zu hören, stand er unter dem Fenster der verrufenen Kneipe. Und noch einmal kam es, müde, wie von lallender Zunge ausgestoßen. Da schlug der Alte beide Hände über den Kopf zusammen, und sein Stock fiel schallend auf die Steine.

Brigitte genas allmählich, soweit man im fünfundsiebzigsten Jahre noch genesen kann; Carsten aber hatte seit jener Nacht auch seinen letzten Schlaf verloren. Immer meinte er, von jener Trinkstube her, die doch mehrere Straßen weit entfernt lag, die heisere Stimme seines Sohnes zu hören; er setzte sich auf in seinen Kissen und horchte auf die Stille der Nacht; aber immer wieder in kleinen Pausen löste sich aus ihr jener furchtbare Ton; seine hagere Hand griff in das Dunkel hinein, als wolle sie die des Sohnes fassen; aber schlaff fiel sie alsbald über den Rand des Bettes nieder.

Seine Gedanken flogen zurück in Heinrichs Kinderzeit; er suchte sich das glückliche Gesicht des Knaben zurückzurufen, wenn es hieß: »Am Deich spazierengehen«; er suchte seinen Jubel zu hören, wenn ein Lerchennest gefunden oder eine große Seespinne von der Flut ans Ufer getrieben wurde. Aber auch hier kam etwas, um seinen kargen Schlaf mit ihm zu teilen. Nicht nur, wenn es von den Nordseewatten her an sein Fenster wehte, sondern auch in todstiller Nacht, immer war jetzt das eintönige Tosen des Meeres in seinen Ohren; wie zur Ebbezeit von weit draußen, hinter der Schmaltiefe schien es herzukommen; statt des glücklichen Gesichtes seines Knaben sah er die bloßgelegten Strecken des gärenden Wattenschlamms im Mondschein blänkern, und daraus flach und schwarz erhob sich eine öde Hallig. Es war dieselbe, bei der er einst mit Heinrich angefahren, um Möwen- oder Kiebitzeier dort zu suchen. Aber sie hatten keine gefunden; nur den aufgeschwemmten Leichnam eines Ertrunkenen. Er lag zwischen dem urweltlichen Kraut des Queller, von großen Vögeln umflogen, die Arme ausgestreckt, das furchtbare Totenantlitz gegen den Himmel gekehrt. Schreiend, mit entsetzten Augen, hatte bei diesem Anblick der Knabe sich an den Vater angeklammert.

Immer wieder, ja selbst im Traum, wohin diese Vorstellungen ihn verfolgten, suchte der Greis seine Gedanken nach friedlicheren Orten hinzulenken; aber jedes Wehen der Luft führte ihn zurück auf jenes furchtbare Eiland.

Auch die Tage waren anders geworden; der alte Carsten Curator führte zwar noch diesen seinen Beinamen; aber er führte ihn fast nur noch wie ein pensionierter Beamter seinen Amtstitel, und freilich ohne alle Pension. Die meisten seiner derartigen Geschäfte waren in jüngere Hände übergegangen; nur das kleine städtische Amt, das er derzeit wirklich erhalten hatte, wurde noch von ihm bekleidet, und auch der Wollwarenhandel ging in Brigittens alternder Hand seinen, freilich immer schwächeren Gang.

Es war an einem Nachmittag zu Anfang des November. Der Wind kam steif aus Westen; der Arm, mit dem die Nordsee in Gestalt des schmalen Hafens in die Stadt hineinlangt, war von trübgrauem Wasser angefüllt, das kochend und schäumend schon die Hafentreppen überflutet hatte und die kleinen vor Anker liegenden Inselschiffe hin und wider warf. Hier und da begann man schon vor Haustüren und Kellerfenstern die hölzernen Schotten einzulassen, zwischen deren doppelte Wände dann der Dünger eingestampft wurde, der schon seit Wochen auf allen Vorstraßen lagerte.

Aus dem Hause an der Twiete trat, von Brigitte zur Tür geleitet, ein junger Schiffer, der sich mit einer wollenen Jacke für den Winter ausgerüstet hatte; aber der Sturm riß ihm das Papier von seinem Packen und den Hut vom Kopfe. »Oho, Jungfer Brigitte«, rief er, indem er seinem Hute nachlief, »der Wind ist umgesprungen; das gibt bös Wasser heut!«

»Herr du mein Jesus!« schrie die Alte; »sie dämmen überall schon vor! Christinchen, Christinchen!« – sie wandte sich zu einem Nachbarskinde, das sie in Abwesenheit der Eltern in ihrer Obhut hatte – »die Schotten müssen aus dem Keller! Lauf' in die Krämerstraße; der lange Christian, er muß sogleich herüberkommen!«

Das Kind lief; aber der Sturm faßte es und hätte es wie einen armen Vogel gegen die Häuser geworfen, wenn nicht zum Glück der lange Christian schon gekommen wäre und es mit zurückgebracht hätte.

Die Schotten wurden herbeigeholt und vor der Haustür bis zu halber Mannshöhe eingelassen. Als die Dämmerung herabfiel, war fast der ganze Hafenplatz schon überflutet; aus den dem Bollwerk nahegelegenen Häusern brachte man mit Böten die Bewohner nach den höheren Stadtteilen. Die Schiffe drunten rissen an den Ankerketten, die Masten schlugen gegeneinander; große weiße Vögel wurden mitten zwischen sie hineingeschleudert oder klammerten sich schreiend an die schlotternden Taue.

Brigitte und das Kind hatten eine Zeitlang der Arbeit des langen Christian zugesehen; jetzt saßen sie im Dunkeln in der Stube hinter den fest angeschrobenen Fensterläden. Draußen das Klatschen des Wassers, das Pfeifen in den Schiffstauen, das Rufen und Schreien der Menschen; wie grimmig zerrte es an den Läden, als wollte es sie herunterreißen. »Hu«, sagte das Kind »es kommt herein, es holt mich!«

»Kind, Kind«, rief die Alte, »was sprichst du da? Was soll hereinkommen?«

»Ich weiß nicht, Tante; das, was da außen ist!«

Brigitte nahm das Kind auf ihren Schoß.

»Das ist der liebe Gott, Christinchen; was der tut, das ist wohlgetan. – Aber komm, wir wollen oben nach meiner Kammer gehen!«

Währenddessen war Carsten hinten im Pesel beschäftigt; er packte die in dem einen Schranke lagernden alten Papiere und Rechnungsbücher aus und trug sie nach der Kammer des Seitenbaues hinauf; denn erst nach etwa einer Stunde war hohe Flut; das untere Haus war heute nicht sicher vor dem Wasser.

Eben trat er, eine brennende Unschlittkerze in der Hand, wieder in den Pesel; das im Zuge qualmende Licht, welches er in Ermangelung eines Tisches auf die Fensterbank niedersetzte, ließ den hohen Raum mit den mächtigen Schränken nur um so düsterer erscheinen; bei dem schräg von Westen einfallenden Sturme rasselten die in Blei gefaßten Scheiben, als sollten sie jeden Augenblick auf die Fliesen hinabgeschleudert werden.

Der Greis schien es desungeachtet und trotz der Schreie und Rufe, die von der Straße zu ihm hereindrangen, nicht eben eilig mit seiner Arbeit zu haben. Sein Haus, das steinerne, würde schon stehenbleiben; ein anderer Untergang seines Hauses stand ihm vor der Seele, dem er nicht zu wehren wußte. Am Vormittage war Anna dagewesen und hatte, als letzte Rettung ihres Mannes, nun selbst die Auslieferung ihrer Wertpapiere von ihm verlangt; aber auch ihr, die zu dieser Forderung berechtigt war, hatte er sie abgeschlagen. »Verklage mich; dann können sie mir gerichtlich abgenommen werden!«

Er wiederholte sich jetzt diese Worte, mit denen er sie entlassen hatte, und Annas gramentstelltes Antlitz stand vor ihm auf, eine stumme Anklage, der er nicht entgehen konnte.

Als er sich endlich wieder an dem Schranke niederbückte, hörte er draußen die Tür, welche von der Twiete in den Hof führte, gewaltsam aufreißen; bald darauf wurde auch die Hoftür des Pesels aufgeklinkt, und wie vom Sturm hereingeworfen, stand mitten in dem düsteren Raume eine Gestalt, in der Carsten allmählich seinen Sohn erkannte.

Aber Heinrich sprach nicht und machte auch keine Anstalt, die Tür, durch welche der Sturm hereinblies, wieder zu schließen. Erst nachdem sein Vater ihn aufgefordert hatte, tat er das; doch war ihm mehrmals die Klinke dabei aus der Hand geflogen.

»Du hast mir noch keinen guten Abend geboten, Heinrich«, sagte der Alte.

»Guten Abend – Vater.«

Carsten erschrak, als er den Ton dieser Stimme hörte; nur einmal, in einer Nacht nur hatte er ihn gehört. »Was willst du?« frug er. »Weshalb bist du nicht bei Frau und Kind. Das Wasser wird schon längst in eurem Garten sein.«

Was Heinrich hierauf erwiderte, war bei dem Tosen, das von allen Seiten um das Haus fuhr, kaum zu hören.

»Ich verstehe dich nicht! Was sagst du?« rief der Greis. – »Das Geld? Die Papiere deiner Frau? – Nein, die gebe ich nicht!«

»Aber – ich bin bankerott – schon morgen!« Die Worte waren gewaltsam hervorgestoßen, und Carsten hatte sie verstanden.

»Bankerott!« Wie betäubt wiederholte er das eine Wort. Aber bald danach trat er dicht zu seinem Sohne, und die hagere Hand wie zu eigener Stütze gegen seine Brust pressend, sagte er fast ruhig: »Ich bin weit mit dir gegangen, Heinrich; Gott und dein armes Weib wollen mir das verzeihen! Ich gehe nun nicht weiter; was morgen kommt, – wir büßen beide dann für eigene Schuld.«

»Vater! mein Vater!« stammelte Heinrich. Er schien die Worte, die zu ihm gesprochen wurden, nicht zu fassen.

In jähem Andrang streckte der Greis beide Arme nach dem Sohne aus; und wenn die in dem großen Raume herrschende Dämmerung es gestattet hätte und wenn seine Augen klar genug gewesen wären, Heinrich hätte vor dem Ausdruck in seines Vaters Angesicht erschrecken müssen; aber die Schwäche, welche diesen für einen Augenblick überwältigt hatte, ging vorüber. »Dein Vater?« sagte er, und seine Worte klangen hart. »Ja, Heinrich! – Aber ich war noch etwas anderes – die Leute nannten mich danach – nur ein Stück noch habe ich davon behalten; sieh zu, ob du es aus meinen alten Händen reißen kannst! Denn – betteln gehen, das soll dein Weib doch nicht, weil ihr Kurator sie für seinen schlechten Sohn verraten hat!« Von draußen drang ein Geschrei herein, und aus entfernten Straßen scholl der dumpfe herkömmliche Notruf: »Water! Water!«

»Hörst du nicht?« rief der Alte; »die Schleuse ist gebrochen! Was stehst du noch? Ich habe keine Hilfe mehr für dich!«

Aber Heinrich antwortete nicht; er ging auch nicht; mit schlaff herabhängenden Armen blieb er stehen.

Da, wie in plötzlicher Anwandlung, griff Carsten nach der flackernden Unschlittkerze und hielt sie dicht vor seines Sohnes Angesicht.

Zwei stumpfe gläserne Augen starrten auf ihn hin.

Der Greis taumelte zurück. »Betrunken!« schrie er, »du bist betrunken!«

Er wandte sich ab; mit der einen Hand die qualmende Kerze vor sich haltend, die andere abwehrend hinter sich gestreckt, wankte er nach der Tür des Seitenbaues. Als er hindurchschritt, fühlte er sich an seinem Rocke gezerrt; aber er machte sich los, und es wurde finster im Pesel, und von der anderen Seite drehte sich der Schlüssel in der Tür.

Der Trunkene war plötzlich seiner Sinne mächtig geworden. Wie aus dem Nebel eines Traumes erwachend, fand er sich allein in dem ihm wohlbekannten dunklen Raume; er wußte mit einem Male jedes Wort, das zu ihm gesprochen war. Er tastete an der verschlossenen Tür, er rüttelte daran. »Vater! hör' mich!« rief er, »hilf mir, mein Vater! nur noch dies eine, letzte Mal!« Und wieder rüttelte er, und noch einmal mit lauter Stimme rief er es. Aber, ob der Sturm es verwehte, oder ob seines Vaters Ohr für ihn verschlossen war, ihm wurde nicht geöffnet; nichts hörte er als das Toben in den Lüften und zwischen den Schluchten der Höfe und Häuser.

Eine Weile noch stand er, das Ohr gegen die Tür gedrückt; dann endlich ging er fort. Aber nicht durch den Hof nach der Twiete, wo die Tür vielleicht noch frei von Wasser war; er ging durch den Flur an die Schotten der offenen Haustür, an denen schon bis zur halben Höhe das Wasser hinaufklatschte. Der Mond war aufgestiegen; aber am Himmel flogen die Wolken; Licht und Dunkel jagten abwechselnd über die schäumenden Wasser. Vor ihm über der Schleuse, wo es ostwärts durch die Häuserlücke nach den Gärten und Wiesen geht, schien jetzt ein mächtiger Strom hinabzuschießen; er glaubte den Todesschrei der Tiere zu hören, welche die erbarmungslosen Naturgewalten wie im Taumel dort vorüberrissen. Ihn schauderte – was wollte er hier? – Aber gleich darauf warf er den bleichen, noch immer jugendlich schönen Kopf zurück. »Oiho, Jens!« rief er plötzlich; er hatte seitwärts unter den Häusern ein mit zwei Leuten bemanntes Boot erblickt, das zu ei-

nem der früheren Austerschiffe gehörte. Ein trotziger Übermut sprüh-
te aus seinen eben noch so stumpfen Augen. »Gib mir das Boot, Jens!
Oder habt ihr selbst noch was damit?«

»Diesmal nicht!« scholl es zurück. »Aber wohin will der Herr?«

»Wohin? Ja wohin? Dort, nur querüber nach der Krämerstraße!«
Das winzige Boot legte sich an die Schotten.

»Steigt ein, Herr; aber setzt uns hier nebenan beim Schlachter ab!«
Heinrich stieg ein, und die beiden anderen wurden, wie sie es verlangten, ausgesetzt. Als sie aber dort hinter den Schotten in der Haustür standen, sahen sie bald, daß das Boot nicht, wie Heinrich angege-
ben, in den sicheren Paß der Straße lenkte.

»Herr zum Teufel«, schrie der eine, »wo wollt Ihr hin?«
Heinrich war noch im Schutze der Häuserreihe.

»Nach Haus!« rief er zurück. »Hintenum nach Haus!«

»Herr, seid Ihr toll! Das geht nicht! Das Boot kentert, eh' Ihr um
die Schleuse seid!«

»Muß gehen!« kam es noch einmal halbverweht zurück; dann schoß
das Boot in den wüsten Wasserschwall hinaus. Noch einen Augenblick
sahen sie es wie einen Schatten von den Wellen auf und ab geworfen;
als es über der Schleuse in die Häuserlücke gelangte, wurde es vom
Strom gefaßt. Die Leute stießen einen Schrei aus; das Boot war jählings ihrem Blick verschwunden. – –

»War mir doch«, sagte Brigitte oben in ihrer Kammer zu dem Kinde, »als hätte ich vorhin des Onkel Heinrichs Stimme gehört! Aber
wie sollte der hierherkommen!« Dann ging sie hinaus und rief von der
Treppe in den dunklen Flur hinab: »Heinrich, bist du da, Heinrich?«
– Als keine Antwort kam, schüttelte sie den Kopf und horchte noch
einmal; aber nur das Wasser klatschte gegen die Schotten.

Sie ging vollends in das Unterhaus hinab, entzündete mit Mühe ein
Licht und stellte es in das Ladenfenster; dann, nachdem sie den Was-
serstand besichtigt hatte, stieg sie wieder hinauf in ihre Kammer. »Sei
ruhig, Christinchen, das Wasser kommt heute nicht ins Haus; aber der
Onkel Heinrich ist auch nicht dagewesen.«

Wohl eine Viertelstunde war vergangen; draußen schien es ruhiger
zu werden, die Leute saßen abwartend in ihren Häusern. Da setzte Brigitte plötzlich das Kind von ihrem Schoße. »Was war das? Hörtest du

das, Christinchen?« Und wieder lief sie nach der Treppe. »Ist jemand unten?« rief sie in den Flur hinab.

Eine Männerstimme antwortete durch die offene Haustür.

»Was wollt Ihr? Seid Ihr's denn, Nachbar?« fragte die Alte. »Wie seid Ihr an das Haus gekommen?«

»Ich hab' ein Boot, Brigitte, aber kommt einmal herab!«

So rasch sie vor dem Kinde konnte, das sich wieder an ihren Rock geklammert hatte, stieg sie die Treppe hinab. »Was ist denn, Nachbar? Gott schütze uns vor Unglück!«

»Ja, ja, Brigitte, Gott schütze uns! Aber hinter der Krämerstraße auf den Fennen ist ein Mensch in Not.«

»Allbarmherziger Gott, ein Mensch! Wollt Ihr das große Tau von unserem Boden?«

Der Mann schüttelte den Kopf. »Es ist zu weit, der Mensch sitzt auf dem hohen Scheuerpfahl, der nur noch eben über Wasser ist. Hört nur! Man kann ihn schreien hören! – Nein, nein, es war nur der Wind. Aber drüben von des Bäckers Hausboden können sie ihn sehen.«

»Bleibt noch!« sagte die Alte. »Ich will Carsten rufen; vielleicht weiß der noch Rat.« Ein paar Worte noch wechselten sie; dann lief Brigitte nach dem Pesel. Aber es war dunkel, Carsten war nicht dort. Als sie sich mit dem Kinde nach der Ecke des Seitenbaues hingetastet hatte, fand sie die Tür verschlossen.

»Carsten, Carsten!« rief sie und schlug mit beiden Händen drauflos. Endlich kam es die Treppe herab, der Schlüssel drehte sich, und Carsten mit der heruntergebrannten Kerze in der Hand trat ihr totenbleich entgegen.

»Um Gottes willen, Bruder, wie siehst du aus! Warum verschließt du dich? Was hast du oben in der Totenkammer aufgestellt?«

Er sah sie ruhig, aber wie abwesend aus seinen großen Augen an.

»Was willst du, Schwester?« fragte er. »Ist denn das Wasser schon im Fallen?«

»Nein, Bruder; aber es hat ein Unglück gegeben!« Und sie berichtete mit fliegenden Worten, was der Nachbar ihr erzählt hatte.

Die steinerne Gestalt des Alten wurde plötzlich lebendig. »Ein Mensch? Ein Mann, Brigitte?« rief er und packte den Arm seiner alten Schwester.

»Freilich, freilich; ein Mann, Bruder!«

Das Kind, das Brigittens Rock nicht losgelassen hatte, streckte jetzt sein Köpfchen vor. »Ja, Carsten Ohm«, sagte es wichtig, »und der Mann ruft immer nach seinem Vater! Von Nachbar Bäcker seinem Boden können sie ihn schreien hören!«

Carsten ließ das Licht auf die Fliesen fallen und stürzte fort. Er war schon drunten vor den Schotten und wäre in das Wasser hinausgestiegen, wenn ihm der Nachbar nicht noch zur Not ins Boot geholfen hätte.

Einige Augenblicke später stand er drüben in der Krämerstraße auf dem dunklen Boden des Bäckers und ließ durch die offene Luke seine Blicke in den nächtlichen Graus hinausirren.

»Wo? wo?« fragte er zitternd.

»Guckt nur geradeaus! Der Pfahl auf Peter Hansens Fenne!« antwortete der dicke Bäcker, der, mit den Daumen in den Armlöchern seiner Weste, neben ihm stand; »'s ist nur zu dunkel jetzt, Ihr müßt warten, bis der Mond wieder vorkommt! Aber ich geh' nach unten; ich bin zu weich; ich halt's nicht aus, das Schreien hier mit anzuhören.«

»Schreien? Ich höre nichts!«

»Nicht? Nun, helfen kann's dem drüben auch nicht weiter.«

Eine blendende Mondhelle brach durch die vorüberjagenden Wolken und beleuchtete das geisterbleiche Gesicht des Greises, der sein fliegendes Haar mit beiden Händen hielt, während die großen Augen angstvoll über die schäumende Wasserwüste schweiften.

Plötzlich zuckte er zusammen.

»Carsten, alle Teufel, Carsten!« rief der Bäcker, der trotz seines weichen Herzens noch zur Stelle war; denn in demselben Augenblicke war Carsten lautlos in die Arme des dicken Mannes hingefallen.

»Ja, so«, setzte der hinzu, als er nun auch einen Blick durch die Luke tat; »der Pfahl ist, bei meiner armen Seele, leer! Aber was zum Henker ging denn das den Alten an!«

Es ist zwar nie ermittelt worden, wer der Mensch gewesen, dessen Notschrei derzeit von der Flut erstickt wurde; gewiß aber ist es, daß Heinrich weder in jener Nacht noch später wieder nach Hause gekommen oder überhaupt gesehen worden ist.

Im übrigen hat Herrn Jaspers' fröhliche Zuversicht sich mehr noch als bewährt; nicht nur das Haus in der Süderstraße, auch das an der Twiete ging bald durch seine Hände. Nur Tante Brigittens Sarg stand noch im kühlen Pesel und wurde von da zur ewigen Ruhe hinausgetragen. Carsten mußte ausziehen; während drinnen der Auktionshammer schallte, ging er, von Anna gestützt, aus seinem alten Hause, um es niemals wieder zu betreten. Oben in der Süderstraße, weit hinter Heinrichs früherem Gewese, dort wo die letzten kleinen Häuser mit Stroh bedeckt sind, war jetzt ihre gemeinschaftliche Heimat. Ein Amt bekleidete Carsten nicht mehr, auch sonst betrieb er keine Geschäfte; denn in jener Nacht war er vom Schlage getroffen worden, und sein Kopf hatte gelitten; dagegen war er noch wohl geeignet, den kleinen Heinrich zu warten, welcher den halben Tag auf seines Großvaters Schoße zubrachte. Not litt der Alte nicht, obgleich Anna auch den letzten Bruchteil ihres Vermögens um des Gedächtnisses ihres Mannes willen hingegeben hatte; aber ihre Hände und ihr Mut waren nimmer müde. Sie war völlig verblüht, nur ihr schönes blondes Haar hatte sie noch behalten; aber eine geistige Schönheit leuchtete jetzt von ihrem Antlitz, die sie früher nicht besessen hatte; und wer sie damals in ihrer hohen Gestalt zwischen dem Kinde und dem zum Kind gewordenen Manne erblickt hat, dem mußten die Worte der Bibel ins Gedächtnis kommen: Stirbt auch der Leib, doch wird die Seele leben!

Für den Greis aber bildete es eine täglich wiederkehrende Lust, die Züge der Mutter in dem kleinen Antlitz seines Enkels aufzusuchen. »Dein Sohn, Anna; ganz dein Sohn!« pflegte er nach längerer Betrachtung auszurufen. »Er hat ein glückliches Gesicht!« Dann nickte Anna und sagte lächelnd: »Ja, Großvater; aber der Junge hat ganz Eure Augen.«

Und so geht es fort in den Geschlechtern: die Hoffnung wächst mit jedem Menschen auf; aber keiner denkt daran, daß er mit jedem Bissen seinem Kinde zugleich ein Stück des eigenen Lebens hingibt, das von demselben bald nicht mehr zu lösen ist. Heil dem, dessen Leben in seines Kindes Hand gesichert ist; aber auch dem noch, welchem von allem, was er einst besessen, nur eine barmherzige Hand geblieben ist, um seinem armen Haupte die letzten Kissen aufzuschütteln.

Zur »Wald- und Wasserfreude«

Im dritten Hause von der Marktecke, wo in dem Schaufenster der Tempel aus weißem Dragant mit Rosengirlanden und fliegenden Amoretten zwischen einer Garnitur von Franz- und Sauerbrötchen prangte, wohnte derzeit Herr Hermann Tobias Zippel. Er hatte vordem in einer anderen Stadt des Landes allerlei Handelsgeschäfte getrieben, war aber, nachdem er sich solcherweise ein kleines Vermögen erworben hatte, seiner unruhigen Natur gemäß von dort verzogen, um einmal anderswo was anderes zu beginnen. In seinem jetzigen Hause hatte er eine Konditorei und eine Bäckerei errichtet, deren notwendige Verbindung dem beschränkten Geiste dieser Stadt bisher noch unentdeckt geblieben war; nach Erbauung des weißen Draganttempels wurde dann auch noch eine Tapetenhandlung angelegt; d. h. was man wirklich so Tapeten nennen konnte; denn vor ihm, wie er händereibend zu versichern pflegte, hatten die Leute sich ihre Stuben nur mit aller Art von buntem Löschpapier verkleistert.

Herr Zippel war ein blasses Männchen mit vollem dunkelm Haupthaar, das er, um seinem arbeitenden Gehirne Luft zu schaffen, alle Augenblicke mit seinen fünf gespreizten Fingern in die Höhe zog. Wohl zehnmal in einer Stunde, gleich einem Marionettenmännchen, erschien und verschwand er in dem Rahmen seiner allzeit offenen Haustür; und den an dem gegenüberliegenden Straßenpflaster strickenden Damen begann etwas zu fehlen, sobald das gewohnte Spiel einmal versagte.

Das einzige Kind des Hauses war eine Tochter, ein braunes, grätiges Ding mit zwei langen schwarzen Zöpfen und damals kaum dreizehn Jahre alt. In der Taufe hatte sie den Namen »Rosalie« erhalten, und wenn Herr Zippel, sei es pathetisch oder auch nur zornig war, dann wurde sie auch so von ihm gerufen, für gewöhnlich aber nannte man sie, aus Gott weiß welchem Grunde, »Kätti«. Herr Zippel schickte seine Tochter in die beste Mädchenschule, aber sie war eine berufen schlechte Schülerin. Nur in der Geographiestunde pflegte sie mitunter aufzumerken; der Lehrer war einst in vielen Ländern herumgekommen, und seine Vorträge gewannen zuweilen den Ton der Sehnsucht in die weite, weite Welt; dann starrten ihn die schwarzen Augensterne an, und die mageren Arme des Kindes reckten sich über den

Schultisch immer weiter ihm entgegen. Auch in den Klavierstunden, die ihr der Vater geben ließ, blieb sie nicht dahinter; ja sie zeigte bisweilen eine Auffassung, die über ihre Jahre hinauszugehen schien; und es konnte dann wohl geschehen, daß sie mitten im Stücke aufsprang und davonlief, als ob was Fremdes über sie hereingebrochen sei.

Aber der schwere Klavierkasten, der so fest gegen die Wand geschoben stand, war nicht das Instrument, das ihre eigenste Natur verlangte. Ein solches, das sie bis jetzt nur in den Händen durchziehender Künstlerinnen gesehen hatte, sollte ihr erst jetzt zuteil werden.

Auf dem Boden des langgestreckten Hauses befand sich nach dem Hofe zu eine Giebelstube, in welche unlängst bei Beginn des Sommersemesters ein schon älterer Primaner eingezogen war. Aus irgendeinem Winkel hatte Kätti von rotbemützten jungen Herren nebst vielen Büchern auch eine Gitarre hineintragen und mit verlangenden Augen hinter der sich schließenden Stubentür verschwinden sehen. Aber eines Nachmittags, da sie ihren Hausgenossen sicher in seiner Gelehrtenschule wußte, und während sie selber freilich in ihrer Mädchenschule sitzen sollte, huschte sie leise über den Boden und blickte durch die geöffnete Tür in die leere Stube. Als sie die Gitarre gegenüber an der Wand hängen sah, schlüpfte sie hinein und zog hinter sich die Tür ins Schloß.

Ebenso ging es am folgenden Nachmittage und noch ein paar Tage weiter; endlich kam Klage aus der Mädchenschule: Kätti hatte die letzte Woche jeden Nachmittag gefehlt. Es war kein Zweifel, sie mußte sich bis dahin zierlich durchgelogen haben; nun aber brach das Wetter über sie herein. Herr Zippel erinnerte sich plötzlich ihres Taufnamens; mit gesträubtem Haupthaar lief er im Hause umher; den Brief der Lehrerin hielt er in der einen Hand und schlug ihn mit der anderen. »Rosalie!« rief er, »Rosalie! Wo hat das Unglückskind sich wieder hinverflogen!«

Endlich, irgendwoher, erschien sie vor ihm; halb lauernd, halb ängstlich sah sie ihren Vater an. »Weißt du, daß du mein einziges Kind bist«, sprach Herr Zippel nachdrücklich, »und daß deine Mutter in der Erde ruht?«

Kätti ließ das Köpfchen hängen, daß ihr die langen Flechten über die Brust herabfielen.

»Kannst du lesen?« fragte Herr Zippel wieder.

Sie antwortete nicht.

»Da!« sagte er und gab ihr den Brief der Lehrerin. »Versuch' es; aber es ist geschriebene Schrift! Wie kann man geschriebene Schrift lesen, wenn man nicht zur Schule geht!«

»Ich kann wohl lesen!« sagte sie trotzig und erschrak doch, als sie einen Blick hineingetan hatte. Aber sie kannte ihren Vater, sie mußte ihn ruhig austoben lassen.

Er hatte den Brief ihr aus der Hand gerissen und vollzog an diesem aufs neue seine symbolische Züchtigung; dabei sagte er seiner Tochter, sie würde seinen sauer erworbenen Ruf zugrunde richten, sein schwarzes Haar würde vor Weihnachten noch weißer als der Schnee sein, und sie selber würde am Ende ihres Lebens an einem sehr hohen Galgen hängen.

Das war denn doch zuviel; Kätti brach in bittere Tränen aus.

»Aber, Unglückskind, was hast du denn getrieben?« Herr Zippel hatte ihre Hände ergriffen und blickte zweifelnd und ratlos auf sie hin.

»Ich habe nicht gefaulenzt«, sagte Kätti.

»Nicht gefaulenzt! Aber was denn sonst?«

»Ich habe nur was anderes getan, als was sie in der Schule tun!« Und dabei zeigte sie ihrem Vater die Fingerspitzen ihrer beiden Händchen.

Herr Zippel besichtigte eine nach der anderen mit wachsendem Erstaunen. »Aber, zum Erbarmen! Die sind ja alle wund, die einen noch schlimmer als die anderen!«

»Ja«, sagte Kätti, »das ist auch nicht so leicht!«

»Aber, um des Himmels willen, wo hast du denn gesteckt?«

Sie schwieg einen Augenblick, dann sagte sie: »Ist der Primaner zu Hause?«

»Der Primaner? Nein, der ist eben fortgegangen. Aber was soll denn der Primaner?«

»Komm!« sagte sie. Und schon hatte sie ihres Vaters Hand ergriffen und zog ihn mit sich fort: die Treppe hinauf, über den Boden, dann in das Giebelstübchen.

Rasch langte sie die Gitarre von der Wand, setzte ihr eines Füßchen auf ein dickes Lexikon, das auf dem Fußboden lag, und ein paar vollgegriffene Akkorde erklangen unter ihren Fingern.

Herr Zippel stand mit untergeschlagenen Armen und weit aufgerissenen Augen gegen die Wand gelehnt. Er hatte eine Lieblingskanzonetta. »Kätti«, sagte er mit vor Erwartung bebender Stimme: »Es ritten drei Reiter zum Tore hinaus!«

Kätti hatte es tausendfach von ihrem Vater singen, pfeifen und brummen gehört; es war auch das erste gewesen, wozu sie sich die Begleitung auf dem Instrument zusammengelesen hatte. Und nun, während die kleinen Finger aufs neue das Griffbrett faßten, hub sie an und sang mit ihrer etwas schrillen Kinderstimme: »Es ritten drei Reiter zum Tore hinaus, ade!«

»Ade!« sang Herr Zippel schüchtern und wie fragend mit.

»Und wenn es denn soll geschieden sein –«

Herr Zippel hatte sich hoch aufgerichtet; seine Augen begannen zu leuchten, bald schlug er die Hände über dem Rücken ineinander, bald fuhr er damit durch seine aufgeregten Haare; dann aber, als der Refrain wiederkehrte, setzte er mutig mit seiner scharfen Tenorstimme ein, und bald sangen Vater und Tochter miteinander, daß es durch Haus und Boden schallte:

> »Ade, ade, ade!
> Ja, Scheiden und Meiden tut weh!«

»Rosalie! Mein Kind, mein Genie!« Herr Zippel schloß das winzige Geschöpfchen in seine Arme und betaute es mit seinen Tränen. »Ja, ja, die alte Schulmamsell mit ihrem Strickstrumpf, mit ihrer trockenen gelben Jungfernnase, was weiß auch die –«

Als er infolge eines Geräusches umblickte, stand die dicke Magd mit ihrem Kochlöffel in der offenen Stubentür. »Herr Zippel, vorm Laden ist ein Junge, der will für'n Schilling Butterkringel!«

»Der Junge soll zum Teufel gehen!«

»Aber, Herr Zippel!«

»So ruf den Burschen!«

»Herr Zippel, ich weiß nicht, wo der Bursche ist.«

»Nun, so gib ihm selbst die Kringel!«

»Aber ich bin nicht für den Laden, Herr Zippel!«

Er stieß die dicke Magd zur Seite und rannte scheltend über den Bo-

den in das Unterhaus hinab. Die Magd sah ihm ruhig nach und wat-
schelte dann langsam hinterdrein.

Kätti war allein. Sie setzte sich ans Fenster, hauchte auf ihre Finger-
chen, stützte dann ihr Köpfchen an den Hals der Gitarre und blickte
nachdenklich in das Gezweige des großen im Hofe stehenden Wal-
nußbaumes, wo ihr grauer Kater »Nickebold« sich mit der Sperlings-
jagd beschäftigte. Was half das alles! Das häusliche Ungewitter war
zwar vorübergezogen; aber in die dumme Schule mußte sie ja nun doch
wieder jeden Nachmittag; und außer den Schulstunden – wann war sie
dann vor dem Überfalle des Primaners sicher? – Plötzlich trat ein ent-
schlossener Zug um ihren hübschen Mund; aber da sie eben wie zur
Ermutigung einen nach dem anderen ihrer eingelernten Akkorde griff,
schallten junge Männerstimmen von unten und jetzt schon aus dem
Treppenhaus hinauf.

Im Nu hing die Gitarre an der Wand, und Kätti war wie fortgeblasen.

Ein paar Stunden später saß der hübsche Primaner – Wulf Fedders hieß
er – in voller Arbeitstätigkeit an seinem Tische. Vor sich hatte er die
Tür nach dem weiten Boden offenstehen; vermutlich nur weil der geschlossene Stubenraum ihm seinen Geist beengte; denn er blickte nicht
hinaus, sondern war emsig bemüht, für seinen deutschen Aufsatz eine Kette von Satzfolgen zu Papier zu bringen, welche er eben auf einem
Spaziergange in Gedanken sich zurechtgelegt hatte. Anmutig schwebte ihm bei seiner Arbeit das sonst so griesgrämige Gesicht des alten
Rektors vor; er hatte ihm heute bei seiner Verdeutschung des Thuky-
dides so wohlgefällig zugenickt; Wulf Fedders sah schon deutlich dasselbe Nicken bei Rückgabe dieses Aufsatzes. Und die Feder des jungen Primaners arbeitete behaglich weiter.

Als er aufblickte, stand Kätti ihm gegenüber; es war ihr eigen, plötzlich da zu sein, ohne daß man sie hatte kommen hören.

»Du!« rief er. »Bist du schon lange da?«

Sie nickte.

»Was willst du, Kind?« sagte er und betrachtete das braune Köpfchen, das er bisher nur ein paarmal flüchtig hatte vorüberhuschen sehen.

Kätti zeigte auf das vor ihm liegende Papier und sagte: »Haben Sie noch mehr daraufzuschreiben?«

Er schüttelte sein blondes Haar aus der Stirn und lachte. »Noch ein paar Sätze; dann ist's vorläufig genug.«

»Darf ich solang hierbleiben?«

»Weshalb nicht? Setz' dich!« sagte er, indem er schon wieder weiterschrieb.

Sie setzte sich auf den Stuhl am Fenster; aber ihre Augen ruhten unablässig auf dem Antlitze des Schreibenden, als wolle sie erwägen, was hinter den gesenkten Lidern sich verbergen möge. Als er dann die Feder wegwarf, schrak sie fast zusammen. »Fertig!« rief er. »Nun, Kätti? – Du heißt doch Kätti?«

»Ja, Kätti.«

»Nun, so komm her und sprich, was du auf dem Herzen hast!«

Sie war zögernd wieder vor den Tisch getreten. »Wollen Sie auch nicht böse werden?«

»Das werd' ich nicht so leicht; aber ich kann's dir doch im voraus nicht versprechen.«

Sie besann sich eine Weile. »Dann mögen Sie auch böse werden«, sagte sie und zeigte nach der Wand; »ich habe alle Nachmittag auf Ihrer Gitarre da gespielt.«

»Und weshalb erzählst du mir das jetzt? Nur, weil es die Wahrheit ist?«

Sie schüttelte heftig mit dem Kopfe.

»Nein? Aber weshalb denn?«

»Ich möcht' es lernen«, sagte sie leise; »aber es ist hier keiner, der darin Stunden gibt!«

»Ja so! – Nun, Fräulein Kätti, was ich davon verstehe, ist zu Diensten!«

Freudenrot und zitternd folgte das Kind mit seinen dunkeln Augen, wie er jetzt die Bücher fortschob und die Gitarre von der Wand herunterlangte.

Und somit wurde das erste Ringlein fertig als Glied zu einer feinen unsichtbaren Kette. Wie von selbst waren die Stunden herausgefunden, in denen der kleine musikalische Verkehr sich ungestört entfalten konnte; Kätti säumte nicht, zu kommen, und auch Wulf Fedders blickte mitunter über seine Bücher nach der halb offenen Stubentür, ob denn das braune Köpfchen noch nicht durch die Spalten gucke. Wenn sie dann eintrat, hatte er oftmals Mühe, seine bewundernden Augen abzuwenden, damit – so warnte er sich selber – das Kind nicht eitel werde. Er hatte freilich nicht gesehen, wie sie kurz zuvor an ihrem aufgezogenen Schubfache kniete, um ein bestes Krägelchen oder ein anderes Putzstück daraus hervorzukramen; hatte er doch nicht einmal bemerkt, daß erst seit ein paar Tagen eine rote Seidenschleife gleich einem angeflogenen Schmetterling auf ihrem schwarzen Haare saß.

Übrigens waren Kättis musikalische Fortschritte unverkennbar; was der junge Lehrer an Griffen und Fingersatz ihr beizubringen wußte, war alles rasch erlernt worden. Dagegen kam eines Tages wieder Klage aus der Mädchenschule; als Wulf Fedders nach der Klasse in das Haus trat, zog Herr Zippel ihn in die Stube und rief ihn gegen das ungelehrige Kind zu Hilfe. Und der blonde Primaner, unter dessen Scheitel sich neben anderem auch ein Quintchen Altklugheit versteckte, redete zu Herrn Zippels Entzücken in das arme Ding hinein, daß sie schier verblasen dastand und in den nächsten Tagen brennend fleißig war.

Ganz anders freilich geschah es, wenn sie oben in der Giebelstube saßen, wo die grünen Zweige des Nußbaums in das offene Fenster nickten und wo von solchen heiklen Dingen nie die Rede war. Zwar hatte bei Wulf Fedders die Gitarre keine weitere Bedeutung als das Vögelsingen, wenn es Frühling ist; dennoch hörte es sich anmutig, wenn er mit seinem weichen Bariton aus seinem Liederschatz zum besten gab.

> »Ein Vöglein singt so süße
> Vor mir von Ort zu Ort!«

Wenn er das anhub, saß Kätti gewiß auf ein paar übereinandergepackten Büchern zu seinen Füßen, und wenn er geendet hatte, sprach sie ebenso gewiß: »Noch einmal, bitte!« Und dann sang er es noch einmal. Der Worte dieses Liedes wurde sie sich kaum bewußt, es war ihr nur die Melodie zu der sich dunkel regenden Empfindung, mit der sie in das hübsche Jünglingsantlitz blickte.

Eine unschuldige Heimlichkeit begleitete dies Beisammensein. Kätti schwieg gegen jedermann, aus unbestimmter Furcht, es könne ihr geraubt werden; den jungen Primaner aber hielt eine sehr bewußte Scheu zurück, seinen Verkehr mit dem eigenartigen Backfischchen der Kritik seiner Kommilitonen auszusetzen. Und da Kätti für jeden Ton das feinste Ohr hatte, so entging es ihr nie, wenn unten durch die Haustür ein Gymnasiastenschritt hereinstürmte. Bevor er noch die unterste Treppenstufe erreicht hatte, war sie jedesmal verschwunden und huschte später aus irgendeinem Bodenwinkel in das Unterhaus hinab.

Und dennoch einmal! Wulf Fedders hatte eben ihr Lieblingslied gesungen, und Kätti saß vor ihm auf ihren dicken Büchern, die dunkeln Augen wie im Traum auf ihn gerichtet, die eine ihrer schwarzen Flechten um ihre Hand geschlungen.

> »Die Blumen in dem Walde,
> Die Blumen auf der Halde,
> Die blühn im Dunkeln fort.«

Er hatte kaum geendet, da trat, ohne daß eines von beiden es bemerkte, der »forscheste« aller künftigen Studenten in das Zimmer und warf mit einem derben »'n Morgen!« – es war nicht einmal Morgen – seine rote Mütze neben ihnen auf den Tisch.

Im Nu war Kätti aufgesprungen und flog an ihm vorüber.

»Was war denn das für eine schwarze Katze?« rief der Forsche.

»Es ist die Wirtstochter«, entgegnete Wulf nicht ohne sichtbare Verlegenheit.

Der andere klopfte ihm vertraulich auf die Schulter. »Ja so! – Du scheinst mit ihr zu schwärmen, alter Freund!«

»Sie ist ein Kind; sie hatte mir den Tee gebracht.«

Kätti stand noch hinter der halb offenen Stubentür und machte mit ihren kleinen Händen ein paar Krallen gegen den groben Eindringling, bevor sie ganz verschwand. Mit ihrem Freunde war sie wohl zufrieden. »Wirtstochter!« Nur »die Wirtstochter!« das Wort war ihr eben recht; auch er hatte nichts verraten wollen.

– – Aber das letzte Semester des Schülerlebens ging zu Ende. Als Wulf Fedders, um von seinem Wirte Abschied zu nehmen, in dessen Wohnzimmer trat, kam ihm dieser mit einer Rolle in der Hand entgegen. »Leben Sie wohl, Herr Fedders«, rief er; »es ist ganz recht, daß Sie dem Nest den Rücken kehren! Sehen Sie da!« und er entrollte eine wirklich prächtige Tapete. »Zehn Mark Kurant per Stück, ich hab' sie selbst für feste Rechnung; aber glauben Sie, daß diese knickerige Gesellschaft auch nur zu einem Ofenschirm davon gekauft hat? Wenn Sie wieder diese werte Stadt besuchen sollten, nach Hermann Tobias Zippel brauchen Sie nicht mehr zu fragen.«

Kätti wurde vergebens gerufen; erst als das Fortrollen des Wagens durch das Haus dröhnte, schlüpfte sie oben aus einem dunklen Seitenraume des Bodens.

In der Giebelstube war alles ausgeräumt; nur die Gitarre hing noch an der Wand. »Für Kätti« stand auf dem Zettel, der durch die Saiten geschlungen war. Jetzt wurde leis die Tür geöffnet, und auf den Zehen, als fürchte es auch jetzt noch, überrascht zu werden, schlich das Kind herein. Als sie die Worte auf dem Papierstreifen gelesen hatte, drückte sie ihre Lippen darauf und brach in lautes Schluchzen aus.

Zum Amtsbezirke der Stadt gehörig, aber reichlich eine Meile südwärts, lag ein großes Dorf; im Rücken Buchen- und Tannenwälder, vor sich das breite silberne Band eines Flusses, der ein weites Wiesental durchströmte. Auf einem Vorsprung oberhalb des Wassers stand der Kirchspielskrug mit seinem alten wetterbraunen Strohdach, den seit Menschengedenken stets der Sohn von dem noch immer rüstigen Vater überkommen hatte. Land- und Gastwirtschaft gingen Hand in Hand: die Gäste fanden neben bäuerlicher Behaglichkeit billige Preise, frische Butter zum selbstgebackenen Brote und goldgelben Rahm zum wohlgekochten und geklärten Kaffee.

Unterhalb des Gartens, der sich schräg abfallend bis fast an das Flußufer hinabzog, war das Abnahmehaus, wo noch vor kurzem der Vater des letzten bäuerlichen Wirtes wohnte. Zwar hatte auch er, gleich seinen Vorvätern, den Staven mit allen Gerechtigkeiten seinem Sohne abgetreten; aber an Sonn- und Festtagen, wenn die Gäste zu Wasser und zu Lande aus den benachbarten Städten heranzogen, stieg er in seinem besten Staate nach seiner alten Wirtschaft hinauf, um vorne in der kleinen Gaststube den Ausschank zu verwalten und dabei seine Geschichten von Anno damals an den Mann zu bringen. Und selbst die Stammgäste hörten es gern noch einmal, wie er im Walde drüben den großen Wildeber von seines Vaters gelben Sauen abgejagt oder wie er drunten am Flusse den Ottern aufgelauert hatte, die in mondhellen Nächten an dem Dorf vorbeigeschwommen waren.

Aber die bäuerlichen Besitzer hatten Haus und Garten verkauft und sich weit vom Dorfe auf ihr Land hinausgebaut; und mit ihnen verschwanden neben den alten Geschichten auch die billigen Preise, der goldgelbe Rahm und die frischgekarnte Butter.

– – Der neue Wirt war Herr Zippel. Es schien unglaublich, was er alles leistete, noch mehr, was er alles leisten wollte. Sein jetzt schon ziemlich angegrautes Haar befand sich stets im Zustande höchster Aufgeregtheit; er wollte zeigen, was aus diesem Erdenfleck zu machen sei, den seine dummen Vorgänger so lange als totes Kapital von Hand zu Hand gegeben hatten; nicht einmal einen Namen hatten sie für ihr »Etablissement« ersinnen können. Es sollte gründlich anders werden!

Und schon war der hinter der Gaststube liegende Tanzsaal durchbrochen worden und daran nach der Flußseite eine große Veranda in den Garten hinausgebaut. Eben wurde von den Zimmerleuten eine schwere Bekrönung darauf befestigt, welche auf blauem Grunde in goldenen Buchstaben eine fußhohe Inschrift in die Welt hinausstrahlte.

Herr Zippel selber stand betrachtend der Veranda gegenüber neben einem alten Bauer aus der Nachbarschaft. Der Alte rauchte behaglich seine kurze Pfeife; Herr Zippel hatte die vor fünf Minuten angezündete Zigarre schon bis zur Unkenntlichkeit zerbissen, seine Augen leuchteten, seine Finger spielten unruhig in der Luft; als nun aber endlich da droben der letzte Hammerschlag verhallt war, las er halblaut, mit vor Erregung bebender Stimme: »Hermann Tobias Zippels Wald- und Wasserfreude!« Dann nickte er bestätigend mit dem Kopfe, ergriff den Arm seines Nachbarn und zeigte nach dem Fluß hinab, wo an zwei neuen, weiß und grün gestrichenen Böten dieselbe Inschrift auf dem Wasser schaukelte.

»Ja, ja, Nawer«, sagte der Bauer in seinem Platt, »dat kost't wat!« Dann nickte er auch und rauchte ruhig weiter.

Herr Zippel sah ihn fast entsetzt an. »Kost't was, meint Ihr? – Bringt was ein, lieber Freund! Bringt was ein!« Und liebreich, aber mit begeisterter Überlegenheit klopfte er dem Alten auf die Schulter.

»Ihr versteht das nicht«, fuhr er fort, da jener statt der Antwort nur ein paarmal hustete; »wird auch kein Mensch von Euch verlangen!«

Damit führte er den ruhig Fortrauchenden durch die offene Veranda in den Tanzsaal und blieb derselben gegenüber vor einem Pianino stehen, dessen Deckel er mit gewandter Hand zurückklappte.

»Hm!« sagte der Alte, nachdem er sich die Sache eine Zeitlang angesehen hatte.

»Nun?« frug Herr Zippel.

Und endlich kam die ersehnte Gegenfrage, ob denn die Tochter, »dat lütt Deern«, auf diesem Ding da spiele.

Jetzt aber war Herr Zippel in seinem Fahrwasser: das Kind, das Genie, das sie in ihren roten, fünf Zoll langen Schühchen schon gewesen! Sein unerschöpfliches Thema war angebrochen.

Der alte Nachbar betrachtete unterdessen eine seitwärts angebrachte Einrichtung; es war eine Estrade mit einem kleinen Sitz und einem beweglichen Notenpult davor, alles hübsch in Holzmanier gestrichen und lackiert. Diese Einrichtung war für ein zweites Genie, das der neue Wirt schon innerhalb der ersten acht Tage hier im Dorfe selbst entdeckt hatte. Es steckte in einem kleinen hinkenden Schneider, welcher die Violine spielte und von dem einmal ein Musikfreund gesagt hatte, es sei schade, daß er nichts gelernt habe. In der Tat aber hatte er sich zu einer Art natürlicher Fertigkeit hinaufgearbeitet, ja mitunter brach durch seine ungeschulten Töne etwas, das aus der Tiefe der Menschenbrust zu kommen schien und selbst den kundigen Hörer stutzen machte. Er hieß Peter Jensen; die Bauern aber, vielleicht in unbewußter Anerkennung, nannten ihn »Sträkelstrakel«. – Das dürre Männchen saß jetzt fast alle Feierabend auf dem Bänkchen der Estrade und blickte auf ein dunkelfarbiges Mädchen, das schräg ihm gegenüber am Klaviere saß. Und nicht nur Tänze und Liedermelodien, selbst eine Mozartsche Sonate hatte die junge Virtuosin mit ihm einstudiert. Herr Zippel unterstützte das nach Kräften, denn es gehörte mit zu seiner »Wald- und Wasserfreude«; während draußen in der Veranda die Gäste seinen Wein tranken und seine »Soupers« und »Dejeuners« verzehrten, sollte vom Saale aus die Kunst ihre höhere Natur ergötzen.

»Seht Ihr, Nachbar«, schloß er seine beredte Auseinandersetzung; »das ist es, was in der Bauernwirtschaft hier gefehlt hat!«

Der Alte nickte ein paarmal, während er wie prüfend mit seiner rauhen Hand das Notenpult betastete. »Süh, süh!« sagte er endlich, ohne aufzublicken, »ward uns' Sträkelstrakel noch up sin olen Dagen en Staatsmus'kant!«

Aber Herr Zippel wurde von einem Arbeiter in den Garten gerufen, und der Alte wanderte langsam hinterher, um zu sehen, was es denn dorten wieder Neues gäbe.

Statt ihrer traten aus der Tür der Gaststube zwei andere Gestalten in den dämmerigen Raum des Saales. Kätti, sie war die eine, obgleich jetzt volle siebzehn Jahre alt, glich fast noch einem halberwachsenen Kinde; nur ihre Wangen waren jetzt sanft gerundet, und das bleiche Braun derselben war von einem roten Hauch durchbrochen. Ihr schwarzes Haar aber trug sie noch immer in zwei langen Zöpfen; sie war eigensinnig, sie wollte es nicht anders, und auch die rote Schleife an der linken Seite durfte niemals fehlen.

Mit ihr, Geige und Bogen in der Hand, war der kleine Musikant hereingetreten. Er pflegte sonst nicht so früh am Nachmittage, sondern erst zu dem stets für ihn bereiten Abendbrot sich einzustellen; aber heute galt es, die Mozartsonate zu dem Einweihungsfeste der Veranda einzuüben. Nun hatte er auf den Ruf seiner jungen Meisterin mitten im Tagewerke Nadel und Bügeleisen fortgeworfen.

Es war etwas Stilles in der Erscheinung des Mädchens, wie sie jetzt ans Klavier schritt und die Noten auflegte, während der kleine Mann schweigend seinen Platz erkletterte und, den Bogen im Anstrich, erwartend nach ihr hinblickte.

Plötzlich »Allegro, Sträkelstrakel!« rief eine junge Stimme, und dahin braußten die Töne der ungeschulten, aber tapferen Musikanten. Mitunter freilich, wenn es gar zu sorglos überhin ging, gebot dieselbe auch wohl »Halt«, und wieder »Halt«; und der Geigenbogen stockte endlich, nachdem er noch eine Weile feurig in die Figuren der nächsten Takte hinausgeschossen war.

Der kleine Geiger hörte sich nicht gern bei seinem Übernamen nennen; wenn aber bei solcher Gelegenheit Kätti ihren Finger hob und mit einer eigentümlich lieblichen Betonung sagte: »Sträkel – Strakel«, dann krümmte er sich vor Wohlbehagen auf seinem lackierten Holzbänkchen, und unermüdlich wurden hierauf die hapernden Takte wiederholt, bis das dunkle Köpfchen nickte und es wiederum mit losen Zügeln weiterging.

Als sie mit der Sonate fertig waren, hob Kätti sich auf den Fußspitzen und langte über dem Klaviere ihre Gitarre von der Wand. »Nun zur Belohnung!« sagte sie, lächelnd auf ihren Spielgenossen blickend, und dieser, als ob er nun das Höchste leisten müsse, drehte emsig an den Stimmwirbeln, klimperte und strich und drückte fast das Ohr an seine Geige.

»Sträkel – Strakel!« rief wiederum die junge Stimme; da kletterte er eilig von seinem Thron herab, und bald wanderten die beiden nebeneinander im Saale auf und ab; sie leicht dahinschreitend und mit ihrer lichten Sopranstimme singend, daß es von den leeren Wänden schallte; er mit seinem lahmen Fuße stets nach einer Seite wippend und zu ihrer Gitarre begeistert seine Geige streichend. Was hatten sie nicht alles schon gesungen, den »Jäger aus Kurpfalz« nicht weniger als »So viel Stern' am Himmel stehen«. Plötzlich mitten in einem Schelmenliedchen brach sie ab; »Sträkelstrakel!« rief sie, indem sie stehenblieb.

Er war in seinem Perpendikelgange schon um ein paar Schritte weiter; als er Posto gefaßt hatte, wandte er sich um, und das schlichte staubfarbene Haar von seiner mageren Nase streichend, erwartete er ehrerbietig das Orakel aus ihrem jungen Munde.

»Peter Jensen!« sagte Kätti feierlich und nannte ihn bei seinem vollen Taufnamen; »was kann Er geigen!«

»O, aber Mamsellchen!«

»Und ist Er auch noch niemals draußen in der Welt gewesen?«

»Draußen in der Welt? – Was sollt' ich da, Mamsellchen?«

»Ja«, sagte sie träumerisch und heftete die Augen auf das arme Körperchen des Musikanten, als wolle sie selbst das Wunder nun vollbringen; »wenn Er doch jung und hübsch wär'; Sträkelstrakel!«

Er nickte nachdenklich, als ob ihm das schon wohlgefallen mochte. »Was dann, Mamsellchen?« frug er schüchtern.

»Dann – aber das versteht Er nicht, dann wollten wir beide miteinander in die Welt hinaus!«

Er sagte nichts; er kniff die dünnen Lippen zusammen und sah sie halb anbetend und halb traurig an.

»Nun?« frug sie endlich.

Der arme kleine Musikant hatte sie wirklich nicht verstanden, er fand es hier im Dorfe jetzt so schön wie niemals noch zuvor bei seinen jetzt bald vierzig Jahren. »Warum denn in die weite Welt, Mamsellchen?«

»Warum?« – Aber sie blieb selbst die Antwort schuldig; der Anfang eines Liedes tauchte plötzlich in ihr auf, dessen Worte sie kaum jemals recht gefaßt hatte. Wie tastend griff sie einen Akkord und hob mit halber Stimme an:

> »Ein Vöglein singt so süße
> Vor mir von Ort zu Ort!
> O, meine müden Füße!
> Das Vöglein singt so süße;
> Ich wandre immerfort.«

Sträkelstrakel hatte sich selig lauschend gegen die Wand gelehnt, Geige und Bogen müßig in der herabhängenden Hand. »Geht es nicht weiter?« frug er leise, als Kätti nach dieser ersten Strophe schwieg.

»O doch! Aber ich weiß nur noch das Ende!« Dann griff sie wieder in die Saiten und sang aufs neue:

> »Wo ist nun hin das Singen?
> Schon sank das Abendrot –
> Die Nacht hat es verstecket,
> Hat alles zugedecket;
> Wem klag' ich meine Not?

> Kein Sternlein blinkt im Walde,
> Weiß weder Weg noch Ort;
> Die Blumen an der Halde,
> Die Blumen in dem Walde,
> Die blühn im Dunkeln fort.«

Von der offenen Veranda her erscholl ein lautes Händeklatschen: »Bravo, bravissimo!« – Herr Zippel war während der letzten Strophe ein ungesehener Zuhörer gewesen und jetzt im besten Ansatz, seiner Begeisterung Luft zu machen. Aber Kätti hatte wohl diesmal keine Neigung gehabt, den Reden ihres Vaters standzuhalten; als er in den Saal trat, fand er nur noch den kleinen Musikanten, der sich mit seinem blaukarierten Taschentuch die Augen wischte.

Das Einweihungsfest und noch verschiedene andere Feste, Wald- und Wasserfahrten, waren unter lebhafter Beteiligung vorübergegangen; als dann der Winter seine dunkle Eisdecke über den Fluß breitete, standen Herrn Zippels fröhlich bewimpelte Zelte auf derselben, und aus der an der Flußmündung belegenen Nachbarstadt flogen Schlitten und Schlittschuhläufer ab und zu. Der hagere, milzsüchtige Pastor, der die neue Wirtschaft nie anders als »Zipperleins Wald- und Wasserleiden« nannte, hatte in seiner Sonntagspredigt schon die deutlichsten Anspielungen auf Sodom und Gomorra fallen lassen.

Dann aber kam die trübe Zeit, wo alles in Tau- und Schlackerwetter untergeht, und dann der Frühling und der neue Sommer. Die goldene Inschrift über der Veranda hatte nun schon fast eines vollen Jahres Glut und Winterungemach bestehen müssen, sie leuchtete nicht mehr so lustig wie im vorigen Sommer, und vielleicht mochte es damit zusammenhängen, daß jetzt selbst an Sonntagen die Zahl der Gäste nur eine dürftige war, ja daß man allerlei unbillige und bedenkliche Vergleiche zwischen dem neuen und dem alten bäuerlichen Wirte anzustellen begann. Soviel war gewiß, Kätti hatte eine Menge Zeit und wußte nicht recht, wohin damit. Sie musizierte wohl noch an einzelnen Abenden mit Sträkelstrakel in dem leeren Saale, sie sang und spielte auch wohl einmal, wenn Gäste unter der Veranda saßen; aber sie tat das eine mehr, um die schüchtern fragenden Augen des kleinen Musikanten zu befriedigen, das andere nach dem Willen ihres Vaters, dem sie nicht entgehen konnte. Mit den Töchtern der Bauern wußte sie nichts zu reden und diese nichts mit ihr; nur der junge Unterlehrer, ein gutmütiger Mensch mit Plattfüßen und gelbblonden Haaren, saß oft stundenlang neben ihr am Klavier und blickte, gleich Sträkelstrakel, in stummer Anbetung zu ihr auf. Aber was kümmerten sie eigentlich diese beiden Menschen!

Manchmal nahm sie das kleinste der beiden weiß und grün gestrichenen Böte und ruderte den Fluß hinauf, bis wo am Ufer entlang sich große Binsenfelder streckten. Durch einige führte eine Wasserstraße wieder auf die Flußbreite hinaus; in anderen gelangte sie nach einer schmalen Öffnung, durch welche das Boot nur mit eingezogenen Rudern hindurchglitt, auf einen stillen, rings umschlossenen Wasserspiegel. Hier, an schwülen Sommernachmittagen, legte sie gern ihr Fahrzeug in den Schatten einer hohen Binsenwand; auf dem Boden des Bootes hingestreckt, die schmalen Hände über dem schwarzen Haar gefaltet, konnte sie ganze Stunden hier verbringen. Die Abgeschiedenheit des Ortes, das leise Rauschen der Binsen, über denen das lautlose Gaukeln der Libellen spielte, versenkte sie in einen Zustand der Geborgenheit vor jener doch so nahen Welt ihres Vaterhauses, in der sie immer weniger sich zurechtzufinden wußte.

Da sie nach einer solchen Ausflucht eines Nachmittags durch den Garten ging, sah sie in einer der Lauben den Unterlehrer vor einem leeren Bierglas sitzen. Bei ihrer Annäherung stand er schüchtern auf. »O bitte, Fräulein«, sagte er, »ich habe Ihrer lange hier gewartet.« Da sie aber frug, was er denn von ihr begehre, stammelte er etwas und bat sie endlich, ihm ein Seidel Bier zu bringen.

Kätti ging mit dem Glase in das Haus; als sie in die leere Gaststube trat, sah sie ihren Vater vor einem Papiere sitzen, auf dem er lebhaft mit einem Bleistift hin und wider arbeitete. »Unausläßlich!« murmelte er. »Unausläßlich! Das reine Wald- und Wiesenwasser! Daß einem das nicht schon im vorigen Sommer eingefallen ist!«

»Was denn, Vater?« frug Kätti.

Aber er beachtete sie gar nicht; sein schon recht grau gewordenes Haar mit allen Fingern in die Höhe ziehend, fuhr er fort zu murmeln und zu stricheln.

Kätti zapfte das Bier ein und ging mit ihrem vollen Seidel fort. Als sie im Garten zu der Laube kam, stand dort der Unterlehrer und hatte gleichfalls einen beschriebenen Bogen in der Hand, den er eben auseinanderfaltete, in der offenbaren Absicht, seinen Inhalt vorzutragen. »Fräulein«, sagte er demütig, »Sie werden mich nicht verkennen!«

»Gewiß nicht, Herr Petersen«, erwiderte Kätti, indem sie das Bier neben ihm auf den Tisch stellte; der Unterlehrer erschien ihr noch wunderlicher als ihr Vater.

Herr Petersen räusperte sich und begann hierauf zu lesen; aber schon nach den ersten Versen – denn Verse waren es –, die von der Seligkeit des Himmels handelten, geriet er ins Stocken und wurde von irgendeiner ihn bestürmenden Erregung so kirschbraun im Gesicht, daß Kätti sich im Ernst um ihn zu ängstigen begann.

»Lesen Sie doch weiter, Herr Petersen«, bat sie; »es klingt ganz hübsch; haben Sie das selbst gemacht?«

Aber er wagte keinen weiteren Versuch; noch einmal, wie in gewaltsamer Ermutigung, sah er sie mit aufgerissenen Augen an; dann drückte er hastig das Papier in ihre Hand, und Bier und Mütze auf dem Tisch im Stiche lassend, stolperte er auf seinen Plattfüßen eiligst die Steige nach dem Fluß hinab.

Kätti sah ihm ziemlich gleichgültig nach; als sie jedoch in dem anvertrauten Schriftwerk weiterlas, schlug eine flammende Röte ihr ins Angesicht; auf dem großen Papierbogen in schulgemäßer Schrift und zwischen ausgelöschten Bleistiftlinien stand hinter der Seligkeit des Himmels eine unverkennbar irdische Liebeserklärung, der ein gut bürgerlicher Heiratsantrag folgte.

Ihre Hand ließ das Papier zur Erde fallen, und fast zuckte eins der flinken Füßchen danach hin; aber es kam nicht weiter: Kätti schüttelte sich nur ein wenig; dann hob sie das verachtete Schriftstück auf und trug es sorgsam in die Küche, wo eben ein einsames Feuer unter dem großen Kessel lohte.

Noch einen Augenblick, und die Flammen hatten die ungelegene Liebeserklärung ergriffen; und Kätti schaute sorgsam zu, bis auch das letzte Wort davon vernichtet war.

– – Am Abend dieses Tages hatte ein Bruchteil von einer versprengten Sängerbande sich ins Dorf verschlagen, und Herr Zippel versäumte nicht, mit derselben für den folgenden Tag eine jener Festivitäten zu veranstalten, die so wenig den Beifall seines Seelenhirten fanden. Die Gesellschaft bestand zunächst aus einem Geschwisterpaar, einem Geiger und einer Harfenspielerin; letztere wenig hübsch und mürrisch um sich schauend, aber, gleich dem ansehnlicheren Bruder, von geschmeidigem Wuchse. Neben ihnen war noch eine Gitarrespielerin, ein blondes bewegliches Ding, mit zwei blauen verliebten Augen; sie lief sogleich durch Hof und Haus und machte sich überall zu schaffen. Als draußen der Mond am Himmel stand, schob sie ihren Arm in Kättis

Arm und zog diese mit sich in den Garten. »Komm«, sagte sie, »ich muß meinen Mund einmal wieder laufen lassen; da drinnen die Gundel und ihr Bruder können einen schier zu Tode schweigen!«

»Was schauen Sie mich denn so an?« fuhr sie fort, als Kätti ihre dunklen Augen auf dem hübschen lachenden Antlitz ruhen ließ. »Meine Schwester hätten Sie sehen sollen; ach, war die schön! Nur gut, daß ich nicht mehr neben der zu singen brauche; sie hat einen reichen Mann geheiratet; o, es heiraten viele von uns sehr reiche Männer!«

»So?« sagte Kätti. »Wo wohnt denn Ihre Schwester?«

»In Wien, in einem sehr schönen Hause; ihr Mann ist ein berühmter Uhrenhändler.«

»In Wien?« Kättis Aufmerksamkeit wurde jetzt doch rege. »Kommen Sie so weit herum?«

»So weit? Wir kommen allenthalben. Aber Sie singen und spielen ja auch; Sie sollten mit uns kommen; was wollen Sie hier länger auf dem Dorfe sitzen! Ich freilich muß noch morgen von den anderen fort; ich muß zu meinem schwedischen Grafen, der erwartet mich!«

»Ein Graf!« wiederholte Kätti voll Bewunderung. »Werden Sie sich mit dem verheiraten?«

»Weshalb denn nicht? Erst reisen wir zusammen auf ein paar Monate nach Baden-Baden.«

Kätti kannte den Ort aus ihren Geographiestunden. »Nicht wahr«, sagte sie, »da, wo die vornehmen Leute hinreisen und ihr Geld verspielen?«

Die andere nickte. »Ich bin schon einmal dort gewesen; das sollten Sie sehen, die schönen Menschen, die großen Feuerwerke, als ob auf einmal alle Sterne vom Himmel herunterfallen; wie in einem Märchen, sagt mein Graf!«

Noch lange gingen Kätti und die Gitarrespielerin Arm in Arm auf den mondhellen Gartensteigen; der hübsche Plaudermund des fahrenden Mädchens wußte immer Neues zu erzählen; vor Kättis Augen stiegen die Zauber der Ferne auf.

> Ein Vöglein sing so süße
> Vor mir von Ort zu Ort.

Sie wußte nicht, warum die Melodie ihr immer vor den Ohren summte.

Etwa vier Wochen später und etwa zwanzig Meilen weiter südlich ins deutsche Land hinein geschah es, daß eines Vormittages Wulf Fedders, der einstige Primaner, jetzt *doctor juris utriusque*, in einer mittelgroßen Stadt aus einem Wochenwagen stieg. Eine Weile sah er die Straße hinauf, wo eben Jahrmarkt war, warf noch einen Blick auf das Schild zum Blauen Löwen, unter dem der Wagen hielt, und trat dann ins Haus, um sich zur Weiterreise auf der von hier nach Norden hin beginnenden Eisenbahn zu stärken.

In der Tür zur Gaststube ging ein etwas bleicher, aber stattlich aussehender Herr an ihm vorüber, der sich sein weißes Schnupftuch gegen die eine Wange drückte. Der junge Doktor sah das; aber er achtete nicht weiter darauf, sondern setzte sich an einen Tisch und ließ sich auftragen.

Außer einigen Gästen, welche aus und ein gingen, bemerkte er nur ein Musikantenpaar, einen Geiger und eine Harfenspielerin, welche neben dem Eingang saßen und der Stunde zu harren schienen, wo der leere Raum sich wieder füllen würde. Wulf Fedders hatte freilich wenig Teilnahme für seine Umgebung, er schmeckte vielleicht nicht einmal die Speisen, die dessenungeachtet rasch genug von seinem Teller verschwanden; denn in seinem Kopfe kreuzten sich allerlei Gedanken. Er hatte eben seinen »Doktor« *cum laude* absolviert, und da der Tod beider Eltern ihn in die Lage gebracht hatte, ein paar Jahre vom eigenen Kapital zu zehren, so stand die akademische Lehrkanzel als längst geplantes Ziel vor seinen Augen. Zunächst freilich nach all der angestrengten Arbeit mußte er sich ein paar Monde Ruhe gönnen; das heißt, was solche junge Büchermenschen Ruhe nennen; denn die Doktorabhandlung, die nur eine Quintessenz enthielt, sollte zu einem epochemachenden Werke ausgearbeitet, allerlei emsig gesammelte Drukke und Exzerpte nun erst gründlich benutzt werden. – Als den Ort seiner Sommerfrische hatte er sich das große wald- und wasserreiche Dorf ersehen, in dessen patriarchalischer Krugwirtschaft es ihm an manchem Sommersonntag seiner Primanerzeit so wohl gewesen war. Er dachte es sich lebhaft, wie in solch ländlicher Ruhe das neue Werk gedeihen und wie er außerdem zu gesundheitstärkenden Wanderungen die Mußezeit benutzen werde. Und dann! Ja, auch das noch kam hinzu: die Stadt seines Schülerlebens war von dort in ein paar Stunden zu erreichen, und in jener Stadt – er wußte das aus bester Quelle – war für die nächsten Monate eine junge Dame auf Besuch, eine blonde blauäugige Majorstochter, die er im letzten Winter bei einem Professorentee gesehen hatte und die seitdem mit dem epochemachenden Buche sich geschwisterlich in sein Herz teilte. – –

Der Doktor Wulf Fedders hatte es nicht bemerkt, daß während seiner nachdenklichen Mahlzeit zwar nicht zwei blaue, aber doch zwei glänzendschwarze Augen unablässig auf ihn gerichtet waren. Als er jetzt aufblickte, sah er eine junge Gitarrespielerin, welche abgesondert mit ihrem Instrumente in der Ofenecke saß. Er erschrak fast, als ihre Blicke sich begegneten; wie um erst sich zu besinnen, wandte er seine Augen ab; dann blickte er wieder hin, um schärfer zu betrachten. Plötzlich stand er auf und ging gerade auf das Mädchen zu, während sie, ohne sich zu regen, ihn näherkommen ließ.

»Kätti?« rief er, als er vor ihr stand.

Sie ließ den Kopf auf ihre Brust sinken. »Ja, Kätti«, sagte sie leise.

Als sie dann die Augen langsam zu ihm aufhob, machte die eigentümliche Schönheit des Mädchens ihn fast verstummen. Erst als aus der Musikantenecke ein herrischer Ruf an sie erging, brach es hervor. »Also zu denen da gehörst du?« rief er – und es war fast derselbe Ton, womit er einst das faule Schulkind abgekanzelt hatte – »eine fahrende Marktsängerin ist aus dir geworden, und ich selber hab' wohl gar noch dazu helfen müssen. Ich kann's mir denken, du hast dich in den jungen Vagabunden da verliebt und bist mit ihm davongelaufen!«

Kätti sah ihn ganz erschrocken an und schüttelte heftig ihr dunkles Köpfchen.

»Nicht? Aber weshalb bist du denn fortgegangen?«

»Ich weiß nicht«, sagte sie schüchtern; »ich glaube, ich mochte nicht mehr mit Sträkelstrakel spielen.«

Er lachte doch. »Was ist das: Sträkelstrakel?«

»Ein kleiner Schneider, der bei uns die Violine spielt.«

»Mamsell!« rief es wieder aus der Musikantenecke. »Kommen Sie an Ihren Platz!«

»Und weshalb«, frug der Doktor, ohne auf diesen Ruf zu achten, »sitzest du hier so abseits? Hast du Streit mit jenen Leuten?«

Kätti schwieg erst einen Augenblick; dann sagte sie: »Er ist frech gegen mich gewesen; ich will nicht spielen.«

Wulf Fedders trat an den Musikantentisch.

»Wie kommt Ihr zu dem Mädchen?« frug er drohend; »sie ist guter Leute Tochter.«

Der Bursche sah ihn an und nahm einen Schluck aus dem Glase, das er vor sich hatte. »Weiß schon«, sagte er, »wo sie zu Haus ist!«

»Sie ist ein halbes Kind«, fuhr der Doktor fort, »Ihr könnt dafür bestraft werden, Ihr durftet sie nicht mit Euch nehmen!«

»Sind Sie dabei gewesen, Herr?« rief der Bursche und stieß mit seiner Geige tönend auf die Tischplatte. »Mitten in der Nacht, da wir mit unserem Fuhrwerk eine Viertelstunde hinterm Dorfe waren, ist sie mit ihrer Gitarre aus dem Busch hervorgesprungen; sie hat sich meinem Bräunchen an den Zügel gehängt, daß ich nicht hab' fahren können, und hat gebettelt und geweint, daß wir sie mit uns nehmen möchten.«

Der Geigenspieler hielt einen Augenblick inne; denn der Herr, der zuvor hinausgegangen war, setzte sich draußen vor dem Fenster auf die Bank.

»Nun?« rief Wulf Fedders ungeduldig.

»Nun, Herr? – Es fand sich just ein leerer Platz im Karren, weil unsere vorige Mamsell uns durchgegangen war. Da ließ ich sie drauf hinsitzen, um dem Lamento nur ein End' zu machen.«

»Der Tausch mag Euch schon angestanden haben«, sagte der Doktor; »Ihr habt Euch wohl nicht gar zu lang' bedacht!«

»Meinen Sie, Herr? – Nun, allzuviel hat sie uns just nicht zugebracht; sie trägt schon meiner Schwester Hemd am Leibe, und die Schuhe werden auch wohl bald zerrissen sein!«

Der junge Doktor warf unwillkürlich einen Blick in die andere Ecke, wo Kätti, den Kopf an ihre Gitarre lehnend, unbeweglich mit geschlossenen Augen saß. Die Schuhe an ihren über Kreuz gelegten Füßchen waren freilich in erbarmungswertem Zustande.

»Aber«, sagte er und wandte sich wieder zu dem Geiger, »Ihr seid unehrerbietig gegen das Kind gewesen; was habt Ihr mit ihr vorgehabt?«

Der Bursche stieß lachend seine Schwester an, eine Dirne mit harten Zügen, welche, ihre Harfe im Arm, die Pause zur Verspeisung eines Butterbrotes benutzte. »Da hör', Gundel!« rief er. »Hörst du, was ich gewesen bin?«

Dann wandte er sich wieder zu seinem jungen Gegner und sagte nachdrücklich: »Ich weiß eben nicht, warum ich Euch hier Antwort steh'; aber der Herr da draußen ist einer von unseren Freunden; er hatte sein Späßchen mit der neuen Mamsell, wie's mit der anderen auch gehabt hat; aber der schwarze Fratz tat wild wie eine Katze und hat ihm seine Wange aufgerissen!«

»Und dann?« frug Wulf und faßte krampfhaft seinen Ziegenhainer, den er vorhin fast unwillkürlich in die Hand genommen hatte.

»Dann? – Nun, Herr, Ihr seht's ja, daß ich sie nicht gefressen habe!« Der Mensch zeigte seine weißen Zähne und stieß sein Trinkglas auf den Tisch, daß die Scherben dem Doktor ums Gesicht flogen.

Wulf Fedders verlor für einen Augenblick seine sonstige Besonnenheit; ein zorniges Wort, ein Schlag mit dem geschwungenen Ziegenhainer war die augenblickliche Erwiderung. Aber der Schlag ging fehl; Kätti, die bei den heftigen Worten auf ihn zugeflogen war, taumelte mit blutender Stirn an seine Brust.

Der junge Vagabund, eine breite muskulöse Gestalt, war hinter seinem Tische aufgesprungen. Er hatte die Faust, aus der er die Geige fallen ließ, schon dräuend über seinen Kopf erhoben; aber es kam nicht soweit, er schien sich zu besinnen, der Handel mochte ihm doch bedenklich scheinen. »Mag der Herr die Mamsell behalten, wenn sie sonst noch zu kurieren ist«, rief er höhnend; »es laufen der Dirnen noch genug umher!«

Das leicht rieselnde jungfräuliche Blut hatte indessen die Sache schlimmer erscheinen lassen, als sie war. Die kleine Streifwunde hatte keine Bedeutung, und auch der Schrecken war bald überwunden; für den Doktor aber erschien nun die Pflicht, sich der Verlassenen anzunehmen, nur um so deutlicher; und schon am anderen Nachmittage langten beide wohlbehalten vor der Wald- und Wasserfreude an.

Die dicke Magd, welche als perfekte Köchin aus dem früheren Wohnorte mit herübergenommen war, schlug die Hände über den

Kopf zusammen, da sie ihren alten Primaner so plötzlich mit ihrer verschwundenen Mamsell aus einem Wagen steigen sah. Übrigens enthielt sie sich aller unnützen Reden, und als der Doktor nach dem Hausherrn frug, streckte sie die Hand nach der Flußseite und sagte: »Ich bin bloß für die Küche; aber gehen Sie nur dreist hinunter!«

Und wirklich, hier stand Herr Zippel barfuß bis an die Knie im Wasser, und um ihn her eine Schar von Arbeitern, welche Pfähle in den Flußgrund rammten. Sein Haar flog im Winde, und Kätti, die hinter ihrem Beschützer herschlich, spähte voll Angst, ob es – wie ihr Vater einstens prophezeit hatte – vor Kummer über sie nicht schon schneeweiß geworden sei. Aber er sah nicht anders aus, als da sie fortgegangen war. Dagegen schien der Augenblick nicht eben angetan, um eine besondere Erregung des Wiedersehens in Herrn Zippels Herzen zu erwecken. Erst als der Doktor ihn wiederholt mit lautem Ruf begrüßt hatte, kam er an das Ufer gewatet, nachdem er noch zweimal seinen Arbeitern einen Befehl zurückgerufen und ihn dann zum dritten Male widerrufen hatte.

Er erkannte sogleich seinen alten Mietsmann und machte ihm einige rasch hervorgestoßene Komplimente über seine stattlichere Gestalt und seinen Backenbart; dann aber, zur Hauptsache kommend, beschrieb er mit ausgespreizten Fingern einen Halbkreis nach dem Lande zu. »Das hier«, sagte er, »wenn Sie es früher gesehen haben, Sie werden es nicht wiedererkennen! Nun wollen wir dem Fluß noch seine Ehre tun! Dort sehen sie die Böte; hier entsteht das neue Bad; in all den tausend Jahren ist das keinem eingefallen! Das reine Wald- und Wiesenwasser, das Entzücken aller Ärzte auf zehn Meilen in die Runde!«

In diesem Augenblicke erst bemerkte er seine Tochter, welche ein paar Schritte seitwärts stand. »Kätti! Rosalie! Beim Himmel, die Rosalie!« rief er und schleuderte beide Arme in die Luft. »Herr Fedders«, wandte er sich an diesen, »haben Sie meine Aufrufe in den Blättern gelesen? Die Dummheit hat mir einen Haufen Geld gekostet!« – Aber damit schien auch die Sache abgetan; das von dem Mädchen so sehr gefürchtete Wiedersehen ging nach einigen weiteren Ausrufungen wie ein beiläufiges Zwischenspiel in dem großen Werke des Wald- und Wiesenwasserbades beinahe unbemerkt vorüber.

Erst nach Stunden, da er zufällig ins Haus hinaufgelaufen kam, frug

Herr Zippel seine Tochter, ob sie denn mit dem Primaner Fedders – »Doktor« sagte Kätti –, also dem Doktor Fedders heimgereist sei, und ob sie unterwegs wohl ein so wundersam belegenes Bad gesehen habe, als dieses bisher unbekannte Dorf ihm jetzt verdanken werde. »Wenn wir nur auch den Sträkelstrakel wiederhätten!« setzte er hinzu. »Ich hab' es ausprobiert; die Badenden werden es im Wasser hören können, wenn ihr hier oben musiziert!«

»Sträkelstrakel!« rief Kätti; »was ist mit dem?«

Herr Zippel lachte. »Als die Gitarre fort war, ist die Violine hinterdreingelaufen; er war ohne dich doch auch nur eine magere Verzierung für die Wald- und Wasserfreude!«

Kätti sprang voll Schrecken von ihrem Stuhle auf. »Er ist fort? Und noch nicht wieder da?«

»Nein, noch nicht. Aber Tausend, ich muß nach meinen Leuten sehen!«

Dem Doktor, welcher sich entschlossen hatte, hier seine Sommerfrische zu genießen, waren in dem unten am Flußufer belegenen Abnahmehause ein paar Zimmer eingeräumt, in denen für die künftigen Badegäste die erste Einrichtung schon getroffen war. Seine Aufwartung hatte Kätti übernommen, und sie tat alles mit einer so stillen, nie nachlassenden Aufmerksamkeit, daß er dem sonst so flüchtigen Mädchen oft verwundert zusah; auch als nach einigen Tagen seine Kiste mit Büchern und Papieren anlangte, ging sie so anstellig ihm zur Hand, als wüßte sie von selbst, wohin er jegliches geordnet haben wollte.

»Wie dir das ansteht, Kätti!« sagte er scherzend »Nicht wahr, du läufst nicht wieder in die Welt hinaus?«

Bei ihrer schmächtigen Gestalt und den herabhängenden Zöpfen, die sie in seiner Primanerzeit schon ebenso getragen, konnte er sich nicht entwöhnen, sie auch jetzt noch gleich einem halben Kinde zu behandeln; aber sie stand bei diesen Worten plötzlich todbleich vor ihm. »O, bitte!« sagte sie und hob flehend die Augen zu ihm auf.

Er warf einen fast erstaunten Blick auf sie. »Verzeih', Kätti«, sagte er dann; »wir reden niemals mehr davon.«

Zum Singen, wie einstens in der Giebelstube, wurde sie nicht mehr von ihm aufgefordert, er selber hatte sein Musizieren wie eine Ju-

gendtorheit hinter sich gelassen; zum Ausgleich schädlichen Studie-
rensitzens fand er es weit ersprießlicher, statt der Gitarre sich eine Botanisiertrommel umzuhängen und so, zugleich lernend und marschie-
rend, seine Mußestunden zu verwerten.

Zu solchen Wanderungen war hier die weiteste Gelegenheit; aber es
waren nicht die einzigen, welche von ihm unternommen wurden;
schon mehrere Male war er in der Stadt gewesen und dann immer erst
am nächsten Tage heimgekehrt.

Bei solcher Rückkunft fand er stets einen frischen Blumenstrauß auf
seinem Tische; aber obgleich er wissen mußte, daß nur Kätti ihn dahin-
gestellt haben konnte, so erhielt diese doch nie ein freundliches Wort
darüber. Anfänglich verwunderte sie sich nur; dann aber begann es sie
lebhaft zu beschäftigen, und endlich beschloß sie, ihm an solchen Tagen lieber gar nicht mehr vor Augen zu kommen; und so fand er denn
künftig neben dem Blumenstrauß auch sein Abendbrot als wie von unsichtbaren Händen aufgetragen. Sie dachte nicht, daß er auch hierin
nichts Besonderes fand.

Einmal aber, da er von solcher Wanderung in sein Zimmer trat, fand
er das Mädchen weinend an der Haustür stehen. Nun sah er sie denn
doch.

»Kätti! Kind! Was fehlt dir?« frug er.

Ihr fehlte nichts; aber Sträkelstrakel war vor einer Stunde per Schub
von der Polizei ins Dorf zurücktransportiert worden. »Um meinetwegen!« rief Kätti, und ihre Tränen brachen reichlicher hervor. »Und
seine Geige – er hat sie versetzen müssen, weil er gehungert hat; er hat
nicht einmal spielen dürfen, denn er hat keine Konzession gehabt!«

Der Doktor hörte schon nicht mehr, was sie noch weiter sprach; was
kümmerte ihn der kleine Fiedelmusikante, den er nie gesehen hatte!

»Aber er muß seine Geige wiederhaben!« sagte Kätti; und da der
Doktor hierauf nur wie in Gedanken mit dem Kopfe nickte, rief sie,
ihre schmalen Hände ringend: »Ich habe kein Geld; ich habe nichts,
gar nichts!«

Sie wollte dem jungen Manne zu Füßen fallen; da schüttelte er die
Träume, die er von der Stadt mit hergebracht hatte, aus seinen blonden Haaren und fing sie mit beiden Armen auf. »Kätti, Kätti! Besinne
dich! Wie heißt der Mann? Ich will ihm seine Geige wiederschaffen!«

Bis sie plötzlich fort war, blieb er wie gefangen in der Glut der stummen Dankbarkeit, die aus den dunkeln Augen ihm entgegenströmte. Bald aber, da er allein an seinem Arbeitstische saß, schalt er sich selbst darüber und suchte seine Gedanken auf den Weg zur Stadt zurückzubringen.

Schon am anderen Tage ging er selbst dahin, ja, er blieb dort auch den folgenden; als er am dritten Tage endlich wiederkam, schien er absichtlich Kättis Gegenwart zu meiden. Gekränkt und grübelnd ging das Kind umher: was hatte sie ihm denn getan? Sie verlangte ja nichts weiter als freundlichen »guten Tag« und »guten Weg«!

Da geschah es eines Nachmittags, daß Herr Zippel seinen Wachtelhund vermißte. Da das Tier schon seit gestern nicht mehr gesehen war, so lief Kätti von Haus zu Haus, um es zu suchen, denn er war fast mit ihr aufgewachsen. Aber sie erfuhr nichts Bestimmtes; nur ein Kind behauptete, es habe die lange Trina, die dort hinterm Holze wohne, mit einem schwarz und weiß gefleckten Hündchen auf dem Weg gesehen.

»O weh!« sagte die dicke Magd, als Kätti mit diesem Bericht nach Hause kam.

»Warum o weh, Anngretje?«

»Darum«, sagte die Magd, »weil das Fidélchen immer Buttersemmeln aß und sehr gut bei Schicke war.«

»Deshalb?« – Kätti mußte lachen.

»Ja, ja, Kättichen; die lange Trina schlachtet die kleinen fetten Hunde; das Fett verkauft sie an den Apotheker in der Stadt und macht auch Sympathie damit.«

Nun erschrak das Mädchen ernstlich; aber Herr Zippel, der eben hinzutrat, langte in die Tasche und drückte ihr ein Geldstück in die Hand. »Geh selbst und kauf's der alten Hexe ab«, sagte er; »Fidélchen wird schon noch am Leben sein!«

– – Es führte durch den Wald ein Weg und von diesem ein Fußsteig zu der Wohnung der langen Trina; Kätti aber fürchtete sich zu verirren und ging lieber im weiten Bogen um den Wald herum. Als sie nach stundenlanger Wanderung die Kate erreicht hatte, welche im Schatten eines Tannenschlages lag, fiel ihr Blick zuerst auf ein gegen die Mauer gelehntes Brett, an dem die Felle von allerlei kleinem Getier, dem Anscheine nach zum Trocknen, festgeheftet waren; Kätti besah eines nach dem anderen, doch schien Fidélchens Fell noch nicht dabei zu sein.

Bei ihrem Eintritt in die Wohnung saß die hagere Alte vor einer dampfenden Kaffeetasse. Sie hatte früher einmal bei einer verwitweten Kammerherrin in der Stadt gedient und nach deren Tode nebst anderem Plunder auch die schwarzen Krepphauben der Dame zum Geschenk erhalten, welche sie seitdem, mit bunten Bänderfetzen verziert, auf ihrem eigenen Kopfe trug. Kätti, obwohl vom Dorfe her die lange Trina ihr nicht unbekannt war, erschrak hier in der Einsamkeit doch vor dem knochigen Bauernantlitz, das so grotesk unter dem Flitterputz hervorschaute.

Aber die Alte rückte ihr einen Stuhl zum Tische und nötigte sie wiederholt, wenn auch vergebens, ein Schlückchen aus ihrer Tasse zu probieren; von dem Hunde aber wollte sie nichts gesehen haben. »Es ist meine Katze gewesen«, sagte sie; »die läuft mir oftmals nach; sieh nur, dort liegt sie unterm Ofen!«

Und wirklich lag dort eine schwarz und weiß gefleckte Katze, die sich, wie ihr behagliches Schnurren zu erkennen gab, um all die abgezogenen Fellchen draußen wenig zu bekümmern schien.

Aber Kätti traute doch nicht; sie drückte dem Weibe das Geldstück in die Hand und sagte: »Da habt Ihr ein Trinkgeld; mein kleiner Hund heißt Fidél, und wenn Ihr ihn uns wiederbringt, so gibt mein Vater Euch gern das Doppelte!«

»Ich weiß nichts von deinem Hund«, rief die Alte unwirsch.

»Aber«, fuhr sie wie in plötzlichem Besinnen fort, »du sollst den Weg doch nicht umsonst gemacht haben! Kennst du, was man den Speiteufel heißt?« Kätti schüttelte den Kopf.

»Es ist ein Pilz, und es gibt deren blaue, rote und auch grüne; aber von dem roten muß es sein; er wächst hier im Holze, just um diese Zeit.«

Das Mädchen sah gespannt die Alte an.

»Wenn du dir wieder ein Hündchen ziehen willst, so tupfe mit dem Finger in den roten Schaum, der auf dem Hute liegt, und netze das mit deinen Lippen! Es brennt ein wenig; aber das schadet nicht. Warte nur, es ist auch ein Spruch dabei!« Sie zog ihre Tischschublade auf, kramte darin umher und holte endlich einen schmutzigen Zettel daraus hervor, den sie Kätti vor die Augen hielt. »Das muß dabei gesprochen werden«, sagte sie; »wenn dann das Hündchen davon frißt, so wird es nimmer von dir weichen.«

Die lange Trina rückte näher und fuhr mit ihrer harten Hand über die Wange des Mädchens. »Es hilft nicht bloß für Hündchen«, sagte sie heimlich; »die gelbe Marthe weiß wohl, warum sie jetzund auf der großen Hufe sitzt; der Niklas hatte zwei und wußte nicht, an welche er sich hängen sollte.«

Kätti saß plötzlich wie mit abwesenden Augen; ihr dunkles Gesicht war merklich bleich geworden.

Die Alte sah sie schmunzelnd an; dann ergriff sie eine ihrer schwarzen Flechten und zog den Kopf des Mädchens an den ihren, während ein lüsterner Zug den groben Mund umspielte. »Du«, flüsterte sie, »du bist wohl gar um dessentwillen hergekommen; du hast wohl auch so einen Hin-und-wider-Burschen! Streich's ihm auf ein Brötchen, auf ein Stückchen Zucker; es gibt Rat für alles in der Welt! Nur merk's dir, fürsichtig mußt du sein; ein wenig macht lebendig, zuviel – da könnt' der Teufel leicht sein Spiel gewinnen!«

Wie aus einem bösen Traume sprang das Kind empor. »Nein, nein! Laßt mich los; ich will nichts von Euren Teufelskünsten wissen!«

Sie war schon draußen vor der Haustür; aber das Weib kam hinterher. »Narre, Narre, wohin läufst du?« rief sie, als sie das Mädchen auf dem Wege sah, der um das Holz herumführte. Sie war zu ihr getreten und zeigte auf einen Eingang in den Tannenschlag: »Dort«, sagte sie, »und immer geradeaus, so kommst du auf den Fahrweg!« Sie führte Kätti an der Hand, bis wo der Fußsteig deutlich zu erkennen war. »Nun lauf'; und wenn du dich besonnen hast, in einem halben Stündchen kannst du bei mir sein!«

Fast willenlos hatte Kätti sich in den finsteren Tannensteig hineinführen lassen. In ihrem Köpfchen war kein Raum jetzt für die Furcht; das Hündchen freilich war vergessen, aber statt seiner hatte ein Menschenbild sich unerbittlicher als je der jungen Phantasie bemächtigt. Schon vordem, mit der qualvollen Spürkraft der Eifersucht, hatte sie herausempfunden, wohin die Stadtbesuche ihres Gastes zielten; bei den aufregenden Worten des argen Weibes hatten plötzlich alle Zweifel sie verlassen; aber zugleich auch war eine wilde Hoffnung in ihr aufgestiegen, die sie vergebens zu verjagen strebte. Wie betäubt ging sie jetzt dahin auf dem einsamen Waldsteige; immer wieder schwebte der schmutzige Zettel ihr vor Augen, und mechanisch murmelten ihre Lippen die unverständlichen Worte, die sie darauf gelesen hatte.

Dann wieder sah sie jäh empor, als suche sie Zuflucht in dem reinen Ätherblau, das hoch über ihr am Himmel stand; sie schüttelte wie zornig ihr dunkles Köpfchen, als könne sie so die unheimlichen Gedanken von sich werfen; aber immer wieder und immer unabwehrbarer drang es auf sie ein. Unwillkürlich suchten ihre Blicke hin und wider, und bald folgten auch die Füße seitwärts vom Wege ab; ihre Augen streiften alles, was hier durcheinander aus dem Dunst des Bodens aufgeschossen war; auch Pilze von allerlei Form und Farben sah sie, nur waren es die rechten nicht. Und weiter ging sie, ohne auf den Weg zu achten, ohne aufzusehen; da, am Rande einer feuchten Lichtung, stockten ihre Schritte. Sie glaubte erst, es sei eine Blume, was so zinnoberrot unter dem grünen Farnkraut hervorleuchtete; aber bald sah sie es deutlich, es war der Hut eines großen Pilzes, der hier jetzt dicht vor ihren Füßen stand.

Ein Laut gleich einem Stöhnen kam über ihre Lippen; sie schloß die Augen wie vor einem bösen Trugbild; aber als sie sich wieder öffnete, stand es noch immer da und bot, wie in einem Näpfchen, ihr den roten Schaum entgegen. Ohne daß sie es wollte, hatte sie sich hinabgebückt; in ihren Gedanken rief es: »Gift! Gift! Es ist Gefahr dabei!« aber ihre stürmenden Pulse antworteten: »Es ist um desto besser!«

Ihre Lippen begannen wieder die unsinnigen Worte herzusagen, und schon hatte sie den Arm, den Finger ausgestreckt, da bewegte sich der Hut des Pilzes; ein Schauer zog durch den Wald, und die Bäume rauschten wie vom Odem eines Unsichtbaren angehaucht.

Es war nur der Abendwind, der sich erhoben hatte; aber das Mädchen war aufgesprungen; vom Schrecken der Einsamkeit erfaßt, rannte sie ohne Aufhör in den Wald hinein, ohne umzusehen, ohne zu achten, daß die Fetzen ihrer Kleider an den Büschen blieben, bis sie endlich in gutem Glücke auf den ihr bekannten Fahrweg hinauskam.

Ihr wurde plötzlich leicht ums Herz; sie atmete auf, als ob sie jetzt dem Zauberbann der argen Frau entronnen wäre. Ihr fiel nicht bei, daß noch ein anderer sie gefangenhalte, aus dem sie nicht so leicht entrinnen sollte.

Am nächsten Sonntage, es war schon gegen Abend, fuhr in drei Wagen eine Gesellschaft feiner Leute an der »Wald- und Wasserfreude« vor. Herr Zippel, dem vorher nichts angemeldet worden, geriet in große Aufregung, als man ihm ankündigte, hier sei die letzte Station der heutigen Lustfahrt; man wolle nun mit Abendbrot und Tanz den Kehraus machen. Der Doktor dagegen schien von allem unterrichtet; er war sogleich zur Stelle, half den alten und jungen Damen vom Wagen und schalt die jungen Herren, daß sie sich unterwegs so lange aufgehalten.

Kätti stand, nach der Flußseite, halbverdeckt hinter der Ecke des Hauses. Untätig, mit düsteren Augen und herabhängenden Armen, hörte und beobachtete sie alles, was hier vorging; dann, als die Gäste von ihrem Vater in das Haus hineinkomplimentiert waren, schlich sie sich zögernd durch den Garten in die Küche.

Nicht lange nachher erschien sie mit Tischzeug und Geschirr in der Veranda und begann unter Herrn Zippels kreuz- und querfliegenden Befehlen die Abendtafel herzurichten. Während sie leicht und sicher eines nach dem anderen an seinen Platz setzte, wandelte die Gesellschaft plaudernd und lachend auf den Gängen des sich unterhalb ausbreitenden Gartens, und Kätti konnte es nicht lassen, mitunter halbbeklommen einen Blick hinauszuwerfen. Die jungen Damen waren ihr fast alle bekannt, mit mehreren hatte sie einst auf derselben Schulbank gesessen, und – sie zog grübelnd eine ihrer schwarzen Flechten über die Brust hinab – von keiner war sie noch begrüßt worden. Aber freilich, sie war bei ihrer Ankunft ja auch hinten um das Haus herumgelaufen! – Nur eine, die hübscheste, ein schlankes, blondes Mädchen, war ihr fremd; sie hatte was Vornehmes in dem lässigen Neigen ihres Kopfes, und Kätti selber mußte immer die Augen nach ihr wenden. Aber es war noch ein anderes, wodurch die blonde Dame wie magnetisch die Blicke des braunen Mädchens auf sich zog. Es war nicht zu verkennen, daß sie sich immer wieder wie von selber mit dem Doktor Fedders zusammenfand, und eben jetzt gingen beide ohne Begleitung den Seitensteig zum Flusse hinab und konnten der überhängenden Büsche wegen von der Veranda aus nicht mehr gesehen werden. Kätti blickte auf die Stelle, wo die jugendlichen Gestalten verschwunden waren, bis sie vor der scharfen Stimme ihres Vaters aufschreckte und nun emsig in ihrer Arbeit fortfuhr.

Als sie die letzte Schüssel aufgesetzt hatte, sah sie das Paar aus der Tiefe des schon dämmerigen Gartens auf dem an der Veranda vorbeiführenden Steige heraufkommen. Das blonde Mädchen hatte eine feine weiße Hand erhoben und redete lebhaft zu dem jungen Doktor. Gewiß, sie war die Hübscheste; aber – Kätti wußte nicht recht weshalb – auch wohl die Stolzeste!

Und jetzt näherten die beiden sich der Veranda, und da sie auf dem Steige langsam vorübergingen, ließ die junge Dame ihre blauen Augen eine Weile betrachtend auf Kättis Antlitz ruhen und fragte dann wie gleichgültig, sich wieder zu ihrem Begleiter wendend: »Wer ist das Mädchen?« Sie hatte laut genug gesprochen, und in dem Ton der Frage lag kein Bemühen, sie vor ihrem Gegenstande zu verbergen.

»Es ist die Wirtstochter«, sagte der Doktor leise und schien rascher vorübergehen zu wollen.

Aber Kättis feine Ohren hatten auch das gehört.

Die junge Dame hob den blonden Kopf und sprach lächelnd ein paar Worte auf Französisch, und Wulf Fedders erwiderte ihr in derselben Sprache. Dann gingen sie vorüber, und Kätti hörte sie von hinten in den Saal treten.

Der Garten drunten hatte sich geleert; die übrige Gesellschaft war am Flußufer auf und ab gegangen und kam jetzt die große Felstreppe wieder herauf, welche zu der Anfahrt des Hauses führte.

Die braune, schmächtige Wirtstochter stand noch immer in der Veranda, unbeweglich an derselben Stelle; sie wußte selbst nicht, was sie überkommen war; aber sie fühlte, wie ihr das Herz fast schmerzhaft schlug und wie ihr ganzer Körper bebte. Plötzlich warf sie, was an Gerät noch in ihren Händen war, fort und lief in den Garten hinab. – Noch eine Weile saß sie unten vor der Abnahmewohnung auf dem großen Feldstein, der unter den Fenstern ihres Gastes lag. Es war ganz einsam hier; nur der Fluß rollte in dem Abendwind, der sich erhoben hatte, eintönig seine Wellen an dem Uferrand hinauf. Kätti starrte auf das immer wiederkehrende Spiel des Wassers; sie hatte keinen Gedanken, sie fühlte sich nur ganz verachtet und vernichtet. Aber jetzt hörte sie oben vom Hause her die Stimme ihres Vaters: »Kätti! Kätti!« rufen und dann schärfer und lauter: »Rosalie!«, und noch einmal: »Rosalie!«

Sie wußte wohl, jetzt, während die Gäste in der Veranda tafelten, sollte sie mit Sträkelstrakel spielen und zur Gitarre ihre Lieder singen. Aber – vor jenem blonden Mädchen? Sie hätte sich eher die Zunge abgebissen. Und selbst vor ihren früheren Schulkameradinnen – auch vor denen nicht; nein, nun und nimmer wieder.

Vorsichtig stand sie auf; aber sie ging nicht, wohin sie gerufen wurde. Seitwärts unter alten Nußbüschen war ein niedriges Rohrdach auf dem Boden hingebaut, ein Aufbewahrungsort für allerlei Gerümpel, noch von dem vorigen Wirte her. In dem hintersten Winkel, hinter leeren Tonnen und Bienenkörben hatte Kätti sich zusammengekauert. Sie hörte noch einmal ihren Vater rufen, aber sie achtete nicht darauf; sie hielt sich mit beiden Händen die Ohren zu und stützte die Arme auf ihre Knie. Doch saß sie jetzt nicht mehr in dumpfem Hinbrüten; »die Wirtstochter!« sprach sie halblaut vor sich hin, »nur die Wirtstochter!« – Er hatte vor Jahren auf dieselbe Frage ja ganz dieselbe Antwort gegeben, und sie hatte sich damals kindisch darüber gefreut; warum denn brannte heut das Wort wie eine Kränkung in ihrer jungen Brust? – Aber es war ja auch nicht jenes Wort allein; wie anders als gegen sie war sein Benehmen jenem blonden Mädchen gegenüber? Sie hatte früher nie daran gedacht; aber jetzt wallte es siedend in ihr auf: er hatte keinen Anstand genommen, sie noch immerfort zu duzen, so wie sie selber es bisweilen mit dem armen Sträkelstrakel machte!

Sie richtete sich jäh empor, daß sie den Kopf an einen Sparren stieß. – War das eine Mahnung, daß sie sich nicht zu hoch erheben sollte? – Freilich, sie hatte nichts gelernt, sie konnte nicht französisch mit ihm sprechen, in der Schule war sie immer faul gewesen. Aber sie besaß noch ihre Bücher; es war noch Zeit, um das Versäumte nachzuholen; nur das Lexikon fehlte ihr – aber unter des Doktors Büchern hatte sie eins gesehen; gleich morgen wollte sie ihn darum bitten! Nein, keine Teufelskünste, wozu die lange Trina sie verführen wollte; aber lernen, lernen! Er sollte sehen, daß sie keiner etwas nachgab.

Sie legte wieder den Kopf in ihre Hände. Da hörte sie es von oben aus dem Garten herabkommen, und bald darauf unterschied sie ein Saitenklimpern und daneben den ungleichen Tritt des kleinen Musikanten. Gewiß, mit seiner Geige unter dem Arme wanderte er umher, um sie zu suchen. Aber sie regte sich nicht, und die Schritte entfernten sich wieder. Einmal flog es durch sie hin, und ihr war, als stocke jählings ihr Herz, ob denn nicht er, er selber sie vermissen würde? – Aber es kam niemand mehr. Statt dessen hörte sie bald vom Saal herab das Getöse des Tanzes, Geigenstriche und fröhliches Lachen.

Qualvolle Stunden vergingen; endlich wurde es still, und die Wagen fuhren ab. Kätti schlüpfte aus ihrem Versteck, ließ einen Augenblick noch den feuchten Nachtwind über ihre Wangen gehen und schlich sich dann im Dunkeln fort auf ihre Kammer.

Am anderen Tage, da es noch morgenfrisch vom Fluß heraufwehte, kam Kätti wie gewöhnlich mit dem aus Brot und Milch bestehenden Frühstück des Doktors nach dem Abnahmehaus herab; vor der Haustür aber zögerte sie und holte ein paarmal tiefen Atem. Sie sah etwas bleich und anders aus als sonst; die dunkelrote Schleife saß zwar noch in dem glänzendschwarzen Haar; aber die langen Zöpfe waren am Hinterkopf zu einem Knoten aufgesteckt. Sie wollte nicht mehr wie ein Kind vor ihm erscheinen.

Als sie eintrat, stand der Doktor vor einer aufgezogenen Schublade und kramte in seiner Wäsche, wandte aber auf das Geräusch des Türöffnens den Kopf und sah die Eintretende voll Erstaunen an. »Kätti! Fräulein Rosalie!« rief er scherzend. »Du bist ja ganz verwandelt. In welchem Zauberwinkel warst du gestern uns verschwunden?«

Sie hob den Kopf, und aus dem Spalt der halbgeschlossenen Lider flog es wie ein Blick des Hasses auf ihn hin. »Ich bin krank gewesen«, sagte sie düster. Als sie aber den plötzlichen Ausdruck der Teilnahme auf seinem Antlitz sah, öffnete sie die Augen weit und blickte mit kindlicher Hilflosigkeit zu ihm auf.

»Du hättest noch ruhen sollen«, sagte er; »ich hätte mein Frühstück mir schon selbst geholt!«

Sie schüttelte den Kopf und zeigte auf ein kleines Diktionär, das zwischen anderen Büchern auf einem Seitentische lag. »Wollen Sie mir das leihen?« frug sie. »Darf ich es mit nach Haus nehmen?«

»Das? Was willst du damit?«

»Ich will Französisch lernen.«

Das Antlitz des jungen Mannes verriet eine flüchtige Verlegenheit, die Kättis scharfen Augen nicht entging. Sie dachte: »Was mag er gestern über dich gesprochen haben?«

Aber der Doktor lachte schon wieder. »Wäre es nicht besser«, sagte er, »du bliebest beim Nähen und Stricken? Mich dünkt, du warst früher gerade kein Held darin.«

Sie antwortete ihm nicht darauf; sie wiederholte nur ihre Frage, ob er das Diktionär ihr leihen wolle.

»Gewiß, Kätti«, sagte er harmlos, »und behalte es, so lange es dir gefällt!«

Sie nahm das Buch und wollte eben gehen, als sie von ihm zurückgerufen wurde. »Sieh da«, sagte er und zeigte ihr einige auf dem Tische liegende Leinwandstücke, die augenscheinlich Teile eines zugeschnittenen Hemdes waren; ich habe bei meiner plötzlichen Abreise das letzte vom Dutzend so mit fortnehmen müssen; habt ihr eine leidliche Näherin im Dorf?«

Sie schüttelte erst den Kopf; dann aber sagte sie hastig: »O ja doch, es wird schon gehen; ich weiß doch eine.«

– »Dann sei so gut, es zu besorgen!«

Sie packte rasch die Leinwand zusammen und ging mit dieser und dem Buche fort. Als sie draußen am Fenster vorüberschritt, sah er ihr durch die Scheiben nach, ja, er öffnete das Fenster, um ihr noch weiter nachzusehen, und er tat es, bis das feine Köpfchen mit dem glänzendschwarzen Haarknoten droben im Gebüsch verschwunden war. »*Vraiment, une petite princesse dans son genre!*« Halblaut wiederholte er sich diese Worte, durch welche gestern die blonde Majorstochter sich mit der eigentümlichen Anmut des Mädchens abgefunden hatte.

Er stieß auch noch die anderen Fensterflügel auf, um die frische Morgenluft hereinzulassen. »*Dans son genre?*« mumelte er vor sich hin. – »Nur *dans son genre?*« Und nachdenklich setzte er sich an den Tisch, um das ihm von der *petite princesse* gebrachte Frühstück zu verzehren.

– – Inzwischen schritt Kätti, nachdem sie oben am Hause das Diktionär in ein offenes Fenster gelegt hatte, die Dorfstraße hinab, bis sie an das niedrige Strohdach des Musikanten kam. Als sie zu ihm in die Stube trat, rutschte er mit möglichster Behendigkeit von seinem Schneidertisch herab und stand in seinen wollenen Strümpfen vor ihr auf dem Lehmboden.

»Sträkelstrakel!« sagte Kätti, während der kleine Mann sie halb verwundert, halb besorgt betrachtete. »Er kann doch Weißzeug nähen, Sträkelstrakel?«

Seine schmalen Lippen zogen sich zu einer harmlosen Selbstverspottung zusammen. »Ei freilich, Mamsellchen; ein Schneider im Dorf kann alles nähen: Hemden und Pudelmützen, und was Sie sonst noch lustig sind, Mamsellchen!«

Sie nickte und kramte ihre Leinwandstücke auf dem Arbeitstische aus. »So hilf mir! Nähen kann ich's schon; ich weiß nur nicht, wie es zusammengeht.«

Bald lehnten beide gegen den Tisch und suchten die zusammengehörigen Stücke aneinanderzupassen. Der Schneider geriet wirklich ein paarmal in Verlegenheit, denn so ein Stadtherrending war doch was anderes als ein gewöhnliches Bauernhemd. Endlich aber kam's zurecht. »So!« rief er und betrachtete jetzt etwas verwundert die Länge und Breite des Gewandes. »Ich hätte noch kaum den Herrn Zippel für eine so ansehnliche Person gehalten!«

Kätti wurde glühendrot. Aber der Schneider bemerkte das nicht, und sie selber sah sich nicht veranlaßt, ihn über ihren Arbeitgeber aufzuklären. Zärtlich, als verhülle sie ein Geheimnis, rollte sie die Leinwand wieder auf; dann fragte sie noch statt des Dankes: »Was meint Er, wollen wir einmal heut abend unsere Sonate spielen?«

Sträkelstrakel warf einen Blick auf seine Geige, die glücklich wieder an der Wand hing. »Ach ja, Mamsellchen«, sagte er freudig, »die von dem großen Mozart; und wir haben sie so lange nicht gespielt! – Freilich«, setzte er hinzu, »Sie haben jetzt auch viel zu schaffen; die Aufwartung da drunten bei dem guten jungen Herrn.« – –

Er sah ihr seufzend nach, da sie mit einem freundlichen Nicken ihn jetzt verließ. Noch immer vermochte er ein neidisches Gefühl nicht ganz zu unterdrücken, daß der junge vornehme Herr das Mädchen so ohne alle Mühe vom Wege aufgelesen hatte. Aber die angeborene Dankbarkeit seines Herzens trug den Sieg davon. »Pfui! Pfui!« sagte er zu sich selber. Dann hinkte er an die Wand, langte Geige und Bogen von ihrem Haken, und bald erklangen aus dem niedrigen Stübchen in reinen Tönen die lieblichen Passagen der Mozart-Sonate.

Als es an diesem Abend elf vom Glockenturm geschlagen hatte, stand der Doktor von seiner Arbeit auf und setzte sich auf den großen Stein vor seiner Haustür, um der Nachtkühle zu genießen und vor dem Schlaf noch eine Weile lieblichen Gedanken nachzuhängen, wie sie die zukunftsreiche Jugend zu besuchen pflegen. Nur eine Weile ruhten seine Blicke auf der Landschaft, die in verschwimmendem Umriß sich vor ihm ausbreitete; was sonst getrennt war, die Welt seines Inneren und die da draußen, im schützenden Dämmer der Nacht traten sie traulich zueinander und verwebten sich in eins. Wie traumredend durch die weite Stille rauschte der Fluß in seinen Ufern, und in dem silbernen Lichte des Sternenhimmels tauchte die Gestalt des blonden, blauäugigen Mädchens wie Anadyomene aus der Flut. Er sah sie deutlich vor sich; nur der Saum ihres weißen Gewandes verlor sich in den Wellen; mit jenem lässigen Neigen des Hauptes lächelte sie ihn an, und in dem Rauschen des Schilfes unterschied er deutlich ihre Stimme: » *Vraiment, une petite princesse dans son genre!* « Aber sie war jetzt nicht mehr drunten über dem Wasser; sie wandelte an seiner Seite, sie beide vor den Säulen der Veranda; sie flüsterte noch etwas, aber er verstand es nicht.

Als er unwillkürlich den Kopf nach dem Lande zurückwandte, wo droben über dem Gebüsch der Giebel des Haupthauses sich gegen den Nachthimmel abhob, sah er zu seiner Verwunderung noch ein Licht durch die Zweige schimmern, und bald auch, daß es aus dem Fenster strahlte, hinter welchem, wie er wußte, Kättis Kammer war.

Er hatte so spät dort niemals Licht erblickt. Was mochte das wunderliche Mädchen jetzt noch treiben? Französisch? Aber weshalb denn, da sie es als Kind so gründlich doch verabscheut hatte? – Gleichviel; was kümmerte es ihn!

Aber dennoch sah er sie vor sich; das müde Köpfchen auf die Hand gestützt und gleichwohl eifrig in seinem Diktionär blätternd.

Er wandte sich wieder ab. Der Fluß rauschte noch wie zuvor in seinen Ufern; aber die blonde Majorstochter wollte nicht wieder aus seiner Flut emporsteigen, so ernstlich der junge Doktor auch seinen Willen darauf zu richten suchte. Unwillkürlich wandte er immer wieder seine Augen nach dem Lichte, das landwärts durch die Bäume schien; es schlug schon Mitternacht vom Turme; und erst, als es längere Zeit nachher erlosch, stand er von seinem Steine auf und ging in seine Kammer.

– – Die nächste und die darauffolgende Nacht war es ebenso. Am Morgen des dritten Tages, da Kätti ihm das Frühstück brachte, legte sie die fertige Näharbeit auf den Tisch.

Er nahm sie und betrachtete sie genau, während das Mädchen gespannt zu ihm hinüberblickte. »Das ist gut!« sagte er. »Lache nur nicht; ich verstehe mich darauf.« Er war, wie manche Männer, fast pedantisch in bezug auf seine Leibwäsche. »Und was kostet es?«

»Es kostet nichts«, erwiderte sie.

»Nichts? Lassen die Näherinnen hier sich nicht bezahlen?«

»Es gibt hier keine; ich selber habe es genäht. – Aber, wollen Sie mir jetzt auch diese Arbeit durchsehen?« Und damit legte sie ein mit französischen Themen beschriebenes Heftchen vor ihm hin.

Er nahm es schweigend und begann zu lesen, während sie mit beklommenem Atem vor ihm stand. Einmal zuckte sie erschreckt zusammen, da er einen Bleistift nahm und damit zwischen ihre Schrift hineinschrieb; endlich gab er ihr das Heft zurück. »Das ist auch gut!« sagte er und sah sie voll mit seinen blauen Augen an, während ein helles Freudenrot über des Mädchens Antlitz flog.

»Aber bist du denn nicht mehr die alte Kätti; wer hätte dich früher an den Nähtisch oder an die Bücher bringen können? Und nun? – Wie geht das zu? Oder ist es am Ende gar ein Wunder?«

Ihre Augen öffneten sich weit und sahen ihn an, bis sie sich mit Tränen füllten. »Ich weiß nicht«, stammelte sie verworren, »aber darf ich mit meinen Themen wiederkommen?«

Und als er ihr das zugesagt hatte, nahm sie ihr Heft und verließ eilig das Zimmer.

An Sträkelstrakels Geige war tags zuvor die G-Saite gesprungen; nun kam er gegen Mittag aus der Stadt, wo er sich eine neue eingehandelt hatte. Müde, wie er war, bog er dennoch von der Dorfstraße in den Weg zur »Wald- und Wasserfreude« ein und wollte eben die steile Felstreppe nach dem Fluß hinunter, als Kätti aus dem Hause ihm entgegenkam.

»Wenn's nicht zuviel gebeten ist, Mamsellchen«, sagte er, seine große tellerrunde Mütze lüftend, »Sie kommen doch nach unten zum Herrn Doktor; Sie könnten mir eine Bestellung abnehmen, die sie in der Stadt mir aufgetragen haben!«

Kätti nickte und begleitete ihn nach der Straßenecke, während er ihr seinen Auftrag mitteilte. Sie nickte dann noch einmal; aber sie fühlte selbst, wie ihr die Hände plötzlich eiskalt geworden waren.

Als sie eben zurückgehen wollte, sah sie die lange Trina aus einem Hause treten; die Alte hatte ihre Krepphaube auf dem Kopf und einen schmutzigen gefüllten Sack auf ihrem Rücken; so stapfte sie an einem langen Knotenstock die Dorfstraße hinab.

Kätti machte eine Bewegung des Abscheues, aber Peter Jensen lachte: »Sie hat sich Schnaps gekauft«, sagte er; »mit ihrem Kräuterbeutel geht sie in die Stadt, und mit einem Haarbeutel kommt sie heute abend wieder!«

»Erst abends?« fragte Kätti; es schien ihr plötzlich was durch den Kopf zu gehen.

»O, auch wohl nachts oder morgens! Die schläft am Weg so gut als wie zu Hause! Also, Mamsellchen«, setzte er hinzu, »nachmittags fünf Uhr, wenn Sie es nicht vergessen wollen!«

»Nein, nein«, erwiderte sie hastig, »geht nur und ruht Euch aus; ich werde Euch was Gut's zu Mittag schicken.« Ein heißes Rot hatte ihr Antlitz überzogen, während sie langsam ihrem Hause zuging; der empfangene Auftrag schien sie sehr erregt zu haben.

Aber erst am Nachmittage kurz vor der genannten Stunde stieg sie die Felsentreppe hinab; sie hätte näher durch den Garten gehen können; aber sie schien absichtlich, als wolle sie sich selbst noch einen Aufschub gönnen, diesen weiteren Weg zu wählen. Als sie vor der Schwelle des Abnahmehauses stand, erschrak sie fast, da sie die Haustür offen sah; auch mußte sie sich erst den einen kleinen Finger mit ihrem Tuche wischen; denn sie hatte ihn blutig gebissen, während sie von der letzten Treppenstufe bis hierher gegangen war.

Als aber Wulf Fedders mit seinem blonden Kopfe etwas verwirrt aus der vor ihm liegenden Arbeit auftauchte, sah er sie plötzlich vor sich stehen, und wie damals in ihrer Kinderzeit rief er: »Du, Kätti? Bist du schon lange hier?«

Sie schüttelte den Kopf; aber als sie sprechen wollte, fehlte ihr der Atem.

»Nun«, sagte er; »ich hab' schon soviel Zeit, dich anzuhören!«

Kätti blickte gegen die Wand und erwiderte stockend: »Ich glaube doch, daß die lange Trina unseren Fidél geschlachtet hat.«

»Meinst du? Aber was ist dabei zu machen?«

»Ich möchte bitten, daß Sie mit mir hingehen, ich habe Furcht allein.«

»Aber Kätti, wenn er tot ist, bekommst du ihn ja doch nicht wieder!«

»Ich möchte es nur wissen«, sagte sie leise. »Wollen Sie nicht mit mir gehen?«

Der Doktor zögerte; es war, wie er sich ausdrückte, »ein Knacken« in seiner Arbeit, den er heut noch überwinden möchte; als aber Kätti vor ihm stehenblieb, nur die dunkeln Augen in angstvoller Erwartung auf ihn richtend, stand er auf und packte seine Bücher fort. »Wenn es denn sein muß, Kätti!« sagte er. »Aber was ist dir heute? Deine Wangen wetteifern ja mit deiner roten Schleife!«

Er erhielt keine Antwort; Kätti war schon draußen vor der Haustür.

Kopfschüttelnd nahm der Doktor seine Botanisiertrommel von der Wand, und bald gingen sie nebeneinander über die Felder nach dem Walde zu; sie hörten es eben hinter sich im Dorfe fünf vom Kirchturm schlagen, als sie ihn erreichten.

»Wollen wir nicht etwas rascher gehen?« sagte der Doktor, da Kätti jetzt absichtlich ihren Schritt zu hemmen schien.

»Ja, ja; ein wenig rascher!« – Sie tat es auch, bald aber wurden ihre Schritte zögernd wie vorher.

Er schien es nicht beachtet zu haben, daß sie um den äußeren Rand des Waldes herumgingen; denn es wuchs und blühte hier manches, das seine Aufmerksamkeit erregte, und Kätti hatte immer Neues ihm zu zeigen und zu fragen. Plötzlich aber, da er um sich blickte, rief er: »Weshalb gehen wir denn hier? Der Fahrweg durch den Wald muß ja viel näher sein.«

»Der Fahrweg?« – Kätti hatte den Kopf gewandt und sprach es in die Luft hinaus: »Es kann wohl sein; ich dachte nicht daran!«

»Aber du warst vorhin doch selbst so eilig!«

»O nein; ich habe Zeit genug.«

»Du bist ein wunderliches Mädchen, Kätti.«

Es dauerte lange, bis sie an die Kate der langen Trina kamen. Das baufällige Häuschen lag schon im tiefen Tannenschatten; aber die Tür war verschlossen, und Wulf Fedders trommelte daran mit beiden Fäusten, ohne daß geöffnet wurde. Als er durch die blinden Fenster hin-

einzublicken suchte, sprang von drinnen die schwarz und weiß gefleckte Katze gegen die Scheiben und sah ihn mit ihren grünen Augen
an. »Brr!« sagte er; »nur der Haushund ist da drinnen.« In demselben
Augenblick aber, da er einen Schritt zurücktrat, gewahrte er das gegen
die südliche Hausmauer angelehnte Brett, woran auch heute noch eine Anzahl von Tierfellen, mit der Rauchseite nach innen, angeheftet
hing. »Kätti!« rief er; »wo bist du, Kätti?«

Sie stand seitwärts unter einer einzelnen Tanne und schien auf das
Moor hinauszublicken, das sich hier vor der Hütte der Alten in uner-
kennbare Ferne hinausstreckte; mit der einen Hand hatte sie über sich
einen Ast ergriffen, so daß ihr Köpfchen an dem eigenen Arme ruhte.

Als Wulf Fedders die schlanke Mädchengestalt so fast wie schwe-
bend gegen den schon goldig angehauchten Himmel sah, zögerte er einen Augenblick; dann rief er noch einmal, aber leise, ihren Namen; da
wandte sie sich und kam langsam zu ihm.

»Ist das Fidél?« sagte er und hob mit einem abgerissenen Zweige die
Rauchseite eines noch blutigen Felles in die Höhe.

Sie hielt ein Weilchen wie gezwungen die Augen darauf gerichtet
und schüttelte dann den Kopf.

Er hob noch andere Felle auf. »Ein Iltis und zwei Katzen! Gott weiß,
was die Alte mit dem Unzeug anfängt! – Wir können nun nur wieder
heimgehen«, setzte er hinzu. »Und hier führt auch der Fußsteig in die
Tannen!«

Sie stutzte erst und blickte unsicher vor sich hin; dann ging sie rasch
voran.

Als sie eine Weile zwischen den dunkeln Bäumen fortgeschritten
waren, ließen sich ganz deutlich seitwärts aus der Tiefe des Waldes Geigentöne hören.

Kätti fuhr sichtlich zusammen.

»Was hast du?« sagte er. »Bist du so schreckhaft heute? Die neuen
Buchen werden nicht weit sein; es ist eine Tanzgesellschaft, und dein
Sträkelstrakel spielt die Geige!«

Sie antwortete nicht; aber ein Seitensteig führte hier in die entge-
gengesetzte Richtung, und sie ging eilig darauf vorwärts, als ob sie vor
jenen Tönen fliehen müsse. Und bald auch wieder war um sie her
nichts anderes vernehmbar als das eintönige Kochen und Weben in den

Tannenwipfeln, die der Abendwind bewegte. Er folgte ihr in einiger Entfernung, doch nicht weiter, als daß er um so besser die anmutige Gestalt betrachten konnte; und seine Augen sahen bald nichts anderes als sie. Im Gehen streifte ein überhängender Zweig die rote Schleife aus ihrem Haar; sie hatte es nicht bemerkt; aber er hob sie auf und zeigte sie ihr. »Warte!« sagte er; »ich weiß wohl, wie sie sitzen soll!«

Sie neigte demütig das Haupt und duldete es, daß seine ungeschickten Finger sich mit dem Bande mühten.

»Habe ich es recht gemacht?« frug er leise; noch einen Augenblick ruhte seine Hand auf ihrem Haar.

Sie nickte nur; es kam kein Hauch von ihrem Munde. Dann gingen sie aufs neue weiter; das Rauschen in den Wipfeln hatte aufgehört, es wurde immer stiller um sie her.

Jetzt öffnete sich eine Lichtung, in der das Gold des Abendhimmels auf Hülsen- und Farnkräutern lag, die hier in unberührter Einsamkeit beisammenstanden. »Weißt du denn wirklich, wo wir sind?« sagte Wulf, als Kätti vor ihm in das Gewirre hineinschritt. »Mir ist, als kämen wir niemals mehr aus diesem Wald!«

Ein gellender Schrei antwortete ihm.

»Kätti, liebe Kätti!« Er war im Nu an ihrer Seite.

Vor den Füßen des Mädchens lag eine Schlange, auf deren Rücken das Kainszeichen in dem schwarzen Zickzack deutlich zu erkennen war. Der tellerförmig aufgerollte Leib schien wie am Boden festgeheftet; nur die Muskeln spielten in unablässiger Bewegung, und der flache Kopf mit den glühenden Augen war drohend in die Luft emporgerichtet.

»Da, da!« stammelte Kätti und erhob mühsam wie im Traume ihre Hand.

Ein wütender Biß der Schlange zuckte nach ihr hin; aber Wulf Fedders hatte sie schon auf seinen Arm gehoben und trug sie fort, immer weiter, er wußte selber nicht, wohin; aus dem Tannen- in den Buchenschlag und aus den Buchen endlich an den Rand des Waldes; sie hatte die Arme um seinen Hals geschlungen und ruhte wie ein Kind mit ihrer Wange an der seinen. Nun ließ er sie sanft zur Erde nieder; allein sie blieb noch mit geschlossenen Augen an ihm ruhen.

»Kätti«, sagte er sanft; »besinne dich, die Gefahr ist jetzt vorüber.«

Sie hob den Kopf und sah ihn an, als seien ihre Gedanken ganz wo anders.

»Die Schlange!« sagte er. »Weißt du nicht? Sie hätte dich doch fast gebissen!«

»Ja, ja, die Schlange!« wiederholte sie und trat von ihm zurück; aber das Wort schien keine Bedeutung mehr für sie zu haben.

»Nicht wahr«, fuhr er fort; »sie ist weit, ganz weit von uns entfernt; du fürchtest sie nun nicht mehr?«

Sie schüttelte den Kopf und sah ihn dennoch angstvoll an.

»Kätti«, rief er bittend, »mach' nicht so heimatlose Augen!«

Und da sie noch immer stumm blieb, streckte er in heftiger Bewegung beide Arme ihr entgegen.

Einen Augenblick neigte auch sie sich gegen ihn; dann aber richtete sie sich jäh empor. »Nein, nein«, schrie sie, und ihre kleinen Hände stießen ihn zurück; »ich kann nicht, ich bin falsch gewesen!«

»Falsch? Du, Kätti? Du kannst ja gar nicht falsch sein!«

»Doch«, sagte sie und nickte ein paarmal wie zur Beteuerung ihrer Schuld; »das Weib hat unseren Fidél gar nicht getötet; ich wußte das, denn sie fanden ihn heute in der Trinkgrube neben unserem Garten.«

Wulf Fedders schüttelte den Kopf. »Aber weshalb sind wir dann hier hinausgewandert?«

»Es war eine Gesellschaft aus der Stadt«, entgegnete sie stockend; »sie wollten in unserer Wirtschaft vorfahren; ich sollte es an Sie bestellen.«

»Und das wolltest du nicht?«

»Nein, ich wollte es nicht.«

»Und weshalb?« frug er gespannt.

Sie schwieg eine Weile; dann sah sie ihn fest mit ihren schwarzen Augensternen an und sagte: »Weil auch die blonde Dame mit in der Gesellschaft ist.«

»Darum also – die Tochter der Majorin meinst du?« Es klang ein plötzlich kühler Ton aus diesen Worten; die blonde Dame war auf einmal wieder in der Welt.

Da Kätti keine Antwort gab, so schwiegen beide und gingen langsam nebeneinander auf dem Wege hin. Als sie sich dem Tore des Geheges näherten, hörten sie wiederum die Geige aus dem Walde tönen.

Kättis weiße Zähnchen gruben sich in ihre Lippe; aber Wulf Fedders schritt, als habe er nichts gehört, vorüber.

»Wollen Sie nicht hineingehen?« sagte sie leise. »Sie treffen die Gesellschaft noch beisammen.«

Er schüttelte den Kopf. »Ein andermal, Kätti.« – Und stumm wie vorhin gingen sie auf dem fast dunkeln Wege fort. Als sie das Dorf erreicht hatten, bogen sie von der Straße ab und schritten unten am Flußufer entlang. An der Felstreppe, die zur »Wald- und Wasserfreude« hinaufführte, blieb der Doktor stehen. »Gute Nacht, Kätti!«

»Gute Nacht«, hauchte sie; sie gaben sich nicht die Hände; wie ein gescheuchter Vogel flog sie die Stufen hinauf, bis er sie oben in der Dämmerung verschwinden sah.

– – An diesem Abend saß der Doktor noch lange auf dem großen Stein vor seiner Haustür und blickte auf den Fluß hinaus, der ruhig im Sternenlicht dahinzog; aber aus seinen Wellen wollte heute kein anmutiges Mädchenbild emporsteigen. Vor der nahen Wirklichkeit konnte das Spiel der Phantasie sich nicht entzünden; die nüchternen Gedanken hatten allein jetzt die Gewalt. – –

Wulf Fedders war der Sohn eines höheren Beamten, den bei schon reiferer Jungfräulichkeit eine Dame alten Geschlechts geehelicht hatte; und es geschah wie meist in solchen Ehen: da die Frau nicht umhinkonnte, ihres Mannes bürgerlichen Stand zu teilen, so suchte sie wenigstens von der frühren »Exklusivität« noch soviel festzuhalten, als ihre kleinen Hände es vermochten. Die damit durchsetzte Luft des Hauses war auf den Sohn, der seine Mutter nach Verdienst verehrte, nicht ohne Einfluß geblieben; trotz guten Willens wurde es ihm meistens schwer, ja fast unmöglich, den Menschen ohne Rücksicht auf seinen Ursprung oder die ihm angeborene Vergangenheit zu schätzen. So wollte er wohl gern ein bedeutender Rechtslehrer, ein großer Staatsmann werden; aber hätte er dafür der Sohn eines Stallknechts sein und die Jugend eines solchen Kindes als Vorleben mit in den Kauf nehmen müssen, er hätte sich doch sehr bedacht.

Nun saß er in der Einsamkeit der Nacht, in sich erschrocken über die Vorgänge dieses Nachmittages, die mit zudringlicher Deutlichkeit vor seinen Augen standen. Nur Kätti selber hatte ihn zurückgehalten, sich ihr für immer zu geloben; und Wulf Fedders war nicht der Mann, eine deutlich eingegangene Verpflichtung nicht auch mit allen Opfern zu erfüllen. Aber der gefährliche Augenblick war vorüber und konnte niemals wiederkehren. »Hermann Tobias Zippels Schwiegersohn!« Er schüttelte sich ein wenig, wie einstens Kätti vor dem armen Unterlehrer; dann stand er langsam auf und ging in seine Kammer.

An einem der nächsten Tage wurde Kätti von einem Glücksfalle betroffen, den sie freilich für den Augenblick wohl kaum zu schätzen wußte. Zufolge Testamentes einer verstorbenen Patin wurde ihr nicht nur ein straffes Beutelchen mit silbernen und goldenen Schaumünzen eingehändigt, es war ihr außerdem eine nicht unansehnliche Summe ausgesetzt, welche zu Herrn Zippels Entrüstung nicht durch ihn als väterlichen Vormund, sondern durch eine dritte Person bis zu ihrer Mündigkeit verwaltet werden sollte.

Und als wäre es noch nicht Glückes genug, so begann auch der Unterlehrer, der seit seiner erfolglosen Liebeswerbung fortgeblieben war, aufs neue in der Wald- und Wasserfreude einzukehren. Da er die sichere Aussicht auf einen guten Schuldienst in der Stadt hatte, so suchte er sich der Tochter des Hauses wiederum mit allerlei Gespräch zu nähern, wobei er allmählich ein ganz munteres und zuversichtliches Wesen angenommen hatte. Als Wulf Fedders einmal darüber zukam, war ihm im ersten Augenblicke, als ob ein Dorftölpel in seinen Blumengarten steigen wolle, und schon saß ein überlegenes Wort gegen den jungen Menschen auf seinen Lippen. Aber er besann sich; was kümmerte es ihn? Er wollte ja kein Recht an dieser Blume haben. Er ging fort, und Kätti sah ihm mit großen Augen nach, während die Reden des Schulmeisters wie leeres Wellengeräusch an ihrem Ohr vorübergingen.

Im übrigen wollte der Sonnenschein, der draußen fortdauernd vom Himmel auf die Erde glänzte, in der Wald- und Wasserfreude nicht zur Geltung kommen. Der Doktor zeigte sich nur selten oben in der Wirtschaft; wenn er nicht an seiner Arbeit saß, so lief er allein durch Wald und Feld, oder er war drüben in der Stadt, oft mehrere Tage nacheinander. Herr Zippel fuhr sich mehr als jemals unwirsch durch die Haare; denn von seinen Badarbeitern war ihm die Hälfte fortgelaufen, sei es, daß Herrn Zippels Anweisungen ihnen unausführbar schienen, sei es, daß, wie hie und da gemunkelt wurde, der Lohn nicht prompt genug gefallen war. Noch unwirscher wurde er, wenn er die Tochter ansah: »Seit du vor lauter Eigensinn nicht mehr hast singen wollen, kommen immer weniger Gäste aus der Stadt; was soll denn daraus werden?« – Es zuckte schmerzlich durch das junge Gesicht; aber sie wußte nichts darauf zu sagen.

Dennoch waren wieder eines Tages Gäste angesagt. Kätti hatte, wie bestellt, den Kaffeetisch in der Veranda hergerichtet; vom Glockenturme schlug es drei, die junge Gesellschaft, welche für diesen Sommer sich zusammengefunden hatte, mußte bald erscheinen. Noch einmal übersah Kätti mit Sorgsamkeit ihr Werk; denn die Bedienung selbst hatte sie der dicken Köchin überwiesen, die eben dabei war, sich in ihren Sonntagsstaat zu werfen. Trotz ihres Vaters Mahnung, sie vermochte es nicht, auch nur zur Aufwartung zwischen diesen Gästen einherzugehen.

Auf ein Geräusch horchte sie hinaus, ob nicht das Rollen der ankommenden Wagen schon vernehmbar sei; aber es war nur der wohlbekannte ungleiche Schritt des kleinen Musikanten, was jetzt von der Anfahrt den Gartensteig entlang kam. Und bald erschien auch Sträkelstrakels dürftige Gestalt auf den Stufen der Veranda; obwohl eine auffallend milde Sonne heut am Himmel stand, trocknete er sich doch mit seinem karierten Schnupftuch die hellen Perlen von der Stirn.

Schon längst, mit dem Instinkt der Liebe, hatte er herausgefunden, weshalb seit nun schon vielen Tagen sein Liebling so seltsam stumm und blaß einherschlich; als er ihr jetzt in das erregte junge Antlitz blickte, dessen Züge heute eine eigentümliche Schärfe zeigten, ergriff er lebhaft ihre beiden Hände: »O Mamsellchen«, sagte er und hob seine grauen Augen in anbetender Entsagung zu ihr auf; »Sie sollten sich das nicht gar zu sehr zu Herzen nehmen; es gibt noch andere, die es ehrlich meinen!«

Sie blickte ihn traurig, aber freundlich an: »Ich weiß das, guter Sträkelstrakel; aber ich versteh' dich nicht.«

»Wenn ich nur reden dürfte, Mamsellchen!«

»Weshalb denn solltest du nicht reden dürfen?« – Sie horchte noch einmal hinaus; aber es war nichts zu hören.

Sträkelstrakel hatte sich abermals die Stirn getrocknet. »Der Unterlehrer«, sagte er, »er ist kein feiner Herr; aber ich kenne ihn, er ist ein guter Mensch; Sie wissen, Mamsellchen, er versteht auch seine Orgel recht mit Schick zu spielen, und er hat doch nun das schöne Brot dort in der Stadt bekommen – wenn Sie gütigst ihm erlauben wollten, wieder einmal anzufragen!«

Ruhig hatte Kätti ihm zugehört. »Am Ende bist du schon als Freiwerber an mich abgesandt!« sagte sie und lehnte müde das dunkle Köpfchen an eine der Verandasäulen.

Sträkelstrakel wurde sehr verlegen. »O Mamsellchen«, sagte er zögernd; »aber wenn es denn so wäre!«

Sie antwortete nicht; sie hatte sich jählings aufgerichtet. Von der Dorfstraße her kam deutlich das rasche Rollen mehrerer Wagen.

Rasch trat sie auf den kleinen Musikanten zu und legte fest die Hand auf seinen Arm: »Schweig, Sträkelstrakel! Sprich nicht mehr; ich will nichts weiter von dem Narren hören!«

Als er sich umblickte, war sie verschwunden; draußen bei der Anfahrt aber erhob sich das Getöse der ankommenden Gäste, und von der Felstreppe herauf erschien der Doktor, um sie zu begrüßen.

– – Der Nachmittag verging, während Kätti hinter verschlossener Tür in ihrer Kammer saß; als es drunten stiller geworden war, ging sie vorsichtig in das Haus hinab. Der Saal war leer, in der Veranda sah sie zwei ältere Damen beim Pikettspiel sitzen; aber hinter dem Garten, vom Fluß herauf, scholl ein fröhliches Stimmengewirr. Ein paar Augenblicke stand Kätti, den Kopf vorgeneigt und mit verhaltenem Atem, als ob sie aus dem fernen Schall sich einzelne Worte aufzuhaschen mühe; dann, fast wider ihren Willen, schlich sie in den Garten.

Die jugendliche Gesellschaft hatte das größte der beiden Böte losgekettet und war jetzt im Begriff, sich einzuschiffen; der Doktor und die blonde Dame waren die letzten, und eben ergriff sie seine Hand, um einzusteigen. Kätti sah es genau aus ihrem Versteck, und ihre Augen verschlangen alles, was sie sahen. Als das Boot stromaufwärts abgefahren war, blieb sie zuerst in dumpfem Sinnen stehen. Aber nicht lange, so war sie auch zum Fluß hinabgegangen; und bald folgte jenem größeren Boote das zweite, kleinere mit gleichmäßigem, leisem Ruderschlag; die Schifferin, die es lenkte, verstand es, stets denselben gemessenen Raum zwischen beiden Böten innezuhalten. – Was wollte sie? – Sie wußte es selber nicht; aber ihre Augen hafteten wie gebannt an dem vollen Nachen, der im Glanz der Abendsonne mit Lachen und Gesang vor ihr den Strom hinauffuhr.

Weiter oben, an derselben Stelle, wo auch das Dorf belegen war, erhob sich ein mäßig großer Hügel, den, wie eben jetzt, die Gäste der Wald- und Wasserfreude der schönen Aussicht halber aufzusuchen pflegten, um dann durch Wald und Wiesen wieder heimzukehren. Auch heute hatte man einen Burschen vorausgeschickt, der später mit dem leeren Boote zurückzurudern hatte; denn auf dem Hinwege freilich ließen die jungen Männer es sich nicht nehmen, ihre Damen selbst zu fahren.

Kätti wußte das; es war gewöhnlich so. Und endlich sah sie, wie das Boot vor ihr an jener Anhöhe landete und wie die Damen unter Handreichung der Herren an das Ufer sprangen. – Leise hielt sie ihr Ruder an. Aber was hatte die Gesellschaft dort? Es mußte ein Unfall geschehen sein; man drängte sich zusammen und schien lebhaft zu verhandeln. Dann wurde eine von den Damen – Kätti konnte nicht erkennen, welche – mit Hilfe eines Herrn in das Boot zurückgeführt; es war augenscheinlich, daß sie hinkte, sie mochte sich den Fuß vertreten haben. Jetzt gingen wieder alle an das Fahrzeug, und aufs neue schien man hin und her zu reden; die Verletzte schien dankend, aber lebhaft abzuwehren. Bei dem Flimmern der Abendsonne sah Kätti alles wie ein Schattenspiel; jetzt aber gewahrte sie deutlich, wie die Dame, von dem Arm des Herrn gehoben, in das Boot hinübertrat, wie dieser sich dann rasch nach einem Ruder bückte und vom Ufer abstieß, während die übrigen unter Tücherschwenken dem Hügel zugingen.

Kätti fuhr mit der Hand nach ihrem Herzen; sie zweifelte nicht, wer jene beiden waren, die jetzt selbander den einsamen Strom herabgefahren kamen. Ihr eigenes Boot befand sich eben seitwärts von der Einfahrt in den kleinen Binsenhafen; jetzt lenkte sie hinüber, und mit eingezogenen Rudern glitt es durch die enge Öffnung. Aus dem rings umschlossenen Raum war es nicht möglich, den Fluß hinaufzusehen; aber nach der einen Seite standen die Halme weniger dicht, so daß sie das Boot hineindrängen konnte und von hier aus eine Durchsicht nach dem Wasser zu gewann. Von drüben trat gleicherweise eine hohe Binsenwand so nah heran, und die Wasserbahn an dieser Stelle war dadurch so schmal, daß niemand unerkannt vorüber konnte.

Das Mädchen hatte die Hände über ihre Knie gefaltet und den dunkeln Kopf daraufgelegt; man hätte glauben können, daß sie betete; aber ihr Ohr horchte stromaufwärts in die Ferne, ihre Pulse hämmerten; was sie an Gedanken hatte, ging diesen einen Weg. Und jetzt, jetzt endlich in der ungeheuren Stille, erfaßte ihr Ohr das Rauschen eines Ruderschlags. Sie fuhr empor und streckte sich mit dem ganzen Leibe nach jener Richtung, während ihre Hände sich an den Rand des Bootes klammerten. Gierig, als passe sie auf eine Beute, lauschte sie auf das nah und näher tönende Geräusch, das gerade auf sie zuzukommen schien. Allein sie hörte nichts von dem, was sie zu hören dachte: keine Worte, keinen Laut von Menschenlippen! Jetzt aber – es war, als ob die Ruder eingezogen würden, sie vernahm deutlich das Abtropfen des Wassers; und jetzt, vom Strom getragen, glitt draußen das Boot rauschend an ihrer Binsenwand entlang.

Kätti hatte sich aufgerichtet, zitternd bogen ihre Hände die nächsten Halme auseinander; aber, so weit sie ihre Augen öffnete, es ward nicht anders: Wulf Fedders war der Schiffer, das blonde Mädchen lag in seinen Armen. Aber nur noch einen Augenblick, dann fuhr sie jäh empor. »Es lachte jemand!« rief sie und sah sich mit erschreckten Augen um.

Der Doktor ließ sich nicht so leicht beirren. Aufs neue umschlang er seine Braut und küßte sie. »Du träumst«, sagte er zärtlich; »wir sind allein; wer sollte denn auch lachen, daß du mein geworden bist!«

Aber ungesehen hinter der dunkeln Binsenwand war in diesem Augenblick ein verbleichendes junges Antlitz auf den Rand des Bootes hingesunken. – Das Abendrot überglänzte den Himmel und verging, der Tau versilberte das schwarze Haar des schönen Mädchenkopfes, und fern im lichten Blau des Äthers schimmerte der Stern der Liebe. Da erst richtete sich Kätti wieder auf. Lange blickte sie in den milden Glanz des ruhigen Gestirnes; dann betrachtete sie aufmerksam ihre Hände, ihre kleinen Füße; sie löste ihr schönes Haar und ließ es durch die Finger gleiten, bis sich plötzlich ihre Arme streckten und sie mit beiden Händen nach den Rudern griff. »Nur die Wirtstochter!« rief sie. »Die Tochter aus der Wald- und Wasserfreude!« Ein bitteres Lächeln flog um ihren Mund; vielleicht auch hat sie wieder laut gelacht; aber niemand hat es hören können, das Fahrzeug, welches die beiden Glücklichen trug, war längst den Strom hinab.

Der Doktor hatte, wie er der Kühle wegen wohl zu tun pflegte, während dieser Nacht ein Fenster seines Wohnzimmers offengelassen. Als am anderen Morgen sein Blick dahin fiel, gewahrte er auf der Fensterbank das französische Diktionär, das Kätti an jenem Morgen so eifrig mit sich fortgenommen hatte. Sie hatte es also schweigend ihm zurückgebracht und wollte es nun nicht mehr gebrauchen.

Da er zögernd das vom Nachttau feuchte Buch in seine Hand nahm, fiel ein Zettel mit Kättis kleiner Schrift heraus:

»Das Beutelchen mit den Gold- und Silbermünzen« – so hatte das rechtsunkundige Kind geschrieben – »nehme ich mit mir, und es braucht daher keiner meinethalben zu sorgen. Aber meine übrigen Erbgelder soll mein Vater haben; nur soll er davon an Sträkelstrakel hundert Taler geben. Ich darf wohl hoffen, daß Sie dies für mich besorgen werden.«

Und weiter nichts; der Name »Kätti« stand darunter.

Bestürzt starrte Wulf Fedders auf diese Zeilen; das Lachen, das gestern seine schöne Braut erschreckt hatte, fiel ihm plötzlich schwer aufs Herz. Grübelnd sann er nach, ob er irgendeine Schuld an sich entdecken könne; aber er fand keine. Eine heftige Sehnsucht nach dem Mädchen wallte in ihm auf; aber er sagte sich mit Nachdruck, daß das nur Mitleid sei.

Noch ein paar Augenblicke; dann ging er durch den Garten nach dem Haupthause hinauf, wo er Herrn Zippel, wie zur Reise gerüstet, mit Hut und Stock im Gastzimmer antraf. »Ist Kätti hier?« frug er hastig.

»Kätti?« entgegnete Herr Zippel zerstreut. »Sie wird noch in den Federn liegen!«

»Nein, nein! Sie ist fort!«

»Fort?« Herr Zippel rannte aus der Tür und kam nach ein paar Augenblicken wieder. »Ja, ja! Ihr Bett ist unberührt! Aber weshalb? Warum?«

»Ich weiß es nicht«, erwiderte der Doktor mit etwas unsicherer Stimme; »aber lesen Sie das!«

Herr Zippel nahm ihm den dargebotenen Zettel aus der Hand. »Hm, richtig! Richtig!« rief er, indem er mit ausgespreizten Fingern sich alle Haare in die Höhe zog. »Wieder die alte Dummheit! Aber wissen Sie, dies da mit dem Gelde, das ist eine neue! Auf das Gekritzel zahlt mir niemand auch nur einen Schilling. Nun, es schad't nichts; leben Sie wohl, Herr Doktor; ich will in die Stadt!«

Der Doktor hielt ihn noch zurück. »Was wollen Sie dort? Wollen Sie es wieder in die Blätter setzen lassen?«

»Wie meinen Sie das! Ja freilich wird es in die Blätter kommen! – Aber meine Kätti ist dennoch ein Genie; sie hat das rechte Teil erwählt; mit diesem Publikum ist nichts zu machen! Glauben Sie, daß die Wald- und Wasserfreude existieren kann, wenn keine Gäste kommen? Oder glauben Sie es nicht?« Er sah ein paar Sekunden lang dem Doktor starr ins Angesicht, dann streckte er wie beschwörend seine Hand gegen das Fenster, durch welches man auf die Gartenanlagen und die Trümmer des neuen Wald- und Wiesenwasserbades sah. »Irgendein dummer Esel«, rief er, »welcher nach mir kommt, wird aus meinen Gedanken sich Dukaten prägen; das ist der Lauf der Welt! – Ich gehe aufs Gericht, um meine Insolvenz zu Protokoll zu geben!«

Er erhob stolz den Kopf, und seinen Spazierstock schwingend, schritt er zur Tür hinaus.

– – Einige Tage später saß drüben in der Stadt Wulf Fedders neben seiner hübschen blonden Braut. Sie plauderte schon lange und schien eifriger zu fragen, als er zu antworten.

»Und sie ist jetzt zum zweiten Male fortgelaufen?« hub sie aufs neue an.

»Ja, zum zweiten Male.«

»Und ihr habt keine Spur von ihr gefunden, gar keine?«

Er schüttelte den Kopf. »Nicht weiter als bis unten an der Flußmündung, wo auch das Boot gefunden wurde.«

»Du Ärmster, wie hast du dich wohl abgemüht!«

»Du übertreibst, Cäcilie; ich habe mich nicht abgemüht.«

Sie neigte den Kopf und sah ihn von unten auf mit ihren blauen Augen an. »Leugne es nur nicht! Und – weißt du? – wäre es eine andere gewesen, ich hätte eifersüchtig werden können!«

Ein leichtes Rot überflog sein Antlitz.

»Du?« rief sie neckisch drohend und erhob den Finger ihrer weißen Hand.

Wulf Fedders sah sie düster an. »Wollen wir nicht lieber von etwas anderem reden als immer nur von jenem armen Mädchen?«

Die junge Dame strich sich sorgsam ihre Kleider glatt und richtete sich in ihrem Sessel auf. »Weißt du?« sagte sie. »Sie interessierte mich doch; ich wußte nur nicht, wo ich sie hintun sollte; nach dieser Geschichte aber bin ich ganz im reinen! Nicht wahr, sie hatte so ruhelose Augen? Es war ein rechtes Vagabundenangesicht!«

Ein Vierteljahrhundert ist seitdem vergangen. Das Gewese der »Wald- und Wasserfreude« wurde schon derzeit in dem Zippelschen Konkurse von dem früheren Besitzer für seinen ältesten Sohn zurückerworben, und mit diesem ist die alte patriarchalische Bauernwirtschaft, sind die billigen Preise und die Gäste wieder eingezogen. – Vor dem Abnahmehause, drunten am Flußufer, liegt noch immer der große Stein, auf welchem einst Wulf Fedders seine Anwandlung jugendlicher Träumereien überstand. Statt seiner konnte man noch vor wenig Jahren einen kleinen, alten Mann dort sitzen sehen, der bei einer der jetzt in dem Hause wohnenden Arbeiterfamilien von der Gemeinde in die Kost verdungen war. Zuweilen, an milden Sommerabenden, wenn drinnen die Hausbewohner schon zur Ruhe waren und nur die einsame Sternennacht im Flusse widerschien, zogen von dorther klare Geigentöne über Dorf und Anger. Wer noch wach war und aufmerksam hinüberlauschte, hätte wohl einzelne Passagen eines Mozartschen Adagios erkennen mögen; dazwischen tauchte eine sehnsüchtige Melodie empor und verklang und kehrte wieder, bis – oft in später Nacht – das Geigenspiel verstummte.

Drüben aber in der Stadt, in dem Archiv der alten Landvogtei, zu deren Bezirk die einstige »Wald- und Wasserfreude« gehört, liegt unter den Akten über Verschollene ein Heft mit ganz vergilbtem Deckel; es enthält die Verwaltungsnachweise über Kättis Erbgelder, deren Zinsen längst das Kapital verdoppelt haben.

Der gegenwärtige Landvogt ist Wulf Fedders, welcher bald nach seiner Verlobung alle Gedanken an künftigen Gelehrtenruhm mit der sicherer zum häuslichen Herde führenden Beamtenlaufbahn vertauscht hatte. Alle Jahre einmal, bei der Revision der Vormundschaften und Kuratelen, gehen jene Akten durch seine Hände. Dann gedenkt er plötzlich wieder der dunkelfarbigen Kätti und seiner Schülerzeit und jener Tage in der »Wald- und Wasserfreude«. Aber er hat gar viele Akten und zu Hause eine blonde Frau und viele Kinder; bevor er noch den Weg vom Amtslokale nach seiner Wohnung zurückgegangen ist, haben diese Erinnerungen ihn schon längst verlassen.

Im Brauerhause

Es war in einem angesehenen Bürgerhause, wo wir am Abendteetisch in vertrautem Kreise beisammensaßen. Unsere Wirtin, eine Fünfzigerin von frischem Wesen, mit einem Anflug heiterer Derbheit, stammte nicht aus einer hiesigen Familie; sie war in ihrer Jugend als wirtschaftliche Stütze in das elterliche Haus ihres jetzigen Mannes, unseres trefflichen Wirtes, gekommen und hatte in solchem Verhältnis dort gelebt, bis der einzige Sohn so glücklich gewesen war, sie als seine Ehefrau bleibend festzuhalten. Das Vertrauen, womit des Bräutigams Mutter gleich nach der Hochzeit der Jüngeren ihren eigenen Platz im Hause einräumte, hatte diese nun schon manches Jahr über das Leben ihrer beiden Schwiegereltern hinaus gerechtfertigt. Bei ihrem jetzt den Siebzigern nahen Ehemann begann schon das Greisenalter seine leise Spur zu ziehen; aber wo ihm seine Kraft versagte, da suchte sie unbemerkt die ihre einzusetzen; wo ihrerseits eine Entsagung nötig oder auch nur erwünscht schien, da blickte sie nur mit um so freundlicheren Augen auf ihren Mann und blieb bei ihm allein, wenn andere dem Vergnügen nachgingen. Der alte Herr selber war nicht von vielen Worten; aber die ruhige Sicherheit einer gegenseitig bewährten Liebe war in diesem Hause allen fühlbar, und alle fühlten sich dort wohl.

Am heutigen Abend jedoch wollte das gewohnte Gespräch, worin man sich sonst über Stadt- und Landesangelegenheiten mit Behaglichkeit erging, noch immer nicht in rechten Fluß geraten; denn in einer unserer Nachbarstädte war früh am Morgen etwas Ausnahmsweises und Entsetzliches, es war die Hinrichtung eines Raubmörders dort vollzogen worden, und die Luft schien mit diesem Unterhaltungsstoffe so erfüllt, daß kaum etwas anderes daneben zur Geltung kommen konnte. Hier war nun überdies noch ein abergläubischer Unfug im Gefolge der Exekution gewesen; ein Epileptischer hatte von dem noch rauchenden Blute des Justifizierten trinken und dann zwischen zwei kräftigen Männern laufen müssen, bis er plötzlich, von seinen Krämpfen befallen, zu Boden gestürzt war. Dennoch galt dies Verfahren als ein untrügliches Heilmittel seiner Krankheit. Und noch zu anderen Kuren und sympathetischen Wundern sollten Haare, Blut und Fetzen von der Kleidung des Hingerichteten unter die Leute gekommen sein.

An unserem Teetisch erhob sich darüber ein lebhaftes Durcheinanderreden; all diese Dinge wurden gleichzeitig als unzulässig und strafbar, als verabscheuungswürdig und als lächerlich bezeichnet. Nur unsere verehrte, sonst so teilnehmende Wirtin saß plötzlich so still und in sich versunken, daß endlich alle es bemerken mußten.

Als wir sie eben darauf ansahen, rief ihre älteste Tochter zu ihr hinüber: »Mutter, du denkst gewiß an Peter Liekdoorns Finger!«

»Ja, ja, Peter Liekdoorn!« sagte nun auch der alte Herr; »das ist eine Geschichte! Erzähl' sie nur, Mutter; deine Gedanken kommen sonst ja doch nicht davon los, und zu verschweigen ist ja nichts dabei!«

»Nein, mein Vater«, sagte die alte Dame; »es ist ja einstens auch genug davon geredet worden.«

Dann sah sie uns alle der Reihe nach mit ihren freundlichen Augen an, und als auch wir dann baten, begann sie in ihrer mitteilsamen Weise: »Mein seliger Vater hatte, wie das Ihnen allen wohl bekannt ist, eine Brauerei; keine bayrische, wie sie heutzutage sind; es wurde nur Gutbier und Dünnbier gebraut; aber beides war gut für den Durst und nicht so gallenbitter wie das jetzige, das nicht einmal zu einer Biersuppe zu gebrauchen ist.«

Wir lachten, und sie lachte herzlich mit uns.

»Das Geschäft«, fuhr sie dann fort, »war noch von Großvaters Zeiten her und lange das einzige am Ort gewesen; im Jahre meiner Konfirmation aber wurde von einem reichen Bäcker noch ein zweites etabliert. Wenn man hinten aus unserem Brauhause auf den Weg hinaustrat, konnte man am Nordende der Stadt das neue rote Dach über den Gartenbäumen scheinen sehen; und ich glaube freilich nicht, daß mein Vater, und noch viel weniger, daß unser alter Brauknecht Lorenz es eben mit Vergnügen sah; aber unser Bier hatte doch seinen alten Ruf, und die Kundschaft blieb groß genug, daß wir alle satt hatten und mein Vater jedem zahlen konnte, was er schuldig war.

Da, nicht lange nachher, geschah es, daß auch bei uns ein ganz abscheulicher Kerl hingerichtet wurde. Wie er eigentlich hieß, weiß ich nicht einmal; aber die Leute nannten ihn ›Peter Liekdoorn‹; denn er hatte nichts gelernt und suchte sich deshalb als Hühneraugen-Operateur durchzuhelfen. Nun, ich hätte den Kerl nicht an meinen Hühneraugen haben mögen! – Da er viel Branntwein trank und wenig in

der Tasche hatte, so brachte er seine eigene fast neunzigjährige Tante
ums Leben, von der er wußte, daß sie eine Strumpfsocken mit Banktalern in ihrem Bettstroh aufbewahrte; aber bevor er noch einen davon ins Wirtshaus tragen konnte, so hatten sie ihn schon fest und auf
der Fronerei; und endlich war denn auch sein Prozeß zu Ende; er sollte draußen auf dem Galgenberg enthauptet und dann sein Körper auf
das Rad geflochten werden. Und das war wohlverdient; denn die alte
Tante hatte den Bengel, der eine Waise war, vor Jahren mit Not und
Hunger aufgezogen, und die Banktaler hatte sie sich zum ehrlichen
Begräbnis aufgespart.

Wie ich schon sagte, hatten wir derzeit noch unseren alten Brauknecht Lorenz, der wie das Geschäft selbst auch noch von meinem
Großvater stammte; eine treue, fromme Seele! Über sein Wandbett
hatte er sich mit Kreide den halb plattdeutschen Spruch geschrieben:

> Lorenz Hansen ist mein Nam';
> Gott hilf, daß ich in'n Himmel kam!

Und sooft auch die Magd ihn am Sonnabend mit der Seifenbürste weg-
wusch, er malte ihn am Sonntag immer geduldig wieder hin. Uns Kindern, wenn wir abends in der Brauerei am großen Steinbottich bei ihm
saßen, wußte er Geschichten zu erzählen, daß wir zuletzt vor Gruseln
ihm alle auf den Schoß gekrochen waren, und wie das heutzutage kein
Mensch mehr so versteht. Das war nun gut; aber warum er solche Geschichten so erzählen konnte, das war nun nicht so gut! Er glaubte nämlich selber an all das dumme Zeug, womit er uns traktierte. Am Paasch-
abend, wenn er sein Dutzend Ostereier ausgelöffelt hatte, schlug er
sorgsam alle Schalen entzwei; sonst, sagte er, könnten die Hexen darin
nisten; beim Bierbrauen legte er allemal ein Kreuz von Holz über den
Gärkübel, so konnte keiner den Gest (Hefe) rauben, und das Bier konnte nicht verrufen werden. Meiner Mutter, die uns auch oft beim Ge-
schichtenerzählen auseinanderjagte, war all so etwas in den Tod zuwider; sie schalt ihn oft darüber und auch auf meinen Vater, daß er solche
Narrenspossen unter seinem Dache leide. Aber unser Vater war eben,
wie wir auf plattdeutsch sagen, ein ›liedsamer‹, ein gelassener Mann; er
strich schmunzelnd seiner kleinen lebhaften Frau mit der Hand übers

Gesicht und sagte: ›Mutter, laß mir den alten Lorenz; so einen Brauknecht gibt es keinen zweiten; er meint's gut, und es schadet keinem.‹

Damit war meine kleine Mutter allemal fertig, zumal wenn sie noch
einen Kuß dazubekam; aber recht hatte er darum doch nicht; denn
dumm ist dumm, und es sollte niemand sagen, daß die Dummheit keinen Schaden tue.

Als es nun soweit war, daß tags darauf der Mörder Peter Liekdoorn
sich durch Hingabe seines irdischen Leibes mit seinem Gott versöh-
nen sollte, hatte unser Lorenz es sich von dem Bürgermeister und seinem Brotherrn ausgebeten, daß er dem armen Sünder in seiner letzten
Nacht Gesellschaft leisten durfte; denn sie waren Nachbarskinder gewesen, und in der Schule hatte Lorenz ihm oft die eine Hälfte von seinem Butterbrot gegeben, und Peter Liekdoorn hatte sich dann die andere noch dazu gestohlen. Aber als nun der gute Lorenz mit ihm beten und seiner armen Seele beistehen wollte, trieb der schändliche Bösewicht nur Possen und Eulenspiegeleien.

Herr Amtsrichter«, fuhr die Erzählerin fort, sich voll nachträglicher
Entrüstung zu mir wendend – »man mag es ja kaum erzählen! ›Juckst
du noch?‹ hatte er zu seinem Kopf gesagt, indem er sich in seinen dünnen Haaren kratzte. ›Und morgen sollst du schon herunter!‹ Der alte
Lorenz hat das nie vergessen können.

Der Richtplatz auf dem Galgenberg war so nahe bei der Stadt, daß
man von unserem obersten Brauhausboden alles deutlich hätte mit ansehen können; aber während die halbe Stadt hinausgezogen war, steckte ich in dem dunkelsten Verschlage unter der Bodentreppe; denn ich
hatte trotz meiner sechzehn Jahre die dumme Idee, daß ich es sonst
überall im Hause hören müßte, wie dem Bösewicht der Kopf herab-
geschlagen würde. Erst als meine Mutter anklopfte und rief: ›Es ist vorbei; sie kommen alle schon zurück!‹ kroch ich wieder an das Tageslicht. Ich hör' es noch vor meinen Ohren, wie es in dicken Haufen draußen auf der Gasse vorbeizog, und ein Gemurmel und ein Summen als
wie in einem Immenschwarm.

Und das Gerede kam auch noch in Wochen nicht zur Ruh'; denn
draußen auf dem Richtplatz, hart an der Landstraße, lag ja Peter Liekdoorns Körper auf das Rad geflochten. Wenn meine beiden jüngeren
Geschwister aus der Schule kamen, warfen sie die Bücher hin und lie-

fen auf den Brauhausboden; dann kamen sie mit großen Augen wieder in die Stube; bald hatte meine Schwester zwei Raben auf dem Rade sitzen sehen, bald hatte mein Bruder ganz deutlich wahrgenommen, wie der auf dem Pfahle steckende Kopf mit den dünnen Haaren vom Wind herumgekreiselt war, bis zuletzt mein guter Vater ein Schloß vor die Bodenluke legte und einen Trumpf darauf setzte, es solle von diesen abscheulichen Dingen fürderhin kein Wort im Hause mehr gesprochen werden.«

Die Erzählerin nahm ein Schlückchen aus ihrer Tasse und fuhr dann fort:

»Nicht lange nachher saßen wir – ich weiß noch, es war an einem Sonntag – bei unserer Abendmahlzeit. Da es Reisbrei mit Kaneel und Zucker gab, so hatte ich auch noch unseren Nachbar Ivers dazu holen müssen, dessen Leibgericht das war. Wir hatten uns schon alle zu Tisch gesetzt; auch Lorenz und die Magd; allein mein Bruder fehlte noch. Mein Vater sah sich eben recht verdrießlich nach ihm um, als erst die Haustür und dann die Tür zur Stube aufgerissen wurde und der Junge mit einer Fahrt hereingestürzt kam.

›Mein Gott, Christian‹, rief meine Mutter, ›weshalb kommst du nicht zu rechter Zeit? Du weißt doch, daß dein Vater das nicht leiden kann!‹

›Ja‹, sagte er, ›aber die Jungens sind alle auf dem Markt zusammengelaufen!‹

– ›Die Jungens? Was haben die des Abends auf dem Markt zu tun?‹

›Nichts‹, sagte Christian, ›sie sprechen nur miteinander.‹

›Nun, so sprich du auch jetzt!‹ sagte mein Vater. ›Laß ihn reden, Mutter!‹

Aber der Junge schwieg und sah seinem Vater starr ins Angesicht.

›Christian, so sprich doch, Christian!‹ rief meine Mutter.

›Ich darf ja nicht‹, entgegnete er; ›Vater hat ja gesagt, er wolle von dem dummen Zeug nur nichts mehr hören.‹

›Nachbar‹, sagte der alte Ivers, der ein Junggeselle und sehr neugierig war, ›so lassen Sie den Jungen doch seine Geschichte von sich tun!‹

Mein Vater klopfte dem Alten mit seinem schelmischen Lachen auf die Schulter. ›Nun, Christian, so schieß’ denn los; du sollst doch Nachbar Ivers nicht die Nachtruh’ vorenthalten!‹

244

›Ja‹, sagte der Junge; aber er sah sich erst mal um, ob doch auch alle anderen hörten; ›es ist ganz gewiß, sie haben Peter Liekdoorn seinen einen Finger weggestohlen!‹

– ›Wer hat euch das gesagt?‹

›Das hat Ratsdieners Ferdinand uns selbst erzählt.‹

›Ei was! Der Fuchs wird ihn geholt haben‹, sagte mein Vater; ›wer sollte denn dergleichen stehlen!‹

– ›Nein, nein, Vater; das Rad ist viel zu hoch, da können die Füchse nicht daran!‹

Der alte Ivers hatte schweigend zugehört. ›Sag' mir einmal, mein Jüngelchen‹, begann er jetzt, ›was ist's denn eigentlich für ein Finger?‹

– ›Wie meinst du das, Nachbar Ivers?‹

›Nun, ich meine, ist's der kleine Finger oder der Goldfinger oder –‹ ›Nein, nein; es ist der Daumen!‹ unterbrach ihn Christian; ›ich weiß aber nicht, von welcher Hand.‹

›So‹, sagte Ivers, ›der Daumen! Das hatte ich mir gedacht. Er braucht eigentlich nur von einem Dieb zu sein; aber besser ist gewißlich immer besser; nein, den Daumen hat sich nicht der Fuchs geholt, den können ganz andere Leute noch gebrauchen! Da fragt nur Euren Lorenz, wenn Ihr's nicht selber wißt!‹

Aber Lorenz sah auf seinen Teller und aß schweigend seinen Reisbrei.

›So erzählt es doch nur, Nachbar!‹ sagte meine Mutter, denn sie wollte nicht, daß er den alten Lorenz necken sollte.

›Kann leicht geschehen, Frau Nachbarin‹, erwiderte er; ›aber wißt Ihr das denn nicht? Wer solch einen Finger unter seinem Drümpel eingegraben hat, dem strömt die Kundschaft in das Haus hinein! – Nun‹, setzte er gutmütig hinzu, ›hier, Gott sei Dank, sind solche Künste nicht vonnöten!‹

›Das walte Gott!‹ sprach meine Mutter leise und klopfte unter den Tisch, um die üble Berufung abzuwenden. Denn solche Dinge zählte sie nicht zum Aberglauben, und sie konnte ganz böse werden, wenn man ihr dawider stritt; dagegen wußte sie wohl, daß das großväterliche Vermögen in viele Teile gegangen und die Brauerei derzeit mit schweren Schulden von ihrem Manne übernommen war.

Mein Vater war ganz ernst geworden. ›Setz' dich, Christian‹, sagte er zu dem Jungen, der noch immer auf der Diele herumstand, ›und mach', daß du mit deinem Reisbrei fertig wirst!‹

Ich weiß noch wohl, unsere Mahlzeit ging ganz still zu Ende.«

Nachdem auf Befragen einer mitteldeutschen Anverwandten noch erklärt war, daß unter dem plattdeutschen Worte »Drümpel« eine Türschwelle zu verstehen sei, begann die Erzählerin wieder: »Man hätte glauben sollen, daß wir nun endlich mit Peter Liekdoorn fertig gewesen wären; aber, leider Gottes, das alles war nur erst der Anfang.

Es war im Juli und ungewöhnlich heiß; die Ernte hatte schon begonnen. Von den umliegenden Dörfern kam ein Wagen nach dem anderen hinten vor unserem Brauhaus angefahren, um Gut- und Dünnbier für Herrschaft und Leute abzuholen, und nicht nur viertel und halbe, sondern fast immer ganze Tonnen wurden aufgeladen. Mein Vater und unser alter Lorenz arbeiteten im hellen Schweiße, aber mit vergnügten Angesichtern. In unserer hohen, kühlen Außendiele, unter dem Fenster, lagen zwei Fässer für den Hausverkauf; ich habe manches Maß voll da herausgezapft, denn seit meiner Konfirmation hatte ich das zu besorgen. Aber jetzt ließ es mich in Wahrheit kaum zu Atem kommen; ich merkte wohl, auch die Leute in der Stadt hatten bei der grausamen Hitze einen schönen Durst; Kopf an Kopf stand es oft um mich herum, und mit all den Krügen und Kannen, die sie gegen mich streckten, trieben sie mich eines Tages so in die Enge, daß ich erst auf einen Tritt und dann oben auf die Fensterbank mich retirieren und von dort aus eine ordentliche Rede halten mußte, bevor ich nur wieder zu meinem Faß hinunter konnte.«

Die Erzählerin sah uns an und nickte. »Ja«, sagte sie, »es mag wunderlich ausgesehen haben; aber ich war damals auch noch eine flinke, leichte Dirne! Und was war das für eine Freude, wenn ich so mittags und abends zwei schwere, blanke Hände voll vor meinem Vater auf den Tisch schütten konnte! Ich weiß noch, morgens, bevor die Zeit herangekommen war, wie ich in der Stube am Fenster stand und es nicht erwarten konnte, bis ich den ersten mit Krug oder Blechgemäß unserem Hause zusteuern sah.

So stand ich auch eines Vormittags und konnte nicht begreifen, daß das lustige Geldeinnehmen noch immer nicht in Gang kommen wollte; denn es war schon über zehn, und im Flur draußen von unserer Hausuhr schlug es erst ein Viertel, dann halb; aber es kam noch immer niemand. Endlich ging ich hinaus und vor die Haustür; da kamen zwei arme Kinder mit ihren kleinen Töpfen, dann hintereinander noch ein paar andere Leute von dem äußersten Ende der Stadt, und als ich die abgefertigt hatte, schlug die Uhr zu meinem großen Schrecken elf; denn ich wußte nun, daß die Verkaufszeit für diesen Vormittag so gut als wie vorüber sei.

Ich hatte endlich nur ein paar armselige Schillinge, die ich mittags vor meinem Vater hinlegen konnte.

›Was ist das, Nane?‹ sagte er. ›Weshalb gibst du mir nicht alles?‹

›Das ist alles, Vater.‹

– ›Alles? Das ist ja sonderbar.‹ Weiter sagte er nichts.

Aber auch am Nachmittage und den zweiten und die folgenden Tage blieb es ebenso; ja selbst die Wagen von den Dörfern kamen immer weniger, und aus einem großen Dorfe, wo wir sonst die beste Kundschaft hatten, blieben sie völlig weg. ›Lorenz‹, hörte ich einmal, da ich über den Hof ging, unseren Vater fragen, ›wann hat Marx Sievers zum letztenmal geholt?‹

›Ich denke, Herr, die andere Woche geht eben heut zu Ende.‹

›Bei der grausamen Hitze? – Lorenz‹, und an meines Vaters Stimme hörte ich, wie er voll Angst und Sorge war; ›was ist passiert, Lorenz? Wir haben nimmer besser Bier gehabt!‹

›Weiß nicht, Herr!‹ erwiderte der Alte düster.

Ich mochte nicht stehenbleiben und hören, was sie weiter sprachen; aber ich wußte wohl, Marx Sievers war der größte Bauer in jenem Dorfe, und wie jetzt, in der Ernte, pflegte sein Fuhrwerk sonst fast jeden dritten Tag zu kommen.

In der nächsten Zeit wurden die Darre und die Braupfannen auf das sorgfältigste nachgesehen und gereinigt; mein Vater untersuchte jeden Sack mit Hopfen, ob auch irgendwo eine Verstockung sich eingenistet habe; aber er kam stets kopfschüttelnd von solchem Tun zurück; es war nichts zu finden, was nicht in der Ordnung war. Wir gingen alle wie verstört umher; denn jeder wußte, die Erntezeit sollte den Hauptverdienst des ganzen Jahres bringen; und die paar guten Tage, die so schnell vorübergegangen waren, konnten dabei nichts verschlagen. Bei den Mahlzeiten wurde jetzt kein Wort gesprochen; die Augen unserer Mutter gingen angstvoll nach ihres Mannes Angesicht, während sie uns schweigend zuteilte. Der alte Lorenz aber war plötzlich ein ganz wunderlicher träger Mensch geworden; nicht, weil er keine Geschichten mehr erzählte, denn wer hätte Lust gehabt, die jetzt zu hören! Sogar die Kinder nicht! Aber, was nimmer noch passiert war, zu zweien Malen, als ich ihn zum Mittagessen rufen wollte, fand ich ihn bei hellichtem Tage hinter einem Braufaß eingeschlafen. Und da ich ihn weckte, sagte er nur: ›Danke, Nane, danke!‹ Als ob das ganz so in der Ordnung wäre. Mir aber war das ganz unheimlich, denn der alte Lorenz war ja fast die halbe Brauerei. Da, eines Sonntagmorgens, kam mein Bruder Christian wieder einmal mit solcher Fahrt hereingestürzt, wie er es allemal tat, wenn er was Besonderes zu verkünden hatte. Aber, Gott bewahre, wie sah der Junge in seinen Sonntagskleidern aus! Das ganze Gesicht voll Blut; das eine Auge dick verschwollen.

›Wo kommst du her?‹ rief mein Vater. ›Bist du in dem Krieg gewesen?‹

›Nein‹, sagte der Junge; ›wir haben uns nur geprügelt.‹

›Schon wieder einmal? Und das am heiligen Sonntag? Was ist denn heute wieder losgewesen?‹

›Ja, Vater‹, sagte Christian und wischte sich erst mit dem Ärmel das Blut von seiner Backe; ›sie haben schon mehrmals so gelogen, ich hab' es euch nur nicht erzählen mögen; die Jungens sagen, Peter Liekdoorns Finger ist in unserem Bier gewesen!‹

Meine Mutter schrie laut auf; mein Vater war nur totenbleich geworden. ›Darum also!‹ sagte er leise.

In diesem Augenblicke wurde angeklopft, und Nachbar Ivers trat herein, der lang' nicht dagewesen war.

›Nun Ivers!‹ sagte mein Vater, ›kommt Ihr auch einmal? Ihr wagt's ja auch nicht mehr, von unserem Bier zu trinken!‹

›Hm!‹ machte der Alte und sah meinen Vater mit seinen klugen Augen an. ›Aber um Christi willen, was ist mit dem Jungen da passiert!‹

– ›Ja, was ist mit ihm passiert! Erzähl's nur selber, Christian, warum du dich geschlagen hast.‹

›Ja, Nachbar Ivers‹, sagte Christian, ›die Jungens sagen alle, Peter Liekdoorns Finger ist in unserem Bier gewesen!‹

– ›Hm – so, mein Jüngelchen! Und da hast du mit allen dich deshalb geschlagen?‹

›Nein, nicht mit allen; nur mit ein Stücker viere, aber tüchtig!‹

Der Alte sah ihm in sein verschwollenes Angesicht und nickte. ›Aber es nützt nur nicht viel, Christian, und wenn du es auch mit allen fertiggebracht hättest. – Nachbar Ohrtmann‹, wandte er sich dann zu meinem Vater, ›ich komme just um dessentwillen zu Euch; ich möcht' Euch raten, nehmt Euren alten Lorenz einmal tüchtig ins Gebet! Ihr wisset wohl nicht, weshalb er mit seinem alten Kameraden durchaus die Henkersnacht hat teilen wollen?‹

›Ei freilich!‹ rief meine Mutter; ›er hat ihm für die gestohlenen Butterbröte die himmlische Wegzehrung wollen bereiten helfen!‹

›Das nebenbei, Frau Nachbarin‹, sagte Ivers, ›vor allem aber hat er ihm noch bei lebendigem Leibe seinen Daumen abgekauft; die alten Weiber in der Stadt erzählen sich das ganz genau.‹

›Habt Ihr nichts anderes zu berichten, Ivers, als dies dumme Zeug?‹ fragte mein Vater.

›Nein, Nachbar Ohrtmann; aber vergesset nicht, den Alten quält die neue Brauerei, wenn sich das Bier mit Eurem gleich nicht messen kann; und dann – der Finger war ja hinterher auch ohne Kauf zu haben! Nach der Hexenweisheit war es zwar genug, ihn unterm Drümpel einzugraben, aber besser ist gewißlich immer besser; und so wird er denn gleich in den Braukessel selbst hineingekommen sein.‹

Mein Vater schüttelte den Kopf. ›Ihr wollt mich doch nicht glauben machen, daß unser alter Lorenz sich den Finger von dem Hochgericht geholt habe?‹

›Das will ich allerdings, Nachbar! Wißt Ihr, beim Reisbrei damals, als er nicht Antwort geben wollte, da ich von der Sache anfing?‹

›Ei, Ivers; Lorenz ist nicht gewöhnt, an seiner Herrschaft Tische mitzureden; und überdies, er fühlte wohl, daß Ihr ihn necken wolltet.‹

›Mag sein‹, versetzte Ivers; ›aber was hat er bei nachtschlafender Zeit da draußen an dem Galgenberg herumzukriechen?‹

›Was sagt Ihr, Nachbar?‹ rief meine Mutter.

›Ich sag' nur‹, erwiderte er, ›was die Hebamme Clasen mir selbst erzählt hat; vorgestern nach Mitternacht, als sie dort vorbeigefahren, hat sie etwas von oben den Galgenberg hinunterlaufen sehen, und da sie ihre Laterne, die sie bei sich hatte, darauf hingewandt hat, ist die Gestalt in einen Busch gesprungen; aber an den großen blanken Knöpfen auf der Jacke, die sonst kein Mensch hier trägt, hat sie genug erkennen können, wer der Mann gewesen ist. Und auch noch andere wollen ihn dort des Nachts gesehen haben.‹

Ich war sehr erschrocken, als der Nachbar das erzählte; denn ich sah, was ich keinem verraten hatte, den alten Lorenz wieder bei hellem Tage zwischen seinen Fässern schlafen.

›Aber Ivers‹, sagte mein Vater; ›das Unheil, wenn denn Lorenz es sollte angestiftet haben, war ja schon geschehen; was konnte er jetzt noch auf der Richtstatt suchen wollen!‹

›Nun, Nachbar‹ – und der alte Junggesell’ steckte sein Schalksgesicht auf, was er mitunter bei den traurigsten Geschichten nicht unterlassen konnte –, ›Peter Liekdoorn hat doch jedenfalls noch einen Daumen mehr gehabt; vielleicht sollte der nun unter den Drümpel, da der andere so sichtlich den verkehrten Weg gegangen war! Aber er ist nur nicht so leicht zu haben; denn auf dem Rade soll bei Nachtzeit etwas sitzen, das einen Christenmenschen nicht heranläßt!‹

Mein Bruder Christian blinkte mich aus seinen dicken Augen an. ›Wärst du bang, Nane?‹ blies er mir durch die hohle Hand ins Ohr. ›Ich nicht!‹ Unser Vater hatte am Tisch gesessen, den Kopf schwer auf seinen Arm gestützt. Nun stand er auf und sagte: ›Der Spaß will diesmal nicht verschlagen, Nachbar Ivers. Aber, wenn Ihr's nicht ungut nehmen wollt, so lasset uns jetzt allein; denn ich möchte gleich jetzt mit meinem Lorenz reden!‹

An dem sauersüßen Gesicht, das der alte Junggeselle machte, sah man wohl, wie bitterlich gern er dageblieben wäre; aber er verabschiedete sich denn doch mit guter Manier, und gleich darauf wurde ich ins Brauhaus geschickt, um unseren alten Knecht hereinzurufen.

›Lorenz‹, sagte mein Vater, als wir zusammen in die Stube getreten waren, ›du siehst uns hier alle ratlos beieinandersitzen; der Finger des Mörders soll in unserem Bier gefunden sein!‹

Der Alte fuhr sichtlich zusammen. ›Herr‹, sagte er traurig, ›so wissen Sie das auch schon!‹

›Ich habe es eben erst erfahren; aber du, wenn du es wußtest, weshalb hast du es mir verschwiegen?‹

›Ja, Herr, ich seh' nun wohl, daß ich zu dumm gewesen bin; ich dachte mir, ich wollte es allein herausbekommen.‹

›Aber man meint, du selber wärst es, der sich den Finger geholt hat; du hättest, um die Kundschaft unserem Hause zu bewahren, eine Sympathie damit gemacht!‹

Als mein Vater das gesprochen hatte, stand der alte Lorenz auf einmal wie ein Soldat, beide Arme glatt am Leibe herunter. ›Herr!‹ rief er, ›alles für meine Herrschaft; aber wir sollen Gott fürchten und lieben, auf daß wir bei seinem Namen nicht zaubern, lügen oder trügen! So etwas ist keine Sympathie; das tun nur Menschen ohne Christentum und mit Hilfe dessen, den ich hier nicht nennen will!‹

›Nun, Lorenz, dann ist es ja gewißlich nicht deine Sache; aber man will dich mehrmals in der Nacht am Galgenberg gesehen haben!‹

›Ja, Herr, das ist es eben, und es war dunkel genug; aber die alte Hebamme kutschierte da vorbei mit ihrer großen Leuchte in der Hand!‹

›Um Christi willen!‹ rief meine Mutter; ›so ist Er wirklich dagewesen?‹

›Die Frau soll nicht erschrecken‹, erwiderte Lorenz, ›ich dachte nur, wer sich den einen Daumen holte, der kann sich auch den anderen holen; und von gar so weit mag er auch wohl nicht gekommen sein! Denn – so klug bin ich doch – es ist diesmal kein Zauberwerk, sondern ein Schabernack gegen uns gewesen; aber die da‹ – und er erhob die Faust und zeigte drohend nach der Gegend, wo die neue Brauerei gelegen war –, ›sie sollen keinen Segen davon haben!‹

›Lorenz, Lorenz!‹ rief mein Vater, ›sprich nicht so in deinem blinden Hasse, den du nicht einmal für dich, sondern nur um uneretwillen hegst! Wir sorgen jeder für unser Brot; und am End' ist gar alles nur ein leer Gerede!‹

Aber Lorenz schüttelte den Kopf. ›Sie wissen, Herr, ich geh' nicht gern hinten aus unserer Brauhaustür, seit einem da das rote Dach so in die Augen scheint; aber gestern hatte unser Pikas sich von der Kette losgerissen. Als ich eben auf den Weg hinaustrete, seh' ich Marx Sievers' seinen Ältesten mit zwei Tonnen auf dem Wagen von dort oben herunterkommen. ›Na, Hans‹, sag' ich, als er näherkommt, ›du holst dir auch wohl dein Bier jetzt von dem neuen Brauer?‹ – ›Ja‹, sagt' er, ›Lorenz, das tu' ich.‹ – ›Und warum‹, frag' ich, ›tust du das? Seit deines Großvaters Zeiten habt ihr euer Bier doch immer nur bei uns geholt.‹ – ›Ja‹, antwortete er und schlägt schon wieder auf seine Pferde; ›dazumal lebte auch Peter Liekdoorn noch, und wir hatten noch keinen Finger in unserem Bier gefunden!‹ Und damit war er schon in vollem Trab davongefahren.

Unser Vater sah voll Bekümmernis auf seinen alten Knecht. Als dieser schwieg, sagte er leise: ›Dann stehe Gott uns bei; denn Marx Sievers und seine Söhne sind wahrhaftige Leute!‹

Meine Mutter hatte seine Hand ergriffen; aber er entzog sie ihr und ging unruhig in der Stube auf und ab. Als jedoch Lorenz Miene machte, sacht hinauszugehen, zog er seine Uhr und sagte: ›Das hat uns auch um Gottes Wort gebracht; es ist zu spät, um nun noch in die Kirche zu gehen. Spann' den Braunen vor die Karriole, Lorenz! Ich will gleich selber mit Marx Sievers sprechen.‹

– – So fuhren sie dann hinaus; und mein Vater hat es uns damals und auch später oft genug erzählt. ›Unterwegs‹, sagte er, ›nahm ich Lorenz Zügel und Peitsche aus der Hand, weil er immer noch zu langsam fuhr; aber mit unserer Ungeduld ist nichts getan!‹

Als sie endlich vor Marx Sievers' großem Haustor hielten und dann mein Vater in die weite Lohdiele trat, war dort alles tot und still und keine Menschenseele sichtbar. Nach einer Weile kam eine Magd. ›Sie sind noch alle in der Kirche‹, sagte sie, ›des Pastors Sohn, der Student, predigt; aber es muß bald aus sein.‹ – ›So will ich warten‹, sagte mein Vater und ließ sich die Tür zur Wohnstube öffnen. Aber der junge Gottesmann mußte einen weiten Weg genommen haben bis zum heiligen Vaterunser. Draußen saß Lorenz auf der Karriole und klatschte dann und wann mit seiner Peitsche; drinnen stand mein Vater und studierte die Glasmalerei auf den alten Fensterscheiben, welche die Belagerung Tönnings durch den General Steenbock darstellte. ›Wohl hundertmal‹, sagte er, ›hatte ich schon die schwedischen Soldaten gezählt, ohne was dabei zu denken, oder doch nur, um wieviel leichter es sein müßte, in diesem gelben Kriegshaufen mitzufechten, als eine Reise zu tun, wie ich sie heute tun mußte.‹

Endlich aber war es draußen auf der Lohdiele lebendig geworden; nach ein paar mit der Magd gewechselten Worten trat der Bauer mit seinem ältesten Sohn ins Zimmer. Den Gruß meines Vaters erwiderte er kurz und trocken und ging erst an den Türhaken, um seinen Hut daranzuhängen; dann stemmte er beide Fäuste mit den Knöcheln auf den Tisch und sagte: ›Ihr Fuhrwerk, Herr Ohrtmann, wär' ich am mindesten vor meiner Tür vermuten gewesen; aber Sie kommen wohl, um sich das Geld für Ihre letzte Tonne Bier zu holen?‹

Und bevor mein Vater ihm darauf antworten konnte, fuhr er fort: ›Bin ich Ihnen auch nur einmal einen Sechsling in der Schuld geblieben? Ich denk' doch nicht! Aber diese letzte Tonne‹ – und dabei schlug er heftig auf den Tisch –, ›die bleib' ich schuldig bis in alle Ewigkeit! Und wollen Sie mir was, so zitieren Sie mich vor meinen Landvogt; hier bin ich nicht für Sie zu sprechen!‹

›So hört doch‹, rief mein Vater; ›ich will kein Geld von Euch; um dessenwillen bin ich nicht gekommen!‹

›So‹, sagte der Bauer; ›was wollen Sie denn?‹

– ›Ihr hättet's Euch wohl denken können, Sievers; die Leute reden ja, Ihr hättet was in meinem Bier gefunden, was nicht in der Ordnung ist!‹

Der Bauer lachte. ›Nicht in der Ordnung? Nein, bei dem Teufel! So was ist nicht in der Ordnung!‹

›Es soll der Daumen von dem Hingerichteten gewesen sein‹, fuhr mein Vater fort; ›und ich wollte Euch nur bitten, mich das sehen zu lassen, was Ihr gefunden habt.‹

›Die Leute reden nicht umsonst‹, sagte der Bauer; ›das Ding ist drin im Hahn gesessen; meine Nachbarn haben beide das gesehen.‹

›Nun, so zeigt es jetzt auch mir!‹

›Da hätten Sie früher kommen sollen; ich weiß nicht, wo das Ding geblieben ist!‹

›Sievers‹, rief mein Vater, ›so sucht oder lasset suchen; das ist Eure Schuldigkeit! Denn dieser Finger steht als ein Kläger wider mich auf und drohet, mich zum armen Mann zu machen; er muß mir Rede stehen, wie er in mein Gebräu gekommen ist!‹

Aber der Bauer sagte: ›Das ist Ihre Sache, Herr Ohrtmann; ich lass' mein Bier bei einem anderen holen, und damit hopp und holla!‹

Mein Vater besann sich ein paar Augenblicke, während Marx Sievers seine Pfeife vom Haken nahm und aus dem zinnernen Tabakskasten stopfte. Als er schon angezündet hatte und die Rauchwolken trotzig vor sich hin blies, begann mein Vater wieder: ›Ich hab' doch recht vernommen, Sievers? Ihr wollt mir diese letzte Tonne nicht bezahlen?‹

– ›Ganz recht, Herr Ohrtmann; ich denk', ich hab' das deutlich genug gesagt!‹

›Nun, ich verlange das auch nicht; aber wenn Ihr mein Bier nicht bezahlt, so gehört mir auch der Finger, der daringewesen ist!‹

Der Bauer stutzte; aber nicht lange, so zog er seinen vollen Lederbeutel aus der Tasche und zählte das Geld für die Tonne Bier in blanken Banktalern vor meinem Vater auf den Tisch. ›Nun ist der Finger mein‹, sagte er, ›und ich tu' damit nach meinem Dünken.‹

Es wäre wohl umsonst gewesen, daß mein Vater das Geld zurückschob, wenn nicht der Sohn sich jetzt hineingemischt hätte. ›Vater‹, sagte er, ›soll ich den Finger holen? Ich mein', er liegt in unserem Nagelkasten.‹

Der Alte brummte etwas in den Bart; aber der Sohn ging hinaus und kam bald darauf mit einem Kasten voll alten Eisenzeuges wieder in die Stube. Als er darin umherkramte, gewahrte mein Vater ein gelblich graues Ding, das er nicht anders als für den Daumen eines Menschen anerkennen konnte; zwar schien er dick mit Gest oder, wie es auf hochdeutsch heißt, mit Hefe überzogen; aber auch die Form des Nagels war noch deutlich sichtbar.

›Und das hier‹, frug er den Bauern, ›habt Ihr in meinem Bier gefunden?‹

›Ich sagt' es schon‹, versetzte dieser; ›als wir das letzte aus der Tonne zapfen wollten, da hat's den Hahn verstopft.‹

›Nun, Marx Sievers, Ihr könnt wohl denken, daß ich mir dies Unheil nicht selber angerichtet habe! Ihr seid sonst als ein gerechter Mann bekannt, so bitt' ich Euch, fahrt jetzt gleich mit mir zum Bürgermeister und gebt da Zeugnis, wo und wann Ihr dies Ding gefunden habt; denn jeder neue Tag ist mir zu Spott und Schaden!‹

Der Bauer hatte sich breit in seinen Lehnstuhl niedergelassen. ›Ins Gericht, Herr Ohrtmann? Zum Bürgermeister? – Ja, wenn meine eigene Obrigkeit mir das befiehlt; sonst nicht. Ich habe Spott und Schaden auch in meinem Haus; meine Frau ist heut noch krank vor lauter Abscheu!‹

Mein Vater mußte sich das alles bieten lassen; denn der Finger lag leibhaftig vor ihm, und die Sievers waren als wahrhaftige Leute überall bekannt; er stand, wie er selber sagte, da als ein geschlagener Mann.

Endlich wurde dennoch ein Abkommen getroffen; der Sohn durfte das unheimliche Ding in eine Schachtel packen und damit und mit meinem Vater in die Stadt zum Bürgermeister fahren.

– – Daß dies geschehen war, aber von Weiterem auch nichts, erfuhren wir zu Hause schon durch Lorenz, der zu Fuße wieder ankam, während wir noch immer mit dem Mittag warteten und vor Angst und Spannung nicht wußten, wie wir unsere Zeit verbringen sollten.

Endlich kam unser Vater, und ich sah, wie seine Hand zitterte, als er die unserer Mutter drückte und lange in der seinen hielt. ›Übermorgen‹, sagte er, ›soll ich wieder zum Bürgermeister kommen. Wenn es doch erst übermorgen wäre!‹

Als er sich dann nicht an den gedeckten Tisch, sondern an dem kalten Ofen in den Lehnstuhl gesetzt hatte, standen wir alle um ihn her, bis er endlich zu erzählen anhub. – In dem Studierzimmer des Bürgermeisters, als er mit dem jungen Sievers dorthinkam, war eben der alte lustige Apotheker Hennings zugegen gewesen. Der hatte geraten, den Finger erst ein paar Tage in Spiritus zu setzen, damit sich der Überzug von Hefe löse und dann gründlich untersucht werden könne, ob er zu der Hand des Hingerichteten gehöre oder nicht. Nach der Zustimmung des Bürgermeisters war er selbst nebenan in seine Apotheke gelaufen und bald mit einem vollen Glashafen zurückgekommen. Sehr genau hatte er hierauf den Finger besehen, dann gerieben und geschabt und ihn um und um gewandt. ›Aber ein wunderlicher Kauz‹, sagte mein Vater, ›ist der alte Hennings doch; denn er schmunzelte dabei, als ob er einen Allerweltsspaß in den Händen drehe!‹ – ›Man sollte kaum meinen‹, hatte er zuletzt gesagt und dabei meinen Vater ganz listig durch seine runden Brillengläser angesehen, ›daß Peter Liekdoorn bei seinen Lebzeiten mit diesem Daumen allzuviele Hühneraugen hätte operieren können!‹

Weiteres war aus ihm nicht herauszubringen gewesen; aber übermorgen sollte mein Vater wieder zum Bürgermeister kommen. Der Finger war in den mit Spiritus gefüllten Glashafen getan und dieser, nachdem man ihn mit dem Gerichtspetschaft versiegelt hatte, in dem großen Aktenschrank verschlossen worden. – –

Nun, es wurde denn auch übermorgen – langsam genug. – Um elf Uhr vormittags ging mein Vater aus dem Hause. Während meine Mutter und ich uns durch Putzen und Scheuern die Angst von der Seele wegzuarbeiten suchten, kam unsere alte Krautfrau zu uns in die Küche und erzählte, Peter Liekdoorn habe heute nacht in der Bürgermeisterei ans Fenster geklopft; denn er habe seinen Daumen wiederhaben wollen, der jetzt dort in dem großen Schrank verschlossen liege. ›Letzten Sonntag‹, sagte sie, ›haben die Diebe ihn über die Türschwelle dem Bürgermeister in das Haus geschoben, weil sie vor dem Gespenst keine Nacht mehr Ruhe hatten; aber heut vormittag ist groß Verhör, und dann kommt alles an den Tag; und hernach mögen alle Reu' und Leid geben, die so ihre bösen Mäuler über unseren Herrn Ohrtmann haben laufen lassen! Gott soll mich bewahren, daß ich an so was nur gedacht hätte!‹

Ich seh' das alte dumme Weib noch vor mir«, sagte unsere treffliche Wirtin, »wie sie das alles wie Kraut und Rüben durcheinanderwelschte; Gott weiß, wo sie es sich aufgesammelt hatte! Wir freuten uns nur, da sie endlich fort war und wir wieder, wie am Sonntag, hangend und bangend allein beieinander in der Stube saßen.

Da endlich hörten wir die Haustür gewaltsam aufreißen. ›Das ist Christian!‹ sagte meine Mutter. ›Was wird der wieder zu erzählen haben!‹ Aber es war unser Vater, dem freilich Christian mit seiner Rechentafel auf dem Fuße folgte.

›Nun‹, rief meine Mutter, ›haben sie gestanden? Sind die Diebe festgenommen?‹

Aber er schüttelte den Kopf und schwenkte, ganz außer Atem, ein beschriebenes Papier in seiner Hand. ›Mutter, Kinder!‹ rief er endlich, ›es ist lauter Dunst gewesen; nun wird alles wieder gut! Aber dem alten Hennings, dem Mann hätt' ich die Füße küssen mögen! Und das, das hier – das kommt ins Wochenblatt!‹ Seine Augen glänzten, seine Stimme bebte; uns war, als ob er alles durcheinanderspräche. Aber dann gab er mir das Blatt und sagte: ›Lies, Nane; aber laut und deutlich! Siehst du, des Bürgermeisters Name steht darunter, und das Siegel ist auch dabeigedrückt!‹

Und dann las ich, und noch heute weiß ich jedes Wort; denn uns allen war, als ob eine Himmelsbotschaft in unser dunkles Haus gekommen wäre. ›Wenn‹ – so stand da – ›einer unserer geachtetsten Mitbürger, der Brauer Josias Christian Ohrtmann, durch unbedachte Zungen in Verdacht geraten, als ob der von dem Körper des hieselbst hingerichteten armen Sünders abhandengekommene Finger sich in seinem Biere vorgefunden, so wird zur Steuer der Wahrheit, und um unverdienten Schaden von einem ehrenwerten Manne abzuwenden, hiedurch bekanntgegeben, daß nach sorgsamer, durch den hiesigen Herrn Apotheker Hennings unter Zuziehung der Behörde vorgenommener Untersuchung der verdachterregende Gegenstand sich lediglich als eine verhärtete Gest- oder Hefemasse herausgestellet, welche durch besondere Zufälligkeiten die Form eines menschlichen Daumens angenommen hatte.‹

So lautete der Inhalt Wort für Wort«, sagte die Erzählerin; »wer sollte so was auch vergessen können! Mein Vater aber hatte plötzlich seine Hände vor der Brust gefaltet. ›Mutter! Kinder!‹ sagte er ruhig, ›Gott ist barmherzig und ein Gott der Liebe! Er prüfet wohl; doch er verlässet keinen, der in seiner Schwachheit gerecht vor ihm zu wandeln trachtet!‹ Und dann betete er laut; ich habe niemals ein so heißes Dankgebet aus eines Menschen Munde gehört. Meine vierzehnjährige Schwester war auf die Knie gesunken und sprach ebenso laut die Worte nach, die über seine Lippen strömten.

Auf unseren Christian aber hatte die Freudenbotschaft auch noch eine andere Wirkung. Als wir noch alle schweigend um unseren Vater standen, bemerkte ich auf einmal, daß er wiederholt mit der doppelten Faust als wie zur Übung in die leere Luft hineinschlug.

›Christian! Christian!‹ rief unsere Mutter, ›was treibst du da für Faxen?‹

Christian tat erst noch einen Lufthieb und schaute dabei sehr fröhlich aus seinem heut ganz braun und blauen Angesicht. ›Verdamm' mich, Mutter!‹ sagte er, denn er fluchte wirklich mitunter ganz gotteslästerlich; ›verdamm' mich, Mutter! Nun sollen die Jungens aber Prügel haben!‹

›Pfui, schäm' dich!‹ rief sie. ›In solchem Augenblick an so was nur zu denken!‹

Er ließ zwar etwas beschämt den Kopf hängen, dann aber murmelte er: ›Ja, Mutter, verdamm' mich! Sie sollen es aber doch!‹ Und geschwinde tat er noch einmal einen Fausthieb durch die Luft.

Mein Vater, der dergleichen sonst nicht leiden konnte, strich heute seinem hitzköpfigen Knaben nur lächelnd übers Gesicht; er war zu glücklich, um jetzt ein tadelndes Wort zu sprechen. ›Hole mir lieber unseren Lorenz, Christian‹, sagte er, ›damit wir auch ihm den Stein von seinem Herzen nehmen!‹

Und dann wurde Lorenz geholt; und ich las noch einmal. Als ich fertig war, standen dem alten Menschen die Augen dick voll Tränen.

›Sehen Sie wohl, Herr!‹ sagte er und schlug sich leise mit der Hand gegen seine Brust,

> ›Lorenz Hansen ist mein Nam';
> Gott hilf, daß ich in'n Himmel kam!‹

›Amen!‹ sagte mein Vater. Dann wurde Christian mit dem Schriftstück in die Druckerei geschickt.

– Als wir später bei unserem Nachmittagskaffee saßen, bemerkte ich, daß unser Vater einige Male ganz schelmisch nach seinem Pfeifenbrett hinüberblinzelte. ›Was meinst du, Nane‹, sagte er heiter, ›wenn du mir heut einmal den großen Meerschaum stopftest?‹ – Ich war fast verwundert; denn da er das Rauchen eigentlich nur für reiche Leute schicklich hielt, so erlaubte er sich sonst nie vor Feierabend seine Pfeife Portoriko; die silberbeschlagenen Meerschaumköpfe aber, die beide sorgsam mit einem Seidentuch umwunden waren, die kamen stets nur Sonntags von der Wand. Als ich dessenungeachtet jetzt die schöne Pfeife stopfte, nickte er mir freundlich zu: ›Und nun geh auch in die Küche‹, fuhr er fort, ›und brenne sie mir selber an; und wenn du das getan hast, dann hole den Kalender und ziehe unter diesen Tag mit deinem Rotstift einen breiten Strich! Unser Wandsbecker Bote hat soviel Haus- und Jahresfeste; nun haben auch wir eines! Und wenn der Tag sich jährt, dann vergiß niemals, mir schon beim Kaffee meinen großen Meerschaumkopf zu stopfen!‹

– Unser Vater war wohl kein schöner Mann, er hatte nur seine treuen blauen Augen; aber an diesem Tage, und wie er so seelenfroh aus seinem Meerschaum rauchte, fanden meine Schwester und ich ihn beide so hübsch, daß wir gegenseitig ihn uns immer wieder zeigen mußten.«

Die alte Dame schwieg, als ob ihre Erzählung hier zu Ende sei; mir aber war, als sei das eigentliche Ziel derselben noch von ihr zurückgehalten.

»Und weiter?« frug ich nach einer Weile, da auch niemand anders sprach.

»Weiter?« rief eine muntere Frau an meiner Seite. »Was wollen Sie noch weiter? Ende gut, alles gut! Es war ja alles nur um nichts gewesen!«

Ich sah auf unsere Wirtin, deren sonst so heitere Augen jetzt mit einem durchdringenden Blick auf die Sprecherin gerichtet waren. »Da haben Sie recht«, sagte sie; »es war alles nur um nichts.«

»Aber die Kundschaft«, frug ich, »sie kam jetzt doch wieder? Und in der nächsten Erntezeit mußte die flinke Nane vor all den durstigen Krügen und Gemäßen doch wieder auf den Tritt und von dem Tritt aufs Fenster flüchten?«

Die alte Dame tat einen tiefen Atemzug: »Nein«, sagte sie, »so etwas ist niemals wieder vorgekommen; in der Erntezeit des folgenden Jahres passierte etwas anderes, das ich gleichfalls nie vergessen werde. Nein, die Kundschaft, wie wir sie früher hatten, kam nicht wieder, obgleich es an redlichem Willen im Hause und an Bemühungen gutherziger Freunde nicht gefehlt hat. Der alte Hennings, wenn die Bauern in seine Apotheke kamen, ließ nicht ab, ihnen die Geschichte von dem Gestfinger und die Güte des Ohrtmannschen Bieres zu verdeutschen; und zuweilen kam er selber mit einer so eroberten Bestellung angelaufen; aber Marx Sievers nebst seinem ganzen Dorfe hat niemals wieder unseren Hof betreten; vielleicht – ich hab' das später mehr erfahren – weil er dem sich zu begegnen scheute, gegen den er sich im Unrecht wußte. – Die Geschichte wurde weit und breit bekannt; aber nur der arge Teil davon fand Glauben! Wenn auswärts Freunde unser Bier empfahlen, so hieß es jetzt wohl: ›Ohrtmann, Ohrtmann? Ist das nicht der Mann, der den Finger in seinem Biere hatte?‹ Und wurde dann auch der ganze Dunst ersichtlich aufgeklärt, es hieß am Ende doch: ›Man braucht ja eben nicht vor diese Tür zu gehen; es gibt ja andere noch, bei denen gutes Bier zu haben ist!‹

Dergleichen kam uns oft genug zu Ohren. Ja, ein verkommener Winkelschreiber, ein Altersgenosse meines Vaters, wagte es sogar, ihm seine Hilfe anzubieten und zutraulich dabei zu äußern, die zwölf Wochenblattszeilchen hätten ihm wohl einen schönen Haufen Geld gekostet; aber das brauche man ja keinem auf die Nas' zu binden.

Es mochte nicht viel helfen, daß mein Vater den miserabeln Kerl zur Tür hinauswarf; es wurde vielleicht nur um desto mehr geglaubt.

›Der sprach für viele!‹ sagte mein Vater, als er uns voll Entrüstung das erzählte. Sonst habe ich ihn niemals klagen hören; er war nur stiller, als er sonst gewesen, und es kam mir oft, als ob sein heißes Dankgebet ihm auf die Seele drückte. Dagegen bemerkte ich, daß er, zumal an Markttagen, jetzt öfter aus dem Brauhaus auf den Weg hinaustrat; nicht als ob dort die Wagen nach dem roten Dach jetzt weniger als sonst vorbeigefahren wären, aber es war, als triebe ihn etwas hinaus, daß er sie alle zählen müsse.

Meine Mutter vermochte das Unglück und die Entbehrungen, die es mit sich brachte, nicht immer so geduldig zu ertragen; das fühlten nicht bloß wir Kinder; sie konnte mitunter sogar dahin geraten, ihrem guten Manne die Schuld des ganzen Unheils beizumessen; und immer kam sie dann auf die schon früher getadelte Nachsicht, womit er das abergläubische Getue seines Knechts geduldet habe. ›Ich lass' es mir nicht nehmen‹, sagte sie eines Abends, ›hättest du ihm nur das Salzen und Bekreuzen ausgetrieben, die Leute wären nimmer auf das Stück gekommen, den dummen Finger in unserem Bier zu suchen! Aber konnte er den einen Hokuspokus machen, warum denn nicht den anderen? Und warum nicht heute oder morgen wieder einen anderen?‹

Für gewöhnlich ging derartiges, da mein Vater seine kleine heftige Frau immer bald wieder ins gleiche brachte, ohne weitere Spur vorüber. Das aber sollte diesmal nicht so sein. Es war eben vor dem Abendessen, und beide standen schon an ihren Stühlen, wobei sie die Stubentür im Rücken hatten; nur ich hatte gesehen, wie diese sich auftat und Lorenz, im Begriff hereinzutreten, plötzlich stehenblieb, eben als meine Mutter jenen wohl nicht ganz unbegründeten Vorwurf aussprach. Bevor ich mich in meinem Schrecken noch besann, hatte schon die Tür sich wieder leis geschlossen; dann kamen die Kinder und die Magd herein; aber Lorenz mußte erst durch Christian gerufen werden.

Noch heute danke ich meinem Schöpfer, daß ich damals meinen Eltern nichts verraten habe; denn von nun an war Lorenz wie verwandelt: vor den Gebinden, die im Hausflur lagen, oder hinten vor seiner Braupfanne, oder auch nur vor einem Tisch oder Stuhl im Hause konnte er lange mit starren Augen stehenbleiben; ging er aber fort, so sah ich mehrmals, wie er mit der Faust sich über beide Augen fuhr.

›Was mag denn Lorenz fehlen?‹ hörte ich eines Abends meine Mutter fragen, die sonst dem alten Manne herzlich gut war. ›Er geht ja umher, als ob er über schwere Dinge brüte.‹

Mein Vater schüttelte den Kopf. ›Ich denke, nichts weiter als uns anderen auch; du weißt, er trägt an unseren Sorgen allzeit schwerer als an seinen eigenen.‹

Aber am anderen Morgen trat Lorenz vor ihn hin und bat um seinen Abschied; er wisse einen jungen Menschen, der sogleich an seine Stelle treten könne. Mein Vater äußerte nachher, ihm sei gewesen, als ob sein altes Erbhaus über ihn zusammenbräche. Doch Lorenz wollte sich nicht halten lassen.

›Ich habe mich mit meinem Gott beraten.‹ Auf alle Fragen hatte er nur diese eine Antwort; er mochte fürchten, sonst nicht stark genug zu sein.

Und so ging er denn, nachdem er über ein Menschenalter dagewesen war; wie er sagte, um einer verwitweten Schwester, die in einem entfernten Dorfe wohnte, in ihrer kleinen Bauernwirtschaft beizustehen. – Aber er hatte die Trennung doch nicht überwinden können; durch Aufkäufer, die im Lande herumreisten, kamen bald wunderliche Nachrichten von dorther; und kurz vor Weihnachten mußten wir erfahren, daß unser alter Lorenz als Geisteskranker in die Landesanstalt aufgenommen sei.

Das waren trübe Festtage; einen Weihnachtsbaum ohne Lorenz hatten wir Kinder uns ohnehin nicht denken können. Ich allein wußte, weshalb er das Haus verlassen hatte, in dem allein noch seine Heimat war, und ich trug schwer daran; denn sein Opfer war umsonst gewesen. Mein Vater plagte sich mit dem jungen Knecht, aber die Kundschaft besserte sich nicht; es hatte nicht mehr geholfen als die tapferen Kämpfe, die unser Christian unermüdlich für die gute Sache ausfocht.

So ging der Winter zu Ende, und so kam der neue Sommer und endlich auch die Erntezeit. Nur für uns war sie es nicht.

Wir hatten schon die letzten Tage im August. Unsere zwei Stock hohe Außendiele kam mir so groß und einsam vor, seitdem nicht mehr jeden Augenblick die Haustürglocke läutete; dennoch konnte ich es nicht lassen, wenn die altgewohnte Verkaufszeit heranrückte, mich dort aufzuhalten, um meistens müßig durchs Fenster auf die Straße hinauszustarren. – So stand ich auch eines Vormittags; es waren kalte, trübe Tage eingefallen, und von dem Lindenbaum, der hier vor dem Fenster stand, wehten schon einzelne gelbe Blätter. Ich merkte wohl, daß mein Vater neben mich getreten war, aber ich rührte mich nicht; wir sahen beide, wie die Blätter niederwehten, und mochten beide wohl dieselben Gedanken haben.

Da ging draußen ein halb bäuerlich gekleideter Mann mit einem sogenannten Quäkerhut vorüber; er schien ein Fremder, aber dennoch war mir, als müßte ich ihn schon gesehen haben. Bevor ich mich jedoch darüber noch besinnen konnte, bemerkte ich eine hastige Bewegung an meinem Vater, und als ich aufblickte, sah ich, wie er den Mund fest geschlossen hatte; aber ich sah auch, wie seine Lippen zitterten. ›Vater‹, sagte ich, ›fehlt dir etwas? Wer war doch der Mann?‹

Aber er drückte nur heftig meine Hand und ging dann, ohne ein Wort zu sagen, nach dem Hof hinaus. Es war, als wenn uns alles jetzt zum Schrecken werden sollte.

Endlich schlug es wieder einmal elf auf unserer Dielenuhr, und ich ging in die Stube und setzte mich an meine Näharbeit. Eben, als meine Mutter aus der Küche hereintrat, läutete es von der Haustür, und als ich durchs Guckfenster auf den Flur hinaussah, da war es der Fremde von vorhin. Ich erkannte ihn jetzt wohl; es war ein Hopfenhändler aus Franken, der um diese Zeit zu kommen pflegte, um neue Bestellungen entgegenzunehmen und sein Geld für die alte Ware einzukassieren; er hatte vor zwei Jahren sogar einen Abend bei uns zugebracht. ›Geh‹, sagte meine Mutter, ›hole deinen Vater und sag' ihm, daß Herr Abel da sei.‹«

Die alte Dame machte eine Pause. »Ich glaube«, sagte sie dann, »dem Angedenken meines seligen Vaters nicht zu nahezutreten, wenn ich auch dies wenige noch erzähle; denn wo wäre der Mensch, der der Not des Lebens in jedem Augenblicke standgehalten hätte! –

Herr Abel hatte sich gesetzt; ich ging ins Brauhaus, weil ich dachte, daß mein Vater dort beschäftigt sei; aber er war nicht dort. Auf dem

Rückwege begegnete mir der neue Knecht: auch er wußte nichts; er war im Keller bei der Gerste gewesen; vielleicht, meinte er, sei der Herr hinten auf den Weg hinausgetreten. Ich kehrte deshalb noch einmal wieder um; aber da ich auch dort ihn nicht gewahren konnte, lief ich ins Haus zurück. Ich suchte im Pesel und in allen Stuben, stieg halb die Bodentreppe hinauf und rief, so laut ich konnte: ›Vater! Vater!‹ Aber es war alles umsonst.

›Vater muß ausgegangen sein‹, sagte ich, als ich wieder in die Stube trat.

›Ei was!‹ rief meine Mutter. ›Dort hängt ja sein Hut am Türhaken; ihr Kinder versteht nur nicht zu suchen!‹

Damit ging sie zur Stube hinaus; und ich hörte sie im Hause und vom Hof her rufen. Aber auch sie kam kopfschüttelnd zurück. ›Ich kann das nicht begreifen‹, sagte sie.

Herr Abel stand auf. Es habe keine Eile, er solle jetzt noch weiter nach dem Norden; aber um drei Wochen werde er auf hier zurückkommen; er könne ja auch dann seine Geschäfte mit Herrn Ohrtmann regulieren.

Ich weiß nicht weshalb; aber als der Mann das sagte, war mir, als wisse ich jetzt alles, was noch kommen müsse.

– – Ein paar Minuten, nachdem er fortgegangen war, trat mein Vater in das Zimmer.

›Wo bleibst du denn, Josias?‹ rief meine Mutter. »Herr Abel ist eben dagewesen; wir haben dich durchs ganze Haus gerufen!‹

›Ich weiß das‹, erwiderte er – und es war gar nicht, als ob das seine Stimme wäre –, ›ich habe es gehört; ich hatte den Mann auch kommen sehen.‹

Meine Mutter starrte ihn an. ›Was sagst du, Josias? – Mein Gott, und wie du aussiehst!‹

Ich bemerkte das nun auch; sein Haar und seine Kleider waren ganz bedeckt mit Staub und Spinngeweben.

›So sprich doch!‹ rief meine Mutter wieder. ›Um Gottes willen, Josias, was ist geschehen? Wo bist du gewesen?‹

Da riß mein Vater uns mit beiden Armen an sich und drückte uns heftig gegen seine Brust. ›Mutter – Nane!‹ – er sprach leise, aber hastig, als ob er es von sich stoßen müsse –, ›ich hatte mich versteckt! –

Es war das erstemal, daß ich nicht zahlen konnte!‹ – – Er wollte weitersprechen; aber der starke Mann brach in lautes Schluchzen aus.

Meine Mutter hatte ihre Arme sanft um seinen Hals gelegt; mein junger Kopf aber war vor Schrecken über das Gehörte ganz von Sinnen; ich klammerte mich mit beiden Händen an meines Vaters Arm, denn mir war, als müßten wir nun alle fort ins Elend wandern. Da hörte ich seine Stimme und fühlte seine Hand auf meinem Kopfe: ›Laß, Nane!‹ sagte er ruhig; ›hole mir den anderen Rock, mein Kind! Herr Abel wird noch in der Stadt sein, ich will jetzt zu ihm gehen.‹

Wie betäubt tat ich, was er mir befohlen hatte; dann lief ich in die Küche und setzte mich in einen dunkeln Winkel. Erst als ich meines Vaters Schritte über den Hausflur und dann gleich danach die Türschelle läuten hörte, überfiel mich das Leid um ihn, und ich weinte mich von Herzen satt.

– – Wie die Verhandlung mit Herrn Abel ausgefallen, habe ich nicht erfahren; ich weiß nur, daß wenige Tage darauf die beiden Meerschaumköpfe von der Wand verschwunden waren und daß ich unseren Vater niemals wieder weder seine Abend- noch seine Sonntagpfeife habe rauchen sehen. Den Kalender mit dem rot angestrichenen Festtage bewahrte ich noch lange unter meinen alten Sachen; gefeiert ist der Tag nicht worden, aber wir konnten ihn dessenungeachtet nicht vergessen.«

Die Erzählerin verschloß nach diesen Worten ihre Lippen, und ihre Augen blickten seitwärts, als sei das nicht für fremde Ohren, was jetzt noch aus der Vergangenheit an ihr vorüberziehen mochte.

Ein junger, eifriger Prediger, ihr Neffe, welcher mit in der Gesellschaft war, hatte schon zuvor durch ein vergebliches »Aber liebe Tante!« zu erkennen gegeben, wie notwendig er seinen Beispruch zu dieser Geschichte halte; jetzt begann er mit merklicher Unruhe auf seinem Stuhl zu rucken. Aber unsere Wirtin war selber eine zu unerschütterliche Christin und fühlte zu genau, wo er hinauswollte, als daß sie seinem drohenden Einwande nicht sogleich die Spitze abgebrochen hätte. »Lieber Hieronymus«, sagte sie, »es ist wohl niemand hier, der an Gottes Barmherzigkeit einen Zweifel hegen möchte, obwohl – die Wahrheit zu sagen – deine Großeltern in ihrem langen Leben wenig genug davon erfahren haben; aber wir wissen ja auch, daß sie oftmals im verborgenen ihre Ader fließen läßt, um dann am rechten Orte desto segensreicher aufzusprudeln. Freilich, der Segen kam zumeist auf ihre Kinder; und auch ich mußte später, als meine kleine Schwester groß und kräftig geworden war, bei fremden Leuten dienen; aber dadurch« – und sie warf einen unaussprechlich herzlichen Blick auf ihren alten neben ihr sitzenden Mann – »kam ich zu dir, mein Vater, und die fremden Leute wurden meine eigenen! Und wie es dann gekommen, daß mein Bruder, der wilde Christian, ein stattlicher Bürger und gar der zweitgrößte Brauer in unserem Lande wurde – um das zu erzählen, bin ich eine viel zu gehorsame Ehefrau.«

Der Neffe wollte wieder etwas sagen, aber seine Tante ließ ihn wieder nicht zu Worte kommen. »Gewiß, lieber Hieronymus«, sagte sie, »deine seligen Großeltern waren Leute, welche die Wohlfahrt ihrer Kinder für ein größeres Glück erachteten als ihre eigene; und dahin – das wolltest du wohl sagen – hat jener Finger doch den Weg gewiesen! Auch hast du selber ja noch beide mit ihren stillen und zufriedenen Angesichtern hier in diesen Lehnstühlen, worin nun ich und dein alter Onkel sitzen, von ihrer harten Lebensarbeit ruhen sehen! An seinem ersten Geburtstage, den dein Großvater hier in unserem Hause lebte, hatte dein Onkel ihm sogar eine neue Meerschaumpfeife bei seinem Morgenkaffee hingelegt, wie er so schön sie früher nie besessen hatte. Der alte Mann wurde heftig dadurch bewegt; er nahm das schwarze Sammetkäppchen von seinem ehrwürdigen Haupte, und seine Lippen bebten, als wiederhole er jetzt das heiße Dankgebet, das er vor dreißig Jahren wohl zuletzt gesprochen hatte. Er ließ sich auch von mir ein Seidentüchlein geben, um sorgsam den schönen Kopf dareinzuhüllen; geraucht aber hat er nicht daraus; das, meinte er, habe er in der langen Zeit verlernt.«

Der junge Gottesmann hatte sich mit etwas strengem Ausdruck, aber dennoch, wie es schien, nicht völlig unbefriedigt in seinen Stuhl zurückgelehnt. Dagegen versuchte ich es noch mit einer Frage. »Und Lorenz?« sagte ich. »Blieb er in der Anstalt? Ist er dort gestorben?«

»Nein«, erwiderte unsere gute Wirtin, und ihr Antlitz gewann auf einmal wieder seinen alten Ausdruck heiterer Behaglichkeit. »Er ist glücklich wieder herausgekommen und hat noch jahrelang in meines Bruders Haus gelebt. Nur ein wenig wunderlich war er geblieben; er

hatte, wie Christian sagte, sich eine ganz glückselige Dummheit zugelegt; denn wie er einst geglaubt hatte, daß unsere altmodische Brauerei durch ihn zugrunde gehen werde, so glaubte er jetzt, daß diese neu-
modische, von der er nichts verstand, nicht ohne ihn bestehen könne.

Als derzeit bei einem Besuche mein Bruder mir alle seine großen
Anstalten und Gelegenheiten zeigte, klopfte er in einem Durchgange,
der von dem Wohngebäude in die Brauerei führte, an eine der seitwärts
befindlichen Türen. ›Und hier wohnt unser Lorenz!‹ sagte er.

Er hätte es mir nicht zu sagen brauchen; denn über der Tür, in Ermangelung eines Wandbetts, das er hier in der Kammer nicht besaß,
stand mit Kreide der alte Spruch geschrieben; nur hatte er jetzt seinen
Namen mit dem seines alten Herrn verwechselt, und so lautete es hier:

> ›Josias Ohrtmann is mein Nam’;
> Gott hilf, daß ich in’n Himmel kam!‹

Jetzt sind sie beide schon seit lange dort; und so endet diese Geschichte
wie hoffentlich auch alle anderen Geschichten auf dieser Erde. Aber
das habe ich meinem Bruder doch gesagt, daß er es mit seinem Gest in
Obacht nehmen solle.«

Sie schwieg und reichte ihrem alten Eheherrn die Hand, der sie wie
das Kleinod seines Lebens in die seine nahm. – Und dafür, indem wir
jetzt die Feder fortlegen, halten auch wir die Hand einer jeden wahrhaft guten Frau.

Eekenhof

Es klingt wie eine Sage, und man könnte es fast für eine solche halten; an mehreren Orten soll es geschehen sein, und die Poeten haben hie und da einen Fetzen davon abgerissen, um ihn, jeder nach seiner Weise, zu verwenden. Dennoch möchte ich eine abgelegene Wiese unserer engeren Heimat, auf welcher die deutlich erkennbare Vertiefung eines jetzt verschütteten Ringgrabens und einige halbzersplitterte Eichenriesen am Rande derselben die Stätte eines einstigen Herrensitzes anzeigen, für den Schauplatz halten, auf welchem diese Schatten der Erinnerung einst in lebendiger Gestalt vorübergingen. Nicht etwa, weil es dort vor Jahren noch in selten ausführlicher Überlieferung erzählt wurde; aber es ist nachweisbar von Geschlecht zu Geschlecht bis in die Gegenwart heraufgekommen, und wenn wir die Stufen wieder abwärtssteigen, so treffen wir auf den ersten Erzähler, dessen Name in dem noch erhaltenen Kirchenbuche verzeichnet steht, der nicht nur die Uhr des alten Herrenhauses in seinem Dorfe noch hat schlagen hören, wenn just die Luft nach dieser Richtung wehte, sondern der im Vorbeigehen auch noch den alten menschenscheuen Herrn in einsamer Mittagszeit unter einer der großen Eichen sitzen sah, den greisen Kopf unbeweglich nach dem in jähem Verfall begriffenen Gebäude hingewandt. Bei stillem Wetter, wenn etwa die Augustsonne recht heiß vom Himmel brannte, hat man es hören können, wie drinnen der Kalk herabgerieselt, wie es im Gebälk gekracht oder gar, wer mag wissen was, mit dumpfem Fall herabgestürzt ist.

Jetzt ist alles längst verschwunden; aber auf den verstaubten Trümmern eines hölzernen Epitaphiums, welche in meiner Jugend auf dem Boden der dortigen Dorfkirche lagen, war noch das Bild des alten Herrenhauses sichtbar, wie es sich einstöckig mit hohem, fast fensterlosem Unterbau innerhalb des Ringgrabens erhoben hat. Nach der Struktur der beiden Zackengiebel zu urteilen, mußte es im sechzehnten Jahrhundert erbaut sein; die gegen Morgen belegenen Fenster des oberen Stockwerkes schienen in ihrer Zusammenstellung anzudeuten, daß sich dort, wie in den meisten derzeitigen Landsitzen des Adels, zunächst der Stiege die kleinere Winter- und daran in gleicher Lage die geräumige Sommerstube oder, wie man gern zu sagen pflegte, der Rittersaal befunden hatte.

Und so stimmt es auch mit jener bis auf uns gekommenen Erzählung; aus dieser ist sogar noch weiterhin zu schließen, daß man aus dem Saal in einige gegen Abend belegene Kammern habe eintreten und durch diese wieder auf den oberen Flur habe hinausgelangen können. Der Saal selbst aber, welcher die Bildnisse aus dem mütterlichen Geschlechte des letzten, in seiner Jugend verschollenen Eigentümers soll enthalten haben, spielt noch heute in der Phantasie des Volkes eine Rolle; noch jetzt weiß man von dem Bilde eines jungen, blonden Obristen im Reiterkoller aus der Zeit der Grafenfehde, über dessen blasses Antlitz eine blutrote Narbe hingelaufen, und neben diesem von einer stolzen, schwarzäugigen Dame mit Reiherfedern auf dem Schlapphute und einem Stieglitz auf der Hand. Das verbundene Geschick dieses Paares soll für das des ganzen Geschlechtes vorbestimmend gewesen sein; aber die Sage über sie ist verschollen; nur will man wissen, wenn bei der Ihren einem der Todeskampf begonnen habe, dann sei, wann immer und zu welcher Tages- oder Jahreszeit, ein wundersamer Vogelgesang erschollen und jählings wieder stumm geworden, sobald die Seele sich von ihrem Leib gelöset habe. Neben der Tür aber, welche in eine der westlichen Kammern führte, hing ein anderes Frauenbild, an welches unsere Erzählung ihre Fäden anknüpft.

Wenn außerdem die Überlieferung von einem Walde wissen will, an dessen Rande einst das Haus gelegen habe, so gab auch hievon jenes Epitaphienbild eine Andeutung; denn zur Linken außerhalb des Ringgrabens zeigte sich ein Hecktor, hinter dem sich ein Weg in Bäumen zu verlieren schien.

In der zweiten Hälfte des siebzehnten Jahrhunderts, um die Zeit, da Herzog Christian Albrecht und der dänische König gemeinschaftlich das Land regierten, ist es gewesen, als dieser Hof – im Volksmunde, wie noch jetzt der Platz, wo einst das Haus gestanden, »Eekenhof« genannt – durch Heirat in den Besitz eines Herrn Hennicke kam, der vordem als Hofjunker unter des Herzogs Leuten lebte. Er ist ein jüngerer Sohn gewesen und soll von seinen Knabenjahren an das Majoratsgut seines Hauses nur mit Neid und Haß in seines ältesten Bruders Hand gesehen haben; denn Habgier und Verschwendung haben in seinem Herzen sich gestritten. Zum Glücke aber gab es auch schon derzeit jenes zweite Mittel, um mühelos, wie durch Geburt, zu Hab und Gütern zu gelangen; und es ist auch zweimal glücklich von ihm angewandt worden, so daß späterhin die Rede ging, Herr Hennicke lebe von seinen beiden Weibern, der lebenden und der toten.

Die erste, die er freite, war ein scheues Kind vom Lande; sie hatte weder Eltern noch nahe Blutsfreunde; aber das Herrenhaus zwischen den alten Eichen war ihr freies Eigen; dazu der Wald und drunten das Kirchdorf mit den Strohdächern der Pachtbauern und der Hörigen. Nicht aus Lust hatte sie nach ihres Vaters Tode sich in die Stadt begeben; auch war die Base, der Herzogin Hoffräulein, die sie in ihr Haus geladen hatte, ihr viel zu mutwillig; aber ihrem Vater, der sehr jung gestorben war, hatte sie geloben müssen, nach seinem Abscheiden für die Sommerstube ihr Bildnis von des Herzogs Maler Jurian Ovens fertigen zu lassen. »Das gehört noch an die leere Stelle«, hatte er gesagt; »dann kann der Schlüssel abgezogen werden, wir sind dann alle wie in einer Gruft beisammen.«

Die düsteren Worte hatten sie erschreckt, und sie hätte sich wohl lieber um eine andere Ursach' malen lassen; aber des Vaters Wille mußte doch geschehen.

Und das Bildnis wurde wie sie selber. Das Hoffräulein mochte ihr noch so oft das Kinn emporheben und lachend zu ihr sagen: »Du sollst nur wissen, was für besondere Schönheit an dir ist!« – die blauen Augen wußten nichts von dieser Schönheit und blickten nach wie vor, als bäten sie nur um Schutz in ihrer Einsamkeit.

Daß sie als Braut nach ihrem stillen Herrenhaus zurückkehren sollte, hat sie wohl nicht gedacht; auch soll die muntere Base oft nachher gesprochen haben, sie habe den schwarzen Henne wohl gerne nicht genommen; sie hab' nur nicht gewagt, ihm nein zu sagen, und da sie einmal ja gesagt, so sei sie viel zu gut und lang nicht klug genug gewesen, ihm wieder nein zu sagen.

Als Herr Hennicke zu seiner Hochzeit über die Ziehbrücke in den Eekenhof einritt, war droben an der Wand des Saales, wo das Fest bereit stand, die leere Stelle ausgefüllt, und die Gäste sahen mit Verwunderung bald auf die stille, in lichtes Gewand gekleidete Braut in ihrer Mitte, bald auf ihr Bild, das, ganz ihr gleichend, ein blühend Myrten-

zweiglein in der Hand, aus dunkelm Rahmen von der Wand hernie-
derblickte und die Bilderreihe des zu Ende gehenden Geschlechtes beschloß.

Unter den Hochzeitsgästen ist von der Sippschaft der Braut nur die
Base aus der Stadt gesehen worden; die Freundschaft des Bräutigams
sind stolze, herrische Männer gewesen, und Herr Hennicke hat mit
ihnen getrunken und sich wenig um die Braut gekümmert.

Als der Tag vorüber und dann alle, mit ihnen auch die lustige Base,
den Eekenhof verlassen hatten, ist die junge Frau in Einsamkeit zurückgeblieben; denn ihr Eheherr, wenn er nicht zu Gelag und Spiel bei
seinen Nachbarn war, hatte draußen genug zu tun, um, wie er sagte,
ein richtig Regiment zu schaffen; die Pachtbauern sollten ganz anders
jetzt den Säckel ziehen, der Schweiß der Hörigen ganz anders noch
den Acker düngen. Den Vogt und das Gesinde sah er sich mit scharfen Augen an: die alten Diener, deren Knochen ihm nicht stark genug
erschienen, hieß er gehen. Seines Weibes Fürbitte, wenn sie sich je und
je hervorwagte, hat er mit hartem Wort zurückgeschreckt, daß sie mit
scheuem Aufblick stumm geworden ist; und bald hat sie gezittert,
wenn draußen auf der Treppe nur sein Schritt erscholl. Mitunter, wenn
sie aus ihrer Wirtschaft über die Brücke hinausgegangen war, sei es,
um drüben unter den Eichen ein Weilchen auf der kleinen Bank zu ruhen oder seitwärts durch das Hecktor ein paar Schritte in den Wald zu
schlendern, dann ist es wie ein Traum auf sie gekommen, als sei vorzeiten – und wenn sie nachgesonnen, gar noch nach ihres Vaters Tode
– hier große, heitere Gesellschaft um sie her gewesen, die diese Orte
nun für alle Zeiten verlassen habe, und doch hat sie gewußt, es sei auch
damals so einsam hier wie jetzt gewesen, und grübelnd ist sie in das
stille Haus zurückgegangen.

Dennoch, nachdem die Zeit verlaufen war, ist es gekommen, daß bei
einem Gelage in der Nachbarschaft die Gäste auf die Ankunft des erwarteten Erben haben trinken wollen. Als aber ein alter Herr gemeint,
man solle zunächst des jungen Weibes denken, daß sie die schwere
Stunde glücklich überstehe, ist eine Gegenrede lautgeworden: »Was
Weib! Ein Weib ist ein zerbrechlich Ding! Stoßt an, wir wollen auf den
Buben trinken.«

Und als Herr Hennicke hierauf nur träg sein Glas erhoben, hat ihm ein anderer lachend zugerufen: »Du sinnst wohl, Hennicke, wenn du dein Weib mit einem Buben tauschen müßtest, wie lang' du auf dem Hofe noch den Herrn zu spielen hättest? Ich will dir rechnen helfen; mit einundzwanzig Jahren sind die Junker mündig!«

Der halbtrunkene Gast mochte nicht weit vom Ziel getroffen haben; denn Herr Hennicke hat ihn drohend angesehen: »Schweig, Wulf! Ruf den Tod dir in dein eigen Haus!« Dann hat er im vollen Haufen angestoßen, daß das Glas gesprungen und der Wein verschüttet ist.

Danach aber, wenn er je zuweilen das bleicher werdende Antlitz seines Weibes gesehen hat, sind jene Worte ihm allzeit wieder vor den Ohren und die weinroten Augen des, der sie gesprochen, vor dem inneren Blick gewesen.

– – Und die schwülen Spätsommermonde sind gekommen. – Und, da ihre schwere Stunde näherrückte, hat das junge Weib die Nachmittage in dem Rittersaal verbracht; denn hier in dem weiten Raume, dessen Fenster dann im Schatten lagen, war es frisch und kühl. Schon als Mädchen hatte sie gern mit ihrer Arbeit hier gesessen; jetzt nähte sie eifrig an der kleinen Aussteuer für die Wiege, die voll schwellender Kissen schon daneben in der Kammer stand; und wenn ein Käppchen oder ein Hemdlein auch nur zur Hälfte fertig war, dann hielt sie's vor sich hin und betrachtete es, halb im Entzücken, halb in dunkelm Grauen. Früher und noch bis vor kurzem war die Schaffnerin, die alte Maike, ihr zur Gesellschaft dagewesen, aber auch diese hatte Herr Hennicke verabschiedet, weil sie, so sagte er, zu alt in der Herberge geworden sei; in Wahrheit, weil sie der stummen Klage in seines Weibes Auge unterweilen ihren fertigen und dreisten Mund geliehen hatte. Daher ist jetzt nur die stille Gesellschaft der Bilder ihrer Vorfahren um die junge Frau gewesen, aber fast von allen wußte sie, sei es, was ihr Leben einst erfüllt oder was, oft jählings, aus demselben sie hinausgetrieben hatte. Einst hatte die alte Maike ihr das erzählt; jetzt war ihr, wenn sie auf die einen oder anderen blickte, als erzählten es die toten Bilder selber, daß ihres Lebens Lust und Jammer nicht vergessen werde. Und von dem milden Antlitz ihres Vaters gingen ihre Blicke stets nach jener fernsten Ecke, wo in dem Schatten der Fensterwand des jungen, bleichen Obristen Bildnis hing; von diesem weiter zu der stolzen Dame mit der Reiherfeder, die jetzt mit ihren dunkeln Augen in das Leere schaute. Dann schrak sie wohl zusammen und ließ die kleine Arbeit aus den Händen fallen; denn ihr war gewesen, als hübe auf der Dame Hand der Stieglitz seine Flügel, als ob er plötzlich seinen Sang beginnen wolle. Aber wenn sie mit aufgerissenen Augen horchte, so war es totenstill im Saale.

Auch einmal, da in der steigenden Dämmerung es immer einsamer um sie geworden war, als auch draußen das Rauschen in den Eichen aufgehört hatte und ihr die müden Hände in den Schoß gesunken waren, ist es über sie gekommen, als wäre in dem leeren Saal nun auch sie selber nicht mehr da, sondern statt ihrer nur noch ihr Bildnis, das mit den anderen in den stillen Raum hinabsehe. Sie hat versucht, die Arme oder den Fuß zu strecken, aber sie hat es nicht vermocht; ihr ist gewesen, als sei sie nun für immer leblos in den dunkeln Rahmen des Bildes festgebannt. Das finstere Wort des Vaters hat vor ihr gestanden; doch als es jählings sie durchfuhr, daß dies den Tod bedeuten möge, da hat die Mutterangst aus ihr geschrien: »Mein Kind, mein Kind! Was soll aus meinem Kinde werden!« Und mit gelösten Gliedern ist sie aufgesprungen und in dem fast dunkeln Saal umhergewandert; als sie aber an ihrem eigenen Bild vorübergekommen, hat sie geschaudert und ist dann eilig in die Kammer nebenan geflohen, allwo sie mit der teuren Bürde unter ihrem Herzen an der Wiege hingesunken ist.

Herr Hennicke hat dies nie erfahren; aber sein junges Weib hat es in ihrer letzten Not ihrem alten Seelsorger, dem Pastor drunten aus dem Dorfe, anvertraut; von diesem ist es auf seinen Nachfolger Albertus Petri übertragen worden, welcher vor seinem Dienstantritt als Informator in Herrn Hennickes Hause lebte und später der erste Erzähler dieser Geschichte wurde.

Und als die Zeit erfüllt war, sind nach schwerer Angst die Kammerwände von der matten Stimme eines Knäbleins angeschrien worden; die Mutter selber aber hat am dritten Tage ein Schlaf befallen, aus welchem die Seele nicht mehr Kraft gehabt hat, sich emporzuringen. Und wieder danach am dritten Tage, da eben durch die kleinen Scheiben das letzte Sonnengold hereinleuchtete, ist draußen aus der Abendstille ein süßer Vogelgesang erschollen, obwohl die Zeit des Singens längst vorüber war und schon der Herbst die Blätter von den Bäumen riß. Die

Kranke aber ist aus ihrem Fieber aufgefahren und hat mit Wehelaut gerufen: »Der Stieglitz! Maike, ach, der Stieglitz singt!« Und als im selben Augenblick Herr Hennicke mit hartem Schritt hereintrat, ist er in jähem Schrecken an der Schwelle festgehalten worden und hat mit vorgerecktem Halse horchend dagestanden.

Da war es, als ob der Vogelsang sich nebenan im Bildersaal verliere; dann ward es völlig still, und auch die Wöchnerin sank stumm in ihre Kissen; doch als Herr Hennicke herzutrat, lag nur noch seines Weibes Leiche vor ihm.

Als bald danach die Wehmutter, welche im Hause verblieben war, das weiße Linnen über der Toten Antlitz deckte, stand der Witwer an der Wiege und starrte schweigend auf das schwache Wesen, das dort in den Kissen um die Lebensluft zu ringen schien. Da trat das Weib auf leisen Sohlen zu ihm: »Betet zu Gott, Herr Hennicke!« sprach sie; »aber getröstet Euch nicht, daß Euch das Kind behalten bleibe!«

Er fuhr zusammen und wandte rasch den Kopf. Das Weib erschrak fast, als er sie mit seinen schwarzen Augen ansah. »Das Kind? Was meinst du?« rief er. »Daß auch das Kind noch sterben sollte?«

Die Alte wurde fast verwirrt; er sprach so laut; doch weder Schreck noch Kummer war in seiner Stimme. »Das liegt in Christi Händen«, sagte sie; »aber saht Ihr's denn nicht? Es steht ein Lächeln um der Leiche Mund; so liegen nur, die bald ihr Liebstes nach sich ziehen.«

Sie trat zurück, um von der Toten Angesicht das Linnen abzudecken; aber Herr Hennicke packte raschen Griffes ihren Arm. »Geschwätz«, stieß er mit heiserem Laut hervor, »wenn du nichts anderes zu berichten weißt!«

»Laßt mich, Herr Hennicke!« sagte die alte Frau. »Ihr seid ein großer Herr; aber der Toten Angesichter versteh' ich besser doch als Ihr! Harret eine Viertelstunde hier an Eures Kindes Wiege, so werdet Ihr die Gichter kommen sehen.«

Und Herr Hennicke blieb und sah die Gichter in dem kleinen Antlitz zucken. Dann schritt er aus der Kammer und durch den Saal; aber er sah nicht auf, wo seines Weibes Bildnis hing. Eilends stieg er in den Hof hinab, und bald saß er zu Pferde, und seine großen Hunde neben sich, ritt er über die Brücke in die schon dunkelnde Nacht hinaus. Er ritt auf dem engen Wege um den Wald herum, quer über die Felder um das ganze Gutsgebiet; seine Blicke streiften über das dämmernde Land mit einer Sicherheit, wie sie es nie getan. Der Erbe dieses Grundbesitzes lag sterbend in der Wiege; er aber war der Vater und der Erbe dieses Erben! Er stieß seinem Pferde die Sporen in die Weichen, daß es bäumend in die Luft stieg; aber er zwang es nieder auf die Vorderfüße, seine Faust war kräftiger als je. »Vorwärts! Wir traben bald auf eigenem Grund und Boden!« Seine Brust hob sich; mit Mühe bändigte er ein Jauchzen, das fast die stille Nacht erschüttert hätte. Als er zu Hause von dem schäumenden Rappen stieg, kam ihm die Bauerndirne, die als Kindsmagd war gemietet worden, mit Geheul entgegen: das Kind lag abermals in seinen Gichtern.

Am anderen Morgen kam der Arzt, und am folgenden Tage kam er wieder; und während er an der Wiege des Kindes war, ging Herr Hennicke in atemlosem Wandern in der Winterstube auf und ab; aber die Wage stand immer noch zwischen Tod und Leben. Als am dritten Tage der Doktor zu ihm ins Gemach trat, streckte er Herrn Hennicke die Hand entgegen und sprach mit heiteren Augen: »Die edle Tote hat Euch ein teures Pfand gelassen; Gott hat geholfen, Euer Kind wird leben!«

Seit jenem Augenblicke haßte Herr Hennicke den alten Arzt; noch mehr aber seinen eigenen Sohn.

Das Wesen des Mannes wurde seit dem Tode der sanften Frau noch finsterer und gewaltsamer. Wenn die Hörigen säumig waren oder die Pachtbauern mit ihrem Zinse oder den Mast- und Schweinegeldern im Rückstand blieben, ließ er die einen in den Block legen oder peitschen, für die anderen suchte er alte, längstvergessene Strafen aus dem Staube der Archive. Freilich, der Gelder konnte er nicht entraten; denn er liebte Weiber und Gelage und war auf Wochen oftmals in der Stadt, im fröhlichen Verkehre mit des Herzogs Leuten; und wenn auch noch auf zwei Jahrzehnte der Gutsertrag in seine Kasse floß, er war noch jung, und die Mündigkeit des Kindes traf noch in seine besten Mannesjahre. Wenn der Geburtstag seines Sohnes sich jährte, es war ihm nur ein Merkmal der ihm drohenden Verarmung. Überdies war schwere Zeit damals in den siebziger Jahren des vorletzten Jahrhunderts; Kriegs- und andere Lasten drückten, und der mitregierende König achtete weder des Volkes noch der Stände Rechte. Es half Herrn Hennicke nicht viel, daß er jeden Anlaß nahm, um Bauernfeld in Hoffeld umzuwandeln; es wurde not, nach einer zweiten Erbtochter mit freiem Eigen auszuschauen; vielleicht in einer Zeit, wo er weniger als je dazu den Antrieb spürte.

Allein es wollte nicht so glücken wie das erstemal. Auf mehreren Herrensitzen hatte er schon angeklopft; aber die Töchter waren meistens aus der anderen Tür gegangen, wenn er zur einen eingetreten war. Die niedrige Stirn des Mannes unter dem schwarzen, kurzgeschorenen Kraushaar wollte ihnen nicht gefallen; sie sahen lieber auf ihre Vettern und Freunde, welche schon die zierliche, von Herrn Hennicke stets verschmähte französische Perücke auf ihren jungen Köpfen trugen; auch munkelte es stark, daß trotz des Freierganges der schwarze Mann von einer niederen Leidenschaft gehalten sei und, gleich dem Bauern, nur das Gut freien gehe.

So kam es endlich, daß er zu einem lang' gemiedenen sauren Weg sich rüstete.

Hinter dem Walde von Eekenhof, von dessen Herrenhaus nur eine halbe Stunde fern, saß eine Erbtochter ganz allein auf ihrem nicht gar großen, aber schuldenfreien Hofe. Sie war ein Waisenkind von etlichen dreißig Jahren, eine herbe, wirtschaftliche Jungfrau, deren farbloses Antlitz mit dem glattgescheitelten Flachshaar stets so sauber gehalten war wie die tannenen Fußböden ihrer Zimmer, von denen die Bauern sagten, daß man den Braten von den Dielen essen könne. Vor etwa zehn Jahren war die Meinung aufgekommen, ein armer Vetter werde bei der wohlhäbigen Base sich ein sicheres Nest erwerben; aber es war nicht dazu gekommen, und einem neugierigen Frager hat mit verschmitztem Lächeln der junge Fant erwidert: »Wenn sie nur Brauen auf den Schädelbogen hätte! Ich fürchte mich vor ihren nackten Augen!«

Seit jener Zeit hatte die Jungfrau an ihrer Aussteuer nur noch emsiger gesponnen als je zuvor. Des Tages über saß sie allein an ihrem Rade und spähte unterweilen aus ihren kleinen Augen auf die vorbeiführende Heerstraße, ob nicht zu Roß oder zu Wagen ein Freier angefahren komme; am Abend, zumal im Winter, wenn die Wirtschaftsarbeit abgetan war, schnurrten auch die Räder der leibeigenen Mägde um sie her, und war die Herrin zum Schlaf in ihre Kammer gegangen, so mußten die Dirnen stundenlang noch in der kalten Stube weiterspinnen; klagten sie am anderen Morgen, daß sie mit den steifen Fingern den dicken Wocken, den sie ihnen zur Nacht noch aufzustecken pflegte, nicht völlig hätten zwingen können, so wickelte sie den Flachs um ihre Finger und sengte ihnen denselben davon ab. Sie soll dabei gesagt haben: »Nun wird's wohl heiß genug sein für die ganze Woche!«

Da, eines Morgens, als sie von ihrem Spinnrade in den grauen Regentag hinausäugte, kam ein Reiter mit zwei großen Hunden dem Tore ihres Hofes zugetrabt. Ihre dünnen Lippen verzogen sich zum Lächeln; denn es war Hennicke, den sie seit seiner Frauen Hingang schon jeden Tag erwartet hatte. Sie lächelte sogar noch, wenn auch ein wenig säuerlich, als mit Herrn Hennicke seine Hunde sich ins Zimmer drängten und ihre schmutzigen Tatzen auf die weißen Dielen setzten.

Herr Hennicke sah weder ihr süßes noch ihr saures Lächeln; bald aber ließ er sich von ihr treppauf, treppab im Hause umherführen; sie schloß ihm, einen nach dem anderen, die schweren Eichenschränke auf und wies ihm prunkend die aufgespeicherten Gespinste; und da nun Land und Sand sich selber lobte, so lobte der Freier auch die Schätze in den Schränken. Die Dirnen aus der Küche aber schlichen ihnen nach, kicherten und guckten um die Ecken und hatten es bald heraus, daß hier ein Liebeswerk im besten Gange sei.

Nur eine Bedingung, vielleicht um sicherer die Zügel zu behalten, knüpfte die Jungfer Benedikte an die Vergabung ihrer Hand: der Bräutigam sollte zu ihr auf ihren Erbhof ziehen; sie wollte nicht auf fremdem Boden wirten. – Und so kam es, daß das alte Haus des Eekenhofs verlassen wurde und nichts zurückblieb als droben in der großen Sommerstube ein paar verblichene Sessel und die Bilder der Verstorbenen.

Auch der Erbe des alten Hofes, der kleine Junker Detlev, störte die junge Ehe nicht. Bei seines Vaters Hochzeit war er noch im Dorfe drunten in Kost und Pflege einer Bäuerin; dann aber hatte die lustige Base den Knaben zu sich in die Stadt genommen; denn ein Gerücht hatte sich erhoben, daß auf dem Eekenhof das Bild der toten Frau in hellen Mondnächten aus dem Rahmen steige und ihr Kind durch alle leeren Kammern ihres Hauses suche. Seitdem es nun bei einer von den Ihren war, sollte das unruhige Wandern sich verloren haben.

Herr Hennicke lachte zwar, als er von einem Nachbarn darauf angesprochen wurde; der aber meinte, hinter seinen weißen Zähnen sei es dem Hennicke schon recht gewesen, daß sein Lager nicht noch unter dem alten Dache stehe und daß die Tote nun zufrieden schiene. Nicht unrecht mag es ihm auch gewesen sein, daß die wohlhabende Base den Knaben ohne Entgelt aufgenommen hatte; denn die Zeiten wurden immer knapper, von den Ständen wurde auf den Landtagen immer mehr gefordert, sogar die Kosten der auswärtigen Gesandtschaften waren ihnen letzthin aufgebürdet; im Hause aber ließ Frau Benedikte ihn zur Genüge darüber hören, daß er nicht zweimal in der Woche, was ihr doch selbst in ihrem Jungfrauenstande allzeit genug gewesen sei, bei Weißfisch und dünnem Bier mit ihr zu Mittag sitzen wollte.

Der Kindersegen dieser Ehe war schon im ersten und im zweiten Jahre eingetroffen und damit abgeschlossen worden. Es sind zwei untersetzte, kurzbeinige Buben gewesen; trotz des Vaters mit schier rotbrandigem Haar, wie auch nach einem schwarzen Juden mitunter wohl ein Rotkopf aufzustehen pflegt. Herr Hennicke hat sie seine beiden Füchse geheißen und an ihren Streichen seine Lust gehabt. Man erzählt, da sie noch klein gewesen, hat er auf ihr Begehr zwei handliche Schubkarren für sie fertigen lassen; die pflegten sie in einer nahen Sandgrube mit Kieselsteinen aufzufüllen; dann sind sie damit auf den Hof gezogen, wo auf dem Rasen vor dem Herrenhause sich ein Ring befand, in dem Herr Hennicke seine jungen Rosse an der Leine laufen ließ. In diesem Ringe haben sie mit ihren kurzen Beinen in unsagbarer Hurtigkeit ihre Schubkarren vor sich her gefahren und haben sich von hüben und drüben ihr »Hott!« und »Hü!« einander zugerufen, daß also ein Schall entstanden ist, als wenn von einem Haufen Menschen ein großes Werk betrieben würde. Wenn sie aber dessen müde geworden, so haben sie ihre Schubkarren hingestellt und, abermals unter mächtigem Lärmen, sich mit den Steinen nach den Köpfen geworfen, bis diese blutig und die Karren leer gewesen sind. – Ist über solchem Spiel Herr Hennicke auf den Platz gekommen, so hat er, je nach seiner Laune, entweder, die Hände unterm Wams, mit finsterem Angesicht dabeigestanden oder unter kurzem Lachen ein »Drauf, ihr Füchse, drauf!«

den Buben zugerufen. Meistens aber ist aufs letzte Frau Benedikte aus dem Herrenhause über die Freitreppe hinabgeschritten; da sind die Buben, wenn sie selbige nur kaum aus ihren nackten Augen angesehen hat, wie in Erstarrung stehengeblieben; und während dann das Weib mit ihren mageren Händen mit jeder einen derselben an seinen rotbrandigen Haaren in das Haus hineinzog, hat Herr Hennicke sich abgewandt und ist zu Roß und Hund in seinen Stall gegangen.

– – Zwischen den Buben, oder lieber noch abseits von ihnen, ist mitunter auch ein Dirnlein umhergesprungen, dem ältesten von diesen im Alter etwa um ein halbes Jahr voraus, von schlankem, kräftigem Wuchs, mit schwarzem Kraushaar, darunter ein Paar milde blaue Augen. Sie hat nicht auf den Hof gehört, sondern mit ihrer Großmutter, der Witwe des früheren Försters, in dem Unterbau des Eekenhofs gewohnt; aber Herr Hennicke hat einen Narren an dem Mädchen gehabt; er hat auch damals, als die Mutter ihr im Kindbett weggestorben war, sie selber aus der Taufe gehoben, was ihm von Frau Benedikte, mit der er kurz zuvor den Ring gewechselt hatte, nicht eben liebreich aufgenommen war; denn die Kleine war ein Jungfernkind, ja, die Bauern und Hörigen wußten es an den Fingern, daß sie dem Herrn noch näher als nur durch die Taufe angehöre; auch daß er statt seines hageren Ehekreuzes wohl gern die schöne Försterstochter heimgeführt hätte, wenn diese nur adligen Standes oder zum mindesten adligen Vermögens gewesen wäre. Vor Herrn Hennickes Ohren freilich wurde solch Gerede niemals laut; auch hätte es ihn weiter nicht gekümmert, als daß er etwa die Schwatzmäuler zu besserem Besinnen in den Block gelegt hätte. Mitunter, wenn ihn seine schwarzen Stunden plagten, konnte es geschehen, daß er plötzlich zu Pferde stieg und nach dem alten Haus hinüberjagte. »Heilwig! Heilwig!« rief er schon von weitem, wenn er die Kleine am Ringgraben oder auf der Schwelle des Tores spielen sah. Sie erschrak dann wohl und lief ins Haus; aber es half ihr nicht; mit dem Kinde vor sich auf dem Sattel kam er nach Frau Benediktes Hof zurück und hieß demselben für die Nacht die Kammer an der seinen rüsten.

Freilich die kleine Heilwig selber hatte keine Lust davon; Frau Benedikte gab ihr weder Blick noch Wort, und bei den Mahlzeiten, bei denen sie auf ihres Paten Geheiß an dessen Seite sitzen mußte, wurde ihr der Teller wie einem Hunde oder einer Katze zugeschoben. War Herr Hennicke kurz zuvor in der Stadt gewesen, so hatte er wohl einen Chinaapfel oder eine andere Leckerei auf ihren Platz gelegt; aber sie rührte sie nicht an, denn die beiden Füchse sahen mit so gierigen Augen darauf hin, daß sie den Bissen nicht einmal zu teilen wagte. Am meisten vielleicht fürchtete sie die ihr unverständliche, gewaltsame Zärtlichkeit des finsteren Mannes selber. Nicht selten, wenn morgens sie in ihrem Bett erwachte, sah sie die schwarzen Augen ihres Paten über sich; er sagte nichts, er strich ihr stumm die Löckchen von der Stirn oder drückte ihr verschlafenes Köpfchen zwischen seine beiden rauhen Hände; mitunter riß er sie vom Kissen auf an seine Brust, daß sie mit ihren nackten Ärmchen gleich einem Opfer in des Mannes Armen hing. Wenn er dann wieder plötzlich von ihr abließ und schweigend, wie er gekommen, zur Kammertür hinausgeschritten war, so lag sie auf ihr Kissen hingesunken und wagte sich nicht zu rühren, bis unten auf dem steinernen Hausgang sein harter Tritt verschollen war.

War sie dann aufgestanden und hatte unter Frau Benediktes Augen ihr Frühstücksbrot verzehrt, dann lief sie gern ins Freie, um der Liebe des einen und dem Haß der anderen zu entkommen; sei es in den Garten hinterm Hause, wo freilich außer den Bohnen- und den Wurzelbeeten nicht viel Liebliches zu sehen war, oder über den weiten Hof auf die Heerstraße, um dort von einem Walle oder einem großen Steine aus sehnsüchtig nach der Richtung des hinter dem Walde belegenen Eekenhofes hinzuschauen. Aber die untersetzten Buben rannten ihr, wo sie nur konnten, nach und plagten sie auf alle Weise; sie hießen sie den »Kuckuck«, weil sie ihnen das beste Futter nehme, und brachten sie, trotz tapferer Gegenwehr, oftmals in bittere Tränen. »Ich will zu meiner Großmutter!« rief sie dann wohl in ihrer Not; sie hätte das auch sonst wohl gern gerufen; aber wenn ihres Paten Augen auf ihr lagen, dann waren ihr die Lippen wie verschlossen.

Eines Nachmittages, da ein fremder Pferdezieher auf den Hof gekommen war, hatte Herr Hennicke ein kleines Nordlandpferdchen eingehandelt; als aber die beiden Füchse, welche ihn schon lange um ein solches Tier geplagt hatten, in lauten Jubel ausbrachen, erklärte er ihnen, daß sie dessen keine Ursach' hätten: »den Pony habe er für Heilwig eingekauft; für solche Buben, wie sie beide, seien die Milchesel annoch die besten Rosse.« Bei diesen Worten hob er das zitternde Mädchen, das dabeigestanden, gleich einem Vogel auf den Rücken der kleinen Stute und führte diese behutsam auf dem Hof umher; die beiden Füchse aber rannten heulend in das Haus, um ihrer Mutter diese neue Unbill zu berichten.

Frau Benedikte schwieg; sie wagte, wo es das Mädchen galt, nicht gern gegen ihren Eheherrn zu reden; nur ihre Wangen wurden etwas bleicher und ihre bläulichen Lippen etwas blasser, als sie ohnedies schon waren.

Die kleine Heilwig aber, als Herr Hennicke zu den Arbeitern auf das Feld gegangen war, fürchtete sich, ins Haus zu gehen, obgleich die Dämmerung stieg und kalte Herbstluft wehte. Sie schlich sich frierend auf den Weg hinaus; bald schritt sie mutig fürbaß und wollte drüben durch den dunklen Wald zur Großmutter nach dem Eekenhof zurück, bald stand sie ratlos still und wickelte sich ihr Schürzchen um die kalten Arme, bis sie am Ende, da eben überm Herrenhaus der Mond heraufstieg, von kindischer Furcht ergriffen, nach dem Hof zurücklief. Kaum aber war sie durch das Torhaus auf den hellen Platz getreten, so sah sie plötzlich aus dem Schatten einer Scheune die beiden Buben auf sich zustürzen.

»Was wollt ihr!« rief sie erschreckt. »Was hab' ich euch getan?«

Aber die Füchse packten sie bei den Armen und zerrten sie gegen den steilen Rand einer Wassergrube, aus welcher bei kalten Nächten das heimkehrende Vieh getränkt zu werden pflegte.

»Laßt mich!« schrie das Kind. »Ich will das dumme Pferd nicht haben; ich will nichts, gar nichts von euch und eurem Vater haben!«

Doch die beiden Füchse fuhren stumm und emsig in ihrer gemeinschaftlichen Arbeit fort, und schon blinkte von unten das Wasser in die entsetzten Kinderaugen, da plötzlich ließen sie mit jammerndem Geschrei von ihrer Beute ab. Herr Hennicke, vom Felde heimkehrend, einen derben Stock in seiner Faust, stand über ihnen. Aber auch Frau Benedikte war alsbald zur Stelle und frug, was denn die Kinder abermals verbrochen hätten.

Da schrie der Älteste, durch der Mutter Gegenwart ermutigt: »Der Kuckuck! Wir wollen nur den Kuckuck aus dem Neste schmeißen!«

Frau Benedikte stieß ein Lachen aus. »Die da?« rief sie. »Nicht wahr,

Herr Hennicke, das ist kein Kuckuck? Ihr kraus Gefieder kommt von einem anderen Vogel; auch gäbest du gar gern wohl Weib und Kind, wenn du der Dirne Augen noch in einem anderen Kopf erschauen könntest!« Sie streckte ihre hageren Finger nach dem Kinde, daß dieses sich erschrocken an ihres finsteren Paten Seite drängte.

Dieser aber hob die Kleine auf seinen Arm und wischte mit ihrem Schürzchen ihr die Tränen aus den Augen. »Wenn du das alles weißt, Frau Benedikte«, sprach er, »dann weißt du auch, weshalb der Vogel hier ins Nest gehört.«

Die Frau wollte ein hastig Wort erwidern; aber sie biß sich nur auf ihre bleichen Lippen, denn die Zornader lag dick auf ihres Mannes Stirn. So gingen die beiden schweigend mit einem Blick des Hasses auseinander: er mit dem schwarzen heimatlosen Vogel, sie mit den beiden roten Buben, die sich an ihre Röcke hingen.

Nach diesem, als die untersetzten Junker in die Länge schossen, ist ein armer *candidatus reverendi ministerii* als Informator in das Haus gekommen; denn da Herr Hennicke ihm die Nachfolge in den Dienst des greisen Pastors zu Eekenhof in Aussicht stellte, so ist er um ein Billiges zu haben gewesen. Aber noch in späten Jahren, da er selber als Emeritus in der müßigen Geschwätzigkeit des Alters hier umherwanderte, hat er des kein Ende finden können, was diese Schüler ihm für Not geschaffen haben. Hatte er sie eben zur Arbeit an ihre Lektionen fortgeschickt, so fand er sie statt dessen draußen auf dem Hofe oder in der nahen Sandgrube heftig an einem unnützen Werke arbeitend; kam er dann auch noch so hurtig mit der Haselgerte, so saßen sie zu seinem unaussprechlichen Erstaunen rittlings auf dem Scheunendach und machten, gleich Eulenspiegel, unehrerbietige Gebärden.

In einem jetzt noch in dem Kirchenarchive des Eekenhofer Pastorats vorhandenen Exemplare von Henrici Müllers »Liebeskuß« sieht man auf dem Titelbilde neben den pausbackigen Engeln eine Anzahl kleiner ungefüger Säue mit Rötel hingezeichnet, und dazu in kleinen steilen Zügen die vergilbte Randschrift: »Von den Herren Junkern Henno und Benno *more solito* hinzugefügt.«

Aber auch seine Freuden hat der Kandidat gehabt; denn wöchentlich an zweien Nachmittagen ist er auf Herrn Hennickes Anordnung nach dem Eekenhof hinübergewandert, um auch an Heilwig Lektionen zu erteilen. Wenn er hier in seinem abgeschabten Mäntelchen aus dem Eichenschatten dem Hause zugeschritten ist, dann hat er, vergnüglich seine Hände reibend, vor sich hingerufen: »*O arboretum recreationis!* Lustwäldlein, drin Erquickung weht!« Von der Treppe des Hauses ist ihm dann wohl ein Mädchen mit einem Büchlein in der Hand entgegengelaufen; sie hat sich rasch die schwarzen Löckchen fortgestrichen, die ihr beim Lesen in die Stirn gefallen waren, dann aber, bevor der Unterricht begann, dem guten Informator die Klettenbüschel und etwa auch den Fuchsschwanz von wildem Sauerampfer abgenommen, was alles seine männlichen Scholaren ihm zum Abschied auf den Weg gegeben hatten.

Der Kandidat sollte noch einen vierten Schüler erhalten.

Von dem Junker Detlev, seit ihn als Kind die Base in die Stadt genommen hatte, war in seiner Heimat weder etwas gesehen noch gehört worden; ja, in Frau Benediktes Hause wußten die beiden Füchse kaum, daß noch ein älterer Bruder da sei. Jetzt aber wurde ihnen solches, und dazu noch, daß dieser nächstens auf dem Hofe eintreffen werde, mit einem Male verkündet. Denn die freigebige Base in der Stadt war trotz ihrer Munterkeit von einem jähen Tode angesprochen worden, und da sich keine zweite fand, so war es, nach einem diesmal von Frau Benedikte und Herrn Hennicke gleichmäßig gelösten Rechenexempel, das Geratenste, den Buben heimzurufen und gleichfalls in des doch einmal vorhandenen Kandidaten Information zu geben.

– – Und eines Nachmittages im September, da auf Eekenhof die hohen Bäume im warmen Sonnengolde standen, ist von der Heerstraße ein blonder Knabe darauf zugewandert. Man hat ihn auf zwölf Jahre schätzen können; einen Schulranzen hat er auf dem Rücken und einen dicken Stab in seiner Hand gehabt. Als er auf die jetzt immer herabgelassene Zugbrücke getreten ist, hat er fester seinen Stab gefaßt, wie um den großen Hunden zu begegnen, welche derzeit aus den Herrensitzen mit Gebell den Ankommenden entgegenzustürzen pflegten. Aber es ist dergleichen nichts geschehen; nur ein schwarzhaariges Dirnlein hat mit den Armen über das Brückengeländer gehangen und von einem Stücklein Brotes für die Fische drunten abgebröckelt.

»Wer bist du?« frug der Knabe, als sie jetzt den Kopf zu ihm herumwandte. »Wohnst du hier?«

»Das Haus steht leer«, sagte das Mädchen; »ich und meine Großmutter wohnen allein darin; wir halten auch die Uhr in Ordnung. Hörst du? Da schlägt es eben vier.«

Als die Uhr vom Hause ausgeschlagen hatte, frug der Knabe wieder: »Wer ist denn deine Großmutter?«

– »Mein Großvater war der Förster hier im Walde.«

»So?« sagte der Knabe. »Ich kenne euch nicht; aber ihr dürft hier schon noch wohnen bleiben, denn ich brauche das Haus noch lange nicht!«

Die Kleine hatte sich gerade vor ihm hingestellt. »Du!« rief sie. »Da werden wir dich wenig fragen; das Haus gehört Herrn Hennicke, der drüben hinter dem Walde wohnt.«

Aber der Bube ließ sich das nicht anfechten. »Herr Hennicke ist mein Vater«, sagte er; »aber das Haus ist mein, denn es ist meiner Mutter Haus gewesen.«

Als er so redete, ist von dem Hause her eine ältliche Frau zu ihnen getreten, deren Antlitz von verwundenem Leide zeugte, und auch davon, daß sie fremdem Willen sich zu beugen hatte lernen müssen. Eine Weile ließ sie ihre Augen auf dem Knaben ruhen; dann sprach sie: »Siehst du es denn nicht, Heilwig? Das ist der Junker Detlev! Ich kenne ihn nach seiner Mutter Angesicht; und alle Armen und Bedrückten werden ihn auch daran erkennen.«

Sie hatte dem Knaben ihre Hand gereicht, Heilwig aber sah ihn groß aus ihren blauen Augen an. »O Junker Detlev«, rief sie, »du siehst ganz anders aus als deine Brüder!«

»Ich kenne meine Brüder nicht«, sagte der Junker; »ich kenne euch hier alle nicht! Wenn meine gute Base nur noch lebte, so wäre ich erst gekommen, wenn ich mündig war; der Herzog hat mir auch versprochen, daß ich auf seiner neuen Universität studieren soll!«

»Aber«, sagte die Förstersfrau, »hat denn Herr Hennicke Euch kein Roß zum Reiten in die Stadt geschickt?«

»Ich gehe lieber«, entgegnete er kurz, »als daß ich auf Frau Benediktes Pferden reite!«

– »Und wißt Ihr denn auch, daß Ihr an der jetzigen Wohnung Eures Vaters vorbeigewandert seid?«

Der Knabe nickte. »Das weiß ich wohl; ich will erst meiner Mutter Bildnis sehen, bevor ich nach dem fremden Hause komme!«

»Mit Gott, Junker Detlev!« sprach die Alte, indem sie einen Schlüssel von ihrem Gürtel löste; »Heilwig mag Euch die Sommerstube aufschließen, indessen ich Euch einen Imbiß unter Eurer Mutter Dach besorge!«

Das war der Junker wohl zufrieden; und während dann die Alte in der düsteren Küche zu hantieren anfing, stiegen die Kinder miteinander in das Oberhaus hinauf.

– – Als spät mit Dunkelwerden der Junker Detlev auf Frau Benediktes Hof kam, haben die beiden Füchse schon am Tor auf ihn gelauert und ihn mit Lärmen in das Haus gezogen; er sollte ihnen gegen den dummen Informator beistehen und ihnen den Kuckuck aus dem Neste schmeißen helfen! Frau Benedikte, da er bei seiner Abendschüssel gesessen, hat das feine Tuch seines Wamses mit ihren mageren Fingern ausgeprüft und ihm gesagt, das passe hier nicht auf dem Lande; auch werde sie schon morgen ihm die blonden Locken stutzen. Herr Hennicke aber ist auswärts bei einem Nachbar zum Gelag gewesen.

Gleichwie indes der Junker Detlev sich Frau Benediktes Schere zu erwehren verstand, so wurden auch die Hoffnungen der beiden Füchse nicht erfüllt. Sie wußten freilich nicht, daß Detlev mit dem »Kuckuck« vor seiner Mutter Bild gestanden hatte, und konnten deshalb nicht begreifen, warum er nicht ihre Kameradschaft der des dummen Mädchens vorzog, ja gleich dieser und zu des verhaßten Informators Freude emsig bei den Büchern saß.

Herr Hennicke selber ist seinem ältesten Sohne meistens aus dem Weg gegangen und hat weder in Schimpf noch Ernst zu ihm geredet. Nur wenn der Junker sich bisweilen seines mütterlichen Erbes annahm, sei es, daß er für einen armen Hörigen Fürsprach tat, oder daß er den sichtlichen Verfall des alten Hauses aufzuhalten wünschte, dann hat Herr Hennicke ihn drohend angeschaut und ihn mit hartem Wort zurückgewiesen; doch noch niemals, was die beiden Füchse sich mit Neid erzählten, hatte er eine Hand zum Schlage gegen ihn erhoben.

Auf dem Eekenhofe ist der Junker oft gesehen worden. An Winterabenden saßen er und Heilwig vor dem Ofenfeuer, und die spinnende Förstersfrau erzählte ihnen die Geschichten von den Bildern droben, soweit sie selber davon wußte. Im Sommer, zumal wenn draußen gar zu dumpfe Schwüle lagerte, gingen sie auch wohl nach dem kühlen Saal hinauf. Als einst die Schritte des Knaben gar zu hallend in dem stillen Raume tönten, legte Heilwig die Hand auf seinen Arm: »Du! du mußt leise gehen!«

– »Leise? Warum denn leise?«

»Ja, deine Mutter ist doch tot; und auch die anderen, die hier abgebildet sind!«

Da tat er, wie sie sagte; und flüsternd gingen sie von einem Bild zum anderen, bis vor dem Bilde von Detlevs Mutter ihr Gespräch verstummte.

An anderen Tagen strichen sie miteinander durch den nahen Wald, und wenn der Durst sie überfiel, liefen sie zu einem Kätner, dessen kleines Heimwesen dicht am Waldesrand gelegen war. »Forthmann«, sagte dann wohl der Knabe, wenn er das Krüglein Milch aus dessen Hand an Heilwig reichte, »warte nur, du sollst zu deiner einen Kuh noch einmal zwei dazubekommen!« Und der arme Hörige antwortete: »Ja, ja, Herr Junker, Euer Großvater ist auch ein guter Mann gewesen.«

Mitunter redeten die Kinder gar ernsthaft miteinander; und einmal, da sie in einsamer Waldlichtung im Grase beisammensaßen, sagte Detlev: »Erzähl' mir doch einmal von deinem Vater, Heilwig! Ist er denn niemals hier gewesen?«

Heilwig schüttelte den Kopf. »Ich weiß nicht«, sagte sie, »Großmutter spricht nicht gern von ihm; ich glaube, Detlev, er ist kein guter Mann gewesen; denn er hat meine Mutter verlassen, bevor ich noch geboren wurde, und sie ist dann darum gestorben.«

Der Knabe wurde nachdenklich; dann aber ergriff er die kleine Hand des Mädchens und flüsterte ihr zu: »Sag' es zu keinem Menschen, Heilwig, auch nicht zum Informator; aber ich glaube, mein Vater ist auch kein guter Mann!«

Heilwig rührte sich nicht; und so saßen die Kinder in ihrer Einsamkeit noch lange schweigend Hand in Hand.

Ein paar Jahre waren dahingegangen; aber je höher die gegenseitige

Anhänglichkeit der Kinder gestiegen war, desto tiefer hatte sich in Herrn Hennickes Brust der Groll gegen den Junker Detlev eingegraben, bei welchem jetzt allein sein Liebling vor der anderen Unbill Hilfe suchte. Und wenn er grübelnd den beiden Kindern nachschaute, so vermochte, trotz der Furcht vor dem Jähzorn ihres Eheherrn, Frau Benedikte sich kleiner Stachelreden nicht mehr völlig zu enthalten. »Was läufst du allzeit hinter dem flüggen Vogel!« sprach sie dann wohl, und es blitzte vergnüglich in ihren kleinen Augen; »sie hat doch den blonden Jungen lieber, so schwarz sie selber ist!« Oder ein andermal: »Es wird nicht anders, Hennicke; noch ein paar Jahre, so mußt du dir den Pastor suchen gehen, der das süße Pärchen trauen darf!«

Und eines Nachmittags nach solcher Aufreizung ist Herr Hennicke nach Eekenhof gekommen, wo in einer Waldkoppel die Leute im Heuen arbeiteten. Er ging aber nicht dahin, sondern trat in die Kammer der Förstersfrau, die hinter ihrem Rade saß.

»Wo ist Heilwig?« frug er.

»Sie ist um Erdbeeren mit dem Junker Detlev in den Wald gegangen.«

»Ihr solltet sie besser an Euch halten!« sprach er barsch.

Die Frau seufzte und Herr Hennicke ging hinaus. Als er danach grollend und unschlüssig draußen über dem Hecktor des Waldes lehnte, vernahm er vor sich aus der Ferne das Lachen zweier junger Stimmen. Da rief er: »Heilwig! Detlev!« Aber es antwortete niemand; es wurde völlig still nach seinem Rufen. Dann, da er mit allen Sinnen horchte, kam auf seinen wiederholten Ruf noch einmal ein Geräusch; aber es war nur, wie wenn von Forteilenden die Büsche knickten.

Zornig ging er auf dem Waldwege fort, bis die Holzkoppel ihm zur Seite lag, wo unter dem Vogte die Leute in der Arbeit waren. Da hielt er an. »Vogt!« rief er, »hast du den Junker Detlev und die Heilwig hier gesehen?«

»Wohl, Herr!« Und er wies mit seinem Knüttel ein Stückchen aufwärts an den Waldesrand. »Sie sind dort nach des Forthmann Hause zugelaufen. Soll ich sie holen, Herr?«

Herr Hennicke warf einen raschen Blick auf die Schar der Arbeiter. »Wo ist der Forthmann?« frug er.

»Der ist morgen an der Reihe.«

Herr Hennicke hieß den Vogt zur Stelle bleiben; er selber aber schritt hastig über die Felder, bis er des Kätners Haus erreicht hatte. »Wo sind der Junker Detlev und die Heilwig?« frug er diesen, der eben einen Eimer Wassers aus seinem Brunnen aufgezogen hatte.

Der aber, als er das zornrote Antlitz seines Herrn erblickte, fürchtete, daß den Kindern ein Leids geschehen werde, und antwortete stockend: »Ich weiß nicht, Herr; sie sind nicht hier gewesen.«

»Du lügst, Forthmann!« rief Herr Hennicke.

»Nein, nein, Herr; ich weiß nichts von dem Junker!«

Herr Hennicke hieß den Mann ins Haus gehen und dort auf ihn warten. Er selber suchte draußen nach den Kindern; er stieß einen Haufen Reisig auseinander; er riß die Pforte des kleinen Immenhofes auf; aber er fand sie nicht. Endlich an einem Dornbusch sah er Heilwigs rotes Tüchlein flattern.

Als er damit in die Tür des Hauses trat, stand der Kätner an einem hellen Feuer, das im Hintergrund der Lehmdiele unter dem Kesselhaken lohte. Er rief ihn zu sich und zeigte ihm das Tüchlein. »Weißt du, Forthmann«, frug er, »wie mein Großvater die freveligen Bauern strafte?«

Der Mann starrte ihn nur angstvoll an.

»Geh«, rief er, »und hol' den Eimer Wasser, den du vorhin aus dem Brunnen zogst!«

Und als der Bauer mit dem vollen Eimer wieder in die Hütte trat, nahm Herr Hennicke ihm denselben aus der Hand und goß das Wasser in die Herdflamme, daß sie prasselnd in weißem Dampf erlosch.

Eine Weile blieb er stehen, bis die stäubende Asche sich verflogen hatte; dann sprach er: »Dein Feuer ist tot; und wehe denen, die vor Wochenschluß es wieder anzuzünden wagen; sie sollte schwere Buße dafür treffen!«

Er wandte sich zum Gehen.

Da bekam der Hörige die Sprache wieder. »Herr, mein Weib ist krank; die Woche hat ja erst begonnen!«

Aber Herr Hennicke ging, während der Kätner wie in Betäubung beide Arme nach dem Fortschreitenden ausstreckte.

– – Am anderen Morgen in der Frühe ritt Herr Hennicke wieder nach dem Eekenhof; er ritt durch das Hecktor in das Holz hinein. Als er an die Koppel kam, stand am Rande derselben der Vogt mit einer Peitsche in der Hand; denn er paßte auf einen Säumigen, dem er den Willkommen geben wollte.

»Gib's ihm doppelt auf den Mittag!« rief Herr Hennicke. »Jetzt komm mit mir; wir wollen nach dem kalten Herde sehen!« Und er erzählte, was gestern in des Kätners Forthmann Haus geschehen war.

»Herr«, sagte der Vogt, »es wird sich niemand dort die Faust verbrennen wollen!«

Herr Hennicke nickte. »Sie sollen aber wissen, daß sie nimmer sicher sind.« Er gab seinem schwarzen Gaul die Sporen, und der Vogt trabte nebenher.

Weiter oben am Rande des Gehölzes lag die Kate in der Morgensonne; nichts Lebendes war zu sehen als eine Katze, welche auf der Schwelle schlief.

»Ist Forthmann in der Arbeit?« frug Herr Hennicke seinen Vogt.

»Ja, Herr.«

»Und das Weib?«

»Sie kann nicht; sie liegt schon wieder mal an ihrem schweren Schaden.«

Plötzlich riß Herr Hennicke sein Roß zurück. »Was ist das, Vogt?« rief er und wies nach dem zerfallenen Strohdach, aus dessen First es bläulich in die Luft stieg.

»Das, Herr«, erwiderte der Mann und deckte sich die Augen vor den schrägen Sonnenstrahlen, »das ist Rauch; und wenn's nicht auf dem Boden brennt, so ist auch Feuer auf dem Herd.«

Herr Hennicke war rasch vom Gaul herunter. Als er die Lehmdiele der Hütte betrat, sah er wie gestern ein helles Feuer unter einem Topfe lodern. Auf der einen Seite des Herdes stand die kleine Tochter des Kätners in ihrem Lumpenkleidchen, auf der anderen stand der Junker Detlev, der leuchtenden Auges in die Flammen blickte und dem Feuer eben eine frische Handvoll Reisig zuschob.

Erst als die Dirne einen Schrei ausstieß, sah er seinen Vater vor sich stehen. Er erschrak heftig; als aber dieser mit bebender Stimme frug: »Hast du dich unterstanden, dieses Feuer anzuzünden?« sprach er: »Ja, Herr Vater; aber das Weib des Kätners liegt in schwerem Siechtum und kann der warmen Speise nicht entraten.«

Herr Hennicke wies auf einen Eimer mit Wasser, der neben dem Herde stand. »Nimm!« sagte er, »und gieß das Feuer aus!«

Aber der Junker rührte sich nicht.

»Nimm!« schrie Herr Hennicke. »Oder glaubst du, daß du schon Herr auf diesem Boden bist?«

Da sprach der Junker: »Nein, Herr Vater; wohl bin ich hier der Herr, aber ich weiß auch, daß die Gewalt annoch in Euren Händen liegt. Wenn sie einmal in meinen ist, so sollen's meiner Mutter Leute besser haben!«

Bei diesen Worten ist der Grimm des Mannes losgebrochen. »Gib ihm die Peitsche!« schrie er dem Vogte zu, der eben eingetreten war. »Gib ihm die Peitsche!« Als aber der Vogt vor solcher Anmutung zurückgewichen ist, hat er den Stock aus dessen Hand gerissen und den Junker in das Angesicht geschlagen, daß das Blut hervorgeschossen ist.

Keinen Laut hat dieser ausgestoßen; er ist ruhig stehengeblieben, bis sein Vater fortgeritten war. Aber nach Hause ist er nicht gekommen und auch später in dieser Gegend nicht mehr gesehen worden; nur auf dem Eekenhof soll er desselbigen Abends noch gewesen sein.

Der Sommer ist dahingegangen, ohne daß Heilwig nach Frau Benediktes Hof gekommen wäre; als aber Herr Hennicke eines Morgens nach Eekenhof geritten kam, ist sie schreiend vor ihm davongelaufen. Danach hätten die beiden Füchse am liebsten selbst den Kuckuck in ihr Nest geholt, denn es ist böse Zeit für sie gekommen. Und immer seltsamer ist Herr Hennicke in seinem Zorn geworden, daß seine Nachbarn sprachen, der schwarze Henne gehe nun die Straße nach dem Narrenhaus; aber es ist nur seine eigenwillige und trotzige Seele gewesen, die den Geboten Gottes sich nicht hat fügen wollen.

Im Herbst desselben Jahres ist es gewesen, daß der Stier eines Bauern stößig wurde und Herrn Hennickes Lieblingshunde die Därme aus dem Leib gerissen hat, so daß das Tier daran verrecken mußte. Als ihm solches kundgeworden, hat er zuerst dem Bauern an Leib und Leben wollen; dann aber ist er anderen Sinnes geworden; er hat den Bullen greifen lassen und ihn zum Hungertod verurteilt.

Vom Hofe aus führte eine Tür zu einem Gefängnis, für welches man in dem Unterbau eines Treppentürmchens Platz gefunden hatte; statt der Strolche und Vaganten, denen sonst darin Quartier gegeben wurde, war jetzt der Stier dort in der leeren Zelle angekettet, zu der Herr Hennicke den Schlüssel in seiner eigenen Tasche trug.

Als es aber in die zweite Nacht gekommen war, ist ein solches Toben von der hungernden Kreatur gewesen, daß im Hause niemand den Schlaf hat finden können als etwa die beiden Junker Henno und Benno, die sich nur schnarchend umgeworfen, wenn das Stampfen und Gebrüll zu dröhnend durch die Mauern fuhr. Frau Benedikte selbst in all ihrer Hagerkeit hat aufrecht in den Kissen wachgesessen; mit jedem Notruf des gefangenen Tieres hat sie mehr Grimm und Ungeduld hinabgeschluckt; dann aber ist sie jählings nach ihres Eheherrn Bette zugesprungen, und da sie in der mondhellen Kammer sah, daß auch Herr Hennicke mit aufgestütztem Arm und offenen Augen dalag, so hat sie alles nun mit einem Male wider ihn gespien und verlangt, daß er den Bullen von der Kette löse. Er aber hat sich nicht gerührt und nur gesagt, sie solle ihre Kehle sparen, so werde sie es leichtlich noch dem Bullen abgewinnen.

Frau Benedikte hat nun nichts weiter richten können; als aber am Morgen der Bauer, dem der Stier zu eigen war, sie gar um Fürwort bei dem Herrn angegangen, da hat sie ihn voll Zornes angeschrien, er möge damit nach dem Eekenhof zur Bastarddirne laufen.

– – Am selben Nachmittage, als Herr Hennicke in der Gewehrkammer verdrossen seine Hakenbüchse putzte, trat zögernden Schrittes Heilwig zu ihm ein. Als er sie erblickte, schien sein schwarzes Auge licht zu werden; er streckte ihr die freie Hand entgegen, als wolle er nach einem Glücke greifen. Da sie dennoch scheu und schweigend an der Schwelle blieb, sprach er: »Weshalb kommst du nicht näher, Heilwig, da du doch gekommen bist?«

Da trat sie näher zu ihm hin. »Herr Pate«, sprach sie, doch so leise, daß er sein Ohr zu ihrem Munde neigen mußte; »ich komme, ich wollte Euch um etwas bitten!«

Wie eine Freudenbotschaft hat das Wort dem finsteren Manne geklungen; er warf sein Jagdgewehr beiseite und ergriff die beiden Hände des Mädchens. »Bitte nur, Heilwig!« sagte er, sie heftig schüttelnd; »du hast mich nie gebeten, nun mach's gleich so, daß ich es fühlen kann!«

Doch als sie darauf sprach: »Herr Pate, so lasset doch den armen

Stier am Leben!« da fuhr er auf und schrie: »Wer hat dich hergeschickt? Du redest mit Frau Benediktes Zunge!« Dann wieder, da das Kind ob seiner Heftigkeit in Tränen ausbrach, hat er sie plötzlich auf den Arm gehoben und ist mit ihr die Treppe nach dem Hof hinabgestürmt. Erst vor der Zelle, aus der das dröhnende Gebrüll hervorbrach, ließ er sie zur Erde. Als aber die Bohlentür geöffnet war und Heilwig, von den blutroten Augen des rasenden Tieres erschreckt, entfliehen wollte, hielt er sie fest und hieß einen Hofjungen ein Bündel Heu herbeiholen, so groß er es mit beiden Armen fassen könne. »Nun, Heilwig«, rief Herr Hennicke, als jetzt der Stier den duftigen Haufen stampfend und schnaubend mit dem rauchenden Maul durchwühlte; »da hast du deinen Willen, nun aber sollst du für dich selber bitten!«

Das jetzt zwölfjährige Mädchen, das nur mit Widerstreben festgehalten wurde, zuckte bei diesem Wort erschreckt zusammen; dann aber hob sie sich auf den Zehen zu dem großen Mann empor, und ihre blauen Augen glänzten plötzlich, nicht wie eines Kindes, sondern wie die Augen eines Weibes.

»Sprich!« sagte er erwartungsvoll.

Da sprach sie, aber es klang fast mehr wie zornig als wie bittend: »Herr Pate, so sollet Ihr den Junker Detlev wiederkommen lassen!«

Herr Hennicke zuckte jäher noch zusammen als vorhin Heilwig; er antwortete nicht, er ließ nur die Hand des Mädchens fahren. Und so standen beide wortlos nebeneinander, bis das erneute Gebrüll des Tieres kundgab, daß auch das vorgeworfene Futter seinen Hunger noch nicht gestillt habe.

– – Als es Winter wurde, kam eine Rede über den Junker Detlev, er sei von Lübeck aus mit einem Spanienfahrer als Schiffsjunge in die weite Welt gegangen; zugleich erhob sich das Gerücht, im Rittersaale auf Eekenhof steige wiederum das Bild aus seinem Rahmen, in hellen Nächten zeige sich die tote Frau am Fenster und schaue aus nach dem Verstoßenen.

Als das zu Herrn Hennickes Ohren drang, ergrimmte er heftig und verschwor sich, er wolle dem verfluchten Spuk ein Ende machen. Mit blankem Jagdmesser, so heißt es, habe er vor dem Bilde gestanden, um es zu zerstören; aber die stillen Augen hätten ihn angeschaut, daß sein zum Stoß schon erhobener Arm herabgesunken sei.

Nach diesem ist der Saal von keinem mehr betreten worden; wie einst der Letzte des Geschlechtes es ausgesprochen hatte, die Bilder der Abgeschiedenen sind jetzt alle wie in einer Gruft beisammen gewesen. Nur wenn in Mondnächten sich die weite Himmelsferne öffnete, zumal wenn im Äquinoktium die Stürme tobten, soll jene nächtliche Erscheinung sich noch oftmals wiederholt haben.

Die beiden Bewohnerinnen von Eekenhof hatten nichts davon gesehen; nur einmal, da sie nachts in ihrer Schlafkammer, welche unter dem Saale lag, vom Sturm erwachten, haben sie über sich ein Rauschen wie von Frauengewändern hören können, und haben dann für den Junker Detlev und für die tote Frau ein still Gebet gesprochen.

Manches Jahr war dahingegangen; längst war der Informator in das statt Ehrensoldes ihm verheißene Pfarramt eingetreten; in dem Hause auf Eekenhof wohnte eine halbblinde Greisin mit einer frisch erblühten Jungfrau, deren wehendes Kraushaar jetzt in schwarzen Flechten gefesselt lag. Nur zum Kirchgang an Sonn- und Feiertagen oder wenn ihr Pate sie zu sich kommen hieß, und auch dann nur für kurze Stunden, verließ Heilwig die Großmutter und den einsamen Bezirk des Hofes. Doch wenn der Tag sich neigte, zumal im Frühjahr, wenn vom Norden her die Vogelschwärme zogen, schritt sie manchmal über die Landstraße nach einem jenseits belegenen Heidehügel und spähte in die Ferne, bis das Abendgold verglommen war. Mitunter, am Sonntagabend, kam der junge Pastor die Straße heraufgewandert; dann lief sie ihm entgegen, und sie gingen Hand in Hand über die Brücke und nach dem Hause zu der blinden Großmutter.

Im Dorfe hieß es eine Zeitlang, der junge Pastor freie um das schwarze Mädchen auf Eekenhof. Allein sie irrten; er war es nicht, nach welchem das Mädchen in die Nacht hinaussah.

– – Drüben in der Stadt, in einer Maienwoche, war wieder einmal Landgericht gehalten worden; sechs königliche Trompeter und ein herzoglicher Heerpauker, durch die Straßen reitend, hatten es verkündigt; und von allen Seiten war man herbeigekommen, sei es, um alten Streit zu schlichten oder um neue Rechte zu begründen.

Auch Herr Hennicke war dort gewesen. Schon zuvor hatte er durch Zeugen dargetan, daß sein jetzt mündiger Sohn aus erster Ehe vor nunmehr fast zehn Jahren auf einem Lübischen Kauffahrer nach dem Mittelmeer das Land verlassen habe, und daß von Schiff und Mannschaft später keine Kunde lautgeworden sei; nun hatte er es so gut wie unter Brief und Siegel, daß der Junker Detlev als ein Verschollener durch Spruch des Landgerichts für tot erklärt und somit der Eekenhof des Vaters Erb' und Eigen werde.

Aber noch ein anderes wollte Herr Hennicke in der Stadt betreiben. Etwas war doch auf Erden, woran seine Seele hing; nicht etwa seine anderen Söhne, die beiden Füchse, welche jetzt schon gleich dem Vogte zwischen den Leibeigenen die Peitsche führten; es war noch immer das Kind mit dem schwarzen Haar gleich seinem und mit jenen Augen, aus denen ein längst verblichenes Antlitz wider ihn zu klagen schien. War es auch zur schlanken Jungfer aufgewachsen, das alte Spiel war geblieben; noch immer floh sie ihren wilden Paten, und noch immer dürstete ihn nach einem trauten Wort aus ihrem Munde. Nun aber – und Herr Hennicke, der auf der Heimreise war, ließ bei dem Gedanken seinen Gaul in Sprüngen tanzen –, nun sollte sie ihm bald nicht mehr entrinnen können! Frau Benediktes Zunge war in den letzten Jahren immer schärfer und spitziger geworden; das Schlüsselbund zu Kammer und Keller hielt sie so fest in ihren mageren Fingern, daß selbst Herr Hennicke es ihr nicht zu entreißen wagte; aber auch ihre Backenknochen traten spitz hervor, der Strom ihrer Rede wurde oft durch dumpfes Hüsteln unterbrochen, und es schien unvermeidlich, daß zum nächsten Frühjahr nur noch ein gespenstiger Nachhall ihres wirtschaftlichen Waltens auf Trepp' und Gängen das Gesinde schrecken werde. Herr Hennicke aber sah daraus das Kräutlein »Hoffnung« grünen; er wollte dann das Kind, das einzige, das ihm im Sinne lag, nach Recht und Ordnung zu dem seinen machen; mit ihr allein wollte er dann auf seinem neuen Eigen hausen, und später sollte sie seine Erbin sein; die beiden Füchse mochten sich auf ihrem mütterlichen Gute nähren. Schon jetzt hatte er wegen des erforderlichen Gnadenbriefes bei des Herzogs Kanzler vorgefragt und auch hierüber, wie er meinte, für den eintretenden Fall einen guten Zuspruch mitbekommen.

Auf halbem Wege war Herr Hennicke bei einem Nachbar zum zweiten Morgenimbiß eingekehrt. »Was bringst du, Henne?« frug ihn dieser; »dein schwarzes Antlitz leuchtet wie die gute Zeit!« Und dabei schenkte er ihm von neuem in das weite Glas. Herr Hennicke trank; aber er war nicht der Mann, seine Gedanken beim Weine zu verraten. Er wollte freilich plaudern, aber anderswo.

Fröhlich nickend schwang er sich in den Sattel; und immer schneller ging der Ritt, vorüber an Frau Benediktes Haus, dann auf der Straße fort nach Eekenhof. Als er an die schmale Holzbrücke kam, scheute das Pferd und wollte nicht mehr vorwärts; aber der Reiter drückte ihm die scharfen Sporen in die Weichen, daß es mit donnerndem Hufschlag hinüberflog; oben aus den Eichenwipfeln fuhr krächzend eine Schar von schwarzen Krähen, die seit Junker Detlevs Fortgang dort Besitz genommen hatten.

Nur mit Mühe brachte Herr Hennicke sein Pferd zum Stehen; dann rief er »Heilwig! Heilwig!« nach dem Hause zu. Und als sie kam und zögernd nähertrat, ergriff er ihre Hand und zog das erschreckte Mädchen hart bis an die Hufen seines unruhig stampfenden Pferdes. Seine schwarzen Augen glänzten in dem von Wein und wilden Hoffnungen geröteten Antlitz, und während sie wie betäubt zu ihm emporsah, überschüttete er sie mit dunkeln und verworrenen Andeutungen seiner Zukunftsträume. »Geduld nur, Heilwig!« rief er. »Nicht mehr im Unterbau; da droben in den großen Stuben sollst du wohnen; die Toten kommen nicht wieder; aber die dummen Bilder sollen fort; ich will die begrabenen Augen nicht mehr um mich haben!« Dann plötzlich riß er das Pferd herum und jagte fort, so wie er eben erst gekommen war.

Eine Weile starrte ihm das schlanke Mädchen nach; dann floh sie ins Haus zurück und warf sich weinend zu den Füßen der halbblinden Greisin. Nur eines aus den wüsten Reden ihres Paten hatte sie herausgehört; ihr war, als habe er ihr Junker Detlevs Tod verkünden wollen.

Aber die Großmutter strich ihr die schwarzen Löckchen von der Stirn. »Sei ruhig, Heilwig«, sprach sie; »der Stieglitz hat noch nicht gesungen!«

Und als Heilwig meinte: »Großmutter, hier singen keine Vögel mehr; die schwarzen Krähen haben sie alle ja zerrissen«, da erhob die Greisin ihren Finger, als wolle sie oben nach dem Saale weisen: »Den einen nicht, Heilwig, den einen nicht; der ist kein Futter für die Krähen!«

Nicht lange danach, an einem Sonntagnachmittage, als eben Frau Benedikte ein selbstgebrautes Kräutertränklein zum Kühlen in das offene Fenster stellte, ist auf dem Hofe dort ein Reiter von einer Schecken abgestiegen. Er ist noch jung gewesen, aber in einer Tracht, wie man sie einige Jahre früher, da die Pariser Moden noch nicht die Herrschaft gewonnen hatten, in Hamburg oder Lübeck an den vornehmeren Kaufleuten hatte sehen können, die aber auswärts in den deutschen Handelsplätzen auch derzeit noch im Schwange sein mochte. Der volle, blonde Bart floß lang herab auf einen dunkeln, mit Marderpelz verbrämten Mantel, an welchem das Halstuch von weißem Linnen mit goldener Spange festgeheftet war; dagegen erschien unter dem breiten Rand des Hutes das Haupthaar so kurz geschoren, wie es nur immer Frau Benedikte einst dem kleinen Junker Detlev zugedacht haben mochte.

Als er sein Pferd einem herbeigerufenen Jungen übergeben hatte und nun die Freitreppe zum Hause hinaufschritt, wurden in einem Leibgurt unter seinem Mantel ein paar Pistolen sichtbar, deren Schlösser nach der neuesten Erfindung und außerdem von besonders kunstvoller Arbeit zu sein schienen.

In höflichen, aber knappen Worten frug er die auf dem Flur ihm entgegentretende Schloßfrau nach ihrem Eheherrn und wurde von dieser, während ihre Augen eine behende Musterung an ihm vollzogen, in das Oberhaus hinaufgewiesen.

Droben, in einem sonst nicht benutzten Zimmer, saß Herr Hennicke schon seit dem frühen Morgen rechnend und vergleichend über den alten Papieren von Eekenhof; in der einen Hand die Feder, in der anderen den großen seltsam geformten Doppelschlüssel, der dort alle Türen öffnete und schloß. Eben stützte er den Kopf, um von der ungewohnten Arbeit auszuruhen, und starrte mit heiterem Antlitz in den öden Raum, der außer ein paar wurmstichigen Archivschränken keine Ausstattung an den getünchten Wänden aufzuweisen hatte. In seinen Gedanken mochte er zwei Gräber vor sich sehen; auf dem schweren Leichenstein des einen eine hagere Frauengestalt mit festgeschlossenen Händen und darüber den Namen »Benedikte« eingemeißelt; das andere ohne Namen, fern überm Ozean, unfindbar von fremdem Kraut und Ranken überwuchert. Da pochte es an die Tür, und als er, auffahrend, das Willkommswort gerufen hatte, trat der Fremde zu ihm ein.

Frau Benedikte war unten an dem Treppenaufgang stehengeblieben; aber sie mühte sich vergebens, zu erhorchen, was droben hinter der dichtverschlossenen Tür verhandelt wurde. Einmal freilich war ein Geräusch, als würde ein schwerer Stuhl erschüttert, wie wenn etwa die Lehne von unsicherer Hand umklammert würde. Danach aber vernahm sie nur den ruhigen Laut einer jungen Stimme, welcher die düstere ihres Eheherrn zu antworten schien. Schon war sie des vergeblichen Horchens müde, da wurde droben die Tür geöffnet, und sie hörte den jungen Kaufherrn, während er hinaustrat, sagen: »Prüfet nur, Ihr werdet alle Schriften und Sigille richtig finden; vor allem aber denket, wenn ich morgen wiederkehre, daß Ihr mit keinem Fremden unterhandeln sollt!«

Ein Hustenanfall, den sie vergebens zu ersticken suchte, trieb Frau Benedikte von ihrem Posten; der Reiter aber, der schon gegen die Treppe zugeschritten war, zu welcher der Hausherr ihn nicht geleitet hatte, ging jetzt rasch hinab und unten über den Hausflur nach dem Hof hinaus. Als ein Windhauch seinen Mantel blähte, waren darunter in dem Leibgurt die kostbaren Pistolen nicht mehr sichtbar; irgend etwas, sei es ein bestehendes Verhältnis oder ein einst Geschehenes, mochte ihn veranlaßt haben, dieselben bei seiner Verhandlung mit dem Gutsherrn abzulegen und auch später nebst gewissen Schriften dort zu lassen. Seine Gedanken wie sein Pferd führten ihn nach einem alten einsamen Hause; vielleicht auch, daß er nach den eben verlaufenen Kriegszeiten die dort wohnenden Frauen zu erschrecken fürchtete, wenn er in Waffen zu ihnen einträte.

Herr Hennicke aber in seinem Archivzimmer sah noch mit stumpfen Blicken auf die zurückgelassenen Papiere, als sich von draußen die Stiege herauf Frau Benediktes Hüsteln hören ließ. Sie hatte vom Fenster aus dem Fremden nachgespäht, sie hatte ihn im Hofe sein scheckiges Roß besteigen und dann durch das Torhaus auf die Heerstraße hinausreiten sehen; aber des Mannes Antlitz und Gewandung war ihr unbekannt geblieben. Nun trat sie atemlos zu ihrem Eheherrn in die Stube. »Rechnest du noch immer um dein neues Erbgut?« frug sie scharf.

Er stieß ein Lachen aus »Was willst du?« entgegnete er kurz.

»Du hattest Besuch«, sprach sie; »sag' doch, wer war's denn?«

Herr Hennicke sah sie mit düsteren Augen an. »Geh«, sagte er, »ich brauch' hier keine Weiberzungen.«

Aber sie forschte weiter: »War's etwa einer von den lübischen Stadtjunkern, bei denen du in der Kreide stehst? Mach' dir auf meine Gülten keine Rechnung!«

Herr Hennicke war aufgesprungen und tat einen dröhnenden Faustschlag auf den Tisch. »Ein Stadtjunker, Frau Benedikte? – Beim Teufel, ich gäb' dich mitsamt deinem Hof darum, so es einer von dem Krämervolk gewesen wäre. Da lies!« rief er und schob ihr eins der Papiere zu. »Du sollst auch deine Freude haben!«

Und Frau Benedikte nahm es und durchwanderte Zeil' um Zeile mit ihren nackten Augen; dann, als sie ausgelesen hatte, legte sie es auf den Tisch und sagte: »Du wirst ein Lump, Herr Hennicke, aber nicht der erste, der aus seines Weibes Hand gefüttert wurde.«

Einige Augenblicke war es totstill im Zimmer. Als aber Frau Benedikte den Blick auf ihres Eheherrn Antlitz wandte, tat sie einen gellen Schrei und streckte jählings die Hände über ihren Kopf, als gälte es, sich vor Mord zu schützen. Und doch hatte Herr Hennicke kein Glied gerührt; ja, seine Arme hingen wie gelähmt an seinem Leibe; es waren nur die Augen, vor denen sich das Weib erschrocken hatte, worin es wie aus einem Abgrund aufgestiegen war.

»Was schreist du?« sagte er; aber es war, als wollten die Worte aus dem trockenen Halse nicht heraus. »Lies noch einmal, so wirst du sehen, daß die Schrift gefälscht ist! Ich habe den Betrüger fortgejagt; er wird sich hüten, zum zweitenmal zu kommen.«

Frau Benedikte aber las nicht wieder; sie sah Herrn Hennicke mit ihren kleinen Augen an, als ob sie ihm bis auf den Grund der Seele bohren wolle; dann, ihr schweres Schlüsselbund vom Gürtel nestelnd, ging sie schweigend aus dem Zimmer.

Draußen lag noch derselbe Sommertag auf Wald und Wiesen; doch neigte sich die Sonne schon allmählich, und auf Eekenhof streckten sich die Schatten der beiden Treppengiebel schon bis auf die andere Uferseite des Ringgrabens; die mächtigen Eichen aber leuchteten noch bis zur Wurzel im warmen Sonnengold.

An einem Mauerringe des Hauses stand mit gesenktem Kopf die Schecke des blonden Reiters angebunden, und eben trat er selber aus der Tür und mit ihm die jungfräuliche Gestalt Heilwigs. Der Reiter löste sein Pferd von dem Ringe; dann, je zu einer Seite es am Zügel fassend, schritten beide mit dem ruhig folgenden Tiere über die Zugbrücke, um es in einer der jenseits stehenden Scheuern unterzubringen. Schweigend gingen die schönen, jungen Menschen nebeneinander; aber das Antlitz des Mädchens war von Freude gerötet, und in ihren Augen war ein stiller Glanz; wie eine Braut nach dem erharrten Bräutigam blickte sie mitunter über den Bug des Pferdes nach dem Reiter hin.

Als sie dieses in dem verfallenen Gebäude untergebracht hatten und wieder ins Freie traten, lag ein schweres Sinnen auf der Stirn des jungen Reiters. »Nein, Heilwig«, sprach er zu dem Mädchen, das sorgend zu ihm aufblickte, »es ist nicht um meines Erbes willen; ich trag' ernste Kunde für uns beide.«

Und da sie leicht zusammenbebte, setzte er hinzu: »Wir wollen nach unseren Kinderplätzen, Heilwig; erschrick nur nicht; meine Hand soll dich um so fester halten!«

Sie gingen um den Ringgraben, dem Hecktore des Waldes zu, und waren in dessen Schatten bald verschwunden.

– – Über eine Stunde ist dann wohl vergangen, und der Eekenhof hat wie verzaubert einsam dagelegen. Leise breiteten sich die Schatten aus und verbleichte das Licht des Himmels.

Und als im letzten Abendschein die beiden jugendlichen Gestalten aus dem Dunkel des Waldes wieder aufgetaucht, da ist das Mädchen mit den schwarzen Flechten blaß wie eine Lilie gewesen, und die blauen Augen haben weit offen und von Tränen voll gestanden. Mit gesenktem Haupte ging sie neben ihrem ernstblickenden Genossen. »Und ist es denn ganz, ganz gewißlich wahr?« frug sie leise.

Der junge Reiter hatte ihre Hand gefaßt, als ob er sie daran halten müsse. »Dem reichen Kaufherrn«, sprach er, »der unerkannt seines Vaters und Geschlechts Geschicken nachforschte, ist nichts verschwiegen worden.«

Stumm schritten sie über die Zugbrücke dem Hause zu; da sprach er wieder: »Es ist spät, und wir müssen den kargen Schlaf des Alters schonen; morgen, des bin ich sicher, wird dadrinnen die alte Frau es uns bestätigen.«

Sie neigte ihr Haupt noch tiefer, und wie in Demut zog sie seine Hand an ihren Mund. »Mein Bruder!« sprach sie; es kam nur wie ein Hauch von ihren Lippen.

In der Kammer oben neben dem Rittersaal, an deren Wänden einst sein erster Schrei und seiner Mutter letzter Hauch erloschen war, hatte man zur Nacht dem Gast die Lagerstatt bereitet. Aber sie blieb unberührt; im offenen Fenster lehnte er und blickte über die Waldblöße hinaus, die sich unten jenseits des Ringgrabens ausdehnte. Es war eine jener lichtgrauen, schwülen Sommernächte; nichts rührte sich draußen, weder das Schleichen eines Nachttieres noch das Flattern eines Vogels; dann aber rauschte es plötzlich wie aufatmend durch die Wipfel, und hinter ihm im Hause war es, als ob unsichtbare Hände an allen Klinken rührten. Die Nachtkerze, welche man ihm mitgegeben hatte, flackerte und erlosch; zugleich sprang die Tür auf, welche durch eine Reihe anderer Kammern nach dem oberen Flur hinausführte. Er trat zurück und spähte in die leeren Räume nebenan; dann zog er die offene Tür ins Schloß und drehte wie unwillkürlich von innen den rostigen Schlüssel um.

Wieder sank die schwüle Stille auf Haus und Wald, und wieder lehnte er halb wach, halb träumend in dem offenen Fenster. Schon seit lange hatte es von der Glocke aus dem Giebel zwölf geschlagen: nun war nichts hörbar als oben von dem Uhrboden her das einförmige Klirren der Eisenräder und das Rucken der Ketten, an denen die Gewichte hingen. Da endlich erscholl wieder ein dröhnender Glockenschlag in das Haus hinunter; der Junker wandte sich vom Fenster ab und lauschte. Es folgte kein weiterer Schlag, es hatte eins geschlagen. Aber nebenan im Rittersaale rauschte es wie von Frauenkleidern, und jetzt deutlich hörte er »Detlev! Detlev!« wie mit angsterstickter Stimme seinen Namen rufen.

Als er die Tür zum Saale aufriß, erblickte er bei dem Nachtschimmer, der durch die Fenster drang, eine weiße Frauengestalt, welche beide Arme ihm entgegenstreckte.

Einen Augenblick nur stutzte er; dann trat er rasch auf die Erscheinung zu. »Du, Heilwig!« rief er, als eine warme Hand die seine faßte. »Was ist dir? Was hat dich nachts hier nach dem öden Saal hinaufgetrieben?«

Sie blickte ängstlich um sich her. »Die Uhr schlug so fürchterlich; ich wollte zu dir; mir war, als drohe dir Unheil hier im Hause!«

Er stützte sie sanft in seinen Armen. »Du träumst, Heilwig!« sagte er; »was sollte mir in meiner Mutter Haus geschehen?«

– »Ich weiß nicht, Detlev; aber laß mich bei dir bleiben; die Sommernacht geht ja bald herum.«

»Nicht nur die Sommernacht; bleib immer bei mir, Heilwig!«

– »Ja, immer, wenn du es willst.«

Sie führte ihn zu einem der alten Sessel, der noch wie einstens, da sie als Kinder ihn gemeinschaftlich dorthingetragen hatten, vor dem Bildnis seiner Mutter stand; er sollte nach seiner Reise jetzt der Ruhe pflegen. Als er ihr den Willen getan hatte, zog sie eine Fußbank darunter vor und setzte sich zu seinen Knien, den Kopf in seine beiden Hände legend. Und als er dann im Schlummer sanft zu atmen schien, sprach sie wie aus Träumen vor sich hin: »Mein Bruder! Mein lieber Bruder!«

Aber er hatte nicht geschlafen; er neigte sich zu ihr herab und flüsterte: »Mein traut Geschwister!«

Dann wieder hob sie den Kopf ein wenig aus des Bruders Hand. »Wie seltsam, Detlev«, sprach sie leise, »es ist doch dunkel; aber ich sehe deutlich deiner Mutter Bildnis: sie blickt uns freundlich an!«

»Ja, Heilwig; sehr freundlich.«

Und dann schwiegen sie. Sie wären fast entschlummert; da horchte Heilwig auf: »Was war das, Detlev?«

– »Ich hörte nichts.«

»Doch! Da ist es wieder; hörst du nicht? Dadrinnen riß es an der Kammertür!«

Der Junker hatte sich aufgerichtet. »Die Tür ist verschlossen«, sagte er.

Es war wieder alles still geworden; sie hörten nichts mehr; es mochte nur der Wind gewesen sein. Heilwig legte wieder das Haupt in ihres Bruders Hände; dann schwiegen beide, ein plötzlicher Schlummer hatte sie befangen.

Aber die Nacht war noch nicht herum, und es schlief nicht alles in

diesem Hause. Wäre sonst ein Ohr noch wach gewesen, es hätte draußen im Flur das leise Öffnen der Tür zur Winterstube vernehmen müssen; dann ebenso leise unsichere Schritte durch dieselbe bis zur Tür
des Saales selbst.

Unhörbar tat sich diese auf, und wie vorsichtig gegen die Kammertür hinschreitend, näherte es sich den Schlafenden. Doch erreichte es
dieselben nicht; ein dumpfer Schrei, wie aus der Brust eines entsetzten Tieres, durchbrach die Stille der Nacht.

Heilwig war jäh emporgefahren, als müsse sie mit ihrem Leibe den
des Bruders decken; aber es war nicht mehr vonnöten; sie sah nur noch
eine taumelnde Gestalt mit beiden Armen um sich greifen und dann
in schwerem Fall zu Boden stürzen. Zugleich erscholl ein Klirren,
als würde eine Waffe über den Fußboden bis zu ihren Füßen fortgeschleudert.

Heilwig hielt mit beiden Armen des Junkers Hals umklammert.
»Detlev! Detlev!« raunte sie ihm zu. Er aber antwortete nicht; er hatte sich gebückt, und seine Hand griff suchend auf dem Fußboden umher. Als er die Waffe erfaßt hatte, die unter ihrem Sessel lag, und seine
Finger an dem Schlosse rührten, zuckte er zusammen, und es schüttelte ihn wie Fieberfrost. Zugleich aber sprang er auf, und den Arm
fest um sie legend, riß er Heilwig mit sich in die Kammer und weiter,
nachdem er hastig aufgeschlossen, durch die Reihe der übrigen Kammern auf den Flur hinaus und hinab die Wendelstiege.

»Wer war das?« rief sie, als beide atemlos im Unterhause angekommen waren. »Der wollte dich töten, Detlev!«

»Ich weiß nicht; frag' mich nicht, Heilwig; ich will jetzt nur eines
wissen! – Aber meiner Mutter Erbe werde ich nimmermehr verlangen.«

Er zog das Mädchen wieder mit sich fort, bis in die Schlafkammer
der Großmutter, bis an das Bett der schlummernden Greisin.

Sie hörten es nicht, wie draußen über der Zugbrücke eilige Schritte
laut wurden, und sahen nicht die fliehende Gestalt, die jenseits derselben unter dem Schatten der Eichen in die Nacht verschwand.

Herr Hennicke hatte recht behalten; der blonde Reiter ist nicht wieder auf den Hof gekommen, so emsig auch Frau Benedikte nach ihm

ausgesehen. Mit ersterem selber aber mußte Seltsames geschehen sein; denn als, wie hergebracht, die Hausmagd mit der Morgensuppe an sein Bett kam, lag dort ein eisgrauer Mann mit eingesunkenem Antlitz; als sie aber mit Geschrei von dannen stürzen wollte, war es die Stimme ihres Herrn, welche die Närrin erst zurückrief und sie dann samt ihrer Suppe zu allen Teufeln schickte.

Er hat aber wochenlang in der dumpfen Kammer fortgesessen, bis eines Morgens drüben aus dem Dorf zu Eekenhof das Turmgeläute hell herüberwehte, das man des dazwischenliegenden Waldes wegen nur selten hat vernehmen können. Da hat er aufgehorcht und den eben eintretenden Vogt gefragt, wer denn begraben würde. Als dieser ihm berichtet, es sei die alte Förstersfrau vom Eekenhof, hat er sich arg erbost, daß man ihm nichts davon vermeldet, dann aber plötzlich nur den Namen »Heilwig« ausgestoßen und befohlen, ihm sein Pferd zu satteln. Er ist jedoch nicht fortgeritten; der Hofjunge hat stundenlang das aufgezäumte Tier im Hofe umhergeführt, bis es endlich wieder abgesattelt werden mußte. Und ebenso erging es am anderen und am dritten Morgen.

Danach aber eines Tages sah der Kätner Forthmann, welcher eine blanke Kuh am Seile führte, eine greise Reitergestalt über die Zugbrücke nach dem Eekenhof hinaufjagen und dort am Hause von dem Pferde steigen.

Der Kätner schüttelte den Kopf; er konnte sich nicht denken, was der Mann dort suche, denn es wohnte niemand mehr darin; seine Grete war zu dreien Malen mit der Morgenmilch ans Haus gekommen; aber immer hatte sie vergebens an die ringsum verschlossenen Türen gepocht.

Auch jetzt ist nichts Lebendiges zu spüren gewesen; selbst die schwarzen Krähen müssen auf Atzung fortgeflogen sein.

Der Reiter aber hatte mit einem schweren Doppelschlüssel die Haupttür aufgeschlossen. Vom Flur aus hat er die Räume des Unterbaues durchwandert; aber es ist nichts darin gewesen als nur das stumme Gerät, das einst den beiden Frauen zu ihrem einsamen Leben diente. Als er auf den Flur zurückgekehrt war, ist er vor der Treppe stillgestanden, als müsse er auch hier die Stiegen noch hinauf; er hat aber nur den Fuß auf die unterste Stufe gesetzt und mit heiserer Stimme einen Namen in das Oberhaus hineingerufen. Als ihm von dorther nur ein dumpfer Hall zurückgekommen, hat er, wie von jäher Furcht befallen, das Haus verlassen und ist vom Hofe fortgeritten; aber immer langsamer ist das Pferd gegangen, und immer zusammengesunkener ist die daraufsitzende Gestalt erschienen.

Das alte Haus innerhalb des Ringgrabens lag wieder in seiner stillen Abgeschiedenheit; nur die Krähen, als es Abend wurde, kehrten zurück und lärmten eine Zeitlang, bevor sie sich zum Schlafe in die Eichenwipfel setzten.

Herrn Hennickes Wünsche hatten sich erfüllt: der Junker Detlev war durch landgerichtlichen Spruch für tot erklärt worden; Frau Benedikte lag unter ihrem schweren Leichenstein. Aber Herr Hennicke ist ein gebrochener Mann gewesen. Die beiden Füchse, welche sich allmählich zu ein paar breitschulterigen geizigen Hagestolzen ausgewachsen, wirtschafteten emsig auf dem einen wie dem anderen Hofe; sie ackerten und ernteten und säckelten die Korngelder ein, ohne daß Herr Hennicke dreingeredet hätte. Niemals hat er mehr ein Pferd bestiegen; aber in bestimmten Zwischenräumen ist er am Stabe nach Eekenhof gewandert. Das Haus hat er nie betreten; aber auf der kleinen Bank unter den Eichen hat er oft gesessen, wie erwartungsvoll das Antlitz dem Hause zugewandt, als ob dort in jedem Augenblick die Tür sich öffnen müsse. Nur wenn vom Giebel plötzlich der Schlag der Uhrglocke herabgeschollen, hat er wie erschreckt emporgeblickt; denn die Uhr schlug nach wie vor; er selber hat dem Küster aus dem Dorfe einen hohen Lohn gezahlt, daß er auf dem verfallenen Boden das Werk in stetem Gange halte. Wenn die Dorfkinder, vom Felde herkommend, hier vorübergingen, haben sie sich scheu von ferne die regungslose Greisengestalt gezeigt und heimlich untereinander flüsternd ihren Weg verfolgt, denn ein unsicheres, aber furchtbares Gerücht ist in den Bauernstuben umgelaufen: es seien die Schattenhände der toten Frau gewesen, die Herrn Hennickes Kraft gebrochen hätten.

Und so in seiner Einsamkeit ist er bis an die äußerste Grenze des Menschenlebens gelangt. Von Heilwig aber und dem blonden Reiter hat sich jede Spur verloren.

Die Söhne des Senators

Der nun längst vergessene alte Senator Christian Albrecht Jovers, dessen Sarg bei Beginn dieser einfachen Geschichte schon vor mehreren Jahren die stille Gesellschaft der Familiengruft vermehrt hatte, war einer der letzten größeren Kaufherren unserer Küstenstadt gewesen. Außer seiner Witwe, der von klein und groß geliebten Frau Senator'n, hatte er zwei Söhne hinterlassen, von denen er den ältesten, gleichen Namens mit ihm, kurz vor seinem Tode als Kompagnon der Firma aufgenommen hatte, während für den um ein Jahr jüngeren Herrn Friedrich Jovers am selben Orte ein durch den Tod des Inhabers freigewordenes Weingeschäft erworben war.

Dem alten, nun in Gott ruhenden Herrn war derzeit der Ruf gefolgt, daß er in seinem Hause, selbst gegen seine im vorgeschrittenen Mannesalter stehenden Söhne, die Familiengewalt mit Strenge, ja oft mit Heftigkeit geübt habe; nicht minder aber, daß er ein Mann gewesen sei, stets eingedenk der Würde seiner Stellung und des wohlerworbenen Ansehens seiner Voreltern, mit einem offenen Herzen für seine Vaterstadt und alle reputierlichen Leute in derselben, mochten sie in den großen Giebelhäusern am Markte oder in den Katen an den Stadtenden wohnen. Beim Jahreswechsel mußte ohnfehlbar der Buchhalter und Kassierer Friedebohm einen gewichtigen Haufen dänischer und holländischer Dukaten in einzelne Päckchen siegeln, sei es zu Ehrengeschenken für die Prediger, für Kirchen- und Schulbediente oder für am Orte wohnende frühere Dienstboten als einen Beitrag zu den Kosten der verflossenen Feiertage; ebenso sicher aber war auch dann schon vor Einbruch der schlimmsten Winternot ein auf dem naheliegenden Marschhofe des Senators fettgegraster Mastochse für die Armen ausgeschlachtet und verteilt worden. So stand denn nicht zu verwundern, daß die Mitbürger des alten Herrn, wenn sie ihm bei seinen seltenen Gängen durch die Stadt begegneten, stets mit einer Art sorglicher Feierlichkeit ihren Dreispitz von der Perücke hoben, auch wohl erwartungsvoll hinblickten, ob bei dem Gegengruße ein Lächeln um den streng geschlossenen Mund sich zeige.

Das Haus der Familie lag inmitten der Stadt in einer nach dem Hafen hinabgehenden Straße. Es hatte einen weiten, hohen Flur mit breiter Treppe in das Oberhaus, zur Linken neben der mächtigen Haustür das Wohnzimmer, in dem langgestreckten Hinterhause die beiden Schreibstuben für die Kaufmannsgesellen und den Prinzipal; darüber, im oberen Stockwerk, lag der nur bei feierlichen Anlässen gebrauchte große Festsaal. Auch was derzeit sonst an Raum und Gelaß für eine angesehene Familie nötig war, befand sich in und bei dem Hause; nur eines fehlte: es hatte keinen Garten, sondern nur einen mäßig großen Steinhof, auf welchen oben die drei Fenster des Saales, unten die der Schreibstuben hinaussahen. Der karge Ausblick aus diesem Hofe ging über eine niedrige Grenzmauer auf einen Teil des hier nicht breiteren Nachbarhofes; der Nachbar selber aber war Herr Friedrich Jovers, und über die niedrige Mauer pflegten die beiden Brüder sich den Morgengruß zu bieten.

Gleichwohl fehlte es der Familie nicht an einem stattlichen Lust- und Nutzgarten, nur lag er einige Straßen weit vom Hause; doch immerhin so, daß er, wie man hier sich ausdrückt, »hintenum« zu erreichen war. Und für den vielbeschäftigten alten Kaufherrn mag es wohl gar eine Erquickung gewesen sein, wenn er spät nachmittags am Westrande der Stadt entlangwandelte, bisweilen anhaltend, um auf die grüne Marschweide hinabzuschauen, oder, wenn bei feuchter Witterung der Meeresspiegel wie emporgehoben sichtbar wurde, darüber hinaus nach den Masten eines seiner auf der Reede ankernden Schiffe. Er zögerte dann wohl noch ein Weilchen, bevor er sich wieder in die Stadt zurückwandte; denn freilich galt es, von hier aus nun noch etwa zwanzig Schritte in eine breite Nebengasse hineinzubiegen, wo die niedrigen, aber sauber gehaltenen Häuser von Arbeitern und kleinen Handwerkern der hereinströmenden Seeluft wie dem lieben Sonnenlichte freien Eingang ließen. Hier wurde die nördliche Häuserreihe von einem grünen Weißdornzaune und dieser wiederum durch eine breite Staketpforte unterbrochen. Mit dem schweren Schlüssel, den er aus der Tasche zog, schloß der alte Herr die Pforte auf, und bald konnte man ihn auf dem geradlinigen, mit weißen Muscheln ausgestampften Steige in den Garten hineinschreiten sehen, je nach der Jahreszeit den weißen Kopf seitwärts zu einer frisch erschlossenen Provinzrose hinabbeugend oder das Obst an den jungen, in den Rabatten neu gepflanzten Bäumen prüfend.

Der zwischen Buchseinfassung hinlaufende breite Steig führte nach etwa hundert Schritten zu einem im Zopfstil erbauten Pavillon; und es war für die angrenzende Gasse allemal ein Fest, wenn an Sonntagnachmittagen die Familie sich hier zum Kaffee versammelt hatte und dann beide Flügeltüren weit geöffnet waren. Der alte Andreas, welcher dicht am Garten wohnte, hatte an solchen Tagen schon in der Morgenfrühe oder vorher, am Sonnabend, alle Nebensteige geharkt und Blumen und Gesträuche sauber aufgebunden. Weiber mit ihrem Nachwuchs auf den Armen, halbgewachsene Jungen und Mädchen drängten sich um die Pforte, um durch deren Stäbe einen Blick in die patrizischen Sommerfreuden zu erhaschen, mochten sie nun das blinkende Service des Kaffeetisches bewundern oder Schärferblickende die nicht übel gemalte tanzende Flora an der Rückwand des Pavillons gewahren und nun lebhaft dafür eintreten, daß diese fliegende Dame das Bild der guten Frau Senator'n in ihren jungen Tagen vorstelle. Die ganze Freude der Jugend aber war ein grüner Papagei aus Kuba, der bei solchen Anlässen als vieljähriger Haus- und Festgenosse vor den Türen des Pavillons seinen Platz zu finden pflegte. Auf seiner Stange sitzend, pfiff er bald ein heimatliches Negerliedchen, bald, wenn von der Pforte her zu viele Finger und blanke Augen auf ihn zielten, schrie er flügelschlagend ein fast verständliches Wort zu der Gassenbrut hinüber. Dann frugen die Jungen untereinander: »Wat seggt he? Wat seggt de Papagoy?« Und immer war einer dazwischen, welcher Antwort geben konnte. »Wat he seggt? – ›Komm röwer!‹ seggt he!« – Dann lachten die Jungen und stießen sich mit den Ellenbogen, und wenn Stachelbeeren an den Büschen oder Eierpflaumen an den Bäumen hingen, so hatten sie zum Herüberkommen gewiß nicht übel Lust. Aber das war schwerlich die Meinung des alten Papageien; denn wenn Herr Christian Albrecht, sein besonderer Gönner, mit einem Stückchen Zucker an die Stange trat, so schrie er ebenfalls: »Komm röwer!« Er hatte dasselbe schon geschrien, als ein alter Kapitän ihres Vaters den Knaben Friedrich und Christian Albrecht den fremden Vogel zum Geschenke brachte; und als auch sie ihn damals frugen: »Wat seggt de Papagoy?« da hatte der alte Mann nur lachend erwidert: »Ja, ja, se hebbt upt Schipp em allerlei dumm Tüges lehrt!« Der Himmel mochte wissen, was der Vogel mit seinem plattdeutschen Zuruf sagen wollte!

Mitunter ging auch wohl die kleine, freundliche Frau Senator'n mit ihrer Kaffeetasse in der Hand den Steig hinab, um die Enkelinnen des alten Andreas mit einer Frucht oder einem Sonntagsschilling zu erfreuen; dann putzten die Weiber ihren Säuglingen rasch die Näschen, die Jungen aber blieben grinsend stehen: sie wußten zu genau, daß die gute Dame es mit der Verwandtschaft zum Andreas nicht allzu peinlich nahm. Ebenso geschah es mit Herrn Christian Albrecht, denn er glich seiner Mutter an froher Leichtlebigkeit; er kannte die Buben all' bei Namen und erzählte ihnen von den Papageien die wunderbarsten und ergötzlichsten Geschichten. Anders, wenn der alte Kaufherr mit seiner holländischen Kalkpfeife auf den Steig hinaustrat; dann zogen sich alle ausgestreckten Finger zwischen den Stäben der Pforte zurück, und alt und jung schaute in ehrerbietigem Schweigen auf ihn hin; war es aber Herr Friedrich Jovers, der den Steig herabkam, so waren plötzlich mit dem Rufe: »De junge Herr!« alle Jungen zu beiden Seiten der Pforte hinter dem hohen Zaun verschwunden, denn der unbequeme Verkehr mit Kindern lag nicht in seiner Art; wohl aber hatte er einmal einen der größeren Jungen derb geschüttelt, als dieser eben von der Gasse aus mit seinem Flitzbogen auf einen im Garten singenden Hänfling schießen wollte.

– – Diese Familienfeste waren nun vorüber. – Der nördliche, hinter dem Pavillon liegende Teil des Gartens grenzte an den schon außerhalb der Stadt liegenden Kirchhof, und hier, in der von seinem Vater erbauten Familiengruft, ruhte der alte Kaufherr und Senator von seiner langen Lebensarbeit; mit dem Liede »O du schönes Weltgebäude« hatten die Gelehrten- und die Bürgerschule ihn zu Grabe gesungen, denen beiden, oft im Kampfe mit seinem Schwager, dem regierenden Bürgermeister, er zeitlebens ein starker Schutz und Halt gewesen war. Hier ruhte seit kurzem auch die freundliche Frau Senator'n, nachdem noch kurz zuvor Herr Christian Albrecht eine ihr gleichgeartete, rosige Schwiegertochter in das alte Haus geführt hatte. »Du brauchst mich nun nicht weiter«, hatte sie lächelnd zu dem trostbedürftigen Sohne gesagt; »in der da hast du mich ja wieder, und noch jung und hübsch dazu!« Und dann hatte auch sie die Augen geschlossen, und viele Augen hatten um sie geweint, und ihr sie verehrender Freund, der alte Kantor van Essen, hatte bei ihrem Begräbnis mit einer eigens dazu komponierten Trauermusike aufgewartet.

Der Kirchhof war durch einen niedrigen Zaun von dem Garten getrennt, und Herr Christian Albrecht hatte sonst, ohne viele Gedanken, darüber weg auf den unweit belegenen Überbau der Gruft geblickt; seitdem aber sein Vater darunter ruhte, war ihm unwillkürlich der Wunsch gekommen, daß eine hohe Planke oder Mauer hier die Aussicht schließen möchte. Nicht, daß er die Grabstätte seines Vaters scheute; nur vom Garten aus wollte er sie nicht vor Augen haben: wenn ihn sein Herz dahintrieb, so wollte er auf dem Umwege der Gassen und auf dem allgemeinen Totengang dahingelangen. Er hatte diese Gedanken wohl auch gegen seinen Bruder ausgesprochen; er hatte sie dann über sein junges Eheglück vergessen; als aber jetzt auch der Leichnam der ihm herzverwandten Mutter unter jenen schweren Steinen lag, waren sie aufs neue hervorgetreten.

Allein zunächst galt es, sich mit dem Bruder über den elterlichen Nachlaß zu vereinigen; es war ja noch unbestimmt, in wessen Hand der Garten kommen würde.

An einem Sonntagvormittage im November gingen die beiden Brüder, Herr Christian Albrecht und Herr Friedrich Jovers, in dem großen, ungeheizten Festsaale des Familienhauses schweigend auf und ab. Die Morgensonne, welche noch vor kurzem durch die kleinen Scheiben der drei hohen Fenster hineingeschienen hatte, war schon fortgegangen, die großen Spiegel an den Zwischenwänden standen fast düster zwischen den grauseidenen Vorhängen. Fast behutsam traten die Männer auf, als wollten sie in dem weiten Gemache den Widerhall nicht wecken; endlich blieben sie vor einer zierlichen Schatulle mit Spiegelaufsatz stehen, dessen reichvergoldete Bekrönung aus einer von Amoretten gehaltenen Rosengirlande bestand. »Hm«, sagte Christian Albrecht, »Mama selig, als sie in ihren letzten Jahren einmal ihren Muff hier aus der Schublade nahm, da nickte sie dem einen Spiegel zu; ›du Schelm‹, sagte sie, ›wo hast du das schmucke Antlitz hingetan, das du mir sonst so eifrig vorgehalten hast! Nun guck einmal, Christian Albrecht, was itzo da herausschaut!‹ Die alte, heitere Frau, dann gab sie mir die Hand und lachte herzlich.«

Die beiden Brüder blickten auf das stumme Glas: kein junges Antlitz blickte mehr heraus; auch nicht das liebe alte, das sie besser noch als jenes kannten. Schweigend gingen sie weiter; sie legten fast wie mit Ehrfurcht ihre Hand bald auf das eine, bald auf das andere der umherstehenden Geräte, als wäre es noch in ihrer Knabenzeit, wo ihnen der Eintritt hier nur bei Familienfesten und zur Weihnachtszeit vergönnt gewesen war. Wie damals war unter der schweren Stuckrosette der Gipsdecke das stille Blitzen der großen Kristallkrone; wie damals hingen über dem Kanapee, den Fenstern gegenüber, die lebensgroßen Brustbilder der Eltern in ihrem Brautstaate, daneben in höherem Alter die der Großeltern, deren altmodische Gestalten ihnen in der Dämmerung ihrer frühesten Jugendzeit entschwanden.

»Christian Albrecht«, sagte der Jüngere, und der vom Vater ererbte strenge Zug um den Mund verschwand ein wenig; »hier darf nichts gerückt werden.«

»Ich meine auch nicht, Friedrich.«

»Es verbleibt dir sonach mit dem Hause.«

»Und der Papagei? Den haben wir vergessen.«

»Ich denke, der gehört auch mit zum Hause.«

Christian Albrecht nickte. »Und du nimmst dagegen das beste Tafelsilber und das Sevresporzellan, das hierneben in der Geschirrkammer steht!«

Friedrich nickte; eine Pause entstand.

»So wären wir denn mit unserer Teilung fertig!« sagte Christian Albrecht wieder.

Friedrich antwortete nicht; er stand vor den Familienbildern, als ob er eingehend sie betrachten müsse; sein Kopf drückte sich immer weiter in den Nacken, bis der schwarzseidene Haarbeutel im rechten Winkel von dem schokoladenfarbenen Rocke abstand. »Es ist nur noch der Garten«, sagte er endlich, als ob er etwas ganz Beiläufiges erwähne.

Aber in des Bruders sonst so ruhigem Antlitz zuckte es, wie wenn ein lang Gefürchtetes plötzlich ausgesprochen wäre. »Den Garten könntest du *mir* lassen«, sagte er beklommen; »die Auslösungssumme magst du selbst bestimmen!«

»Meinst du, Christian Albrecht?«

»Ich meine es, Friedrich. Du sagst es selbst, du seiest ein geborener Hagestolz – aber ich und meine Christine, unsere Ehe wird gesegnet sein! Hier haben wir nur den engen Steinhof; bedenk' es, Bruder, wo sollen wir mit den lieben Geschöpfen hin? Und dann – du selber! Im Pavillon, an den Sonntagnachmittagen! Du wirst doch lieber deine junge Schwägerin als deine bärbeißige Witwe Antje Möllern unserer Mutter Kaffeetisch verwalten sehen!«

»Deinen Kindern«, erwiderte der andere, ohne umzublicken, »wird mein Garten nicht verschlossen sein.«

»Das weiß ich, lieber Friedrich; aber Kinderhände in meines ordnungliebenden Herrn Bruders Ranunkel- und Levkoienbeeten!«

Friedrich antwortete hierauf nicht. »Es ist ein Kodizill zu unseres Vaters Testament gewesen«, sagte er, als spräche er es zu den Bildern oder zu der Wand ihm gegenüber, »danach sollte mir der Garten werden; die Auslösungssumme ist mir nicht bekannt geworden, die magst du bestimmen oder sonst bestimmen lassen.«

Der Ältere nahm fast gewaltsam seines Bruders Hand. »Du weißt es von unserer seligen Mutter, daß unser Vater, da sie das Schriftstück einmal in die Hand bekam, ausdrücklich ihr geheißen hat: ›Zerreiße es; die Brüder sollen sich darum vertragen.‹«

»Es ist aber nicht zerrissen worden.«

»Das weiß ich wohl; es trat im selben Augenblick ein Fremder in das Zimmer, und derohalben unterblieb es damals; aber später, am Tage nach selig Vaters Begräbnis, hat unsere Mutter den Willen des Verstorbenen ausgeführt.«

»Das war ein volles Jahr nachher.«

»Friedrich, Friedrich!« rief der Ältere. »Willst du verklagen, was unsere Mutter tat!«

»Das nicht, Christian Albrecht, aber Mama selig versierte in einem Irrtum; sie war nicht mehr befugt, das Schriftstück zu zerreißen.«

Auf dem Antlitz des älteren Bruders stand es für einen Augenblick wie eine ratlose Frage; dann begann er in dem weiten Saale auf und ab zu wandern, bis er mit ausgestreckten Armen in der Mitte stehenblieb. »Gut«, sagte er, »du wünschest den Garten, wir beide wünschen ihn! Aber dabei soll unseres Vaters Wort in Ehren bleiben; teilen wir, wenn du es willst, daß jeder seine Hälfte habe!«

»Und jeder ein verhunztes Stück bekäme!«

»Nun denn, so losen wir! Laß uns hinuntergehen, Christine kann die Lose machen!«

Herr Friedrich hatte sich umgewandt; sein dem Bruder zugekehrtes Antlitz war bis über die dichten Augenbrauen hinauf gerötet. »Was mein Recht ist«, sagte er heftig, »das setze ich nicht aufs Los.«

In diesem Augenblicke klang das Negerlied des Papageien aus dem Unterhaus herauf; ein alter Diener hatte die Tür des Saales geöffnet: »Madame läßt bitten; es ist angerichtet.«

»Gleich! Sogleich!« rief Christian Albrecht. »Wir werden gleich hinunterkommen!«

Der Diener verschwand; aber die Herren kamen nicht.

Nach einer Viertelstunde trat unten aus dem Wohnzimmer eine jugendliche Frau mit leichtgepudertem Köpfchen auf den Flur hinaus; behende erstieg sie die breite Treppe bis zur Hälfte und rief dann nach dem Saal hinauf: »Seid ihr denn noch nicht fertig? Friedrich! Christian Albrecht! Soll denn die Suppe noch zum drittenmal zu Feuer?«

Es erfolgte keine Antwort; aber nach einer Weile, während der Stökkelschuh der hübschen Frau ein paarmal ungeduldig auf der Stufe aufgeklappert hatte, wurde oben die Saaltür aufgestoßen, und Friedrich kam allein die Treppe herab.

Die junge Frau Senatorin – denn ihr Eheliebster war kürzlich seinem Vater in dieser Würde nachgefolgt – sah ihn ganz erschrocken an. »Friedrich!« rief sie, »wie siehst du aus? Und wo bleibt Christian Albrecht?«

Aber der Schwager stürmte ohne Antwort an ihr vorüber. »Wünsche wohl zu speisen!« murmelte er und stand gleich darauf schon unten an der Haustür, die Klinke in der Hand.

Sie lief ihm nach. »Friedrich! Friedrich, was fällt dir ein? Dein Leibgericht, *perdrix aux truffes!*«

Aber er war schon auf der Gasse, und durch das Flurfenster sah sie ihn seinem Hause zueilen. »Nun sieh mir einer diesen Querkopf an!« Und sie schüttelte ihr Köpfchen und stieg nachdenklich die Treppe wieder hinauf. Als sie die Tür des Saales öffnete, sah sie den jungen Herrn Senator, die Hände in den Rockschößen, vom anderen Ende des Gemaches herschreiten, so ernsthaft vor sich auf die Dielen schauend, als wolle er die Nägelköpfe zählen.

»Christian! Christian Albrecht!« rief sie, als er vor ihr stand.

Als er den Klang ihrer Stimme hörte und, den Kopf erhebend, ihr in die kinderblauen Augen sah, gewannen seine Züge die gewohnte Heiterkeit zurück. »Gehen wir zu Tisch, Madame!« sagte er lächelnd. »Bruder Friedrich muß nun heute mit der Frau Witwe Antje Möllern speisen; aber ich habe denn doch auch meinen Kopf, und – unseres Vaters Wort muß gelten!«

Damit bot er seiner erstaunten Frau den Arm und führte sie die Treppe hinab und zu Tische.

Das Wiederkommen hatte indessen gute Weile; vierzehn Tage waren verflossen, und Herr Friedrich hatte seinen Fuß noch nicht wieder über die Schwelle des Familienhauses gesetzt. Gleich am ersten Morgen nach jenem verfehlten Mittage war Christian Albrecht wiederholt auf seinen Steinhof hinausgegangen, um wie sonst über die niedrige Grenzmauer seinem Bruder den Morgengruß zu bieten; aber von Herrn Friedrich war nichts zu sehen gewesen; ja, eines Morgens hatte Herr Christian Albrecht ganz deutlich den Schritt des Bruders aus der in einem Winkel verborgenen Hoftür kommen hören; als ihn aber im selben Augenblicke ob einer in der Alteration zu scharf genommenen Prise ein lautes Niesen anfiel, hörte er gleich darauf die Schritte wieder umkehren und die ihm unsichtbare Hoftür zuschlagen.

Herr Christian Albrecht wurde ganz still in sich bei dieser Lage der Dinge; nur mit halbem Ohre lauschte er, wenn, um ihn aufzumuntern, die hübsche Frau Senatorin sich in der Dämmerstunde ans Klavier setzte und ihm die allerneuesten Lieder: »Beschattet von der Pappelweide« und »Blühe, liebes Veilchen«, eines nach dem anderen mit ihrer hellen Stimme vorsang.

Er hatte gegen sie nach der ersten Mitteilung »der kleinen Differenze« kein Wort über den Bruder mehr geäußert; endlich aber, eines Morgens, da die Eheleute beim Kaffee auf dem Kanapee beisammensaßen, legte die Frau Senatorin sanft ihre kleine Hand auf die des Mannes. »Siehst du nun«, sagte sie leise, »er kommt nicht wieder; ich hab' es gleich gesagt.«

»Hm, ja, Christinchen; ich glaub' es selber fast.«

»Nein, nein, Christian Albrecht; es ist ganz gewiß, er kommt nicht wieder; er *kann* nicht wiederkommen; denn er ist ein Trotzkopf!«

Christian Albrecht lächelte; aber zugleich stützte er den Kopf in seine Hand. »Ja freilich, das ist er; das war er schon als kleiner Knabe; ich und das Kindermädchen tanzten dann um ihn herum und sangen: ›Der Bock, der Bock! O jemine, der Bock!‹ bis er zuletzt einen Kegel oder ein Stück von seinem Bauholz aufgriff und damit nach unseren Köpfen warf; am liebsten warf er noch mit seinem Bauholz! Aber Christinchen – wenn's Herz nur gut ist!«

»Nicht wahr?« rief die hübsche Frau und sah ihrem Mann mit lebhafter Zärtlichkeit ins Antlitz, »ein gutes Herz hat unser Friedrich, und deshalb – ich meine, du könntest zu ihm gehen; du bist kein Trotzkopf, Christian Albrecht, du hast es leichter in der Welt!«

Der Senator streichelte sanft die geröteten Wangen seiner Eheliebsten. »Was ich für eine kluge Frau bekommen habe!« sagte er neckend.

»Ei was, Christian Albrecht, sag' lieber, daß du zu deinem armen Bruder gehen willst!«

»Arm, Christinchen? – Eine sonderbare Armut, wenn einer alles Recht für sich allein verlangt! Aber du sollst schon deinen Willen haben; heut abend oder schon heute nachmittag …«

»Warum nicht schon heut vormittag?«

»Nun, wenn du willst, auch heute vormittag!«

»Und du bist versöhnlich, du gibst nach?«

»Das heißt, ich gebe ihm den Garten?«

Sie nickte: »Wenn es sein muß! Doch lieber, als daß ihr im Zorne auseinandergeht!«

»Und, Christinchen, unsere Kinder? Sollen sie mit den Hühnern hier auf dem engen Steinhof laufen?«

»Ach, Christian Albrecht!« und sie fiel ihm um den Hals und sagte leise: »Wir sind so glücklich, Christian Albrecht!«

Während bald darauf der junge Kaufherr über den Flur nach seinen Geschäftsräumen im Hinterhause schritt, hatte im Wohnzimmer seine Frau sich an das Fenster gesetzt; an einem möglichst kleinen Häubchen strickend, schaute sie über die Straße nach dem gegenüberliegenden Nachbarhause, mehr nur, wie es schien, um bei dem inneren Gedankentausche doch irgendwohin die Augen zu richten. Jetzt aber sah sie Frau Antje Möllern in Futterhemd und Schürze über die Straße schreiten und mit der Frau Nachbar'n Jipsen, die soeben auch aus ihrem Hause trat, sich auf eine der steinernen Beischlagsbänke setzen.

Frau Antje Möllern war die Erzählende, wobei sie sehr vergnügt und triumphierend aussah und mehrmals mit einer schwerfälligen Bewegung ihres dicken Kopfes nach dem elterlichen Hause ihres Herrn hinüberwinkte. Frau Nachbar'n Jipsen schlug zuerst ihre Hände, wie vor Staunen, klatschend ineinander; dann aber nickte sie wiederholt und lebhaft; auch ihr schienen die Dinge, um die es sich handelte, ausnehmend zu gefallen; und bald, während das eifrigste Wechselgespräch im Gange war, zuckten und deuteten die Köpfe und Hände der beiden Weiber in keineswegs respektvoller Gebärde nach dem altehrwürdigen Kaufmannshaus hinüber.

Die junge Frau am Fenster wurde denn doch aufmerksam: die da drüben waren nicht eben ihre Freunde; der einen – das wußte sie – war es zugetragen worden, daß sie Herrn Friedrich Jovers abgeraten hatte, ihre mauldreiste Personnage in sein Haus zu nehmen; der anderen hatte sie einmal ihre große Tortenpfanne nicht leihen können, weil sie eben beim Kupferschmied zum Löten war.

Unwillkürlich hatte sie die Arbeit sinken lassen: was mochten die Weiber zu verhandeln haben?

Aber die Unterhaltung drüben wurde unterbrochen. Von der Hafenstraße herauf kam der kleine bewegliche Advokat, Herr Siebert Sönksen, den sie den »Goldenen« nannten, weil er bei feierlichen Gelegenheiten es niemals unter einer goldbrokatenen Weste tat, deren unmäßig lange Schöße fast seinen ganzen Leib bedeckten. Eilig schritt er auf die beiden zu, richtete, wie es schien, eine Frage an Frau Antje Möllern und schritt, nachdem diese mit einem Kopfnicken beantwortet worden, lebhaft, wie er herangetreten war, quer über die Gasse nach Herrn Friedrichs Hause zu.

»Hm«, kam es aus dem Munde der jungen Frau, »der Goldene? Gehört der auch dazu? Was will denn der bei unserem Bruder Friedrich?«

Die hervorragenden Eigenschaften des Herrn Siebert Sönksen waren bekannt genug; er jagte wie ein Trüffelhund nach verborgen liegenden Prozessen und galt für einen spitzfindigen Gesellen und höchst beschwerlichen Gegenpart auch in den einfachsten Rechtsstreitigkeiten. Im übrigen wußte er, je nach welcher Seite hin sein Vorteil lag, ebensowohl einen sauberen Vergleich zustande zu bringen als einen schikanösen Prozeß durch alle Instanzen hindurchzuziehen.

Die Frau Senatorin war aufgestanden; sie mußte doch zu ihrem Christian Albrecht, um seine Meinung über diese Dinge einzuholen! Allein, da trat die Köchin in das Zimmer, ein altes Inventarienstück aus dem schwiegerelterlichen Nachlaß, eine halbe Respektsperson, die nicht so abzuweisen war. Die junge Frau mußte ihr Haushaltungsbuch aus der Schatulle nehmen; sie mußte notieren und rechnen, um dann die näheren Positionen der heutigen Küchenkampagne mit der kundigen Alten festzustellen.

Hinten in der vorderen Schreibstube saßen indessen der alte Friedebohm und ein jüngerer Kaufmannsgeselle sich an dem schweren Schreibpulte gegenüber. Es gab viel zu tun heute, denn die Brigg ›Elsabea Fortuna‹, welche der selige Herr nach seiner alten Ehefrau getauft hatte, lag zum Löschen fertig draußen auf der Reede. »Musche Peters«, sagte der Buchhalter zu seinem Gegenüber, »wir müssen noch einen Lichter haben; ist Er bei Kapitän Rickersen gewesen?«

Aber bevor der junge Mensch zur Antwort kam, wurde an die Tür geklopft, und ehe noch ein »Herein« erfolgen konnte, stand schon der goldene Advokat am Pulte und legte seine Hand vertraulich auf den Arm des alten Mannes. »Der Herr Prinzipal in seinem Kabinette, lieber Friedebohm?« Er frug das so zärtlich, daß der Alte ihn höchst erstaunt ansah, denn dieser Mann war nicht der betraute Sachverwalter ihres Hauses. Deshalb gedachte er eben von seinem Bock herabzurutschen, um ihn selber bei dem Herrn Senator anzumelden; aber Herr Siebert Sönksen war schon nach flüchtigem Anpochen in das Privatkabinett des Prinzipals hineingeschlüpft.

»Ei, ei ja doch!« murmelte der Alte. »Die Klatschmäuler werden doch nicht recht behalten?« Er kniff die Lippen zusammen und schaute eine Weile durch das Fenster auf den Steinhof, wo ihm die niedrige Mauer jetzt auch eine innere Scheidung der beiden verwandten Häuser zu bedeuten schien.

Drinnen im Kabinette war nach ein paar Hin- und Widerreden der Herr Senator wirklich von seinem Bock herabgekommen. »Herr!« rief er und stieß seine Feder auf das Pult, daß sie bis zur Fahne aufriß, »verklagen, sagt Ihr? Meines Vaters Sohn will mich verklagen? Herr Siebert Sönksen, Sie sollten nicht solche Scherze machen!«

Der Goldene zog ein Papier aus seiner Tasche. »Mein werter Herr

Senator, es wird ja nicht sogleich *ad processum ordinarium* geschritten.«

»Auch nicht, da Herr Siebert Sönksen dem Gegenpart bedienet ist?«

Der Goldene lächelte und legte das Schriftstück, welches er in der Hand hielt, vor Herrn Christian Albrecht auf das Pult. »Laut dieser Vollmacht«, sagte er vertraulich, »bin ich so gut zum Abschluß von Vergleichen wie zur Aufstellung der Klage legitimiert!«

»Und wegen des Vergleiches sind Sie zu mir gekommen?« frug der Kaufherr nicht ohne ziemliche Verwunderung; denn er wußte nicht, daß Herr Siebert Sönksen schon längst darauf spekuliert hatte, statt seines alten und, wie er sagte, »fürtrefflichen, aber abgängigen« Kollegen der Anwalt dieses angesehenen Hauses zu werden.

Der Advokat hatte mit einem höflichen Kopfnicken die an ihn gerichtete Frage beantwortet.

»Herr Siebert Sönksen«, sagte der Senator, und er sprach diese Worte in großer innerlicher Erregung, »so kommen Sie also im Auftrage, im ausdrücklichen Auftrage meines Bruders?«

Herr Siebert stutzte einen Augenblick. »In Vollmacht, mein werter Herr Senator; wie Sie zu bemerken belieben, laut richtig subskribierter Vollmacht! Es ist für den erwünschten Frieden unterweilen tauglich, wenn eine unbeteiligte sachkundige Person …«

Herr Christian Albrecht unterbrach ihn: »Also«, sagte er aufatmend, »mein Bruder weiß nichts von Ihrem werten Besuche? Ich danke Ihnen, Herr Sönksen; das freut mich recht von Herzen!«

Der Goldene schaute etwas verblüfft in das gerötete Antlitz des stattlichen Kaufherrn. »Aber mein wertester Herr Ratsverwandter!«

»Nein, nein, Herr Siebert Sönksen, führen Sie meinethalben so viele Prozesse, als Sie fertigbringen können, aber wo zwei Brüder in der Güte miteinander handeln wollen, da gehöret weder der Beichtvater noch der Advokat dazwischen.«

»Aber, ich dächte doch –«

»Sie denken sonder Zweifel anders, Herr Siebert Sönksen«, sagte der Senator mit einer unwillkürlichen Verbeugung. »Kann ich Ihnen sonstwie meine Dienste offerieren?«

»Allersubmisseste Danksagung! Nun, schönsten guten Morgen, mein werter Herr Senator!«

Gleich darauf schritt der Goldene mit einem eiligen »Serviteur, Musche Friedebohm« durch die vordere Schreibstube und hielt erst an, als er draußen auf den Treppenstufen vor der Haustür stand. Seinen Rohrstock unter den Arm nehmend, zog er die Horndose aus der Westentasche und nahm bedächtig eine Prise. »Eigene Käuze das, die Söhne des alten Herrn Senators Christian Albrecht Jovers!« murmelte er und tauchte zum zweitenmal seine spitzen Finger in die volle Dose. »Nun, nehmen wir fürerst mit dem Prozeß fürlieb!«

– – Bald nach dem Goldenen war auch der junge Kaufherr an dem ihm kopfschüttelnd nachschauenden Musche Friedebohm vorbeigeeilt, um gleich darauf in die Wohnstube zu treten, wo seine Eheliebste auf dem Kanapee an ihrem Kinderhäubchen strickte. Aber er sprach nicht zu ihr; er hatte wieder beide Hände in den Rockschößen und lief im Zimmer auf und ab, bis die Frau Senatorin aufstand und so glücklich war, ihn zu erhaschen.

»Weshalb rennst du so, Christian Albrecht?« sagte die junge Frau und stellte sich tapfer vor ihm hin.

»Nun, Christine, wer da nicht rennen sollte!«

»Nein, nein, Christian Albrecht, du bleibst mir stehen!« und sie legte beide Arme um seinen Hals. »So«, sagte sie; »nun sieh mich an und sprich!«

Aber Herr Christian Albrecht tat auch nicht einen Blick in ihre hübschen Augen. »Christine«, sagte er und sah dabei schier über sie hinweg, »ich kann nicht zu Bruder Friedrich gehen.«

Sie ließ ihn ganz erschrocken los. »Aber du hast es mir versprochen!«

»Aber ich kann nicht!«

»Du kannst nicht? Weshalb kannst du nicht?«

»Christinchen«, sagte er und faßte sein Frau an beiden Händen, »ich kann nicht, weil er wieder in seine Kinderstreiche verfallen ist; er hat mir ein Stück Bauholz nach dem Kopf geworfen.«

»Was soll das heißen, Christian Albrecht?«

»Das soll heißen, daß mein Bruder Friedrich den goldenen Advokaten zum Prozesse gegen mich bevollmächtigt hat. Er ist justement als wie in seinen Kinderjahren; er hat den Bock, und zwar im allerhöchsten Grade! Und so mag's denn auch von meinetwegen jetzt ein Tänzchen geben!«

Die junge Frau suchte wieder zu begütigen, allein Herr Christian

Albrecht war unerbittlich. »Nein, nein, Christinchen; er muß diesmal fühlen, wie der Bock ihn selber stößt, so wird er sich ein andermal in acht zu nehmen wissen. Wir sollen, so Gott will, noch lange mit unserem Bruder Friedrich leben; bedenk' einmal, was sollte daraus werden, wenn wir allzeit laufen müßten, um seinen stößigen Bock ihm anzubinden!«

Und dabei hatte es sein Bewenden. Zwar will man wissen, daß die junge Frau noch einmal hinter ihres Mannes Rücken in des Schwagers Haus geschlüpft sei, um mit den eigenen kleinen Händen den Knoten zu entwirren; aber Frau Antje Möllern hatte sie mit frecher Stirne fortgelogen, indem sie fälschlich angab, Herr Friedrich Jovers sei soeben in dringenden Geschäften zum Herrn Siebert Sönksen fortgegangen. Und die Augen der alten Personnage sollen dabei so von Bosheit voll geleuchtet haben, daß die junge Frau zu einem zweiten Versuche keinen Mut hatte gewinnen können.

Ein neues Jahr hatte begonnen, und der Prozeß zwischen den beiden Brüdern war in vollem Gange. Der Herr Vetter Kirchenpropst und der Onkel Bürgermeister hatten sich vergebens als Vermittler zum gütlichen Austrag angeboten; vergebens hatte der letztere gegen den jungen Senator hervorgehoben, daß »kraft seines tragenden Amtes, abseiten des Ansehens der Familie«, die Augen der ganzen Stadt auf ihn gerichtet seien; denn darin schienen die Streitenden stillschweigend einverstanden, daß das Wort der Güte nur fern von fremder Einmischung von dem einen zu dem anderen gehen könne. Aber freilich, dazu gab keiner von ihnen die Gelegenheit; der notwendige geschäftliche Verkehr wurde schriftlich fortgesetzt, und eine Menge Zettel: »Der Herr Bruder wolle gelieben« oder »Dem Herrn Bruder zur gefälligen Unterweisung« gingen hin und wider.

Die kleine Seestadt in allen ihren Kreisen hatte sich müde an diesem unerhörten Fall gesprochen, und das Gespräch, wenn irgendwie der Stoff zu anderem ausging, wurde noch immer mit Begierde wieder aufgegriffen. Vollständig munter aber, trotz der Winterkälte, erhielt es sich drüben auf der Beischlagsbank der Frau Nachbar'n Jipsen; diese und Frau Antje Möllern winkten jetzt nicht nur mit ihren Köpfen, sondern mit beiden Armen und dem ganzen Leibe nach dem Senatorshause hinüber. Aber in dem letzteren war freilich mittlerweile auch noch ein ganz Besonderes passiert: ein Sohn war dort geboren worden, und Herr Friedrich Jovers hatte ja für solchen Fall Gevatter stehen sollen!

– – Die junge Frau Senator'n lief indessen schon wieder flink von der Wiege ihres Kindes treppunter nach der Küche und noch flinker von der Küche treppauf nach ihrer Wiege, als eines Morgens Herr Christian Albrecht, nachdem er erst soeben vom gemeinschaftlichen Kaffeetische in sein Kontor gegangen war, wieder zu ihr in das Wohnzimmer trat. »Christine«, sagte er zu seiner immerhin noch etwas bläßlichen Eheliebsten, »bist du heute schon draußen auf unserem Steinhofe gewesen? – – Nicht? – Nun, so alteriere dich nur nicht, wenn du dahin kommst!«

»Um Gottes willen, es hat doch kein Unglück gegeben?« rief die junge Frau.

»Nein, nein, Christine.«

»Aber ein Malheur doch, Christian Albrecht; du bist ja selber alteriert!«

Ein Lächeln flog über sein freilich ungewöhnlich ernstes Gesicht. »Ich denke nicht, Christine; aber komm nur mit und siehe selber!«

Er faßte ihre Hand und führte sie über den Hausflur in die große Schreibstube. Der jüngere Kontorist war nicht zugegen; der alte Friedebohm stand neben seinem Schreibbocke am Fenster und nahm eine Prise nach der anderen.

Auch Frau Christine sah jetzt in den Hof hinaus, fuhr aber gleich darauf mit der Hand über ihre Augen, als gält' es, dort ein Spinnweb fortzuwischen. »Um Gottes willen, was ist das, Friedebohm? Was machen die Leute da auf Bruder Friedrichs Hof? Die Mauer ist ja auf einmal fast um zwei Fuß höher!«

»Frau Prinzipalin«, sagte der Alte, »das sind Meister Hansens Leute; sehen Sie, dort kommt schon einer mit der Kelle!«

»Aber was soll denn das bedeuten?«

»Nun« – und Monsieur Friedebohm nahm wieder eine Prise –, »Herr Friedrich läßt wohl ein paar Schuhe höher mauern.«

»Aber, Christian Albrecht«, und Frau Christine wandte sich lebhaft zu ihrem Mann, der schweigend hinter ihr gestanden hatte, »geschieht denn das mit deinem Willen?«

Herr Christian Albrecht schüttelte den Kopf.

»Aber die Grenzmauer, sie gehört doch uns gleichwohl; wie kann sich Friedrich so etwas unterstehen!«

»Mein Schatz, die Mauer steht auf Friedrichs Grund und Boden.«

Die Augen der kleinen Frau funkelten.

»O, das ist schlecht von ihm, das hätte ich ihm nicht zugetraut; er hat ein hartes Herz!«

»Da irrst du doch gewaltig, Christinchen«, erwiderte Herr Christian Albrecht; »das ist's ja gerade, daß er noch immer sein altes weiches Herz hat; er schämt sich nur, und deshalb läßt er diese große steinerne Gardine zwischen sich und seinem Bruder aufziehen.«

Die junge Frau blickte mit unverhohlener Bewunderung auf ihren Mann. »Aber«, sagte sie fast schüchtern und legte ihre Hand in seine; »wie wird er sich erst schämen, wenn er den Prozeß gewinnen sollte!«

»Dann«, erwiderte der Senator, »dann kommt mein Bruder zu mir, denn dann ist der böse Bock gezähmt. Hab' ich nicht recht, Papa Friedebohm?« setzte er in munterem Ton hinzu.

»Ei ja, Gott lenkt die Herzen«, erwiderte der alte Mann, indem er seine Dose in die Tasche steckte und dafür die Feder wieder in die Hand nahm; »aber beim wohlseligen Herrn Senator ist uns solcher Umstand im Geschäft nicht vorgekommen.«

Zwei Tage darauf hatte die Mauer schon eine beträchtliche Höhe erreicht, und noch immer wurde daran gearbeitet. Aus der Schreibstube hinten war dergleichen nie gesehen worden, und der junge Kaufmannsgeselle konnte es nicht lassen, je um eine kleine Weile mit offenem Munde nach den Arbeitern hinzustarren. »Musche Peters«, sagte der alte Friedebohm, »wolle Er lieber in Seine Bilanzrechnung schauen! Es will sich für Ihn nicht schicken, daß Er über das neue Werk da draußen sich irgendwelche überflüssige Gedanken mache!« Und der junge Mensch wurde über und über rot und tauchte hastig seine Feder in das Tintenfaß.

Aber auch Monsieur Friedebohm selber konnte sich nicht enthalten, unterweilen über seine Arbeit wegzuschauen; die beiden Gesellen da draußen, insonders der Alte mit dem respektwidrigen langen Barte, wurden ihm mit jeder Stunde mehr zuwider. »Der struppige Assy-

rer!« brummte er vor sich hin, »mag wohl am Turm zu Babel schon ge-
tagwerkt haben; wird aber diesmal auch nicht in den Himmel bauen!«

Als gleich darauf Herr Christian Albrecht aus seinem Kabinett hereintrat, sah er seinen Buchhalter sich mit dem Schneiden einer Feder
mühen, die er immer näher an die Nase rückte. »Will's nicht mit den
alten Augen, Papa Friedebohm?« sagte er freundlich.

Aber Monsieur Friedebohm zuckte bedeutsam mit der einen Schulter nach der Mauer draußen. »Herr Christian Albrecht, wir haben schon
immer das Licht nicht justement mit Scheffeln hier gehabt.«

Der Senator warf einen Blick nach dem hohen Werke, an welchem
die beiden Gesellen unter lustigem Singen noch immer weiterarbeite-
ten. »Ja, ja, Friedebohm«, rief er heftig, »du hast recht! Alle Tausend,
das geht denn doch übers –«

»Übers Bohnenlied!« wollte er sagen, wo schon derzeit gar nichts
darüberging; aber er schwieg plötzlich, da er auf den jungen Musche
Peters sah, der wieder mit offenem Mund an seinem Pulte saß, und
ging, nachdem er eine geschäftliche Anordnung erteilt hatte, in sein
Kabinett zurück.

–– Nach ein paar Stunden steckte Frau Christine ihr hübsches Köpfchen durch die Tür. »Darf man eintreten« frug sie.

»Komm nur!« erwiderte Herr Christian Albrecht von seinem
Schreibstuhl aus. »Was hast du auf dem Herzen?«

»Oh«, und sie stand schon mitten in dem Stübchen und ließ ihre
Blicke an der geschwärzten Decke wandern –, »ich wollte nur – – –
aber, Christian Albrecht, hier herrscht ja ägyptische Finsternis! Die
schönen Spinngewebe, die unsere Wiebke immer sitzen läßt, die können deine Spinnen nun ruhig weiterweben! Und weißt du, das na-
seweise Ding – aber ich habe ihr auch einen tüchtigen Wischer gegeben – sie hat eben die Mauer mit ihrem Eulbesenstiel gemessen; genau
elf Fuß nach meiner Elle, sagt sie! Aber sieh nur, Christian Albrecht,
nun wird's denn auch nicht höher; sie legen schon die runden Steine
oben auf.«

Herr Christian Albrecht saß noch immer auf seinem hohen Schreibstuhl, die Feder in der Hand. »Weißt du, Christine«, sagte er, indem er
ernsthaft vor sich hinsah, »der Bock meines Herrn Bruders wird mir
doch zu mächtig; es tut jetzt not, und ich habe mich auf einen guten

Gegenstoß besonnen.« Und als sie ihn unterbrechen wollte: »Nein, red' mir nicht dazwischen, Frau; ich will auch einmal meinen Willen haben.«

Sie faßte ihn leise an dem Aufschlag seines Rockes und zog ihn sanft von seinem Thron herab und dicht zu sich heran. »O weh«, sagte sie und sah ihm ernsthaft in die Augen, »da habe ich am Ende einen Mann geheiratet, den ich erst heute kennen lerne! Gesteh mir's, Christian Albrecht, du hast doch nicht auch etwa so einen –«

»Zum Kuckuck«, rief Herr Christian Albrecht lachend, »im hintersten Stallwinkel wird auch wohl bei mir so einer angebunden stehen; und der soll jetzt heraus ans Tageslicht, trotz aller klugen Frauenzimmer und meiner allerklügsten noch dazu!«

»So, Christian Albrecht? Und in welcher Art« – sie zögerte ein wenig – »soll denn der deine seinen Gegenstoß vollführen?«

»Setz' dich, Christine«, sagte der Senator, indem er die anmutige Frau auf seinen Schreibthron hob, »und reden wir deutsch mitsammen! In jener Sache da draußen auf dem Hof will ich mein Recht, und keinen Tittel davon aufgeben! Aber dazu bedarf es keines Prozessierens, denn es steht klar und bündig in den alten Kaufkontrakten.«

»Und weiter, Christian Albrecht?«

»Und weiter, Christine, hat zwar der Besitzer von Friedrichs Hause die Mauer zwischen beiden Häusern aufzuführen und zu unterhalten; aber der des unserigen hat den Halbschied der Kosten dazu beizutragen.«

»Wirklich? Auf Höhe von elf Fuß?«

»Ei was, und wenn's die Mauer von Jericho wäre! Das ist *meine* Sache; wenn ich ihm zahlen will, er muß schon stillhalten und Quittanz dafür erteilen!«

»Und du willst wirklich die Halbschied der Kosten, so das blanke bare Geld dafür dem Bruder Friedrich in sein Haus schicken?«

»Das will ich, Christine; ganz gewiß, das will ich.«

Sie sah ihn eine Weile ganz nachdenklich an.

»So, also auf die Art, Christian Albrecht!« sagte sie langsam.

Aber bevor sie ihre Gedanken über diesen kritischen Fall zu ordnen vermochte, kam Botschaft aus der Küche: die Kochfrau war eben angelangt, und der Bratenwender sollte aufgestellt werden, denn auf morgen gab es ein großes Fest im Hause. Frau Christine gedachte plötzlich wieder der Veranlassung, um derentwillen sie das Allerheiligste ihres Mannes aufgesucht hatte; sie ließ sich ihr blaues Haushaltungsbeutelchen bis zum Rande füllen und verließ das Stübchen, den Kopf voll junger Wirtschaftssorgen.

In dem Hause nebenan sollte heute Herr Friedrich Jovers mit seiner ehrsamen Haushälterin selbander speisen, denn sein junger Lübecker Küfer war auswärts in Geschäften. Zuvor aber trat er nach seiner Gewohnheit vor die Haustür und schaute von dem obersten Treppensteine ein paar Augenblicke in das Wetter und rechts die Straße hinab nach dem dort unten sichtbaren Teile des Hafens.

Als er dann wieder ins Haus und gleich darauf in das Wohnzimmer getreten war, stand die Matrone schon mit vorgesteckter Serviette in der kalmankenen Sonntagskontusche hinter ihrem Stuhle.

»Ist Hochzeit in der Stadt, Frau Möllern?« frug er. »Die Schiffe flaggen ja!«

Er setzte sich, und die Alte setzte sich ihm gegenüber; die Frage mochte er wohl schon vergessen haben, denn Herr Friedrich Jovers pflegte seit geraumer Zeit auf dergleichen keine Antwort zu erwarten.

Aber Frau Antje Möllern, welche auf gewisse Dinge ihren Herrn nicht anzusprechen wagte, ließ sich die Gelegenheit nicht entschlüpfen. »Hochzeit?« wiederholte sie scharf, und ein gewisses Zucken um ihre derben Lippen zeigte, daß eine verhaltene Entrüstung zum Ausbruch drängte. »Nein, es ist keine Hochzeit, es ist nur eine Kindtaufe!«

»Eine Kindtaufe, und die Schiffe flaggen?« sagte Herr Jovers gleichgültig. »Ich wüßte doch nicht, daß bei den Honoratioren –«

Aber Frau Möllern vermochte nicht, ihn ausreden zu lassen. »O, Herr Jovers, freilich ist es bei den Honoratioren, bei den allerersten Honoratioren; aber eine Schande ist es, eine offenbare Schande, sag' ich!«

Herr Jovers wurde doch aufmerksam. »Was will Sie damit sagen?« frug er kurz.

»Damit, Herr Jovers, will ich sagen, daß Ihr einziger Bruder, der Herr Senator Christian Albrecht Jovers, heute sein erstes Söhnchen taufen läßt; und *Sie* fragen noch, warum die Schiffe flaggen?«

Herr Friedrich sagte nichts; aber Frau Antje Möllern entging es nicht, wie ihm die Hand zitterte, während er schweigend den Rest seiner Suppe hinunterlöffelte.

Die grimmigen Augen der Alten begannen plötzlich einen wehleidigen Ausdruck anzunehmen. »Herr Jovers«, begann sie seufzend, »Ihr Herr Großvater selig und meines Vaters Onkel, was waren das für gute Freunde! Sie wissen das ja auch, Herr Jovers!«

»Zum mindesten«, sagte Herr Jovers, »hat Sie mir das oft genug erzählt.«

»Nun, Herr Jovers, selig Senator'n wußte das ja auch!«

»Ja, ja, Möllern, und auch der alte Friedebohm! Denn in den Büchern meines Großvaters läuft bis zu seinem seligen Ende eine jährliche Ausgabepost: Zehn Pfund Tabak und ein Gewandstück für den armen Krischan Möller.«

Frau Antje schluckte etwas; dann aber, nachdem sie den mittlerweile erschienenen Braten vorgelegt hatte, nahm sie doch den Faden wieder auf. »Ja, Herr Jovers, sie waren Schulkameraden, und das vergaßen sie sich nicht! Für alle Mittwoch war Herr Christian Möller zu dem Herrn Senator Christian Jovers auf den Kaffee eingeladen; im Sommer tranken sie denselben in dem schönen Gartenpavillon, den Ihr Herr Großvater damalen erst gebaut hatte. Nicht wahr, Herr Jovers, man hätte sie wohl sehen mögen, die alten Herren, wie sie in liebevoller Unterhaltung mit ihren holländischen Pfeifen vor den offenen Gartentüren saßen! – Wenn sie es damalen hätten voraussehen können«, fuhr Frau Antje fort, vor ihrem noch immer unberührten Braten sitzend, »daß der nunmehrige Herr Senator Jovers oder, sagen wir's nur geradheraus, die nunmehrige Frau Senator'n einen solchen Prozeß um diesen schönen Lustgarten anheben würde, was würden die beiden braven Freunde dazu wohl gesagt haben?«

»Weiß nicht, Möllersch«, sagte Herr Friedrich, der bisher in halber Zerstreuung dagesessen hatte; »vielleicht wäre es meinem Großvater zum Verdruß geschlagen, und er hätte den laufenden Posten von zehn Pfund Tabak und einem Gewandstück ein für allemal gestrichen!«

Die Matrone nagte sich ein paarmal auf die Lippe; dann sprach sie mit andächtigem Aufblick: »Wie wohl hat unser Herrgott es gemacht, daß diese lieben Männer itzt in ihrem Grabe ruhen!«

»Sehr wohl«, sagte Herr Friedrich, indem er vom Tische aufstand;

»und da lasse Sie die beiden alten Leute nur und sorge Sie für Ihre Leibesnahrung, damit Sie nicht vor der Zeit bei Ihres Vaters Onkel zu ruhen komme! Zunächst aber hole Sie mir den Überrock von draußen aus dem Schrank!«

Als das geschehen war, ging Herr Friedrich aus dem Hause, ohne zu sagen, wohin, und wann er wiederkommen werde; Frau Antje aber legte zuvörderst die Serviette zusammen, welche der sonst so akkurate Herr als wie ein Wischtuch auf dem Tische hatte liegen lassen, und machte sich dann voll stillen Ingrimms über ihren Braten her.

– Am selbigen Abend, da es vom Kirchturme acht geschlagen hatte, stand Herr Friedrich Jovers auf seinem Steinhofe mit dem Rücken an der Mauer eines Hintergebäudes und blickte unverwandt nach den hellerleuchteten Saalfenstern seines Elternhauses, deren unterste Scheiben die neue Mauer noch soeben überragten.

Ganz heimlich, vor allem als dürfe Frau Antje Möllern nichts davon gewahren, war er nach seiner Rückkehr hier hinausgeschlichen. Weshalb, wußte er wohl selber kaum; denn mit jedem Gläserklingen, das zu ihm herüberscholl, mit jeder neuen Gesundheit, deren Worte er deutlich zu verstehen glaubte, drückte er die Zähne fester aufeinander. Gleichwohl stand er wie gebannt an seinem Platze, sah in das Blitzen der brennenden Kristallkrone und horchte, wenn nichts anderes laut wurde, auf den Schrei des alten Papageien, der, wie er wohl wußte, bei der Festtafel heute nicht fehlen durfte.

Da erschien an einem der Fenster, gerade an dem, welches seinen Schein auf Herrn Friedrichs Standplatz warf, eine zierliche Frauengestalt. Er konnte das Antlitz nicht erkennen; aber er sah es deutlich, daß der Kopf des Frauenzimmers, wie um ungehinderter hinauszuschauen, sich mit der Stirn an eine Scheibe drückte. Doch auch das schien ihr noch nicht zu genügen; ein Arm streckte sich empor, wie um die obere Haspe zu erreichen, und jetzt, während im Saale neues Gläserklingen sich erhob und der Papagei dazwischenschrie, wurde leise der Fensterflügel aufgestoßen.

Herr Friedrich erkannte seine Schwägerin. Sie lehnte sich hinaus, sie legte die Hand an ihren Mund, als ob sie zu ihm hinüberrufen wolle; und jetzt hörte er es deutlich, wenn es auch nur wie geflüstert klang: es war sein Name, den sie gerufen hatte. Und da er wie ein steinern

Bild an seiner Mauer blieb, kam es noch einmal zu ihm herüber, und dann, als wolle sie ihm winken, erhob sie langsam ihre Hand und deutete dann wieder nach dem hellen Festsaal. – Was hatte sie vor? Wollte sie ihn noch jetzt zur Taufe laden? Er wußte, sie konnte solche Einfälle haben; er wußte auch, wenn er jetzt ihr folgte, er würde seinem Bruder den besten Teil des Festes bringen; aber – der Garten! Nach ein paar fürsorglichen Andeutungen des Herrn Siebert Sönksen stand in allernächster Zeit eine abfällige Sentenz bei dem Magistrate hier in Aussicht! – Nein, nein, die zweite Instanz mußte beschritten, der Prozeß mußte dort gewonnen werden; waren doch auch die weitschichtigen Rezesse des Goldenen von vornherein auf diese höhere Weisheit nur berechnet gewesen!

Herr Friedrich Jovers wollte sein Recht. Frau Christine hatte es selbst gesagt, er konnte nicht anders, er war ein Trotzkopf; er rührte sich nicht, der Bock hielt ihn mit beiden Hörnern gegen die Mauer gepreßt.

Freilich wußte er es nicht, daß Christian Albrecht ihn im Gevatterstande vertreten und seinen Erstgeborenen getrost auf seines Bruders und des Urgroßvaters Namen hatte taufen lassen. Da drüben aber wurde das Fenster zögernd wieder zugeschlossen.

Wenige Tage später stand der vierschrötige Maurermeister Heinrich Hansen, wohlrasiert, seinen Dreispitz in der Hand, im Kabinette des Senators Christian Albrecht Jovers.

»Also«, frug dieser, »zweihundertundvierzig Reichstaler war die Verdingsumme für das Werk da draußen, und Er hat den Betrag bereits empfangen?«

Meister Hansen bejahte das.

»Weiß Er denn wohl«, sagte der Senator wieder, »daß mein Bruder Ihm da um die Hälfte zuviel gegeben hat?«

Der alte Handwerksmann wollte aufbrausen; das griff an seine Zunft- und Bürgerehre. »Laß Er nur, Meister«, sagte Herr Christian Albrecht und legte beschwichtigend die Hand auf den Arm des neben ihm Stehenden. »Seine Arbeit ist auch diesmal rechtschaffen; aber Er weiß doch, was ein Hauskontrakt bedeutet?« Und damit schob er ihm das vergilbte Schriftstück zu, welches aufgeschlagen auf dem Pulte lag.

Der Meister zog seine Messingbrille hervor und studierte lange und bedächtig unter Beistand seines Zeigefingers den ihm bezeichneten Paragraphen; endlich klappte er die Brille zusammen und steckte sie wieder in das Futteral.

»Nun?« frug Herr Christian Albrecht.

Der Meister antwortete nicht; er fuhr mit seinen Fingern in die Westentasche und suchte nach einem Endchen Kautabak, womit er in schwierigen Umständen seinen Verstand zu ermuntern pflegte.

»Nicht wahr, Meister«, sagte der Senator wieder, »da steht es klar und deutlich?«

Der Meister kam nun doch zu Worte. »Mag sein, Herr«, erwiderte er stockend, »aber es ist mir denn doch alles voll und richtig ausbezahlt!«

Der Senator ließ sich das nicht anfechten. »Freilich, Meister; aber die eine Hälfte war ja nicht Herr Friedrich Jovers, sondern ich Ihm schuldig! Das macht auf den Punkt einhundertundzwanzig Reichstaler. Hier sind sie, wohlgezählt in Kron- und Markstücken; und nun gehe Er zu Herrn Friedrich Jovers und zahle Er ihm zurück, was Er von ihm zuviel empfangen hat!«

Meister Hansen zögerte noch; in seinem Kopfe mochte die Vorstellung von einem etwas kuriosen Umwege auftauchen, aber bevor er mit seinen schwerbeweglichen Gedanken darüber ins reine kam, war schon das Geld in seiner Tasche und er selbst zur Tür hinaus.

Herr Christian Albrecht rieb sich vergnügt die Hände. »Was wird Bruder Friedrich dazu sagen? Stillhalten muß er schon; hier steht's!« Und er tupfte mit den Fingern dreimal zuversichtlich auf den alten Hauskontrakt. Da wurde an die Tür gepocht. Der Schreiber seines Sachwalters überbrachte ihm einen Brief.

Als der Überbringer sich entfernt und Herr Christian Albrecht den Brief gelesen hatte, war der eben noch so vergnügliche Ausdruck seines Angesichts mit einem Male wie fortgeblasen. »Musche Peters«, sagte er kleinlaut, indem er die Tür zur großen Schreibstube öffnete, »bitte Er doch die Frau Senatorin, auf ein paar Augenblicke bei mir vorzusprechen!«

Die Frau Senatorin ließ nicht auf sich warten. »Da hast du mich, Christian Albrecht!« rief sie fröhlich, »aber« – – und sie schaute ihm

ganz nahe in die Augen, »fehlt dir etwas? Es ist doch kein Unglück geschehen?«

»Freilich ist ein Unglück geschehen; da – lies nur diesen Brief!«

Ihre Augen flogen über das Papier. »Aber, Christian Albrecht, du
hast ja den Prozeß gewonnen!«

»Freilich, Christinchen, hab' ich ihn gewonnen.«

»Und das nennst du ein Unglück? Da hast du ja alles nun in deiner
Hand!«

»*Hatte* ich in meiner Hand, mußt du sagen! Fünf Minuten vor Emp-
fang dieses Schreibens habe ich durch Meister Hansen die Hälfte der
unseligen Mauergelder an Bruder Friedrich abgesandt.«

Frau Christine schlug die Hände ineinander. »Das wird eine schöne Geschichte werden! – du!?« – und sie drohte ihm mit dem Finger
– »ich hatte es dir vorhergesagt!«

Und es wurde eine schöne Geschichte; denn zu derselben Zeit stand
im Nachbarhause der Meister Hansen vor dem Herrn Friedrich Jovers.

Bei seinem Eintritt in den Hausflur war der goldene Advokat gegen
ihn angeprallt und dann wie im blinden Geschäftseifer an ihm vorbei-
geschossen. Im Zimmer selbst saß der Hausherr mit einem Schriftstück in der herabhängenden Hand, das mit vielen Schnörkeln begann
und mit dem großen Magistratssiegel endete. Er schien über den zuvor gelesenen Inhalt nachzusinnen und nicht gehört zu haben, was ihm
der Meister eben vorgetragen hatte; als dieser aber aus seiner Hand ein
paar schwere Geldrollen auf den Tisch fallen ließ, richtete er sich plötzlich auf. »Geld? Was soll das?« rief er. »Was sagt Er, Meister Hansen?«

Der Meister trug noch einmal seine Sache vor, und jetzt hatte Herr
Friedrich zugehört und recht verstanden.

»So?« sagte er anscheinend ruhig, indem er sich von seinem Sitz erhob; aber sein Antlitz rötete sich bis unter das dunkle Stirnhaar. »Also dazu hat Er sich gebrauchen lassen?« – Dann ergriff er plötzlich die
beiden Geldrollen und machte eine Armbewegung, die den stämmi-
gen Meister fast zur Gegenwehr veranlaßt hätte.

Aber Herr Friedrich besann sich wieder. »Setz' Er sich!« sagte er
kurz; dann ging er rasch zur Stubentür und über den Hausflur nach

dem Hof hinaus. Der junge Küfer, der vor der offenen Kellertür des Lagerraums beschäftigt war, sah mit Verwunderung den Herrn Prinzipal bald mit vorgestrecktem Kopfe auf dem Klinkersteige des Hofes dröhnend hin und wider schreiten, bald wieder ein Weilchen stillestehen und mit halbscheuen Blicken an der hohen Scheidemauer hinaufschauen.

Das mochte eine Viertelstunde so gedauert haben; endlich, wie in raschem Entschluß, ging Herr Friedrich in das Haus zurück. Als er ins Zimmer trat, fand er den Handwerksmann auf demselben Stuhle, wo er ihn gelassen hatte.

»Meister«, sagte er, aber es war, als werde bei den wenigen Worten ihm der Atem kurz, »hat Er Leute in Bereitschaft? So etwa fünf oder sechs, und noch heute oder doch morgen schon?«

Der Meister war aufgestanden und besann sich. »Nun, Herr Jovers, es ginge wohl! Mit der Stadtwage sind wir jetzt so weit; ein Stücker fünfe könnten schon gemißt werden.«

»Gut denn, Meister« – und Herr Friedrich ergriff noch einmal, und nicht minder heftig als vorhin, die beiden auf dem Tische liegenden Geldrollen –, »so baue Er mir die Mauer auf meinem Hofe noch um so viel höher, als dieses Silber dazu reichen will!«

Der Handwerksmann schien kaum zu merken, daß während dieser Worte die Rollen schon in seinen Händen lagen.

»Hat Er mich nicht verstanden?« fuhr Herr Friedrich fort, da der andere keine Antwort gab.

»Freilich, Herr; das ist wohl zu verstehen; aber« – und der Meister schien ein paar Augenblicke nachzurechnen – »das gäbe ja noch an die sechs bis sieben Fuß!«

»Meinetwegen«, sagte Herr Friedrich finster; »nur sorge Er dafür, daß es um keinen Schilling niedriger und auch um keinen höher werde, als wozu Er da das Geld in Händen hat!«

»Hm«, machte der alte Mann und sah den jüngeren mit einem Blicke an, als ob ihm plötzlich ein Verständnis komme, »wenn Sie es denn so wollen; Herr Jovers; es ist Ihre Sache.«

Herr Jovers wandte sich ab. »So wären wir fertig miteinander!« sagte er hastig. »Fanget nur gleich morgen an, damit ich der Unruhe in Bälde wieder ledig werde!«

Als Meister Hansen dann hinausgegangen war, warf er sich auf einen Stuhl am Fenster und starrte auf die leere Straße. Er schien keine Gedanken zu haben; vielleicht auch wollte er keine haben.

Und schon am anderen Tage, während der Herr Onkel Bürgermeister und der Herr Vetter Kirchenpropst noch einmal ihr vergebliches Versöhnungswerk betrieben, wurde zwischen den Höfen der beiden Brüder rüstig fortgemauert, und der struppige Assyrer sang dabei alle Lieder, die er aus seinen Kreuz- und Querzügen aus der Fremde heimgebracht hatte. Im Hause des Senators wurden die Schreibstuben mit jeder neuen Steinlage immer mehr verdunkelt, und der alte Friedebohm ertappte sich zu seinem Schrecken mehr als einmal, wie er müßig vor dem Fenster stand und, eine vergessene Prise zwischen den Fingern, diesem, wie er es bei sich selber nannte, babylonischen Beginnen zusah. Auf der anderen Seite ging Herr Friedrich Jovers, wenn er auf dem Wege zu seinen Geschäftsräumen den Hof betreten mußte, hastig und ohne jemals aufzublicken daran vorüber. Dann, nach Verlauf einiger Tage, hörte das Mauern und das Singen auf; die Handwerker waren fort, das neue Werk war fertig.

Statt dessen vernahm Herr Friedrich am nächsten Vormittage ein Geräusch, das ihm wie mit einem Schlage die seltensten, aber höchsten Freuden seiner Knabenjahre vor die Seele führte; er hatte eben die Hoftür geöffnet und seinem draußen beschäftigten Ausläufer etwas zugerufen, als er horchend stehenblieb. Er wußte es genau; er sah es vor sich, wie jetzt drüben auf dem Hofe des Elternhauses die großen Reisemäntel ausgeklopft wurden; ja, er sah sich selbst als Knaben in seinen Sonntagskleidern an seiner Mutter Hand danebenstehen und hörte den frohen Ton ihrer Stimme, womit sie bei solchem Anlaß einstmals ihrer Kinder Herz erfreute.

Er erschrak fast, als der Gerufene ihm jetzt entgegentrat, und ihm entfiel unwillkürlich die Frage, was denn für eine Reise drüben wohl im Werke sei. Aber bevor der Mann den Mund aufzutun vermochte, kam bereits die Antwort aus der naheliegenden Küche: Frau Antje Möllern hatte selbstverständlich schon lange die genauesten Nachrichten; ein Glück, daß sie es endlich nun erzählen konnte! Die junge Frau Senator'n wollte mit ihrem Erbprinzen auf Besuch zu ihren Eltern, obschon das liebe Kind mit jedem Tag ins Zahnen fallen könne und Pankratius und Servatius noch nicht einmal vorüber seien; und der gute Herr Senator müsse auch mit auf die Reise, denn was kümmere das die Frau Senator'n, daß eine große Ladung Ostseeroggen erst eben auf der Reede angekommen sei! »Herr Jovers!« schloß Frau Antje ihre Rede, als der Arbeitsmann sich entfernt hatte, und wies mit dem Daumen nach dem Hofe zu, »glauben Sie es, oder glauben Sie es nicht – die hat's nicht ausgehalten, daß sie uns von drüben nun nicht mehr in unsere Töpfe gucken kann!«

Ein fast grimmiges Zucken fuhr um Herrn Friedrichs Lippen; dann aber sah er die alte Dame nur eine Weile mit etwas starren Augen an. »Also das ist Ihre Meinung, Möllersch?« sagte er trocken, und als sie hierauf beteuernd mit ihrem dicken Kopf genickt hatte, setzte er hinzu: »So wolle Sie die Güte haben, dergleichen Meinung künftig bei sich selber zu behalten!«

Als er das gesprochen hatte, ging er fort, und Frau Antje blieb, die Hände über ihrem starken Busen gefaltet, noch eine ganze Weile stehen, die Augen unbeweglich nach der Richtung, in der ihr Herr verschwunden war. Dann plötzlich trabte sie an den verlassenen Herd zurück und rührte unter heftigen Selbstgesprächen in dem über dem Dreifuß stehenden Topfe, daß die kochende Brühe zu allen Seiten in die lodernden Flammen spritzte.

Es war unverkennbar, daß die Mauer draußen, obgleich sie keineswegs behagliche Gefühle in ihm erweckte, nach ihrer abermaligen Vollendung eine geheimnisvolle Anziehungskraft auf Herrn Friedrich Jovers übte. Freilich hatte er noch immer vermieden, an dem neuen Werk emporzusehen; jetzt aber, nachdem der Abend herangekommen war, ließ es ihm auch hierzu keine Ruhe mehr. Er hatte sich vorgespiegelt, sein junger Küfer, der zur gewohnten Stunde aus dem Geschäft gegangen war, könne das Auffüllen der neuen Fässer unterlassen haben, welche in dem Keller hinter dem Hofe lagen; allein er hatte schon darum vergessen, als er kaum den Hof betreten hatte.

Oben an dem dunklen Frühlingshimmel schwamm die schmale Sichel des Mondes und warf ihr bläuliches Licht auf den oberen Rand der Scheidemauer und das Dach des elterlichen Hauses. Herr Friedrich stand jetzt an derselben Stelle, von wo aus er an jenem Abend ein stummer Zeuge der Familienfeierlichkeit gewesen war; er stand dort ebenso stumm und unbeweglich, aber auf seinem Antlitz lag jetzt ein unverkennbarer Ausdruck der Bestürzung. So sehr er seine Augen anstrengte, es wurde nicht anders: hinter dem neuen Maueraufsatz waren die Fenster des alten Familiensaales bis zum letzten Rand verschwunden.

Es war schon spät am Abend; nichts regte sich, weder hüben noch drüben; nur das Klirren eines Fensterflügels, der im Hauptbau auf der anderen Seite offenstehen mochte, wurde dann und wann im Aufwehen der Nachtluft hörbar. Herr Friedrich wollte eben in sein Haus zurückkehren, da tönte von drüben plötzlich die Stimme des alten Kuba-Papageien: »Komm röwer!« und nach einer Weile noch einmal: »Komm röwer!« Wie ein eindringlicher Ruf, fast schneidend, klang es durch die Stille der Nacht; dann nach kurzer Pause folgte ein gellendes Gelächter. Herr Friedrich kannte es sehr wohl; der verwöhnte Vogel pflegte es auszustoßen, wenn ihm die Nachahmung der eingelernten Worte besonders wohlgelungen war. Aber was sonst als der unbehilfliche Laut eines abgerichteten Tieres gleichgültig an seinem Ohr vorbeigegangen war, das traf den einsamen Mann jetzt wie der neckende Hohn eines schadenfrohen Dämons.

»Komm röwer!« Seine Lippen sprachen unwillkürlich diese Worte nach; über seine selbstgebaute Mauer konnte er nicht hinüberkommen.

Noch lange stand er, das Hirn voll grübelnder Gedanken, ohne daß etwas anderes als das gewöhnliche Geräusch der Nacht zu seinem Ohr gedrungen wäre; fast sehnte er sich, noch einmal den Schrei des Vogels zu vernehmen; als aber alles still blieb, ging er ins Haus und legte sich zum Schlafen nieder.

Allein er hörte eine Stunde nach der anderen schlagen, und da er endlich schlief, war es nur eine halbe Ruhe. Ihm war, als sei er auf dem Wege zum Garten; aus der Pforte kamen seine Eltern ihm entgegen, von denen er gemeint hatte, daß sie beide schon im Grabe lägen; als er auf sie zuging, sah er, daß ihre Augen fest geschlossen waren; er wollte sie eben bitten, ihn doch anzusehen, da war die hohe Mauer vor ihm aufgestiegen, und dahinter scholl das Gelächter des alten Kubavogels, das wie in einem Echo an hundert Mauern hin und wider sprang.

– – Das Geräusch eines dicht unter seinen Fenstern vorüberrollenden Wagens weckte ihn. Es war schon Morgenfrühe; die dicke, goldene Taschenuhr, welche er von seinem Nachttisch langte, zeigte .uf reichlich fünf Uhr. Rasch war er aus dem Bette, zog das Vorhängsel von einem Guckfenster in der vorspringenden Seitenwand zurück und sah auf die Straße hinab. Von Osten her lagen die Häuserschatten noch auf den feuchten Steinen und bis hoch an den gegenüberstehenden Gebäuden hinauf; vor der Treppe des brüderlichen Hauses hielt ein bespannter Reisewagen: Koffer wurden durch den alten Diener hintenauf geladen und Kisten und Schachteln unter den Wagenstühlen festgebunden. Bald darauf sah er seinen Bruder und Frau Christine in Reiserock und Mantel aus dem Hause treten; dann folgte eine gleichfalls reisefertige Magd mit einem anscheinend nur aus Tüchern bestehenden Bündelchen, an welchem die junge Frau Senator'n noch viel zu zupfen und zu stecken hatte, und worin Herr Friedrich nicht ohne Grund seinen ihm noch unbekannten jungen Neffen vermutete.

Endlich war alles auf dem Wagen. Herr Friedebohm, von der obersten Treppenstufe, schien eiligst noch mit Kopf und Händen die Versicherung getreuen Einhütens zu erteilen; dann klatschte der Kutscher, und bald war die Straße leer, und Herr Friedrich hörte nur noch das schwache Rollen des Wagens droben in der Stadt, wo es zum Ostertore hinausführte.

Aber auch ihn duldete es nun nicht länger im Hause; rasch war er angekleidet und ging in den frischen Morgen hinaus. Er war hinten um die Stadt herumgegangen, an der stillen Gasse vorüber, in welcher die Pforte zu dem Familiengarten sich befand; jetzt schritt er langsam, seinen Rohrstock unter dem Arme, drüben auf dem breiten Gange des Kirchhofes und schaute über den alten Hagedornzaun nach dem seit einem halben Jahre von ihm gemiedenen Familiengrundstücke hinüber. Bäume und Sträucher standen schon in lichtem Grün, und dort von den jungen Apfelbäumen, die sein Vater, der alte Herr Senator, noch gepflanzt hatte, lachten ihn die ersten roten Blütensträuße an. Bald auch gewahrte er mit Verwunderung, daß der Garten, wie in jedem Frühjahr, in ordnungsmäßigen Stand gesetzt war, und – täuschte ihn denn sein Ohr? – er hörte ein Geräusch, als ob geharkt und darauf Beete mit dem Spaten angeklopft würden; aber der Pavillon und das hohe Gebüsch zu dessen Seiten verwehrten ihm die Aussicht.

Er blieb stehen und lauschte, während das Geräusch des Arbeitens sich ebenmäßig fortsetzte. Da wallte es in ihm auf; wer konnte sich unterstehen, den in Streit befangenen Garten anzufassen?

»Heda!« rief er. »Was wird da getrieben?«

Das Arbeiten hörte auf, und nach einigen Augenblicken trat der alte Andreas mit einem Spaten auf der Schulter hinter dem Pavillon hervor.

»Er, Andreas?« herrschte ihn Herr Friedrich an. »Was hat Er hier zu schaffen? Hat Ihn mein Bruder etwa hier zur Arbeit herbeordert?«

Der Alte schob seine Pudelmütze von einem Ohr zum anderen. Die Frage mochte ihm unerwartet kommen; hatte er doch noch von dem seligen Herrn her einen Schlüssel zu der Gartenpforte und seit über einem Vierteljahrhundert einzig nach dem Kalender, den er in seinem Kopfe trug, die Beete umgegraben, Erbsen und Bohnen nach seiner eigenen Wissenschaft gelegt und Bäume und Gesträuche angebunden und beschnitten. »Herbeordert?« sagte er endlich. »Nein, Herr; so herbeordert hat mich niemand; aber wenn's nicht alles in die Wildnis gehen sollte, so war es just die höchste Zeit.«

»Was kümmert Ihn das«, rief Herr Friedrich, »ob es hier verwildert?«

Der Alte hatte seinen Spaten in die Erde gestoßen. »Was mich das kümmert?« wiederholte er und sah völlig verdutzt zu dem Sohne seines alten Herrn hinüber.

»Freilich Ihn!« fuhr dieser fort; »denn wer wohl, meint Er, daß Ihm Seine Arbeit hier bezahlen werde?«

»Nun, Herr; es wird schon alles angeschrieben.«

»So schreib' Er's gleich nur in den Schornstein«, rief Herr Friedrich, »und vertu' Er seine Zeit nicht, die Er besser brauchen kann!«

Andreas wischte mit der Hand den Schweiß von seiner Stirne. »Wenn das Ihr Ernst ist, Herr Jovers«, sagte er, »so kann ich freilich nur nach Feierabend hier noch arbeiten; das aber« – und er erhob den Spaten und zeigte damit nach dem Kirchhofe hinüber – »tu' ich meiner alten Herrschaft da zuliebe.«

Herr Friedrich sagte nichts; Andreas aber ging mit seinem Spaten fort, und bald wurde wieder das einförmige Geräusch des Grabens in der Morgenstille hörbar.

Der andere stand noch eine Weile an derselben Stelle, als müsse er die Spatenstiche zählen, die er drüben den alten Arbeiter machen hörte; dann wandte er sich plötzlich und ging weiter in den Kirchhof hinein, bis zu dem Grabe seiner Eltern. Hier saß er lange auf den Steinen, welche die Familiengruft bedeckten, und blickte auf den grünen Koog hinunter und darüber hinaus auf den silbernen Strich des Meeres, wo in der Ferne die Masten des guten, ihm so wohlbekannten Schiffes »Elsabea Fortuna« sichtbar wurden.

Als es in der Stadt vom Turme sieben schlug, stand er wieder an dem alten Gartenzaune. Der vorübergehende Totengräber, dessen Gruß er nicht zu bemerken schien, gewahrte mit Verwunderung, wie Herr Friedrich Jovers mit seinem Stocke recht unbarmherzig gegen einzelne der alten Büsche stieß, während doch, wie von einem frohen Entschluß, ein stilles Lächeln auf seinem Antlitz lag.

Plötzlich aber richtete Herr Friedrich sich auf und schritt aus dem Kirchhofe in die Stadt hinein; er schritt nicht seiner Wohnung zu, sondern die lange Osterstraße hinauf, wo das Haus des Meisters Hinrich Hansen lag.

Und acht Tage später, an einem sonnigen Spätnachmittage, hielt der Chaisewagen des Senators wieder vor dessen Haustür; die Reisenden samt Kind und Kindesmagd waren heimgekehrt. Als der schlafende Erbe glücklich vom Wagen und oben in der Kinderstube untergebracht war, lief die junge Frau, wie zu neuer freudiger Besitznahme, durch alle Räume ihres Hauses, und als sie hier überall gewesen war und, dank der alten schwiegerelterlichen Köchin, alles in musterhafter Ordnung vorgefunden hatte, schritt sie langsam den Gang hinab, der an der Küche vorbei zur Hoftür führte. Ihr Gesicht war plötzlich ernst geworden, und es dauerte eine Weile, bevor sie die Klinke aufdrückte und hinaustrat.

Allein so zögernd sie hinausgegangen war, so rasch kam sie jetzt zurück; sie flog fast an der Küche vorüber nach dem Hausflur; ihre Augen strahlten. »Christian, Christian Albrecht!« rief sie. »Wo steckst du? Komm doch, komm geschwinde!«

Da trat er schon mit heiterem Antlitz aus der Schreibstube auf sie zu.

»Komm!« rief sie nochmals und ergriff ihn bei der Hand. »Ein Wunder, Christian Albrecht, ein wirkliches Wunder! Wie aus dem Döntje von dem Fischer un sine Fru! Ein schwarzer jütscher Topf, ein Haus, ein Palast; immer höher und höher, und dann eines angenehmen Morgens – ›Mante Mantje Timpe Te!‹ –, da sitzen sie wieder in ihrem schwarzen Pott!« Und sie sah mit glückseligen Augen zu ihrem Mann empor.

Auch aus seinen guten Augen leuchtete ein Strahl des Glückes. »Ich habe es schon gesehen«, sagte er; »aber es ist kein Wunder, es ist viel besser als ein Wunder.«

Und als sie dann Arm in Arm auf den Hof hinaustraten, der wieder hell und frei wie früher vor ihnen lag, da sahen sie die hohe Mauer bis auf ihr altes Maß hinabgeschwunden, und hinter der niedrigen Grenzscheide stand Herr Friedrich Jovers und streckte schweigend dem Bruder seine Hand entgegen.

»Friedrich!«

»Christian Albrecht!«

Die Hände lagen ineinander; aber jetzt erhob Herr Friedrich den Kopf, als ob er nach den Fenstern des elterlichen Hauses hinüberlausche.

»Worauf hörst du, Bruder?« frug ihn der Senator.

Einen Augenblick noch blieb der andere in seiner horchenden Stellung, dann ging ein Lächeln über sein ernstes Gesicht. »Ich meinte, Bruder, daß unser alter Papagei mich riefe, aber er hat es neulich abends schon getan.«

Und als er das gesagt hatte, legte er die eine Hand auf den oberen Rand der Mauer, und mit einem Satze schwang er sich hinüber.

»Mein Gott, Friedrich«, rief Frau Christine, indem sie einen raschen Schritt zurücktrat, »ich habe dich noch niemals springen sehen!« Und dabei standen ihre Augen voll von Tränen.

Er faßte seine Schwägerin an beiden Händen. »Christine«, sagte er, »dieser Sprung war nur ein Symbolum; ich werde künftig wieder hübsch auf ebener Erde bleiben.«

Der Senator blickte heiter in den nun wieder frei gewordenen Luftraum. »Lieber Bruder«, begann er mit bedächtigem Lächeln, »die ganze Mauer war ja eigentlich nur ein Symbolum, außer daß sie denn doch leibhaftig dagestanden, und währenddem der alte Friedebohm sich seine Federn nicht mehr schneiden konnte –«

Herr Friedrich unterbrach ihn: »Wenn's gefällig wäre, so nehmet noch einmal eure eben abgelegten Hüte und begleitet mich auf einer kurzen Promenade!«

»Was du willst, Friedrich!« rief Frau Christine. »Alles, was du willst!« Und da Herr Christian Albrecht gleichfalls einverstanden war, so gingen sie miteinander durch das elterliche Haus, und Herr Friedrich führte sie den bekannten Weg hinten um die Stadt, an der grünen Marsch entlang und wieder in die Stadt hinein.

Sie hatten längst bemerkt, daß er sie zu dem in Streit befangenen Garten führe; aber sie fragten nicht, sie gingen schweigend und in freudiger Erwartung neben dem Bruder her.

Am Eingange empfing sie der alte Andreas, die Steigharke in der Hand, ein schelmisches Schmunzeln im Gesicht. Alles zeigte sich in schönster Ordnung; an den jungen Apfelbäumen waren alle Blütensträuße aufgebrochen.

Herr Friedrich beschleunigte seine Schritte, während er den Muschelsteig zum Pavillon hinauf, dann aber an demselben vorbei und nach der Kirchhofseite zuschritt. Als sie hier aus dem Gebüsch hinaustraten, stieß Frau Christine einen leichten Schrei aus, wie er sich in freudiger Überraschung so anmutig von dem Frauenherzen löst; denn an der Stelle des krüppelhaften Zaunes, welcher sonst die Scheide gegen den Kirchhof hin bezeichnet hatte, erhob sich vor ihnen eine stattliche Mauer, wie Herr Christian Albrecht sie sich immer hier gewünscht hatte. »Nun, gewißlich«, rief die hübsche Frau, »da steht es vor uns, auch die Liebe kann –«

Aber Herr Friedrich nahm ihr das Wort vom Munde. »Die Frau Schwester meinen«, sagte er höflich, »Meister Hansens Leute können, wenn auch keine Berge, so doch eine Mauer recht gescheit versetzen; mich selber anbelangend, so habe ich hierbei auf des Herrn Bruders gütigen Konsens gerechnet. Und, Christian Albrecht«, fuhr er in herzlichem Tone fort, indem er sich zu seinem Bruder wandte, »hiemit, so du gleichen Sinnes bist, ist unser Prozeß am Ende; du hast das Urteil unseres Magistrates für dich; meinen Einspruch habe ich zurückgezogen. Tue du nun ein übriges und bestimme als der Älteste, wie es mit dem Garten soll verhalten werden! Wie du die Teilung vornimmst, ich bin es jedenfalls zufrieden.«

Herr Christian Albrecht hatte dieser Rede zugehört wie einer, welcher zugleich einem eigenen Gedanken nachgeht. »Ist das dein Ernst, Friedrich?« sagte er, seinem Bruder voll ins Antlitz sehend; »dein wohlbedachter Ernst?«

»Mein voller, wohlbedachter Ernst«, erwiderte Herr Friedrich ohne Zögern.

»Nun denn«, rief Christian Albrecht freudig, »so teilen wir gar nicht, Bruder Friedrich! ›Jovers Garten‹ hat es hier von Großvaters Zeiten her geheißen, so darf es jetzt nicht Christian Albrechts und Friedrichs Garten heißen!«

Einen Augenblick lang zogen Herrn Friedrichs dunkle Brauen sich zusammen, als ob er über einen Gewaltstreich seines Bruders zürnen müsse; dann aber wurde es plötzlich hell auf seinem Antlitz, wie Christian Albrecht in so raschem Wechsel es nur bei ihrem Vater einst gesehen hatte. Lebhaft ergriff er seines Bruders Hand: »Topp, Christian Albrecht! Aber wie war's nur möglich, daß dies damals keinem von uns beiden eingefallen ist?«

Herr Christian Albrecht lächelte. »Ich glaube, Friedrich, wir haben damals beide etwas laut geredet; da konnten wir die eigene Herzensmeinung nicht vernehmen.«

Frau Christine, die in stiller Freude dem Gespräch der Brüder zugehört hatte, hob jetzt ihre Uhr empor, die sie, noch von der Reise her, an einem schweren Gürtelhaken bei sich führte. »Vesperzeit, wenn's beliebet!« rief sie. »Und Friedrich, du speisest doch heut abend bei uns? Die alte Margret wird schon löblich vorgesehen haben! Freilich – deine *perdrix aux truffes,* die hast du ein für allemal verlaufen.«

Es war Ende Juli. Frau Antje Möllern saß bei Frau Nachbar'n Jipsen auf der Beischlagsbank und erzählte dieser noch einmal, wie schon mehreremal zuvor, daß es nun nichts nütze, da drüben noch länger hauszuhalten; denn die da – und sie nickte nicht eben sanft nach dem alten Kaufherrnhaus hinüber – haben nun auch Herrn Friedrich Jovers ganz in ihren Schlingen; sie, Antje Möllern, habe dies dem letzteren auch rundheraus gesagt und dann zugleich auf Michael gekündigt;

und Frau Nachbar'n Jipsen erwiderte darauf, heute gleichfalls nicht zum erstenmal, daß sie das alles längst vorausgesehen habe.

Unten im Ratsweinkeller saß an diesem warmen Nachmittage der goldene Advokat und demonstrierte dem Herrn Stadtsekretär, der aus den oberen Rathausräumen zu einem kühlen Trunk herabgestiegen war, wie er die scharfsinnigen Deduktionen seiner Klage- und Replikrezesse, welche – ganz *sub rosa* – denn doch über den Horizont des ehrenwerten Magistrats hinausgingen, nun leider ganz umsonst geschrieben habe; und der stets höfliche Stadtsekretär tupfte dem Goldenen recht freundlich auf die Schulter und sagte lächelnd: »Umsonst, Herr Siebert Sönksen? Doch wohl nicht ganz umsonst! Da müßten wir die Herren Jovers sonst nicht kennen!« – Und der Goldene lächelte gleichfalls und griff behaglich nach seinem Spitzglas Roten.

Draußen in den Gärten aber war es in der Stachelbeerenzeit, und in »Jovers Garten« war heute überdies ein großer Familienkaffee. Der Herr Onkel Bürgermeister und der Herr Vetter Kirchenpropst mit ihren Frauen waren da, und der alte Friedebohm und der alte Andreas waren da, jeder an dem Platze, der ihnen zukam, und der alte Papagei saß auf seiner hohen Stange vor dem Pavillon, und auch Musche Peters in seinem neuesten Anzug mit einer kleinen Zopfperücke fehlte nicht. Selbst den kleinen Erbprinzen hätte man in seinem Kinderwagen an einem stillen Schattenplätzchen finden können, freilich bis jetzt nur schlummernd unter der Hut der treuen Kindermagd. Im Inneren des Pavillons aber, vor den weitgeöffneten Flügeltüren, waltete Frau Christine des blinkenden Kaffeetisches, während drunten vor der Staketpforte sich zusammendrängte, was die kleine Gasse an neugierigen Weibern und lustiger Jugend aufzubieten hatte. Die Weiber erzählten sich von der guten seligen Frau Senator'n und nickten dabei nach der inneren Wand des Pavillons hinüber, wo die unermüdliche Dame Flora nach wie vor mit ihrer Rosengirlande tanzte; die Buben dagegen, die sich allmählich den ersten Platz vor der Pforte erobert hatten, wiesen mit ausgestreckten Armen nach den großen roten Stachelbeeren, die auf den Rabatten in schwerer Fülle an den Büschen hingen. Mitunter hörte man sie den Namen des jungen Herrn Senators nennen; sie schienen auf ihn zu warten, dessen milde Hand ja auch nach dem Hintritt der guten alten Frau Senator'n noch vorhanden war. »Da kommt he!

Kiek mal, da kommt he!« riefen ein paar von ihnen, deren gierige Augen eben einen Schimmer seines pfirsichfarbenen Rockes erspäht hatten; aber sie wurden plötzlich stille, als sie ihn an der Seite des gefürchteten Herrn Friedrich Jovers aus einem belaubten Seitengange treten sahen. Die beiden Brüder gingen schweigend nebeneinander; aber auf ihrem Antlitze lag noch der friedliche Ausdruck des traulichen Gespräches, welches sie vorhin die einsameren Seitengänge hatte aufsuchen lassen. Auch jetzt noch wandten sie sich nicht wieder zur Gesellschaft, sondern schritten in stummem Einverständnis den breiten Muschelsteig hinab.

Ihnen im Rücken hatte inzwischen Musche Peters sich der Papageienstange genähert und suchte in Ermangelung gleichberechtigter Unterhaltung mit dem gefiederten Gaste in bescheidenem Flüstertone anzuknüpfen; sogar ein Stückchen Zucker wagte er dem Papchen hinzuhalten. Aber der grüne Unhold schien für diese Aufmerksamkeiten keinen Sinn zu haben; statt nach dem Zucker hackte er nach Musche Peters' Finger und schrie dann gellend, als wolle er's nun ein für allemal gesagt haben: »Komm röwer!«

Als der Schrei des Vogels das Ohr der beiden Brüder erreichte, flog über Herrn Friedrichs Angesicht ein Schatten, wie aus jener Nacht, von der er seinem Bruder heut zum erstenmal gesprochen hatte. Der Senator aber faßte seine Hand und sagte leise: »Mein Friedrich, das hat jetzt keine Bedeutung mehr; du bist nun ein für allemal herüber.«

Als Herr Friedrich hierauf den Kopf erhob, um seinen Bruder anzublicken, blieben seine Augen auf dem Bubenhaufen vor der Pforte haften, und die finstere Miene wurde von einem fast schelmischen Lächeln fortgedrängt. »Keine Bedeutung mehr?« sagte er, die Worte des Bruders wiederholend. »Meinst du, ich verstünde ganz allein die Papageiensprache?« und ohne eine Antwort abzuwarten, rief er mit lauter, kräftiger Stimme: »Holla, Jungens, wat seggt de Papagoy?«

Da kam zuerst eine noch etwas zaghafte Stimme, dann aber eine nach der anderen, und immer lauter und lauter: »›Komm röwer! Komm röwer!‹ seggt de Papagoy.«

Und lustig winkend erhob Herr Friedrich den Arm: »Nun denn, alle Mann hoch: ›Komm röwer!‹«, und ebenso lustig wies seine Hand nach den brechend vollbeladenen Stachelbeerbüschen.

Zuerst sahen die Jungen nur einander an und flüsterten angelegentlich mitsammen; sie konnten sich's nicht denken, daß der böse Herr Friedrich Jovers mit einem Male so erstaunlich gut geworden sei. Als aber jetzt die beiden Herren Jovers in ein unverkennbar herzliches Lachen ausbrachen, da war kein Halten mehr, einer wollte noch eher als der andere, und bald sprang und fiel und purzelte der ganze Schwarm über die Pforte in den Garten hinab, und unter jeder Stachelbeerstaude saß mit lachendem Angesicht ein unermüdlich schmausender Junge.

»Christian Albrecht«, sagte Herr Friedrich, den Arm um seines Bruders Schulter legend, »wenn erst deine Jungen hier so in den Büschen liegen!«

Da erscholl hinter ihnen vom oberen Teil des Gartensteiges ein helles fröhliches »Bravissimo!«, und als sie sich hierauf umwandten, da stand in der offenen Tür des Pavillons inmitten aller Gäste die junge anmutige Frau Senatorin; mit emporgehobenen Armen hielt sie den Brüdern ihr eben erwachtes Kind entgegen, das mit großen Augen in die bunte Welt hinaussah.

Der Herr Etatsrat

Wir hatten über Personen und Zustände gesprochen, wie sie zur Zeit meiner Jugend in unserer Vaterstadt gewesen waren, und zuletzt auch einer eigentümlichen und derzeit nicht eben in bester Weise vielbesprochenen Persönlichkeit Erwähnung getan.

»Sie müssen die Bestie ja noch in Person gekannt haben?« wandte sich ein etwas derber junger Freund zu mir. »Ich habe nur so von fern darüber reden hören.«

»Wenn Sie«, erwiderte ich, »mit diesem Worte den ›Herrn Etatsrat‹ bezeichnen wollen, so habe ich ihn in gewisser Beziehung allerdings gekannt; ihn und auch die Seinen. Übrigens gehörte er ohne Zweifel zu der Gattung *homo sapiens;* denn er hatte unbewegliche Ohren und ging, wenn er nicht betrunken war, trotz seiner kurzen Beine aufrecht. Freilich soll eine Nachtwächterfrau, da sie einst im Schummerabend ihm begegnete, mit Zetergeschrei davongelaufen sein, weil sie ihn für einen Tanzbären hielt, den sie tags vorher auf dem Jahrmarkte gesehen hatte. Und in der Tat, der dicke braunrote Kopf mit dem kurzgeschorenen Schwarzhaar, welcher unmittelbar aus dem fleischigen Brustkasten herausgewachsen schien, mochte alten Frauen immerhin einen gerechten Schrecken einjagen.

Bei uns Jungen war die Wirkung freilich eine andere. Mir ist noch wohl erinnerlich, wie einst an einem Sonntagvormittage ein armer Bube unter dem Versprechen eines Sechslings bei der etatsrätlichen Gartenplanke von uns angestellt wurde, um uns zu rufen, sobald der mächtige Herr den einzigen Ort betreten hätte, worin er derzeit außer seinem Hause noch in Person zu sehen war.

Und bald, auf einen vorsichtig erteilten Wink des Jungen, lagen auch wir mit plattgedrückten Nasen an der Planke. ›Dat is em! Dat is em!‹ ging es flüsternd von dem einen zum anderen, als endlich die groteske Gestalt, aus einer riesigen Meerschaumpfeife rauchend, unter dröhnendem Räuspern auf dem Gartensteige dahergewatschelt kam und sich dann in einer offenen Laube in einen kräftig gezimmerten Lehnsessel sinken ließ. Nachdem er den verlorenen Atem wiedergewonnen hatte, blickte er mit einer herablassenden Miene um sich und räusperte sich dann noch einmal, daß es weit über die Nachbargärten hinscholl. Diesmal aber war es unverkennbar ein demonstratives Räuspern: ›Ihr kleinen Leute, wisset es alle, der Herr Etatsrat wird jetzt seine Gartenruhe halten!‹ Dann suchte er seinen dicken Kopf zwischen den Schultern aufzurichten und rief ein paarmal hintereinander: ›Käfer – Käfer!‹

Es war kein Insekt, das auf diesen Ruf erschien, sondern ein etwa achtzehnjähriger Bursche, der als Schreiber und Bedienter in einer Person bei ihm beschäftigt wurde. Vom Hause her brachte er erst einen kleinen Tisch, dann einen Schemel, einen Tabakskasten, eine Zeitung und zuletzt auf einem Präsentierbrett ein großes Kelchglas, aus dem ein starker Dampf emporstieg. Der Bursche mit seinem zarten, blassen Gesicht und den weichgelockten braunen Haaren sah keineswegs so übel aus; aber die Art, womit er alle diese Dinge schob und rückte und dem Herrn Etatsrat handgerecht zu machen wußte, war von einer so glatten Beflissenheit und doch wiederum so unverkennbar von verstohlenem Trotz begleitet, daß ich schon damals einen mir sehr bewußten Widerwillen gegen diesen Käfer faßte. Mir sind im späteren Leben ähnliche Gesichter begegnet, welche, ohne daß etwas Besonderes von ihnen ausgegangen wäre, meine flache Hand ins Zucken brachten und mir dadurch über meine derzeitigen Gefühle und Wünsche in betreff jenes schmucken Gesellen zur völligen Klarheit halfen.

Wie lange übrigens damals der Herr Etatsrat in seinem Gartensessel ruhte und wie oft der dampfende Kelch geleert wurde, vermag ich nicht zu sagen; jedenfalls hörten wir noch mehrere Male das ›Käfer – Käfer!‹ und sahen den geschmeidigen Burschen mit neuer Füllung aus dem Hause kommen.«

Ob der Herr Etatsrat, welcher eine höhere Stelle in dem Wasserbauwesen unseres Landes bekleidete, wirklich mit soviel Verstand und Kenntnissen ausgestattet war, wie man dies von ihm behauptete, oder ob diese Behauptung nur aus einem unwillkürlichen Drange hervorgegangen war, sei es, die breiten Schatten dieser Persönlichkeit durch eine Zutat von Licht zu mildern oder aber dieselben noch etwas kräftiger herauszuarbeiten, darüber vermag ich nicht zu urteilen. Wenigstens scheint es, daß es ihm an jenem Dritten, wodurch alle anderen geistigen Eigenschaften erst für die tatsächliche Anwendung flüssig werden, ich meine, daß es an Phantasie ihm nicht gebrochen habe; nur pflegte sie, zum mindesten außerhalb seines Faches, sich nicht eben mit Dingen zu beschäftigen, welche anderer Menschen Herz erfreuen.

So befand sich in seinem, übrigens mit kärglichstem Geräte ausgestatteten Gartensaale ein sehr hoher Schrank in Gestalt eines Altars, welchen er genau nach eigenen Zeichnungen hatte anfertigen lassen. Am Fußende des schwarzen Kreuzes, welches durch die Türleisten gebildet wurde, lagen die Symbole des Todes: Schädel und Beinknochen, in abscheulicher Natürlichkeit aus Buchs geschnitten; darunter, so daß sie bequem von einem davorstehenden Stuhle aus gehandhabt werden konnte, sah man eine Glasharmonika, zu deren rechter Seite eine Punschbowle von getriebenem Silber stand.

Wenn die Nachbarn abends von ihren Höfen oder Gärten aus die Töne der Harmonika vernahmen, und das geschah im Hochsommer mehrmals in der Woche, dann wußten sie schon, daß bis nach Mitternacht auf keinen Schlaf zu rechnen sei; denn der Herr Etatsrat saß an seinem Altare und spielte auf seinem Lieblingsinstrument; aber er spielte nicht nur, er sang auch dazu. Nicht etwa, wie man hätte glauben mögen, Lieder des Todes und der Auferstehung; wer hinten an der Gartenplanke lauschen wollte, konnte Melodie und Worte des »Landesvaters«, des »Fürst von Thoren« und anderer alter Studentenlieder deutlich genug erkennen.

Drinnen im Saale, wenn vom Garten aus kein Licht mehr durch die Fenster drang, brannte dann zu jeder Seite des Altars eine Kerze auf hohem Silberleuchter; die mächtige Schale war mit dampfendem Trank gefüllt, und je nach Beendigung eines Liedes, mitunter auch einer Strophe, faßte der Herr Etatsrat sie bei den silbernen Ohren und ließ einen breiten Strom über seine dehnbaren Lippen fließen. Bisweilen, wenn von irgendeinem Zuge bewegt die Kerzen flackerten und die Schatten in den Augenhöhlen des Totenkopfes spielten, unterbrach er auch wohl seinen Gesang und stierte eine Weile darauf hin. Aber der Anblick des Todes schien für ihn nur das Gewürz zu den Freuden des Lebens; kameradschaftlich, aber doch als müsse er den armen Burschen zur Ruhe verweisen, klopfte er mit dem Harmonikahammer auf die Stirn des Schädels und intonierte dann nur um so dröhnender:

»Freude, Göttin edler Herzen«, oder wozu sonst der Geist ihn treiben mochte.

Ich habe übrigens, wie ich bemerken muß, diese Dinge nicht aus eigener Wahrnehmung, sondern von dem nächsten Grundnachbarn des Herrn Etatsrats, einem alten schnurrenliebenden Rotgießermeister, der im Abenddunkel mitunter durch den Grenzzaun schlüpfte und dann an einem der unverhangenen Saalfenster in stillvergnügter Einsamkeit diesen musikalischen Festen beiwohnte; oft bis nach Mitternacht, um, wie er sagte, das Ende nicht zu versäumen, was bei einer richtigen Komödie ja doch das Beste sein müsse.

Und in der Tat, dieses Ende ließ bisweilen nichts zu wünschen übrig. Wenn die Bowle auf die Neige ging, begann der heiße Trank den Herrn Etatsrat allgemach zu drangsalieren; der Lauscher draußen sah es deutlich, wie unter dem schwarzen Borstenhaar der dicke Kopf gleich einer Feuerkugel glühte.

Dann riß der Herr Etatsrat an seinem Halstuch, daß ihm die Augen aus den Höhlen quollen und der teilnehmende Rotgießermeister erst wieder aufatmete, wenn endlich das Tuch mit zorniger Gebärde fortgeschleudert wurde. Diesem folgte alsbald unter mühseliger und gefahrvoller Häutung noch das eine oder andere Gewandstück, bis er zuletzt in greuelvoller Unbekleidung dasaß.

Aber nicht jedesmal gelang ihm dies in gleicher Weise; mitunter – und das war eben das Hauptstück für den vergnüglichen Zuschauer – erscholl um solche Zeit aus dem Saale ein dumpfer Fall, und abgerissene, elementare Laute, einem Windstoß in der Esse nicht unähnlich, drangen in die Nacht hinaus. Wenn dann nach einer Weile die Hausgenossenschaft zusammenstürzte, rannten die Mägde wohl mit Geschrei im selben Augenblicke wieder fort; denn auf dem Fußboden neben seinem Altar lag der Herr Etatsrat gleich einem ungeheuren Roßkäfer auf dem Rücken und arbeitete mit seinen kurzen Beinen ganz vergebens in der Luft umher, bis Herr Käfer, das allmählich immer unentbehrlicher gewordene Faktotum, und der einzige Sohn des Hauses den Verunglückten mit geübter Kunst wieder aufgerichtet hatten und in seinem Kabinett zur Ruhe brachten.

Dieser Sohn war von guter und heiterer Gemütsart und hatte vom Vater nichts als das ungewöhnlich große, bei ihm jedoch mit spärli-

chem, erbsenblondem Haar bewachsene Haupt, welches er mit seinem
Halstuch zwischen zwei spitzen Vatermördern derart einzuschnüren
pflegte, daß die runden Augen stets mit etwas gewaltsamer Freundlichkeit daraus hervorsahen; darunter aber saß ein ebenso zierliches als
winziges Körperchen mit lächerlich kleinen Händen und Füßen, welche letzteren ihn übrigens befähigt hatten, sich zum geschickten und
nicht unbeliebten Tänzer auszubilden.

Der Vater hatte ihn auf den Namen Archimedes taufen lassen, ohne jedoch später die Mittel zu gewähren, welche dem Sohn eine Nachfolge seines klassischen Taufpaten hätten ermöglichen können. Zwar
kümmerte er sich nicht darum, daß Archimedes auf der städtischen Gelehrtenschule, wo er in der Tat für die Mathematik eine glückliche Be-
gabung zeigte, aus einer Klasse in die andere rückte, und auch die stets
erst nach mehrfachen Anmahnungen des Pedellen und unter allerlei
Zornausbrüchen erfolgende Auskehrung des Quartalschulgeldes veranlaßte hierin keine Unterbrechung; statt aber dann den absolvierten
Primaner auf die Universität zu schicken, gebrauchte ihn der Vater zu
untergeordneten Arbeiten seines Amtes oder kümmerte sich auch gar
nicht weiter um den Sohn.

Wenn der kleine Archimedes sich einmal zu der schüchternen Bitte
aufschwang, ihn nun doch endlich zu der *Alma mater* zu entlassen,
dann blickte der Herr Etatsrat ihn nur eine Weile strafend mit seinen
stieren Augen an und sagte leise, aber nachdrücklich: »Zeige einmal
her, Archimedes, wie steht es mit der Schleusenrechnung?« oder: »Wie
weit bist du denn eigentlich mit der Karte vom Westerkoog gediehen?«
Dann holte Archimedes voll stillen Zorns die halb oder ganz vollendete Arbeit, war aber zugleich für lange Zeit mit seinen Bitten aus dem
Felde geschlagen.

So blieb er denn zurück, während seine Schulgenossen erst lustige
Studenten wurden, dann einer nach dem anderen sein Examen machte und auch wohl schon in die praktischen Geschäfte seines erwählten
Berufes eintrat. Dabei machte es sich von selbst, daß Archimedes mit
der Prima unserer Gelehrtenschule in einem gewissen Verkehr blieb,
auch nachdem der Letzte fort war, der noch zugleich mit ihm unserem
armen Kollaborator das Leben sauer gemacht hatte. Dies geschah
schon dadurch, daß er zur Aufbesserung seines spärlichen Taschen-

geldes, das ihm der Vater für seine Kontorarbeiten zufließen ließ, an faule oder schwach beanlagte Schüler einen nicht üblen Unterricht in der Mathematik erteilte. Ich, der ich jene beiden Arten in mir vereinigte, genoß diesen schon als Sekundaner, konnte jedoch hergebrachtermaßen seines freundschaftlichen Umganges erst als Primaner teilhaftig werden. Noch lebhaft entsinne ich mich, daß in meiner letzten Sekundanerzeit mir die Aussicht auf dieses Aufrücken kein geringerer Ehrenpunkt war als der Übergang in die höhere Klasse selbst; denn Archimedes imponierte uns durch eine gewisse Fertigkeit seiner geselligen Manieren, wie er denn überhaupt, soweit es sich nicht um seinen Vater handelte, unbefangen genug in seinen zierlichen Stiefeln auftrat. Er hatte, vielleicht als Erbteil aus seiner mütterlichen Familie, etwas von dem Wesen der Offiziere aus meiner Knabenzeit, bei denen ich nie darüber ins klare kam, ob die eigentümlich stramme Haltung ihres Kopfes mehr eine Folge der steifen Halsbinden oder ihres ritterlichen Standesbewußtseins war.

»Trefflich, trefflich!« pflegte Archimedes auszurufen, wenn ich später, in meiner Primanerzeit, den Vorschlag zu einem ihm wohlgefälligen Unternehmen tat, sei es zu einem *Thé dansant* oder zu einer Schlittenpartie, wo es galt, bei jungen und jüngsten Damen den Kavalier zu machen. »Trefflich, trefflich, lieber Freund; wir werden das in Überlegung ziehen!« Und während um seinen Mund das verbindlichste Lächeln spielte, sahen mich unter den kriegerisch aufgezogenen Brauen die richtigen Offiziersaugen an, wie sie als Kind bei unserem Vetter Major bewundert hatte, wenn er in der roten Galauniform meiner Mutter seine Neujahrsvisite machte.

Indessen fanden dergleichen Vorschläge meist nur ihre Ausführung, wenn in den Ferien unsere Studenten wieder eingerückt waren, von denen übrigens die sportslustigen vor allen zu seinen Freunden zählten. Dann war seine Festzeit, in der er förmlich aufblühte; noch sehe ich ihn mit leuchtenden Augen zwischen ihnen sitzen, während sie prahlend ihre glücklichen Torheiten vor ihm auskramten. »Brillant – brillant!« rief er, wenn die Geschichte ihren mit Spannung erwarteten Höhepunkt erstiegen hatte, streckte den eingeschnürten Kopf gegen den Erzähler und stemmte beide Hände an die Hüften. Was Wunder, daß die anderen erzählten, solange auch nur ein Tüttelchen noch übrig war!

So kam es, daß er in der alten Universitätsstadt, welche er andauernd in der Phantasie bewohnte, allmählich besser Bescheid wußte als die, welche zwar in Wirklichkeit, aber nur vorübergehend dort zu Hause waren. Hatte er jedoch den Ankömmlingen ihre Studenten- und Professorengeschichten glücklich abgewonnen, so ruhte er nicht, bis mit oder im Notfall auch ohne Damenwelt die eine oder andere Lustbarkeit zustande kam. Da sein Stundengeld ihn niemals ohne eine kleine Kasse ließ, so wurde es bei solchem Anlaß fast zur Regel, daß Archimedes, nachdem die anderen die Erschöpfung ihrer Kasse eingestanden hatten, seine wohlbekannte grünseidene Börse hervorzog und mit einem wahrhaft kindlichen Triumphe den für diese Festzeit gesparten Inhalt auf der Tischplatte tanzen ließ, dann aber bereitwillig auf den nächsten Wechsel seiner Freunde Vorschuß leistete.

Freilich zu dem stets ersehnten Besuche der Universität reichte diese bescheidene Kasse nicht; und der Tag, welcher am Ende der Ferien die Studenten unserer Vaterstadt wiederum entführte, war für Archimedes, was für den lustigen Katholiken der Aschermittwoch ist. Er pflegte ihn auch selber so zu nennen, und wenn ich am Nachmittag darauf sein Zimmer betrat, so traf ich ihn mit den Händen in der Tasche eifrig auf und ab gehend, als ob er einen Gesundheitsbrunnen abzuwandeln habe; erst nach einer Weile blieb er vor mir stehen und fuhr ohne weiteren Gruß mit der Hand über seine Stirn. »Asche, Asche, lieber Freund!« sagte er dann seufzend, und sein Finger machte das Zeichen des Kreuzes.

Sprach ich hierauf: »Wollen wir nicht lieber unsere Mathematik vornehmen?« so war er auch hierzu bereit, legte Buch und Tafel auf den Tisch, und wir nahmen unsere Stunde. War dieselbe in aller Pünktlichkeit gehalten worden, dann – es war sicher darauf zu rechnen, stellte Archimedes zwei kleine geschliffene Gläser auf den Tisch und füllte sie mit einem feinen Kopenhagener Kümmel, den er sich, ich weiß nicht woher, mitunter zu verschaffen wußte. »Trink einmal«, sagte er während des Einschenkens; »das vertreibt die Grillen!« Und gleichzeitig leerte er auf einen Zug sein Glas.

»Ich habe keine Grillen, Archimedes«, pflegte ich zu erwidern; »und wer kann so früh am Tag schon trinken!«

»Freilich, freilich!« stieß er hervor. »Aber« – und er begann wieder mit den Händen in der Tasche auf und ab zu schreiten, wobei seine Augen wie ins Leere um sich blickten.

Eine Weile sah ich dem zu; dann hieß es: »Prosit, Archimedes!« und von seiner Seite wie im Echo: »Prosit!« und darauf, wie aus Träumen auffahrend, während ich zur Tür hinausging, noch einmal: »Prosit, prosit, lieber Freund!«

Diese Szene hat sich in fast wörtlicher Wiederholung mehr als einmal zwischen uns abgespielt.

Ich hätte wohl schon erwähnen sollen, daß Archimedes eine Schwester hatte; sie war zugleich sein einziges Geschwister, jedoch um viele Jahre jünger als der Bruder. Gesehen hatte ich sie bis zu meiner Sekundanerzeit nur im Vorübergehen, dagegen oftmals von ihr reden hören; denn sie war eines der Hauptkapitel einer unverheirateten Hausfreundin, die wir, nicht etwa weil sie alles konnte, aber weil sie alles wußte, »Tante Allmacht« nannten.

Daß die Mutter des Kindes bald nach dessen Geburt ihr freudloses Leben hingegeben hatte, war freilich bekannt genug; Tante Allmacht aber, deren Magd vordem in dem etatsrätlichen Hause gedient hatte, wußte noch hinzuzufügen, daß ihr durch den unvermuteten Eintritt ihres Herrn Gemahls in die Wochenstube gleich jener Nachtwächterfrau ein Schrecken widerfahren sei, dem sie in ihrem Zustande und bei ihrer zarteren Organisation notwendig habe erliegen müssen. Da kein weibliches Wesen wieder in das Haus kam, welches die Stelle der Mutter hätte vertreten können, so mußte, nachdem die unumgängliche Säugamme entlassen war, die kleine Waise zwischen Köchin und Hausmagd aufwachsen, »die, Gott tröst' es«, sagte Tante Allmacht, »dort alle Halbjahr neue Gesichter haben! – Meine Stine«, setzte sie hinzu, »die gute Kreatur, hat freilich ein rundes Jahr in dem unseligen Hause ausgehalten, bloß um des lieben Kindes willen, das sich sogar sein bißchen Mittag in der Küche betteln mußte. Wenn's Abend wurde, dann hat es freilich wohl der gutmütige junge Mensch, der Archimedes, mit auf seine Stube genommen; da saß es dann auf einem Schemelchen und verschmauste sein Butterbrot, und Stine hatte ihm auch mitunter noch ein Ei dazu gekocht. Sie war nicht bang, meine Stine, vor diesem Herrn Etatsrat; sie hat ihn manches Mal vor seiner alten

Harmonika wieder auf die Beine gestellt, als der Musche Käfer das noch lange nicht gewagt hat; und bei solchem Anlaß hat sie's denn auch einmal durchgesetzt, daß das arme Kind aus der Klippschule zum mindesten in die ordentliche Mädchenschule gekommen ist; denn sie hat ihm keine Handreichung tun wollen, bevor der musikalische Oger ihr nicht solches mit teuren Eiden zugeschworen hatte. Wohin die kleine Phia, ob sie nach rechts oder links ihren Schulweg nahm, darum hat das Ungeheuer sich nicht gekümmert; nur wenn zu Ende des Quartals das jetzt um etwas höhere Schulgeld gezahlt werden mußte, hat es einen argen Sturm gesetzt; denn der Herr Etatsrat hat es der treuen Magd in ihrem Lohne kürzen wollen; aber – sie wußte ihn zu bestehen, und um sein Getobe, darum quälte sie sich soviel, als wenn der Wind um unsere Ecke weht.«

So hatte Tante Allmacht wieder einmal geredet, als ich tags darauf meinen ersten Mathematikunterricht bei Archimedes hatte. Er war eben beschäftigt, mir die außerordentliche Einfachheit des pythagoreischen Lehrsatzes auseinanderzusetzen, als sich die Stubentür öffnete und ich zugleich eine junge lebhafte Stimme rufen hörte: »Archi, hilf mir, ich kann das dumme Exempel nicht …«

Ein feingebautes, etwa zwölfjähriges Mädchen mit zwei langen, schwarzen Haarzöpfen stand im Zimmer; sie war, da sie einen Fremden bei ihrem Bruder sah, plötzlich verstummt und hielt diesem nur mit einer halb bittenden, halb verschämten Gebärde ihre große Rechentafel hin.

»Wollen Sie nicht erst Ihrer Schwester helfen?« sagte ich zu Archimedes, von dem mir derzeit das vertrauliche »Du« noch nicht zuteil geworden war.

Er entschuldigte sich höflich, daß er seine Schwester von dieser neuen Stunde noch nicht in Kenntnis gesetzt habe; dann winkte er sie zu sich. »Nun aber rasch, mein lieber kleiner Dummbart!« sagte er und legte den einen Arm um das jetzt an seiner Seite stehende Mädchen, während sie ihr schwarzhaariges Köpfchen an das seine lehnte, als habe sie nun ihren ganzen kleinen Notstand auf den Bruder abgeladen.

Archimedes hatte ihre Tafel vor sich auf den Tisch gelegt. »Du mußt aber auch hübsch selbst mit zusehen, Phia!« sagte er, indem er bereits den Griffel in Bewegung setzte.

»Ja, Archi!« Und sie sah für ein Weilchen gehorsam auf ihre Rechnerei herab, in welcher der Bruder unter stummem Kopfschütteln und manchem nicht zu unterdrückenden »Außerordentlich!« eine ziemliche Verwüstung anzurichten begann.

Ich hatte indessen Muße, mir diese in ihrem Äußeren so ungleichen Geschwister zu betrachten. Das Mädchen erinnerte in keinem Zuge weder an den Bruder noch an den Vater; ihr schmales Antlitz war blaß – auffallend blaß; dies trat noch mehr hervor, wenn sie, noch zärtlicher sich an ihren Bruder drängend, unter tiefem Atemholen ihre dunkeln Augen von der Tafel aufschlug, bis eine neue, leise gesprochene Ermahnung sie hastig wieder abwärtsblicken ließ. – »Das Kind einer toten Mutter«, so hatte ich von einer alten feinen Dame ihr Äußeres einmal bezeichnen hören; meine Phantasie ging jetzt noch weiter: ich hatte vor kurzem in einem englischen Buche von den Willis gelesen, welche im Mondesdämmer über Gräbern schweben; seit dieser Stunde dachte ich mir jene jungfräulichen Geister nur unter der Gestalt der blassen Phia Sternow; aber auch umgekehrt blieb an dem Mädchen selber etwas von jenem bleichen Märchenschimmer haften.

»Nein, kleine Phia«, hörte ich jetzt Archimedes sagen, »du wirst dein Leben lang kein Rechenmeister!«

Ich sah noch, wie sie fast heimlich die Arme um den Hals des Bruders schlang; dann war sie, ich weiß nicht wie, verschwunden, und Archimedes hatte seine Augen zärtlich auf die geschlossene Stubentür gerichtet. »Sie kann nicht rechnen«, sagte er. »Außerordentlich; aber sie kann gar nicht rechnen!«

Eine Art phantastischen Mitleids mit diesem Kinde hatte sich meiner bemächtigt. Ich begann wieder, wenn ich dort vorbeiging, durch die Plankenritzen in den etatsrätlichen Garten hineinzuspähen, hinter welchem sich ein wenig benutzter Fußweg mit dem Kirchhofswege kreuzte. Und oftmals nach der Nachmittagsschulzeit, wenn die Gartenruhe des Herrn Etatsrats längst vorüber war, habe ich sie dort beobachtet; meistens in dem vom Hause abgelegeneren Teile, wo die an der Planke hingereihten Linden und eine Menge alter Obstbäume die darunterliegenden Rasenpartien fast ganz beschatteten. Hier sah ich sie, in der niedrigen Astgabel eines Baumes sitzend, an einem Kranz aus Immergrün und Primeln winden; ich sah sie dann, da ich nach längerer Zeit denselben Weg zurückkam, das dunkle Köpfchen mit dem fertigen Kranze geschmückt, auf den schon dämmerigen Gartensteigen hin und wider wandeln, die Hände ineinandergefaltet, wie in heimlicher Glückseligkeit. Als es Herbst geworden war, sammelte sie wohl auch einen Apfel aus dem tiefen Grase und biß frisch hinein mit ihren weißen Zähnchen; aber immer sah ich sie allein; niemals war eine Gespielin bei ihr, welche mit ihr in die saftigen Äpfel hätte beißen oder sie in ihrem Primelkranze hätte bewundern können. Den letzteren hatte ich einige Tage nach seiner Anfertigung auf einem vernachlässigten Grabe des nahen Kirchhofs liegen sehen; es mochte ihr leid geworden sein, sich so für sich allein damit zu schmücken.

Aber auch in der Schule schien die Tochter des Etatsrats keine Genossin zu haben, wenigstens hatte ich mehrfach beobachtet, wie sie auf dem Heimwege mit ihrer schweren Büchertasche allein hinter dem plaudernden Schwarm einherging, der Arm in Arm die ganze Straßenbreite einnahm.

»Warum«, sagte ich zu meiner Schwester, »laßt ihr Sophie Sternow so allein gehen?«

Sie sah mich mit ihren lebhaften Augen an. »Bist du plötzlich Sophie Sternows Ritter geworden?«

Beschämt, meine zarten Empfindungen verraten zu haben, erwiderte ich nachlässig: »Ich meinte nur, sie tut mir leid; ist sie denn nicht nett?«

»Nett? Ich weiß nicht; ich glaube wohl, daß sie ganz nett ist.«

»Du sagst das ja, als wenn du Almosen austeiltest!«

»Nein, nein; ich kann sie ganz gut leiden, aber sie will nur immer meine Freundin werden!«

»Und warum willst du das denn nicht?«

»Warum? Ich habe ja schon eine; man kann doch nicht zwei Freundinnen haben!«

»So könntest du sie doch einmal zu dir einladen«, sagte ich nach einigem Bedenken.

»Die Blasse scheint dir ja sehr am Herzen zu liegen!« erwiderte meine Schwester mit einem unausstehlichen Anstarren.

»Ach, Unsinn! Sie dauert mich; ihr Mädchen seid hartherzige Kreaturen.«

Nach diesem geschwisterlichen Zwiegespräche kam Archimedes' Schwester einige Male in unser Haus. Mit Genugtuung beobachtete ich, wie meine Mutter das schmächtige Mädchen zärtlich zu sich heranzog; es war unverkennbar, daß diese sich dann Gewalt antat, um nicht die ungewohnte Liebkosung mit allem Ungestüm der Jugend zu erwidern. Im übrigen war sie schüchtern, besonders wenn sie die Hand zum Abschied reichte; es schien sie dann zu drücken, daß sie nicht auch ihrerseits meine Schwester zu sich einladen konnte. Aber eines Sonntagvormittags erschien sie strahlend mit vor Freude geröteten Wangen. »Ich soll dich einladen«, sagte sie zu meiner Schwester; »ich darf noch viele einladen; mein Vater hat es mir erlaubt!«

Und wirklich, der Herr Etatsrat hatte es erlaubt. Er hatte kürzlich herausgefunden, daß er eine Tochter habe, welche abends, wo die geröteten Augen ihm nicht selten ihren Dienst versagten, zum Vorlesen von Zeitungen und auch wohl amtlicher Aktenstücke trefflich zu gebrauchen sei; dann hatte er sich auch fernerer Vaterpflichten entsonnen und schließlich seine Tochter aufgefordert, »die kleinen Fräulein«, welche mit ihr in die Schule gingen, auf den Sonntag zu sich einzuladen.

Nach geheimem Zwiesprach zwischen unseren Eltern wurde, wohl nicht ganz unbedenklich, meiner Schwester die Zusage gestattet, und Phia Sternow ging mit leuchtenden Augen weiter, um auch ihre übrigen Gäste einzuladen.

Der Tag verging. Als wir übrigen im elterlichen Hause bei unserer Abendmahlzeit saßen und eben hin und her erwogen wurde, ob ich oder unser Kutscher meine Schwester von der etatsrätlichen Gesellschaft heimgeleiten solle, ging draußen die Haustür, und die Besprochene stand plötzlich vor uns, den Hut etwas verschoben auf dem Kopfe, ihren Umhang über dem Arm.

»Da bist du?« rief meine Mutter. »Ist die Gesellschaft denn schon aus?«

»Nein, Mutter – noch nicht; ich bin nur fortgelaufen.«

»Fortgelaufen? – War's denn nicht gutsein dort?«

»O – ja, zuerst! Phia war reizend! Wir waren alle im Garten; die anderen spielten Greif um die großen Rasen; Phia und ich aber saßen ganz allein miteinander auf dem Altan; wißt ihr, da in der Ecke, wo man nach dem Kirchhof hinübersieht. Sie kannte all die kleinen Kindergräber und erzählte so wunderbare Geschichten von den toten Kindern; man sah sie ordentlich mit ihren kleinen blassen Gesichtern zwischen den Kirchhofsblumen laufen; ihr könnt es euch nicht denken, so reizend und so unbeschreiblich traurig! Ich sah sie an und frug, ob sie das alles doch nicht nur geträumt habe; da fiel sie mir um den Hals und küßte mich.«

Meine Mutter hörte teilnehmend zu; mein Vater sagte: »Das ist recht schön, Margrete; aber vor den toten Kindern bist du doch nicht fortgelaufen!?«

Meine Schwester nickte ein paarmal kräftig. »Wart' nur, Papa! – Um acht Uhr, nach dem Abendessen – es war übrigens sehr gut, zuletzt Schokoladepudding mit Vanillecreme –, da kam der Herr Etatsrat zu uns in den Gartensaal. Es ist ganz gewiß, er mußte sich an eine Stuhllehne halten, als er uns seinen Diener machte; er ist so wunderlich gewachsen! Dann setzte er sich vor seinen Altar und spielte auf seiner Glasharmonika, und wir sollten danach tanzen. ›Versteht ihr Menuett, kleine Fräulein? Trà-là-lalà-lalà-lalà!‹ Er sang das mit einer ganz fürchterlichen Stimme und sagte, es sei aus dem Don Juan. Aber wir konnten kein Menuett. ›Immer zu Diensten der Damen!‹ rief er, und dann spielte er einen Walzer, und danach tanzten wir miteinander.«

»Wo war denn der gute Archimedes?« frug ich dazwischen. »An dem hättet ihr doch wenigstens *einen* Herrn gehabt.«

»Der gute Archimedes? Ja, der kam auch einmal herein und wollte mit mir tanzen; aber der Herr Etatsrat sagte, unsere Eltern würden es als sehr unschicklich vermerken, wenn er gestatten wollte, daß eine so junge männliche Person allein zwischen all den kleinen Fräulein tanze. Und so mußte er wieder zum Saal hinaus. Aber paßt nur auf, das Schlimmste kommt nun noch!«

Mein Vater lächelte doch. »Was war denn das, Margrete?«

»Ja, glaub' nur, es war schlimm genug! So eine riesengroße silberne Bowle, ganz voll von Punsch, und so stark, ich glaube, ich wurde schon vom bloßen Riechen schwindlig! Und dabei sagte der schreckliche Mensch: ›Das ist ein wenig Zuckerwasser für die Damen!‹ Eigentlich, weißt du, Papa, es schmeckte ganz gut; aber ich mußte doch greulich danach husten, als ich nur eben davon nippte. Der Herr Etatsrat aber trank gleich drei Gläser nacheinander, und er goß sich noch jedesmal etwas dazu aus einer kleinen Flasche, die er neben seinem Altar stehen hatte. – Und dann mußten wir wieder tanzen, und dann trank er auf unsere Gesundheit: ›Die Rosen im Lebensgarten, die Damen leben hoch!‹ Sehr schön, nicht wahr? Wir mußten alle mit ihm anstoßen, und dann füllte er sein Glas wieder, bis er zuletzt einen Kopf hatte wie eine Feuerkugel – ganz greulich sah er aus! ›Tanzet, kleine Fräulein, tanzet!‹ rief er immer; aber er konnte gar nicht mehr Takt halten; ich glaube gewiß, Papa, er war betrunken!«

»Ich glaube auch, Margrete.«

»Ja, und wir waren auch so bange; wir saßen alle in der weitesten Ecke, ganz übereinander wie die Fliegen. Mich dauerte nur Phia – Papa, wenn ich solche Angst vor dir haben müßte, schrecklich! – Wie ein kleiner Geist stand sie vor uns und flehte uns ordentlich an: ›Wollt ihr nicht mehr tanzen? O, bitte, versucht es doch noch einmal!‹ Sie streckte ihre Arme aus, daß eine von uns sie aufnehmen möchte, denn sie tanzte immer nur als Dame; als wir uns aber nicht aus unserer Ecke wagten, ging sie von der einen zu der anderen und bat uns um Verzeihung, wir möchten doch nicht böse sein, daß sie uns zu sich eingeladen habe. Und da wollten wir auch wieder tanzen, aber als wir eben ein wenig im Gange waren, da fing der schreckliche Etatsrat auf einmal an zu singen: ›Was kommt dort von der Höh', was kommt dort von der ledernen Höh'?‹ – Kennt ihr es? Ein ganz scheußliches Studentenlied! – Und dabei wurde er so hitzig, daß er sich das Tuch vom Halse riß und es dicht vor meine Füße schleuderte!«

»Und dann, Margrete?« frug mein Vater, als sie hochaufatmend innehielt.

»Dann? Ja, glaubt nur, daß ich mich erschrocken hatte! Dann – bin ich fortgelaufen. Hu! ich mußte ganz dicht bei dem fürchterlichen Mann vorbei; ich weiß noch selbst nicht, wie ich aus dem Saal gekommen bin.«

»Arme Phia!« dachte ich in demselben Augenblicke, als meine Mutter diese Worte aussprach.

Mein Vater wiegte leise seinen Kopf und sagte nachdenklich wie zu sich selber: »Es geht doch nicht; das darf nicht wiederkommen.«

Und es ging auch nicht. Für Phia Sternow blieb dieses Fest mit ihren Jugendgenossinnen das einzige ihres Lebens.

Als endlich bei Beginn eines Sommersemesters auch die Zeit meines Abganges zur Universität heranrückte, verfiel Archimedes in eine große Traurigkeit; die Szene mit den kleinen Gläsern, da es nachher nicht mehr möglich war, hatte sich schon jetzt in einigen Variationen abgespielt, und das Mitleid bedrängte mich derart, daß es sich notwendig in irgendeiner heldenhaften Tat entladen mußte.

Bei dem Abschiedsbesuche, den ich Archimedes auf seinem oben nach dem Garten hinausliegenden Zimmer abstattete, bot sich hierzu die günstigste Gelegenheit; denn da ich, während mein armer Freund schweigend auf und ab wandelte, ebenso stumm und erregten Herzens aus dem Fenster blickte, gewahrte ich drunten den Herrn Etatsrat, der, in einer großen Zeitung lesend, in seinem Gartenstuhle saß. Mein Entschluß war sofort gefaßt; ich nahm kurzen Abschied, drängte den verbindlichen Archimedes zurück, als er mich die Treppe hinabbegleiten wollte, ging dann aber statt auf die Straße hinten nach dem Garten und stand gleich darauf dem Herrn Etatsrat gegenüber.

Er schien trotz meines Grußes meine Anwesenheit nicht zu bemerken, wenigstens las er ruhig weiter, während ich ebenso ruhig, aber keineswegs mit besonderer Behaglichkeit, vor ihm stehenblieb. Endlich ließ er den Arm mit dem Zeitungsblatte sinken. »Was wollen Sie, mein Freund?« sagte er. »Nicht wahr, Sie sind der Sohn des Justizrats Soundso?«

Diese Worte sind nicht etwa eine Abkürzung seiner Rede; er sprach das wirklich, obgleich er mit meinem Vater längst in mannigfacher, mitunter vielleicht ein wenig heikler Geschäftsverbindung stand.

Etwas betroffen suchte ich meine Gedanken möglichst rasch zu ordnen und plädierte dann auch mit allen Gründen des Kopfes und des Herzens und, wie ich mehr und mehr zu empfinden meinte, in siegversprechendster Weise für den Lebenswunsch des armen Archimedes.

Der Herr Etatsrat hatte mich ausreden lassen, dann aber winkte er mich näher zu sich heran und legte, nachdem ich Folge geleistet hatte, seine Hand schwer auf meine Schulter. »Junger Mann«, begann er

mit immer gewaltigerem Brustton, »Sie haben sonder Zweifel davon
reden hören: vor meiner Zeit war hier kein Deich, der standhielt; Menschen und Vieh ersoffen gleich wie zu Noä Zeiten; hier war nichts als
Pestilenz und gelbes Fieber! Erst von mir, von dem Sie einst erzählen
mögen, daß Sie den Mann mit eigenen Augen noch gesehen haben, datiert die eigentliche Ära unseres Deichbauwesens! Holländische Staats-
ingenieure wurden hergesandt, um die Konstruktion meiner Profile
zu studieren; denn es ist mein Werk, daß diese ehrenreiche Stadt samt
Ihnen, junger Freund, und dem Justizrat, Ihrem Vater, nicht Anno
fünfundzwanzig von der Flut verschlungen worden, und daß hier, wo
ich jetzt die Ehre Ihrer Unterhaltung genieße, nicht Hai und Rochen
miteinander konversieren! Aber« – und die vorquellenden Augen ver-
baten sich jeden Widerspruch – »*nach* mir ist mein Sohn Archimedes
der erste Mathematikus des Landes!«

Er zog seine Hand zurück und machte gegen mich von seinem Sessel aus eine Art unbehilflichen Entlassungskompliments.

Unwillkürlich erwiderte ich dasselbe und ging dann recht beschämt
davon, in der, wie ich noch jetzt meine, wohlbegründeten Überzeu-
gung, daß meine grüne Beredsamkeit gegen diese Art denn doch nicht
aufzukommen vermöge.

So blieb denn Archimedes abermals zurück, während ich voll mu-
tiger Erwartung in das neue Leben hinaussteuerte.

Ich habe hier nicht von mir und meinem Studentenleben zu reden,
sonst müßte ich erzählen, wie diese Erwartungen nur zum kleinsten
Teil erfüllt wurden; denn die Leute, mit denen ich zusammentraf, erschienen mir, sei es durch ihre Persönlichkeit oder nur durch ihr der-
zeitiges Tun und Treiben, um einige Stufen niedriger als die, welche
ich zurückgelassen hatte. So kam es, daß ich manchen Brief in meine
Heimat sandte und wiederum von dort empfing; auch Archimedes
schrieb mir einige Male; sein Übergewicht an Jahren, seine treuherzi-
ge Anhänglichkeit boten für das ihm etwa Fehlende genügenden Ersatz, und seine Briefe waren so ganz er selber, daß ich beim Lesen ihn
leibhaftig vor mir sah, den kleinen guten Mann mit seinem erbsengel-
ben Haarpull, seinem verbindlichen Lächeln bei dem kriegerischen
Aufblick seiner runden Äuglein. Das freilich war die Hauptsache;

denn seine Mitteilungen beschränkten sich auf die einfachen Vorkommnisse seines Lebens. Einmal aber, im Hochsommer, war eine neue Art der Unterhaltung für ihn aufgekommen. Der Herr Etatsrat hatte gegen irgendwelchen Ungehorsam seines Leibes den Gebrauch des »Erdbades«, wie er diese selbst ersonnene Kur nannte, für notwendig befunden; ob von jener nur allzu gründlichen Heilkraft unserer guten Mutter Erde ausgehend, ob in anderer Anleitung, mochte er selbst am besten wissen. Um aber zugleich die Gunst der Seeluft zu genießen, ließ er sich – und es geschah dies einen um den anderen Tag – eine Stunde weit an den Strand hinausfahren, und da er hierbei außer dem Kutscher noch einer weiteren Hilfe bedurfte, so mußte Archimedes stets bei diesem aufsitzen. Unweit eines dort belegenen Dorfkruges, an einer Stelle, wo neben zwei im Sande steckenden Spaten bereits ein entsprechend tiefes Loch gegraben war, wurde haltgemacht und der Herr Etatsrat aus dem verdeckten Wagen unter das Angesicht des Himmels herausgeschafft. Glücklicherweise aber verschwand er unter dem eifrigen Schaufeln des Kutschers und eines bereitstehenden Arbeiters gleich darauf wieder in den Schoß der Erde, so daß nach vollbrachter Arbeit nur noch der braunrote Kopf über der weiten Strandfläche hervorsah.

Die Wellen rauschten, die Möwen schrien, der Herr Etatsrat badete.

Dann folgte der zweite Teil der Kur. Das mächtige Haupt drehte sich mühsam nach der Gegend des Dorfkruges: »Sohn Archimedes«, rief es, »eile jetzo, deinen Vater zu erquicken!«

Auf diese pathetisch vorgebrachten Worte schritt Archimedes nach dem Kruge, wo unter den Flaschen auf dem Schenkregal eine mit der Aufschrift »Pomeranzen« prangte. Nachdem er, wie nicht unbillig, sich zuvörderst selbst erquickt hatte, kehrte er eilig mit mehreren Gläsern dieses Trankes an den Strand zurück und kredenzte sie dort in gewohnter Zierlichkeit dem über unkindliche Säumnis scheltenden Haupte seines Vaters.

Damit war das Bad beendet; nur daß sich alle dann noch nach dem Wirtshause begaben, wo der Herr Etatsrat sich eine letzte Stärkung nicht entgehen ließ; für Archimedes war von seinem Vater als das ihm angemessenste Getränk ein für allemal ein Glas Eierbier bestellt, welches er denn auch mit vielsagendem Lächeln zu sich nahm. Bei einer der letzten Fahrten aber geschah etwas Unerwartetes. »Sohn Archimedes«, begann der Herr Etatsrat feierlich, als er nach genossenem Erdbade pustend in dem Flickenpolsterstuhle des Wirtes ruhte, »heute, als an deinem siebenundzwanzigsten Geburtstage, darfst auch du wohl einmal von diesem Tranke kosten, welcher den Jünglingen Verderben, den Männern aber Labsal ist!«

Herablassend winkte seine schwere Hand dem Wirte; dieser aber, während er den braunen Saft ins Glas goß, warf einen verständnisvollen Blick auf Herrn Archimedes, sodann auf eine hübsche Reihe von Kreidestrichen, welche an der Stubentür verzeichnet standen.

Der Zusammenhang dieser Gebärden wurde völlig klar, als später, nachdem die Zeche des Etatsrats in hergebrachter Weise durch den Kutscher berichtigt worden, auch Archimedes seine damals gerade wohlgefüllte Börse zog und hierauf jene Striche sämtlich von der Tür verschwanden.

Er hatte diese Vorgänge in jenem harmlos heiteren Ton erzählt, der im persönlichen Verkehr mich immer freundlich anzusprechen pflegte; gleichwohl entsinne ich mich, daß ich derzeit diesen Brief nicht ohne ein Gefühl von Unbehaglichkeit beiseitelegte. Vorübergehend kam mir auch wohl die Frage, weshalb denn der Herr Etatsrat nicht sein Faktotum Käfer statt des ihm fernerstehenden Sohnes bei diesen Badefahrten mit sich führe; aber freilich, der Schlingel mochte es schon verstanden haben, sich von solchen Diensten freizumachen.

Ein Jahr war dahingegangen, die Ferienzeit war fast verstrichen, und die anderen Studenten waren längst schon heimgereist, durch mancherlei Umstände aber war es gekommen, daß ich nur die letzten Tage vor Beginn des neuen Sommersemesters im elterlichen Hause verleben konnte. Als ich eintraf, sah ich wohl, daß Archimedes schon unter dem grauen Gespinst der Abschiedsstimmung einherwandelte. »Asche, Asche, lieber Freund!« rief er sogleich nach der ersten Freude des Wiedersehens. »Um ein paar Tage seid ihr alle wieder fort: und schau nur her!« – er hob das spärliche Haar von seinen Schläfen – »da kommen schon die silbernen! Wenn ihr wiederkehret, ihr werdet einen alten Mann dann finden!«

Und freilich, ein paar weiße Härchen zeigten sich, und der kurze

Rest der Ferien ging rasch zu Ende. Es wurde indessen anders, als irgendeiner es erwarten konnte.

Ich weiß nicht sicher, ob Archimedes immer einen schwarzen Frack und einen glattgebürsteten Zylinder trug; ich glaube es fast; unvergeßlich ist mir, wie ich ihn so am letzten Tage vor der Abreise zu mir in die Stube treten sah, während ich am Fußboden kniend meinen Koffer packte.

Archimedes sagte nichts, er ging nur, sein Stöckchen schwingend, mit sehr elastischen Schritten auf und ab; dann räusperte er sich ein paarmal, machte seine exaktesten Kopfbewegungen, aber sagte wieder nichts.

»Nun?« rief ich.

»Nun?« rief Archimedes.

Ich faßte ihn jetzt recht fest ins Auge; aber in meinem Leben habe ich nicht so die Freude auf einem Menschenantlitz ausgeprägt gesehen.

»Archimedes«, rief ich, »was ist geschehen?«

Er räusperte sich noch einmal; er schien zu geizen mit der gleichwohl stumm von seinen Lippen redenden Glücksbotschaft. »Lieber Freund«, sagte er endlich mit erkünstelter Trockenheit und tickte mit seinem Stöckchen mich leise auf der Schulter; »ich möchte nur bescheiden bei dir anfragen, ob morgen noch ein Plätzchen auf deines Vaters Wagen offen ist?«

Ich erhob mich von meinem Koffer und betrachtete meinen kleinen Freund, der mit seinem Stöckchen wippte, als ob er ein mutiges Pferd besteigen wolle.

»Wart' nur«, sagte ich, »wie viele sind wir denn? Peter Krümp, der Rantzauer, Jochen Fürchterlich – – freilich, es ist just ein Platz noch offen! Willst du uns begleiten, oder ... am Ende gar? Hat der Alte herausgerückt?«

»Halt!« rief Archimedes. »Bester Freund, du sollst noch Ratsherr werden!« Und damit zog er seine bekannte grünseidene Börse aus der Tasche, deren außerordentlicher Umfang mir heute zum ersten Male recht erkennbar wurde, und setzte daraus einen Stapel blanker Speziestaler nach dem anderen auf den Tisch. »Schau her!« rief er. »Hier Kollegiengelder, für die du kein Verständnis hast; dann in schwindender Proportion, hier für eine Kneipe in der Wolfsschlucht, hier für den etwas mageren Kosttisch, an dem die Theologen futtern!« Er warf mit kurzem Lachen seinen Kopf zurück und sah mich ganz verwegen an. »Ja, ja, Bester, ich fürchte mich nicht vor den zähen Pfannekuchen und werde sie keineswegs wie gewisse Leute so schnöde an die Stubentüren nageln! Und somit, das erste Semester wäre in Sicherheit!«

Auf einmal begann er, sein Stöckchen schwingend, wieder auf und ab zu wandeln; sein Gesicht hatte einen ernsten, fast sorgenvollen Ausdruck angenommen.

»Woran denkst du, Archimedes?« frug ich.

»Hm, im Grunde nicht so außerordentlich!« Und er setzte noch immer seinen Spaziergang fort. »Meine arme kleine Schwester; sie hatte an mir doch einen Kameraden!«

Ich schwieg beklommen, denn auch mit meiner Schwester hatte der Verkehr ja aufgehört.

»Ich weiß wohl«, fuhr er fort; »der Alte ist ja eigentümlich; das ist kein Haus für junge Damen.« Er schwieg plötzlich und schneuzte sich heftig mit seinem großen rotseidenen Taschentuche.

»Archimedes«, sagte ich, »die Mädchen könnten ja doch hier zusammenkommen! Mutter und Schwester haben deine Phia beide gern.« Ich sagte das aufs Geratewohl; ich konnte nicht anders.

Er blieb stehen. »Ist das dein Ernst? Darf ich es ihr sagen?« rief er lebhaft.

»Gewiß darfst du das.«

Seine Augen leuchteten ordentlich. »Trefflich! trefflich!« rief er und drückte mir die Hand. »Freilich, wenn der Alte sie nur fahren läßt! Abends muß sie ihm vorlesen, bis ihr die Brust weh tut; sie ist nicht stark, die kleine Phia. Und Tages … nach ihrer Konfirmation ist gleich die eine Dienstmagd abgeschafft; sie hat soviel zu tun, das arme Ding. Aber gewiß, ich werd's ihr sagen; nun wird die Reise viel fröhlicher vonstatten gehen!«

Aber Archimedes hatte noch ein Bedenken oder wenigstens noch einen Widerhaken im Gemüte; und ich war nun einmal sein Vertrauter.

»Weißt du auch«, begann er wieder, »wem ich diese außerordentliche, ja ganz unglaubliche Erfüllung meines Wunsches zu verdanken habe?«

»Ich denke, deinem Vater«, erwiderte ich, »du sagtest es ja schon.«

Archimedes vollführte einen scharfen Hieb mit seinem Stöckchen durch die Luft. »Freilich, Bester; aber – der Günstling, der Haus- und Kassenverwalter Käfer hat es hinter meinem Rücken bei dem Alten durchgesetzt; die Sache ist ganz sicher, Phia hat es mich versichert; sie hält diesen Käfer für den besten aller Menschen! Siehst du, das wurmt mich; ich mag dieser Kreatur nichts zu verdanken haben.«

»Nun«, sagte ich – ich weiß nicht, wie es mir eben auf die Zunge kam –, »vielleicht hast du ihm auch nichts zu danken; vielleicht mag's ihm selber daran liegen, dich aus dem Hause loszuwerden.«

Archimedes starrte mich fast erschrocken an. »Du sagst es!« rief er; »aber ich habe auch schon daran gedacht! Nur wüßte ich eigentlich nicht, warum; ich habe mich nie darum gekümmert, wie aus des Alten Schatulle das Silber in seine Tasche fließt; glaubt er indessen, durch meine Abwesenheit diesen Strom noch zu verstärken – basta! so möge er seinen Lohn dahinhaben!«

Damit war unsere Unterhaltung zu Ende. »Auf morgen denn!« rief Archimedes in seiner alten Fröhlichkeit; die Ausprägung jenes letzten Gedankens schien seine Bedenklichkeiten ganz verscheucht zu haben. Und auch mir schien damit alles erklärt zu sein; denn Herr Käfer mußte augenscheinlich nicht wenig Geld verbrauchen. Er kleidete sich gut, man konnte sagen, mit Geschmack; er ließ sich auch sonst nichts abgehen. Trotz seines noch immer etwas weibischen Gesichtes machte er keine üble Figur, so daß alte Damen ihn einen feinen jungen Menschen nannten; auch ich selber wäre vielleicht weniger dagegen gewesen; wenn ich ihn mir nicht zehn Jahre früher durch die Planke so genau betrachtet hätte. Er war unablässig bemüht, sich in die bessere Gesellschaft einzudrängen, und hatte es sogar fertiggebracht, mit einer Anzahl von drei weißen Kugeln von der Harmoniegesellschaft zurückgewiesen zu werden. Und somit machte auch ich mir keine weiteren Gedanken.

Am Tage darauf, am schönsten Junimorgen, fuhren wir Studenten ab. Archimedes war anfänglich etwas still. »Ein harter Abschied«, flüsterte er mir zu und drückte krampfhaft meine Hand. Aber die Abschiedsstimmung hielt nicht stand; am Waldesrande, etwa eine Meile hinter unserer Vaterstadt, sprangen wir alle vom Wagen und schmückten Pferde und Geschirr mit frischem Buchengrün, uns selbst nicht zu vergessen. Der junge Kutscher meines Vaters, »Thoms Knappe« von uns genannt, hatte die Fahrt schon mehrfach mitgemacht; er kannte alle unsere Lieder und sang mit seiner klingenden Tenorstimme frisch dazwischen, als es jetzt wieder in das freie Land hinausging. Ich entsinne mich kaum einer Reise, wo mir die Sonne so ins Herz gelacht hätte; es war aber auch nicht allein die Sonne: zur Seite des rollenden Wagens flogen die hellsten Genien des Lebens, Hoffnung und Jugend, mit ihrer weithinleuchtenden Aureole.

Auf der Hälfte des Weges, in dem großen baumreichen Dorfe, wo man im Vorüberfahren in des Hardesvogts Garten den kleinen Springbrunnen mit der goldenen Kugel spielen sah, vor dem stattlichen Wirtshause, dem der mit dunkeln Tannen bestandene Hügel gegenüberlag, wurden die dampfenden Pferde abgeschirrt und den Herren Studenten das helle Staatszimmer zur Mittagstafel eingeräumt. Und bald auch saßen wir alle, Thomas Knappe nicht ausgenommen, um den sauber gedeckten Tisch; glänzende Schinkenschnitte, Eier und Eierkuchen, und was sonst noch in den hochbeladenen Schüsseln aufgetragen wurde, verschwand mit unglaublicher Geschwindigkeit. Buttermilch wurde nicht getrunken, vielmehr kann nicht verschwiegen werden, daß neben jedem Teller ein tüchtiges Glas Grog seinen erquickenden Dampf versandte, während zur Tafelmusik Finken und Rotschwänze drüben aus den Tannen schlugen.

Mit einem unsäglich frohen Angesicht saß Archimedes neben mir; er schien alles, was ihn daheim belastet hatte, hinter sich geworfen zu haben; sooft er mit vergnügtem Lächeln sein dampfendes Glas zum Munde führte, machte er seine kriegerischsten Augen, als wollte er sagen: »Leben, wo bist du? Komm heraus; wir wollen dich bestehen!« Und »Prosit! Prosit, Archimedes!« klang es von allen Seiten.

Einige Tage nach unserer Ankunft in der Stadt der *Alma mater,* da ich auf meinem Zimmer mich eben mit dem rätselvollen Kapitel der Korrealobligationen plagte, stand Archimedes plötzlich vor mir; er nickte mir zu, hob sich auf die Fußspitzen und drückte den Kopf in den Nacken, als fordere er mich heraus, ihn zu betrachten.

»Alle Wetter, Archimedes!« rief ich; »wo hast du dir dies strahlende Angesicht geholt?«

Er hob den Kopf noch höher aus den spitzen Vatermördern. »Nur drei Häuser weit von hier, lieber Freund; von dem *rectore magnifico!* Ich bin Student, immatrikuliert – *date dextera* – der alte *Celeberrimus* in Schlafrock und Pantoffeln! Wahrhaft rührend, ganz erhebend! Aber«, fuhr er fort, indem er sich zum Fenster wandte, »dein Spiegel hängt auch ganz verteufelt hoch!« Und damit nahm er mir mein dickes schweinsledernes *corpus juris* vor der Nase fort und legte es als Schemel auf den Fußboden; nachdem er also seiner Kürze nachgeholfen, betrachtete er sich in der fleckigen Spiegelscheibe mit augenscheinlichem Behagen. »Student!« sagte er noch einmal. »Meinst du nicht auch, der Schnurrbart ist in den kurzen acht Tagen doch schon hübsch gewachsen! Vivat der Alte! Weißt du, wir wollen heute abend seine Gesundheit trinken; ich werde sehr guten Stoff besorgen. Nicht so, du willst doch? Der Alte hat es in der Tat verdient!«

»Freilich will ich«, erwiderte ich; »sage nur auch die anderen an, alles übrige werde ich besorgen.«

»Trefflich, trefflich!« rief Archimedes. »Aber hier hast du dein *corpus juris* wieder; ich muß zunächst nun meine *mathematica* belegen; denn, lieber Freund, es soll höllisch jetzt geochst werden!«

Wie tanzend schritt er nach der Tür, nachdem er mir ein paarmal mutig zugenickt hatte; plötzlich aber hielt er inne. »Weiß der Henker«, sagte er; »ich muß immer wieder an diesen Schuft, den Käfer, denken! Er ist nicht mal ein ordentlicher Käfer, höchstens ein Insekt der siebenten Ordnung, so eine Schnabelkerfe oder dergleichen etwas!«

Meine Gedanken waren schon wieder bei den Korrealobligationen. »Was kümmert dich der Bursche«, sagte ich obenhin; »der ist ja weit von hier!«

»Freilich, freilich«, erwiderte Archimedes, indem er aus der Tür ging; »wir wollen die Naturgeschichte ruhen lassen.« –

Die kleine Kneiperei ging dann auch am Abend zur Herzensberuhigung unseres Freundes in bester Heiterkeit vonstatten; als wir aber feierlich die Gesundheit seines Alten tranken, flüsterte er mir ganz ergrimmt ins Ohr: »Und daß er bald der Schnabelkerfe einen Fußtritt gebe!« Dann stürzte er sein volles Glas herunter.

Es ist mir später klargeworden, daß in betreff jenes Menschen eine unbestimmte Furcht in seiner Seele lag, die er selber freilich nicht mehr bestätigt sehen sollte. Im weiteren Verlaufe des Semesters erwähnte er desselben nicht wieder; seine Arbeiten mochten diese Dinge bei ihm zurückgedrängt haben; denn seiner Ankündigung gemäß betrieb er diese vom Morgenrot bis in die Mitternacht hinein.

Bei Beginn der Herbstferien reiste Archimedes nach Hause, weil mit dem Semester auch seine dafür berechnete Kasse ihr Ende erreicht hatte; ich blieb noch, um unter Benutzung der Universitätsbibliothek eine bestimmte Materie durchzuarbeiten. Erst kurz vor dem Wiederbeginn der Kollegien folgte auch ich, um wenigstens ein paar Tage mit den Meinen zu verleben.

Archimedes fand ich besonders heiter und in großer Regsamkeit. »Du kommst verteufelt spät, lieber Freund!« rief er mir entgegen; »aber der Alte ist splendid gewesen, ich reise wieder mit euch! Übrigens ...« Und nun erfuhr ich, daß am letzten Tage noch ein Ball stattfinden solle, den ich nicht versäumen dürfe; seine kleine Phia würde auch erscheinen.

Dann schwieg er eine Weile und sah mit seinem kindlichen Lächeln zu mir auf. »Weißt du, lieber Freund«, begann er wieder, »ich habe dabei auf dich gerechnet! Sie hat noch keinen Ball besucht; sie hat daher nicht so ihre gewohnten Tänzer wie die anderen; nicht wahr, du hilfst mir, sie gleich ein wenig mit hineinzubringen?«

Ich dachte plötzlich wieder an die Willis. »Deine Schwester muß ja bezaubernd tanzen«, sagte ich. »Wie wär's mit Polonäse und Kotillon? Willst du meine Bitte überbringen?« Archimedes drückte mir die Hand. »Trefflich, trefflich, lieber Freund! Aber nun muß ich zum Schuster, ob meine neuen Lackierten doch auch fertig sind!« –

Am Morgen des Festabends waren wir alle in Bewegung; die einen, um Handschuhe oder seidene Strümpfe einzukaufen – denn Archimedes war der einzige, der stets in Lackstiefeln tanzte –, die anderen, um bei dem Gärtner einen heimlichen Strauß für die Angebetete zu bestellen. Diese letzteren belächelte Archimedes, indem er sanft den Kopf emporschob; er hatte niemals eine Herzdame, sondern nur eine allgemeine kavaliermäßige Verehrung für das ganze Geschlecht, worin er vor allem seine Schwester einschloß. Ich entsinne mich fast keiner Schlittenpartie, wobei sie nicht die Dame des eigenen Bruders war; es schien bei solchem Anlaß, als möge er sie keinem Dritten anvertrauen; sorgsam vor der Abfahrt breitete er alle Hüllen um und über sie, während das blasse Gesichtchen ihn dankbar anlächelte; und ebenso sorgsam und ritterlich hob er bei Beendigung der Fahrt sie wieder aus dem Schlitten.

So war denn Archimedes zum Festordner wie geschaffen und auch diesmal dazu erwählt worden. Als ich, wie gewöhnlich sein Gehilfe bei solcher Gelegenheit, am Vormittag des Festes in den Ballsaal trat, wo noch einiges mit dem Wirte zu ordnen war, fand ich ihn mit diesem bereits in lebhafter Unterhandlung. »Vorzüglich, ganz vorzüglich!« hörte ich ihn eben sagen; »also noch ein Dutzend Spiegellampetten an den Wänden, damit die Toiletten der Damen sich im gehörigen Lüster präsentieren, und, Liebster, nicht zu vergessen die bewußten Draperien, um auch die Musikantenbühne in etwas zu verschönern!«

Während der Wirt sich entfernte, schritt Archimedes auf mich zu, der ich am anderen Ende des Saales die Tischchen mit den Kotillonraritäten revidierte; aber der Ausdruck seines guten Gesichts schien den heiteren Worten, die ich erst eben von ihm gehört hatte, wenig zu entsprechen. »Was fehlt dir, Archimedes?« frug ich. »Deine Schwester ist heute abend doch nicht abgehalten?«

»Nein, nein!« rief er. »Sie wird schon kommen, und wenn auch erst um zehn Uhr, nachdem der Alte zur Ruhe gegangen ist; aber ich denke sie noch früher loszunesteln!«

»Nun also, was ist es denn?«

»O, es ist eigentlich nichts, lieber Freund; aber dieser Käfer, der Herr Hausverwalter! Ich glaube, das arme Ding fürchtet sich ordentlich vor ihm. Stelle dir's vor, er unterstand sich heute, auf mein Zimmer zu kommen und uns beiden zu erklären, der Herr Etatsrat werde das sehr übel vermerken, wenn das Fräulein auf den Ball ginge; und das Fräulein hing so verzagt an seinem unverschämten Munde; es fehlte nur noch, daß er ihr geradezu den Ball verboten hätte!«

Archimedes zuckte mit seinem Stöckchen ein paarmal heftig durch die Luft. »Ich werde diesem Käfer noch die Flügeldecken ausreißen!« sagte er und machte seine Offiziersaugen. »Der Mensch unterstand sich sogar, mich bei meinem Vornamen anzureden; da habe ich ihm denn seinen Standpunkt klargemacht und ihn hierauf sanft aus der Tür geschoben; siehst du« – und er erhob den Arm –, »mit dieser meiner eigenen Hand, die leider ohne Handschuh war!« Er ging ein paarmal auf und nieder. »Zu toll, zu toll!« rief er. »Während meiner Philippika hatte das Kind mich fortwährend am Rock gezupft; nun der Bursche fort war, bat sie mich unter Tränen, sie doch zu Haus zu lassen. Aber sie soll nicht; sie soll auch einmal wie andere eine Freude haben; und sie hat mir's denn endlich auch versprochen.«

Archimedes steckte beide Hände in die Taschen und blickte eine Weile schweigend gegen die Saaldecke. »Das arme Ding«, sagte er; »sie hatte so ein Paar große erschrockene Kinderaugen! Wenn der Halunke es sie später nur nicht entgelten läßt! Nun, am Ende, wir sind denn doch nicht aus der Welt!«

Und allmählich beruhigten sich seine Gesichtszüge, und sein gutes Lächeln trat wieder um seinen wohlgeformten Mund. »Aber noch eines, lieber Freund«, begann er aufs neue; »ich weiß, du bist auch so etwas für die Blumensträuße, und du meinst es stets aufs trefflichste; aber – sende ihr keinen! Nicht um meiner Grille halber, es würde sie ja wohl erfreuen; es ist nur – in unserem Hause paßt das mit den Blumensträußen nicht. Aber komm und hilf mir; die kleine Phia soll denn doch nicht ohne Blumen auf den Ball!«

Und dann gingen wir miteinander fort und kauften die schönste dunkelrote Rose für das schwarze Haar des blassen Mädchens.

Meine Schwester war von einem leichten Unwohlsein befallen; so kam es, daß ich abends allein und erst kurz vor Beginn des Tanzes in das Vorzimmer des Ballsaales trat.

Archimedes kam mir schon entgegen. »Ah!« rief er, »vortrefflich, daß du da bist! Nun wollen wir auch sofort beginnen!«

Aber ich hielt ihn noch zurück. »Einen Augenblick!« sagte ich. »Ich muß mir erst die Handschuh' knöpfen.« In Wahrheit aber wollte ich ihn selber nur betrachten; dieser kunstvoll frisierte Haarpull, der kohlschwarz gewichste Schnurrbart, dazu das fröhliche und doch gemessene Werfen des Kopfes, das elegante Schwenken des kleinen Chapeau claque – in Wahrheit, er imponierte mir noch immer.

»Deine Schwester ist doch drinnen?« frug ich dann, nach der offenen Tür des Saales zeigend, indem ich mich zugleich für vollkommen tanzfähig erklärte.

Er drückte mir die Hand. »Alles in Ordnung, lieber Freund!«

Als dann gleich darauf die Musik einsetzte, schritt Archimedes erhobenen Hauptes in den Saal, und ich folgte ihm, um meiner Dame zur Polonäse die Hand zu reichen. Aber sie war nicht unter ihren Altersgenossinnen, die am anderen Ende des Saales sich wie zu einem Blumenbeet zusammengeschart hatten; ich fand sie gleich am Eingang bei einem mir unbekannten, unschönen und plump gekleideten Mädchen sitzend. Sophie Sternow trug ein weißes Kleid mit silberblauem Gürtelbande; das glänzende, an den Schläfen schlicht herabgestrichene Haar war im Nacken zu einem schweren Knoten aufgeschürzt; aber weder die Rose, welche ihr Bruder unter meinem Beirat vormittags für sie gekauft hatte, noch sonst ein Schmuck, wie ihn die Mädchen lieben, war daran zu sehen.

Ein leichtes Rot flog über ihr Antlitz, als ich auf sie zutrat. »Freund Archimedes«, sagte ich, »wird mir hoffentlich den Tanz gesichert haben; ich möchte nicht zu spät gekommen sein.«

Ein flüchtiger Blick aus ihren dunkeln Augen streifte mich. »Ich danke Ihnen«, sagte sie fast demütig, indem sie, mich kaum berührend, ihre Hand auf den ihr dargereichten Arm legte, »aber auch ohnedies wären Sie nicht zu spät gekommen.«

Ich hatte sie lange nicht gesehen; aber Archimedes irrte, das waren keine Kinderaugen mehr.

Wir tanzten dann, und ich würde noch jetzt sagen, daß sie trefflich tanzte; nur empfand ich in ihren anmutigen Bewegungen nichts von jener frohen Kraft der Jugend, die sonst in den Rhythmen des Tanzes so gern ihren Ausdruck findet. Dies und die etwas zu schmalen Schultern beeinträchtigten vielleicht in etwas die sonst so eigentümlich schöne Mädchenerscheinung.

Nach beendigtem Tanze führte ich sie an ihren Platz zurück, und sie setzte sich wieder neben das häßliche Mädchen, welches von niemandem aufgefordert war und jetzt froh schien, wenigstens für den Augenblick aus seiner Verlassenheit erlöst zu werden. Als ich in dem Gewirre der sich auflösenden Paare Archimedes zu Gesicht bekam, konnte ich die Frage nicht unterlassen, ob er denn die Rose von heute morgen seiner Schwester nicht gegeben habe.

»Freilich, freilich!« erwiderte er, indem er zugleich einen Inspektionsblick in dem Saal umherwarf; »aber die Kleine scheint auf einmal eigensinnig geworden; sie wollte keine Blumen tragen; sie konnte nicht einmal sagen, weshalb sie es nicht wollte; sie bat mich flehentlich um Verzeihung, daß sie es nicht könne; denn, in der Tat, ich wurde fast ein wenig zornig! – Nun, lieber Freund«, setzte er in munterem Ton hinzu, »die Damen haben ihre Launen, und jetzt werde ich selber mit der kleinen Dame tanzen!«

Während er dann zunächst noch zu den Musikanten ging, blickte ich im Saal umher. Die blasse Phia Sternow war die einzige, deren junges Haupt mit keiner Blume geschmückt war; in dem duftweißen Kleide mit dem Silbergürtel erschien sie fast nur wie ein Mondenschimmer neben ihrer plumpgeputzten Nachbarin. Und wieder mußte ich an die Willis denken, und jenes phantastische Mitgefühl, das ich als halber Knabe für sie empfunden hatte, überkam mich jetzt aufs neue. Dies verleitete mich auch, als ich später mit der Busenfreundin meiner Schwester im Kontertanze stand, diese etwas männliche Brünette mit ziemlich unbedachten Vorwürfen wegen einer solchen, wie ich mich ausdrückte, absichtlichen Trennung von der früheren Schulgenossin zu überhäufen. Hatte ich doch mit steigender Erregung wahrgenommen, daß keine der hiesigen jungen Damen sie begrüßte, wenn sie an ihrem Platz vorübergingen, ja daß eine derselben mit plötzlicher Bewegung den Kopf zur Seite wandte, da sie unerwartet in der Tanzkette ihr die Fingerspitzen reichen mußte.

Schon während meiner Rede hatte ich bemerkt, daß meine Tänzerin eine kriegsbereite Haltung annahm. »Sprechen Sie nur weiter!« sagte sie jetzt, als ich zu Ende war; »ich höre schon.« Und dabei trat sie einen Schritt zurück, als wolle sie mich besser Aug' in Auge fassen.

Als ich hierauf noch einmal betonte, was nach meiner Meinung in diesem Falle vorzubringen war, ließ die schöne Braune mich ruhig ausreden; dann sagte sie mit einer Gemessenheit, die seltsam zu dem jungen Munde stand: »Ich verstehe das alles wohl; aber finden Sie nicht selbst, daß es Fräulein Sternow völlig freisteht, unsere Gesellschaft aufzusuchen, wenn sie anders meinen sollte, daß sie noch dahingehöre?«

»Dahingehöre?« Ich wiederholte es fast erschrocken. »Sie wollen doch die Ärmste nicht für ihr väterliches Haus verantwortlich machen?«

Fräulein Juliane – so hieß die schöne Männin – zuckte nur die Achseln; gleich darauf mußten wir tanzen. Als wir wieder auf unserem Platz standen, gewahrte ich die Besprochene in der anderen Reihe neben uns, und so konnte das Gespräch nicht wieder aufgenommen werden. Zu meiner stillen Genugtuung bemerkte ich indessen, daß Phia Sternow von den Tänzern nicht vergessen wurde, wenn diese auch meist nur aus den Freunden ihres Bruders und diesem selbst bestanden. Sie erschien mir jetzt, da der Tanz ein leichtes Rot auf ihre Wangen gehaucht hatte, so über alle schön, daß ich fast laut zu mir selber sagte: »Der Neid; es ist der Neid, der sie verfemt.«

Die Hälfte des Abends war vorüber, der Kotillon, der Tanz, wo es gilt, die Pausen zu verplaudern, führte mich wieder mit ihr zusammen. Den vorhergehenden Walzer hatte ich in einem Anfalle von Barmherzigkeit mit ihrer unschönen Nachbarin getanzt, und Sophie Sternow hatte mich, da ich sie von ihrer Seite holte, mit einem dankbaren Lächeln angeblickt, dem einzigen, das ich an diesem Abend auf ihrem jungen Antlitz sehen sollte. »Wer ist das Mädchen?« frug ich jetzt. »Sie scheint eben keine beliebte Tänzerin.«

Phia blickte flüchtig zu mir auf. »Sie ist eine Fremde«, sagte sie dann; »sie hat hier keine Freunde.«

Sie schwieg, und ich suchte nach einem anderen Unterhaltungsstoff. Was aber sollte ich reden, ohne bei der Armseligkeit dieses Lebens anzustoßen! Da begann ich von ihrem Bruder, von seinem redlichen Fleiße, von unserem treuen Zusammenhalten. Nur aus den geöffneten Lippen und den regungslos auf mich gerichteten Augen erkannte ich, mit welcher Teilnahme sie meinen Worten folgte; aber auch jetzt brach kein Lächeln durch den leidenden Ernst dieser jungen Züge.

»Fräulein Sophie«, sagte ich, »ich weiß es, Sie haben durch den Fortgang dieses Bruders viel verloren!«

Ein kaum hörbares »Ja« war die Antwort. Als ich aber dann, des aufs neue bevorstehenden Scheidens gedenkend, hinzufügte: »Diesmal werden Sie ihn schon nach ein paar Monden wiederhaben!« Da schloß sie die Augen, als wolle sie in keine Zukunft blicken, und hielt ihr Antlitz wie das einer schönen Toten mir entgegen.

»Fräulein Sophie!« erinnerte ich leise, denn ich sollte meine Dame zu dem mit Blumensträußen gefüllten Körbchen führen.

Sie schlug langsam die Augen wieder auf, und wir tanzten diese und noch manch andere Tour; gesprochen aber haben wir nicht viel mehr miteinander.

Gern hätte ich noch vor der gemeinschaftlichen Abreise am anderen Morgen meine Schwester über die Vorgänge des verflossenen Abends ausgeforscht; aber der Wagen hielt schon früh um fünf Uhr vor dem Hause, und ihres Unwohlseins halber durfte sie nicht wie sonst das letzte Viertelstündchen beim Morgentee mit mir verplaudern.

Es kann endlich nicht länger verschwiegen werden, daß Archimedes während der langen Wartezeit daheim auch bei anderen als den bisher erwähnten Anlässen mit jenen kleinen Gläsern in Berührung gekommen war. – Im Hinterstübchen eines Gasthofes, wo sonst nur die Leute aus der Marsch ihre Anfahrt hielten, pflegte sich ein paarmal wöchentlich ein Kleeblatt älterer Männer zusammenzufinden, sämtlich voll mannigfacher Welterfahrung und scharfer rücksichtsloser Beurteilung aller übrigen Menschen. Bei einer Pfeife Petit-Kanasters und einem Gläschen feinsten und nur in diesem Stübchen zum Ausschank kommenden Pomeranzenlikörs, das ohne Bestellung vor jeden hingestellt und ebenso erneuert wurde, verstanden sie es, die respektabelsten Häupter der Stadt in so einseitige Beleuchtung zu rücken, daß sie jedem als die lustigsten Karikaturen erscheinen mußten. Diesen Leuten, welche in halbem Bruche mit der übrigen Gesellschaft sich selbst genug waren, hatte im letzten Winter Archimedes sich als Vierter angeschlossen, nachdem er eines Nachmittags mit dem Hauptwortführer, einem früheren Offizier, auf der Eisfläche des Mühlenteiches in allen Kunstformen des Schlittschuhlaufs gewetteifert hatte.

Zwar hatte er, als dann abends im Hinterstübchen des Gasthofes die bestbeleumdeten Honoratioren in so possenhafter Verwandlung vorgeführt wurden, anfänglich sein gutmütiges Haupt geschüttelt; das Gläschen, welches auch ihm gesetzt und gefüllt wurde, war für ihn durchaus notwendig, um nur die spaßhafte Seite dieses Puppenspiels zu sehen; aber freilich, das Mittel schlug auch an, und so kam es, daß er an den betreffenden Abenden meist schon als der erste des nunmehrigen Vierblattes vor seinem Gläschen saß, in ungeduldiger Erwartung, daß mit dem Erscheinen der drei anderen Gäste das Stück aufs neue beginnen möge. Er bedurfte eben eines kräftigeren Anreizes, als der Verkehr mit den ihm immer grüner erscheinenden Gelehrtenschülern ihm zu bieten vermochte.

Daß eine eigentliche Neigung zum Trinken in Archimedes steckte, habe ich nie bemerkt; jedenfalls schien zu solchem Bedenken jeder Anlaß verschwunden, sobald er den Boden der Universität betreten hatte. Da tauchte, etwa einen Monat nach unserer letzten Rückkehr, unter einer Anzahl ihm bekannter Korpsstudenten eine Tollheit auf, welche vielleicht von einzelnen älteren Herren noch jetzt als ein Auswuchs ihres Jugendübermutes belächelt wird, welche aber für andere der Anfang des Endes wurde. Ohne Ahnung jener späteren Ära des Absinthes, behaupteten sie, in dem »Pomeranzen-Bittern« den eigentlichen Feind des Menschengeschlechts entdeckt zu haben, und erklärten es für eine der idealsten Lebensaufgaben, selbigen, wo er immer auch betroffen würde, mit Hintansetzung von Leben und Gesundheit zu vertilgen. Dieser Erkenntnis folgte rasch die Tat: eine »Bitternvertilgungskommission« wurde gebildet, die an immer neu erforschten Lagerorten des Feindes ihre fliegenden Sitzungen hielt. Die Sache wurde bekannt und begann über die Studentenkreise hinaus Anstoß zu erregen; sogar ein Anschlag am Schwarzen Brett erschien, welcher den Studenten unter Androhung der Relegation den Besuch einer Reihe näher bezeichneter Häuser untersagte; natürlich nur ein Sporn zu noch heldenhafteren Taten.

In meinem Schrecken erfuhr ich, daß auch Archimedes sich diesem Unwesen zugesellte. Hatte die Öde seines niedergehaltenen Lebens ihn zu jenem älteren Kleeblatt hingetrieben, so war es jetzt das in dieser Sache steckende Stückchen Sport, das ihn heranzog; er kannte ja jenen Feind des menschlichen Geschlechts seit lange, er mußte mit dabei sein. Vergebens suchte ich ihn zurückzuhalten. »Liebster«, sagte er, »laß mich auch einmal, wie du es nennst, ein wenig toll sein; ich versäume ja nichts damit! Und so beruhige dein treues Herz, auch wenn dir für unsere erhabene Sache das Verständnis fehlen sollte!«

Er machte seine kriegerischen Augen und sah mich dabei mit seinem besten Lächeln an; mir blieb zuletzt nichts übrig, als der Sache ihren Lauf zu lassen. Denn darin freilich unterschied er sich von den Genossen seiner Tollheit, außer seiner Gesundheit wurde nichts von ihm versäumt. Gewissenhaft, und wenn die Stunde noch so früh war, besuchte er seine Kollegien, und war die eine Nacht durchrast, so wurde unfehlbar die darauffolgende hindurch gearbeitet. Auf seiner Spritmaschine, welche brennend neben ihm stand, filtrierte er sich den stärksten Kaffee, und vermochte auch der dem erschöpften Körper die Müdigkeit nicht fernzuhalten, so holte Archimedes, wenn alle anderen Bewohner des Hauses schliefen, sich aus der Pumpe auf dem Hofe einen Eimer eiskalten Wassers, um seine nackten Füße dahineinzustecken und dann frei von jedem verführerischen Schlafverlangen in seiner Arbeit fortzufahren.

Diese zweite, wenn auch achtungswerte Tollheit hatte er vor mir wie vor allen anderen verborgen gehalten; aber freilich, ihre Folgen konnten nicht verborgen bleiben. Wir waren diesmal beide in den Weihnachtsferien nicht nach Hause gewesen; es ging schon in den März, als ich eine auffallende Veränderung in dem Wesen meines Freundes wahrnahm: der sonst so ordnungsliebende Mann war verschwenderisch geworden; er machte wiederholt allerlei seltsame Ankäufe, die seine knappen Mittel bei weitem überstiegen. Außer den teuersten Zirkeln, welche ihm gleichwohl immer nicht genügten, war seine Erwerbslust auf verschiedene Arten von Stoßrapieren gerichtet, eine Waffe, die auf unserer Universität nicht gebräuchlich war, aber freilich, seiner Person entsprechend, gern und mit Geschick von ihm gehandhabt wurde; endlich kamen sogar Lackstiefel mit immer dünneren und biegsameren Sohlen an die Reihe.

Als ich ihn über diese mir ganz unverständliche Verschwendung zur Rede stellte, glaubte ich etwas Unheimliches in seinen Augen aufleuchten zu sehen. »Geduld, Geduld!« sagte er hastig. »Kein voreiliges Urteil, Liebster! Ich habe jetzt endlich einen Schuster aufgefunden; ein exzellenter Bursche, ausnehmend exzellent! Wenn sie fertig sind, werde ich in den durchaus vollkommenen Stiefeln zu dir kommen –«

»Aber Archimedes«, unterbrach ich ihn, »was willst du damit und mit all deinen Zirkeln und Rapieren?«

Er sah mich mit weit aufgerissenen Augen an; der Erwerb jener letzteren Dinge war ihm offenbar entfallen, obgleich die Rapiere in seinem Zimmer eine halbe Wand bedeckten.

Plötzlich, einige Tage danach, in welchen ich ihn nicht gesehen hatte, hieß es, Archimedes liege am Nervenfieber, es stehe schlecht mit ihm. Eilig ging ich nach seiner Wohnung; aber ich erschrak, ich erkannte ihn fast nicht; in seinem Bette lag etwas wie ein kleiner abgezehrter Greis, und noch heute würde ich die Möglichkeit einer so raschen Wandlung bestreiten, wenn ich sie nicht mit offenen Augen erlebt hätte. – Ein uns beiden befreundeter junger Arzt von anerkannter Tüchtigkeit hatte ihn in seine Behandlung genommen; auch eine von diesem besorgte Wärterin war vorhanden.

Archimedes bewegte seinen Kopf, als ob er mir zunicken wolle. »Lieber Freund«, flüsterte er, »ich fürchte, ich bin recht wunderlich gewesen die letzte Zeit; aber nun, es wird nun besser werden!« Er versuchte zu lächeln, nachdem er langsam und kaum verständlich dies gesprochen hatte; aber es gelang ihm ebensowenig wie der Versuch, sich dann auf seinen Kissen umzuwenden; die Wärterin stand auf, und wir beide hoben und legten ihn, bis er zufrieden war.

Bald darauf kam auch der Arzt. Als wir nach einiger Zeit zusammen das Haus verließen, wollte er keine bestimmte Hoffnung geben; als ein eigentliches Nervenfieber bezeichnete er die Krankheit nicht; der Grund derselben liege in den fortgesetzten Ausschreitungen nach zwei Seiten, welche dieser an sich zarte Körper nicht habe ertragen können.

In meiner Wohnung angelangt, setzte ich mich sofort hin und gab dem Vater brieflich über diesen Stand der Dinge Auskunft; ich glaubte ihm anheimstellen zu müssen, ob er bei dem ungewissen Ausgang persönlich kommen oder aber der Schwester die Reise an das Krankenbett des Bruders gestatten wolle; zugleich bat ich, mit Rücksicht auf das zu Ende gehende Quartal, um Übersendung einer Geldsumme für diesen außerordentlichen Fall.

Mit umgehender Post erhielt ich auch ein eigenhändiges Schreiben des Herrn Etatsrats: sein herrlicher Archimedes solle erfahren, daß sein Vater sich der vollen Verantwortlichkeit bewußt sei, einen Jüngling wie ihn der Mit- und Nachwelt zu erhalten. Durch den Herrn Käfer würden *instanter* die ausreichendsten Mittel an mich, dem er sein vollstes Vertrauen entgegenbringe, eingehen; im übrigen solle ich den Arzt zum Teufel jagen; die Sternows hätten allzeit eine Konstitution gehabt, welche ohne diese Pfuscherkünste in das Geleise der Natur zurückzufinden wisse.

Damit schloß das Schreiben, von einem persönlichen Kommen, sei es des Schreibers selber oder seiner Tochter, war nichts erwähnt. Die Geldsendung indessen erfolgte wirklich; es war eine elende Summe, die kaum ausgereicht hätte, die Wärterin auf längere Zeit hin zu besolden. – Sie sollte freilich hierfür noch mehr als ausreichend gewesen sein. Acht Tage waren vergangen, Archimedes wurde immer schwächer.

Als ich dann eines Vormittags in sein Zimmer trat, fand ich ihn schwer atmend, mit geschlossenen Augen; in seinem Antlitz schien aufs neue eine Veränderung vorgegangen zu sein: ob zum Leben oder zum Tode, vermochte ich nicht zu erkennen; etwas wie eine ruhige Klarheit war in seinen Zügen, aber die Finger der Hand, welche auf der Decke lagen, zuckten unruhig durcheinander. Ich stand schon lange vor ihm, ohne daß er meine Anwesenheit bemerkt hätte.

»Der Herr ist schwer krank!« sagte die Wärterin, die vor einer Tasse Kaffee in dem alten Lehnstuhl saß. »Sehen Sie nur« – und sie fuhr sich mit der Hand unter ihrer Mütze hin und her, als wolle sie andeuten, daß es auch unter der Hirnschale des Kranken nicht in Ordnung sei –, »alle die lackierten Stiefelchen habe ich dem Bette gegenüber in eine Reihe stellen müssen, und es wollte immer doch nicht richtig werden, bis ich endlich dort das eine Pärchen obenan und dann noch wieder eine Handbreit vor den anderen hinausgerückt hatte. Du lieber Gott, so kleine Füßchen und soviel schöne Stiefelchen!«

Die Alte mochte dies etwas laut gesprochen haben; denn Archimedes fuhr mit beiden Händen an sein Gesicht und zupfte daneben in die Luft, als säße sein armer Kopf noch zwischen den steifen Vatermördern, die er in gewohnter Weise in die Richte ziehen müsse; dann schlug er die Augen auf und blickte um sich her. »Du?« sagte er, und ein Anflug seines alten verbindlichen Lächelns flog um seinen Mund. »Trefflich, trefflich!«

Er hatte das kaum verständlich hingemurmelt; aber plötzlich richtete er sich auf, und mich wie mühsam mit den Augen fassend, sprach er vernehmlich: »Ich wollte dir doch etwas sagen! Weißt du denn nicht? Du mußt mir helfen; ich wollte dich ja deshalb holen lassen. –

Ja so! Ich glaube« – er stieß diese Worte sehr scharf hervor –, »es hätte etwas aus mir werden können; nicht wahr, du bist doch auch der Meinung? Ich habe darüber nachgedacht.«

Er schwieg eine Weile; dann warf er heftig den Kopf auf seinem Kissen hin und her. »Pfui, pfui, man soll seine Eltern ehren; aber, weißt du – auf meines Vaters Gesundheit kann ich doch nicht wieder trinken; und darum –« Seine Hände fuhren auf dem Deckbett hin und her. »Nein«, hub er wieder an, »lieber Freund, das war es doch nicht, was ich dir sagen wollte; entschuldige mich, du mußt das wirklich entschuldigen!«

Bei den letzten Worten waren seine Augen im Zimmer umhergeirrt, und seine Blicke verfingen sich an dem Stiefelpaar, womit er der Wärterin nach deren Erzählung soviel Mühe gemacht hatte; dem einzigen, welches Spuren des Gebrauches an sich trug.

Ein glückliches Lächeln ging über sein eingefallenes Antlitz. »Nun weiß ich es!« sagte er leise, und mit seiner abgezehrten Hand ergriff er die meine; die andere hob sich zitternd und wies mit vorgestrecktem Zeigefinger nach den Stiefeln. »Das war unser letzter Ball, lieber Freund; du tanztest mit meiner Schwester, mit meiner kleinen Phia; aber sie war doch nicht vergnügt … sie ist noch so jung; aber sie konnte nicht vergnügt sein – ich habe immer daran denken müssen: so allein mit dem Alten und den Zeitungen und dem – verfluchten Käfer!«

Er hatte beide Arme aufgestemmt und sah mit wilden Blicken um sich. »Sie hat mir nicht geschrieben, gar nicht; auf alle meine Briefe nicht!«

Die Wärterin erhob warnend ihre Hand. »Der Herr spricht zuviel!« Aber Archimedes warf ihr seine Kavaliersaugen zu: »Dummes Weib!« murmelte er; dann, wie von der letzten Anstrengung ermüdet, ließ er sich zurücksinken und schloß die Augen. Er atmete ruhig, und ich glaubte, er werde schlafen; aber noch einmal, ohne sich zu regen, flüsterte er mit unaussprechlicher Zärtlichkeit: »Wenn ich nur erst das Examen … Phia, meine liebe kleine Schwester!«

Dann schlief er wirklich; ich legte seine Hand, welche wieder die meine ergriffen hatte, auf das Deckbett und ging leise fort. –

Als ich am anderen Morgen wieder durch den unteren Flur des Hauses ging, schlurfte der Eigentümer desselben, ein hagerer Knochendreher, auf seinen Pantoffeln hinter mir her und zog mich unter Höflichkeitsgebärden in eins der nächsten Zimmer, wo ich außerdem noch seine wohlgenährte Gattin, welche der eigentliche Mann des Hauses war, und eine ältliche Tochter antraf, die wie ein weiblicher Knochendreher aussah. Alle umringten mich und redeten durcheinander auf mich ein: sie hätten vor ein paar Jahren erst das teure Haus mit all den schönen Zimmern hier gekauft; das könne ich wohl denken, daß noch schwere Hypotheken darauf lasteten, und noch ständen just die besten Zimmer unvermietet, obschon die Herren es doch nirgend besser als bei ihnen haben könnten! – Ich wußte anfänglich nicht, wo alles dies hinaussollte; dann aber kam's: sie fürchteten für ihren rückständigen Mietzins; ich sollte ihnen helfen – denn Archimedes war um Mitternacht verschieden.

Ich stieß diese Leute, die freilich nur ihr gutes Recht zu decken suchten, fast gewaltsam von mir und stieg langsam die Treppe nach dem Oberhaus hinauf. – »Also doch! Tot; Archimedes tot!«

Und da stand ich vor seinem schon erkalteten Leichnam; aber sein eingefallenes Totenantlitz trug wieder den Ausdruck der Jugend, und mir war, als schwebe noch einmal sein gutes Lächeln um die erstarrten Lippen.

Als ich in den Osterferien nach Hause kam, war mein erster Gang zu dem Herrn Etatsrat; nicht daß mein Herz mich zu dem Vater meines verstorbenen Freundes hingetrieben hätte, es waren vielmehr geschäftliche Dinge, und nicht der angenehmsten Art. Die Begräbniskosten und die Forderungen des Hauswirts waren durch Herrn Käfer in irgendeiner Art geordnet; aber jene während der dem eigentlichen Krankenlager vorangegangenen Gemütsstörung zusammengekauften Gegenstände waren zum größten Teile von dem Verstorbenen unbezahlt gelassen. Zwar hatten später die Verkäufer dem Herrn Etatsrat ihre Rechnungen eingesandt; aber es war darauf weder Geld noch Antwort erfolgt. Nun hatten sie dieselben noch einmal ausgestellt und mir, den sie als Freund und Landsmann ihres Schuldners kannten, mit der Bitte um Verwendung bei dem Vater übergeben.

Bei meinem Eintritt in den Hausflur sah ich eine weibliche Gestalt mit einer blauen Küchenschürze, als wolle sie nicht gesehen werden, durch eine Hintertür verschwinden; ob es eine Magd, oder wer sie sonst war, vermochte ich so rasch nicht zu erkennen. Da ich indessen den braunroten Kopf des Herrn Etatsrats von der Straße aus in einem der unteren Zimmer bemerkt hatte, so pochte ich, da sich sonst niemand zeigte, ohne weiteres an die betreffende Zimmertür. Es erfolgte jetzt etwas wie das Brummen eines Bären aus einer dahinterliegenden Höhle; ich nahm es für ein menschliches »Herein« und fand dann auch den Herrn Etatsrat im Lehnstuhl an seinem mit Papieren bedeckten Schreibtisch sitzen, wo ich ihn vorhin durchs Fenster erblickt hatte. Ihm zur Seite stand ein kleiner Tisch, darauf eine Kristallflasche mit Madera und ein halbgeleertes Glas. Als ich nähertrat, sah er mich eine Weile mit offenem Munde an; dann langte er hinter sich nach einem Schränkchen und brachte ein zweites Glas hervor, das er sofort füllte und nach der anderen Seite des Tisches schob.

»Sie sind der Sohn des Justizrats«, begann er; »aber setzen Sie sich, junger Mann! Sie waren der Freund meines unvergeßlichen Archimedes; Sie werden das zu schätzen wissen!«

Ich gab dem meine Zustimmung und erzählte, den Tod und die vermutliche Todesursache des Verstorbenen übergehend, von der Gewissenhaftigkeit, womit er unter allen Umständen und bis zuletzt seine Studien betrieben hatte, und von mancher freundlichen Äußerung seiner Fachprofessoren, welche nach seinem Tode mir zu Ohren gekommen war.

Der Herr Etatsrat hatte indessen sein Glas geleert und wiederum gefüllt. »Junger Mann«, sagte er, »erheben wir den Pokal und trinken wir auf das Gedächtnis des ersten Mathematikus unseres Landes; denn das war mein Archimedes schon jetzt in seinen jungen Jahren! Ich, der ich denn doch ein ganz anderer Gewährsmann bin als jene soeben von Ihnen in Bezug genommenen Professoren, ich selber habe ihn geprüft, als der Selige zum letzten Male in diesem Hause weilte. Wenn ich sage: geprüft, so will das Wort sich eigentlich nicht schicken; denn mein Archimedes war der Größere von uns beiden!« – Und seine Blicke legten sich wie drückende Bleikugeln auf die meinen, während er mit mir anstieß und dann in einem Zug sein Glas heruntergoß.

Damals fürchtete ich mich noch nicht vor einem tüchtigen Trunk. »*In memoriam*«, sprach ich andächtig und folgte seinem Beispiel. Der

Herr Etatsrat nickte und schenkte die Gläser wieder voll. »Sie haben«, hub er aufs neue an, »Ihren großen Kommilitonen mit allen studentischen Ehren zu seiner letzten Ruhestatt begleitet; so verhielten wir es auch zu meiner Zeit; besonders bei unserem Konsenior, den wir Mathematiker ›Ruomboides‹ nannten! Er war ein Rheinländer, aber der Wein war bei ihm ein überwundener Standpunkt; er trank des Morgens Rum und des Abends wieder Rum; und so fiel er auch nicht, wie mein unsterblicher Archimedes, als ein Opfer der Wissenschaft, er war vielmehr dem Laster der Trunksucht ergeben und ging dadurch zugrunde. Desohnerachtet bliesen wir ihn mit zwölf Posaunen zu Grabe und tranken sodann im Ratskeller so tapfer auf seine fröhliche Urständ, daß bei Anbruch des Morgens nur noch wenige von uns an das Tageslicht hinaufzugelangen vermochten. – Aber« – sein Blick war auf mein unberührtes Glas gefallen – , »Sie haben ja nicht getrunken! ›*Dulce merum*‹, sagt Horatius; schenken Sie sich selber ein; es freut mich, einmal wieder mit einem flotten Studiosus den Pokal zu leeren!«

Aber die Gesellschaft des Herrn Etatsrats begann mir unheimlich zu werden; auch wollte ich endlich meine Rechnungen zur Sprache bringen und zog deshalb, indem ich zugleich seiner Aufforderung folgte, mein Päckchen aus der Tasche und begann die Papiere vor ihm hinzubreiten.

Er würdigte dieselben keines Blickes; die Erläuterungen aber, welche ich hinzuzufügen für nötig hielt, schien er aufmerksam anzuhören. »Gewiß, mein junger Freund«, sagte er dann, als ich zu Ende war, »mein herrlicher Archimedes wäre ja kein Student gewesen, wenn er nicht mit Hinterlassung etwelcher Schulden in die Ewigkeit gegangen wäre! Geben Sie, junger Mann, die Rechnungen dieser Böotier an den Herrn Käfer zur weiteren Hinterlegung, oder, was ich für das schicklichste erachte, retradieren Sie selbige an ihre ehrenwerten Autoren!«

Ich glaubte den Sinn dieser Worte nicht recht gefaßt zu haben. »Aber sie sollen doch bezahlt werden?« wagte ich einzuwenden.

»Nein, mein junger Freund« – und die stumpfen Augen sahen unter den schwarzen Borstenhaaren mich fast höhnisch an –, »ich sehe dazu nicht die mindeste Veranlassung.«

Ich mag dem Herrn Etatsrat wohl ein recht verblüfftes Gesicht gemacht haben, als ich meine Rechnungen zusammensammelte und wieder in die Tasche steckte; dann aber nahm ich meinen Abschied, so sehr er mich auch mit trunkener Höflichkeit zurückzuhalten suchte.

Als ich auf den Flur hinaustrat, vernahm ich dort ein halb unterdrücktes Weinen, und da ich den Kopf wandte, sah ich auf den Stufen einer Treppe, die hinter dem Zimmer des Etatsrats in das Oberhaus hinaufführte, eine weibliche Gestalt hingekauert; an der blauen Schürze, in die sie ihr Gesicht verhüllt hatte, glaubte ich sie für dieselbe zu erkennen, die sich vorhin so hastig meinem Blick entzogen hatte.

Als ich unwillkürlich nähertrat, erhob sie den Kopf ein wenig, und zwei dunkle Augen blickten flüchtig zu mir auf.

»Fräulein Sophie!« rief ich; denn ich hatte sie erkannt, obgleich ihr schönes Antlitz durch einen fremden, scharfen Zug entstellt war. »Ja, weinen Sie nur; er hat Sie sehr geliebt! O, Fräulein Phia, wenn Sie nicht kommen konnten, weshalb schwiegen Sie auf alle seine Briefe?« – Das einsame Sterbelager meines Freundes war vor mir aufgestiegen; ich hatte es nicht lassen können, diesen Vorwurf auszusprechen.

Sie antwortete mir nicht; sie wühlte das Haupt in ihren Schoß und streckte beide Arme händeringend vor sich hin; ein Schluchzen erschütterte den jungen Körper, als ob ein stumm getragenes ungeheures Leid zum Ausbruch drängte.

War das allein die Trauer um den Toten, was sich da vor meinen Augen offenbarte? – Unschlüssig stand ich vor ihr; dann begann ich zu berichten, was ich immerhin der Schwester des Verstorbenen schuldig zu sein meinte: von ihres Bruders letzten Tagen, von seiner Sehnsucht nach der fernen Schwester, und wie ihr Name von seinem sterbenden Munde auch für mich das Abschiedswort von ihm gewesen sei.

Ich schwieg einen Augenblick. Als ich noch einmal beginnen wollte, streckte sie abwehrend, in leidenschaftlicher Bewegung die Hände gegen mich. »Dank, Dank!« rief sie mit einer Stimme, die ich nie vergessen werde; »aber gehen Sie, aus Barmherzigkeit, gehen Sie jetzt!« Und ehe ich es verhindern konnte, hatte sie meine Hand ergriffen, und ein Paar fieberheiße Lippen drückten sich darauf.

Beschämt und verwirrt, zögerte ich noch, ihr zu gehorchen; da wurde aus dem Zimmer nebenan ihr Name gerufen; die rauhe Stimme ihres Vaters war nicht zu verkennen.

Schweigend und wie todmüde erhob sie sich; aber ich hielt sie noch zurück und sprach die Hoffnung aus, sie bald in ruhigerer Stunde in meiner Eltern Haus zu sehen.

Sie blickte nicht zu mir hin und antwortete mir nicht, weder durch Worte noch Gebärde; langsam schritt sie nach dem Zimmer ihres Vaters. Als ich die Haustür geöffnet hatte, wandte ich den Kopf zurück: da stand sie noch, die Klinke in der Hand, die großen Augen weit dem Sonnenlicht geöffnet, das von draußen in den dunkeln Hausflur strömte; mir aber war, da hinter mir die schwere Tür ins Schloß fiel, als hätte ich sie in einer Gruft zurückgelassen.

Wie betäubt kam ich nach Hause; es nahm mich fast wunder, als ich hier alles wie gewöhnlich fand: meine Schwester saß mit einer großen Weißzeugnäherei am Fenster, neben ihr im Sofa Tante Allmacht mit ihrer ewigen Trikotage.

Ich konnte nicht an mir halten, ich erzählte den Frauen alles, was mir widerfahren war. »Was ist geschehen mit dem armen Kinde?« rief ich; »das war nicht nur ein Leid, das war Verzweiflung, was ich da gesehen habe.«

Ich erhielt keine Antwort; Tante Allmacht schloß ihre Lippen fest zusammen, meine Schwester packte ihre Näherei hinter sich auf den Stuhl und ging hinaus. Ich sah ihr erst erstaunt nach und machte dann Anstalt, sie zurückzurufen; aber Tante Allmacht faßte meine Hand: »Laß, laß, mein lieber Junge; das sind keine Dinge für die Ohren einer jungen Dame, wenn auch die ganze Stadt davon erfüllt ist!«

»Sprich nur, Tante«, sagte ich traurig; »ich weiß schon, was nun folgen wird!«

»Ja, ja, mein Junge; der Musche Käfer – es ist gekommen, wie es nicht anders kommen konnte; und wenn nicht ein noch größerer Skandal geschehen soll, so wird der Herr Etatsrat zu einer sehr unschicklichen und recht betrübten Heirat seinen Segen geben müssen. Im übrigen ist natürlich dieser Rabenvater der einzige, welcher von dem Stand der Dinge keine Ahnung hat.«

Tante Allmacht tat ein paar Seufzer. »Die arme Phia!« fügte sie dann mit seltener Milde bei; »ich habe kluge und gereifte Frauen an solch elenden Gesellen verderben sehen, warum denn nicht ein dummes unberatenes Kind!«

Zu der von Tante Allmacht vorhin bezeichneten Heirat kam es nicht. – Was nun noch folgte, habe ich nicht miterlebt; ich saß in unserer Universitätsstadt an meiner lateinischen Examenarbeit; aber mein Gewährsmann ist wiederum jener alte Handwerksmeister, der nächste Nachbar des Herrn Etatsrats.

Es war im Hochsommer desselben Jahres, in einer jener hellen Nächte, die auch schon unserer nördlicheren Heimat eigen sind, als er durch etwas wie aus der Nachbarschaft zu seinem Ohre Dringendes aus tiefem Schlaf emporgerissen wurde; ein Geräusch, ein ungewohnter Laut hatte die Stille der Nacht durchbrochen. Aufrecht in den Kissen sitzend, unterschied er deutlich die Haustürglocke des Herrn Etatsrats, im Hause selbst ein Treppenlaufen und Schlagen mit den Türen; nach einer Weile eine junge Stimme; nein, einen Schrei, wie in höchster Not aus armer hilfloser Menschenbrust hervorgestoßen!

Voll Entsetzen war der alte Mann von seinem Lager aufgesprungen, da hörte er draußen auf der Straße eilige Schritte näherkommen. Er stieß das Fenster auf und gewahrte eine alte Frau, die er in der Dämmerhelle zu erkennen glaubte. »Wieb! Wieb Peters«, rief er, »ist Sie es? Was ist denn das für ein Schrecken in der Nacht?«

Die alte, sonst so schweigsame Frau war dicht zu ihm herangetreten. »Geh Er nur wieder schlafen, Meister«, sagte sie und hielt dabei ihre großen unbeweglichen Augen auf ihn gerichtet; »was Er gehört hat, geht Ihn ganz und gar nichts an; oder wenn Er nicht schlafen kann, so helf' Er den Herrn Etatsrat wecken, wenn Reu' und Leid ihn noch nicht haben wecken können!«

Damit war sie fortgegangen; und gleich darauf hatte der Meister abermals die Türglocke des Nachbarhauses läuten hören. – – Was in dieser Nacht geschehen war, blieb nicht lange verborgen; schon am anderen Morgen lief es durch die Stadt; in den Häusern flüsterte man es sich zu, auf den Gassen erzählte man es laut: unter dem Dache des Herrn Etatsrats lagen zwei Leichen; die Stadt hatte auf Wochen Stoff zur Unterhaltung.

Dann kam der Begräbnistag. Dem Sarge, in welchem ein neugeborenes Kind an seiner jungen Mutter Brust lag, folgten zwei Schreiber und die nächsten Nachbarn. Herr Käfer hatte am selben Morgen eine Reise angetreten; der Herr Etatsrat hatte aus unbekanntem Grunde sich zurückgehalten. Als aber in dem Totengange der Leichenzug an der Gartenplanke entlang kam, sah man ihn auf dem Altane, der jetzt weit offenen Kirchhofspforte gegenüber, sitzen; er rauchte aus seiner Meerschaumpfeife und stieß mächtige Dampfwolken vor sich hin, während auf den Schultern dürftig gekleideter Arbeitsleute die letzte Bettstatt seines Kindes näherschwankte.

Eine leuchtende Junisonne stand am Himmel und beschien den Sarg und den einzigen, aus Immergrün und Myrten gewundenen Kranz, den Tante Allmachts Stina heimlich am Abend vorher daraufgelegt hatte. Als der Zug unterhalb des Altans angelangt war, scheuchte der Herr Etatsrat den blauen Tabaksqualm zur Seite, indem er herablassend gegen das Gefolge grüßte. »*Contra vim mortis,* meine Freunde! *Contra vim mortis!*« rief er und schüttelte mit kondolierender Gebärde seine runde Hand; »aber recht schönes Wetter hat sie sich noch zu ihrem letzten Gange ausgesucht!«

Der Zug hatte bei diesen Worten bereits die Kirchhofsschwelle überschritten, und bald waren die beiden armen Kinder in die für sie geöffnete Gruft hinabgesenkt.

– – Phia Sternow ruht neben ihrer fast in gleicher Jugend, aber ohne eine gleiche Kränkung der öffentlichen Meinung hingeschiedenen Mutter; wie ich mich später überzeugte, unter jenem vernachlässigten Hügel, auf dem ich einstmals ihren Primelkranz gefunden hatte. – Eine Willi ist sie nicht geworden, nur ein verdämmernder Schatten, der mit anderen einst Gewesener noch mitunter vor den Augen eines alten Mannes schwebt. – Arme Phia! Armer Archimedes!

Ich schwieg. Mein junger Freund, dem ich dies alles auf eine hingeworfene Frage erzählt hatte, sah mich unbefriedigt an. »Und der Herr Etatsrat?« frug er und langte aufs neue in die Zigarrenkiste, die ich ihm mittlerweile zugeschoben hatte, »was ist aus dem geworden?«

»Aus dem? Nun, was zuletzt aus allen und aus allem wird! Da ich einst nach elfjähriger Abwesenheit in unsere Vaterstadt zurückkehrte, war er nicht mehr vorhanden. Viele wußten gar nicht mehr von ihm; auch sein Amt existierte nicht mehr, und seine vielgerühmten Deichprofile sind durch andere ersetzt, die selbstverständlich nun die einzig richtigen sind; Sie aber sind der erste, dem zu erzählen mir die Ehre wurde, daß ich den großen Mann mit eigenen Augen noch gesehen habe.«

»Hm! Und Herr Käfer?«

»Ich bitte, fragen Sie mich nicht mehr! Wenn er noch lebt, so wird er jedenfalls sich wohl befinden; denn er verstand es, seine Person mit anderen zu sparen.«

»Das hol' der Teufel!« sagte mein ungeduldiger junger Freund.

Hans und Heinz Kirch

Auf einer Uferhöhe der Ostsee liegt hart am Wasser hingelagert eine kleine Stadt, deren stumpfer Turm schon über ein Halbjahrtausend auf das Meer hinausschaut. Ein paar Kabellängen vom Lande streckt sich quervor ein schmales Eiland, das sie dort den »Warder« nennen, von wo aus im Frühling unablässiges Geschrei der Strand- und Wasservögel nach der Stadt herübertönt. Bei hellem Wetter tauchen auch wohl drüben auf der Insel, welche das jenseitige Ufer des Sundes bildet, rotbraune Dächer und die Spitze eines Turmes auf, und wenn die Abenddämmerung das Bild verlöscht hat, entzünden dort zwei Leuchttürme ihre Feuer und werfen über die dunkle See einen Schimmer nach dem diesseitigen Strand herüber. Gleichwohl, wer als Fremder durch die auf- und absteigenden Straßen der Stadt wandert, wo hie und da roh gepflasterte Stufen über die Vorstraße zu den kleinen Häusern führen, wird sich des Eindrucks abgeschlossener Einsamkeit wohl kaum erwehren können, zumal wenn er von der Landseite über die langgestreckte Hügelkette hier herabgekommen ist. In einem Balkengestell auf dem Markte hing noch vor kurzem, wie seit Jahrhunderten, die sogenannte Bürgerglocke; um zehn Uhr abends, sobald es vom Kirchturme geschlagen hatte, wurde auch dort geläutet, und wehe dem Gesinde oder auch dem Haussohn, der diesem Ruf nicht Folge leistete; denn gleich danach konnte man straßab und -auf sich alle Schlüssel in den Haustüren drehen hören.

Aber in der kleinen Stadt leben tüchtige Menschen, alte Bürgergeschlechter, unabhängig von dem Gelde und dem Einfluß der umwohnenden großen Grundbesitzer; ein kleines Patriziat ist aus ihnen erwachsen, dessen stattlichere Wohnungen, mit breiten Beischlägen hinter mächtig schattenden Linden, mitunter die niedrigen Häuserreihen unterbrechen. Aber auch aus diesen Familien mußten bis vor dem letzten Jahrzehnt die Söhne den Weg gehen, auf welchem Eltern und Vorfahren zur Wohlhabenheit und bürgerlichen Geltung gelangt waren; nur wenige ergaben sich den Wissenschaften, und kaum war unter den derzeitig noch studierten Bürgermeistern jemals ein Eingeborener dagewesen; wenn aber bei den jährlichen Prüfungen in der Rektorschule der Propst den einen oder anderen von den Knaben frug: »Mein

Junge, was willst du werden?«, dann richtete der sich stolz von seiner Bank empor, der mit der Antwort »Schiffer!« herauskommen durfte. Schiffsjunge, Kapitän auf einem Familien-, auf einem eigenen Schiffe, dann mit etwa vierzig Jahren Reeder und bald Senator in der Vaterstadt, so lautete der Stufengang der bürgerlichen Ehren.

Auf dem Chor der von einem Landesherzog im dreizehnten Jahrhundert erbauten Kirche befand sich der geräumige Schifferstuhl, für den Abendgottesdienst mit stattlichen Metalleuchtern an den Wänden prangend, durch das an der Decke schwebende Modell eines Barkschiffes in vollem Takelwerke kenntlich. Auf diesen Raum hatte jeder Bürger ein Recht, welcher das Steuermannsexamen gemacht hatte und ein eigenes Schiff besaß; aber auch die schon in die Kaufmannschaft Übergetretenen, die ersten Reeder der Stadt, hielten, während unten in der Kirche ihre Frauen saßen, hier oben unter den anderen Kapitänen ihren Gottesdienst; denn sie waren noch immer und vor allem meerbefahrene Leute, und das kleine schwebende Barkschiff war hier ihre Hausmarke.

Es ist begreiflich, daß auch manchen jungen Matrosen oder Steuermann aus dem kleinen Bürgerstande beim Eintritt in die Kirche statt der Andacht ein ehrgeiziges Verlangen anfiel, sich auch einmal den Platz dort oben zu erwerben, und daß er trotz der eindringlichen Predigt dann statt mit gottseligen Gedanken mit erregten weltlichen Entschlüssen in sein Quartier oder auf sein Schiff zurückkehrte.

Zu diesen strebsamen Leuten gehörte Hans Adam Kirch. Mit unermüdlichem Tun und Sparen hatte er sich vom Salzschiffer zum Schiffseigentümer hinaufgearbeitet; freilich war es nur eine kleine Jacht, zu der seine Mittel gereicht hatten, aber rastlos und in den Winter hinein, wenn schon alle anderen Schiffer daheim hinter ihrem Ofen saßen, befuhr er mit seiner Jacht die Ostsee, und nicht nur Frachtgüter für andere, bald auch für eigene Rechnung brachte er die Erzeugnisse der Umgegend, Korn und Mehl, nach den größeren und kleineren Küstenplätzen; erst wenn bereits außen vor den Buchten das Wasser fest zu werden drohte, band auch er sein Schiff an den Pfahl und saß beim Sonntagsgottesdienste droben im Schifferstuhl unter den Honoratioren seiner Vaterstadt. Aber lang' vor Frühlingsanfang war er wieder auf seinem Schiffe; an allen Ostseeplätzen kannte man den kleinen,

hageren Mann in der blauen, schlotternden Schifferjacke, mit dem ge-
krümmten Rücken und dem vornüberhängenden dunkelhaarigen
Kopfe; überall wurde er aufgehalten und angeredet, aber er gab nur
kurze Antworten, er hatte keine Zeit; in einem Tritte, als ob er an der
Fallreepstreppe hinauflaufe, sah man ihn eilfertig durch die Gassen
wandern. Und diese Rastlosigkeit trug ihre Früchte; bald wurde zu
dem aus der väterlichen Erbschaft übernommenen Hause ein Stück
Wiesenland erworben, genügend für die Sommer- und Winterfütte-
rung zweier Kühe; denn während das Schiff zu Wasser, sollten diese
zu Lande die Wirtschaft vorwärtsbringen. Eine Frau hatte Hans Kirch
sich im stillen vor ein paar Jahren schon genommen; zu der Hökerei,
welche diese bisher betrieben, kam nun noch eine Milchwirtschaft;
auch ein paar Schweine konnten jetzt gemästet werden, um das Schiff
auf seinen Handelsfahrten zu verproviantieren; und da die Frau, welche er im Widerspruch mit seinem sonstigen Tun aus einem armen
Schulmeisterhause heimgeführt hatte, nur seinen Willen kannte und
überdies aus Furcht vor dem bekannten Jähzorn ihres Mannes sich das
Brot am Munde sparte, so pflegte dieser bei jeder Heimkehr auch zu
Hause einen hübschen Haufen Kleingeld vorzufinden.

In dieser Ehe wurde nach ein paar Jahren ein Knabe geboren und
mit derselben Sparsamkeit erzogen. »All wedder 'n Dreling umsünst
utgeb'n!« Dies geflügelte Wort lief einmal durch die Stadt; Hans Adam
hatte es seiner Frau zugeworfen, als sie ihrem Jungen am Werktag einen Sirupskuchen gekauft hatte. Trotz dieser dem Geize recht nahe
verwandten Genauigkeit war und blieb der Kapitän ein zuverlässiger
Geschäftsmann, der jeden ungeziemenden Vorteil von sich wies; nicht
nur infolge einer angeborenen Rechtschaffenheit, sondern ebensosehr
seines Ehrgeizes. Den Platz im Schifferstuhle hatte er sich errungen;
jetzt schwebten höhere Würden, denen er nichts vergeben durfte, vor
seinen Sinnen; denn auch die Sitze im Magistratskollegium, wenn sie
auch meist den größeren Familien angehörten, waren mitunter von
dem kleineren Bürgerstande aus besetzt worden. Jedenfalls, seinem
Heinz sollte der Weg dazu gebahnt werden; sagten die Leute doch, er
sei sein Ebenbild: die fest auslugenden Augen, der Kopf voll schwarz-
brauner Locken seien väterliche Erbschaft, nur statt des krummen
Rückens habe er den schlanken Wuchs der Mutter.

Was Hans Kirch an Zärtlichkeit besaß, das gab er seinem Jungen; bei jeder Heimkehr lugte er schon vor dem Warder durch sein Glas, ob er am Hafenplatz ihn nicht gewahren könne; kamen dann nach der Landung Mutter und Kind auf Deck, so hob er zuerst den kleinen Heinz auf seinen Arm, bevor er seiner Frau die Hand zum Willkommen gab.

Als Heinz das sechste Jahr erreicht hatte, nahm ihn der Vater zum ersten Male mit sich auf die Fahrt, als »Spielvogel«, wie er sagte; die Mutter sah ihnen mit besorgten Augen nach; der Knabe aber freute sich über sein blankes Hütchen und lief jubelnd über das schmale Brett an Bord; er freute sich, schon jetzt ein Schiffer zu werden wie sein Vater, und nahm sich im stillen vor, recht tüchtig mitzuhelfen. Frühmorgens waren sie ausgelaufen; nun beschien sie die Mittagssonne auf der blauen Ostsee, über die ein lauer Sommerwind das Schiff nur langsam vorwärtstrieb. Nach dem Essen, bevor der Kapitän zur Mittagsruhe in die Kajüte ging, wurde Heinz dem Schiffsjungen anvertraut, der mit dem Spleißen zerrissener Taue auf dem Deck beschäftigt war; auch der Knabe erhielt ein paar Tauenden, die er eifrig ineinander zu verflechten strebte.

Nach einer Stunde etwa stieg Hans Kirch wieder aus seiner Kajüte und rief, noch halb im Taumel: »Heinz! Komm her, Heinz, wir wollen Kaffee trinken!« Aber weder der Knabe selbst noch eine Antwort kam auf diesen Ruf; statt dessen klang drüben vom Bugspriet her der Gesang einer Kinderstimme. Hans Kirch wurde blaß wie der Tod; denn dort, fast auf der äußersten Spitze hatte er seinen Heinz erblickt. Auf der Luvseite, behaglich an das matt geschwellte Segel lehnend, saß der Knabe, als ob er hier von seiner Arbeit ruhe. Als er seinen Vater gewahrte, nickte er ihm freundlich zu; dann sang er unbekümmert weiter, während am Bug das Wasser rauschte; seine großen Kinderaugen leuchteten, sein schwarzbraunes Haar wehte in der sanften Brise.

Hans Kirch aber stand unbeweglich, gelähmt von der Ratlosigkeit der Angst; nur er wußte, wie leicht bei der schwachen Luftströmung das Segel flattern und vor seinen Augen das Kind in die Tiefe schleudern konnte. Er wollte rufen; aber noch zwischen den Zähnen erstickte er den Ruf; Kinder, wie Nachtwandler, muß man ja gewähren lassen; dann wieder wollte er das Boot aussetzen und nach dem Bug des Schiffes rudern; aber auch das verwarf er. Da kam von dem Knaben selbst die Entscheidung; das Singen hatte er satt, er wollte jetzt zu seinem Vater und dem seine Taue zeigen. Behutsam, entlang dem unteren Rande des Segels, das nach wie vor sich ihm zur Seite blähte, nahm er seinen Rückweg; eine Möwe schrie hoch oben in der Luft, er sah empor und kletterte dann ruhig weiter. Mit stockendem Atem stand Hans Kirch noch immer neben der Kajüte; seine Augen folgten jeder Bewegung seines Kindes, als ob er es mit seinen Blicken halten müsse. Da plötzlich, bei einer kaum merklichen Wendung des Schiffes, fuhr er mit dem Kopf herum: »Backbord!« schrie er nach der Steuerseite; »Backbord!«, als ob es ihm die Brust zersprengen solle. Und der Mann am Steuer folgte mit leisem Druck der Hand, und die eingesunkene Leinwand des Segels füllte sich aufs neue.

Im selben Augenblicke war der Knabe fröhlich aufs Verdeck gesprungen; nun lief er mit ausgebreiteten Armen auf den Vater zu. Die Zähne des gefahrgewohnten Mannes schlugen noch aneinander: »Heinz, Heinz, das tust du mir nicht wieder!« Krampfhaft preßte er den Knaben an sich; aber schon begann die überstandene Angst dem Zorne gegen ihren Urheber Platz zu machen. »Das tust du mir nicht wieder!« Noch einmal sagte er es; aber ein dumpfes Grollen klang jetzt in seiner Stimme; seine Hand hob sich, als wolle er sie auf den Knaben fallen lassen, der erstaunt und furchtsam zu ihm aufblickte.

Es sollte für diesmal nicht dahin kommen; der Zorn des Kapitäns sprang auf den Schiffsjungen über, der eben in seiner lässigen Weise an ihnen vorüberschieben wollte; aber mit entsetzten Augen mußte der kleine Heinz es ansehen, wie sein Freund Jürgen, er wußte nicht weshalb, von seinem Vater auf das grausamste gezüchtigt wurde.

– – Als im nächsten Frühjahr Hans Kirch seinen Heinz wieder einmal mit aufs Schiff nehmen wollte, hatte dieser sich versteckt und mußte, als er endlich aufgefunden wurde, mit Gewalt an Bord gebracht werden; auch saß er diesmal nicht mehr singend unterm Klüversegel; er fürchtete seinen Vater und trotzte ihm doch zugleich. Die Zärtlichkeit des letzteren kam gleicherweise immer seltener zutage, je mehr der eigene Wille in dem Knaben wuchs; glaubte er doch selber nur den Erben seiner aufstrebenden Pläne in dem Sohn zu lieben.

Als Heinz das zwölfte Jahr erreicht hatte, wurde ihm noch eine Schwester geboren, was der Vater als ein Ereignis aufnahm, das eben nicht zu ändern sei. Heinz war zu einem wilden Jungen aufgeschossen; aber in der Rektorschule hatte er nur noch wenige über sich. »Der hat Gaben!« meinte der junge Lehrer, »der könnte hier einmal die Kanzel zieren.« Aber Hans Kirch lachte: »Larifari, Herr Rektor! Ums Geld ist es nicht; aber man sieht doch gleich, daß Sie hier nicht zu Hause sind.«

Gleichwohl ging er noch an demselben Tage zu seinem Nachbarn, dem Pastoren, dessen Garten sich vor dem Hause bis zur Straße hinab erstreckte. Der Pastor empfing den Eintretenden etwas stramm: »Herr Kirch«, sagte er, bevor noch dieser das Wort zu nehmen vermochte, »Ihr Junge, der Heinz, hat mir schon wieder einmal die Scheiben in meinem Stallgiebel eingeworfen!«

»Hat er das«, erwiderte Hans Kirch, »so muß ich sie einsetzen lassen, und Heinz bekommt den Stock; denn das Spielwerk ist zu teuer.«

Dann, während der andere zustimmend nickte, begann er mit dem, was ihn hergeführt, herauszurücken: der Pastor sollte seinen Heinz in die Privatstunden aufnehmen, welche er zur Aufbesserung seines etwas schmalen Ehrensoldes einigen Kostgängern und Söhnen der Honoratioren zu erteilen pflegte. Als dieser sich nach einigen Fragen bereit erklärte, machte Hans Kirch noch einen Versuch, das Stundengeld herabzudrücken; da aber der Pastor nicht darauf zu hören schien, so wiederholte er ihn nicht; denn Heinz sollte mehr lernen, als jetzt noch in der Rektorschule für ihn zu holen war.

Am Abend dieses Tages erhielt Heinz die angelobte Strafe und am Nachmittage des folgenden, als er zwischen den anderen Schülern oben in des Pastors Studierzimmer saß, von Wohlehrwürden noch einen scharf gesalzenen Text dazu. Kaum aber war nach glücklich verflossener Stunde die unruhige Schar die Treppe hinab und in den Garten hinausgestürmt, als der erlöste Mann von dorten unter seinem Fenster ein lautes Wehgeheul vernahm. »Ich will dich klickern lehren!« rief eine wütende Knabenstimme, und wiederum erscholl das klägliche Geheul. Als aber der Pastor sein Fenster öffnete, sah er unten nur seinen fahlblonden Kostgänger, der ihm am Morgen Heinzens Missetat verraten hatte, jetzt in eifriger Beschäftigung, mit seinem Schnupftuch sich das Blut von Mund und Nase abzutrocknen. Daß er selbst an jenem Spielwerk mitgeholfen hatte, fand er freilich sich nicht veranlaßt zu verraten; aber ebensowenig verriet er jetzt, wer ihm den blutigen Denkzettel auf den Weg gegeben hatte.

Der Pastor war des Segens eines Sohnes nicht teilhaftig geworden; nur zwei Töchter besaß er, einige Jahre jünger als Heinz und von nicht üblem Aussehen; aber Heinz kümmerte sich nicht um sie, und man hätte glauben können, daß auch er der Bubenregel folge, ein tüchtiger Junge dürfe sich nicht mit Dirnen abgeben, wenn in dem Hause dem Pastorengarten gegenüber nicht die kleine Wieb gewesen wäre. Ihre Mutter war die Frau eines Matrosen, eine Wäscherin, die ihr Kind sauberer hielt als, leider, ihren Ruf. »Deine Mutter ist auch eine Amphibie!« hatte einmal ein großer Junge dem Mädchen ins Gesicht geschrien, als eben in der Schule die Lehre von diesen Kreaturen vorgetragen war. »Pfui doch, warum?« hatte entrüstet die kleine Wieb gefragt. – »Warum? Weil sie einen Mann zu Wasser und einen zu Lande hat!« – Der Vergleich hinkte; aber der Junge hatte doch seiner bösen Lust genuggetan.

Gleichwohl hielten die Pastorstöchter eine Art von Spielkameradschaft mit dem Matrosenkinde; freilich meist nur für die Werkeltage, und wenn die Töchter des Bürgermeisters nicht bei ihnen waren; wenn sie ihre weißen Kleider mit den blauen Schärpen trugen, spielten sie lieber nicht mit der kleinen Wieb. Trafen sie diese dann etwas still und schüchtern vor der Gartenpforte stehen, oder hatte gar die jüngste, gutmütige Bürgermeisterstochter sie hereingeholt, dann sprachen sie wohl zu ihr sehr freundlich, aber auch sehr eilig. »Nicht wahr, kleine Wieb, du kommst doch morgen zu uns in den Garten?« Im Nachsommer steckten sie ihr wohl auch einen Apfel in die Tasche und sagten: »Wart', wir wollen dir noch einen mehr suchen!« Und die kleine Wieb schlich dann mit ihren Äpfeln ganz begossen aus dem Garten auf die Gasse. Wenn aber Heinz darüber zukam, dann riß er sie ihr wohl wieder fort und warf sie zornig in den Garten zurück, mitten zwischen die geputzten Kinder, daß sie schreiend ins Haus stoben; und wenn dann Wieb über die Äpfel weinte, wischte er mit seinem Schnupftuch ihr die Tränen ab: »Sei ruhig, Wieb; für jeden Apfel hol' ich dir morgen eine ganze Tasche voll aus ihrem Garten!« – Und sie wußte wohl, er pflegte Wort zu halten.

Wieb hatte ein Madonnengesichtlein, wie der kunstliebende Schulrektor einmal gesagt hatte, ein Gesichtlein, das man nicht gut leiden sehen konnte; aber die kleine Madonna aß gleichwohl gern des Pastors rote Äpfel, und Heinz stieg bei erster Gelegenheit in die Bäume und stahl sie ihr. Dann zitterte die kleine Wieb; nicht weil sie den Apfeldiebstahl für eine Sünde hielt, sondern weil die größeren Kostgänger des Pastors ihren Freund dabei mitunter überfielen und ihm den Kopf zum Bluten schlugen. Wenn aber nach dem wohlbestandenen Abenteuer Heinz ihr hinten nach der Allee gewinkt hatte, wenn er vor ihr auf dem Boden kniete und seinen Raub in ihre Täschchen pfropfte, dann lächelte sie ihn ganz glückselig an, und der kräftige Knabe hob seinen Schützling mit beiden Armen in die Luft: »Wieb, Wiebchen, kleines Wiebchen!« rief er jubelnd; und er schwenkte sich mit ihr im Kreise, bis die roten Äpfel aus den Taschen flogen.

Mitunter auch, bei solchem Anlaß, nahm er die kleine Madonna bei der Hand und ging mit ihr hinunter an den Hafen. War auf den Schiffen alles unter Deck, dann löste er wohl ein Boot, ließ seinen Schützling sacht hineintreten und ruderte mit ihr um den Warder herum, weit in den Sund hinein; wurde der Raub des Bootes hinterher bemerkt und drangen nun von dem Schiffe zornige Scheltlaute über das Wasser zu ihnen herüber, dann begann er hell zu singen, damit die kleine Wieb nur nicht erschrecken möge; hatte sie es aber doch gehört, so ruderte er nur um so lustiger und rief: »Wir wollen weit von all den schlechten Menschen fort!« – Eines Nachmittags, da Hans Kirch mit seinem Schiffe auswärts war, wagten sie es sogar, drüben bei der Insel anzulegen, wo Wieb in dem großen Dorfe eine Verwandte wohnen hatte, die sie »Möddersch« nannte. Es war dort eben der große Michaelis-Jahrmarkt, und nachdem sie bei Möddersch eine Tasse Kaffee bekommen hatten, liefen sie zwischen die Buden und in den Menschendrang hinein, wo Heinz für sie beide mit tüchtigen Ellenbogenstößen Raum zu schaffen wußte. Sie waren schon im Karussell gefahren, hatten Kuchenherzen gegessen und bei mancher Drehorgel stillgestanden, als Wiebs blaue Augen an einem silbernen Ringlein haftenblieben, das zwischen Ketten und Löffeln in einer Goldschmiedsbude auslag. Hoffnungslos drehte sie ihr nur aus drei Kupfersechslingen bestehendes Vermögen zwischen den Fingern; aber Heinz, der gestern alle seine Kaninchen verkauft hatte, besaß nach der heutigen Verschwendung noch acht Schillinge, und dafür und für die drei Sechslinge wurde glücklich der Ring erhandelt. Nun freilich waren beider Taschen leer; zum Karussell für Wieb spendierte Möddersch noch einmal einen Schilling – denn soviel kostete es, da Wieb nicht wie vorhin in einem Stuhle fahren, sondern auf dem großen Löwen reiten wollte –; dann, als eben alle Lampen zwischen den schmelz- und goldgestickten Draperien angezündet wurden, waren für sie die Freuden aus, und auch die alte Frau trieb jetzt zur Rückfahrt. Manchmal, während Heinz mit kräftigen Schlägen seine Ruder brauchte, blickten sie noch zurück, und das Herz wurde ihnen groß, wenn sie im zunehmenden Abenddunkel den Lichtschein von den vielen Karussellampen über der Stelle des unsichtbaren Dorfes schweben sahen; aber Wieb hatte ihren silbernen Ring, den sie nun nicht mehr von ihrem Finger ließ.

Inzwischen hatte Kapitän Kirch seine Jacht verkauft. Mit einem stattlichen Schoner, der auf der heimischen Werft gebaut worden war, brachte er für fremde und mehr und mehr für eigene Rechnung Korn nach England und nahm als Rückfracht Kohlen wieder mit. So war zu dem Korn- nun auch ein Kohlenhandel gekommen, und auch diesen mußte gleich der Milchwirtschaft die Frau besorgen. Um seinen Heinz, wenn er bei seiner Heimkehr auf die kurze Frage: »Hat der Junge sich geschickt?« von der Mutter eine bejahende Antwort erhalten hatte, schien er sich im übrigen nicht groß zu kümmern; nur beim Quartalsschlusse pflegte er den Rektor und den Pastor zu besuchen, um zu erfahren, wie der Junge lerne. Dann hieß es allemal, das Lernen sei ihm nur ein Spiel, es bleibe dabei nur zuviel unnütze Zeit ihm übrig; denn wild sei er wie ein Teufel, kein Junge ihm zu groß und keine Spitze ihm zu hoch.

Auf Hans Adams Antlitz hatte sich, nach Aussage des Schulrektors, mehrmals bei solcher Auskunft ein recht ungeeignetes und fast befriedigtes Lächeln gezeigt, während er mit einem kurz hervorgestoßenen »Na, na!« zum Abschiede ihm die Hand gedrückt habe.

Wie recht übrigens auch Heinzens Lehrer haben mochten, so blieb doch das Schutzverhältnis zu der kleinen Wieb dasselbe, und davon wußte mancher frevle Junge nachzusagen. Auch sah man ihn wohl an Sonntagen mit seiner Mutter nach einem dürftigen, unweit der Stadt

belegenen Wäldchen wandern und bei der Rückkehr nebst dem leeren
Proviantkorbe sein Schwesterchen auf dem Rücken tragen. Mitunter
war auch die allmählich aufwachsende Wieb bei dieser Sonntagswan-
derung. Die stille Frau Kirch hatte Gefallen an dem feinen Mädchen
und pflegte zu sagen: »Laß sie nur mitgehen, Heinz; so ist sie doch
nicht bei der schlechten Mutter.«

Nach seiner Konfirmation mußte Heinz ein paar Fahrten auf seines
Vaters Schiffe machen, nicht mehr als »Spielvogel«, sondern als streng-
gehaltener Schiffsjunge; aber er fügte sich, und nach der ersten Rückkehr klopfte Kapitän Kirch ihm auf die Schulter, während er seiner
Frau durch ein kurzes Nicken ihren Anteil an seiner Befriedigung zu-
kommen ließ. Die zweite Reise geschah mit einem Setzschiffer; denn
der wachsende Handel daheim verlangte die persönliche Gegenwart
des Geschäftsherrn. Dann, nach zwei weiteren Fahrten auf größeren
Schiffen, war Heinz als Matrose in das elterliche Haus zurückgekehrt.
Er war jetzt siebzehn Jahre; die blaue, schirmlose Schiffermütze mit
dem bunten Rande und den flatternden Bändern ließ ihm so gut zu seinem frischen braunen Antlitz, daß selbst die Pastorstöchter durch den
Zaun lugten, wenn sie ihn nebenan im elterlichen Garten mit seiner
Schwester spielen hörten. Auch Kapitän Kirch selber konnte es Sonntags beim Gottesdienste nicht unterlassen, von seinem Schifferstuhle
nach unten in die Kirche hinabzuschielen, wo sein schmucker Junge
bei der Mutter saß. Unterweilen schweiften auch wohl seine Blicke
drüben nach dem Epitaphe, wo zwischen mannigfachen Siegestro-
phäen sich die Marmorbüste eines stattlichen Mannes in gewaltiger Al-
longeperücke zeigte; gleich seinem Heinz nur eines Bürgers Sohn, der
gleichwohl als Kommandeur von dreien Seiner Majestät Schiffen hier
in die Vaterstadt zurückgekommen war. Aber nein, so hohe Pläne hatte Hans Kirch doch nicht mit seinem Jungen, vorläufig galt es eine Reise mit dem Hamburger Schiffe »Hammonia« in die chinesischen Ge-
wässer, von der die Rückkehr nicht vor einem Jahr erfolgen würde;
und heute war der letzte Tag im elterlichen Hause.

Die Mutter hatte diesmal nicht ohne Tränen ihres Sohnes Kiste gepackt, und nach der Rückkehr aus der Kirche legte sie noch ihr eigenes Gesangbuch obenauf. Der Vater hatte auch in den letzten Tagen
außer dem Notwendigen nicht viel mit seinem Sohn gesprochen; nur

an diesem Abend, als er auf dem dunkeln Hausflur ihm begegnete, griff er nach seiner Hand und schüttelte sie heftig: »Ich sitze hier nicht still, Heinz; für dich, nur für dich! Und komm auch glücklich wieder!« Hastig hatte er es hervorgestoßen; dann ließ er die Hand seines Sohnes fahren und trabte eilig nach dem Hof hinaus.

Überrascht blickte ihm Heinz eine Weile nach; aber seine Gedanken waren anderswo. Er hatte Wieb am Tage vorher wiedergesehen; doch nur zu ein paar flüchtigen Worten war Gelegenheit gewesen; nun wollte er noch Abschied von ihr nehmen, sie wie sonst noch einmal um den Warder fahren.

Es war ein kühler Maiabend; der Mond stand über dem Wasser, als er an den Hafen hinabkam; aber Wieb war noch nicht da. Freilich hatte sie ihm gesagt, daß sie abends bei einer alten Dame einige leichte Dienste zu versehen habe; desungeachtet, während er an dem einsamen Bollwerk auf und ab ging, konnte er seine Ungeduld kaum niederzwingen: er schalt sich selbst und wußte nicht, weshalb das Klopfen seines Blutes ihm fast den Atem raubte. Endlich sah er sie aus der höherbelegenen Straße herabkommen. Bei dem Mondlicht, das ihr voll entgegenfiel, erschien sie ihm so groß und schlank, daß er erst fast verzagte, ob sie es wirklich sei. Gleichwohl hatte sie den Oberkörper in ein großes Tuch vermummt; einer Kopfbedeckung bedurfte sie nicht, denn das blonde Haar lag voll wie ein Häubchen über ihrem zarten Antlitz. »Guten Abend, Heinz!« sagte sie leise, als sie jetzt zu ihm trat; und schüchtern, fast wie ein Fremder, berührte er ihre Hand, die sie ihm entgegenstreckte. Schweigend führte er sie zu einem Boot, das neben einer großen Kuff im Wasser lag. »Komm nur!« sagte er, als er hineingetreten war und der auf der Hafentreppe Zögernden die Arme entgegenstreckte; »ich habe die Erlaubnis, wir werden diesmal nicht gescholten.«

Als er sie in seinen Armen aufgefangen hatte, löste er die Taue, und das Boot glitt aus dem Schatten des großen Schiffes auf die weite, mondglitzernde Wasserfläche hinaus.

Sie saß ihm auf der Bank am Hinterspiegel gegenüber; aber sie fuhren schon um die Spitze des Warders, wo einige Möwen gackernd aus dem Schlafe auffuhren, und noch immer war kein weiteres Wort zwischen ihnen lautgeworden. So vieles hatte Heinz der kleinen Wieb in dieser letzten Stunde sagen wollen, und nun war der Mund ihm wie verschlossen. Und auch das Mädchen, je weiter sie hinausfuhren, je mehr zugleich die kurze Abendzeit verrann, desto stiller und beklommener saß sie da; zwar seine Augen verschlangen fast die kindliche Gestalt, mit der er jetzt so einsam zwischen Meer und Himmel schwebte; die ihren aber waren in die Nacht hinausgewandt. Dann stieg's wohl plötzlich in ihm auf, und das Boot schütterte unter seinen Ruderschlägen, daß sie jäh das Köpfchen wandte und das blaue Leuchten ihrer Augen in die seinen traf. Aber auch das flog rasch vorüber, und es war etwas wie Zorn, das über ihn kam, er wußte nicht, ob gegen sich selber oder gegen sie, daß sie so fremd ihm gegenübersaß, daß alle Worte, die ihm durch den Kopf fuhren, zu ihr nicht passen wollten. Mit Gewalt rief er es sich zurück: hatte er doch draußen schon mehr als einmal die trotzigste Dirne im Arm geschwenkt, auch wohl ein übermütiges Wort ihr zugeraunt; aber freilich, der jungfräulichen Gestalt ihm gegenüber verschlug auch dieses Mittel nicht.

»Wieb«, sagte er endlich, und es klang fast bittend, »kleine Wieb, das ist nun heut für lange Zeit das letztemal.«

»Ja, Heinz«, und sie nickte und sah zu Boden; »ich weiß es wohl.« Es war, als ob sie noch etwas anderes sagen wollte, aber sie sagte es nicht. Das schwere Tuch war ihr von der Schulter geglitten; als sie es wieder aufgerafft hatte und nun mit ihrer Hand über der Brust zusammenhielt, vermißte er den kleinen Ring an ihrem Finger, den er einst auf dem Jahrmarkte ihr hatte einhandeln helfen. »Dein Ring, Wieb!« rief er unwillkürlich. »Wo hast du deinen Ring gelassen?«

Einen Augenblick noch saß sie unbeweglich; dann richtete sie sich auf und trat über die nächste Bank zu ihm hinüber. Sie mußte in dem schwankenden Boot die eine Hand auf seine Schulter legen, mit der anderen langte sie in den Schlitz ihres Kleides und zog eine Schnur hervor, woran der Ring befestigt war. Mit stockendem Atem nahm sie ihrem Freunde die Mütze von den braunen Locken und hing die Schnur ihm um den Hals. »Heinz, o bitte, Heinz!« Der volle blaue Strahl aus ihren Augen ruhte in den seinen; dann stürzten ihre Tränen auf sein Angesicht, und die beiden jungen Menschen fielen sich um den Hals, und da hat der wilde Heinz die kleine Wieb fast totgeküßt.

–– Es mußte schon spät sein, als sie ihr Boot nach dem großen Schiff zurückbrachten; sie hatten keine Stunden schlagen hören; aber alle Lichter in der Stadt schienen ausgelöscht.

Als Heinz an das elterliche Haus kam, fand er die Tür verschlossen; auf sein Klopfen antwortete die Mutter vom Flur aus; aber der Vater war schon zur Ruhe gegangen und hatte den Schlüssel mitgenommen; endlich hörte Heinz auch dessen Schritte, wie sie langsam von droben aus der Kammer die Treppe hinabkamen. Dann wurde schweigend die Tür geöffnet und, nachdem Heinz hineingelassen war, ebenso wieder zugeschlossen; erst als er seinen »Guten Abend« vorbrachte, sah Hans Kirch ihn an. »Hast du die Bürgerglocke nicht gehört? Wo hast du dich umhergetrieben?«

Der Sohn sah den Jähzorn in seines Vaters Augen aufsteigen; er wurde blaß bis unter seine dunkeln Locken, aber er sagte ruhig: »Nicht umhergetrieben, Vater«; und seine Hand faßte unwillkürlich nach dem kleinen Ringe, den er unter seiner offenen Weste barg.

Aber Hans Kirch hatte zu lange auf seinen Sohn gewartet. »Hüte dich!« schrie er und zuckte mit dem schweren Schlüssel gegen seines Sohnes Haupt. »Klopf' nicht noch einmal so an deines Vaters Tür! Sie könnte dir verschlossen bleiben.«

Heinz hatte sich hoch aufgerichtet; das Blut war ihm ins Gesicht geschossen; aber die Mutter hatte die Arme um seinen Hals gelegt, und die heftige Antwort unterblieb, die schon auf seinen Lippen saß. »Gute Nacht, Vater!« sagte er, und schweigend die Hand der Mutter drückend, wandte er sich ab und ging die Treppe hinauf in seine Kammer.

Am anderen Tage war er fort. Die Mutter ging still umher in dem ihr plötzlich öde gewordenen Hause; die kleine Wieb trug schwer an ihrem jungen Herzen; nachdenklich und fast zärtlich betrachtete sie auf ihrem Arm die roten Striemen, durch welche die Mutter für die Störung ihrer Nachtruhe sich an ihr erholt hatte; waren sie ihr doch fast wie ein Angedenken an Heinz, das sie immer hätte behalten mögen; nur Hans Kirchs Dichten und Trachten strebte schon wieder rüstig in die Zukunft.

Nach sechs Wochen war ein Brief von Heinz gekommen; er brachte gute Nachricht; wegen kecken Zugreifens im rechten Augenblick hatte der Kapitän freiwillig seine Heuer erhöht. Die Mutter trat herein, als ihr Mann den Brief soeben in die Tasche steckte. »Ich darf doch mit lesen?« frug sie scheu. »Du hast doch gute Nachricht?«

»Ja, ja«, sagte Hans Kirch; »nun, nichts Besonderes, als daß er dich und seine Schwester grüßen läßt.«

Am Tage darauf aber begann er allerlei Gänge in der Stadt zu machen; in die großen Häuser mit breiten Beischlägen und unter dunkeln Lindenschatten sah man ihn der Reihe nach hineingehen. Wer konnte wissen, wie bald der Junge sein Steuermannsexamen hinter sich haben würde; da galt es auch für ihn noch eine Stufe höher aufzurücken. Im Deputierten-Kollegium hatte er bereits einige Jahre gesessen; jetzt war ein Ratsherrnstuhl erledigt, der von den übrigen Mitgliedern des Rats zu besetzen war.

Aber Hans Adams Hoffnungen wurden getäuscht; auf dem erledigten Stuhl saß nach einigen Tagen sein bisheriger Kollege, ein dicker Bäckermeister, mit dem er freilich weder an Reichtum noch an Leibesgewicht sich messen durfte. Verdrießlich war er eben aus einer Deputiertensitzung gekommen, wo nun der Platz des Bäckers leer geworden war, und stand noch, an einem Tabakendchen seinen Groll zerkauend, unter dem Schwanz des Riesenfisches, den sie Anno siebzig hier gefangen und zum Gedächtnis neben der Rathaustür aufgehangen hatten, als ein ältliches, aber wehrhaftes Frauenzimmer über den Markt und gerade auf ihn zukam; ein mit zwei großen Schinken beladener Junge folgte ihr.

»Das ging den verkehrten Weg, Hans Adam!« rief sie ihm schon von weitem zu.

Hans Adam hob den Kopf. »Du brauchst das nicht über die Straße hinzuschreien, Jule; ich weiß das ohne dich.«

Es war seine ältere Schwester, die nach ihres Mannes Tode mit der Kirchschen Rührigkeit eine Speckhökerei betrieb. »Warum sollte ich nicht schreien?« rief sie wiederum, »mir kann's recht sein, wenn sie es alle hören! Du bist ein Geizhals, Hans Adam; aber du hast einen scharfen Kopf, und den können die regierenden Herren nicht gebrauchen, wenn er nicht zufällig auf ihren eigenen Schultern sitzt; da paßt ihnen so eine blonde Semmel besser, wenn sie denn doch einmal an uns Mittelbürgern nicht vorbeikönnen.«

»Du erzählst mir ganz was Neues!« sagte der Bruder ärgerlich.

»Ja, ja, Hans Adam, du bist mir auch zu klug, sonst säßest du nicht so halb umsonst in unserem elterlichen Hause!«

Die brave Frau konnte es noch immer nicht verwinden, daß von einem Kauflustigen ihrem Bruder einst ein höherer Preis geboten war, als wofür er das Haus in der Nachlaßteilung übernommen hatte. Aber Hans Kirch war diesen Vorwurf schon gewöhnt, er achtete nicht mehr darauf, zum mindesten schien es für ihn in diesem Augenblicke nur ein Spornstich, um sich von dem erhaltenen Schlage plötzlich wieder aufzurichten. Äußerlich zwar ließ er den Kopf hängen, als sähe er etwas vor sich auf dem Straßenpflaster; seine Gedanken aber waren schon rastlos tätig, eine neue Bahn nach seinem Ziele hinzuschaufeln: das war ihm klar, es mußte noch mehr erworben und – noch mehr erspart werden; dem Druck des Silbers mußte bei wiederkehrender Gelegenheit auch diese Pforte noch sich öffnen; und sollte es für ihn selbst nicht mehr gelingen, für seinen Heinz, bei dessen besserer Schulbildung und stattlicherem Wesen würde es damit schon durchzubringen sein, sobald er seine Seemannsjahre nach Gebrauch als Kapitän beschlossen hätte.

Mit einer raschen Bewegung hob Hans Adam seinen Kopf empor. »Weißt du, Jule« – er tat wie beiläufig diese Frage –, »ob dein Nachbar Schmüser seinen großen Speicher noch verkaufen will?«

Frau Jule, die mit ihrer letzten Äußerung ihn zu einer ganz anderen Antwort hatte reizen wollen und so lange schon darauf gewartet hatte, meinte ärgerlich, da tue er am besten, selbst darum zu fragen.

»Ja, ja; da hast du recht.« Er nickte kurz und hatte schon ein paar Schritte der Straße zu getan, in der Fritz Schmüser wohnte, als die Schwester, unachtend des Jungen, der seitwärts unter seinen Schinken stöhnte, ihn noch einmal festzuhalten suchte; so wohlfeil sollte er denn doch nicht davonkommen. »Hans Adam!« rief sie; »warte noch einen Augenblick! Dein Heinz …«

Hans Adam stand bei diesem Namen plötzlich still. »Was willst du, Jule?« frug er hastig. »Was soll das mit meinem Heinz?«

»Nicht viel, Hans Adam; aber du weißt wohl nicht, was dein gewitzter Junge noch am letzten Abend hier getrieben hat?«

»Nun?« stieß er hervor, als sie eine Pause machte, um erst die Wirkung dieses Eingangs abzuwarten; »sag's nur gleich auf einmal, Jule; ein Loblied sitzt doch nicht dahinter!«

»Je nachdem, Hans Adam, je nachdem! Bei der alten Tante war zum Adesagen freilich nicht viel Zeit; aber warum sollte er die schmucke Wieb, die kleine Matrosendirne, nicht von neun bis elf spazierenfahren? Es möchte wohl ein kalt Vergnügen gewesen sein da draußen auf dem Sund; aber wir Alten wissen's ja wohl noch, die Jugend hat allezeit ihr eigen Feuer bei sich.«

Hans Adam zitterte, seine Oberlippe zog sich auf und legte seine vollen Zähne bloß. »Schwatz' nicht!« sagte er. »Sprich lieber, woher weißt du das?«

»Woher?« Frau Jule schlug ein fröhliches Gelächter auf – »das weiß die ganze Stadt, am besten Christian Jensen, in dessen Boot die Lustfahrt vor sich ging! Aber du bist ein Hitzkopf, Hans Adam, bei dem man sich leicht üblen Bescheid holen kann; und wer weiß denn auch, ob dir die schmucke Schwiegertochter recht ist? Im übrigen« – und sie faßte den Bruder an seinem Rockkragen und zog ihn dicht zu sich heran –, »für die neue Verwandtschaft ist's doch so am besten, daß du nicht auf den Ratsherrnstuhl hinaufgekommen bist.«

Als sie solcherweise ihre Worte glücklich angebracht hatte, trat sie zurück. »Komm, Peter, vorwärts!« rief sie dem Jungen zu, und bald waren beide in einer der vom Markte auslaufenden Gassen verschwunden.

Hans Kirch stand noch wie angedonnert auf derselben Stelle. Nach einer Weile setzte er sich mechanisch in Bewegung und ging der Gasse zu, worin Fritz Schmüsers Speicher lag; dann aber kehrte er plötzlich wieder um. Bald darauf saß er zu Hause an seinem Pult und schrieb mit fliegender Feder einen Brief an seinen Sohn, in welchem in verstärktem Maße sich der jähe Zorn ergoß, dessen Ausbruch an jenem letzten Abend durch die Dazwischenkunft der Mutter war verhindert worden.

Monate waren vergangen; die Plätze, von denen aus Heinz nach Abrede hätte schreiben sollen, mußten längst passiert sein, aber Heinz schrieb nicht; dann kamen Nachrichten von dem Schiffe, aber kein Brief von ihm. Hans Kirch ließ sich das so sehr nicht anfechten: »Er wird schon kommen«, sagte er zu sich selber; »er weiß gar wohl, was

hier zu Haus für ihn zu holen ist.« Und somit, nachdem er den Schmü-
serschen Speicher um billigen Preis erworben hatte, arbeitete er rüstig
an der Ausbreitung seines Handels und ließ sich keine Mühe verdrie-
ßen. Freilich, wenn er von den dadurch veranlaßten Reisen, teils nach
den Hafenstädten des Inlandes, einmal sogar mit seinem Schoner nach
England, wieder heimkehrte, »Brief von Heinz?« war jedesmal die erste hastige Frage an seine Frau, und immer war ein trauriges Kopfschütteln die einzige Antwort, die er darauf erhielt.

Die Sorge, der auch er allmählich sich nicht hatte erwehren können,
wurde zerstreut, als die Zeitungen die Rückkehr der »Hammonia«
meldeten. Hans Kirch ging unruhig in Haus und Hof umher, und Frau
und Tochter hörten ihn oft heftig vor sich hin reden; denn der Junge
mußte jetzt ja selber kommen, und er hatte sich vorgesetzt, ihm scharf
den Kopf zu waschen. Aber eine Woche verging, die zweite ging auch
bald zu Ende, und Heinz war nicht gekommen. Auf eingezogene Erkundigung erfuhr man endlich, er habe auf der Rückfahrt nach Abkommen mit dem Kapitän eine neue Heuer angenommen; wohin, war
nicht zu ermitteln. »Er will mir trotzen!« dachte Hans Adam. »Sehen
wir, wer's am längsten aushält von uns beiden!« – Die Mutter, welche
nichts von jenem Briefe ihres Mannes wußte, ging in kummervollem
Grübeln und konnte ihren Jungen nicht begreifen; wagte sie es einmal,
ihren Mann nach Heinz zu fragen, so blieb er entweder ganz die Antwort schuldig oder hieß sie, ihm mit dem Jungen ein für allemal nicht
mehr zu kommen.

In *einem* zwar unterschied er sich von der gemeinen Art der Männer; er bürdete der armen Mutter nicht die Schuld an diesen Übel-
ständen auf; im übrigen aber war mit Hans Adam jetzt kein leichter
Hausverkehr.

Sommer und Herbst gingen hin, und je weiter die Zeit verrann, desto fester wurzelte der Groll in seinem Herzen; der Name seines Sohnes wurde im eigenen Hause nicht mehr ausgesprochen, und auch
draußen scheute man sich, nach Heinz zu fragen.

Schon wurde es wieder Frühling, als er eines Morgens von seiner
Haustür aus den Herrn Pastor mit der Pfeife am Zaune seines Vorgartens stehen sah. Hans Kirch hatte Geschäfte weiter oben in der Straße und wollte mit stummem Hutrücken vorbeipassieren; aber der

Nachbar Pastor rief mit aller Würde pfarramtlicher Überlegenheit ganz laut zu ihm hinüber: »Nun, Herr Kirch, noch immer keine Nachricht von dem Heiz?«

Hans Adam fuhr zusammen, aber er blieb stehen, die Frage war ihm lange nicht geboten worden. »Reden wir von was anderem, wenn's gefällt, Herr Pastor!« sagte er kurz und hastig.

Allein der Pastor fand sich zur Befolgung dieser Bitte nicht veranlaßt. »Mein lieber Herr Kirch, es ist nun fast das zweite Jahr herum; Sie sollten sich doch einmal wieder um den Sohn bekümmern!«

»Ich dächte, Herr Pastor, nach dem vierten Gebote wär' das umgekehrt!«

Der Pastor tat die Pfeife aus dem Munde: »Aber nicht nach dem Gebote, in welchem nach des Herrn Wort die anderen all enthalten sind, und was wäre Euch näher, als Euer eigen Fleisch und Blut!«

»Weiß nicht, Ehrwürden«, sagte Hans Kirch, »ich halte mich ans vierte.«

Es war etwas in seiner Stimme, das es dem Pastor rätlich machte, nicht mehr in diesem Tone fortzufahren. »Nun, nun«, sagte er begütigend, »er wird ja schon wiederkehren, und wenn er kommt, er ist ja von Ihrer Art, Herr Nachbar, so wird es nicht mit leeren Händen sein!«

Etwas von dem Schmunzeln, das sich bei dieser letzten Rede auf des Pastors Antlitz zeigte, war doch auch auf das des anderen übergegangen, und während sich der erstere mit einer grüßenden Handbewegung nach seinem Hause zurückwandte, trabte Hans Kirch munterer als seit lange die Straße hinauf nach seinem großen Speicher.

Es war am Tage danach, als der alte Postbote dieselbe Straße hinabschritt. Er ging rasch und hielt einen dicken Brief in der Hand, den er schon im Vorwege aus seiner Ledertasche hervorgeholt zu haben schien; aber ebenso rasch schritt, lebhaft auf ihn einredend, ein etwa sechzehnjähriges blondes Mädchen an seiner Seite. »Von einem guten Bekannten, sagst du? Nein, narre mich nicht länger, alter Marten! Sag's doch, von wem ist er denn?«

»Ei, du junger Dummbart«, rief der Alte, indem er mit dem Briefe ihr vor den Augen gaukelte, »kann ich das wissen? Ich weiß nur, an wen ich ihn zu bringen habe.«

»An wen, an wen denn, Marten?«

Er stand einen Augenblick und hielt die Schriftseite des Briefes ihr entgegen.

Die geöffneten Mädchenlippen versandten einen Laut, der nicht zu einem Wort gedieh.

»Von Heinz!« kam es dann schüchtern hintennach, und wie eine helle Lohe brannte die Freude auf dem jungen Antlitz.

Der Alte sah sie freundlich an. »Von Heinz?« wiederholte er schelmisch. »Ei, Wiebchen, mit den Augen ist das nicht darauf zu lesen!«

Sie sagte nichts; aber als er jetzt in der Richtung nach dem Kirchschen Hause zuschritt, lief sie noch immer nebenher.

»Nun?« rief er, »du denkst wohl, daß ich auch für dich noch einen in der Tasche hätte?«

Da blieb sie plötzlich stehen, und während sie traurig ihr Köpfchen schüttelte, ging der Bote mit dem dicken Briefe fort.

Als er die Kirchsche Wohnung betrat, kam eben die Hausmutter mit einem dampfenden Schüsselchen aus der Küche; sie wollte damit in das Oberhaus, wo im Giebelstübchen die kleine Lina an den Masern lag. Aber Marten rief sie an: »Frau Kirch! Frau Kirch! Was geben Sie für diesen Brief?«

Und schon hatte sie die an ihren Mann gerichtete Adresse gelesen und die Schrift erkannt. »Heinz!« rief auch sie, »o, von Heinz!« Und wie ein Jubel brach es aus dieser stillen Brust. Da kam von oben her die Kinderstimme: »Mutter! Mutter!«

»Gleich, gleich, mein Kind!« Und nach einem dankbaren Nicken gegen den Boten flog sie die Treppe hinauf. »O Lina, Lina! Von Heinz, ein Brief von unserem Heinz!«

Im Wohnzimmer unten saß Hans Kirch an seinem Pulte, zwei aufgeschlagene Handelsbücher vor sich, er war mit seinem Verlustkonto beschäftigt, das sich diesmal ungewöhnlich groß erwiesen hatte. Verdrießlich hörte er das laute Reden draußen, das ihn in seiner Rechnung störte; als der Postbote hereintrat, fuhr er ihn an: »Was treibt Er denn für Lärmen draußen mit der Frau?«

Statt einer Antwort überreichte Marten ihm den Brief.

Fast grollend betrachtete er die Aufschrift mit seinen scharfen Augen, die noch immer der Brille nicht bedurften. »Von Heinz«, brummte er, nachdem er alle Stempel aufmerksam besichtigt hatte, »Zeit wär's denn auch einmal!«

Vergebens wartete der alte Marten, auch aus des Vaters Augen einen Freudenblitz zu sehen; nur ein Zittern der Hand – wie er zu seinem Troste bemerkte – konnte dieser nicht bewältigen, als er jetzt nach einer Schere langte, um den Brief zu öffnen. Und schon hatte er sie angesetzt, als Marten seinen Arm berührte: »Herr Kirch, ich darf wohl noch um dreißig Schilling bitten!«

– »Wofür?« – er warf die Schere hin –, »ich bin der Post nichts schuldig!«

»Herr, Sie sehen ja wohl, der Brief ist nicht frankiert.«

Er hatte es nicht gesehen; Hans Adam biß die Zähne aufeinander: dreißig Schillinge; warum denn auch nicht die noch zum Verlust geschrieben! Aber – die Bagatelle, die war's ja nicht; nein – was dahinterstand! Was hatte doch der Pastor neulich hingeredet? Er würde nicht mit leeren Händen kommen! – Nicht mit leeren Händen! – Hans Adam lachte grimmig in sich hinein. – Nicht mal das Porto hatte er gehabt! Und der, der sollte im Magistrat den Sitz erobern, der für ihn, den Vater, sich zu hoch erwiesen hatte!

Hans Kirch saß stumm und starr an seinem Pulte; nur im Gehirne tobten ihm die Gedanken. Sein Schiff, sein Speicher, alles, was er in so vielen Jahren schwer erworben hatte, stieg vor ihm auf und addierte wie von selber die stattlichen Summen seiner Arbeit. Und das, das alles sollte diesem … Er dachte den Satz nicht mehr zu Ende; sein Kopf brannte, es brauste ihm vor die Ohren. »Lump!« schrie er plötzlich, »so kommst du nicht in deines Vaters Haus!«

Der Brief war dem erschrockenen Boten vor die Füße geschleudert. »Nimm«, schrie er, »ich kauf' ihn nicht; der ist für mich zu teuer!« Und Hans Kirch griff zur Feder und blätterte in seinen Kontobüchern.

Der gutmütige Alte hatte den Brief aufgehoben und versuchte bescheiden noch einige Überredung; aber der Hausherr trieb ihn fort, und er war nur froh, die Straße zu erreichen, ohne daß er der Mutter zum zweitenmal begegnet wäre.

Als er seinen Weg nach dem Südende der Stadt fortsetzte, kam Wieb eben von dort zurück; sie hatte in einer Brennerei, welche hier das letzte Haus bildete, eine Bestellung ausgerichtet. Ihre Mutter war nach dem plötzlichen Tode »ihres Mannes zur See« in aller Form Rechtens die Frau »ihres Mannes auf dem Lande« geworden und hatte mit diesem eine Matrosenschenke am Hafenplatz errichtet. Viel Gutes wurde von der neuen Wirtschaft nicht geredet; aber wenn an Herbstabenden die über der Haustür brennende rote Lampe ihren Schein zu den Schiffen hinabwarf, so saß es da drinnen in der Schenkstube bald Kopf an Kopf, und der Brenner draußen am Stadtende hatte dort gute Kundschaft.

Als Wieb sich dem alten Postboten näherte, bemerkte sie sogleich, daß er jetzt recht mürrisch vor sich hin sah; und dann – er hatte ja den Brief von Heinz noch immer in der Hand. »Marten!« rief sie – sie hätte es nicht lassen können –, »der Brief, hast du ihn noch? War denn sein Vater nicht zu Hause?«

Marten machte ein grimmiges Gesicht. »Nein, Kind, sein Vater war wohl nicht zu Hause; der alte Hans Kirch war da; aber für den war der Brief zu teuer.«

Die blauen Mädchenaugen blickten ihn erschrocken an. »Zu teuer, Marten?«

– »Ja, ja; was meinst du, unter dreißig Schillingen war er nicht zu haben.«

Nach diesen Worten steckte Marten den Brief in seine Ledertasche und trat mit einem anderen, den er gleichzeitig hervorgezogen hatte, in das nächste Haus.

Wieb blieb auf der Gasse stehen. Einen Augenblick noch sah sie auf die Tür, die sich hinter dem alten Mann geschlossen hatte; dann, als käme ihr plötzlich ein Gedanke, griff sie in ihre Tasche und klimperte darin, als wie mit kleiner Silbermünze. Ja, Wieb hatte wirklich Geld in ihrer Tasche; sie zählte es sogar, und es war eine ganze Handvoll, die sie schon am Vormittage hinter dem Schenktisch eingenommen hatte. Zwar, es gehörte nicht ihr, das wußte sie recht wohl; aber was kümmerte sie das, und mochte ihre Mutter sie doch immer dafür schlagen! »Marten«, sagte sie hastig, als dieser jetzt wieder aus dem Hause trat, und streckte eine Hand voll kleiner Münze ihm entgegen, »da ist das Geld, Marten; gib mir den Brief!«

Marten sah sie voll Verwunderung an.

»Gib ihn doch!« drängte sie. »Hier sind ja deine dreißig Schillinge!« Und als der Alte den Kopf schüttelte, faßte sie mit der freien Hand an seine Tasche: »O, bitte, bitte, lieber Marten, ich will ihn ja nur einmal zusammen mit seiner Mutter lesen.«

»Kind«, sagte er, indem er ihre Hand ergriff und ihr freundlich in die angstvollen Augen blickte, »wenn's nach mir ginge, so wollten wir den Handel machen; aber selbst der Postmeister darf dir keinen Brief verkaufen.« Er wandte sich von ihr ab und schritt auf seinem Boten-wege weiter.

Aber sie lief ihm nach, sie hing sich an seinen Arm, ihr einfältiger Mund hatte die holdesten Bitt- und Schmeichelworte für den alten Marten und ihr Kopf die allerdümmsten Einfälle; nur leihen sollte er ihr zum mindesten den Brief; er solle ihn ja noch heute abend wieder-haben.

Der alte Marten geriet in große Bedrängnis mit seinem weichen Her-zen; aber ihm blieb zuletzt nichts übrig, er mußte das Kind gewaltsam von sich stoßen.

Da blieb sie zurück; mit der Hand fuhr sie an die Stirn unter ihr gold-blondes Haar, als ob sie sich besinnen müsse; dann ließ sie das Geld in ihre Tasche fallen und ging langsam dem Hafenplatze zu. Wer den Weg entgegenkam, sah ihr verwundert nach; denn sie hatte die Hände auf die Brust gepreßt und schluchzte überlaut.

Seitdem waren fünfzehn Jahre hingegangen. Die kleine Stadt erschien fast unverändert; nur daß für einen jungen Kaufherrn aus den alten Fa-milien am Markt ein neues Haus erbaut war, daß Telegraphendrähte durch die Gassen liefen und auf dem Posthausschilde jetzt mit golde-nen Buchstaben »Kaiserliche Reichspost« zu lesen war; wie immer rollte die See ihre Wogen an den Strand, und wenn der Nordwest vom Ostnordost verjagt wurde, so spülte das Hochwasser an die Mauern der Brennerei, die auch jetzt noch in der Roten Laterne ihre beste Kundschaft hatte; aber das Ende der Eisenbahn lag noch manche Mei-le landwärts hinter dem Hügelzuge, sogar auf dem Bürgermeisterstuh-le saß trotz der neuen Segnungen noch im guten alten Stile ein stu-dierter Mann, und der Magistrat behauptete sein altes Ansehen, wenn-gleich die Senatoren jetzt in »Stadträte« und die Deputierten in »Stadt-verordnete« verwandelt waren; die Abschaffung der Bürgerglocke als eines alten Zopfes war in der Stadtverordnetenversammlung von einem jungen Mitgliede zwar in Vorschlag gebracht worden, aber zwei alte Herren hatten ihr das Wort geredet: die Glocke hatte sie in ihrer Jugend vor manchem dummen Streich nach Haus getrieben; weshalb sollte jetzt das junge Volk und das Gesinde nicht in gleicher Zucht gehalten werden? Und nach wie vor, wenn es zehn vom Turm geschlagen hatte, bimmelte die kleine Glocke hinterdrein und schreckte die Pärchen auseinander, welche auf dem Markt am Brunnen schwatzten.

Nicht so unverändert war das Kirchsche Haus geblieben. Heinz war nicht wieder heimgekommen; er war verschollen; es fehlte nur, daß er auch noch gerichtlich für tot erklärt worden wäre; von den jüngeren Leuten wußte mancher kaum, daß es hier jemals einen Sohn des alten Kirch gegeben habe. Damals freilich, als der alte Marten den Vorfall mit dem Briefe bei seinen Gängen mit herumgetragen hatte, war von Vater und Sohn genug geredet worden; und nicht nur von diesen, auch von der Mutter, von der man niemals redete, hatte man erzählt, daß sie derzeit, als es endlich auch ihr von draußen zugetragen worden, zum erstenmal sich gegen ihren Mann erhoben habe. »Hans! Hans!« so hatte sie ihn angesprochen, ohne der Magd zu achten, die an der Küchentür gelauscht hatte; »das ohne mich zu tun, war nicht dein Recht! Nun können wir nur beten, daß der Brief nicht zu dem Schreiber wiederkehre; doch Gott wird ja so schwere Schuld nicht auf dich laden.« Und Hans Adam, während ihre Augen voll und tränenlos ihn angesehen, hatte hierauf nichts erwidert, nicht ein Sterbenswörtlein; sie aber hatte nicht nur gebetet; überallhin, wenn auch stets vergebens, hatte sie nach ihrem Sohne forschen lassen; die Kosten, die dadurch verursacht wurden, entnahm sie ohne Scheu den kleineren Kassen, welche sie verwaltete; und Hans Adam, obgleich er bald des inne wurde, hatte sie still gewähren lassen. Er selbst tat nichts dergleichen; er sagte es sich beharrlich vor, der Sohn, ob brieflich oder in Person, müsse anders oder niemals wieder an die Tür des Elternhauses klopfen.

Und der Sohn hatte niemals wieder angeklopft. Hans Adams Haar war nur um etwas rascher grau geworden; der Mutter aber hatte endlich das stumme Leid die Brust zernagt, und als die Tochter aufgewachsen war, brach sie zusammen. Nur eins war stark in ihr geblieben, die Zuversicht, daß ihr Heinz einst wiederkehren werde; doch

auch die trug sie im stillen. Erst da ihr Leben sich rasch zu Ende neigte, nach einem heftigen Anfall ihrer Schwäche, trat es einmal über ihre Lippen. Es war ein frostheller Weihnachtsmorgen, als sie, von der
Tochter gestützt, mühsam die Treppe nach der obenbelegenen Schlafkammer emporstieg. Eben, als sie auf halbem Wege, tief aufatmend und
wie hilflos um sich blickend, gegen das Geländer lehnte, brach die
Wintersonne durch die Scheiben über der Haustür und erleuchtete mit
ihrem blassen Schein den dunklen Flur. Da wandte die kranke Frau
den Kopf zu ihrer Tochter. »Lina«, sagte sie geheimnisvoll, und ihre
matten Augen leuchteten plötzlich in beängstigender Verklärung, »ich
weiß es, ich werde ihn noch wiedersehen! Er kommt einmal so, wenn
wir es gar nicht denken!«

»Meinst du, Mutter?« frug die Tochter fast erschrocken.

»Mein Kind, ich meine nicht; ich weiß es ganz gewiß!«

Dann hatte sie ihr lächelnd zugenickt; und bald lag sie zwischen den
weißen Linnen ihres Bettes, welche in wenigen Tagen ihren toten Leib
umhüllen sollten.

In dieser letzten Zeit hatte Hans Kirch seine Frau fast keinen Augenblick verlassen; der Bursche, der ihm sonst im Geschäfte nur zur
Hand ging, war schier verwirrt geworden über die ihn plötzlich treffende Selbstverantwortlichkeit; aber auch jetzt wurde der Name des
Sohnes zwischen den beiden Eltern nicht genannt; nur da die schon
erlöschenden Augen der Sterbenden weit geöffnet und wie suchend in
die leere Kammer blickten, hatte Hans Kirch, als ob er ein Versprechen gebe, ihre Hand ergriffen und gedrückt; dann hatten ihre Augen
sich zur letzten Lebensruhe zugetan.

Aber wo war, was trieb Heinz Kirch in der Stunde, als seine Mutter
starb?

Ein paar Jahre weiter, da war der spitze Giebel des Kirchschen Hauses abgebrochen und statt dessen ein volles Stockwerk auf das Erdge-
schoß gesetzt worden; und bald hausete eine junge Wirtschaft in den
neuen Zimmern des Oberbaues; denn die Tochter hatte den Sohn eines wohlhabenden Bürgers aus der Nachbarstadt geheiratet, der dann
in das Geschäft ihres Vaters eingetreten war. Hans Kirch begnügte sich
mit den Räumen des alten Unterbaues; die Schreibstube neben der

Haustür bildete zugleich sein Wohnzimmer. Dahinter, nach dem Hofe hinaus, lag die Schlafkammer; so saß er ohne viel Treppensteigen mitten im Geschäft und konnte trotz des anrückenden Greisenalters und seines jungen Partners die Fäden noch in seinen Händen halten. Anders stand es mit der zweiten Seite seines Wesens; schon mehrmals war ein Wechsel in den Magistratspersonen eingetreten, aber Hans Kirch hatte keinen Finger darum gerührt; auch, selbst wenn er darauf angesprochen worden, kein Für oder Wider über die neuen Wahlen aus seinem Munde gehen lassen.

Dagegen schlenderte er jetzt oft, die Hände auf dem Rücken, bald am Hafen, bald in den Bürgerpark, während er sonst auf alle Spaziergänger nur mit Verachtung herabgesehen hatte. Bei anbrechender Dämmerung konnte man ihn wohl auch draußen über der Bucht auf dem hohen Ufer sitzen sehen; er blickte dann in die offene See hinaus und schien keinen der wenigen, die vorübergingen, zu bemerken. Traf es sich, daß aus dem Abendrot ein Schiff hervorbrach und mit vollen Segeln auf ihn zuzukommen schien, dann nahm er seine Mütze ab und strich mit der anderen Hand sich zitternd über seinen grauen Kopf. – Aber nein, es geschahen ja keine Wunder mehr; weshalb sollte denn auch Heinz auf jenem Schiffe sein? – Und Hans Kirch schüttelte sich und trat fast zornig seinen Heimweg an.

Der ganze Ehrgeiz des Hauses schien jedenfalls, wenn auch in anderer Form, jetzt von dem Tochtermann vertreten zu werden; Herr Christian Martens hatte nicht geruht, bis die Familie unter den Mitgliedern der Harmoniegesellschaft figurierte, von der bekannt war, daß nur angesehenere Bürger zugelassen wurden. Der junge Ehemann war, wovon der Schwiegervater sich zeitig und gründlich überzeugt hatte, ein treuer Arbeiter und keineswegs ein Verschwender; aber – für einen feinen Mann gelten, mit den Honoratioren einen vertraulichen Händedruck wechseln, etwa noch eine schwergoldene Kette auf brauner Sammetweste, das mußte er daneben haben. Hans Kirch zwar hatte anfangs sich gesträubt; als ihm jedoch in einem stillen Nebenstübchen eine solide Partie »Sechsundsechzig« mit ein paar alten seebefahrenen Herren eröffnet wurde, ging auch er mit seinen Kindern in die Harmonie.

So war die Zeit verflossen, als an einem sonnigen Vormittage im September Hans Kirch vor seiner Haustür stand; mit seinem krummen Rücken, seinem hängenden Kopfe und wie gewöhnlich beide Hände in den Taschen. Er war eben von seinem Speicher heimgekommen; aber die Neugier hatte ihn wieder hinausgetrieben, denn durchs Fenster hatte er linkshin auf dem Markte, wo sonst nur Hühner und Kinder liefen, einen großen Haufen erwachsener Menschen, Männer und Weiber, und offenbar in lebhafter Unterhaltung miteinander wahrgenommen; er hielt die Hand ans Ohr, um etwas zu erhorchen; aber sie standen ihm doch zu fern. Da löste sich ein starkes, aber anscheinend hochbetagtes Frauenzimmer aus der Menge; sie mochte halb erblindet sein, denn sie fühlte mit einem Krückstock vor sich hin; gleichwohl kam sie bald rasch genug gegen das Kirchsche Haus daher gewandert.

»Jule!« brummte Hans Adam. »Was will Jule?«

Seitdem der Bruder ihr vor einigen Jahren ein größeres Darlehen zu einem Einkauf abgeschlagen hatte, waren Wort und Gruß nur selten zwischen ihnen gewechselt worden; aber jetzt stand sie vor ihm; schon von weitem hatte sie ihm mit ihrer Krücke zugewinkt. Im ersten Antrieb hatte er sich umwenden und in sein Haus zurückgehen wollen; aber er blieb doch. »Was willst du, Jule?« frug er. »Was verakkordieren die da auf dem Markt?«

»Was die verakkordieren, Hans? Ja, leihst du mir jetzt die hundert Taler, wenn ich dir's erzähle?«

Er wandte sich jetzt wirklich, um ins Haus zu treten.

»Nun, bleib nur!« rief sie. »Du sollst's umsonst zu wissen kriegen; dein Heinz ist wieder da!«

Der Alte zuckte zusammen. »Wo? Was?« stieß er hervor und fuhr mit dem Kopf nach allen Seiten. Die Speckhökerin sah mit Vergnügen, wie seine Hände in den weiten Taschen schlotterten.

»Wo?« wiederholte sie und schlug den Bruder auf den krummen Rücken. »Komm zu dir, Hans! Hier ist er noch nicht; aber in Hamburg, beim Schlafbas in der Johannisstraße!«

Hans Kirch stöhnte. »Weibergewäsch!« murmelte er. »Siebzehn Jahre fort; der kommt nicht wieder – der kommt nicht wieder.«

Aber die Schwester ließ ihn nicht los. »Kein Weibergewäsch, Hans! Der Fritze Reimers, der mit ihm in Schlafstelle liegt, hat's nach Haus geschrieben!«

»Ja, Jule, der Fritze Reimers hat schon mehr gelogen!«

Die Schwester schlug die Arme unter ihrem vollen Busen umeinander. »Zitterst du schon wieder für deinen Geldsack?« rief sie höhnend. »Ei nun, für dreißig Reichsgulden haben sie unseren Herrn Christus verraten, so konntest du dein Fleisch und Blut auch wohl um dreißig Schillinge verstoßen. Aber jetzt kannst du ihn alle Tage wiederhaben! Ratsherr freilich wird er nun wohl nicht mehr werden; du mußt ihn nun schon nehmen, wie du ihn dir selbst gemacht hast!«

Aber die Faust des Bruders packte ihren Arm; seine Lippen hatten sich zurückgezogen und zeigten das noch immer starke, vollzählige Gebiß. »Nero! Nero!« schrie er mit heiserer Stimme in die offene Haustür, während sogleich das Aufrichten des großen Haushundes drinnen hörbar wurde. »Weib, verdammtes, soll ich dich mit Hunden von der Tür hetzen!«

Frau Jules sittliche Entrüstung mochte indessen nicht so tief gegangen sein; hatte sie doch selbst vor einem halben Jahre ihre einzige Tochter fast mit Gewalt an einen reichen Trunkenbold verheiratet, um von seinen Kapitalien in ihr Geschäft zu bringen; es hatte sie nur gereizt, ihrem Bruder, wie sie später meinte, für die hundert Taler auch einmal etwas auf den Stock zu tun. Und so war sie denn schon dabei, ihm wieder gute Worte zu geben, als vom Markte her ein älterer Mann zu den Geschwistern trat. Es war der Krämer von der Ecke gegenüber. »Kommt, Nachbar«, sagte dieser, indem er Hans Adams Hand faßte, »wir wollen in Ihr Zimmer gehen; das gehört nicht auf die Straße!«

Frau Jule nickte ein paarmal mit ihrem dicken Kopfe. »Das meine ich auch, Herr Rickerts«, rief sie, indem sie sich mit ihrem Krückstokke nach der Straße hinunterfühlte; »erzählen Sie's ihm besser; seiner Schwester hat er es nicht glauben wollen! Aber, Hans, wenn's dir an Reisegeld nach Hamburg fehlen sollte?«

Sie bekam keine Antwort; Herr Rickerts trat mit dem Bruder schon in dessen Zimmer. »Sie wissen es also, Nachbar!« sagte er; »es hat seine Richtigkeit; ich habe den Brief von Fritze Reimers selbst gelesen.«

Hans Kirch hatte sich in seinen Lehnstuhl gesetzt und starrte, mit den Händen auf den Knien, vor sich hin. »Von Fritze Reimers?« frug er dann. »Aber Fritze Reimers ist ein Windsack, ein rechter Weißfisch!«

»Das freilich, Nachbar, und er hat auch diesmal seine eigene Schande nach Haus geschrieben. Beim Schlafbas in der Johannisstraße haben sie abends in der Schenkstube beisammengesessen, deutsche Seeleute, aber aus allen Meeren, Fritze Reimers und noch zwei andere unserer Jungens mit dazwischen. Nun haben sie geredet über woher und wohin; zuletzt wo ein jeder von ihnen denn zuerst die Wand beschrien habe. Als an den Reimers dann die Reihe gekommen ist, da hat er – Sie kennen's ja wohl, Nachbar – das dumme Lied gesungen, worin sie den großen Fisch an unserem Rathaus in einen elenden Bütt verwandelt haben; kaum aber ist das Wort herausgewesen, so hat vom anderen Ende des Tisches einer gerufen: ›Das ist kein Bütt, das ist der Schwanz von einem Butzkopf, und der ist doppelt so lang als Arm und Bein bei dir zusammen!‹

Der Mann, der das gesprochen hat, ist vielleicht um zehn Jahre älter gewesen als unsere Jungens, die da mitgesessen, und hat sich John Smidt genannt.

Fritze Reimers aber hat nicht geantwortet, sondern weiter fortgesungen, wie es in dem Liede heißt: ›Und sie handeln, sagt er, da mit Macht, sagt er; hab'n zwei Böte, sagt er, und ne Jacht!‹«

»Der Schnösel!« rief Hans Kirch; »und sein Vater hat bis an seinen Tod auf meinem Schoner gefahren!«

»Ja, ja, Nachbar; der John Smidt hat auch auf den Tisch geschlagen. ›Pfui für den Vogel, der sein eigen Nest beschmutzt!‹«

»Recht so!« sagte Hans Kirch; »er hätte ihn nur auf seinen dünnen Schädel schlagen sollen!«

»Das tat er nicht; aber als der Reimers ihm zugerufen, was er dabei denn mitzureden habe, da –«

Hans Kirch hatte des anderen Arm gefaßt. »Da?« wiederholte er.

»Ja, Nachbar« – und des Erzählers Stimme wurde leiser –, »da hat John Smidt gesagt, er heiße eigentlich Hans Kirch und ob er denn auch nun noch etwas von ihm kaufen wolle. – Sie wissen es ja, Nachbar, unsere Jungens geben sich drüben manchmal andere Namen, Smidt oder Mayer, oder wie es eben kommen mag, zumal wenn's mit dem Heuerwechsel nicht so ganz in Ordnung ist. Und dann, ich bin ja erst seit sechzehn Jahren hier; aber nach Hörensagen, es muß Ihrem Heinz schon ähnlich sehen, das!«

Hans Kirch nickte. Es wurde ganz still im Zimmer, nur der Perpendikel der Wanduhr tickte; dem alten Schiffer war, als fühle er eine erkaltende Hand, die den Druck der seinigen erwarte.

Der Krämer brach zuerst das Schweigen. »Wann wollen Sie reisen, Nachbar?« frug er.

»Heute nachmittag«, sagte Hans Kirch und suchte sich so gerade wie möglich aufzurichten.

– Sie werden guttun, sich reichlich mit Geld zu versehen; denn die Kleidung Ihres Sohnes soll just nicht im besten Stande sein.«

Hans Kirch zuckte. »Ja, ja; noch heute nachmittag.«

Dies Gespräch hatte eine Zuhörerin gehabt; die junge Frau, welche zu ihrem Vater wollte, hatte vor der halboffenen Tür des Bruders Namen gehört und war aufhorchend stehengeblieben. Jetzt flog sie, ohne einzutreten, die Treppe wieder hinauf nach ihrem Wohnzimmer, wo eben ihr Mann, am Fenster sitzend, sich zu besonderer Ergötzung eine Havanna aus dem Sonntagskistchen angezündet hatte. »Heinz!« rief sie jubelnd ihm entgegen, wie vorzeiten ihre Mutter es gerufen hatte, »Nachricht von Heinz! Er lebt, er wird bald bei uns sein!« Und mit überstürzenden Worten erzählte sie, was sie unten im Flur erlauscht hatte. Plötzlich aber hielt sie inne und sah auf ihren Mann, der nachdenklich die Rauchwölkchen vor sich hinblies.

»Christian!« rief sie und kniete vor ihm hin; »mein einziger Bruder! Freust du dich denn nicht?«

Der junge Mann legte die Hand auf ihren Kopf: »Verzeih mir, Lina; es kam so unerwartet; dein Bruder ist für mich noch gar nicht dagewesen; es wird ja nun so vieles anders werden.« Und behutsam und verständig, wie es sich für einen wohldenkenden Mann geziemt, begann er dann ihr darzulegen, wie durch diese nicht mehr vermutete Heimkehr die Grundlagen ihrer künftigen Existenz beschränkt, ja vielleicht erschüttert würden. Daß seinerseits die Verschollenheit des Haussohnes, wenn auch ihm selbst kaum eingestanden, wenigstens den zweiten Grund zum Werben um Hans Adams Tochter abgegeben habe, das ließ er freilich nicht zu Worte kommen, so aufdringlich es auch jetzt vor seiner Seele stand.

Frau Lina hatte aufmerksam zugehört. Da aber ihr Mann jetzt

schwieg, schüttelte sie nur lächelnd ihren Kopf: »Du sollst ihn nur erst kennen lernen; o, Heinz war niemals eigennützig.«

Er sah sie herzlich an. »Gewiß, Lina; wir müssen uns darein zu finden wissen; um desto besser, wenn er wiederkehrt, wie du ihn einst gekannt hast.«

Die junge Frau schlug den Arm um ihres Mannes Nacken: »O, du bist gut, Christian! Gewiß, ihr werdet Freunde werden!«

Dann ging sie hinaus; in die Schlafkammer, in die beste Stube, an den Herd; aber ihre Augen blickten nicht mehr so froh, es war auf ihre Freude doch ein Reif gefallen. Nicht, daß die Bedenken ihres Mannes auch ihr Herz bedrängten; nein, aber daß so etwas überhaupt nur sein könne; sie wußte selber kaum, weshalb ihr alles jetzt so öde schien.

Einige Tage später war Frau Lina beschäftigt, in dem Oberbau die Kammer für den Bruder zu bereiten; aber auch heute war ihr die Brust nicht freier. Der Brief, worin der Vater seine und des Sohnes Ankunft gemeldet hatte, enthielt kein Wort von einem frohen Wiedersehen zwischen beiden; wohl aber ergab der weitere Inhalt, daß der Wiedergefundene sich anfangs unter seinem angenommenen Namen vor dem Vater zu verbergen gesucht habe und diesem wohl nur widerstrebend in die Heimat folgen werde.

Als dann an dem bezeichneten Sonntagabend das junge Ehepaar zu dem vor dem Hause haltenden Wagen hinausgetreten war, sahen sie bei dem Lichtschein, der aus dem offenen Flur fiel, einen Mann herabsteigen, dessen wetterhartes Antlitz mit dem rötlichen Vollbart und dem kurzgeschorenen braunen Haupthaar fast einen Vierziger anzudeuten schien; eine Narbe, die über Stirn und Augen lief, mochte indessen dazu beitragen, ihn älter erscheinen zu lassen, als er wirklich war. Nach ihm kletterte langsam Hans Kirch vom Wagen. »Nun, Heinz«, sagte er, nacheinander auf die Genannten hinweisend, »das ist deine Schwester Lina und das ihr Mann Christian Martens; ihr müßt euch zu vertragen suchen.«

Ebenso nacheinander streckte diesen jetzt Heinz die Hand entgegen und schüttelte die ihre kurz mit einem trockenen »*Very well!*« Er tat dies mit einer unbeholfenen Verlegenheit; mochte die Art seiner Heimkehr ihn bedrücken, oder fühlte er eine Zurückhaltung in der

Begrüßung der Geschwister; denn freilich, sie hatten von dem Wiederkehrenden sich ein anderes Bild gemacht.

Nachdem alle in das Haus getreten waren, geleitete Frau Lina ihren Bruder die Treppe hinauf nach seiner Kammer. Es war nicht mehr dieselbe, in der er einst als Knabe geschlafen hatte, es war hier oben ja alles neu geworden; aber er schien nicht darauf zu achten. Die junge Frau legte das Reisegepäck, das sie ihm nachgetragen hatte, auf den Fußboden. »Hier ist dein Bett«, sagte sie dann, indem sie die weiße Schutzdecke abnahm und zusammenlegte; »Heinz, mein Bruder, du sollst recht sanft hier schlafen!«

Er hatte den Rock abgeworfen und war mit aufgestreiften Ärmeln an den Waschtisch getreten. Jetzt wandte er rasch den Kopf, und seine braunen blitzenden Augen ruhten in den ihren. »Dank, Schwester«, sagte er. Dann tauchte er den Kopf in die Schale und sprudelte mit dem Wasser umher, wie es wohl Leuten eigen ist, die dergleichen im Freien zu verrichten pflegen. Die Schwester, am Türpfosten lehnend, sah dem schweigend zu; ihre Frauenaugen musterten des Bruders Kleidung, und sie erkannte wohl, daß alles neu geschafft sein mußte; dann blieben ihre Blicke auf den braunen sehnigen Armen des Mannes haften, die noch mehr Narben zeigten als das Antlitz. »Armer Heinz«, sagte sie, zu ihm hinübernickend, »die müssen schwere Arbeit getan haben!«

Er sah sie wieder an; aber diesmal war es ein wildes Feuer, das aus seinen Augen brach. »*Demonio!*« rief er, die aufgestreckten Arme schüttelnd; »allerlei Arbeit, Schwester! Aber – *basta y basta!*« Und er tauchte wieder den Kopf in die Schale und warf das Wasser über sich, als müsse er, Gott weiß was, herunterspülen.

Beim Abendtee, den die Familie zusammen einnahm, wollte eine Unterhaltung nicht recht geraten. »Ihr seid weit umhergekommen, Schwager«, sagte nach einigen vergeblichen Anläufen der junge Ehemann; »Ihr müßt uns viel erzählen.«

»Weit genug«, erwiderte Heinz; aber zum Erzählen kam es nicht; er gab nur kurze allgemeine Antwort.

»Laß ihn, Christian!« mahnte Frau Lina; »er muß erst eine Nacht zu Haus geschlafen haben.« Dann aber, damit es am ersten Abend nicht gar zu stille werde, begann sie selbst die wenigen Erinnerungen aus des

Bruders Jugendjahren auszukramen, die sie nach eigenem Erlebnis oder den Erzählungen der Mutter noch bewahrte.

Heinz hörte ruhig zu. »Und dann«, fuhr sie fort, »damals, als du dir den großen Anker mit deinem Namen auf den Arm geätzt hattest! Ich weiß noch, wie ich schrie, als du so verbrannt nach Hause kamst, und wie dann der Physikus geholt wurde. Aber« – und sie stutzte einen Augenblick – »war es denn nicht auf dem linken Unterarm?«

Heinz nickte: »Mag wohl sein; das sind so Jungensstreiche.«

»Aber Heinz – es ist ja nicht mehr da; ich meinte, so was könne nie vergehen!«

»Muß doch wohl, Schwester; sind verteufelte Krankheiten da drüben; man muß schon oft zufrieden sein, wenn sie einem nicht gar die Haut vom Leibe ziehen.«

Hans Kirch hatte nur ein halbes Ohr nach dem, was hier gesprochen wurde. Noch mehr als sonst in sich zusammengesunken, verzehrte er schweigend sein Abendbrot; nur bisweilen warf er von unten auf einen seiner scharfen Blicke auf den Heimgekehrten, als wolle er prüfen, was mit diesem Sohn noch zu beginnen sei.

– – Aber auch für die folgenden Tage blieb dies wortkarge Zusammensein. Heinz erkundigte sich weder nach früheren Bekannten, noch sprach er von dem, was weiter denn mit ihm geschehen solle. Hans Adam frug sich, ob der Sohn das erste Wort von ihm erwarte, oder ob er überhaupt nicht an das Morgen denke; »ja, ja«, murmelte er dann und nickte heftig mit seinem grauen Kopfe; »er ist's ja siebzehn Jahre so gewohnt geworden.«

Aber auch heimisch schien Heinz sich nicht zu fühlen. Hatte er kurze Zeit im Zimmer bei der Schwester seine Zigarre geraucht, so trieb es ihn wieder fort; hinab nach dem Hafen, wo er dem oder jenem Schiffer ein paar Worte zurief, oder nach dem großen Speicher, wo er teilnahmlos dem Abladen der Steinkohlen oder anderen Arbeiten zusah. Ein paarmal, da er unten im Kontor gesessen, hatte Hans Kirch das eine oder andere der Geschäftsbücher vor ihm aufgeschlagen, damit er von dem gegenwärtigen Stande des Hauses Einsicht nehme; aber er hatte sie jedesmal nach kurzem Hin- und Herblättern wie etwas Fremdes aus der Hand gelegt.

In *einem* aber schien er, zur Beruhigung des jungen Ehemannes, der

Schilderung zu entsprechen, die Frau Lina an jenem Vormittage von ihrem Bruder ihm entworfen hatte: an eine Ausnutzung seiner Sohnesrechte schien der Heimgekehrte nicht zu denken.

Und noch ein Zweites war dem Frauenauge nicht entgangen. Wie der Bruder einst mit ihr, der so viel jüngeren Schwester, sich herumgeschleppt, ihr erzählt und mit ihr gespielt hatte, mit ihr und – wie sie von der Mutter wußte – früher auch mit einer anderen, der er bis jetzt mit keinem Worte nachgefragt, und von der zu reden sie vermieden hatte, in gleicher Weise ließ er jetzt, wenn er am Nachmittage draußen auf dem Beischlag saß, den kleinen Sohn des Krämers auf seinem Schoß umherklettern und sich Bart und Haar von ihm zerzausen; dann konnte er auch lachen, wie Frau Lina meinte es einst im Garten oder auf jenen Sonntagswanderungen mit der Mutter von ihrem Bruder Heinz gehört zu haben. Schon am zweiten Tage, da sie eben in Hut und Tuch aus der Haustür zu ihm treten wollte, hatte sie ihn so getroffen. Der kleine Bube stand auf seinen Knien und hielt ihn bei der Nase: »Du willst mir was vorlügen, du großer Schiffer!« sagte er und schüttelte derb an ihm herum.

»Nein, nein, Karl, *by Jove,* es gibt doch Meerfrauen; ich habe sie ja selbst gesehen.«

Der Knabe ließ ihn los. »Wirklich? Kann man die denn heiraten?«

»Oho, Junge! Freilich kann man das! Da drüben in Texas, könnt'st allerlei da zu sehen bekommen, kannte ich einen, der hatte eine Meerfrau; aber sie mußte immer in einer großen Wassertonne schwimmen, die in seinem Garten stand.«

Die Augen des kleinen Burschen leuchteten; er hatte nur einmal einen jungen Seehund so gesehen, und dafür hatte er einen Schilling zahlen müssen. »Du«, sagte er heimlich und nickte seinem bärtigen Freunde zu; »ich will auch eine Wasserfrau heiraten, wenn ich groß geworden bin!«

Heinz sah nachdenklich den Knaben an. »Tu' das nicht, Karl; die Wasserfrauen sind falsch; bleib lieber in deines Vaters Store und spiel' mit deines Nachbarn Katze.«

Die Hand der Schwester legte sich auf seine Schulter: »Du wolltest mit mir zu unserer Mutter Grabe!«

Und Heinz setzte den Knaben zur Erde und ging mit Frau Lina nach dem Kirchhof. Ja, er hatte sich später auch von ihr bereden lassen, den alten Pastor, der jetzt mit einer Magd im großen Pfarrhaus wirtschaftete, und sogar auch Tante Jule zu besuchen, um die der Knabe Heinz sich wenig einst gekümmert hatte.

So war der Sonntagvormittag herangekommen, und die jungen Eheleute rüsteten sich zum gewohnten Kirchgang; auch Heinz hatte sich bereit erklärt. Hans Kirch war am Abend vorher besonders schweigsam gewesen, und die Augen der Tochter, die ihn kannte, waren mehrmals angstvoll über des Vaters Antlitz hingestreift. Jetzt kam es ihr wie eine Beruhigung, als sie ihn vorhin den großen Flurschrank hatte öffnen und wieder schließen hören, aus dem er selber seinen Sonntagsrock hervorzuholen pflegte.

Als aber bald danach die drei Kirchgänger in das untere Zimmer traten, stand Hans Kirch, die Hände auf dem Rücken, in seiner täglichen Kleidung an dem Fenster und blickte auf die leere Gasse; Hut und Sonntagsrock lagen wie unordentlich hingeworfen auf einem Stuhl am Pulte.

»Vater, es ist wohl an der Zeit!« erinnerte Frau Lina schüchtern.

Hans Adam hatte sich umgewandt. »Geht nur!« sagte er trocken, und die Tochter sah, wie seine Lippen zitterten, als sie sich über den starken Zähnen schlossen.

»Wie, du willst nicht mit uns, Vater?«

– »Heute nicht, Lina!«

»Heute nicht, wo Heinz nun wieder bei uns ist?«

»Nein, Lina«, er sprach die Worte leise, aber es war, als müsse es gleich danach hervorbrechen; »ich mag heut nicht allein in unseren Schifferstuhl.«

»Aber, Vater, du tust das ja immer«, sprach Frau Lina zagend; »Christian sitzt ja auch stets unten bei mir.«

– »Ei was, dein Mann, dein Mann!« und ein zorniger Blick schoß unter den buschigen Brauen zu seinem Sohn hinüber, und seine Stimme wurde immer lauter – »dein Mann gehört dahin; aber die alten Matrosen, die mit fünfunddreißig Jahren noch fremde Kapitäne ihres Vaters Schiffe fahren lassen, die längst ganz anderswo noch sitzen sollten, die mag ich nicht unter mir im Kirchstuhl sehen!«

Er schwieg und wandte sich wieder nach dem Fenster, und niemand hatte ihm geantwortet; dann aber legte Heinz das Gesangbuch, das seine Schwester ihm gegeben hatte, auf das Pult. »Wenn's nur das ist, Vater«, sagte er, »der alte Matrose kann zu Hause bleiben; er hat so manchen Sonntag nur den Wind in den Tauen pfeifen hören.«

Aber die Schwester ergriff des Bruders, dann des Vaters Hände. »Heinz! Vater! Laßt das ruhen jetzt! Hört zusammen Gottes Wort; ihr werdet mit guten Gedanken wiederkommen, und dann redet miteinander, was nun weiter werden soll!« Und wirklich, mochte es nun den heftigen Mann beruhigt haben, daß er, zum mindesten vorläufig, sich mit einem Worte Luft geschafft – was sie selber nicht erwartet hatte, sie brachte es dahin, daß beide in die Kirche gingen.

Aber Hans Kirch, während unten, wie ihm nicht entging, sich aller Blicke auf den Heimgekehrten richteten, saß oben unter den anderen alten Kapitänen und Reedern und starrte, wie einst, nach der Marmorbüste des alten Kommandeurs; das war auch ein Stadtjunge gewesen, ein Schulmeisterssohn, wie Heinz ein Schulmeistersenkel; wie anders war der heimgekommen!

– – Eine Unterredung zwischen Vater und Sohn fand weder nach dem Kirchgang noch am Nachmittage statt. Am Abend zog Frau Lina den Bruder in ihre Schlafkammer: »Nun, Heinz, hast du mit Vater schon gesprochen?«

Er schüttelte den Kopf: »Was soll ich mit ihm sprechen, Schwester?«

– »Du weißt es wohl, Heinz; er will dich droben in der Kirche bei sich haben. Sag' ihm, daß du dein Steuermannsexamen machen willst; warum hast du es nicht längst gesagt?«

Ein verächtliches Lachen verzerrte sein Gesicht: »Ist das eine Gewaltssache mit dem alten Schifferstuhl!« rief er. »*Todos diabolos,* ich alter Kerl noch auf der Schulbank! Denk' wohl, ich habe manche alte Bark auch ohne das gesteuert!«

Sie sah ihn furchtsam an; der Bruder, an den sie sich zu gewöhnen anfing, kam ihr auf einmal fremd, ja unheimlich vor. »Gesteuert?« wiederholte sie leise; »wohin hast du gesteuert, Heinz? Du bist nicht weit gekommen.«

Er blickte eine Weile seitwärts auf den Boden; dann reichte er ihr die Hand. »Mag sein, Schwester«, sagte er ruhig; »aber – ich kann noch nicht wie ihr; muß mich immer erst besinnen, wo ich hinzutreten habe; kennt das nicht, ihr alle nicht, Schwester! Ein halbes Menschenleben – ja rechne, noch mehr als ein halbes Menschenleben kein ehrlich Hausdach überm Kopf; nur wilde See oder wildes Volk oder beides miteinander! Ihr kennt das nicht, sag' ich, das Geschrei und das Gefluche, mein eigenes mit darunter; ja, ja, Schwester, mein eigenes auch, es lärmt mir noch immer in die Ohren; laßt's erst stiller werden, sonst – es geht sonst nicht!«

Die Schwester hing an seinem Halse. » Gewiß, Heinz, gewiß, wir wollen Geduld haben; o, wie gut, daß du nun bei uns bist!«

Plötzlich, Gott weiß woher, tauchte ein Gerücht auf und wanderte emsig von Tür zu Tür: der Heimgekehrte sei gar nicht Heinz Kirch, es sei der Hasselfritz, ein Knabe aus dem Armenhause, der gleichzeitig mit Heinz zur See gegangen war und gleich diesem seitdem nichts von sich hatte hören lassen. Und jetzt, nachdem es eine kurze Weile darum herumgeschlichen, war es auch in das Kirchsche Haus gedrungen. Frau Lina griff sich mit beiden Händen an die Schläfen; sie hatte durch die Mutter wohl von jenem anderen gehört; wie Heinz hatte er braune Augen und braunes Haar gehabt und war wie dieser ein kluger, wilder Bursch gewesen; sogar eine Ähnlichkeit hatte man derzeit zwischen ihnen finden wollen. Wenn alle Freude nun um nichts sein sollte, wenn es nun nicht der Bruder wäre! Eine helle Röte schlug ihr ins Gesicht: sie hatte ja an dieses Menschen Hals gehangen, sie hatte ihn geküßt – Frau Lina vermied es plötzlich, ihn zu berühren; verstohlen aber und desto öfter hafteten ihre Augen auf den rauhen Zügen ihres Gastes, während zugleich ihr innerer Blick sich mühte, unter den Schatten der Vergangenheit das Knabenantlitz ihres Bruders zu erkennen. Als dann auch der junge Ehemann zur Vorsicht mahnte, wußte Frau Lina sich auf einmal zu entsinnen, wie gleichgültig ihr der Bruder neulich an ihrer Mutter Grab erschienen sei; als ob er sich langweile, habe er mit beiden Armen sich über die Eisenstangen der Umfassung gelehnt und dabei seitwärts nach den anderen Gräbern hingestarrt; fast als ob, wie bei dem Vaterunser nach der Predigt, nur das Ende abgewartet werden müsse.

Beiden Eheleuten erschien jetzt auch das ganze Gebaren des Bruders noch um vieles ungeschlachter als vordem; dies Sichumherwerfen auf den Stühlen, diese Nichtachtung von Frau Linas sauberen Dielen. Heinz Kirch, das sagten alle, und den Eindruck bewahrte auch Frau Linas eigenes Gedächtnis, war ja ein feiner junger Mensch gewesen. Als beide dann dem Vater ihre Bedenken mitteilten, war es auch dem nichts Neues mehr; aber er hatte geschwiegen und schwieg auch jetzt; nur die Lippen drückte er fester aufeinander. Freilich, als er bald darauf seinen alten Pastor mit der Pfeife am Zaune seines Vorgartens stehen sah, konnte er doch nicht lassen, wie zufällig heranzutreten und so von weitem an ihm herumzuforschen.

»Ja, ja«, meinte der alte Herr, »es war recht schicklich von dem Heinz, daß er seinen Besuch mir gleich am zweiten Tage gönnte.«

»Schuldigkeit, Herr Pastor«, versetzte Kirch; »mag Ihnen aber auch wohl ergangen sein wie mir; es kostet Künste, in diesem Burschen mit dem roten Bart den alten Heinz herauszufinden.«

Der Pastor nickte; sein Gesicht zeigte plötzlich den Ausdruck oratorischer Begeisterung. »Ja, mit dem Barte!« wiederholte er nachdrücklich und fuhr mit der Hand, wie auf der Kanzel, vor sich hin. »Sie sagen es, Herr Nachbar; und wahrlich, seit dieser unzierliche Zierat Mode worden, kann man die Knaben in den Jünglingen nicht wiedererkennen, bevor man sie nicht selber sich bei Namen rufen hörte; das habe ich an meinen Pensionären selbst erfahren! Da war der blonde Dithmarscher, dem Ihr Heinz – er wollte jetzo zwar darauf vergessen haben – einmal den blutigen Denkzettel unter die Nase schrieb; der glich wahrlich einem weißen Hammel, da er von hier fortging; und als er nach Jahren in meine friedliche Kammer so unerwartet eintrat – ein Löwe! Ich versichere Sie, Herr Nachbar, ein richtiger Löwe! Wenn nicht die alten Schafsaugen zum Glück noch standgehalten hätten, ich alter Mann hätte ja den Tod sonst davon haben können!« Der Pastor sog ein paarmal an seiner Pfeife und drückte sich das Sammetkäppchen fester auf den weißen Kopf.

»Nun freilich«, meinte Hans Kirch; denn er fühlte wohl, daß er ein Lieblingsthema wachgerufen habe, und suchte noch einmal wieder anzuknüpfen; »solche Signale wie Ihr Dithmarscher hat mein Heinz nicht aufzuweisen.«

Aber der alte Herr ging wieder seinen eigenen Weg. »Bewahre!« sagte er verächtlich und machte mit der Hand eine Bewegung, als ob er die Schafsaugen weit von sich in die Büsche werfe. »Ein Mann, ein ganzer Mann!« Dann hob er den Zeigefinger und beschrieb schelmisch lächelnd eine Linie über Stirn und Auge: »Auch eine Dekorierung hat er sich erworben; im Gefecht, Herr Nachbar, ich sage im Gefechte; gleich einem alten Studiosus! Zu meiner Zeit – Seeleute und Studenten, das waren die freien Männer, wir standen allzeit beieinander!«

Hans Kirch schüttelte den Kopf. »Sie irren, Ehrwürden; mein Heinz war nur auf Kauffahrteischiffen; im Sturm, ein Holzsplitter, eine stürzende Stenge tun wohl dasselbe schon.«

»*Crede experto!* Traue dem Sachkundigen!« rief der alte Herr und hob geheimnisvoll das linke Ohrläppchen, hinter welchem die schwachen Spuren einer Narbe sichtbar wurden. »Im Gefecht, Herr Nachbar; o, wir haben auch *pro patria* geschlagen!«

Ein Lächeln flog über das Gesicht des alten Seemanns, das für einen Augenblick das starke Gebiß bloßlegte. »Ja, ja, Herr Pastor; freilich, er war kein Hasenfuß, mein Heinz!«

Aber der frohe Stolz, womit diese Worte hervorbrachen, verschwand schon wieder; das Bild seines kühnen Knaben verblich vor dem des Mannes, der jetzt unter seinem Dache hauste.

Hans Kirch nahm kurzen Abschied; er gab es auf, es noch weiter mit der Geschwätzigkeit des Greisenalters aufzunehmen.

– – Am Abend war Ball in der Harmonie. Heinz wollte zu Hause bleiben; er passe nicht dahin; und die jungen Eheleute, die ihm auch nur wie beiläufig davon gesprochen hatten, waren damit einverstanden; denn Heinz, sie mochten darin nicht unrecht haben, war in dieser Gesellschaft für jetzt nicht wohl zu präsentieren. Frau Lina wollte ebenfalls zu Hause bleiben; doch sie mußte dem Drängen ihres Mannes nachgeben, der einen neuen Putz für sie erhandelt hatte. Auch Hans Kirch ging zu seiner Partie Sechsundsechzig; die innere Unruhe trieb ihn aus dem Hause.

So blieb denn Heinz allein zurück. Als alle fort waren, stand er, die Hände in den Taschen, am Fenster seiner dunkeln Schlafkammer, das nach Nordosten auf die See hinausging. Es war unruhiges Wetter, die Wolken jagten vor dem Mond; doch konnte er jenseit des Warders, in dem tieferen Wasser, die weißen Köpfe der Wellen schäumen sehen.

Er starrte lange darauf hin; allmählich, als seine Augen sich gewöhnt hatten, bemerkte er auch drüben auf der Insel einen hellen Dunst; von dem Leuchtturm konnte das nicht kommen; aber das große Dorf lag dort, wo, wie er hatte reden hören, heute Jahrmarkt war. Er öffnete das Fenster und lehnte sich hinaus; fast meinte er durch das Rauschen des Wassers die ferne Tanzmusik zu hören; und als packe es ihn plötzlich, schlug er das Fenster eilig zu und sprang, seine Mütze vom Türhaken reißend, in den Flur hinab. Als er ebenso rasch der Haustür zuging, frug die Magd ihn, ob sie mit dem Abschließen auf ihn warten solle; aber er schüttelte nur den Kopf, während er das Haus verließ.

Kurze Zeit danach, beim Rüsten der Schlafgemächer für die Nacht, betrat die Magd auch die von ihrem Gaste vorhin verlassene Kammer. Sie hatte ihr Lämpchen auf dem Vorplatze gelassen und nur die Wasserflasche rasch hineinsetzen wollen; als aber draußen eben jetzt der Mond sein volles Licht durch den weiten Himmelsraum ergoß, trat sie gleichfalls an das Fenster und blickte auf die wie mit Silberschaum gekrönten Wellen; bald aber waren es nicht mehr diese; ihre jungen weitreichenden Augen hatten ein Boot erkannt, das von einem einzelnen Manne durch den sprühenden Gischt der Insel zugetrieben wurde.

Wenn Hans Kirch oder die jungen Eheleute in die Harmonie gegangen waren, um dort nähere Aufschlüsse über jenes unheimliche Gerücht zu erhalten, so mußten sie sich getäuscht finden; niemand ließ auch nur ein andeutendes Wort darüber fallen; es war wieder wie kurz zuvor, als ob es niemals einen Heinz Kirch gegeben hätte.

Erst am anderen Morgen erfuhren sie, daß dieser am Abend bald nach ihnen fortgegangen und bis zur Stunde noch nicht wieder da sei; die Magd teilte auf Befragen ihre Vermutungen mit, die nicht weit vom Ziele treffen mochten. Als dann endlich kurz vor Mittag der Verschwundene mit stark gerötetem Antlitz heimkehrte, wandte Hans Kirch, den er im Flur traf, ihm den Rücken und ging rasch in seine Stube. Frau Lina, der er auf der Treppe begegnete, sah ihn vorwurfsvoll und fragend an; sie stand einen Augenblick, als ob sie sprechen wolle; aber – wer war dieser Mann? – Sie hatte sich besonnen und ging ihm stumm vorüber.

Nach der schweigend eingenommenen Mittagsmahlzeit hatte Heinz sich oben in der Wohnstube des jungen Paares in die Sofaecke gesetzt. Frau Lina ging ab und zu; er hatte den Kopf gestützt und war eingeschlafen. Als er nach geraumer Zeit erwachte, war die Schwester fort; statt dessen sah er den grauen Kopf des Vaters über sich gebeugt; der Erwachende glaubte es noch zu fühlen, wie die scharfen Augen in seinem Antlitz forschten.

Eine Weile hafteten beider Blicke ineinander; dann richtete der Jüngere sich auf und sagte: »Laßt nur, Vater; ich weiß es schon, Ihr möchtet gern, daß ich der Hasselfritze aus der Armenkate wäre; möcht' Euch schon den Gefallen tun, wenn ich mich selbst noch mal zu schaffen hätte.«

Hans Kirch war zurückgetreten: »Wer hat dir das erzählt?« sagte er, »du kannst nicht behaupten, daß ich dergleichen von dir gesagt hätte.«

»Aber Euer Gesicht sagt mir's; und unsere junge Frau, sie zuckt vor meiner Hand, als sollt' sie eine Kröte fassen. Wußte erst nicht, was da unterwegs sei; aber heut nacht, da drüben, da schrien es beim Tanz die Eulen in die Fenster.«

Hans Kirch erwiderte nichts; der andere aber war aufgestanden und sah auf die Gasse, wo in Stößen der Regen vom Herbstwinde vorbeigetrieben wurde. »Eins aber«, begann er wieder, indem er sich finster zu dem Alten wandte, »mögt Ihr mir noch sagen! Warum damals, da ich noch jung war, habt Ihr das mit dem Brief mir angetan? Warum? Denn ich hätte Euch sonst mein altes Gesicht wohl wieder heimgebracht.«

Hans Kirch fuhr zusammen. An diesen Vorgang hatte seit dem Tode seines Weibes keine Hand gerührt; er selbst hatte ihn tief in sich begraben. Er fuhr mit den Fingern in die Westentasche und biß ein Endchen von der schwarzen Tabakrolle, die er daraus hervorgezogen hatte. »Einen Brief?« sagte er dann; »mein Sohn Heinz war nicht für das Briefschreiben.«

»Mag sein, Vater; aber einmal – einmal hatte er doch geschrieben; in Rio hatte er den Brief zur Post gegeben, und später, nach langer Zeit – der Teufel hatte wohl sein Spiel dabei – in San Jago, in dem Fiebernest, als die Briefschaften für die Mannschaft ausgeteilt wurden, da hieß es: ›Hier ist auch was für dich.‹ Und als der Sohn vor Freude zitternd seine Hand ausstreckte und mit den Augen nur die Aufschrift des Briefes erst verschlingen wollte, da war's auch wirklich einer, der von Hause kam, und auch eine Handschrift von zu Hause stand darauf; aber – es war doch nur sein eigener Brief, der nach sechs Monaten uneröffnet an ihn zurückkam.«

Es sah fast aus, als seien die Augen des Alten feucht geworden; als er aber den trotzigen Blick des Jungen sich gegenüber sah, verschwand das wieder. »Viel Rühmliches mag auch nicht daringestanden haben!« sagte er grollend.

Da fuhr ein hartes Lachen aus des Jüngeren Munde und gleich darauf ein fremdländischer Fluch, den der Vater nicht verstand. »Da mögt Ihr recht haben, Hans Adam Kirch; ganz regulär war's just nicht hergegangen; der junge Bursche wär' auch damals gern vor seinem Vater hingefallen; lagen aber tausend Meilen zwischen ihnen; und überdem – das Fieber hatte ihn geschüttelt, und er war erst eben von seinem elenden Lazarettbett aufgestanden! Und später dann – was meint Ihr wohl, Hans Kirch? Wen Vaters Hand verstoßen, der fragt bei der nächsten Heuer nicht, was unterm Deck geladen ist, ob Kaffeesäcke oder schwarze Vögel, die eigentlich aber schwarze Menschen sind; wenn's nur Dublonen gibt; und fragt auch nicht, wo die der Teufel holt, und wo dann wieder neue zu bekommen sind!«

Die Stimme, womit diese Worte gesprochen wurden, klang so wüst und fremd, daß Hans Kirch sich unwillkürlich frug: »Ist das dein Heinz, den der Kantor beim Amensingen immer in die erste Reihe stellte, oder ist es doch der Junge aus der Armenkate, der nur auf deinen Beutel spekuliert?« Er wandte wieder seine Augen prüfend auf des anderen Antlitz; die Narbe über Stirn und Auge flammte brandrot. »Wo hast du dir denn das geholt?« fragte er, an seines Pastors Rede denkend. »Bist du mit Piraten im Gefecht gewesen?«

Ein desperates Lachen fuhr aus des Jüngeren Munde. »Piraten?« rief er. »Glaubt nur, Hans Kirch, es sind auch dabei brave Kerle! Aber laßt das; das Gespinst ist gar zu lang, mit wem ich all zusammen war!«

Der Alte sah ihn mit erschrockenen Augen an. »Was sagst du?« frug er so leise, als ob es niemand hören dürfe.

Aber bevor eine Antwort darauf erfolgen konnte, wurden schwerfällige Schritte draußen auf der Treppe laut; die Tür öffnete sich, und von Frau Lina gefolgt, trat Tante Jule in das Zimmer. Während sie pustend und mit beiden Händen sich auf ihren Krückstock lehnend, stehenblieb, war Heinz an ihr vorüber schweigend aus der Tür gegangen.

»Ist er fort?« sagte sie, mit ihrem Stock hinter ihm herweisend.

»Wer soll fort sein?« frug Hans Kirch und sah die Schwester nicht eben allzu freundlich an.

»Wer? Nun, den du seit vierzehn Tagen hier in Kost genommen.«

– »Was willst du wieder, Jule? Du pflegst mir sonst nicht so ins Haus zu fallen.«

»Ja, ja, Hans«, und sie winkte der jungen Frau, ihr einen Stuhl zu bringen, und setzte sich darauf; »du hast's auch nicht um mich verdient; aber ich bin nicht so, Hans; ich will dir Abbitte tun; ich will bekennen, der Fritze Reimers mag doch wohl gelogen haben, oder wenn nicht er, so doch der andere!«

»Was soll die Rederei?« fragte Hans Kirch, und es klang, als ob er müde wäre.

– »Was es soll? Du sollst dich nicht betrügen lassen! Du meinst, du hast nun deinen Vogel wieder eingefangen; aber sieh nur zu, ob's auch der rechte ist!«

»Kommst du auch mit dem Geschwätz? Warum sollt's denn nicht der rechte sein?« Er sprach das unwirsch, aber doch, als ob es zu hören ihn verlange.

Frau Jule hatte sich in Positur gesetzt. »Warum, Hans? – Als er am Mittwochnachmittag mit der Lina bei mir saß – wir waren schon bei der dritten Tasse Kaffee, und noch nicht einmal hatte er ›Tante‹ zu mir gesagt! – ›Warum‹, frug ich, ›nennst du mich denn gar nicht Tante?‹ – ›Ja, Tante‹, sagte er, ›du hast ja noch allein gesprochen!‹ Und, siehst du, Hans, das war beim erstenmal denn schon gelogen; denn das soll mir keiner nachsagen; ich lasse jedermann zu Worte kommen! Und als ich ihn dann nahe zu mir zog und mit der Hand und mit meinen elenden Augen auf seinem Gesicht herumfühlte – nun, Hans, die Nase kann doch nicht von Ost nach West gewachsen sein!«

Der Bruder saß mit gesenktem Kopf ihr gegenüber; er hatte nie darauf geachtet, wie seinem Heinz die Nase im Gesicht gestanden hatte.

»Aber«, sagte er – denn das Gespräch von vorhin flog ihm durch den Kopf; doch schienen ihm die Worte schwer zu werden –, »sein Brief von damals; wir redeten darüber; er hat ihn in San Jago selbst zurückerhalten!«

Die dicke Frau lachte, daß der Stock ihr aus den Händen fiel. »Die Briefgeschichte, Hans! Ja, die ist seit den vierzehn Tagen reichlich wieder aufgewärmt; davon konnte er für einen Dreiling bei jedem Bettelkinde einen Suppenlöffel voll bekommen! Und er mußte dir doch auch erzählen, weshalb der echte Heinz denn all die Jahre draußen blieb. Laß dich nicht nasführen, Hans! Warum denn hatt er nicht mit dir wollen, als du ihn von Hamburg holtest? War's denn so schlimm, wieder einmal an die volle Krippe und ins warme Nest zu kommen? – Ich will's dir sagen; da ist's: er hat sich so geschwind nicht zu dem Schelmenwagstück resolvieren können!«

Hans Adam hatte seinen grauen Kopf erhoben, aber er sprach nicht dazwischen; fast begierig horchte er auf alles, was die Schwester vorbrachte.

»Und dann«, fuhr diese fort, »die Lina hat davon erzählt.« – – Aber plötzlich stand sie auf und fühlte sich mit ihrer Krücke, die Lina ihr dienstfertig aufgehoben hatte, nach dem Fenster hin; von draußen hörte man zwei Männerstimmen in lebhafter Unterhaltung. »O Lina«, sagte Tante Jule; »ich hör's, der eine ist der Justizrat, lauf doch und bitte ihn, ein paar Augenblicke hier heraufzukommen!«

Der Justizrat war der alte Physikus; bei dem früheren Mangel passender Alterstitel hierzulande waren alle älteren Physici Justizräte.

Hans Kirch wußte nicht, was seine Schwester mit diesem vorhatte; aber er wartete geduldig, und bald auch trat der alte Herr mit der jungen Frau ins Zimmer. »Ei, ei«, rief er, »Tante Jule und Herr Kirch beisammen? Wo ist denn nun der Patient?«

»Der da«, sagte Tante Jule und wies auf ihren Bruder; »er hat den Star auf beiden Augen!«

Der Justizrat lachte. »Sie scherzen, liebe Madame; ich wollte, ich hätte selbst nur noch die scharfen Augen unseres Freundes.«

»Mach' fort, Jule«, sagte Hans Kirch; »was gehst du lange um den Brei herum!«

Die dicke Frau ließ sich indes nicht stören. »Es ist nur so sinnbildlich, mein Herr Justizrat«, erklärte sie mit Nachdruck. »Aber besinnen Sie sich einmal darauf, wie Sie vor so ein zwanzig Jahren hier auch ins Haus geholt wurden; die Lina, die große Frau jetzt, schrie damals ein Zetermordio durchs Haus; denn ihr Bruder Heinz hatte sich nach Jungensart einen schönen Anker auf den Unterarm geätzt und sich dabei weidlich zugerichtet.«

Hans Kirch fuhr mit seinem Kopf herum; denn die ihm derzeit unbeachtet vorübergegangene Unterhaltung bei der ersten Abendmahlzeit kam ihm plötzlich, und jetzt laut und deutlich, wieder.

Aber der alte Doktor wiegte das Haupt: »Ich besinne mich nicht; ich hatte in meinem Leben so viele Jungen unter Händen.«

»Nun so, mein Herr Justizrat«, sagte Tante Jule; »aber Sie kennen doch dergleichen Jungenstreiche hier bei uns; es fragt sich nur, und das möchten wir von Ihnen wissen, ob denn in zwanzig Jahren solch ein Anker ohne Spur verschwinden könne?«

»In zwanzig Jahren?« erwiderte jetzt der Justizrat ohne Zögern; »ei, das kann gar leicht geschehen!«

Aber Hans Kirch mischte sich ins Gespräch: »Sie denken, wie sie's jetzt machen, Doktor, so mit blauer Tusche; nein, der Junge war damals nach der alten gründlichen Manier ans Werk gegangen; tüchtige Nadelstiche und dann mit Pulver eingebrannt.«

Der alte Arzt rieb sich die Stirn. »Ja, ja; ich entsinne mich auch jetzt. Hm! – Nein, das dürfte wohl unmöglich sein; das geht bis auf die Cutis; der alte Heinrich Jakobs läuft noch heut mit seinem Anker.«

Tante Jule nickte beifällig; Frau Lina stand, die Hand an der Stuhllehne, blaß und zitternd neben ihr.

»Aber«, sagte Hans Kirch, und auch bei ihm schlich sich die Stimme nur wie mit Zagen aus der Kehle, »sollte es nicht Krankheiten geben? Da drüben, in den heißen Ländern?«

Der Arzt bedachte sich eine Weile und schüttelte dann sehr bestimmt den Kopf. »Nein, nein; das ist nicht anzunehmen; es müßten denn die Blattern ihm den Arm zerrissen haben.«

Eine Pause entstand, während Frau Jule ihre gestrickten Handschuhe anzog. »Nun, Hans«, sagte sie dann; »ich muß nach Haus; aber du hast nun die Wahl: den Anker oder die Blatternarben! Was hat dein neuer Heinz denn aufzuweisen? Die Lina hat nichts von beiden sehen können; nun sieh du selber zu, wenn deine Augen noch gesund sind!«

– – Bald danach ging Hans Kirch die Straße hinauf nach seinem Speicher; er hatte die Hände über dem Rücken gefaltet, der Kopf hing ihm noch tiefer als gewöhnlich auf die Brust. Auch Frau Lina hatte das Haus verlassen und war dem Vater nachgegangen; als sie in den unteren dämmerhellen Raum des Speichers trat, sah sie ihn in der Mitte desselben stehen, als müsse er sich erst besinnen, weshalb er denn hierhergegangen sei. Bei dem Geräusche des Kornumschaufelns, das von den oberen Böden herabscholl, mochte er den Eintritt der Tochter überhört haben; denn er stieß sie fast zurück, als er sie jetzt so plötzlich vor sich sah: »Du, Lina! Was hast du hier zu suchen?«

Die junge Frau zitterte und wischte sich das Gesicht mit ihrem Tuche. »Nichts, Vater«, sagte sie; »aber Christian ist unten am Hafen, und da litt es mich nicht so allein zu Hause mit ihm – mit dem fremden Menschen! Ich fürchte mich; o, es ist schrecklich, Vater!«

Hans Kirch hatte während dieser Worte wieder seinen Kopf gesenkt; jetzt hob er wie aus einem Abgrunde seine Augen zu denen seiner Tochter und blickte sie lange und unbeweglich an. »Ja, ja, Lina«, sagte er dann hastig; »Gott Dank, daß es ein Fremder ist!«

Hierauf wandte er sich rasch, und die Tochter hörte, wie er die Treppen zu dem obersten Bodenraum hinaufstieg.

Ein trüber Abend war auf diesen Tag gefolgt; kein Stern war sichtbar; feuchte Dünste lagerten auf der See. Im Hafen war es ungewöhnlich voll von Schiffen, meist Jachten und Schoner; aber auch ein paar Vollschiffe waren dabei und außerdem der Dampfer, welcher wöchentlich hier anzulegen pflegte. Alles lag schon in tiefer Ruhe, und auch auf dem Hafenplatz am Bollwerk entlang schlenderte nur ein einzelner Mann: wie es den Anschein hatte, müßig und ohne eine bestimmte Absicht. Jetzt blieb er vor dem einen der beiden Barkschiffe stehen, auf dessen Deck ein Junge sich noch am Gangspill zu schaffen machte; er rief einen »guten Abend« hinüber und fragte, wie halb gedankenlos, nach Namen und Ladung des Schiffes. Als ersterer genannt wurde, tauchte ein Kopf aus der Kajüte, schien eine Weile den am Ufer Stehenden zu mustern, spie dann weit hinaus ins Wasser und tauchte wieder unter Deck. Schiff und Schiffer waren nicht von hier; der am Ufer schlenderte weiter; vom Warder drüben kam dann und wann ein Vogelschrei; von der Insel her drang nur ein schwacher Schein von den

Leuchtfeuern durch den Nebel. Als er an die Stelle kam, wo die Häuserreihe näher an das Wasser tritt, schlug von daher ein Gewirr von Stimmen an sein Ohr und veranlaßte ihn, stillzustehen. Von einem der Häuser fiel ein roter Schein in die Nacht hinaus; er erkannte es wohl, wenngleich sein Fuß die Schwelle dort noch nicht überschritten hatte; das Licht kam aus der Laterne der Hafenschenke. Das Haus war nicht wohl beleumdet; nur fremde Matrosen und etwa die Söhne von Setzschiffern verkehrten dort; er hatte das alles schon gehört. – Und jetzt erhob das Lärmen sich von neuem, nur daß auch eine Frauenstimme nun dazwischenkreischte. – Ein finsteres Lachen fuhr über das Antlitz des Mannes; beim Schein der roten Laterne und den wilden Lauten hinter den verhangenen Fenstern mochte allerlei in seiner Erinnerung aufwachen, was nicht guttut, wenn es wiederkommt. Dennoch schritt er darauf zu, und als er eben von der Stadt her die Bürgerglocke läuten hörte, trat er in die niedrige, aber geräumige Schenkstube.

An einem langen Tische saß eine Anzahl alter und junger Seeleute; ein Teil derselben, zu denen sich der Wirt gesellt zu haben schien, spielte mit beschmutzten Karten; ein Frauenzimmer, über die Jugendblüte hinaus, mit blassem, verwachtem Antlitz, dem ein Zug des Leidens um den noch immer hübschen Mund nicht fehlte, trat mit einer Anzahl dampfender Gläser herein und verteilte sie schweigend an die Gäste. Als sie an den Platz eines Mannes kam, dessen kleine Augen begehrlich aus dem grobknochigen Angesicht hervorschielten, schob sie das Glas mit augenscheinlicher Hast vor ihn hin; aber der Mensch lachte und suchte sich an ihren Röcken festzuhalten: »Nun, Ma'am, habt Ihr Euch noch immer nicht besonnen? Ich bin ein höflicher Mann, versichere Euch! Aber ich kenne die Weibergeographie: Schwarz oder Weiß, ist alles eine Sorte!«

»Laßt mich«, sagte das Weib; »bezahlt Euer Glas und laßt mich gehen!«

Aber der andere war nicht ihrer Meinung; er ergriff sie und zog sie jäh zu sich heran, daß das vor ihm stehende Glas umstürzte und der Inhalt sie beide überströmte. »Sieh nur, schöne Missis!« rief er, ohne darauf zu achten, und winkte mit seinem rothaarigen Kopfe nach einem ihm gegenübersitzenden Burschen, dessen flachsblondes Haar auf ein bleiches, vom Trunke gedunsenes Antlitz herabfiel; »sieh nur, der Jochum mit seinem greisen Kalbsgesicht hat nichts dagegen einzuwenden! Trink aus, Jochum, ich zahle dir ein neues!«

Der Mensch, zu dem er gesprochen hatte, goß mit blödem Schmunzeln sein Glas auf einen Zug hinunter und schob es dann zu neuem Füllen vor sich hin.

Einen Augenblick ruhten die Hände des Weibes, mit denen sie sich aus der gewaltsamen Umarmung zu lösen versucht hatte; ihre Blicke fielen auf den bleichen Trunkenbold, und es war, als wenn Abscheu und Verachtung sie eine Weile alles andere vergessen ließen.

Aber ihr Peiniger zog sie nur fester an sich: »Siehst du, schöne Frau! Ich dächte doch, der Tausch wäre nicht so übel! Aber, der ist's am Ende gar nicht! Nimm dich in acht, daß ich nicht aus der Schule schwatze!« Und da sie wiederum sich sträubte, nickte er einem hübschen, braunlockigen Jungen zu, der am unteren Ende des Tisches saß. »He, du Gründling«, rief er, »meinst du, ich weiß nicht, wer gestern zwei Stunden nach uns aus der Roten Laterne unter Deck gekrochen ist?«

Die hellen Flammen schlugen dem armen Weibe ins Gesicht; sie wehrte sich nicht mehr, sie sah nur hilfesuchend um sich. Aber es rührte sich keine Hand; der junge hübsche Bursche schmunzelte nur und sah vor sich in sein Glas.

Aus einer unbesetzten Ecke des Zimmers hatte bisher der zuletzt erschienene Gast dem allem mit gleichgültigen Augen zugesehen; und wenn er jetzt die Faust erhob und dröhnend vor sich auf die Tischplatte schlug, so schien auch dieses nur mehr wie aus früherer Gewohnheit, bei solchem Anlaß nicht den bloßen Zuschauer abzugeben. »Auch mir ein Glas!« rief er, und es klang fast, als ob er Händel suche.

Drüben war alles von den Sitzen aufgesprungen. »Wer ist das? Der will wohl unser Bowiemesser schmecken? Werft ihn hinaus! *Goddam*, was will der Kerl?«

»Nur auch ein Glas!« sagte der andere ruhig. »Laßt euch nicht stören! Haben, denk' ich, hier wohl alle Platz!«

Die drüben waren endlich doch auch dieser Meinung und blieben an ihrem Tische; aber das Frauenzimmer hatte dabei Gelegenheit gefunden, sich zu befreien, und trat jetzt an den Tisch des neuen Gastes. »Was soll es sein?« frug sie höflich; aber als er ihr Bescheid gab, schien

431

sie es kaum zu hören; er sah verwundert, wie ihre Augen starr und doch wie abwesend auf ihn gerichtet waren und wie sie noch immer vor ihm stehenblieb.

»Kennen Sie mich?« sagte er und warf mit rascher Bewegung seinen Kopf zurück, so daß der Schein der Deckenlampe auf sein Antlitz fiel.

Das Weib tat einen tiefen Atemzug, und die Gläser, die sie in der Hand hielt, schlugen hörbar aneinander: »Verzeihen Sie«, sagte sie ängstlich; »Sie sollen gleich bedient werden.«

Er blickte ihr nach, wie sie durch eine Seitentür hinausging; der Ton der wenigen Worte, welche sie zu ihm gesprochen, war ein so anderer gewesen, als den er vorhin von ihr gehört hatte; langsam hob er den Arm und stützte seinen Kopf darauf; es war, als ob er mit allen Sinnen in die weite Ferne denke. Es hätte ihm endlich auffallen müssen, daß seine Bestellung noch immer nicht ausgeführt sei; aber er dachte nicht daran. Plötzlich, während am anderen Tisch die Karten mit den Würfeln wechselten, erhob er sich. Wäre die Aufmerksamkeit der übrigen Gäste auf ihn statt auf das neue Spiel gerichtet gewesen, er wäre sicher ihrem Hohne nicht entgangen; denn der hohe, kräftige Mann zitterte sichtbar, als er jetzt mit auf den Tisch gestemmten Händen dastand.

Aber es war nur für einige Augenblicke; dann verließ er das Zimmer durch dieselbe Tür, durch welche vorhin die Aufwärterin hinausgegangen war. Ein dunkler Gang führte ihn in eine große Küche, welche durch eine an der Wand hängende Lampe nur kaum erhellt wurde. Hastig war er eingetreten; seine raschen Augen durchflogen den vor ihm liegenden wüsten Raum; und dort stand sie, die er suchte; wie unmächtig, die leeren Gläser noch in den zusammengefalteten Händen, lehnte sie gegen die Herdmauer. Einen Augenblick noch, dann trat er zu ihr; »Wieb!« rief er; »Wiebchen, kleines Wiebchen!«

Es war eine rauhe Männerstimme, die diese Worte rief und jetzt verstummte, als habe sie allen Odem an sie hingegeben.

Und doch, über das verblühte Antlitz des Weibes flog es wie ein Rosenschimmer, und während zugleich die Gläser klirrend auf den Boden fielen, entstieg ein Aufschrei ihrer Brust; wer hätte sagen mögen, ob es Leid, ob Freude war. »Heinz!« rief sie, »Heinz, du bist es; oh, sie sagten, du seist es nicht.«

Ein finsteres Lächeln zuckte um den Mund des Mannes: »Ja, Wieb;

ich wußt's wohl schon vorher; ich hätte nicht mehr kommen sollen. Auch dich – das alles war ja längst vorbei –, ich wollte dich nicht wiedersehen, nichts von dir hören, Wieb; ich biß die Zähne aufeinander, wenn dein Name nur darüberwollte. Aber – gestern abend – es war wieder einmal Jahrmarkt drüben – wie als Junge hab' ich mir ein Boot gestohlen; ich mußte, es ging nicht anders; vor jeder Bude, auf allen Tanzböden hab' ich dich gesucht; ich war ein Narr, ich dachte, die alte Möddersch lebe noch; o süße kleine Wieb, ich dacht' wohl nur an dich; ich wußte selbst nicht, was ich dachte!« Seine Stimme bebte, seine Arme streckten sich weit geöffnet ihr entgegen.

Aber sie warf sich nicht hinein; nur ihre Augen blickten traurig auf ihn hin: »O Heinz!« rief sie; »du bist es! Aber ich, ich bin's nicht mehr! – Du bist zu spät gekommen, Heinz!«

Da riß er sie an sich und ließ sie wieder los und streckte beide Arme hoch empor: »Ja, Wieb, das sind auch nicht mehr die unschuldigen Hände, womit ich damals dir die roten Äpfel stahl; *by Jove,* das schleißt, so siebzehn Jahre unter diesem Volk!«

Sie war neben dem Herde auf die Knie gesunken: »Heinz«, murmelte sie, »o Heinz, die alte Zeit!«

Wie verlegen stand er neben ihr; dann aber bückte er sich und ergriff die eine ihrer Hände, und sie duldete es still.

»Wieb«, sagte er leise, »wir wollen sehen, daß wir uns wiederfinden, du und ich!«

Sie sagte nichts; aber er fühlte eine Bewegung ihrer Hand, als ob sie schmerzlich in der seinen zucke.

Von der Schenkstube her erscholl ein wüstes Durcheinander; Gläser klirrten, mitunter dröhnte ein Faustschlag. »Kleine Wieb«, flüsterte er wieder, »wollen wir weit von all den bösen Menschen fort?«

Sie hatte den Kopf auf den steinernen Herd sinken lassen und stöhnte schmerzlich. Da wurden schlurfende Schritte in dem Gange hörbar, und als Heinz sich wandte, stand ein Betrunkener in der Tür; es war derselbe Mensch mit dem schlaffen, gemeinen Antlitz, den er vorhin unter den anderen Schiffern schon bemerkt hatte. Er hielt sich an dem Türpfosten, und seine Augen schienen, ohne zu sehen, in dem dämmerigen Raum umherzustarren. »Wo bleibt der Grog?« stammelte er. »Sechs neue Gläser. Der rote Jakob flucht nach seinem Grog!«

Der Trunkene hatte sich wieder entfernt; sie hörten die Tür der Schenkstube hinter ihm zufallen.

»Wer war das?« frug Heinz.

Wieb erhob sich mühsam. »Mein Mann«, sagte sie; »er fährt als Matrose auf England; ich diene bei meinem Stiefvater hier als Schenkmagd.«

Heinz sagte nichts darauf; aber seine Hand fuhr nach der behaarten Brust, und es war, als ob er gewaltsam etwas von seinem Nacken reiße. »Siehst du«, sagte er tonlos und hielt einen kleinen Ring empor, von dem die Enden einer zerrissenen Schnur herabhingen, »da ist auch noch das Kinderspiel! Wär's Gold gewesen, es wär' so lang' wohl nicht bei mir geblieben. Aber auch sonst – ich weiß nicht, war's um dich? Es war wohl nur ein Aberglaube, weil's doch noch das letzte Stück von Hause war.«

Wieb stand ihm gegenüber, und er sah, wie ihre Lippen sich bewegten.

»Was sagst du?« frug er.

Aber sie antwortete nichts; es war nur, als flehten ihre Augen um Erbarmen. Dann wandte sie sich und machte sich daran, wie es ihr befohlen war, den heißen Trank zu mischen. Nur einmal stockte sie in ihrer Arbeit, als ein feiner Metallklang auf dem steinernen Fußboden ihr Ohr getroffen hatte. Aber sie wußte es, sie brauchte nicht erst umzusehen; was sollte er denn jetzt noch mit dem Ringe!

Heinz hatte sich auf einen hölzernen Stuhl gesetzt und sah schweigend zu ihr hinüber; sie hatte das Feuer geschürt, und die Flammen lohten und warfen über beide einen roten Schein. Als sie fortgegangen war, saß er noch da; endlich sprang er auf und trat in den Gang, der nach der Schenkstube führte. »Ein Glas Grog; aber ein festes!« rief er, als Wieb ihm von dorther aus der Tür entgegenkam; dann setzte er sich wieder allein an seinen Tisch. Bald darauf kam Wieb und stellte das Glas vor ihm hin, und noch einmal sah er zu ihr auf; »Wieb, kleines Wiebchen!« murmelte er, als sie fortgegangen war; dann trank er, und als das Glas leer war, rief er nach einem neuen, und als sie es schweigend brachte, ließ er es, ohne aufzusehen, vor sich hinstellen.

Am anderen Tische lärmten sie und kümmerten sich nicht mehr um den einsamen Gast; eine Stunde der Nacht schlug nach der anderen, ein Glas nach dem anderen trank er; nur wie durch einen Nebel sah er mitunter das arme schöne Antlitz des ihm verlorenen Weibes, bis er endlich dennoch nach den anderen fortging und dann spät am Vormittag mit wüstem Kopf in seinem Bett erwachte.

In der Kirchschen Familie war es schon kein Geheimnis mehr, in welchem Hause Heinz diesmal seine Nacht verbracht hatte. Das Mittagsmahl war, wie am gestrigen Tage, schweigend eingenommen; jetzt am Nachmittage saß Hans Adam Kirch in seinem Kontor und rechnete. Zwar lag unter den Schiffen im Hafen auch das seine, und die Kohlen, die es von England gebracht hatte, wurden heut gelöscht, wobei Hans Adam niemals sonst zu fehlen pflegte; aber diesmal hatte er seinen Tochtermann geschickt; er hatte Wichtigeres zu tun: er rechnete, er summierte und subtrahierte, er wollte wissen, was ihn dieser Sohn, den er sich so unbedacht zurückgeholt hatte, oder – wenn es nicht sein Sohn war – dieser Mensch noch kosten dürfe. Mit rascher Hand tauchte er seine Feder ein und schrieb seine Zahlen nieder; Sohn oder nicht, das stand ihm fest, es mußte jetzt ein Ende haben. Aber freilich – und seine Feder stockte einen Augenblick –, um weniges würde er ja schwerlich gehen; und – wenn es dennoch Heinz wäre, den Sohn durfte er mit wenigem nicht gehen heißen. Er hatte sogar daran gedacht, ihm ein für allemal das Pflichtteil seines Erbes auszuzahlen; aber die gerichtliche Quittung, wie war die zu beschaffen? denn sicher mußte es doch gemacht werden, damit er nicht noch einmal wiederkomme. Er warf die Feder hin, und der Laut, der an den Zähnen ihm verstummte, klang beinahe wie ein Lachen: es war ja aber nicht sein Heinz! Der Justizrat, der verstand es doch; und der alte Heinrich Jakobs trug seinen Anker noch mit seinen achtzig Jahren!

Hans Kirch streckte die Hand nach einer neben ihm liegenden Ledertasche aus; langsam öffnete er sie und nahm eine Anzahl Kassenscheine von geringem Werte aus derselben. Nachdem er sie vor sich ausgebreitet und dann einen Teil und nach einigem Zögern noch einen Teil davon in die Ledertasche zurückgelegt hatte, steckte er die übrigen in ein bereitgehaltenes Kuvert; er hatte genau die mäßige Summe abgewogen.

Er war nun fertig; aber noch immer saß er da, mit herabhängendem

Unterkiefer, die müßigen Hände an den Tisch geklammert. Plötzlich fuhr er auf, seine grauen Augen öffneten sich weit: »Hans! Hans!« hatte es gerufen; hier im leeren Zimmer, wo, wie er jetzt bemerkte, schon die Dämmerung in allen Winkeln lag. Aber er besann sich; nur seine eigenen Gedanken waren über ihn gekommen; es war nicht jetzt, es war schon viele Jahre her, daß ihn diese Stimme so gerufen hatte. Und dennoch, als ob er widerwillig einem außer sich Gehorsam leiste, öffneten seine Hände noch einmal die Ledertasche und nahmen zögernd eine Anzahl großer Kassenscheine aus derselben. Aber mit jedem einzelnen, den Hans Adam jetzt der vorher bemessenen kleinen Summe zugesellte, stieg sein Groll gegen den, der dafür Heimat und Vaterhaus an ihn verkaufen sollte; denn was zum Ausbau langgehegter Lebenspläne hatte dienen sollen, das mußte er jetzt hinwerfen, nur um die letzten Trümmer davon wegzuräumen.

– – Als Heinz etwa eine Stunde später, von einem Gange durch die Stadt zurückkehrend, die Treppe nach dem Oberhaus hinaufging, trat gleichzeitig Hans Adam unten aus seiner Zimmertür und folgte ihm so hastig, daß beide fast miteinander in des Sohnes Kammer traten. Die Magd, welche oben auf dem Vorplatz arbeitete, ließ bald beide Hände ruhen; sie wußte es ja wohl, daß zwischen Vater und Sohn nicht alles in der Ordnung war, und drinnen hinter der geschlossenen Tür schien es jetzt zu einem heftigen Gespräch zu kommen. – Aber nein, sie hatte sich getäuscht, es war nur immer die alte Stimme, die sie hörte; und immer lauter und drohender klang es, obgleich von der anderen Seite keine Antwort darauf erfolgte; aber vergebens strengte sie sich an, von dem Inhalte etwas zu verstehen; sie hörte drinnen den offenen Fensterflügel im Winde klappern, und ihr war, als würden die noch immer heftiger hervorbrechenden Worte dort in die dunkle Nacht hinausgeredet. Dann endlich wurde es still; aber zugleich sprang die Magd, von der aufgestoßenen Kammertür getroffen, mit einem Schrei zur Seite und sah ihren gefürchteten Herrn mit wirrem Haar und wildblickenden Augen die Treppe hinabstolpern, und hörte, wie die Kontortür aufgerissen und wieder zugeschlagen wurde.

Bald danach trat auch Heinz aus seiner Kammer; als er unten im Flur der Schwester begegnete, ergriff er fast gewaltsam ihre beiden Hände und drückte sie so heftig, daß sie verwundert zu ihm aufblickte; als sie aber zu ihm sprechen wollte, war er schon draußen auf der Gasse. Er kam auch nicht zur Abendmahlzeit; aber als die Bürgerglocke läutete, stieg er die Treppe wieder hinauf und ging in seine Kammer.

– – Am anderen Morgen in der Frühe stand Heinz vollständig angekleidet droben vor dem offenen Fenster; die scharfe Luft strich über ihn hin, aber es schien ihm wohlzutun; fast mit Andacht schaute er auf alles, was, wie noch im letzten Hauch der Nacht, dort unten vor ihm ausgebreitet lag. Wie bleicher Stahl glänzte die breitere Wasserstraße zwischen dem Warder und der Insel drüben, während auf dem schmaleren Streifen zwischen jenem und dem Festlandsufer schon der bläulichrote Frühschein spielte. Heinz betrachtete das alles; doch nicht lange stand er so; bald trat er an einen Tisch, auf welchem das Kuvert mit den so widerwillig abgezählten Kassenscheinen noch an derselben Stelle lag, wo es Hans Kirch am Abend vorher gelassen hatte.

Ein bitteres Lächeln umflog seinen Mund, während er den Inhalt hervorzog und dann, nachdem er einige der geringeren Scheine an sich genommen hatte, das übrige wieder an seine Stelle brachte. Mit einem Bleistift, den er auf dem Tische fand, notierte er die kleine Summe, welche er herausgenommen hatte, unter der größeren, die auf dem Kuvert verzeichnet stand; dann, als er ihn schon fortgelegt hatte, nahm er noch einmal den Stift und schrieb darunter: »*Thanks for the alms and farewell for ever.*« Er wußte selbst nicht, warum er das nicht auf Deutsch geschrieben hatte.

Leise, um das schlafende Haus nicht zu erwecken, nahm er sein Reisegepäck vom Boden; noch leiser schloß er unten im Flur die Tür zur Straße auf, als er jetzt das Haus verließ.

In einer Nebengasse hielt ein junger Bursche mit einem einspännigen Gefährte; das bestieg er und fuhr damit zur Stadt hinaus. Als sie auf die Höhe des Hügelzuges gelangt waren, von wo aus man diese zum letztenmal erblicken kann, wandte er sich um und schwenkte dreimal seine Mütze. Dann ging's im Trabe in das weite Land hinaus.

Aber einer im Kirchschen Hause war dennoch mit ihm wach gewesen. Hans Kirch hatte schon vor dem Morgengrauen aufrecht in seinem Bett gesessen; mit jedem Schlage der Turmuhr hatte er schärfer hingehorcht, ob nicht ein erstes Regen in dem Oberhause hörbar werde. Nach langem Harren war ihm gewesen, als würde dort ein Fensterflügel aufgestoßen; aber es war wieder still geworden, und die Minuten dehnten sich und wollten nicht vorüber. Sie gingen dennoch; und endlich vernahm er das leise Knarren einer Tür, es kam die Treppe in den Flur hinab, und jetzt – er hörte es deutlich, wie sich der Schlüssel in dem Schloß der Haustür drehte. Er wollte aufspringen; aber nein, er wollte es ja nicht; mit aufgestemmten Armen blieb er sitzen, während nun draußen auf der Straße kräftige Mannestritte laut wurden und allmählich in unhörbare Ferne sich verloren.

Als das übrige Haus allmählich in Bewegung kam, stand er auf und setzte sich zu seinem Frühstück, das ihm, wie jeden Morgen, im Kontor bereitgestellt war. Dann griff er nach seinem Hute – einen Stock hatte er als alter Schiffer bis jetzt noch nicht gebraucht – und ging, ohne seine Hausgenossen gesehen zu haben, an den Hafen hinab, wo er seinen Schwiegersohn bereits mit der Leitung des Löschens beschäftigt fand. Diesem von den letzten Vorgängen etwas mitzuteilen, schien er nicht für nötig zu befinden; aber er sandte ihn nach dem Kohlenschuppen und gab ihm Aufträge in die Stadt, während er selber hier am Platze blieb. Wortkarg und zornig erteilte er seine Befehle; es hielt schwer, ihm heute etwas recht zu machen, und wer ihn ansprach, erhielt meist keine Antwort; aber es geschah auch bald nicht mehr, man kannte ihn ja schon.

Kurz vor Mittag war er wieder in seinem Zimmer. Wie aus unwillkürlichem Antrieb hatte er hinter sich die Tür verschlossen; aber er saß kaum in seinem Lehnstuhl, als von draußen Frau Linas Stimme dringend Einlaß begehrte. Unwirsch stand er auf und öffnete. »Was willst du?« frug er, als die Tochter zu ihm eingetreten war.

»Schelte mich nicht, Vater«, sagte sie bittend; »aber Heinz ist fort, auch sein Gepäck; o, er kommt niemals wieder!«

Er wandte den Kopf zur Seite: »Ich weiß das, Lina; darum hätt'st du dir die Augen nicht dick zu weinen brauchen.«

»Du weißt es, Vater?« wiederholte sie und sah ihn wie versteinert an.

Hans Kirch fuhr zornig auf: »Was stehst du noch? Die Komödie ist vorbei; wir haben gestern miteinander abgerechnet.«

Aber Frau Lina schüttelte nur ernst den Kopf. »Das fand ich oben auf seiner Kammer«, sagte sie und reichte ihm das Kuvert mit den kurzen Abschiedsworten und dem nur kaum verkürzten Inhalt. »O Vater, er war es doch! Er ist es doch gewesen!«

Hans Kirch nahm es; er las auch, was dort geschrieben stand; er wollte ruhig bleiben, aber seine Hände zitterten, daß aus der offenen Hülle die Scheine auf den Fußboden hinabfielen.

Als er sie eben mit Linas Hilfe wieder zusammengerafft hatte, wurde an die Tür gepocht, und ohne die Aufforderung dazu abzuwarten, war eine blasse Frau hereingetreten, deren erregte Augen ängstlich von dem Vater zu der Tochter flohen.

»Wieb!« rief Frau Lina und trat einen Schritt zurück.

Wieb rang nach Atem. »Verzeihung!« murmelte sie. »Ich mußte; Ihr Heinz ist fort; Sie wissen es vielleicht nicht; aber der Fuhrmann sagte es, er wird nicht wiederkommen, niemals!«

»Was geht das dich an!« fiel ihr Hans Kirch ins Wort.

Ein Laut des Schmerzes stieg aus ihrer Brust, daß Linas Augen unwillkürlich voll Mitleid auf diesem einst so holden Antlitz ruhten. Aber Wieb hatte dadurch wieder Mut gewonnen. »Hören Sie mich!« rief sie. »Aus Barmherzigkeit mit Ihrem eigenen Kinde! Sie meinen, er sei es nicht gewesen; aber ich weiß es, daß es niemand anders war! Das«, und sie zog die Schnur mit dem kleinen Ringe aus ihrer Tasche, »es ist ja einerlei nun, ob ich's sage – das gab ich ihm, da wir noch halbe Kinder waren; denn ich wollte, daß er mich nicht vergesse! Er hat's auch wieder heimgebracht und hat es gestern vor meinen Augen in den Staub geworfen.«

Ein Lachen, das wie Hohn klang, unterbrach sie. Hans Kirch sah sie mit starren Augen an: »Nun, Wieb, wenn's denn dein Heinz gewesen ist, es ist nicht viel geworden aus euch beiden.«

Aber sie achtete nicht darauf, sie hatte sich vor ihm hingeworfen. »Hans Kirch!« rief sie und faßte beide Hände des alten Mannes und schüttelte sie. »Ihr Heinz, hören Sie es nicht? Er geht ins Elend, er kommt niemals wieder! Vielleicht – o Gott, sei barmherzig mit uns allen! Es ist noch Zeit vielleicht!«

Auch Lina hatte sich jetzt neben ihr hingeworfen; sie scheute es nicht mehr, sich mit dem armen Weibe zu vereinigen. »Vater«, sagte sie und streichelte die eingesunkenen Wangen des harten Mannes, der jetzt dies alles über sich ergehen ließ, »du sollst diesmal nicht allein reisen, ich reise mit dir; er muß ja jetzt in Hamburg sein; o, ich will nicht ruhen, bis ich ihn gefunden habe, bis wir ihn wieder hier in unseren Armen halten! Dann wollen wir es besser machen, wir wollen Geduld mit ihm haben; o, wir hatten sie nicht, mein Vater! Und sag' nur nicht, daß du nicht mit uns leidest, dein bleiches Angesicht kann doch nicht lügen! Sprich nur ein Wort, Vater, befiel mir, daß ich den Wagen herbestelle, ich will gleich selber laufen, wir haben ja keine Zeit mehr zu verlieren!« Und sie warf den Kopf an ihres Vaters Brust und brach in lautes Schluchzen aus.

Wieb war aufgestanden und hatte sich bescheiden an die Tür gestellt; ihre Augen sahen angstvoll auf die beiden hin.

Aber Hans Kirch saß wie ein totes Bild; sein jahrelang angesammelter Groll ließ ihn nicht los; denn erst jetzt, nach diesem Wiedersehen mit dem Heimgekehrten, war in der grauen Zukunft keine Hoffnung mehr für ihn. »Geht!« sagte er endlich, und seine Stimme klang so hart wie früher; »mag er geheißen haben, wie er will, der diesmal unter meinem Dach geschlafen hat; *mein* Heinz hat schon vor siebzehn Jahren mich verlassen.«

Für fremde Augen mochte es immerhin den Anschein haben, als ob Hans Kirch auch jetzt noch in gewohnter Weise seinen mancherlei Geschäften nachgehe; in Wirklichkeit aber hatte er das Steuer mehr und mehr in die Hand des jüngeren Teilhabers der Firma übergehen lassen; auch aus dem städtischen Kollegium war er, zur stillen Befriedigung einiger ruheliebenden Mitglieder, seit kurzer Zeit geschieden; es drängte ihn nicht mehr, in den Gang der kleinen Welt, welche sich um ihn her bewegte, einzugreifen.

Seit wieder die ersten scharfen Frühlingslüfte wehten, konnte man ihn oft auf der Bank vor seinem Hause sitzen sehen, trotz seiner jetzt fast weißen Haare als alter Schiffer ohne jede Kopfbedeckung. – Eines Morgens kam ein noch weißerer Mann die Straße hier herab und setzte sich, nachdem er nähergetreten war, ohne weiteres an seine Seite. Es war ein früherer Ökonom des Armenhauses, mit dem er als Stadtverordneter einst manches zu verhandeln gehabt hatte; der Mann war später in gleicher Stellung an einen anderen Ort gekommen, jetzt aber zurückgekehrt, um hier in seiner Vaterstadt seinen Alterspfennig zu verzehren. Es schien ihn nicht zu stören, daß das Antlitz seines früheren Vorgesetzten ihn keineswegs willkommen hieß; er wollte ja nur plaudern, und er tat es um so reichlicher, je weniger er unterbrochen wurde; und eben jetzt geriet er an einen Stoff, der unerschöpflicher als jeder andere schien. Hans Kirch hatte Unglück mit den Leuten, die noch weißer als er selber waren; wo sie von Heinz sprechen sollten, da sprachen sie von sich selber, und wo sie von allem anderen sprechen konnten, da sprachen sie von Heinz. Er wurde unruhig und suchte mit schroffen Worten abzuwehren; aber der geschwätzige Greis schien nichts davon zu merken. »Ja, ja; ei du mein lieber Herrgott!« fuhr er fort, behaglich in seinem Redestrome weiterschwimmend; »der Hasselfritze und der Heinz, wenn ich an die beiden Jungen denke, wie sie sich einmal die großen Anker in die Arme brannten! Ihr Heinz, ich hörte wohl, der mußte vor dem Doktor liegen; den Hasselfritze aber hab' ich selber mit dem Haselstock kuriert.«

Er lachte ganz vergnüglich über sein munteres Wortspiel; Hans Kirch aber war plötzlich aufgestanden und sah mit offenem Munde gar grimmig auf ihn herab. »Wenn Er wieder schwatzen will, Fritz Peters«, sagte er, »so suche Er sich eine andere Bank; da drüben bei dem jungen Doktor steht just eine nagelneue!«

Er war ins Haus gegangen und wanderte in seinem Zimmer hin und wider; immer tiefer sank sein Kopf zur Brust hinab, dann aber erhob er ihn allmählich wieder. Was hatte er denn eigentlich vorhin erfahren? Daß der Hasselfritze ebenfalls das Ankerzeichen hätte haben müssen? Was war's denn weiter? – Welchen Gast er von einem Sonntag bis zum anderen oder ein paar Tage noch länger bei sich beherbergt hatte, darüber brauchte ihn kein anderer aufzuklären.

Und auch dieser Tag ging vorüber, und die dann kamen, nahmen ihren regelmäßigen Verlauf. – Im Oberhause wurde ein Kind geboren; der Großvater frug, ob es ein Junge sei; es war ein Mädchen, und er sprach dann nicht mehr darüber. Aber was hätte es ihm auch geholfen, wenn es ein künftiger Christian oder günstigen Falles ein Hans Martens gewesen wäre! Nur die Unruhe, die jetzt oft nächtens über seinem Kopfe in dem Schlafzimmer der jungen Paares herrschte, störte ihn.

Eines Abends, da es schon Herbst geworden – es jährte sich gerade mit der Abreise seines Sohnes –, war Hans Kirch wie gewöhnlich mit dem Schlage zehn in seine nach der Hofseite gelegene Schlafkammer getreten. Es war die Zeit der Äquinoktialstürme, und hier hinaus hörte man die ganze Gewalt des Wetters; bald heulte es in den obersten Luftschichten, bald fuhr es herab und tobte gegen die kleinen Fensterscheiben. Hans Kirch hatte seine silberne Taschenuhr hervorgezogen, um sie, wie jeden Abend, aufzuziehen; aber er stand noch immer mit dem Schlüssel in der Hand, hinaushorchend in die wilde Nacht.

Das Balken- und Sparrenwerk des neuen Daches krachte, als ob es aus den Fugen solle; aber er hörte es nicht; seine Gedanken fuhren draußen mit dem Sturm. »Südsüdwest!« murmelte er vor sich hin, während er den Uhrschlüssel in die Tasche steckte und die Uhr unaufgezogen über seinem Bette an den Haken hing. – Wer jetzt auf See war, hatte keine Zeit zum Schlafen; aber er war ja seit lange nicht mehr auf See; er wollte schlafen, wie er es bei manchem Sturm hier schon getan hatte: die Stürme kamen ja allemal im Äquinoktium, er hatte sie so manches Mal gehört.

Aber es mußte heute noch etwas anderes dabei sein; Stunden waren schon vergangen, und noch immer lag er wach in seinen Kissen. Ihm war, als könne er Hunderte von Meilen weit hinaushorchen nach einem klippenvollen Küstenwasser des Mittelländischen Meeres, das er in seiner Jugend als Matrose einst befahren hatte; und als endlich ihm die Augen zugefallen waren, riß er gleich darauf mit Gewalt sich wieder empor; denn ganz deutlich hatte er ein Schiff gesehen, ein Vollschiff mit gebrochenen Masten, das von turmhohen Wellen auf und ab geschleudert wurde. Er suchte sich völlig zu ermuntern, aber wieder drückte es ihm die Augen zu, und wiederum erkannte er das Schiff; deutlich sah er zwischen Bugspriet und Vordersteven die Gallion, eine weiße mächtige Fortuna, bald in der schäumenden Flut versinken, bald wieder stolz emportauchen, als ob sie Schiff und Mannschaft über Wasser halten wolle. Dann plötzlich hörte er einen Krach; er fuhr jäh empor und fand sich aufrecht in seinem Bette sitzend.

Alles um ihn her war still, er hörte nichts; er wollte sich besinnen, ob es nicht eben vorher noch laut gestürmt habe; da überfiel es ihn, als sei er nicht allein in seiner Kammer; er stützte beide Hände auf die Bettkanten und riß weit die Augen auf. Und – da war es, dort in der Ecke stand sein Heinz; das Gesicht sah er nicht, denn der Kopf war gesenkt, und die Haare, die von Wasser trieften, hingen über die Stirn herab; aber er erkannte ihn dennoch – woran, das wußte er nicht und frug er sich auch nicht. Auch von den Kleidern und von den herabhängenden Armen troff das Wasser; es floß immer mehr herab und bildete einen breiten Strom nach seinem Bette zu.

Hans Kirch wollte rufen, aber er saß wie gelähmt mit seinen aufgestemmten Armen; endlich brach ein lauter Schrei aus seiner Brust, und gleich darauf auch hörte er es über sich in der Schlafkammer der jungen Leute poltern, und auch den Sturm hörte er wieder, wie er grimmig an den Pfosten seines Hauses rüttelte.

Als bald danach sein Schwiegersohn mit Licht hereintrat, fand dieser ihn in seinen Kissen zusammengesunken. »Wir hörten Euch schreien«, frug er, »was ist Euch, Vater?«

Der Alte sah starr nach jener Ecke. »Er ist tot«, sagte er, »weit von hier.«

– »Wer ist tot, Vater? Wen meint Ihr? Meint Ihr Euren Heinz?«

Der Alte nickte. »Das Wasser«, sagte er; »geh da fort, du stehst ja mitten in dem Wasser!«

Der Jüngere fuhr mit dem Lichte gegen den Fußboden: »Hier ist kein Wasser, Vater, Ihr habt nur schwer geträumt.«

»Du bist kein Seemann, Christian; was weißt du davon!« sagte der Alte heftig. »Aber ich weiß es, so kommen unsere Toten.«

»Soll ich Euch Lina schicken, Vater?« frug Christian Martens wieder.

»Nein, nein, sie soll bei ihrem Kinde bleiben; geh nur, laß mich allein!«

Der Schwiegersohn war mit dem Lichte fortgegangen, und Hans Kirch saß im Dunkeln wieder aufrecht in seinem Bette; er streckte zitternd die Arme nach jener Ecke, wo eben noch sein Heinz gestanden hatte; er wollte ihn noch einmal sehen, aber er sah vergebens in undurchdringliche Finsternis.

– – Es ging schon in den Vormittag, als Frau Lina, da sie unten in die Stube trat, das Frühstück ihres Vaters unberührt fand; als sie dann in die Schlafkammer ging, lag er noch in seinem Bette; er konnte nicht aufstehen, denn ein Schlaganfall hatte ihn getroffen, freilich nur an der einen Seite und ohne ihn am Sprechen zu behindern. Er verlangte nach seinem alten Arzte, und die Tochter lief selbst nach dem Hause des Justizrats und stand bald wieder zugleich mit diesem an des Vaters Lager.

Es war nicht gar so schlimm, es würde wohl so vorübergehen, lautete dessen Ausspruch. Aber Hans Kirch hörte kaum darauf; mehr als bei seiner Krankheit waren seine Gedanken bei den Vorgängen der verflossenen Nacht; Heinz hatte sich gemeldet, Heinz war tot, und der Tote hatte alle Rechte, die er noch eben dem Lebenden nicht mehr hatte zugestehen wollen.

Als Frau Lina es ihm ausreden wollte, berief er sich eifrig auf den Justizrat, der ja seit Jahr und Tag in manches Seemannshaus gekommen sei.

Der Justizrat suchte zu beschwichtigen: »Freilich«, fügte er hinzu, »wir Ärzte kennen Zustände, wo die Träume selbst am hellen Werktag das Gehirn verlassen und dem Menschen leibhaftig in die Augen schauen.«

Hans Kirch warf verdrießlich seinen Kopf herum: »Das ist mir zu gelehrt, Doktor; wie war's denn damals mit dem Sohn des alten Rickerts?«

Der Arzt faßte den Puls des Kranken. »Es trifft, es trifft auch nicht«, sagte er bedächtig; »das war der ältere Sohn; der jüngere, der sich auch gemeldet haben sollte, fährt noch heute seines Vaters Schiff.«

Hans Kirch schwieg; er wußte es doch besser als alle anderen, was weit von hier in dieser Nacht geschehen war.

Wie der Arzt es vorhergesagt hatte, so geschah es. Nach einigen Wochen konnte der Kranke das Bett und allmählich auch das Zimmer, ja sogar das Haus verlassen; nur bedurfte er dann, gleich seiner Schwester, eines Krückstockes, den er bisher verschmäht hatte. Von seinem früheren Jähzorn schien meist nur eine weinerliche Ungeduld zurückgeblieben; wenn es ihn aber einmal wie vordem überkam, dann brach er hinterher erschöpft zusammen.

Als es Sommer wurde, verlangte er aus der Stadt hinaus, und Frau

Lina begleitete ihn mehrmals auf dem hohen Uferwege um die Bucht, von wo er nicht nur die Inseln, sondern ostwärts auch auf das freie Wasser sehen konnte. Da das Ufer an mehreren Stellen tief und steil gegen den Strand hinabfällt, so wagte man ihn hier nicht allein zu lassen und gab ihm zu anderen Malen, wenn die Tochter keine Zeit hatte, einen der Arbeiter oder sonst eine andere sichere Person zur Seite.

– – Auf den Sommer war der Herbst gefolgt, und es war um die Zeit, da Heinzens kurze Einkehr in das Elternhaus zum zweitenmal sich jährte. Hans Kirch saß auf einem sandigen Vorsprunge des steilen Ufers und ließ die Nachmittagssonne seinen weißen Kopf bescheinen, während er die Hände vor sich auf seinen Stock gefaltet hielt und seine Augen über die glatte See hinausstarrten. Neben ihm stand ein Weib, anscheinend in gleicher Teilnahmlosigkeit, welche den Hut des alten Mannes in der herabhängenden Hand hielt. Sie mochte kaum über dreißig Jahre zählen; aber nur ein schärferes Auge hätte in diesem Antlitz die Spuren einer früh zerstörten Anmut finden können. Sie schien nichts davon zu hören, was der alte Schiffer, ohne sich zu rühren, vor sich hin sprach; es war auch nur ein Flüstern, als ob er es den leeren Lüften anvertraue; allmählich aber wurde es lauter: »Heinz, Heinz!« rief er. »Wo ist Heinz Kirch geblieben?« Dann wieder bewegte er langsam seinen Kopf: »Es ist auch einerlei, denn es kennt ihn keiner mehr.«

Da seufzte das Weib an seiner Seite, daß er sich wandte und zu ihr aufsah. Als sie das blasse Gesicht zu ihm niederbeugte, suchte er ihre Hand zu fassen: »Nein, nein, Wieb, du – du kanntest ihn; dafür« – und er nickte vertraulich zu ihr auf – »bleibst du auch bei mir, so lang' ich lebe; und auch nachher – ich habe in meinem Testament das festgemacht; es ist nur gut, daß dein Taugenichts von Mann sich totgetrunken.«

Als sie nicht antwortete, wandte er seinen Kopf wieder ab, und seine Augen folgten einer Möwe, die vom Strande über das Wasser hinausflog. »Und dort«, begann er wieder, und seine Stimme klang jetzt ganz munter, während er mit seinem Krückstock nach dem Warder zeigte, »da hat er damals dich herumgefahren? Und dann schalten sie vom Schiff herüber?« – Und als sie schweigend zu ihm herabnickte, lachte er leise vor sich hin. Aber bald verfiel er wieder in sein Selbstgespräch, während seine Augen vor ihm in die große Leere starrten. »Nur in der Ewigkeit, Heinz! Nur in der Ewigkeit!« rief er, in plötzliches Weinen ausbrechend, und streckte zitternd beide Arme nach dem Himmel.

Aber seine laut gesprochenen Worte erhielten diesmal eine Antwort. »Was haben wir Menschen mit der Ewigkeit zu schaffen?« sprach eine heisere Stimme neben ihm. Es war ein herabgekommener Tischler, den sie in der Stadt den »Sozialdemokraten« nannten; er glaubte ein Loch in seinem Christenglauben entdeckt zu haben und pflegte nun nach Art geringer Menschen gegen andere damit zu trotzen.

Mit einer raschen Bewegung, die weit über die Kraft des gebrochenen Mannes hinauszugehen schien, hatte Hans Kirch sich zu dem Sprechenden gewandt, der mit verschränkten Armen stehenblieb. »Du kennst mich wohl nicht, Jürgen Hans?« rief er, während der ganze arme Leib ihm zitterte. »Ich bin Hans Kirch, der seinen Sohn verstoßen hat, zweimal! Hörst du es, Jürgen Hans? Zweimal hab' ich meinen Heinz verstoßen, und darum hab' ich mit der Ewigkeit zu schaffen!«

Der andere war dicht an ihn herangetreten. »Das tut mir leid, Herr Kirch«, sagte er und wog ihm trocken jedes seiner Worte zu; »die Ewigkeit ist in den Köpfen alter Weiber!«

Ein fieberhafter Blitz fuhr aus den Augen des greisen Mannes. »Hund!« schrie er, und ein Schlag des Krückstocks pfiff jäh am Kopf des anderen vorüber.

Der Tischler sprang zur Seite, dann stieß er ein Hohngelächter aus und schlenderte den Weg zur Stadt hinab.

Aber die Kraft des alten Mannes war erschöpft; der Stock entfiel seiner Hand und rollte vor ihm den Hang hinunter, und er wäre selber nachgestürzt, wenn nicht das Weib sich rasch gebückt und ihn in ihren Armen aufgefangen hätte.

Neben ihm kniend, sanft und unbeweglich, hielt sie das weiße Haupt an ihrer Brust gebettet, denn Hans Kirch war eingeschlafen. – Das Abendrot legte sich über das Meer, ein leichter Wind hatte sich erhoben, und drunten rauschten die Wellen lauter an den Strand. Noch immer beharrte sie in ihrer unbequemen Stellung; erst als schon die Sterne schienen, schlug er die Augen zu ihr auf: »Er ist tot«, sagte er, »ich weiß es jetzt gewiß; aber – in der Ewigkeit, da will ich meinen Heinz schon wiederkennen.«

»Ja«, sagte sie leise, »in der Ewigkeit.«

Vorsichtig von ihr gestützt, erhob er sich, und als sie seinen Arm um ihren Hals und ihren Arm ihm um die Hüfte gelegt hatte, gingen sie langsam nach der Stadt zurück. Je weiter sie kamen, desto schwerer wurde ihre Last; mitunter mußte sie stillestehen, dann blickte Hans Kirch nach den Sternen, die ihm einst so manche Herbstnacht an Bord seiner flinken Jacht geschienen hatten, und sagte: »Es geht schon wieder«, und sie gingen langsam weiter. Aber nicht nur von den Sternen, auch aus den blauen Augen des armen Weibes leuchtete ein milder Strahl; nicht jener mehr, der einst in einer Frühlingsnacht ein wildes Knabenhaupt an ihre junge Brust gerissen hatte, aber ein Strahl jener allbarmherzigen Frauenliebe, die allen Trost des Lebens in sich schließt.

Noch während der nächsten Jahre, meist an stillen Nachmittagen und wenn die Sonne sich zum Untergange neigte, konnte man Hans Kirch mit seiner steten Begleiterin auf dem Uferwege sehen; zur Zeit des Herbst-Äquinoktiums war er selbst beim Nordoststurm nicht daheim zu halten. Dann hat man ihn auf dem Friedhof seiner Vaterstadt zur Seite seiner stillen Frau begraben.

Das von ihm begründete Geschäft liegt in den besten Händen; man spricht schon von dem »reichen« Christian Martens, und Hans Adams Tochtermanne wird der Stadtrat nicht entgehen; auch ein Erbe ist längst geboren und läuft schon mit dem Ranzen in die Rektorschule – wo aber ist Heinz Kirch geblieben?

Schweigen

Es war ein niedriges, mäßig großes Zimmer, durch viele Blattpflanzen verdüstert, beschränkt durch mancherlei altes, aber sorgsam erhaltenes Möbelwerk, dem man es ansah, daß es einst für höhere Gemächer angefertigt worden, als sie die Mietwohnung hier im dritten Stock zu bieten hatte. Auch die schon ältere Dame, welche, die Hand eines vor ihr stehenden jungen Mannes haltend, einem gleichfalls alten Herrn gegenübersaß, erschien fast zu stattlich für diese Räume.

Das zwischen den drei Personen herrschende Schweigen war einer längeren Beratung gefolgt, welche Mutter und Sohn soeben mit ihrem langjährigen Arzte gehalten hatten. Veranlassung zu dieser mochte der Sohn gewesen sein: denn obwohl von hohem, kräftigem Wuchse gleich der Mutter, zeigten die Linien des blassen Antlitzes eine der Jugend sonst nicht eigene Schärfe, und in den Augen war etwas von jenem verklärten Glanze, wie bei denen, welche körperlich und geistig zugleich gelitten haben.

»Du gehst, Rudolf?« sagte die Mutter, während der Zug eines rücksichtslosen Willens, der sonst ihren noch immer schönen Mund beherrschte, einer weichen Zärtlichkeit gewichen war.

Der Sohn neigte sich auf ihre Hand und küßte sie ehrerbietig. »Nur meine noch immer vorgeschriebene Stunde, Mutter.« Dann grüßte er freundlich nach dem alten Herrn hinüber und verließ das Zimmer.

Fast leidenschaftlich, als könne sie ihn allein nicht gehen lassen, waren die dunklen Augen der Mutter ihm gefolgt; schweigend starrte sie auf die wieder geschlossene Zimmertür, während ihr Ohr lauschte, bis die Schritte in dem Unterhause verhallt waren.

Der alte Arzt hatte seinen Blick, in dem die Gewohnheit ruhigen Beobachtens unverkennbar war, eine Weile auf ihr ruhen lassen; jetzt ließ er ihn durch die offene Tür eines anstoßenden Zimmers über die in Öl gemalten Bildnisse einiger stern- und bandgeschmückten Herren wandern, welche dort samt ihren geschwärzten Goldrahmen eine Unterkunft gefunden hatten. Aber ein Seufzer, der der Frauenbrust entstieg, als ob eine schwere Gedankenreihe dadurch abgeschlossen würde, wandte seinen Blick zurück. »Mein Sohn!« murmelte die Dame schmerzlich und streckte beide Arme nach der Tür, durch welche dieser fortgegangen war.

Der Arzt rückte seinen Stuhl neben ihren Sessel. »Beruhigen Sie sich, gnädige Frau«, sagte er beschwichtigend, »Sie haben ihn ja wieder.«

Sie blickte ihn rasch und durchdringend an: »Ist das Ihr Ernst, Doktor? – Habe ich ihn wirklich wieder? Wird sie Bestand haben, diese – Heilung?«

»Ich bin nicht Spezialist, sondern nur Ihr Hausarzt«, erwiderte der alte Herr; »aber nach dem Schreiben des dirigierenden Arztes – auch ist hier eine äußere Ursache unverkennbar: Ihr Rudolf hatte erst eben die Akademie verlassen; die Verantwortlichkeit des Amtes war bei seiner zarten Organisation – denn die hat er trotz seines kräftigen Baues – zu unvermittelt über ihn gekommen; ich entsinne mich ähnlicher Fälle aus meiner Praxis.«

Die Frau Forstjunkerin von Schlitz – auf dieser Titelstufe hatte ihr frühverstorbener Gemahl die Dame mit ihrem einzigen Kinde zurückgelassen – blickte eine Weile vor sich hin. »Ja, ja, Doktor«, sagte sie dann, und ihr Ton war nicht ohne Bitterkeit, »des Herrn Grafen Exzellenz, dem mein Sohn so glücklich ist zu dienen – je mehr ihm Gold und Ehren zufließen, desto unersättlicher verlangt er auch die letzte Kraft des Menschen, und seine Forstbeamten – Wege- und Brückenbauen ist noch das mindeste, was sie außer ihrem Fach verstehen sollen. Aber – die ähnlichen Fälle, deren Sie erwähnten, wie wurde es damit?«

»Es wurde dann nichts weiter«, erwiderte der Arzt; »sie waren beide nur vorübergehend.«

»Und die Verhältnisse waren ähnlich?«

»Ganz ähnlich; nur daß dort nicht ein Amt, sondern in beiden Fällen ein verwickeltes Kaufgeschäft auf junge, ungeübte Schultern fiel. Eines freilich, was ich nicht gering anschlagen möchte, ja, was wohl erst die Heilung sicherstellte, war dort anders.«

»Und was war dieses eine?« unterbrach die Dame, die ihm die Worte von den Lippen las.

»Es ist nicht eben unerreichbar«, sagte der alte Herr lächelnd; »von meinen damaligen Patienten war der eine eben verheiratet, der andere heiratete gleich darauf.«

»Verheiratet!« – fast wie eine Enttäuschung klang dieser Ausruf –, »Sie sagen das so leicht hin, Herr Doktor; aber ich habe bei meinem

Sohn kaum jemals eine Neigung noch entdecken können – freilich einmal in den Ferien bei ihrem Liebhabertheater – Sie entsinnen sich wohl der schlanken, schwarzäugigen Baronesse? Sie hatte ihn einmal, da er in der Probe steckenblieb, so boshaft ausgelacht!«

Der Doktor streckte abwehrend beide Hände aus: »Nein, nein, Frau Forstjunker; solche Damen, erste Liebhaberinnen auf der Bühne, Amazonen zu Pferde, die sind hier nicht verwendbar. Ein deutsches Hausfrauchen, heiter und verständig; nur keine Heroine!«

Frau von Schlitz schwieg. Während der Doktor dieses Thema eingehender behandelte, stand die Gestalt eines blonden Mädchens vor ihrem inneren Auge: aus der geißblattumrankten Gartenpforte eines ländlichen Pfarrhauses war sie ihr entgegengetreten; so hoch fast wie sie selber, und doch als ob sie mit den vertrauenden Augen zu der älteren Frau emporblickte; dann wieder sah sie das Mädchen in der engen, aber sauber gehaltenen Kammer, wie sie mit ihren kleinen, festen Händen neben dem eigenen Bette ein halb gelähmtes Brüderchen in die Kissen packte und nach fröhlichem Gutenachtkuß gleich wieder helfend zu der Mutter in die Küche eilte; und wiederum – vor einen Kinderwagen hatte das schlanke Mädchen sich gespannt; der Wagen war voll besetzt, und es ging durch den tiefen Sand eines Feldweges; mitunter entfuhr ein lachendes »Oha!« den frischen Lippen, und sie mußten stillehalten; die gelösten Haare aus dem geröteten Antlitz schüttelnd, kniete sie plaudernd zu der kleinen Fahrgesellschaft nieder; aber überall mit ihr waren die schönen, gläubigen Augen und ihre reine, heitere Stimme.

Der Doktor wollte sich zum Gehen rüsten; doch die Frau vom Hause, die eben aus ihrem Sinnen aufsah, legte die Hand auf seinen Arm. »Nur noch eine Frage, lieber Freund; aber antworten Sie mit Bedacht! – Würden Sie einem so Geheilten Ihre Tochter zur Ehe geben?«

Der Doktor stutzte einen Augenblick. »Der Fall, gnädige Frau«, sagte er dann, »müßte wenigstens möglich sein, um Ihnen hierauf antworten zu können; Sie wissen, daß ich keine Tochter habe.«

Die Dame richtete sich mit einer entschlossenen Bewegung in ihrer ganzen Gestalt vom Sessel auf. »*N'importe!*« rief sie, die geballte Hand gegen die Tischplatte stemmend. »Ich habe nur den Sohn und sonst nichts auf der Welt!«

Der Arzt blickte sie fragend an, aber nur einen Augenblick; jene Worte lagen jenseit der Grenzen seiner Pflichten; er empfahl nur noch, die letzten Wochen des dem Sohne gewährten Urlaubs zu einer Herbstfrische auf dem Lande zu benutzen.

Frau von Schlitz nickte. »Ich dachte eben daran«, sagte sie leichthin. Kaum aber hatte hinter dem Fortgehenden sich die Tür geschlossen, als sie schon in dem anstoßenden Zimmer an ihrem Schreibtische saß, über dem das Bildnis ihres Vaters in der roten Kammerherrnuniform auf sie herabsah.

»Meine gute Margarete« … diese Worte waren mit fliegender Feder aufs Papier geworfen; denn jenes blonde Mädchen war kein bloßes Phantasiebild: es war die Tochter einer Jugendbekanntschaft, der Gattin eines Landpfarrers, in dessen Hause sie auf dem Wege nach Rudolfs amtlichem Wohnorte im Frühling eingekehrt und aufs dringendste zu längerer Wiederholung ihres Besuches nebst ihrem Sohne eingeladen war.

Aber der rasch geschriebenen Anrede folgte zunächst nichts Weiteres; war es der Schreiberin doch, als habe plötzlich die Hand der hübschen Baroneß sich auf die ihrige gelegt. Langsam lehnte sie sich zurück; ein Strom erwünschter Bilder und Gedanken zog an ihr vorüber; gewiß, das übermütige, nur noch kurze Zeit von einem Vormunde abhängige Kind würde gar gern ihr Freifrauenkrönchen gegen den schlichteren Namen einer Frau von Schlitz vertauschen. Rudolf und dieses Mädchen! Sie hob sich unwillkürlich von ihrem Sessel; ihr war, als würden vor einem kerzenhellen Saal die Flügeltüren aufgerissen, und sie schreite als Mutter neben dem prächtigen Paare hindurch. – Aber – der Doktor! Die stolze Frau sank düster in sich zusammen; der Doktor hatte ja nur ausgesprochen, was sie in ihren eigenen Gedanken längst auf und ab erwogen hatte. Ja, wenn das Letzte nicht gewesen wäre! Eine Angst vor der Zukunft, eine furchtbare Vorstellung überfiel sie. »Mein Sohn! Mein Kind!« Es kam wie ein lauter Aufschrei aus ihrer Brust, und als habe sie sich selbst aus einem Traum erweckt, blickte sie unsicher und mit großen Augen um sich: »Gott sei gelobt; er selber weiß es nicht, an welchem Abgrund er gestanden hat.«

Bald hatte sie sich gefaßt; es *mußte* sein, es mußte gleich geschehen. Flüchtig streiften ihre Augen über das kalte Antlitz, das im Bilde auf sie herabsah; dann schrieb sie in kräftigen Zügen und mit Bedacht den Brief an die Frau Pastorin zu Ende.

Seit drei Wochen waren Mutter und Sohn nun auf dem Dorfe; ein eigenes Quartier zwar hatten sie in der Küsterwohnung gefunden, im übrigen aber gehörten sie bei den gastfreien Pfarrersleuten fast wie zur Hausfamilie. Rudolf war sichtbar gekräftigt; seine Wangen hatten sich gebräunt, Aug' und Ohr begannen wieder ein heiteres Begegnen mit allem, was er in Haus und Feld auf seinem Wege traf. Dazu hatte nicht nur die Gegenwart der anmutigen Pfarrerstochter, sondern fast nicht weniger das tüchtige Wesen des Pfarrers selbst geholfen, der es meisterlich verstand, was er »ein Schwachgefühl« zu nennen liebte, mit schelmischen Worten aus den geheimsten Winkeln aufzujagen. So war denn auch in den hellgetünchten Zimmern des Pfarrhauses wenig davon zurückgeblieben; nur die Frau Pastorin mochte sich wohl einmal, vielleicht zur Erholung von all der Kinder- und Küchenwirtschaft, eine sentimentale Anwandlung zu Gemüte führen, wobei sie dann ihren Redeschmuck den zwei einzigen Opern, welche sie in ihrem Leben gesehen hatte, dem »Freischütz« und der Weiglschen »Schweizerfamilie« zu entlehnen pflegte. Wenn aber der Pfarrer nach einer Weile ruhigen Gewährenlassens wie in gutherziger Teilnahme sich ihrer Hand bemächtigte: »Mutter, ist heut wohl Emmelinentag?« dann flog freilich ein Wölkchen leichten Mißbehagens über ihr braves Angesicht, bald aber mußte sie doch selber lachen und war wieder daheim in der Luft ihres werktätigen Hauses.

Auch Rudolf mußte sich bald diese freundliche Überwachung gefallen lassen. Eines Nachmittags, als eben die Septembersonne ihr letztes Abendgold über die Wände des gemeinsamen Wohnzimmers warf, hatte er das alte Klavier zurückgeklappt und ließ nun eine der schwermütigen Notturnoklagen des von ihm vielgeliebten und -studierten Chopin in den sinkenden Tag hinausklingen. Der Pastor, durch das meisterhafte Spiel aus seiner Studierstube hervorgelockt, hatte sich leise hinter seinen Stuhl gestellt und verharrte so in aufmerksamem Lauschen bis ans Ende; dann aber legte er schweigend die Haydnsche G-Dur-Sonate mit dem *Allegretto innocente* aufs Pulpet, die er schon bei seinem Eintritt in der Hand gehalten hatte. Rudolf blickte auf und um, und da er den Pastor erkannte, nickte er gehorsam, schüttelte wie zur Ermunterung noch ein paarmal seine geschickten Hände, und bald erklangen die heiteren Fioriituren des unsterblichen Meisters und füllten das Zimmer wie mit Vogelsang und Sommerspiel der Lüfte. »Bravo, junger Freund!« rief der Pfarrer, der wie alle anderen, die Frau Forstjunkerin nicht ausgeschlossen, mit entzücktem Angesicht gelauscht hatte; »das hat rote Wangen; wir haben kaum gemerkt, wie Sie uns durch die Dämmerung hindurchgespielt haben. Nun aber Licht! Die Schneiderstunde ist zu Ende!«

Die zehnjährige Käthe lief hinaus; Anna aber, als wollte sie sich zu ihm emporstrecken, hatte sich dicht an die Schulter des kräftigen Vaters gestellt und blickte mit aufmerkendem Lächeln zu ihm auf; es war recht sichtbar, daß die beiden eines Blutes waren.

Ein freundlicher Verkehr, dem es bald an einer verschwiegenen Innigkeit nicht fehlte, hatte zwischen Rudolf und dem blonden Mädchen schon vom ersten Tage an begonnen, wo noch das blasse Antlitz des Genesenden die Schonung der Gesunden anzusprechen schien; durch die scheue Jungfräulichkeit des Mädchens war wie aus der Knospe etwas von jener Mütterlichkeit hervorgebrochen, in deren Obhut auch der Mann am sichersten von Leid und Wunden ausruht. Wenn aus der überwundenen Nacht noch ein Schatten ihn bedrängen wollte, wenn vor der nächsten Zukunft eine Scheu ihn anfiel, dann suchte er unwillkürlich ihre Nähe, und wo er sie immer antreffen mochte, im Garten oder in der Küche, die Welt erschien ihm heller, wenn er auch nur das Regen ihrer fleißigen Hände sehen konnte. Oft aber, wenn sie eben beisammen waren, hatten schon die ahnenden Augen des Mädchens ihn gestreift, und bald mit stillen, bald mit neckenden Worten ließ sie ihm keine Ruhe, bis er im frischen Tageslichte vor ihr stand.

Frau von Schlitz hatte anfangs beobachtet; dann hatte sie die jungen Leute sich selber überlassen. Gewiß, wenn irgendeine, so war dies die Frau, wie sie der Doktor ihrem Sohn verordnet hatte!

Übrigens war Rudolf nicht der einzige junge Mann, welcher sich eines Verkehrs mit dem Mädchen zu erfreuen hatte: ein entfernter Vetter, ein hübscher Mann mit treuherzigen braunen Augen, der hier im Hause »Bernhard« genannt wurde und sich mit Anna duzte, kam an den Sonntagnachmittagen von seinem nicht allzu fernen Hof herübergeritten. Die beiden jungen Männer hatten sich bald als Schulkameraden aus den unteren Klassen des Gymnasiums erkannt, und Rudolf fand, je kräftiger er wurde, an Bernhards frischem Wesen immer mehr Gefallen. Desto geringeres Glück machte dieser bei Rudolfs Mutter, die ihn sichtlich, freilich ohne ihn dadurch zu beirren, von oben herab behandelte; denn nur ihrem Auge war es nicht entgangen, daß auch der junge Hofbesitzer der blonden Pfarrerstochter eine ebenso stille als geflissentliche Verehrung widmete.

Eines Nachmittags war Bernhard zu Wagen und selbander angelangt; seine Schwester Julie, die ihm den Haushalt führte, saß an seiner Seite. »Das freut mich!« rief der Pastor, als er das frische Mädchen gleich darauf der Frau von Schlitz entgegenführte; »dieses Prachtkind mußten Sie noch kennen lernen!«

Aber die Dame blickte mit ziemlich kühlen Augen auf das »Prachtkind«, deren Antlitz nur zu sehr die Züge ihres Bruders zeigte; und die stürmische Begrüßung der von Anna herbeigeholten Kinder kam zur rechten Zeit.

Eine Stunde später, da sie mit der Pastorin am Fenster saß, sah Frau von Schlitz die beiden jungen Paare, Bernhard mit Anna und hinter diesen Rudolf mit der braunen Julie, auf einem Feldwege dem nahen Walde zuschreiten. Die Pfarrfrau, die sich heute ihre Freischützphantasien gönnte, hatte dem noch einmal rückschauenden Mädchen lebhaft zugenickt. »Nicht wahr, Fernande«, wandte sie sich jetzt an ihre Jugendfreundin, »ich sage immer: ›Ännchen und Agathe‹. Nun hat das Ännchen gar einen Max zur Seite, um ihm die Grillen wegzuplaudern!«

Die Angeredete nickte nur, ohne die Augen von der Gruppe draußen abzuwenden, welche jetzt durch eine Biegung des Weges ihrem Blick entzogen wurde; sie wußte selbst nicht, war es Zorn oder ein Gefühl der Demütigung, das sie bedrängte; aber – gewiß, die Schwester war heute nicht ohne Absicht von dem Bruder mitgenommen worden!

–– Es kam doch anders, als ihr Scharfsinn, vielleicht auch, als Bernhard selber es gedacht hatte. Zum ersten Male sah Rudolf sich in Annas Gegenwart zu einer anderen gezwungen, und wiederum, als ob sich das von selbst verstehe, hatte sich zu ihr ein junger Mann gesellt, der nicht er selber war. Schweigend folgte er dem anderen Paare an der Seite seiner hübschen redseligen Partnerin; seine Augen hingen an der schlanken Gestalt der Voranschreitenden, an der anmutigen Biegung ihres Nackens, über dem im Herbsthauche die goldblonden Härchen wehten, während ihr Antlitz sich in freundlicher Wechselrede dem jungen Landmann zuwandte. Eine brennende Sehnsucht ergriff ihn; ja, er konnte sich nicht verhehlen, ein Groll war in ihm aufgestiegen, er wußte nicht, ob nur gegen Bernhard, oder ob auch gegen sie, die Schöne, Ungetreue, selber.

»Was denken Sie doch einmal, Herr von Schlitz?« sagte plötzlich das muntere Mädchen, das an seiner Seite schritt: »Sollte nicht auch ein Bröcklein für mich dazwischen sein?«

Er sah sie flüchtig an. »Vielleicht«, erwiderte er langsam, »daß man Ihnen, Fräulein Julie, keine Brocken bieten dürfe.«

Sie lachte; sie hatte es längst heraus, daß sie ihm nicht die Rechte sei, und das Gespräch wandte sich in zierlich spitzen Reden weiter, die bald lebhaft hin und wider flogen. Als aber Anna jetzt den Kopf zurückwandte, da traf sie ein so leidenschaftlicher Blick aus Rudolfs Augen, daß ein helles Rot ihr über Stirn und Wangen schoß. Verwirrt, das Haar sich langsam von der Stirne streichend, blickte sie ihn an. »Ihnen ist doch wohl, Herr Rudolf?« frug sie stockend; die offenen Lippen schienen kaum zu wissen, was sie sprachen. Auch war die Frage, wenn nicht ohne Grund, doch jedenfalls zu früh gestellt; denn erst jetzt, wie von innerer Erschütterung, erblaßte das Gesicht des jungen Mannes.

Als aber statt seiner die muntere Freundin der Vorangehenden zurief: »Wen meinst du, Anna? Doch nicht Herrn von Schlitz? Dem ist sehr wohl; er mag nur seine Schätze nicht verschwenden!« Da hatte Rudolf es gewagt, sich nur noch tiefer in die blauen Augen zu versenken. »Sehr wohl!« sagte dann auch er, die beiden Worte leis betonend; und das jungfräuliche Antlitz, das wie gebannt ihm stillgehalten hatte, lächelte und wandte sich zurück, und Rudolf sah noch einmal die tiefe Purpurglut es überströmen.

In träumerischer Hingebung lauschte er jetzt dem reinen Klang ihrer Stimme, wenn sie auf Bernhards Fragen über die soeben erreichte Holzung diesem jede Auskunft zu erteilen wußte.

Freilich wurde dieser Stimmung bald ein Dämpfer aufgesetzt; denn seine Hoffnung, auf dem Rückwege nun an Annas Seite zu gehen, wurde nicht erfüllt; geflissentlich, wie ihm nicht entgehen konnte, hatte sie sich zu Bernhards Schwester gesellt; ja, die beiden Mädchen enteilten ihnen bald völlig, wie sie angaben, um den gestrengen Herren die Abendmahlzeit anzurichten.

Einsilbig folgten diese; beide schienen ganz den eigenen Gedanken nachzuhängen; um der Mahlzeit willen hätten die Mädchen nicht zu eilen brauchen.

– – Nach dem Abendessen waren die auswärtigen Gäste fortgefahren, und auch Rudolf und seine Mutter, von Anna und dem Pfarrer vor die Haustür geleitet, nahmen Abschied und schritten durch die kühle Herbstnacht ihrer Wohnung zu. Schon hatten sie den kleinen Vorgarten des Küsterhauses betreten, als es der Mutter einfiel, daß sie eine notwendige Bestellung an die Frau Pastorin vergessen habe; aber vielleicht war es ja noch nicht zu spät, und Rudolf machte sich auf den Rückweg, um womöglich das Versäumte nachzuholen.

Unter den Strohdächern der Bauernhäuser, welche an der Dorfstraße lagen, war schon alles dunkel, manche verschwanden ganz in dem Schatten ihrer alten Bäume; nichts regte sich als oben in der Höhe das stumme Blitzen des nächtlichen Septemberhimmels, und fernher, von drüben aus der Holzung, klang das Schreien eines Hirsches. So hatte Rudolf es in den Nächten nach seinem Amtsantritte in seiner einsam belegenen Försterwohnung auch gehört; nun war er lange fern gewesen; aber bald, schon in den nächsten Tagen, mußte er dahin zurück. Da es abermals vom Wald herüberscholl, schritt er rascher, als ob er dem entgehen wolle, in das Dorf hinab.

Als er den Hof des Pfarrhauses betrat, sah er, daß auch dort schon alle Fenster dunkel waren; nur Anna stand noch auf der Schwelle vor der Haustür, auf derselben Stelle, von welcher sie vorhin den Fortgehenden nachgeblickt hatte. Er konnte sie bei dem hellen Sternenschimmer leicht erkennen; auch daß ihre Augen gesenkt waren, und daß ihr blondes Haupt sich wie zur Stütze an den Pfosten des Türgerüstes lehnte.

Beklommen blieb er stehen, das Glück war wie ein Schrecken über ihn gekommen: nur sie und er, wie in der Einsamkeit des ersten Menschenpaares.

Doch auch als er dann tief aufatmend nähertrat, blieb die Gestalt des

Mädchens unbeweglich. »Fräulein Anna!« sagte er bittend und legte seine Hand auf ihre Hände, die gefaltet über ihren Schoß herabhingen.

Sie duldete es, als habe sie ihn hier erwartet, als ob sein Kommen sich von selbst verstehe; aber nur ein Zittern fühlte er durch ihre Glieder rinnen; ihre Augen, nach deren Blick er dürstete, erhob sie nicht.

»Ich bin es; Rudolf!« sagte er wieder. »Oder wollten Sie mir zürnen, Anna?«

Da hob sie das Haupt, es leise schüttelnd, von dem harten Pfosten und blickte mit unsäglichem Vertrauen zu ihm auf.

Und wie es dann geschehen, ob noch ein Laut von ihren Lippen oder nur der Nachthauch in den Gartenbäumen, nur das stumme Sternenfunkeln über ihnen seiner jungen Liebesscheu zu Hilfe kam, das haben sie später selbst nicht scheiden können; aber der Augenblick war da, wo er das Weib und sie den Mann in ihren Armen hielt.

Und als auch der vorüber, da sprachen auch sie jenes schöne törichte Wort, womit die Jugend den Sturz des Lebens aufzuhalten meint. »Ewig!« hauchte eins dem anderen zu; dann gingen sie mit glänzenden Augen auseinander, Anna zu dem verkrüppelten Bruder in die Kammer, Rudolf unter dem blitzenden Sternenhimmel in die Nacht hinaus, als wollte er empfinden, wie er mit seinem Glücke frei in alle Ferne schweifen könne.

Als er endlich in das Küsterhaus zurückgekommen war, das wie die meisten Bauernhäuser hier auch während der Nacht unverschlossen blieb, vernahm er schon beim Eintritt in die Kammer die Stimme seiner Mutter aus dem anstoßenden Zimmer: »Ich habe nicht schlafen können, Rudolf; wo bist du denn so lang' gewesen?«

Und da stand die notwendige Bestellung wieder vor ihm; er hatte ganz darum vergessen.

»Ist denn wenigstens alles in Ordnung?« rief die Mutter wieder. »Es mußte notwendig vor morgen früh bestellt sein.«

»In Ordnung, Mutter?« und wie ein Jubel lachte es aus ihm heraus. »Ja, Mutter, schlaf' nur, es ist alles jetzt in Ordnung!«

– – Am anderen Morgen freilich, wo der Sohn mit seinem übervollen Herzen die Mutter am Frühstückstisch erwartet hatte, blieb dieser der Zusammenhang nicht mehr verborgen. Der Zweck des so entschlossen ausgeführten Besuches war somit erreicht, aber es schien fast, als habe er dadurch an seinem Werte eingebüßt; Frau von Schlitz saß da, als ob sie einen inneren Widerstreit zu schlichten habe.»Nun, Rudolf«, sagte sie endlich, da der Sohn wie bittend ihre beiden Hände faßte, »du hättest freilich andere Ansprüche machen dürfen; aber wir Frauen sind dankbarer als ihr Männer, und so wollen wir denn hoffen, das Mädchen werde sich dir um so mehr verpflichtet fühlen.«

Was Rudolf außer der mütterlichen Zustimmung aus diesen Worten hörte, konnte kaum nach seinem Sinne sein; aber er war zu glücklich, um dawider jetzt zu streiten. Und so gingen sie denn, als der Vormittag weiter heraufgerückt war, miteinander nach dem Pfarrhause; der Sohn mit beklommenem Atemholen, wie wer die Pforte seines Glückes noch erst öffnen geht, Frau von Schlitz mit einem Lächeln der Befriedigung das frohe Staunen der guten Pastorsleute vorgenießend.

Auch wurde bei Annas Mutter ihre Erwartung nicht so ganz getäuscht; aber immerhin war bei dieser doch wesentlich das romantische Forsthaus aus dem Freischütz, das vor dem entzückten Mutterauge stand: konnte es denn eine schönere Agathe als ihre blonde Anna geben? – Der Pastor selbst war abwesend, er hatte auf einem der entlegensten Dörfer seines Kirchspiels eine Taufe zu vollziehen. Als er abends, da schon die Kinder in den Betten waren, heimkam, wurde auch bei ihm die Werbung angebracht; aber Rudolfs Mutter mußte es erleben, daß auf die bescheidenen Worte ihres Sohnes nur ein ernstes Schweigen des sonst so heiteren Mannes folgte. Vielleicht mochte es sich diesem wieder vor die Seele stellen, daß dem jugendlichen Bewerber, wie er es wohl scherzend schon für sich bezeichnet hatte, von der langen Weibererziehung noch etwas zwischen seinen braunen Locken klebe; vielleicht, daß er seine »königliche Tochter«, wie er sie in seinem Herzen nannte, einer sichereren Hand als dieser hätte anvertrauen mögen; am Ende mochte es gar Bernhard sein, den er dabei im Sinne hatte.

Auch Frau von Schlitz kam der Gedanke, und sie spürte schon den Antrieb, mit einem Geräusche aufzustehen und ihrerseits die Unterhandlung kurzweg abzubrechen. Zum Glück begann der Pfarrer jetzt zu sprechen: es lag nicht in seiner Absicht, Hindernisse gegen Rudolfs Antrag aufzusuchen; er hatte sich nur sammeln müssen und tat jetzt ruhig eine und die andere Frage, welche nicht wohl unbeachtet bleiben konnten. Dann wurde Anna hereingerufen, und der Vater legte sein Kind an die Brust des ihm vor wenig Wochen noch völlig fremden Mannes; Frau von Schlitz aber ging an diesem Abend mit einem Unbehagen schlafen, über dessen verschiedene Ursachen sie vor sich selber jede Rechenschaft vermied.

Am Morgen, der dann folgte, erschien Rudolf nicht zum Frühstück; als die Mutter in seine Kammer ging, fand sie das Bett leer und augenscheinlich seit lange schon verlassen; erst nach einer weiteren Stunde trat er zu ihr in das Zimmer. Es war ihr nicht entgangen, daß seine Bewegungen hastig, daß ein unstetes Feuer in seinen Augen war; aber sie bezwang sich: »Du kommst wohl von einem weiten Spaziergange?« frug sie scheinbar ruhig.

»Ja, ja; ich bin recht weit umhergelaufen.«

»Aber dir ist nicht wohl! Du hast dich überanstrengt.«

»Du irrst, Mutter, ich bin kräftig, wie je zuvor.«

»So sprich, was ist dir denn? Und laß mich nicht in solcher Angst!«

Rudolf war auf und ab gegangen; jetzt hielt er inne: »Mutter«, sagte er düster, »ich habe gestern übereilt gehandelt.«

Er wollte weitersprechen, aber die Mutter unterbrach ihn: »Du, Rudolf, übereilt? Das war nie deine Art! Und, gestern, sagst du? Gestern?«

Er nickte schweigend; sie aber ergriff leidenschaftlich beide Hände ihres Sohnes: »Bereust du, Rudolf? Hat nur die Gegenwart des anderen Bewerbers dich so weit hingerissen? – Wer weiß, du hättest vielleicht nur ein paar Tage noch zu warten brauchen; und auch jetzt noch – –«

»Mutter!« rief er heftig, und dann: »ich weiß von keinem anderen Bewerber.«

Frau von Schlitz besann sich. »Nun wohl«, entgegnete sie trocken, wie durch den ungewohnten Ton gekränkt, »was willst du denn von deiner Mutter?«

»Sag' mir nur *eines*«, begann er zögernd; »weiß man hier von meiner Krankheit, von meinem Aufenthalte in der Anstalt? Hat Anna davon gewußt?«

Frau von Schlitz atmete tief auf: »Sei ruhig, mein Sohn; auch für sie, wie für alle Welt, war es – und es war ja auch in Wirklichkeit nichts anderes – nur eine Reise zur Erholung von schwerem Nervenübel.«

Aber die Augen des Sohnes blieben düster: »Ich dachte es«, sagte er; »und nun liegt es zwischen mir und meinem Glück. Gott weiß es, in ihrer Nähe war jene furchtbare Erinnerung spurlos in mir verschwunden, und erst heute nacht, da ich vor Übermaß des Glücks nicht schlafen konnte, brach es jäh, wie ein Entsetzen, auf mich nieder. Wie soll ich jetzt noch zu ihr sprechen, und wird sie mir glauben können, daß ich nicht absichtlich sie betrogen habe?«

Die Mutter schwieg noch eine Weile, während die Augen des Sohnes angstvoll auf ihrem Antlitz ruhten. »Du hast recht, Rudolf«, begann sie dann nach rascher Überlegung; »vielleicht würde deine Braut es dir nicht glauben; oder wenn auch deine Braut, so würden später bei deiner Frau doch Zweifel kommen. Und nicht nur das: *wir* wissen, daß es eine Krankheit war, die, wie andere, gekommen und gegangen ist; aber Frauenliebe sieht leicht Gespenster, die das teure Haupt bedrohen; sie könnten mit euch gehen in eurer jungen Ehe.«

Rudolf hatte sich plötzlich aufgerichtet, aber er war totenblaß geworden: »Es ist noch keine Ehe«, sagte er; »noch kann sie ihre Hand zurücknehmen, die sie so arglos in die meine legte!«

»Zurücknehmen, Rudolf?« Frau von Schlitz zögerte ein wenig, bevor sie fortfuhr: »Hast du nie von Frauen gehört, die nur einmal lieben können und dann nie wieder? Ich möchte glauben, deine Braut gehört zu diesen.«

Die Worte klangen süß in seinen Ohren, und in seinen Augen leuchtete es wie von einem Strahl des Glückes; dann aber schüttelte er den Kopf, daß das braune Haar ihm wirr um Stirn und Augen flog: »O Mutter; aber es ist dennoch Unrecht!«

Er hatte die Worte so laut hervorgestoßen, daß sie rasch zum Fenster trat, an dem ein Gartensteig vorüberführte: »Kein Unrecht!« sagte sie, sich wieder zu ihm wendend; »das einzige Rechttun liegt in deinem Schweigen; und überdies: was hast du zu verschweigen?«

Unentschlossen, in schwerem Sinnen stand er vor der Mutter, während ihre Augen gespannt auf seinem Antlitz ruhten. Als er noch immer schwieg, streckte sie ihm die Hand entgegen: »Ich will dich nicht drängen, Rudolf; *eines* nur versprich mir: heute noch zu schweigen und – ohne Vorwissen deiner Mutter nicht daran zu rühren!«

Rudolf hatte noch nicht geantwortet, da pochte ein leichter Finger von außen an die Tür. Anna war halb verschämt hereingetreten und stutzte jetzt ein wenig, da sie so ernsthafte Gesichter vor sich sah; aber schon hatte Rudolfs Mutter das Wort an sie gerichtet: »Du suchst wohl deinen ungetreuen Bräutigam, mein liebes Kind; und recht hast du, er hätte lieber mit dir als mit der alten Mutter plaudern sollen!«

»Verzeihen Sie, Mama«, erwiderte das junge Mädchen lächelnd; »aber die Kinder lassen mir nicht Ruh', sie wollen alle ihren neuen Schwager sehen; Käthe ist mitgelaufen und lauert draußen, die anderen stehen zu Hause vor der Türe; sie bettelten so lange, bis wir ihnen allen ihre besten Kleider angezogen hatten. – Du gehst doch mit mir, Rudolf?« setzte sie mit gedämpfter Stimme dann hinzu, indem sie den Kopf zu ihrem Liebsten wandte und ihn voll mit ihren lebensfrohen Augen ansah.

Die Mutter lächelte, denn wie vor einem Morgenhauche sah sie die Wolke von des Sohnes Stirn verschwinden. »Nun, Rudolf?« sagte sie und streckte jetzt noch einmal ihm die Hand entgegen.

Er hatte die leis betonte Frage wohl verstanden; aber, die Augen auf seiner jungen Braut und mit der einen Hand die ihre fassend, legte er die andere mit festem Druck in die der Mutter.

»So geht, ihr Glücklichen!« sagte diese.

Sie gingen, und Frau von Schlitz lehnte sich wie ermüdet auf ihren Stuhl zurück. »Hübsch ist sie; zum mindesten hier, so zwischen Wald und Wiesen!« Halb lächelnd hatte sie es vor sich hin gemurmelt; dann stand sie auf, um ihre Morgentoilette zu vollenden.

Der Nachmittag des letzten Sonntags war herangekommen; auch Mutter und Sohn sollten sich am anderen Tage trennen; erstere, um sich in der Residenz in ihren niedrigen Zimmern einzuwintern, Rudolf, um nach langer Frist in sein leeres Försterhaus zurückzukehren, das er bis zum Frühjahre noch allein bewohnen sollte; am folgenden Tage hatte er dann sich bei der Exzellenz zu melden, welche der Jagd wegen noch die letzten Herbstwochen auf dem Lande blieb.

Schweigend hatte er seinen Koffer gepackt, während die Mutter noch zwischen Päckchen und Schachteln umherhantierte. »Geh nur zu deiner Braut!« sagte sie zu dem ihr müßig Zuschauenden; »es sieht hier öde aus; was übrig ist, besorge ich schon allein!«

Rudolf küßte die Hand seiner Mutter und ging. Als er die Dorfstraße eine Strecke weit hinabgeschritten war, sah er aus der Fahrpforte des Pfarrhauses einen Reiter sich entgegenkommen, der, wie es schien, bei seinem Anblick das Pferd in rascheren Gang setzte und dann im Galopp an ihm vorüberritt. »Bernhard!« rief er; aber der Reiter hatte nur mit seinem Hut gegrüßt und war jetzt schon weit von ihm entfernt. Eine Weile blickte Rudolf ihm nach: »So laß ihn reiten!« dachte er und ging langsam weiter. Als er an den Garten des Pastorats gekommen war, sah er ein helles Kleid zwischen den Boskettpartien schimmern, von welchen ein Steig zu einem Pförtchen nach der Dorfstraße hinausführte. Anna pflegte sonst um diese Stunde sich drinnen mit den kleinen Geschwistern zu beschäftigen; aber als er in den Garten getreten und den Steig hinabgegangen war, kam sie bei einer Biegung desselben ihm entgegen. »Du, Rudolf?« rief sie. »Ich hatte dich nicht kommen hören.«

Es war nicht der sonst so frohe Klang in ihrer Stimme; auch sah sie ihn nicht an, da sie jetzt ihre Hand wie leblos in die seine legte.

Rudolf stutzte; die halben Worte seiner Mutter standen plötzlich vor ihm. »Was ist dir, Anna?« sagte er. »War Bernhard hier? Ich sah ihn fortreiten; er muß doch eben erst gekommen sein!«

»Ja«, entgegnete sie, ohne aufzublicken; »Bernhard wollte nicht bleiben.«

»Aber du hast ja rote Augen, Anna!« Und ein kaum merkliches Zittern klang aus seiner Stimme.

»Ja, Rudolf«, sagte sie und sah ihm voll ins Antlitz; »Bernhard hat mit mir gesprochen.«

»War das so traurig, was er mit dir zu sprechen hatte?«

Sie nickte: »Er bat – er wollte bei den Eltern um mich werben; er wußte ja noch nichts von unserer Verlobung.«

Rudolf war blaß geworden. »Nun, Anna?« frug er stockend.

»Ja, was denn weiter, Rudolf? Das konnte ich doch nicht erlauben.«

»Und darum weintest du?«

Er hatte diese Worte so laut hervorgestoßen, daß das Mädchen erschrocken um sich blickte; dann sagte sie ruhig: »Ja, darum weinte ich; begreifst du das nicht, Rudolf?«

Er sah sie mit weit offenen Augen an: »Und darum hasse ich ihn!«

rief er in ausbrechender Heftigkeit; »und jeden, der seine Hand nach deiner auszustrecken wagt!«

Nur einen Augenblick stand sie betroffen; gleich darauf hatte sie ihr Schnupftuch hervorgezogen und wischte sich recht derb damit die Augen: »Schilt mich, Rudolf«, sagte sie treuherzig, und ihre ganze süße Stimme klang in diesen Worten; »aber glaub' nur, ich bin das nicht gewohnt, es hat mich sonst noch niemand haben wollen; er hätte doch auch sehen müssen, daß ich dir gehöre!«

Da riß er sie ungestüm an seine Brust: »Verzeih mir, habe Geduld! Auch ich muß erst lernen, so übermenschlich reich zu sein!«

Sie neigte nur das Haupt und ließ sich still umfangen; dann gingen sie miteinander in das Haus und waren zwischen Eltern und Geschwistern, bis auch dieser letzte Tag verging.

Während des Winters, der nun angebrochen war, wurde im Pfarrhause von unermüdlichen Händen an der Aussteuer der jungen Frau Försterin gearbeitet; die Mutter hätte gern wenigstens eins der neuen Sommerkleider mit grünem Band besetzt; aber Anna protestierte lachend und heftete das Band um ihren Sommerhut. Bisweilen kam auch der Pfarrer mit seiner Pfeife aus der Studierstube herüber, stand und nickte lächelnd seiner Anna zu, welche selbst die Schwester Käthe in deren Freistunden bei dieser heiteren Arbeit anzustellen wußte.

Weihnachten brachte den Besuch des Bräutigams und große Störung dieses fleißigen Treibens. Dann, nach der neuen Trennung, wurden den Brautleuten die Tage immer länger, zumal als noch einmal die Welt in Schnee begraben wurde und Anna von ihrer Arbeit, wie Rudolf aus dem Fenster seiner entlegenen Försterei, vergebens nach dem Briefboten aussah.

Endlich, unter den ersten Sonnenstrahlen des Aprils, der diesmal seinem Namen als »Eröffner« Ehre machte, legte der väterliche Priester die Hände des jungen Paares ineinander. Auch Bernhard als ein zwar ernster, aber wohlmeinender Gast war dessen Zeuge; er hatte einer verlorenen Hoffnung wegen nicht auch die Menschen selbst verlieren wollen. Noch vor dem Abschied hatten auf seine Bitte beide es ihm zugesagt, im Verlaufe des Sommers auf seinem, auch von ihrem neuen Wohnort nicht gar fernen Hofe einzukehren.

Dann unter dem Dache des inzwischen sauber hergerichteten Forsthauses kam der Beginn des jungen Ehelebens. Zwar hatten beide ihre volle Arbeit: Anna zu allem anderen mit einem aufgeschossenen Dorfkinde, das sie zum regelrechten Mägdedienst erziehen mußte, Rudolf die immer wiederkehrende Vertretung des kränkelnden Oberförsters; aber die Arbeit selbst war jetzt ein Miteinanderleben. Oft auch – denn die Kunst der Wirtschaft war ihr angeboren, so daß sie immer noch ein Maß von Zeit für ihren Liebsten übrig hatte – begleitete Anna diesen auf seinen Berufswegen durch den Wald, sei es zu den Föhren, wo an den mächtigen Stämmen jetzt die Axt erklang, oder in einen der Buchenschläge, wo die gefürchtete Nonnenraupe mit Verwüstung drohte.

Inmitten dieser herrschaftlichen Wälder, auf den alten Karten zu über vierzig Tonnen Landes angezeichnet, lag ein Bezirk, in dem die königlichsten aller Bäume stehen sollten; aber, man wußte nicht, ob aus Liebhaberei oder infolge nachlässiger Bewirtschaftung der Vorbesitzer, seit wohl hundert Jahren hatte ihn keine Axt berührt, ja, wie es hieß, kaum eines Menschen Fuß betreten.

Der Graf freilich, in Begleitung Rudolfs und eines begeisterten Landschaftsmalers, war einmal mit Messer und Säbel eine Strecke weit in seinen »Urwald« vorgedrungen, und ein paar der wildesten Partien, welche der Maler auf die Leinewand gebracht hatte, zierten jetzt in der Residenz sein Arbeitszimmer.

Aber auch Anna, als Rudolf ihr davon erzählte, war im Übermut des Glückes und der Jugend ein Gelüsten nach dem Abenteuer angekommen; zwar hatte jener anfänglich neckend abgewehrt, dann aber eines Sonntagmorgens, in Freuden über sein schönes reisiges Weib, ihr selber kunstgerecht das Kleid gegürtet; und so waren sie, auch im übrigen wohlgerüstet, zum Besuch des Urwaldes ausgezogen. Manchmal im wildesten Gestrüpp hatte sie atmend an seiner Brust geruht; aber auf seine Frage, ob es denn nun genug sei, immer lächelnd noch den Kopf geschüttelt, bis er dann aufs neue vor und über ihr das Zweiggewirr durchbrochen und sie sich endlich zu einer Lichtung durchgekämpft hatten, wo ein bemooster Granitblock zum Ruhen einzuladen schien. Gegenüber, hinter einem schmalen Sumpfe, der vom Röhricht ganz durchwachsen war, stieg wiederum, anscheinend undurchdringlich, das Gewirr des Waldes auf.

Aber nur Rudolf hatte sich gesetzt; Anna kniete zwischen einem Flor von Maililien, welche einen Teil der Lichtung überdeckten, und pflückte eifrig einen Strauß zusammen. Als sich ihre Hand allmählich füllte, wandte sie den Kopf: »So hilf doch, Rudolf! Ich für deine, du für meine Stube!«

Er schien es nicht zu hören: »Sieh nur«, sagte er, indem er mit ausgestrecktem Finger gegenüber nach dem Dickicht zeigte; »wer sich nicht wollte finden lassen, müßte dort schwer zu suchen sein!«

Anna war aufgesprungen und sah ihn fast erschrocken an; aber schon hatte sie die Blumen fortgeworfen, und in übermütiger Zärtlichkeit mit beiden Händen ihn umhalsend, rief sie heiter: »Versuch' es nur, ich will dich dennoch finden!«

Ohne Blumen, in der Fülle ihres Glückes waren sie dann heimgegangen.

– – Bald danach war Annas Vater im Forsthause eingekehrt und mit Jubel von dem jungen Paar empfangen worden. Nur auf wenige Tage hatte sein Amt ihn freigelassen, aber er verstand es, die Stunden auszunutzen. Auch im Schlosse war man zum Abendtee gewesen; der Graf und der Pfarrer schienen sich gegenseitig zu gefallen. Während Rudolf die Frauen am Klavier um sich versammelte, standen jene im Gespräch in einer Fensternische: »Ohne Zweifel«, sagte der Graf, »ich halte ihn für recht befähigt, nur etwas zaghaft noch; aber man muß der Jugend etwas zutrauen, und so hab' ich's denn auch mit ihm im Sinne.« Der Pastor nickte: »Exzellenz wollen nachträglich die Männererziehung noch dazutun!« – »Ich denke, wir verstehen uns, Herr Pastor!« Und sie lauschten nun auch dem meisterhaften Spiel des jungen Försters.

Am anderen Abend saß der Pastor wieder im Familienzimmer seines Pfarrhauses, und wenn die gute Frau Pastorin in seiner Erzählung auch vergebens auf den romantischen Zauber des Jägerlebens wartete, so ließ er selber sich doch behaglich von der jetzt Ältesten, seiner Käthe, den brennenden Fidibus für seine Pfeife bringen.

– – Es war im Juli an einem Sonntagnachmittage, als die jungen Eheleute in der warmen Sommerluft vor ihrem Hause saßen, wohlgeborgen unter der alten, weithin schattenden Eiche, deren Laub jetzt im sattesten Grün erglänzte. Die Kaffeestunde ging zu Ende, und Anna erhob sich und nahm das Geschirr von dem selbstgezimmerten Säulentische, um es ins Haus zurückzutragen. Nur sollte ihr das nicht ohne Hindernis gelingen; als sie an Rudolfs Sitz vorbei wollte, umschloß er sie mit beiden Armen, und so stand sie gefangen und wagte mit ihrer zerbrechlichen Bürde sich nicht zu rühren. Lächelnd blickte sie zu ihm nieder; das Schweigen des Glückes lag auf beider Antlitz.

Über der Haustür auf dem alten Geweih des Sechzehnenders, das sich bis in die grünen Zweige hinaufstreckte, zwitscherte eine Schwalbe und flog dann über ihren Köpfen wieder in den Sonnenschein hinaus; nur von der seitwärts am Waldesrande sich entlang ziehenden Wiese tönte nach wie vor das Summen der Millionen schwebenden Geziefers; mitunter erhob es sich wie übermütig, als wollten sie den Menschen ihre kurze Sommerherrschaft fühlen lassen; dann sank es wieder wie zu leisem Harfenton.

Unwillkürlich hatten beide hingehorcht. »So hör' ich's gern«, sagte Anna; »nur sollen sie mir nicht ins Zimmer kommen.«

Rudolf bejahte nachdenklich: »Aber sie kommen ungefragt; horch nur, es klingt ganz zornig, und sie dürsten auch nach unserem Blute.«

»Laß sie«, versetzte heiter die junge Frau; »das Tröpfchen wollen wir ihnen gönnen.«

Über Rudolfs Augen flog es wie ein Schatten, und er schloß die Arme fester um die schlanken Hüften seiner Frau. »Meinst du?« sagte er gedehnt. »Es gibt eine schwarze Fliege, diese Sommerglut brütet sie aus, und sie kommt mit all den anderen zu uns, in dein Haus, in deine Kammer, unhörbar ist sie da, du fühlst es nicht, wenn schon der häßliche Rüssel sich an deine Schläfe setzt. Schon mancher hat sie um sich gaukeln sehen und ihrer nicht geachtet, denn die wenigsten erkennen sie; aber wenn er von einem jähen Stiche auffuhr und sich, mehr lachend noch als unwillig, ein Tröpflein Blutes von der Stirn wischte, dann war er bereits ein dem Tode verfallener Mann.«

Anna hatte mit verhaltenem Atem zugehört; nun fuhr sie mit der freien Hand ihm über Stirn und Haare: »Du könntest einem bange machen, Rudolf; aber ich will diese schwarze Fliege fortjagen, denn sie kommt aus deinem Hirn und soll mir nicht dahin zurück; ich habe nie von diesem Spuk gehört.«

Er ließ sie gewähren; nur seine Augen suchten in zärtlicher Angst die ihren festzuhalten. »Aller Spuk ist selten«, sagte er leise; »aber die schwarzen Fliegen sind doch wirklich da!«

»Nein!« rief sie, indem sie sich zu ihm neigte und, das Brett mit Kannen und Tassen emporhebend, es anmutig fertigbrachte, ihm den Mund zum Kuß zu reichen; »nein, Rudolf, nun sind sie alle fort! – Und nun laß mich!« setzte sie hinzu, da eben die Magd die neueste Zeitung auf den Tisch legte, welche, wie gewöhnlich um diese Zeit, des Oberförsters Knecht ihr ins Küchenfenster hineingereicht hatte. »Nun studier' deine Zeitung und sieh zu, ob auch etwas für deine Frau darin ist!«

Er hatte sie freigelassen und sah ihr nach, da sie in das Haus ging; dann nahm er die Zeitung und begann zu lesen. Aber er las nur obenhin und ließ oft die Hand, welche das Blatt hielt, sinken; erst als er auch die letzten Spalten überflog, wurde seine Aufmerksamkeit gefesselt, jedenfalls schienen seine Augen über eine Notiz von wenig Zeilen nicht hinauszukommen. Es mochte nichts Heiteres sein, denn schwere Stirnfalten drückten seine Augenlider, während er noch immer darauf hinstarrte; oder hatte Frau Anna doch die schwarzen Fliegen nicht verjagen können? Plötzlich erhob er sich und legte die Zeitung auf den Tisch, indem er zugleich nach seinem Hute langte, den er über sich an einem Zweige aufgehangen hatte.

Aus dem offenen Hausflur rief die Stimme seiner Frau: »Was willst du, Rudolf? Gehst du fort?«

»Nur zum Andrees!« rief er zurück; »er soll den Köder in den Fuchseisen noch erneuern!«

»So wart' doch wenigstens, bis die ärgste Glut vorüber ist!«

Aber er winkte nur noch mit der Hand und war bald auf dem Wege, der an des Forstwärters Haus vorbei zum Walde führte, hinter dem Gebüsch verschwunden.

Was Rudolf in der Zeitung gelesen hatte, lautete wörtlich wie folgt:

»Am letzten Dienstage, so wird von glaubhafter Seite uns berichtet, saß der erst kürzlich verheiratete Hufschmied Br... zu Wallendorf nach Feierabend mit seiner Frau im Wohnzimmer. Das Gespräch zwischen den Eheleuten war eine Weile stumm gewesen, als der Mann wieder anhub: ›Heute sind es gerade dreizehn Jahre, daß ich von einem tollen Hund gebissen wurde! Man sagte mir damals, ich solle mich nicht verheiraten; aber es hat mir bis jetzt noch nichts darum geschadet.‹ Die Frau, welche erst in diesem Augenblick von jenem Vorgang hörte, erschrak heftig; noch mehr aber, als sie jetzt in das plötzlich verzerrte Antlitz ihres Mannes blickte. Und kaum waren einige Minuten verflossen, als die Nachbarn auf ihr Geschrei herbeieilten und den Unglücklichen, bei dem schon alle Zeichen von Tollwut ausgebrochen waren, an Händen und Füßen fesseln mußten.«

Das war es, was Rudolf gelesen und was so ganz von ihm Besitz genommen hatte, daß es allem übrigen sein Ohr verschloß. Und jetzt auf dem einsamen Wege kamen ihm die Worte, die einzelnen Sätze in ihrer Reihenfolge immer wieder; er suchte anderes zu denken: an seine Mutter, an Anna, sogar an des Herrn Grafen Exzellenz; aber es half nichts, es waren immer nur die schwarzen Buchstaben in ihrem kleinen Zeitungsdruck, die unabweisbar an ihm vorüberzogen.

In der Hütte des Waldwärters traf er diesen nicht daheim; er ging wieder hinaus, ohne auch nur der anwesenden Frau den einfachen Auftrag mitzuteilen. Erst nach einer Weile bemerkte er, daß er nicht den Rückweg nach seinem Hause eingeschlagen hatte, sondern mitten im Walde auf einem Wege schritt, der zwischen hohen, finsteren Tannen ausgehauen war. Endlich begann er seiner Gedanken Herr zu werden: was wollte jene furchtbare Geschichte denn von ihm? Ihn hatte niemals weder ein toller noch ein anderer Hund gebissen, und im übrigen – wer konnte aller Menschen Leid mitfühlen wollen? Wog es nicht vielleicht noch schwerer als der Menschheit Sünden, die doch nur Gottes Sohn auf sich genommen hatte?

Grübelnd blieb er stehen; aber es war ja auch kein Mitleid, das er fühlte, er hatte sich ja selber nur belügen wollen! Nein, nein, kein toller Hund; aber – jenes andere, was er nicht zu denken wagte, was er hinter sich in Nacht begraben wähnte! Wenn es wiederkäme – nach zehn, nach zwanzig Jahren? Oder – wer könnte wissen – vielleicht schon jetzt, noch eh' der Herbst die Blätter von den Wäldern fegte!

Er fuhr mit beiden Händen vor sich hin, als wolle er ein Schreckbild von sich stoßen; aber er sah es doch, er hörte den Schrei seines Weibes, er sah die Nachbarn – – nein, sie hatten ja keine Nachbarn! Niemand konnte kommen! – Plötzlich, als müsse er nun selber ihr zu Hilfe eilen, wandte er sich zur Heimkehr; rasch und rascher, daß es bald einem Laufen gleich war, eilte er zurück. Aber die Gedanken liefen immer mit: jener Hufschmied, war er auch so feig gewesen? Hatte auch er von selbstsüchtiger Mutterliebe sich den Mund verschließen lassen, ehe er das junge Weib in seine Kammer brachte?

Ein Donner rollte über den Wald hin und verhallte dröhnend. Die Glut des Tages hatte sich gelöst: zu beiden Seiten rauschte es durch die Tannen, und kühlend fielen die ersten großen Tropfen auf die heiße Erde. Auch Rudolf atmete auf in dem belebenden Dufte, der sich jetzt erhob, auch ihm floß es wie erquickliche Kühle durch die Adern: was war es denn gewesen, das ihn so erschreckt hatte? Hier ging er ja gesund und kräftig wie nur jemals! Und daheim? Verlockend, wie noch nie, stand seines Weibes schlanke jugendliche Gestalt vor seinen Sinnen. Immer rascher schritt er durch den gewaltig niederrauschenden Regen, bis er das Gebell seiner beiden braunen Hunde hörte, die mit ausgelassenen Sprüngen ihm entgegentobten, und bis er endlich dann mit leuchtendem Angesicht vor seinem blonden Weibe stand.

Freilich, von Kuß und Umarmung des triefenden Geliebten wollte sie für jetzt nichts wissen; lachend, mit vorgestreckten Händen, drängte sie ihn in die Kammer: »Hier, Rudolf, ist der Schlüssel zu deinem Kleiderschrank. Wenn du hübsch trocken bist, darfst du zu mir kommen und dir deine Schelte holen!«

Und ihre Augen lachten wie die lieblichste Verheißung.

Aber der glückliche Schluß dieses Tages hatte seinen übrigen Inhalt nicht beseitigen können. Es war in Rudolf etwas wachgerufen, das während seiner kurzen Ehezeit bisher geschlafen hatte; ein Zufall hatte die Decke jetzt gelüpft, und er sah es in der Tiefe liegen und allmählich höhersteigen, bis es endlich unverrückt mit den feindlichen Augen zu ihm emporstarrte. Immer öfter zog es seinen Blick dahin, so daß er dauernd auf nichts anderes mehr sehen konnte und zu Arbeiten, die er vormals bequem bewältigt hatte, nicht selten die Nacht zu Hilfe nehmen mußte.

Eine Geschäftsreise nach der Residenz im Auftrage des Grafen brachte Abwechselung und eine Einkehr bei der Mutter. Sie hatte bei seinem Empfange ihn lange stumm betrachtet und ihn dann in das zweite Zimmer geführt, das Rudolf früher wohl scherzend ihren Ahnensaal zu nennen pflegte. »Du siehst übel aus, mein Sohn!« war das erste Wort, das sie ihm sagte, als sie sich gegenübersaßen.

Er suchte ihr das auszureden und wollte es auf die Nachtfahrt schieben, aber sie unterbrach ihn: »Seit deines Vaters Augen so früh sich geschlossen, waren die meinen nur auf dich gerichtet; du vermagst mich nicht zu täuschen.« Und als er schwieg, ergriff sie seine beiden Hände: »Du bist unglücklich, mein Sohn; nur deiner Mutter kannst du das nicht verbergen.«

Er sah wie gedankenlos eine Weile zu ihr hinüber. »Ja, Mutter«, sagte er dann; »ich glaube fast, daß ich es bin.«

»Weshalb, Rudolf, weshalb bist du es?«

Auf dem Tische lag eine Zeitung; Rudolf hob sie auf, es war dieselbe, die der Oberförster und er zusammen hielten. »Hast du das gelesen neulich?« sagte er zögernd; »das – mit dem Hufschmied?«

»Ja, Rudolf, ich hab' es gelesen. Was soll das? Der Unglückliche!«

»*Die* Unglückliche!« erwiderte er, stark das erste Wort betonend. »Und hast du auch gelesen, nach dreizehn Jahren ist es ausgebrochen?«

»Was soll das? Was willst du, Rudolf?« frug sie wieder.

Er war aufgestanden. »Mutter«, sagte er leise; »bin ich nicht auch von einem solchen Hund gebissen worden? Und sie, die Unglückliche, ist ewig, was wir hier ewig nennen, an mir festgeschmiedet! Wir waren übel beraten, Mutter, als wir die schöne Unschuld für meinen Dienst betrogen.«

Sie blickte ihn fast zornig an: »Das ist es, Rudolf? Ich verstand dich nicht.«

»Ja, Mutter; was konnte es anders sein?«

Ein schmerzliches Aufleuchten ging durch die dunklen Augen der Frau, und einige Sekunden lang bedeckte sie sie mit ihrer weißen Hand. »Wenn ich für dich gesündigt habe«, sagte sie bitter, »so habe ich mit Recht den Dank dafür verloren; laß mich's denn auch allein verantworten!«

Er nahm ihre nur schwach widerstrebende Hand und küßte sie: »Ich bin nicht undankbar, Mutter; aber ich weiß auch, daß ich meine Schuld allein zu tragen habe.«

Frau von Schlitz antwortete nicht sogleich; hinter ihrer breiten Stirn, die unter einer schwarzen Florhaube noch blasser als das Antlitz ihres Sohnes schien, hielten die Gedanken raschen Überschlag. »Besinne dich«, begann sie dann anscheinend ruhig; »du hast den Brief deines derzeitigen Arztes selbst gelesen, er enthielt nichts, was zu verbergen war; von jener Seite droht deinem oder, wie ich jetzt ja sagen muß, eurem Leben nicht Gefahr. Dich drückt nur das Geheimnis, das Versprechen, das du mir gegeben hast; ich gebe es dir zurück, es war unnötige, übertriebene Sorge, da ich es von dir verlangte.«

Aber Rudolf blickte wie erstaunt auf sie herab: »Reden? Jetzt noch reden, Mutter? Und das rätst du mir? Und Anna? Anna? Dreizehn Jahre lang, und immer die armen Augen nach dem Schreckgespenst? – – Nein, nein!« rief er heftig, »jetzt muß ich mit mir selber fertigwerden!«

»Und wenn du es nicht wirst, Rudolf?« Wie von Angst gepreßt wurden diese Worte ausgestoßen.

»Dann«, sagte er langsam, »wird sie frei von mir; es gibt nur einen Weg, den ich ohne sie noch gehen kann. O Mutter, hat denn mein Vater dich nicht auch geliebt?«

Sie hatte sich aufgerichtet, eine Frau von nicht mehr jugendlicher, aber noch immer ernster Schönheit: »Ja, mein Sohn«, rief sie und schlang leidenschaftlich beide Arme um seinen Nacken, »wohl haben wir uns geliebt, ich und dein Vater; aber dich lieb' ich mehr, als Mann und Weib sich lieben können; was kümmern mich alle anderen Menschen außer dir!«

Stumm, erschüttert hielt der Sohn die Mutter an seiner Brust; an dem Zucken ihres Leibes fühlte er, wie die starke Frau sich selbst zur Ruhe kämpfte. Aber unter den zärtlichen Worten, die sein Herz ihn sprechen ließ, verkannte er gleichwohl nicht, daß diese Leidenschaft, wo sie ihn bedroht wähne, in jedem Augenblick bereit sei, sich feindselig gegen alle Welt, ja gegen des eigenen Sohnes Weib zu kehren. Mit dem Scharfsinn seiner jugendlichen Liebe las er in der Seele der erregten Frau; und ehe beide voneinander schieden, hatte die Mutter, wenn auch widerstrebend, ihm nun ihrerseits geloben müssen, an der Vergangenheit ohne sein Zutun nicht zu rühren.

Nur darin traf ihr Wunsch mit einem bereits von ihm gefaßten Entschluß überein: er wollte sich Beruhigung oder – wie er still bei sich hinzufügte – doch Entscheidung über seinen Zustand bei dem Arzte holen, unter dessen Fürsorge er jene Monate des vergangenen Jahres zugebracht hatte; wenn er noch einmal eine Nachtfahrt daransetzte, so war ihm, bei der unerwartet raschen Erledigung des Geschäftes, die Zeit noch zur Verfügung.

– – Und etwa zehn Stunden später saß er dem Genannten, einem kräftigen Manne in mittleren Jahren, gegenüber; die heiteren, etwas schelmischen Augen des Arztes ruhten auf dem Antlitz seines früheren Patienten, während dieser, der dem vertrauengebenden Wesen desselben seine damalige rasche Genesung zu verdanken glaubte, ihm dies in warmen Worten aussprach.

»Aber was treiben Sie denn, Herr von Schlitz«, unterbrach ihn jener. »Sie sollten wohler aussehen! Sie sind von uns als völlig – wohlverstanden, als völlig geheilt entlassen worden.«

Die Frage, um derentwillen Rudolf seine Reise hierher verlängert hatte, war somit schon zum größten Teil und auf das unverfänglichste beantwortet; nun galt es nur noch seinerseits eine unverhaltene Auskunft über späteres Erlebnis; und nach kurzem Widerstreben überwand er sich: sein Geheimnis war hier keines, nun bekannte er auch seine Schuld.

Ein leichtes Stirnrunzeln überflog das Angesicht des älteren Mannes. »Nein, nein«, sagte er gleich darauf, da Rudolf stockte, »sprechen Sie nur; ich klage Sie nicht an!«

Und der Jüngere fuhr fort und verschwieg ihm nichts: »Mitunter«, – so schloß er seine Beichte –, »aber nur in kurzen Augenblicken, ist es mir, als ob der dunkle Vorhang aufweht, und dahinter, wie zu meinen Füßen, sehe ich dann das Leben gleich einer heiteren Landschaft ausgebreitet; aber ich weiß doch, daß ich nicht hinunter kann.«

Wieder ruhte der sinnende Blick des Arztes auf des jungen Mannes Antlitz. »Nicht wahr«, sagte er dann, »aber es ist mehr der anteilnehmende erfahrene Mann, als der Arzt, der diese Frage an Sie tut – Sie haben eine gesunde und eine Frau von heiterem Gemüte?«

Rudolfs Augen leuchteten, und in seinen Armen zuckte es, als müsse er sich zwingen, sie nicht nach seinem fernen Weibe auszustrecken. »Sie sollten sie nur sehen!« rief er. »Nein, nur ihre Stimme brauchten Sie zu hören!«

Der Arzt lächelte: »Dann«, sagte er, »wenn dem so ist«, und er betonte jedes Wort, als ob er auf schwerwiegende Gründe eine Entscheidung baue, »dann – reden Sie; und Sie werden nicht allein in jenes heitere Land hinunterschreiten!«

Rudolf war fast erschrocken, als dieselbe Forderung, die er noch kurz zuvor der Mutter gegenüber so schroff zurückgewiesen hatte, ihm nun auch hier entgegenkam. Aber sie reizte ihn hier nicht zum Widerspruche; die ruhigen Worte, in denen jetzt der teilnehmende Mann ihm zusprach, mochten kaum anderes enthalten, als was er von seiner Mutter auch schon wiederholt gehört hatte; dennoch war ihm, als ob seine Gedanken sich allmählich von einem Banne lösten, der sie stets um einen Punkt getrieben hatte. Allein hatte er seinen Weg in Nacht und Schrecken wandern wollen! Aber – und seine Brust hob sich in einem starken Atemzuge –, es gab ja kein »Allein« für ihn, er selber hatte ja gesagt, sie seien aneinander festgeschmiedet, er konnte nicht in der Finsternis und sie im Lichte gehen; er begriff nicht, daß er das nicht längst begriffen hatte.

Entschlossen reichte er dem Arzt die Hand hinüber: »Ich danke Ihnen«, sagte er, »ich werde reden.«

»Und Sie werden rechttun.« – Dann schieden sie.

Heiter, voll froher Zukunftsbilder, fuhr Rudolf seiner Heimat zu; bei hellem Mittag, in einer unablässig schwatzenden Reisegesellschaft, erquickte ihn ein langer Schlaf; als er unweit seines Zieles dann erwachte, konnte er kaum erwarten, vor Anna hinzutreten und Schuld und Reue vor ihr auszuschütten; er sah schon, wie sie weinen, wie sie dann aus ihren Tränen sich erheben und, ihm mutig zulächelnd, ihre kleine feste Hand in die seine legen würde; ja, Anna, die Schöne, Gute, sie hatte ja auch ein festes Herz!

Er hatte nicht bedacht, daß er während seiner Ehe zum erstenmal so lange fern gewesen war. Als er von der letzten Bahnstation den Richtweg durch den Wald dahinschritt, da klopfte sein Herz doch nur nach seinem Weibe; und als er, auf die Wiese hinaustretend, sie dann im Abendschatten auf der Schwelle seines Hauses stehen sah, sie selber leuchtend in Jugend und Liebe, die Arme ihm entgegenstreckend, aber doch wie festgebannt, als müsse sie hier ihr Glück empfangen, da stieg es nur wie ein Gebet aus seiner Brust, daß auch nicht eines Sandkornes Fall den Zauber dieser Stunde stören möge.

Morgen! Sie waren ja morgen auch beisammen.

Und es wurde Morgen, und der helle Tag, der unerbittlich zu Pflicht und Arbeit fordert, schien in alle Fenster des Försterhauses. Rudolf hatte in seinem an der Rückseite belegenen Zimmer die in seiner Abwesenheit eingegangenen Geschäftssachen eingesehen und trat jetzt in die gemeinsame Wohnstube, wo Frau Anna den Morgenkaffee für ihn warm gehalten hatte. Nur ein Händedruck wurde gewechselt; dann nahm er schweigend die Tasse, welche sie ihm reichte, und Anna, die ihr Frühmahl schon beendet hatte, zog ihren Stuhl zu ihm heran und strickte weiter an einem Unterjäckchen, das noch vor der rauhen Jahreszeit zu dem gebrechlichen Brüderlein ins elterliche Pfarrhaus wandern sollte. Ihrer Augen bedurfte diese Arbeit nicht; die ruhten auf ihres Mannes Antlitz: er sah viel besser aus, als da er fortgegangen war; auf seiner Stirn und über den Augenlidern, die sich mitunter hoben und dann sinnend wieder senkten, lag etwas wie eine frohe Zuversicht; gewiß, während er so schweigend neben ihr sein Mahl verzehrte, überdachte er die gute Botschaft, die er noch am selben Vormittag dem Grafen überbringen mußte.

Aber Frau Anna irrte; das Schweigen ihres Mannes galt ihr selber: es war das Bekenntnis seiner Schuld, wofür sein Herz die Worte suchte, und was von seiner Stirn leuchtete, das war der Abglanz jener wolkenlosen Landschaft, in die er heute noch mit ihr hinabzuschreiten dachte.

Da, bevor zwischen beiden noch ein Wort gesprochen worden, pochte es an die Stubentür, und Rudolf fuhr aus seinem Sinnen auf. Es war nur der alte Waldwärter Andrees, der ins Zimmer trat, um über dies und jenes zu berichten; aber mit ihm war etwas anderes unsichtbar hereingekommen, was wir Zufall zu nennen pflegen, was auf den Gassen der Wind vor unsere Füße oder durchs offene Fenster in das Innere unseres Hauses weht.

Rudolf hatte die verschiedenen kleinen Mitteilungen entgegengenommen und hie und da ein zustimmendes oder anweisendes Wort dazu gegeben. »Ist sonst noch etwas, Andrees?« frug er, als dieser mit seinem Bericht zu Ende schien.

– »Sonst nichts, Herr Förster; nur daß der Holzschläger Peters aus der Anstalt wieder da ist.«

»Woher? Welcher Peters?« frug Rudolf hastig.

»Es war vor des Herrn Försters Zeit«, erwiderte Andrees. »Er hatte sich eingebildet, als einziger Sohn von den Soldaten freizukommen und dann drunten mit des reichen Seebauern Tochter Hochzeit zu machen; als aber auf beidem eine Eule gesessen hatte, da wurde er wirrig und mußte in die Anstalt.«

Anna hatte zu stricken aufgehört; einen losen Sticken an die Lippen drückend, horchte sie aufmerksam dieser Erzählung. »Der arme Mensch«, sagte sie mitleidig; »ist er denn jetzt wieder ganz gesund?«

»Muß doch wohl, Frau Förstern«, meinte Andrees; »sogar 'ne Frau hat er sich mitgebracht; freilich, keine reiche: es ist eine Wärterin aus der Anstalt, die sich in den jungen Kerl verliebt hatte.«

Ein Ton wie ein Schreckenslaut entfuhr den Lippen der jungen Frau: »Mein Gott, welch ein Wagstück! Wenn es wiederkäme!«

»Soll wohl sein können«, erwiderte Andrees; »aber das Weibsbild hat sich dann doch selber nur betrogen; sie muß ja wissen, wen sie sich gekauft hat.«

Anna starrte schweigend vor sich hin, als ob ihre Phantasie die schreckensvolle Möglichkeit verfolge; sie achtete kaum darauf, als Rudolf, der während dieses Gespräches keinen Laut von sich gegeben hatte, jetzt mit abgewandtem Antlitz fast schwankend sich erhob und, das Beben seiner Stimme mühsam nur beherrschend, zu dem Waldwärter sagte: »Kommen Sie nach meinem Zimmer, Andrees; es sind noch Postsachen für Sie mitzunehmen.« Als sie aber dahingekommen waren, meinte Rudolf, er müsse bis zum Abend warten, es komme doch noch einiges dazu.

Wer nach dem Fortgange des Waldwärters hier unbemerkt hätte hineinblicken können, der hätte den jungen Förster in der Mitte des Zimmers gleich einem düsteren Bilde stehen sehen; mit untergeschlagenen Armen, das auf die Brust gesunkene Haupt von den schweren Atemzügen kaum bewegt. Nur einzelne karge Worte: »Schweigen!« und wieder »Schweigen – um jeden Preis und bis ans Ende!« wurden dann und wann von seinen Lippen laut.

Endlich, als dann die Wanduhr über seinem Schreibtisch mit lautem Schlage aushob, fuhr durch diesen einzigen Gedanken ihm ein anderer: er schüttelte sich, und nachdem er mit schweren Schritten ein paarmal auf und ab gegangen war, nahm er einige Papiere aus einem Schub-

fach; es war hohe Zeit, er mußte ja zum Grafen und den glücklichen
Bericht erstatten.

– – Es ging schon gegen Mittag, als die junge Frau aus dem Küchenfenster, hinter welchem sie beschäftigt war, ihren Mann auf dem hier
vorüberführenden Wege heimkehren sah und bald danach ihn auf dem
Hausflur und nach seinem Zimmer gehen hörte. Unwillkürlich ruhten ihre emsigen Hände: Rudolf pflegte sonst nach solchem Gange
»zur Herzerfrischung«, wie er sagte, sie für eine Weile aufzusuchen,
sich ein paar Worte oder auch nur einen Händedruck von ihr zu holen; und jetzt kam es ihr plötzlich, daß er auch vorhin so jäh und ohne beides von ihr fortgegangen sei. Noch einige Minuten stand sie horchend, ob nicht die eben geschlossene Tür sich wieder öffnen möge;
dann legte sie die Geschirre, die sie in der Hand hielt, fort und ging
nach Rudolfs Zimmer.

Es schien völlig still da drinnen; als sie die Tür öffnete, fand sie ihn
mit aufgestütztem Kopf an seinem Schreibtisch sitzen. Sie setzte sich
an seine Seite und nahm seine Hand, die er ihr schweigend überließ;
erst als sie den Druck derselben in der ihren fühlte, sprach sie leise:
»Was war's denn, Rudolf? Warum gingst du mir vorüber? Brauchst du
heute keine Herzerfrischung, oder mißtraust du schon meiner armen
Allmacht?«

Dem Drängen dieser liebevollen Stimme widerstand er nicht; ihm
war ja auch nichts Übles widerfahren; im Gegenteil, sein Bericht hatte den Grafen in die wohlwollendste Laune versetzt; er hatte von dem
notwendigen Abgange des altersschwachen Oberförsters gesprochen:
schon jetzt werde Rudolf die Geschäfte und, sobald die Pensionsver-
hältnisse des Abgehenden geordnet wären, auch dessen höhere Stelle
endgültig übernehmen müssen.

Ein Laut freudiger Überraschung entfuhr bei dieser Mitteilung dem
Munde der jungen Frau. »Wie schön!« rief sie, stolz zu ihrem Mann
emporblickend; »und dies Vertrauen, das du dir so bald erworben
hast!«

Rudolf drückte den blonden Kopf seines Weibes gegen seine Brust,
nur damit die glücklichen Augen nicht in seinem Antlitz forschten;
denn – wie sollte er nun das Weitere sagen? Schon seine bisherigen
Pflichten lagen seit dieser Morgenstunde wie eine Angst ihm auf dem

Herzen; bei dem Vorschlage des Grafen hatte es wie ein unübersteiglicher Berg sich vor ihm aufgetürmt; und statt eines freudigen Dankes hatte er nur zu einem Versuch bescheidenen Abwehrens sich ermannen können. Aber dieser Versuch war vergeblich gewesen; der Graf hatte nur gelächelt: »Mein junger Freund, nicht nur *l'appétit vient en mangeant;* es geht auch in anderen Dingen so; ich selber habe nicht gewußt, was ich zu leisten vermochte, bis ich gezwungen wurde, es zu wissen.« Auf seine verwirrte Erwiderung: »Exzellenz ehren mich zu sehr mit einem solchen Vergleiche«, war ihm dann nur geantwortet: »Nun, nun, Herr Förster, ein jeder in seinem Kreise. Ich werde Sie denn doch vor solche Probe stellen müssen.«

Während dieser Vorgang sich ihm peinlich in der Erinnerung wiederholte, hatte Anna sich aus seinen Armen losgewunden: »Du!« rief sie, »wie lange willst du mich gefangenhalten!« Dann stand sie aufgerichtet vor ihm: »Aber du bist nicht froh, Rudolf; noch immer nicht! Und ich dachte schon an einen Jubelbrief nach Hause.«

Eine demütigende Scham überkam ihn, aber zugleich ein Drang, vor diesen klaren Augen zu bestehen. »Schreibe nur deinen Brief«, sagte er aufstehend; »es wird zwar aller meiner Kraft bedürfen; aber – ja, Anna, Dank, daß du gekommen bist.«

Kurz darauf waren aus der Oberförsterei ein großer Aktenschrank und ganze Karren von Aktenbündeln angelangt und in Rudolfs Zimmer untergebracht; auch eine Kammer für einen Schreibgehilfen hatte Anna einrichten müssen. Rudolf selber saß jetzt meistens in die Nacht hinein bei seiner Arbeit; selbst am Sonntage, zum Kirchgang, riß er sich erst im letzten Augenblicke los; ja, wenn Anna während des Gottesdienstes zu ihm aufblickte, glaubte sie eher arbeitende Gedanken als Andacht auf seinem Gesicht zu lesen. Im Hause über Tag sah sie ihn fast nur bei den Mahlzeiten, die er möglichst rasch beendete, und so sehr er oftmals einer Herzerfrischung zu bedürfen schien, er kam immer seltener, sie bei ihr zu suchen.

So mußte sich die junge Frau denn wohl gestehen: was ihres Mannes Stirn umwölkte, war etwas anderes, als was der wechselnde Tag zusammentreibt und wieder auseinanderweht. Aber aus welchen ihr unbekannten Abgründen war das aufgestiegen? War es noch rückgebliebener Schatten jener Krankheit, die er bei dem Besuch im Elternhause kaum erst überstanden hatte, oder war dies sein eigenes Wesen, das sich jetzt ihr offenbarte? Zwar, die Last der Arbeit dauerte fort; aber an der ausreichenden Kraft des geliebten Mannes auch nur entfernt zu zweifeln, konnte ihr nicht einfallen; tat das doch auch der Graf, der scharfblickende Menschenkenner, nicht.

Sie konnte sich keine Antwort geben; Rudolf selbst aber, wenn sie offen ihn befragte, schob alles auf die überkommene doppelte, ja dreifache Arbeit und vertröstete sie auf die Zeit, wenn erst die von dem kranken Vorgänger angehäuften Reste abgearbeitet sein würden. Ließ sie ungläubig dennoch nicht mit Bitten nach, dann sah sie Qual und Zärtlichkeit so bitterlich auf seinem Antlitz kämpfen, daß sie jäh verstummen mußte. So schwieg sie denn auch ferner und suchte nur, wo sie es immer konnte, ihm zu bringen, was er nicht mehr von ihr zu holen kam. Das Nachtarbeiten war allmählich zur Regel geworden; aber Frau Anna ließ ihn nicht allein; auch für sie gab es ja, wenn sie wollte, Arbeit genug: »Bei unseren neuen Amtsgeschäften« – so hatte sie der Mutter nach Haus geschrieben – »haben wir hier einen langen Tag; schickt mir nur alle Eure Winterwolle, denn alle kleinen Beine werde ich bestricken können.«

Immer mehr fühlte Rudolf sich in einem dunklen Kreis gefangen. Auf einem Reviergange ließ er sich von dem alten Andrees den als Ehemann aus der Anstalt zurückgekehrten jungen Holzschläger zeigen: es war ein gesund ausschauender robuster Bursche; nur in seinen Augen war noch etwas wie ein stumpfes Überhinsehen. Rudolf beobachtete ihn lange, wie er unter den anderen die Axt mit seinen starken Armen schwang; dann ging er fort, ohne ein Wort an ihn zu richten. Aber schon am folgenden Tage stand er, er wußte selbst nicht wie, an demselben Platze unter den Holzschlägern; der Mensch hatte eine unheimliche Anziehungskraft für ihn gewonnen.

Plötzlich wandte er sich ab; es trieb ihn mit Gewalt nach Hause, er mußte und wenn auch nur einen Blick in die klaren Augen seines Weibes tun. Aber er brauchte nicht so weit zu gehen; als er in den Fahrweg einbog, der durch den Wald führte, kam sie ihm entgegen. »Anna!« rief er und schloß sie in seine Arme.

»Ja, da bin ich, Rudolf; so auf gut Glück bin ich dir nachgelaufen.«

Und langsam erhob sie ihre Augen zu den seinen; es war, als ob sie recht tief in ihnen lesen wollte.

»Was hast du, Liebste?« frug er.

»Dich!« erwiderte sie zärtlich.

»Sonst nichts?«

»Doch; noch einen Einfall!« und sie nickte lächelnd zu ihm auf.

»Laß hören!« sagte er zerstreut; er war in ihren liebevollen Augen ganz verloren.

»Ja, weißt du, Rudolf – aber du darfst mich nicht so ansehen, sonst hörst du doch nicht –, ich war im Schuppen, wo das Kabriolett steht; es ist ja morgen Sonntag; wollen wir nicht zu Bernhard fahren? Auf unserer Hochzeit haben wir es ihm so fest versprochen! Du mußt einmal hinaus, und auch ich möchte gern die kleine Julie wiedersehen; ich glaube«, fügte sie lächelnd bei, »sie hat dich damals mir wohl nur so kaum gegönnt.«

Rudolf blickte noch immer auf seine Frau, aber seine Augen schienen ohne Sehkraft. Zu Bernhard – jetzt zu Bernhard! Warum überfiel es ihn plötzlich, als habe er kein Recht auf dieses Weib, das doch sein eigen war, deren jugendlichen Leib er jetzt, in diesem Augenblick, in seinen Armen hielt? Die Worte seiner Mutter klangen ihm wieder vor den Ohren: wenn Bernhard auch nur um eine Stunde ihm zuvorgekommen wäre!

»Rudolf, lieber Mann!« sagte Anna leise. Aber er schloß nur seine Arme fester um sie; seine Gedanken ließen ihn nicht los. Was würde werden, wenn ihn ein Unfall, wenn der Tod ihn fortnähme? – Er richtete sich straff empor, als müsse er das Bild, das seine Augen sahen, überwachsen; aber es wurde nicht anders, und er sagte es sich dennoch: über seinem Grabe würde jener um sie werben, und Anna – würde Anna widerstehen?

Eine nie empfundene Leidenschaft für sein schönes Weib ergriff ihn; es drängte ihn, sich vor sie hinzuwerfen, es ihr zu entreißen, daß seine Gedanken ein Frevel an ihrer Liebe seien, daß das niemals, nie geschehen könne. Aber es war etwas, das seinen Mund verschloß; etwas, das er verschuldet hatte, das nicht wieder gutzumachen war.

Demütig löste er die Arme von ihrem jungen Leibe; sie aber zog sein Haupt zu sich herab und küßte ihn. »Lassen wir es!« sagte sie freundlich, »es wird noch mehr der schönen Tage geben, eh' der Winter kommt.«

Er ergriff eine ihrer Hände, drückte sie heftig und ließ sie wieder: »Ja, Anna; später – später einmal; ich habe morgen auch den ganzen Tag besetzt.«

Sie hing sich an seinen Arm, und während sie aus dem Walde und an dessen Rand entlang nach Hause gingen, suchte sie den beklommenen Atem ihrer Brust zu meistern und über die kleinen Dinge ihres Tagewerks mit ihm zu plaudern.

Das Jahr rückte weiter: der erste Blätterfall begann schon hie und da den Wald zu lichten; Schwärme von Vögeln, deren Stimmen man nur im Herbst zu hören pflegt, zogen hoch unter den Wolken dahin oder fielen rauschend in die Büsche und flogen weiter, wenn sie an den roten oder schwarzen Beeren sich gesättigt hatten; auch an der Eiche, die das Dach des Försterhauses beschattete, begannen sich die Blätter bunt zu färben.

Auf dem herrschaftlichen Schlosse hatte inzwischen der Graf noch eine neue Arbeit für seinen jungen Förster ausgesonnen: die große Wildnis sollte endlich wieder in ordnungsgemäße Kultur genommen, ein daranstoßender Sumpf trockengelegt und dann bepflanzt werden; oberflächliche Vermessungen, so gut es hier und bei der treibenden Eile des Grafen geschehen konnte, waren bereits vorgenommen worden; nun galt es, Karten zu entwerfen und Kosten- und wer weiß was sonst für Anschläge auszuarbeiten und in kürzester Frist dem stets ungeduldigen Gebieter vorzulegen. Aber Rudolf konnte seinen Gedanken nicht mehr wehren, immer ihren eigenen dunklen Wegen zuzustreben, und so rückte trotz seines Fleißes alles doch nur mühsam weiter. Schon ein paarmal war es darüber zwischen ihm und dem Grafen zur Erörterung gekommen, und in seinem Hirn begann ein Brüten, wie er allen dem entrinnen möge. Sein geliebtes Klavier stand trotz Annas Bitten seit Monden unberührt; die Kunst, welche auch in ihren düstersten Abgründen nach dem Lichte ringt, durfte nichts von dem erfahren, was in ihm wie unter schwerem Stein begraben lag.

– – An einem Fußsteig, welcher in der Richtung vom Schlosse her durch den Wald führte, lag oder stand vielmehr zwischen zwei Erdauf-

würfen eingeklemmt ein roher, aber mächtiger Granitblock; wie angenommen wurde, ein Grenzstein aus einem nicht allzu fernen Jahrhundert; denn nach der Seite des Steiges hin waren auf der bemoosten
Oberfläche einige von den kürzeren Runenzeilen sichtbar, welche in
heutiger Sprache heißen sollten: »Bis hierher; niemals weiter.«

An diesem Orte, gegen die Rückseite des Steines gelehnt, saß eines
Vormittags der junge Förster. Er hatte die von Anna ihm mitgegebe-
nen Brotschnitte aus seiner Jagdtasche genommen; aber er aß nur einen kleinen Teil davon, das übrige brach er in kleine Brocken und
streute es um sich her; die Vögel würden es schon finden.

Vor ihm breitete sich eine junge Birkenschonung aus; auf einer ab-
gestorbenen Eiche, die ihm gegenüber hoch daraus hervorragte, saß
ein alter Kolkrabe, der hüpfend und flügelspreizend an dem Halbteil
eines jungen Hasen zehrte. Ohne Anteil, wie ohne Anreiz, sah Rudolf
diesem Treiben zu; der Räuber hatte nichts von ihm zu fürchten. Plötzlich wandte er den Kopf; der Laut von Stimmen, die wie im Gespräche
miteinander wechselten, war an sein Ohr gedrungen; und jetzt, in
der Richtung vom Schlosse her, näherten sich auch Schritte auf dem
Fußsteige, welcher durch den älteren Bestand des Waldes hier vor-
beiführte. Rudolf hatte bereits die Stimme des Grafen erkannt; die andere mochte dessen Schwiegervater, dem alten General, gehören, der
vor einigen Tagen zum Besuch gekommen war. Er wollte aufstehen
und sich unbemerkt entfernen; aber ein Wort, das er deutlich genug
vernahm, bannte ihn noch an seine Stelle. »Dein junger Förster«, sagte die ältere Stimme, »soll ja ein liebenswürdiger Mann sein; auch von
passabler Familie, wie es heißt.«

Eine Antwort des Grafen vernahm Rudolf nicht; sie mochte nur in
einer bezeichnenden Gebärde bestanden haben; denn nach einer Pause hörte er den anderen wieder sagen: »Du scheinst nicht beizustim-
men; nun, ich hörte auch nur so.«

»O doch«, kam jetzt des Grafen Stimme; »er schien sich anfangs
auch gut anzulassen; aber seit ein paar Monaten – weißt du, ich sehe
jetzt; Papa: ein guter Mann, aber ein schlechter Musikant!«

Der alte Herr lachte behaglich: »Und ich dachte, daß gerade die Musik zu seinen Liebenswürdigkeiten zählte!«

»Ja, ja, das ist nun schon, Papa; er spielt Chopin und hat Jean Paul gelesen, aber das alles hilft nur nicht.« Das übrige ging dem Lauschenden verloren, die Herren waren eben hinter den Erdhügel getreten, in dessen Mitte sich der Stein befand. Rudolf schloß die Augen; er mußte ja gleich ein Weiteres vernehmen, sobald die beiden auf dem Steige fortgingen; aber es blieb noch immer still, nur das Klopfen seines Herzens wurde immer lauter, fast, dachte er, könne es ihn verraten. Dann wieder war ihm doch, als ob er sprechen höre; weshalb setzten denn die Herren ihren Weg nicht fort? Studierten sie die Runen auf dem Felsblock, oder waren sie nur in näherer Erörterung ihres Gesprächsstoffes stehengeblieben? Alle peinlichen Augenblicke seines kurzen Amtslebens tauchten in schroffen Umrissen vor ihm auf, und ihm war auf einmal, als höre er das alles von der überlegenen Stimme des Grafen punktweise auseinandersetzen.

Er schüttelte sich, er wußte ja, daß das nur Täuschung sei. Aber jetzt kamen die Schritte wirklich auf der anderen Seite des Hügels hervor; der alte Herr schien zuletzt gesprochen zu haben, denn der Graf antwortete, und laut genug, daß der junge Förster jedes Wort verstehen konnte: »Sie haben recht, Papa, aber – *passons là-dessus!* Der Vater hatte auch so seine Talente, konnte Klavier spielen und Walzer komponieren, er war mein Schulkamerad, und Sie wissen, man sollte es nicht, aber – *enfin,* man trägt doch immer wieder der Vergangenheit Rechnung.«

Es trat eine Stille ein, und die Schritte der Herren entfernten sich, bis sie allmählich unhörbar wurden.

Der unglückliche Lauscher nickte düster vor sich hin: »Bis hierher, niemals weiter!« Der ihm bekannte Inhalt der Runenzeilen kam ihm immer wieder. Sollte der alte Stein auch noch den jetzt Lebenden die Grenze weisen? – Da fiel sein Auge auf die abgestorbene Eiche, wo noch immer, hüpfend und flügelspreizend, der Rabe an dem toten Hasen fraß und zupfte. Hastig, wie in gewaltsamer Befreiung, sprang er auf und griff nach seiner Büchse. Ein Druck noch, ein Knall – »Niemals weiter!« schrie er, und der mächtige Vogel samt seiner Beute stürzte polternd durch die dürren Äste. Dann, ohne sich nach seinem Opfer umzusehen oder seine Büchse neu zu laden, wandte er sich ab und schritt seitwärts tiefer in den Wald hinein. – –

Lange hatte Anna auf ihn warten müssen; jetzt saß er wie abwesend

neben ihr am Mittagstische, der frische Knall, womit er den Raben nie-
derschoß, war längst verhallt; nur die Reden der beiden Herren vom
Schlosse waren in voller Schärfe noch vor seinen Ohren. Das junge
Weib beobachtete ihn verstohlen, und ein paarmal zuckten ihre Lippen, als ob sie reden wolle, aber sie fühlte wohl, sie durfte heute nur
schweigend ihm zur Seite bleiben.

Gleich nach Mittag ließ er seinen Rappen satteln. »Willst du schon
wieder fort?« rief Anna fast erschrocken und hing sich wie eine Last
an seinen Arm.

Ja, er müsse fort; in der letzten Sturmesnacht, drüben bei den äußersten Parzellen, seien Windbrüche in den Eichenschlag gefallen.

»So reite morgen!« bat sie, »der Schaden wird ja darum nicht größer
werden!«

»Morgen? Morgen ist wieder anderes da.«

Er blickte sie nicht an; er stand wie ein Gefesselter, der ungeduldig
auf Befreiung wartet, aber sie klammerte sich nur fester an ihn. »Ich
bin wohl töricht«, sagte sie, »aber mir ist so bange deinetwegen! Rudolf, lieber Mann, bleib bei mir, laß mich nur heute nicht allein!« Und
da er unbeweglich blieb, legte sie die Hand an seine Wange, daß er die
Augen zu ihr wenden mußte. »Du siehst so finster aus, du hörst mich
nicht!«

Wohl hörte er sie; aber was sollte ihm die schöne Lebensfülle, die
aus dieser Stimme ihm entgegendrängte? Wie eine Todesangst vertrieb
es ihn aus der geliebten Nähe.

Hastig bückte er sich und berührte mit seinen Lippen flüchtig ihre
Wange: »Laß mich jetzt, ich komme ja zu Abend wieder!«

Er stand schon vor der Haustür, wo die Magd das Pferd am Zügel
hielt, während Anna noch seine Hand gefaßt hatte. Plötzlich riß er sich
los, nickte noch einmal nach ihr zurück und ritt davon.

Aber es war bald nur noch der Rappe, welcher sich die Wege suchte; ob sie zu den Windbrüchen in den Eichen führten, was kümmerte
das den Reiter! –

Von der Treppenstufe vor der Haustür hatte Anna ihm nachgeblickt,
solange ihre Augen ihn erreichen konnten; dann griff sie über sich und
legte ihre Hand um einen Ast der Eiche, welche hier ihr dichtestes
Gezweige wölbte. So blieb sie stehen, die Wange gegen den eigenen

schlanken Arm gepreßt, ihre Augen füllten sich mit Tränen, ein Schluchzen drängte sich herauf, das sie nun nicht zurückhielt. Was sollte sie beginnen? – Sie hatte nicht den Mut verloren, sie wußte, sie durfte ihn nicht verlieren; nur nachts, wenn er in schwerem Schlummer stöhnte, hatte sie wohl in jähem Schreck sich über ihn geworfen; sonst, sie meinte doch, hatte sie tapfer ihre Angst hinabgeschluckt. – Was hatte es ihr geholfen?

Über ihr ging ein Lufthauch durch den Baum, und ein Regen gelber Blätter wirbelte zu Boden; da gedachte sie der Fahrt zu Bernhard, die sie Rudolf neulich vorgeschlagen hatte; die letzten schönen Tage schienen jetzt gekommen. Aber plötzlich, und sie schrak jäh in sich zusammen, kreuzte schon ein anderes ihre grübelnden Gedanken. Sollte es Eifersucht auf Bernhard sein? – Unmöglich! – Aber dennoch; Rudolfs seltsames Gebaren war dann auf einmal zu erklären.

Noch einige Augenblicke blieb sie sinnend stehen; eine Hoffnung, ein mutiges Lächeln verklärte ihr junges Antlitz: sie meinte endlich dem unbekannten Feinde Aug' in Aug' zu schauen. Dazu, in nächster Zeit, erwarteten sie den Besuch von Rudolfs Mutter; war auch die Frau Forstjunker ihr selbst noch immer eine Fremde, sie liebte, sie kannte ihren Sohn seit seinem ersten Schrei: mit ihr im Bunde wollte Anna den Feind bekämpfen.

Ihre Hand ließ den Ast, den sie so lange umfaßt gehalten hatte, fahren; dann, ihr blondes Haar zurückschüttelnd, ging sie mit kräftigen Schritten in das Haus zurück. – –

Der Nachmittag verging, das Forsthaus und die alte Eiche glühten im Abendschein; dann kam die Dämmerung; dann hinter dem Walde stieg der Mond empor und warf seinen bläulichen Schimmer auf den leeren Platz am Hause; aber Rudolf war noch nicht zurück.

Wieder, wie am Vormittage, saß Anna wartend im Wohnzimmer, nur brannte jetzt die Lampe, und es war noch stiller um sie her. Mitunter sprang sie auf, und ihre Arbeit hinwerfend, trat sie ans Fenster und drückte das Ohr gegen eine der Glasscheiben, dann plötzlich lief sie vor die Haustür; aber nur die Eulen mit ihrer Brut schrien vom Walde herüber; auch einmal im Stalle hinten hatte der Hahn geträumt und krähte dreimal in die Nacht hinaus. Und wieder saß sie drinnen bei ihrer Arbeit, der eine Fuß nur auf der Spitze ruhend, das Haupt halb abgewandt, wie in die Ferne lauschend. Da, das war keine Täuschung, scholl es vom Weg herauf; das war der Hufschlag ihres Rappen, und näher und näher kam es. Sie war nicht aufgesprungen; langsam und wie vorsichtig, um keinen Laut von draußen zu verlieren, hatte sie sich aufgerichtet. »Rudolf!« rief sie, und endlich, im dunklen Hausflur, hielt sie ihn umfangen. »Gott Dank, daß ich dich wiederhabe!«

Als sie aber drinnen beim Lampenschein in das verstörte Antlitz ihres Mannes sah, da ging sie aus dem Zimmer, als ob sie draußen im Hause etwas Eiliges zu beschaffen habe; dann nach einer Weile kehrte sie anscheinend ruhig zurück.

Bei ihrem Eintritt kam Rudolf ihr entgegen; er wollte nach seinem Zimmer; es seien noch Sachen, die er bis morgen fertigstellen müsse.

»Aber du willst doch erst zu Abend essen?« Und sie zog ihn an den schon längst gedeckten Tisch.

Er nahm auch einige Bissen. Dann stand er auf. »Laß dich nicht stören, ich muß machen, daß ich an die Arbeit komme!«

Ein schmerzliches Zucken flog um ihren Mund; aber sie suchte ihn nicht aufzuhalten. »Um zehn Uhr komm' ich zu dir!« rief sie ihm freundlich nach, als er hinausging.

Die Arbeiten, von denen er gesprochen hatte, waren kein bloßer Vorwand, am folgenden Morgen hatte er sie dem Grafen persönlich zu überreichen. Auch saß er in seinem Zimmer bald darauf am Schreibtisch; er sagte sich, das müsse noch beseitigt werden, und suchte gewaltsam, und bis das Hirn ihn schmerzte, seine Gedanken festzuhalten und auf einen Punkt zu drängen. Aber die Feder berührte meist nur das Papier, um das Geschriebene gleich wieder fortzustreichen; so ging es eine Weile, endlich sah er, daß er sie zerbrochen hatte. »Schlechte Musikanten!« murmelte er vor sich hin. »Der Graf hatte recht: es geht nicht mehr, aber – weshalb denn geht es nicht?«

Da stand die rußige Gestalt des Schmiedes vor ihm; so dicht, die stierenden Augen und das verzerrte Antlitz lagen fast an dem seinen; ein leises höhnisches Gelächter fuhr ihm kitzelnd in die Ohren: »Dreizehn Jahre? – Es kann auch früher kommen!«

Deutlich hatte er das sprechen hören! Er fühlte, wie sich das Haar auf seinem Haupte sträubte. Aber er hörte noch mehr: es jammerte, es wimmelte um ihn her; er war aufgesprungen und schlug mit beiden

Armen um sich: »Fort!« schrie er; »fort, Gespenster!« Aber er war doch nicht mehr allein in seinem Zimmer; die Geschöpfe seines Hirnes waren mit ihm da und wichen nicht. Mit heftigen Schritten ging er auf und ab, hastig bald links, bald rechts die Blicke werfend; der Schweiß war in großen Perlen ihm auf die Stirn getreten. Plötzlich machte er eine ausweichende Bewegung: »Der Hund!« sagte er leise. »Noch nicht! Ich warte nicht auf dich.«

Da schlug es zehn von der Wanduhr, und vom anderen Ende des Hauses hörte er die Tür des Wohnzimmers gehen. Das war Anna; schon hörte er ihre Schritte auf dem Hausflur. Er blieb stehen und blickte um sich her: die Lampe brannte hell und warf ihren Schein in alle Winkel; es war alles ganz gewöhnlich.

Als Anna dann gleich darauf ins Zimmer trat, saß er wieder an seinem Schreibtische.

»Bist du bald fertig?« frug sie, die Hand auf seine Schulter legend; »ich weiß nicht, aber die Augen sind mir heute so schwer.«

Er sah nicht auf. »Ich denke; vielleicht ein halbes Stündchen noch.«

Und wie in den vorigen Nächten setzte sie sich still mit ihrer Arbeit neben ihn. Aber immer langsamer regten sich die schlanken Finger, und die halbe Stunde war noch nicht verflossen, da rückte sie ihren Stuhl dicht an den seinen, und von Müdigkeit überwältigt, sank ihr Haupt auf seine Schulter.

Behutsam, damit sie sicher ruhen könne, legte er den Arm um sie; und als die halbgeöffneten Lippen des jungen Weibes sich bald in gleichmäßigen leisen Atemzügen ihm entgegenhoben, da neigte er sich unwillkürlich zu ihr, um sie zu küssen. Aber es kam nicht dazu; wie in plötzlicher Erstarrung richtete er sich auf und griff mit der freigebliebenen Hand nach der vorhin fortgelegten Feder. Nein, nein, das war vorüber; die Arbeit, die da vor ihm lag, die mußte noch zu Ende!

Er begann auch wirklich bald zu schreiben, und der fast leere Bogen füllte sich bis auf die Hälfte; dann aber, während er grübelnd darauf hinstarrte, verloren sich die Buchstaben in verworrenes Gekritzel. Allmählich jedoch schien wieder eine bestimmte Vorstellung Platz zu greifen. Der Umriß eines menschlichen Schädels trat deutlich genug hervor; aus einem Tintenklex daneben wurde eine spinnenartige Ungestalt, die immer mehr und längere Arme nach dem Schädel streckte;

nur statt des Spinnen- war es ein Hundskopf, der sich wie gierig aus dem dicken Leib hervordrängte.

Aber mit wie großer Emsigkeit auch Rudolf diese seltsame Arbeit zu betreiben schien, sie war doch nur der Punkt, von welchem aus seine Gedanken sich ihre finsteren Gänge wühlten. Er hatte eben die Feder fortgeworfen, als Anna nach einem tiefen Atemzuge die Augen aufschlug. »Du, Rudolf?« und wie ein erstauntes Kind blickte sie um sich her. »Aber du arbeitest nicht mehr, weshalb sind wir nicht zu Bett gegangen?«

Seine überwachten Augen sahen sie an, als habe er keine Antwort auf diese einfache Frage.

»Du schliefst«, sagte er endlich, »ich mochte dich nicht wecken.«

Sie wollte sich aufrichten, als ihr Blick auf das Papier fiel, worauf er eben jene symbolische Zeichnung hingeschrieben hatte. »Was ist das?« rief sie. »Was hast du da gemacht? Ein Totenkopf!«

Seine Lippen zitterten, als ob sie mit noch ungesprochenen Worten kämpften. »Nein, nein,« sagte er; »das nicht, so war es nicht gemeint.«

Anna sah ihn ängstlich an: »Weshalb nimmst du deinen Arm fort, Rudolf? Du hältst mich jetzt so selten nur in deinem Arm!«

Er riß sie heftig an sich, und noch einmal sank ihr Kopf an seine Schulter; wie in Angst, als ob sie ihm entschwinden könnte, umschloß er sie mit beiden Armen. So saßen sie lange; nur die Atemzüge des einen waren dem anderen hörbar. »Anna!« kam es zuerst dann über seine Lippen.

»Ja, Rudolf?«

»Was meinst du, Anna« – aber es war, als würde er nur mühsam seiner Worte Herr – »ich dächte, wir könnten morgen wohl zu Bernhard fahren?«

»Zu Bernhard?« Sie hatte sich losgewunden, das Kartenhaus, das sie sich mit so viel Sorge aufgebaut hatte, drohte einzustürzen: Rudolf war nicht eifersüchtig! Oder – als ob sie alles um sich her vergesse, stand sie vor ihm – sollte es mit dieser Reise eine Liebesprobe gelten?

Wie auf sich selber scheltend, schüttelte sie zugleich das Haupt; aber sie mühte sich umsonst, ein anderes zu ergrübeln; der Ton seiner Stimme war nicht gewesen, als ob er sie zu einer Lustreise hätte auffordern wollen.

Und jetzt hörte sie dieselbe Stimme wieder: »Du antwortest mir nicht, Anna!«

Sie warf sich vor ihm nieder: »Rudolf, geliebter Mann! Wann und wohin du willst!« Ein leuchtender Strom brach aus den blauen Augen, und die jungen Arme streckten sich ihm entgegen.

Aber nur eine kalte Hand legte sich auf ihr Haupt, das flehend zu ihm aufsah: »So laß uns versuchen, ob wir schlafen können.«

Am anderen Morgen saß Rudolf schon wieder früh am Schreibtisch, seine Feder flog, die halbfertigen Arbeiten wurden rasch vollendet, ebenso rasch mußte der Schreiber sie kopieren. Inzwischen ordnete er selbst, was an Schriften und Karten sich auf Tisch und Stühlen in den letzten Tagen angehäuft hatte; oftmals warf er einen Blick auf die Wanduhr, um dann wieder in stummem, düsterem Vorwärtsdrängen seine Arbeit fortzusetzen.

Als es acht geschlagen hatte, nahm er die von dem Schreiber fertiggestellten Schriften und machte sich auf den Weg zum Schlosse. Im Zimmer des Grafen, der in anderen Arbeiten saß, gab er auf die hastig hingeworfenen Fragen rasch und knappe Auskunft; es schien ihm wenig daran gelegen, ob seine Meinung Beifall finde.

Der Graf sah seinem Förster in das blasse Gesicht, und als dieser nach einem längeren geschäftlichen Gespräche fortgegangen war, blickte er noch eine Weile gegen die Tür, bevor er sich wieder zu der vorhin verlassenen Arbeit wandte. –

– – Nachdem das junge Ehepaar zeitig sein Mittagsmahl eingenommen hatte, wurde der Einspänner aus dem Schuppen gezogen und der Rappe in die Deichsel gespannt. Wohl eine Stunde lang fuhren sie am Rande der gräflichen Waldungen; wieder, wie tags vorher, stand die goldene Septembersonne am Himmel, und der stärkende Duft des herbstlichen Blätterfalles erfüllte die Luft um sie her.

Nach einer weiteren Stunde sahen sie den Gutshof liegen; als sie in eine kurze Allee von Silberpappeln einbogen, lag am Ende derselben, durch einen sonnenhellen Raum davon getrennt, das Wohnhaus vor ihnen.

»Da ist schon Bernhard!« sagte Anna und wies auf eine kräftige Gestalt, welche neben der Haustür stand und, die Augen mit der Hand beschattend, dem ankommenden Gefährt entgegensah.

Rudolf nickte nur, und Anna sah es nicht, daß seine Hände sich wie in verbissenem Schmerz zusammenballten; nur das Pferd, das er am Zügel hielt, empfand es und bäumte sich in seiner Deichsel.

Als der Wagen vor dem Hause anfuhr, war das verschwunden. »Da sind wir endlich!« sagte er, Bernhard die Hand entgegenstreckend.

Bernhard sah ein wenig überrascht, fast verlegen aus; aber auch das verlor sich gleich. »Seid willkommen, du und Anna!« sagte er herzlich. »Ich erkannte euch erst, als ihr hier in den Sonnenschein hinausfuhrt.«

Nun kam auch Julie aus dem Hause, und die Begrüßung wurde lebhafter; und als man erst drinnen um den blinkenden Kaffeetisch der jungen Wirtin saß, geriet auch ohne die Männer sogleich die Unterhaltung, denn das Geschwisterpaar war kürzlich in Annas Elternhause auf Besuch gewesen, und diese hatte fast noch mehr zu fragen, als jene zu berichten. Nach beendetem Kaffee drang Rudolf auf einen Spaziergang durch die Gutsflur, die zwar seiner Frau, aber ihm noch nicht bekannt sei. Anna wollte eben ihren Arm in den der Freundin legen, als sie Rudolf sagen hörte: »Du, Bernhard, nimmst dich meiner Frau wohl an; Fräulein Julie wird mit mir sich plagen müssen; übrigens« – und er wandte sich zu dieser –, »ich verspreche, heute nicht zu zanken.«

»Sie haben auch heute keine Ursache mehr«, entgegnete Julie leise und warf, plötzlich ernst geworden, einen liebevollen Blick auf ihren Bruder.

Dem jungen Förster war weder dieser Blick noch dessen Bedeutung entgangen; aber er nickte düster vor sich hin, als sei ihm das so recht, dann folgte er mit Bernhards Schwester den Vorausgehenden. Nachdem Haus und Garten und pflichtgemäß dann auch noch Keller und Scheune besichtigt waren, ging man ins Freie, zunächst über abgeheimste Weizenfelder, wo nur noch Scharen von Sperlingen oder mitunter ein Häuflein barfüßiger Kinder ihre Nachlese hielten. Anna mit ihrem zum Zerspringen vollen Herzen rief eins der kleinen Mädchen zu sich, und als es, nach einem ermunternden Worte Bernhards, langsam herangekommen war, zog sie ein blaues Seidentüchlein aus ihrer Tasche und band es, auf den Boden hinkniend, ihm sorgsam um sein Hälschen. Sie küßte das Kind und drückte es heftig an sich: »Behalt das von der fremden Frau!« sagte sie; »doch halt!« und sie sammelte ein Häuflein kleiner Münzen und drückte die Finger des Kinderfäustleins darum zusammen; dann, während der kleine Flachskopf ihnen stumm mit großen Augen nachsah, ging die Gesellschaft weiter.

Sie gingen wiederum gepaart wie damals auf Annas Heimatsflur, nur daß diese jetzt wiederholt den Kopf zurückwandte und erst, wenn sie einen Blick von Rudolf aufgefangen hatte, das Gespräch mit Bernhard fortsetzte, das ohnehin nicht recht in Fluß geraten wollte. Rudolf freilich beobachtete auch heute unablässig die Vorangehenden und wog bei sich den Ton in Bernhards und in seines Weibes Stimme; aber es war kein unruhiges Verlangen, nur ein leidvolles Entsagen sah aus seinen dunklen Augen.

»Sie wollten nicht zanken, Herr von Schlitz«, sagte neben ihm die Stimme seiner Partnerin; »aber Sie sind völlig stumm geworden.«

Er wollte eben ein höfliches Wort erwidern, als sie aus der Enge eines mit Hagebuchenhecken eingezäunten Weges heraustraten und nun vor einer weiten Moorfläche standen, auf der hie und da eingestürzte Torfhaufen zwischen blinkenden Wassertümpeln lagen. »Das haben die Gewitterregen uns verwaschen«, sagte Bernhard; »aber wir müssen umkehren, der Weg, der hier am Moor entlang führt, ist nicht für Damenschuhe eingerichtet.«

Rudolf war ein paar Schritte auf dem bezeichneten Wege fortgegangen. »Für uns Männer wird's schon taugen«, sagte er, sich zu Bernhard wendend; »die Damen werden uns entschuldigen; nicht deinen Torf, aber von deinen Jagdgründen möchte ich hier herum noch etwas sehen.«

»Wenn du willst«, meinte Bernhard; »aber es ist nicht viel damit.«

»Nun, so reden wir ein Stück mitsammen!«

Anna blickte ihn an: Was wollte Rudolf? Mit Bernhard allein sein? – Auf seinem Angesicht war nichts zu lesen; nur der beklommene Ton, den sie in seiner Stimme bemerkt zu haben glaubte, schien zu dem einfachen Inhalt seiner Worte nicht zu passen. Aber – es war ja Bernhard; was konnte zwischen ihm und Bernhard Übles denn geschehen! Wie ein Morgenschein leuchtete das Vertrauen zu ihrem Jugendfreunde auf ihrem schönen Antlitz; lächelnd nickte sie den beiden Männern nach, dann nahm sie Juliens Arm, um mit ihr den Rückweg anzutreten.

»Das ist die Rache«, sagte diese scherzend; »vor einem Jahre waren wir es, die sie im Stiche ließen.«

Aber Rudolf und Bernhard redeten nicht miteinander, und die Jagdgründe wurden weder besichtigt noch aufgesucht. Schon lange waren sie schweigend auf dem durch tiefe Wagenspuren zerrissenen Wege fortgegangen, beide die Augen nach der untergehenden Sonne gerichtet, die mit ihren letzten Strahlen das braune Heidekraut vergoldete. Eine Nachtschwalbe mit ihrem lautlosen Fluge huschte vor ihnen auf und duckte sich eine Strecke weiter vor ihnen auf den Weg, bis sie wiederum auch hier vertrieben wurde. »Weshalb«, begann endlich Bernhard, wie nur um überhaupt ein Wort zu sagen, »seid ihr nicht im Sommer zu uns gekommen, als die Heide blühte und das Korn geschnitten wurde? Deine Frau schrieb einmal darüber meiner Schwester, aber ihr kamt doch nicht.«

Rudolf, der neben ihm ging, blieb einen Schritt zurück. »Du weißt«, sagte er, »es war von beiden Seiten etwas zu verwinden.«

Der andere zuckte, und seine Hand zitterte, mit der er sich den starken Bart zur Seite strich: »Also Anna hat es dir mitgeteilt, daß ich so beschämt vor ihr gestanden?«

»Du meinst, sie sollte ein Geheimnis mit dir teilen!«

»Nicht das, Rudolf«, sagte Bernhard ruhig; »aber was nützte es dir, zu wissen, daß ich so viel ärmer bin als du?«

Rudolfs letzte Worte waren jäh herausgefahren; jetzt trat er wieder an Bernhards Seite: »Du kamst zu spät«, sagte er; »dasselbe hätte mir geschehen können; und – wenn es so gekommen wäre, ihr wäre dann wohl ein glücklicheres Los gefallen.«

Die lang bedachten Worte waren ausgesprochen; aber seine Stimme wankte, und seine Augen, mit denen er jetzt stehenbleibend den anderen anstarrte, waren wie versteint.

Bernhard sah ihn fast entsetzt an: »Mensch«, schrie er, »wie kannst du, der Glückliche, so etwas zu mir sprechen?«

Rudolf beantwortete diese Frage nicht. »Bernhard«, sagte er leise, »du liebst sie noch; gesteh es, daß du sie noch liebst!« Ein feindseliges Feuer brannte in seinen Augen, aber er drängte es mit Gewalt zurück.

Bernhard hatte nichts davon gemerkt; er sagte düster: »Du solltest doch der *letzte* sein, der daran rührte.«

»Nein, nein, Bernhard, du irrst! Sieh nicht auf mein Gesicht; aber glaub' es mir: es tut mir wohl, daß du sie liebst«; und er ergriff Bernhards beide Hände und drückte sie heftig; »nun weiß ich, du wirst sie nicht verlassen.«

Der andere erhob langsam das Haupt: »Was willst du, Rudolf? Weshalb bist du heute zu mir gekommen? – Gewiß, wenn Anna jemals meiner bedürfte; wenn deine Hand nicht mehr da wäre, ich würde Anna nicht verlassen, nicht – solang ich lebe.«

Rudolf hatte beide Hände vors Gesicht gedrückt. »Ich danke dir«, sagte er leise; »wollen wir jetzt zurückgehen?«

Es geschah so; und die grauen Schleier der Dämmerung breiteten sich immer dichter über Moor und Feld. Rudolf hatte seinen Zweck erreicht: was er bisher nur geglaubt hatte, war ihm jetzt Gewißheit; das übrige, er sagte es sich mit Schaudern, würde sich von selbst ergeben.

Auch Bernhard war in tiefem Sinnen neben ihm geschritten. »Aber«, begann er jetzt, nachdem sie vom Moore wieder zwischen die Felder hinausgelangt waren, »wie sind wir doch in ein solches Gespräch geraten? Du lebst und bist gesund – weshalb sollte Anna anderer Hilfe bedürfen?«

Rudolf hatte diese Frage erwartet, ja, er hatte sich künstlich darauf vorbereitet; jetzt, da sie wirklich an ihn herantrat, machte es ihn stutzen; ein Gefühl wie bei unredlichem Beginnen überkam ihn, es war schon recht, daß die zunehmende Dunkelheit sein Angesicht verdeckte. »Ich habe dir wohl schon davon gesprochen«, sagte er, »daß ich meinen Vater plötzlich durch einen frühen Tod verlor; es war ein Herzleiden; einem und dem anderen unserer Vorfahren ist es ebenso ergangen; allerlei Symptome waren vorausgegangen – ich war noch ein Kind; aber später hat meine Mutter mir es erzählt, in den letzten Monden hab' ich ganz dasselbe auch bei mir bemerkt; es geht mir nach, ich könnte auch plötzlich so hinweggenommen werden.«

Bernhard ergriff seine Hand, deren herzlichen Druck er nicht zu erwidern wagte: »Aber weshalb ziehst du nicht einen Arzt zu Rate, einen Spezialisten?«

»Ich tat es; neulich bei Gelegenheit meiner Geschäftsreise.«

»Und er hat dir keinen Trost gegeben?«

»Doch, was so die Ärzte schwatzen, aber ich weiß es besser.«

Noch einmal empfand er Bernhards Händedruck, in welchem alle Versicherung eines treuen Herzens lag.

– – Ein paar Stunden später befanden die Förstersleute sich wieder auf der Rückfahrt. Anna saß an ihres Mannes Seite, das Haupt geneigt, wie in Gedanken eingesponnen: Rudolf und Bernhard – ihr war es immer wieder, als sähe sie die beiden in der sinkenden Dämmerung an dem Moore entlang gehen; sie meinte die erregte Stimme ihres Mannes, die beschwichtigende ihres Jugendfreundes zu vernehmen; nur die Worte selbst – ja, wenn sie nur die Worte hätte hören können! Sie war ja jung, sie fürchtete sich nicht; nur wissen mußte sie, wo sie das Unheil fassen könne. Aber – auch Bernhard mußte ja von allem wissen; hatte doch auch er, der noch am Nachmittage wie in früherer Zeit mit ihr geplaudert hatte, beim Abendessen kaum ein Wort oder doch nur wie gezwungen zum Gespräche beigetragen! Einen Augenblick war's, als ständen ihr die Gedanken still, dann aber richtete sie sich mit einem tiefen Atemzuge auf; gleich morgen – sie wußte keinen anderen Ausweg – wollte sie an Bernhard schreiben. »Wo sind wir, Rudolf?« frug sie und sah mit klaren Augen um sich.

Rudolf schrak empor, als würde er aus schwerem Traum geweckt, und wieder, wie auf dem Hinwege, fuhr das Pferd in der Deichsel auf. Ein paar Schläge mit der Peitsche, dann wies er schweigend nach den Wäldern, die sich einige Büchsenschüsse weit zu ihrer Rechten gleich einem düsteren Wall entlang zogen. Darüber stand der volle Mond, der in der weichen Herbstnacht ein fast goldenes Licht über die schlafenden Fluren ausgoß. »Wie schön!« sagte Anna. »Ist das da drüben eure Wildnis? Armer Rudolf, die wird dir wohl noch viel zu schaffen machen!«

Er hatte den Kopf zu ihr gewandt; und er sah sie an, als ob er keine Antwort darauf habe. Sie bemerkte es nicht; das Tuch um ihre Schultern war herabgeglitten, und sie mühte sich, es wieder festzustecken. Als sein Blick auf ihre unverhüllte Hand fiel, deren schöne Form das milde Nachtgestirn mit seinem Licht verklärte, zuckte es um des Mannes Lippen, und seine Augen wurden wie vor Schmerz gerötet.

Der Weg zog sich dichter an die Wälder, und bald rollte der Wagen in ihrem Schatten; das Mondlicht fiel jetzt über sie hin auf die weiter seitwärts liegenden Wiesen; eine weidende Kuh brüllte ein paarmal von dort herüber. »Zu Hause!« sagte Anna, ihre Reisehüllen von sich streifend, »wir sind gleich zu Hause!«

Als bald darauf der Wagen anhielt, trat von der Haustreppe die Magd in augenscheinlicher Hast heran: die Frau Forstjunkerin sei abends angekommen, aber vor einer Stunde schon zur Ruh' gegangen; Frau Försterin möge sich nur ganz beruhigen. Sie hätten ihr, der Magd, den Speisekammerschlüssel ja gelassen, es habe der gnädigen Frau an nichts gefehlt.

Rudolf, der schon neben dem Wagen stand, war totenbleich geworden; wäre der Schatten des Hauses nicht gewesen, so hätte Anna es gewahren müssen. »Jetzt schon!« kam es kaum hörbar über seine Lippen; dann hob er das junge Weib herab und sagte laut: »So muß ich morgen früh heraus!«

»Morgen, Rudolf? Aber du bist dann zeitig doch zurück?«

Er war schon in das Haus getreten, und Anna folgte mit der Magd, den Kopf jetzt voll Gedanken an die Gegenwart der Mutter, deren Beistand sie nicht mehr in Rechnung nahm.

Es war noch dunkel, als vor Anbruch des Morgens neben dem Bette der schlummernden jungen Frau sich ein schweres, überwachtes Haupt aus den Kissen hob. Bald darauf – ein dichter Nebel draußen machte die erste Dämmerung noch fast zur Nacht – trat Rudolf leisen Schrittes in sein Zimmer; tastend, mit unsicherer Hand, zündete er die auf dem Tische stehende Lampe an, bei deren Scheine jetzt sein blasses Antlitz mit den brennenden Augen aus dem Dunkel trat.

Nachdem er die Klappe des am Fenster stehenden kleinen Pultes aufgeschlossen und eine Lage Papier herausgenommen hatte, setzte er sich daneben an den Tisch und begann zu schreiben. Eine amtliche Arbeit schien es nicht zu sein, denn er hatte weder Pläne noch Rechnungen dabei zugezogen. Mitunter stützte er den Kopf, und ein tiefes Stöhnen übertönte das einförmige Geräusch der rastlos fortschreibenden Feder; dann fuhr er wohl empor und blickte hastig um sich und wandte das Ohr nach der Richtung des vorhin verlassenen Schlafgemaches; aber nichts rührte sich in dem stillen Hause: Anna mußte von der gestrigen Reise sehr ermüdet sein, sogar die Magd schien sich heute zu verschlafen; und schon begann ein graues Morgendämmern vor den unverhangenen Fenstern.

Endlich stand er auf, hob wiederum die Klappe des Pultes und legte das Geschriebene hinein. Aber es war ihm das nicht gleich gelungen, denn seine Hand zitterte jetzt so stark, daß er sie an dem eisernen Überfall des Schlosses blutig gestoßen hatte. Ein kurzes Bedenken noch; dann nahm er seine beste Kugelbüchse aus dem Gewehrschranke und lud sie sorgsam. Er hatte sie umgehangen und war schon aus der Tür getreten, als er noch einmal umkehrte. Auch die Jagdtasche nahm er noch vom Haken und hing sie behutsam über seine Schulter; vielleicht entsann er sich, daß vor dem Schlafengehen Annas Hände ihm das Frühstück für den angekündigten Morgengang bereitet und dahineingesteckt hatten. Eine Weile noch stand er, die Finger um die Lehne eines Stuhles geklammert; dann ging er.

Er ging über die Wiesen an dem Wald entlang; der Nebel stand noch dicht über den Feldern und zwischen den Bäumen; von den Zweigen fielen schwere Tropfen auf ihn herab. Als er in den durch die Holzung führenden Fahrweg eingebogen und eine Strecke darauf fortgegangen war, hörte er Schritte sich entgegenkommen, und bald auch erkannte er aus dem Nebel einen Mann, welcher, den Kopf voraus und mit den Armen mächtig um sich fechtend, eifrig vor sich hinredete, als ob er ein wichtiges Erzählen vor sich habe.

Rudolf, der einen der Holzschläger erkannt hatte, wollte rasch vorübergehen; aber der andere hob jetzt den Kopf: »Ah so, der Herr Förster!« rief er, die Mütze herunterreißend. »Ich soll aufs Schloß zum Herrn Inspektor; ist wieder der Teufel los mit dem Klaus Peters; die anderen kamen aber eben recht, daß wir ihn binden konnten!«

Rudolf blieb stehen und starrte den Sprecher an; Klaus Peters war der junge Arbeiter, der als Ehemann aus dem Irrenhaus zurückgekehrt war. Der andere aber begann jetzt wieder sein Fechten mit den Armen: »Immer um die Kate herum, Herr Förster«, rief er, »und das die Holzaxt in der Faust; und die Frau rannte vor ihm auf und schrie Zetermordio, daß wir's in unseren Betten hören konnten! Es wird nicht helfen, der Herr Graf mögen nur recht weit den Beutel auftun, denn zum andernmal kommt er wohl nicht zurück, wenn sie ihn erst wieder sicher in der Anstalt haben.«

Der alte Holzschläger, während er nach einem Endchen Rolltabak in seiner Tasche suchte, wartete vergebens auf eine Beifallsäußerung seines Vorgesetzten. »So, so?« sagte dieser endlich, ohne daß sich anderes als nur die Lippen an ihm zu regen schien; »ja, da muß zeitig Rat geschafft werden.«

Dann wandte er sich plötzlich und schritt auf einem Seitenwege in den Wald hinein, wo er den Blicken des verwundert Nachschauenden bald entschwunden war.

– – Kurz ehe dies im Walde geschah, hatte im Forsthause auch die junge Frau sich aus dem Schlaf erhoben; erschrocken, daß schon der graue Tag ins Fenster sah, warf sie rasch die Kleider über; sie hatte ja noch an Bernhard schreiben wollen, ehe die Mama das Bett verließe. Als sie aber mit ihrem Schlüsselkörbchen auf den Flur hinaustrat, kam Frau von Schlitz ihr in fertigem Morgenanzug schon entgegen.

»Mama!« rief Anna überrascht; »willkommen bei uns! Aber so früh? Sie müssen schlecht geschlafen haben?« Frau von Schlitz hatte freilich schlecht geschlafen; es war nicht nur die Mißstimmung über die Abwesenheit des Ehepaares bei ihrer Ankunft; aber aus den Briefen beider hatte sie leicht herausgefunden, daß ihre Erwartungen von dieser Ehe sich keineswegs erfüllt hatten. Doch äußerte sie nichts dergleichen, sondern sagte nur: »Ich bin keine Langschläferin, mein Kind!« Aber Anna wurde fast verlegen unter dem strengen Blick, von welchem dieses Wort begleitet wurde. »Und wo ist denn mein Sohn?« begann Frau von Schlitz wieder. »Ich suchte ihn schon vergebens in eurem Wohnzimmer.«

»Ich fürchte, Mama, er wird schon seinen Reviergang angetreten haben.«

»Heute? Er wußte doch von meiner Ankunft?«

»Gewiß; aber er hat wohl nicht gedacht, daß Mama so früh schon auf sein würden.«

»Laß uns nach seinem Zimmer gehen, Kleine!« sagte Frau von Schlitz und schritt sogleich den dahinführenden Gang hinab. Von Anna gefolgt, öffnete sie die Tür, aber es war niemand in dem Zimmer. »Zürnen Sie ihm nicht, Mama«, bat die junge Frau; »er wird nun desto früher wieder da sein!«

Aber die Ältere, die mit raschen Blicken alles um sich her gemustert hatte, wies mit ausgestrecktem Finger nach dem kleinen Pult am Fenster: »Dort steckt ja noch der Schlüsselbund; das ist doch nicht die Ordnung, die ich meinen Sohn gelehrt hatte!«

Anna erschrak; das war auch jetzt nicht Rudolfs Weise. »So muß er noch nicht fort sein!« sagte sie beklommen und trat hinzu, um den Schlüssel abzuziehen. Aber als sie mit der Hand die Klappe faßte, gab diese ohne Widerstand dem Drucke nach; der Schlüssel war nicht einmal umgedreht.

In unbewußtem Antrieb hatte Anna sie jetzt völlig aufgehoben; doch nur ein paar Sekunden lang blickte sie hinein, dann schlug die Klappe zu, und wie ein Schrei brach der Name »Rudolf!« über ihre Lippen. Sie hatte nur die ersten Worte einer Schrift gelesen, welche obenauf im Pulte lag; jetzt hielt sie sie mit ihren beiden Händen. Sie stand hoch aufgerichtet; ihre Augen, starr wie Edelsteine, aber leuchtend, als ob sie ihren letzten Glanz versprühen sollten, flogen über die sichtbar am Morgen erst geschriebenen Zeilen.

Es war ein Abschiedsbrief, den Rudolf hinterlassen hatte, ein Bekenntnis, daß er wahnsinnig sei, daß er es längst gewesen, daß er sie betrogen habe; dann in dunklen Andeutungen, daß ein besseres Geschick, das er, der rettungslos Verlorene, mit seiner Leidenschaft gestört, sich noch an ihr erfüllen werde. Und dann nichts weiter; nur ein durchstrichenes Wort noch, nicht einmal der Name.

Mit steigender Unruhe hatte Frau von Schlitz dem Vorgange zugesehen; jetzt hatten ihre Augen auch das Blatt gestreift und Rudolfs Schrift darauf erkannt. Unwillkürlich streckte sie die Hand danach: »Was schreibt er?« frug sie, und ihre Stimme war nur wie ein Flüstern. »Gib! Ich muß es selber lesen!«

Und Anna fühlte kaum, wie ihr das Blatt entrissen wurde. Wie ein Wetterschlag war es auf sie herabgefahren; aber auch das Dunkel war einem scharfen Licht gewichen. Mit ausgestreckten Armen lag sie auf den Knien, ihre Lippen stammelten gebrochene Worte, aber schon war sie wieder aufgesprungen; wie ein Hellsehen war es über sie gekommen: ihm nach; sie hatte keine Zeit zum Beten!

Da, als sie fortwollte, fühlte sie ihre Füße von zitternden Armen aufgehalten; kaum erkannte sie das Antlitz, das stumm, wie einer Sterbenden, zu ihr aufsah. »Mama!« rief sie. »Sind Sie es denn, Mama?«

Nur ein Stöhnen kam aus dem zuckenden Munde, während die Arme sich noch fester um die Knie des jungen Weibes klammerten. Anna suchte sich vergebens loszumachen; sie neigte sich zu der Liegenden, sie flehte, sie schrie es fast zuletzt: »Lassen Sie mich, Mama; ich muß zu ihm, zu Rudolf! Sie wissen's ja, der Tod ist hinter ihm!«

Die stumpfen Augen in dem so plötzlich alt gewordenen Gesicht der Mutter flammten auf: »Mein Sohn!« schrie sie und sprang empor. »Ja, ja; wir müssen zu ihm!«

»Nein, Mutter; bleiben Sie, Sie können nicht – ich muß allein!«

Aber die starke Frau hatte sich an ihren Arm gehangen: »Hab' Erbarmen, nimm mich mit zu meinem Sohn! Du haßt mich, Anna, du hast ein Recht dazu; aber – nimm mich mit; du warst nicht seine Mutter!«

Ratlos blickte Anna auf die Frau, die ihrer Sinne kaum noch mächtig war: »Nein!«« rief sie; »o nein, kein Haß, Mama; Sie haben ja um ihn gelitten! Aber um seinetwillen, ich muß allein …«

Sie sprach nicht mehr; die Sekunde drängte, sie mußte fort, sie mußte fliegen, wenn es möglich war; und das junge Weib rang mit der Mutter, die sie nicht lassen wollte; auf beiden Seiten die Kraft und die Todesangst der Liebe.

Doch nur noch ein paar Augenblicke; dann sprang die Stubentür zurück, und gleich darauf wurde auch die Haustür aufgerissen. Drinnen im Zimmer lag die Mutter auf den Knien; draußen über die Wiesen, entlang dem Waldesrande, lief, nein flog, wie mit dem Tode um die Wette, das junge Weib des Försters.

Aus einer engen Lichtung in jenem wildverwachsenen Teil des Waldes flatterten zwei Vögel auf, schwebten eine Weile darüber und hüpften, scheu hinabäugelnd, dann wieder von einem Zweig zum anderen in die Tiefe, von der sie vorhin aufgeflogen waren. Es waren ein paar Rotkehlchen, denen sich jetzt noch eine Meise zugesellte. Als sie bald danach aufs neue über den Wipfeln sichtbar wurden, jagten sie sich schreiend durch die Zweige, denn die Meise trug einen Brocken im Schnabel, von welchem die anderen ihren Anteil haben wollten.

Unten in dieser Waldenge auf einem von Moos und Flechten übersponnenen Granitblock saß ein bleicher Mann; neben ihm lehnte eine

Kugelbüchse; an seiner Brust, aus der halb offenen Joppe, ragte ein Strauß verdorrter Maililien, den er zuvor hart an dem Steine aufgesammelt hatte. Dem Anscheine nach mußte man ihn bei seinem Frühstück glauben, denn er hatte seine Jagdtasche, wie zur Tafel dienend, auf den Schoß gelegt; eine angebrochene Schwarzbrotschnitte hielt er in der Hand. Aber er selber hatte nichts davon genossen; wie in Andacht, als ob er ein Heiliges berühre, brach er das Brot in kleine Brokken und streute es vor sich hin in das Kraut. Als die Vögel jetzt zu ihm hinab- und gleich darauf wieder emporflogen, hob er den Kopf und blickte ihnen nach; die Meise, welche diesmal nichts erhascht hatte, saß noch drüben auf einem Buchenzweig und schaute mit bewegtem Köpfchen zu ihm hin; vielleicht erkannte sie den jungen Förster, der so oft durch ihr Revier geschritten war.

Kein Lufthauch ging durch die fast lautlose Einsamkeit, selbst der Vogel schien durch die düsteren Augen des Mannes wie auf seinen Zweig gebannt; nur von Zeit zu Zeit löste knisternd sich ein gelbes Blatt und sank zu Boden. Unhörbar streckte Rudolfs Hand sich nach der Kugelbüchse, und schon wollte er sie fassen, da, ganz aus der Ferne, kaum vernehmbar, drang ein Schall herüber. Und wieder nach kurzer Pause kam es, und dann stärker, wie vom aufgestörten Morgenhauch geschwellt; die Glocke der fernen Schloßuhr sandte ihren Ruf durch Wald und Felder. – Auch an Rudolfs Ohr war er gedrungen; seine Hand stockte; er zählte: sieben Uhr schon! Anna mußte jetzt seinen Abschiedsbrief gelesen haben; sie wußte alles. Und plötzlich stand ihm *eines*, nur dies *eine* vor der Seele: das Schweigen, das furchtbare Schweigen war ja nun zu Ende!

Er hatte sich so jäh emporgerichtet, daß ihm gegenüber der Vogel kreischend durch die Zweige fuhr. Was gab es nur? Was hatte er hier gewollt? – Ihm war, als sei er träumend einem Abgrund zugetaumelt.

Hoch über ihm, als hätte auch sie die Glocke wachgerufen, durchbrach jetzt die Sonne den grauen Dunst; sie streute Funken auf die feuchten Wipfel und warf auch einen Lichtstrahl in des Mannes Seele, der hier unten noch im Schatten stand; er wußte es plötzlich, er fühlte es hell durch alle Glieder rinnen: der Arzt hatte recht gehabt; er war gesund, er war es längst gewesen; es drängte ihn, sogleich die Probe mit sich anzustellen. Und mit unerbittlicher Genauigkeit rief er sich den Bericht des Holzschlägers ins Gedächtnis; er unterschlug sich nichts; er ließ den jungen Tollen mit der Axt sein Weib verfolgen, er zwang sich, ihr Geschrei zu hören; aber es blieb für ihn ein fremdes, das sein eigenes Leben nicht berührte.

Sein Leben – ja, jetzt konnte er es beginnen! – Die Waldesenge um ihn wich zurück, und jene Sonnenlandschaft, unter deren Bilde ihm das ersehnte Glück so oft erschienen war, breitete sich licht und weit zu seinen Füßen; der Weg war offen, der zu ihr hinabführte!

Aber das Bild verschwand; er stand noch in demselben Waldes-schatten. Nein, nein; nicht eine Krankheit, aber eine Schuld war es, die seine Kraft gelähmt und ihn vor Schatten hatte zittern lassen. Und nun – vor allen anderen Wegen mußte er den zurück, den er hierher ge-gangen war; ein reuiger Verbrecher, mußte er auf die Schwelle seines Hauses treten! Ihn schauderte, die Füße schienen ihm im Boden fest-zuwurzeln.

Da kam ein Rauschen aus dem wilden Dickicht, und wie ein Leuch-ten flog es über seine finsteren Züge? »Anna!« schrie er; »Anna!« und streckte beide Arme in die Leere. – Wo war sie? – Sie suchte ihn! Er wußte es, daß sie ihn suchte; er sah sie vor sich in ihrer Todesangst, die schlanken Glieder, wie sie durch Zweige brachen, die blauen Augen links und rechts hin irre Strahlen werfend. »Ich komme!« rief er. »Ja, ich komme!«

Ihm war, als ob aus leerer Luft ihm Kräfte wuchsen; vor seinem Wei-be wollte er in Demut knien und dann auf seinen Armen sie durchs Leben tragen! Nur noch die Kugel, die im Rohre steckte, diese Kugel durfte nicht mit ihm zurück! Er sah empor; ein mächtiger Falke zog über den Waldeswipfeln seine Kreise. Doch – kein Blut! Frei durch den weiten Himmel, ein Gruß ins neue Leben, sollte diese Kugel flie-gen! Und sich niederbeugend, faßte er mit raschem Griff den Schaft der Büchse.

Aber ihm im Rücken, am Rand der Lichtung, war eben eine zittern-de Frauengestalt erschienen. Wie ohnmächtig hatte sie dagestanden; jetzt gellte ihr Schrei ihm in den Ohren, und während junge Arme sich um ihn warfen, fuhr mit dumpfem Krach die Kugel aus dem Rohr. Sie schien es nicht zu merken; aber sie bog sich von ihm ab, sie stemmte ih-re Hände gegen seine Schultern und sah ihn mit fast wilden Augen an.

Da schrie er auf: »Du blutest! Du bist getroffen, Anna!«

Ihre Hände wehrten schwach den seinen, die an ihrem Nacken suchten: »Nein, nur die Dornen – – ich fühle nichts – – aber du!« – Es war, als hätten diese Worte eine Felsenlast zurückgestoßen – »du lebst!« schrie sie; »du lebst!« scholl es noch einmal aus der ganzen Fülle ihrer Brust; dann brach sie in seinen Armen zusammen.

Drei Tage waren seitdem verflossen; unter dem Dach des Försterhauses lag Anna in den weißen Linnen ihres Bettes. Keine Kugel hatte sie verletzt; auch nicht die Wunden, die die Dornen ihr gerissen – der jähe Strahl des schon verlorengegebenen Glückes war es gewesen, der sie hingeworfen hatte. Und auch nicht um dies kräftige Leben selber, vielmehr nur um ein zweites, das in seinem Schoß dem Licht entgegenkeimte, hatte die Natur ihr stilles Ringen zu bestehen. Aber schon blickten die Augen der jungen Mutter froh und siegreich um sich, während sie im Grund der Seele nur *ein* Erinnern jenes Morgens festhielt; nur, wie die Arme ihres Mannes sie vom Boden hoben, und wie dann, schon im Erlöschen ihrer Sinne, sich ihr Haupt an seiner Brust zur Ruhe legte.

In den Nächten, die dann folgten, hatte Rudolf, in seltenem Wechsel mit der Mutter, die jetzt selbst der Ruhe bedurfte, neben ihr gewacht und ihren Schlaf behütet. Der Tag fand ihn im Forste, an den Sümpfen; dann wieder an seinem Arbeitstische, oder Bericht erstattend und seine Pläne klar entwickelnd bei dem Grafen; noch niemals hatte er das Vollmaß seiner Kräfte so empfunden.

Jetzt kniete er in Demut an dem Bette seines Weibes, die seine beiden Hände in den ihren hielt; er hatte lange zu ihr gesprochen, und sie hatte schweigend zugehört.

Nun, als auch er schwieg, bewegte sie leis verneinend ihren Kopf: »Gesündigt? Du an mir gesündigt?« frug sie, seine letzten Worte wiederholend. Und als er sprechen wollte, entzog sie ihm die eine ihrer Hände und legte sie auf seinen Mund: »Ich weiß es besser, Rudolf: du hattest mich zu lieb, du hast mich nicht verlieren können! Nein, sage nur nichts anderes; du hast noch immer nicht gewußt, daß du mich nicht verlieren *kannst!*« Und da er widersprechen wollte, richtete sie sich auf, und seinen Mund mit ihren Küssen schließend, schlang sie die

Arme um seinen Hals und flüsterte wie leidenschaftliches Geheimnis ihm ins Ohr: »Ich glaube, Rudolf, aber Gott wird es verhüten – ich könnte noch eine größere Sünde um dich tun!«

Dann, während er, berauscht und wie von Schuld befreit, dies Geständnis seines schönen Weibes noch in seiner Seele wog, hatte diese, von leichter Schwäche überkommen, sich zurückgelegt; nur ihr Antlitz wandte sich nach dem des Mannes, und eines alten Reims gedenkend und wie in seliger Stille ihre Augen in den seinen lassend, sprach sie leise und doch mit dem lichten Vollklang ihrer Stimme:

> »Was Liebe nur gefehlet,
> Das bleibt wohl ungezählet,
> Das ist uns nicht gefehlt.«

Dann wurde es stille zwischen ihnen; es bedurfte keiner Worte mehr.

– – Als Rudolf bald darauf durch Geschäfte abgerufen wurde, trat statt seiner die Mutter in das Zimmer. Die Falte, welche der Schrecken jenes Morgens ihrem Antlitz eingegraben hatte, war nicht daraus verschwunden; aber sie schien nur einen früheren Zug der Härte hier verdrängt zu haben, der selbst den Sohn ihr nie völlig hatte nahekommen lassen. Mit aufmerksamen, ja fürsorglichen Blicken betrachtete sie die junge Frau, die in ruhigem Genügen, mit gefalteten Händen vor sich hinsah. Die Entschlossenheit derselben, welche selbst sich gegen sie zu wenden keine Scheu getragen hatte, mochte die Achtung der rücksichtslosen Frau gewonnen, zugleich aber der Umstand, daß die Starke nun selbst hilflos ihrer Hand bedurfte, den daneben aufgestiegenen Groll versöhnt haben.

Behutsam trat sie näher: »Du lächelst, Anna«, sagte sie, indem sie sich zu ihr neigte; »aber du bist sehr blaß! Rudolf ist zu lange bei dir gewesen.«

»Zu lange?« wiederholte Anna; und als ob sie nur die eigenen Gedanken weiterspinne, fuhr sie fort: »Nein, nicht mehr dazu war ich ihm noch nötig – – Sie irrten doch, Mama – er war schon ohne mich genesen! Aber jetzt – – vielleicht – jetzt bin ich doch sein Glück!« Ein Lächeln wie Sonnenwärme breitete sich auf ihrem Antlitz.

Frau von Schlitz nickte schweigend: was redete die da vor sich hin?

– Ihr Sohn, ihr Kind, das sie mit ihrem Blut getränkt hatte! – Wie mit Schlangenbissen fiel ein eifersüchtiges Weh sie an: »Ich irrte, sagst du?« sprach sie strenge, während ihr eine dunkle Glut bis in die Augen flammte; »du brauchst mich nicht zu schonen, Anna; es war nie meine Art, mich zu belügen! – Aber dafür – dafür – –« ihre zitternden Lippen rangen vergebens noch nach Worten.

Mit Angst sah Anna in das stumme Antlitz, in dem nur noch die Augen Leben hatten. »Mama! O Mama, was ist dir?« rief sie.

Da gewann die harte Frau die Sprache wieder: »Dafür«, sagte sie langsam, indem das Haupt ihr auf die Brust herabsank, »hast du mich arm gemacht.«

Aber schon hatte, in plötzlichem Verständnis, die unschuldige Feindin ihre Hand ergriffen, und sich sanft darüber neigend, flüsterte sie: »Du mußt mich *lieben*, Mutter!«

»Muß ich?« – Ein finsterer Blick war auf die junge Frau gefallen; dann aber lag sie an der Brust der Mutter, überschüttet von durstiger, ungestümer Liebe: »Ja, ja, mein Kind; ich sehe keine andere Rettung!«

Noch hingen die letzten Blätter an den Bäumen, als die stillgewordenen Räume des Hauses durch die frisch erstandene junge Frau sich wieder neu belebten: ihr leichter Schritt, ihre frohe Stimme – wenn Rudolf sie in seinem Zimmer hörte, so konnte er nicht lassen, seine Tür zu öffnen; ihm war, als ob es dann in Kopf und Kammer heller würde. In fester Pflichterfüllung gingen Mann und Weib zusammen: der Winter nahte; aber vor beider Augen lag die Sonnenlandschaft.

Eines Morgens, als nach Ende des Monats Rudolf die Löhnungslisten zur Revision erhalten hatte, sah er darin auch den Namen jenes jungen Holzschlägers, außer der Lücke von ein paar Tagen, bis ans Ende aufgeführt.

»Klaus Peters?« frug er den alten Andrees, der ihm die Papiere eben von dem Inspektor überbracht hatte. »Ich dächte, der wäre wieder krank geworden?«

Der Waldwärter lachte: »Ein Schreckschuß, Herr Förster; der ist so gesund wie Sie und ich! Die beiden waren in Zank geraten, er und das dumme Weib; er schlug sich g'rad' schon in der Frühe sein bißchen Winterholz, und wie sie nun in der Hitze ihm seine frühere Tollheit vorgerückt, da hat er freilich die Axt nicht fortgelegt, als er um die Kate hinter ihr die Jagd gemacht; nun aber gehen sie schon Sonntags wieder Hand in Hand zur Kirche.«

Rudolf nickte zustimmend: »Schickt mir gelegentlich das Weib, Andrees«, sagte er; »ich muß doch einmal mit ihr reden!« Ihn freute dieser Ausgang um des jungen Menschen willen, weiter aber kümmerte auch dies ihn nicht.

Und gleichwohl, als Anna bald danach zu ihm hereintrat, hatte sich ein nachdenklicher Ernst auf seiner Stirn gesammelt: es lag noch *eines* vor ihm.

Als sie fragend zu ihm aufblickte, zog er sie sanft zu sich heran: »Ich reite heute nachmittag zu Bernhard«, sagte er; »du weißt ja alles, meine Anna; ich möchte warm und offen um des treuen Mannes Freundschaft werben.«

Ein stiller Winter war vergangen; nun wehten am Waldesrande schon die Primeldüfte, seit ein paar Wochen war auch der Graf schon wieder aus der Residenz zurück, um der weiteren Durchforstung seiner Wildnis beizuwohnen. An diesem Morgen aber schritt er neben seinem Schwiegervater, der tags vorher zum Genuß der ersten Frühlingsfrische angelangt war, auf jenem Steige, dem Runensteine vorüber, in den Wald hinein; beide, wie damals im verflossenen Herbste, in angelegentlichem Zwiesprach.

»Aber, mein Lieber«, sagte der alte Herr; »so ist denn der von Schlitz nun doch dein Oberförster; wenn mir recht ist, schien dir derzeit die Musik des jungen Herrn nicht völlig zu gefallen?«

»Ja, ja, derzeit«, erwiderte der Jüngere; »aber es wurde anders, ich war auch selbst wohl etwas ungestüm; er kann doch mehr, als Chopin spielen; du wirst dich wundern, wie weit wir schon mit unserer Wildnis sind!«

»So!« meinte der General, und ein leises Lächeln zuckte um seinen weißen Schnurrbart; »ei der Tausend, da hat dich also dein gerühmter Scharfblick doch einmal im Stich gelassen!«

»Spotte nur, Papa; aber es dürfte dir leicht ebenso ergangen sein!«

Der Alte lachte. »Mir? Das glaub' ich; aber ich bin auch nicht mein Tochtermann! Nun aber, was hat es denn gegeben?«

Der Graf blieb stehen: »Du mußt dir schon an einem ›on dit‹ genügen lassen! Also: das Schießen zählt eben nicht zu den Künsten des Herrn Oberförsters; gleichwohl, so wird gemunkelt – es war damals, um die Zeit deiner Abreise –, soll er doch sein junges Weib getroffen haben.«

»Der Tausend!« sagte wieder der alte Herr. »Und dann?«

»Dann? Ja, das schlägt in dein Fach, Papa! Es gibt ja Leute, die erst tapfer werden, wenn sie Blut gesehen haben; jedenfalls – von da ab an datiert die neue Ära. Mir ist nur bange«, setzte er hinzu, »der Staat wird mir den Mann nicht allzulange lassen.«

»Mein Lieber«, erwiderte der General, »ich nehme allen Spott zurück und will nur hoffen, daß die junge Frau – – –«

»Die Frau, o, die ist schöner und heiterer als je; am Ende ist auch dieser Schuß nur so ein Stück moderner Sagenbildung. Übrigens glückliche Menschen das, Papa! Erst am vergangenen Montag habe ich mit dem Schwiegervater, dem trefflichen Pastor von da drüben, ihnen den ersten Jungen aus der Taufe gehoben. Selbst mit der alten Gnädigen von Schlitz verstehen sie zu leben, was meinem Schulgenossen, dem Walzerkomponisten, nicht so ganz gelungen sein soll; aber – die beiden Jungen sind auch bessere Musikanten.«

Der alte Herr nickte freundlich lächelnd mit seinem weißen Kopfe; dann gingen beide weiter.

– Niemand hatte dies Gespräch belauscht, wenn nicht doch der Buchfinke, der gleich danach über der Tür des Forsthauses in dem jungen Grün der Eiche seinen hellen Sang erhob.

John Riew'

Mein Haus steht auf dem Lande, in einer holzreichen Gegend zwischen einem Kirchdorf und einem kleinen, in breiten Kastanienalleen fast vergrabenen Orte, welcher allmählich um einen Gutshof aufgewachsen ist, von beiden kaum zehn Minuten fern. Fast täglich mache ich nach rechts oder links meinen Spaziergang, und im Frühling und Sommer ergötzt mich dann das Leben, das hier aus den Bauerngehöften, im Orte aus den kleinen Häusern der dort wohnenden Handwerker oder Handelsleute auf den Weg oder in die Vorgärten hinausdringt; die Kinder des Gutsortes und ich, wir grüßen uns allzeit ganz vertraulich; um Weihnachten aber beehren sie mich von beiden Seiten, sei es als »ruge Klas« oder als »Kasper und Melcher aus dem Morgenland«, und sind freundschaftlicher Behandlung sicher.

Deshalb plagte mich ein Haus am Ende des Gutsortes. Ich selber hatte es teilweis bauen sehen, und als ich einmal einige Monate fortgewesen war, stand es bei meiner Heimkehr fertig an; aber so oft ich später daran vorbeiging, es wollte mir nicht vertraut werden, denn in diesem Hause war kein Leben: niemals sah ich einen Menschen dort hinein- oder herausgehen, niemals regte sich etwas hinter den blanken Fenstern, die je zwei zu den Seiten des vertieften Säuleneinganges aus den roten schwarzgefugten Mauern auf einen mit dunklen Koniferen vollgepflanzten Vorgarten hinausgingen. Den Einblick wehrten ungewöhnlich hohe Vorsätze von schwarzblauem Drahtgewebe; dahinter sah man schattenartig und regungslos nur die weißen Gardinen herabhängen. Alles war sauber und wie unberührt, aber zwischen den gelben Klinkern, von denen ein breiter Fries um das Haus lag, und zwischen den drei Granitstufen der Haustreppe trieben die grünen Grasspitzen hervor. Und dennoch sollte das Haus bewohnt sein: ein Auswärtiger – so hörte ich – habe das früher dort gestandene geräumige, aber verfallene Gebäude in Erbgang oder sonstwie erworben und statt dessen durch einen fremden Maurermeister den jetzigen Bau dorthinsetzen lassen; ja, nicht er allein, es sollte außerdem von einer ältlichen kränkelnden Frau und von einem gar argen zwölfjährigen Buben bewohnt sein; wie aber das Verhältnis der drei Personen zueinander war, darüber wußten die von mir Befragten nicht Bescheid zu geben: die Bewohner schienen nur miteinander zu verkehren.

Von dem Jungen freilich ging bald allerlei Gerede: er sollte aus der Volksschule wegen dort unzähmbaren Wesens fortgewiesen sein und seit einiger Zeit die vornehme Institutsschule besuchen, wo die Knaben Französisch und Englisch, sogar Latein und Griechisch lernen konnten; auch hier war er schon ein paarmal eingesperrt gewesen; dennoch sollte der alte Riewe – diesen bei uns nicht ungewöhnlichen Namen trug der Hausherr – ihn zu seinem Erben eingesetzt haben. Bändigen sollte auch er ihn nicht können; ja, man erzählte, als nach einer neuen Schulstrafe der alte Herr mit liebreicher Ermahnung auf den Knaben eingedrungen sei, habe dieser plötzlich eine freche Gebärde nach ihm hingemacht und, aus der Tür rennend, auf Plattdeutsch noch zurückgeschrien: »Din Geld krieg ick doch, ohl Riew'!«

Ich frug wohl diesen und jenen, woher denn der Mann gekommen sei; die einen meinten: aus Lübeck, die anderen: aus Flensburg oder Hamburg; auch wohl, was er denn sonst getrieben haben möge, und diese machten ihn zu einem Makler, die anderen zu einem früheren Schiffskapitän. Ich hätte mich bei der Gutsobrigkeit erkundigen können, aber, obgleich die Dinge mich sonderbar interessierten, welche Veranlassung hätte ich zu solch offizieller Erkundigung gehabt?

Der hohe, seitwärts von dem Hause fortlaufende und mit einem dichten Dornenzaun besetzte Erdwall begrenzte nach der Straße hin den durch alte Obstbäume verdüsterten Garten, welcher sich nach einer Waldwiese abwärtssenkte. Im Sommer freilich war alles durch den Zaun verdeckt; aber jetzt war es Herbst, die Drosseln fielen in die roten Beeren, und eine Fülle bunten Laubes war von den Alleebäumen schon auf den Weg gefallen. Als ich eines Spätnachmittags jetzt dort vorüberging, gewahrte ich eine entblätterte Stelle in dem Zaun und blieb stehen, um einen Blick in das sonst unsichtbare Gartengrundstück hineinzuwerfen. Ich hatte mich auf den Fußspitzen erhoben, aber ich erschrak fast: ein blasses und – so erschien es mir – wunderbar schönes Knabenantlitz mit dunkelgelocktem Haupthaar stand dicht vor dem meinen und sah von der anderen Seite mir starr und schweigend entgegen; ich gewahrte noch, daß die großen, gleichfalls dunklen Augen voll von Tränen standen; dann war es verschwunden, und ich hörte langsame Schritte in den Garten hinab.

War das der arge Bube, von dem die Leute redeten? Nachdenklich setzte ich meine Abendwanderung fort, denn das Gesicht, welches ich eben sah, einmal mußte ich es schon gesehen haben, vor fünfzehn oder zwanzig Jahren – aber das ging ja nicht, der Knabe mochte jetzt kaum zwölf zählen.

Noch am Abend dieses Tages hörten wir, in dem neuen roten Hause liege die alte Haushälterin im Sterben; aber das Haus selbst war am Nachmittage, als ich dort vorbeigegangen, in seiner gewohnten, wunderlichen Einsamkeit dagestanden, die Gardinen hatten, wie immer, unbewegt hinter den blauen Vorsätzen gehangen, keinen Laut hatte ich vernommen, selbst der schöne wilde Knabe hinter dem Gartenzaune war mir nur wie ein Gespenst erschienen; auch das Sterben wurde hier ganz still besorgt.

Als ich am anderen Tage mit meiner Frau vorüberging, sagte ich: »Im neuen Hause hier soll eine zum Sterben liegen; zu leben scheint man nicht darin.«

»Dann wird sie schon gestorben sein«, erwiderte sie, indem sie durch die Zaunlücke in den Garten wies; »sieh nur, dort unter dem großen Apfelbaum stehen zwei Frauen und reden miteinander; das ist mir hier noch nimmer vorgekommen.«

Wir sahen sonst nichts weiter, aber meine Frau hatte recht geschlossen: noch am selben Abend lief es durch das Dorf, die Haushälterin, wie die alte Frau im roten Haus benannt wurde, habe seit jenem Vormittag ihr Tagewerk auf immer eingestellt. Einige Tage später wurde ein Sarg auf der Landstraße an meinem Hause vorbeigetragen, hinter welchem nur ein weißhaariger Mann mit einem Knaben ging, aber der Zug war, als ich vor die Tür kam, schon zu weit entfernt, das Antlitz der beiden konnte ich nicht mehr sehen. Mein Nachbar, der zu mir trat, sagte: »Der arme Bursche sah aus wie der Tod selber; es war seine Großmutter, die sie nun bei der Kirche da begraben; seine Mutter soll er nie gekannt haben.«

»Der arme Junge!« dachte auch ich; »was wird aus ihm, wird der Alte sich allein nun mit ihm abgeben?«

Als ich mit Frau und Kindern am Nachmittagstee saß, bei dem goldenen Herbstsonnenschein noch einmal im Freien auf der Terrasse, brach aus dem Armenhausgarten, welcher derzeit mit dem unseren zusammenstieß, ein lautes Schreien und Toben, unterbrochen durch die scharfredende Stimme des Armenvaters, zu uns herüber, so daß das Gespräch aufhörte und alles dorthin horchte. Die schreiende Stimme kam offenbar von einem Knaben.

»Ich fürchte«, sagte lächelnd unser Nachbar, der neben uns saß, »er wird nicht mit ihm fertig!«

»Mit wem?« frug ich. »Wer ist denn das?«

»Nun, das wissen Sie nicht? Der Junge von dem Riew'; er ist gleich vom Kirchhof in das Armenhaus gebracht. Er mag sich das wohl nicht gedacht haben; mit dem Erben ist es auch wohl eitel Wind!«

»Unglaublich! Empörend!« rief meine Frau, während drüben das Geschrei noch immer fortging.

Der Nachbar zuckte die Achseln. »Ja, du lieber Himmel, der Bengel ist ein Ausbund von den schlimmsten; erst gestern haben sie ihn wieder aus der Institutsschule fortgewiesen; was soll der Alte mit ihm aufstellen? Er hat die Frau nun auch nicht mehr zur Hilfe.«

Aber die Frauen an unserem Tische schüttelten gleichwohl die Köpfe.

Ob dann der Armenvater endlich das aufgeregte Kind beruhigt hatte, oder ob die Szene nach einem anderen Teil des Hauses verlegt war, kann ich nicht sagen; aber der Lärm hörte auf, und wir sprachen nicht weiter davon.

– – Einige Tage später, da ich von dem Jungen nichts mehr gemerkt hatte, frug ich über unseren Zaun den Armenvater, der einige Weiber bei der Arbeit in seinem Garten überwachte: »Nun, wie geht es mit Ihrem neuen Alumnen?«

»Wen meinen Sie?« frug der Mann zurück und sah mich wie unwissend an.

»Wen sollte ich meinen? Natürlich den Riew'schen Jungen; ich weiß nicht seinen Namen.«

»O, der! Der sitzt schon längst wieder im warmen Nest; der beerbt den Alten noch bei lebendigem Leibe. Ich hätte ihn nur behalten sollen!« fügte er mit einer entsprechenden Handbewegung hinzu.

Ich dachte an das zarte Gesicht des Knaben und sprach zu mir selber: »Es ist doch besser so.«

Es war schon in den letzten Tagen des Oktober, als ich eines Nachmittags wieder an dem Rieweschen Garten entlangging, wo der Zaun jetzt freie Durchsicht ließ; auch war dort heute wirklich was zu sehen, denn oben im Geäste eines großen Birnbaumes hing der hübsche Knabe und langte mit ausgestrecktem Leibe nach ein paar goldgelben Birnen, die noch an einem fast blätterlosen Zweige hingen. Unter ihm am Stamm sah ich einen untersetzten Mann, der mir seinen breiten Rükken zuwandte; nur seinen weißen, seitwärts abstehenden Backenbart konnte ich außerdem gewahren. »Zum Teufel, Rick, so komm herunter!« rief er; »das ist kein Mastkorb, worin du arbeitest!« »Wart' nur, Ohm!« erwiderte der Knabe; »ich krieg' sie gleich, die allerletzten sollen doch nicht sitzenbleiben!« und er reckte sich stöhnend noch ein Stückchen weiter.

»*By Jove!* Du brichst dir um zwei Birnen noch das Genick!« Und der Alte griff in die Tasche und schien ihm eine kleine Münze hinzuhalten. »Komm herunter und kauf' dir welche! Der Schuster hat dieselben.«

Der Junge aber hörte nicht danach; er suchte droben den Zweig, woran die Birnen saßen, zu sich heranzubiegen. Ich stand in plötzlichem Besinnen; auch die alte Stimme war mir bekannt. Eine untersetzte grauhaarige Gestalt aus meinen Hamburger Schülerjahren tauchte vor mir auf, daneben ein Kinder-, ein Mädchenangesicht. »Wenn er es wäre!« dachte ich bei mir selber; »und Riewe heißt er, vielleicht John Riew'!«

Da hörte ich einen Krach, und als ich aufblickte, sah ich es vor mir durch die Luft zur Erde fahren; ein gebrochener Ast baumelte oben von dem Baum herab; es war kein Zweifel, der Junge war herabgestürzt. »Man hat noch den Tod von dir!« schrie der Alte. »Sind denn die Planken heil geblieben?« Und gleichzeitig hatte er sich gebückt und wollte dem Jungen auf die Beine helfen.

Der aber war schon aufgesprungen. »Tut nichts!« sagte er, sich zuckend seine Hüfte reibend. »Unkraut vergeht nicht, Ohm!«

Der Alte brummte etwas, das ich nicht mehr verstand, denn ich fürchtete, auf meinem Platz entdeckt zu werden, und hatte deshalb meine Wanderung fortgesetzt. Aber sein Gesicht war mir zugewandt gewesen, und ich wußte nun, es war mein alter Kapitän John Riew', der sich dies Haus gebaut hatte. Noch jetzt blühten ihm seine guten roten

Wangen, nur Bart und Haare waren weiß geworden; denn wohl achtzehn Jahre mochten verflossen sein, seitdem wir uns zuletzt gesehen hatten. Damals aber – es war zur Zeit meiner Selektanerschaft auf dem Johanneum zu Hamburg – hatten wir fast täglich uns gesehen; denn dort, unweit des nun verschwundenen Kaiserhofes, an dessen reich ornamentierter Fassade mein Schulweg mich vorüberführte, wohnten wir beide als einzige Mieter in einem zweistöckigen Häuschen, das zwischen himmelhohen Speichern aus alter Zeit zurückgeblieben war. Unsere Wirtin war eine Schifferwitwe, deren trunkfälliger Mann im Rausch durch einen Unfall sein Leben verloren und seiner Frau wohl kaum anderes als den kleinen Fachbau hinterlassen hatte, in welchem ich eine Stube unten neben der Haustür innehatte. John Riewe, damals schon ein ergrauter Mann, bewohnte oben die einzige Etage; und so eines Sommerabends, auf der Bank vor der Haustür, hatten wir Bekanntschaft gemacht. Er war lange als Kapitän zur See gefahren; nach Rio, Hongkong, auch weniger fern nach Lissabon und London; kurz, er hatte mehr gesehen als wir studierten Leute und wußte davon zu erzählen. Endlich war er seemüde und dann hier Makler geworden. »Es ist kommoder«, sagte er, »den Sturm vom Bette aus zu hören.«

Unsere Wirtin war eine einfältige Person: er mußte ihr in allem Rat erteilen, ja es war, als habe sie alles auf ihn abgeladen; ich weiß nicht, weshalb er sich so von ihr plagen ließ. Das Beste an der Frau war jedenfalls ihre zwölfjährige Tochter Anna; braun, feingliedrig, mit dunklem Haar und, o, mit welchen Augen! Es war etwas Begehrliches in dem Mädchen; aber alles, was sie tat, und mochte sie in einen Apfel beißen, geschah mit einer Art von froher Anmut. Wie jetzt mit dem Jungen, so hatte der Kapitän es damals mit dem Mädchen: er wußte selbst nicht, was er dem verzogenen Ding zu Willen tun sollte; er kaufte ihr seidene Schürzen und rote Tüchelchen, mit denen sie dann auch sogleich erschien; er stopfte ihr Marzipan und gebrannte Mandeln in die Taschen, und wenn sie vergnügt zu schmausen anfing, dann lachte er über sein ganzes gutes Angesicht. »Nicht wahr, schlecken und dich putzen«, sagte er und schüttelte das hübsche Ding an beiden Schultern, »das möchtest du wohl dein Leben lang; aber wart' nur, Rackerchen, es wird noch anders kommen!« Und sie sah mit lachenden Augen zu ihm auf und nickte nur, denn sie hatte ihr Mäulchen noch voll von seinem Futter. »Naschkatze du!« rief dann der Kapitän und schaute, die Hände in den Taschen, ihr voll Vergnügen zu.

Auch ins Theater, als einmal ein Zauberstück gegeben wurde, hatte er sie mitgenommen. Dort aber hatte sie nur auf die silbernen Sternen- und Meernixenkleider gesehen, wenn auch sonst die glänzendsten Helden über die Bühne schritten; sie hatte nur davon geredet und ihn immerfort gezupft und angestoßen und zuletzt gesagt, wenn sie groß wäre, wolle sie auch Komödiantin werden und solche Kleider tragen. John Riew' war in Todesangst geraten: »Daß du dich nicht unterstehst!« hatte er so laut gerufen, daß das ganze Parterre die Köpfe nach ihm umgewandt; »weißt du wohl, wenn sie tot sind, die kommen alle in die Hölle!« Seitdem hatte er sie nicht mehr in die Komödie gebracht.

Auf sein Zimmer aber kam das Kind mehrmals am Tage; denn die Mutter hatte es so eingerichtet, daß sie selber mich, ihre Tochter aber, wenigstens außerhalb der Schulzeit, den Kapitän bediente. Es ist mir wohl später eingefallen, daß dies, bei aller Ehrenhaftigkeit des Mannes, auch kein Zeugnis für die Verständigkeit der Frau gewesen sei; denn die Herzensgüte unseres Kapitäns war doch mitunter derart, daß sie mehr zu einem handfesten Schiffsjungen, so zwischen See und Sturm, als zu einem zierlichen halbgewachsenen Mädchen passen mochte.

Als wir eines kalten Oktoberabends wieder einmal plaudernd auf der Straßenbank saßen, fuhr der Nordwest uns endlich so eisig in den Nacken, daß er mich einlud, mit ihm in seine Kabine hinaufzusteigen, wo wir behaglicher unser Gespinst abwickeln könnten. Ich hatte nichts dagegen und saß dort kaum in einem guten Polsterstuhl, den er mir hingeschoben hatte, als ich ihn auch schon, die Hand am Schlüssel, vor einem Wandschränkchen stehen sah. »Nun, Nachbar«, rief er, »wir müssen, deucht mir, ein Quantum heizen! Rum oder Kognak? Für Prima-Qualität wird garantiert.«

Von den Schätzen dieses Schrankes hatte ich schon gehört: »Das wird Ihnen überlassen, Kapitän!« rief ich.

»Also Rum!« erwiderte er. Dann schloß er auf, und nachdem er an der Klingelschnur gerissen hatte, stellte er eine Flasche und zwei tüchtige Glashumpen auf ein danebenstehendes Tischchen.

Nach einer Weile flog ein leichter Schritt die Treppe herauf, und Anna trat mit einem Kesselchen voll heißen Wassers in die Stube; sie nickte uns vertraulich zu, entzündete dann die auf dem Tisch stehende Spirituslampe und setzte den Kessel darüber.

»Nachbar«, flüsterte der Kapitän, »was sagt Ihr zu meinem kleinen Maat?«

Der kleine Maat aber stand, die Hände in den Schoß gefaltet, und neigte das dunkle Köpfchen nach dem Kessel. Als es zu sausen anhub, wandte sie sich und wollte gehen.

»Oho!« rief der Kapitän, »du meinst wohl, wir sollen uns unser Glas heut selber machen!«

Sie blieb stehen, schüttelte den Kopf und wurde purpurrot. Dann aber ging sie lautlos nach dem Schrank, hob ihre schmächtige Gestalt auf den Zehen und holte vom obersten Bord eine Schale mit Zucker herab.

»So recht, Anna!« rief der Kapitän. »Nun zeige, was du von mir gelernt hast!«

Und das feine Ding nickte wieder ein paarmal, nur so in den Schrank hinein, aber doch, als sollt' es heißen: »Ohne Sorge; soll schon werden!« Dann begann sie die drei Elemente sorgsam zu mischen, schaute auch einmal durch das Glas, indem sie es mit dem etwas hageren Ärmchen gegen die jetzt über unserem Tische brennende Ampel hielt, und goß noch ein paar Feuertropfen in dasselbe, ohne aber vorher weder mit noch ohne Löffelchen daraus gekostet zu haben.

»Wenn's gefällig ist!« sagte sie dann, indem sie uns die Gläser auf einem Tablettchen darbot.

Ich nahm das meine, und schon an dem Dufte merkte ich, es war ein steifes Seemannsglas. Der Kapitän aber, als sie zu ihm trat, legte beide Arme vor sich auf den Tisch. »Nun?« sagte er und sah lachend unsere kleine Schenkin an; »ich muß wohl heut um alles betteln gehen!«

Sie stand einen Augenblick wie verlegen.

»Oder scheust du dich vor unserem jungen Herrn?« fügte der Kapitän hinzu.

Da hob sie das Glas an ihre Lippen. »Wohl bekomm's!« sagte sie leise; dann trank sie, und es schien mir, daß sie mit Behagen trinke.

»Halt, halt, Jüngferlein!« rief der Alte lachend; »ei, seht doch, schickt sich das für ein so zartes Manntje?«

Aber schon hatte sie das Glas vor ihn auf den Tisch gesetzt, und wir hörten, wie sie draußen wiederum die Treppe hinunterflog.

»Eine Wetterhexe!« sagte der Kapitän; »wenn die ein Junge wäre, mit dem ginge ich noch einmal auf die alten Planken!«

Ich aber weiß noch sehr wohl, wie ich ihn um sein Glas beneidete, an dem der süße Mädchenmund geruht hatte.

– – Wie eine Bilderreihe zog das alles jetzt an mir vorüber; plötzlich aber stolperte ich, mein Stock flog mir aus der Hand, und ich sammelte mich geduldig vom Erdboden auf; denn ich war mitten im Walde, der mir soeben seine dicken Buchenwurzeln vor die Füße gestreckt hatte. Langsam kehrte ich um und ging nach Hause, doch die Gedanken wollten mich nicht lassen. Das anmutige Kind, von dem ich später nie wieder etwas gehört hatte, sie mochte jetzt etwa dreißig Jahre zählen – was war aus ihr geworden?

Es ließ mir doch keine Ruhe: wie kam der Kapitän hierher? Was war das mit dem Jungen?

Tags darauf ließ ich den Abend herankommen; es mochte schon neun Uhr sein, als ich vor dem roten Hause stand. Alles war dunkel, aber eben vorher hatte ich von der Hinterseite aus einen Lichtschein auf den kahlen Gartenbüschen wahrgenommen. Ich drückte die Haustür auf, an der keine Glocke läutete, und stand in einem dunklen Flur, in den jedoch, scheinbar durch das Schlüsselloch der Tür einer Hinterstube, ein schmaler Lichtstreifen hineindrang. Es rührte sich aber nichts im Hause, und ich tastete weiter, bis ich mit den Händen an die Tür stieß.

»Herein! Wer ist da?« rief es drinnen, als ich eben eintrat.

Der Kapitän saß neben einer Lampe an dem Sofatische und las in einer großen Zeitung, die ich später als den »Hamburger Korrespondenten« erkannte – außer ihm war nur der schöne Knabe in dem Zimmer; er stand mit einem brennenden Lichte vor dem Spiegel und schnitt Gesichter, die er einigen Fratzen im Kladderadatsch nachzumachen schien; wenigstens lag auf dem Spiegeltischchen ein Exemplar davon.

»Guten Abend, Kapitän!« sagte ich kräftig; »da Sie nicht zu mir gekommen sind, so haben Sie wohl nichts dagegen, daß ich Ihnen meinen Antrittsbesuch mache?«

Er war aufgestanden, während der Junge seine Unterhaltung mit unbekümmerter Geschäftigkeit fortsetzte, und ich konnte den Alten im Schein der Lampe ungestört betrachten. An Haar und Bart sah man freilich, es war Winter geworden; aber seine Wangen blühten noch immer, und die guten Augen darüber sahen mich wie einstens hell und freundlich an. Ich wollte reden; aber er legte seine Hand schwer auf meine Schulter. »Halt! – Halt!« sagte er. »Ich werfe Anker! Hamburg – beim Kaiserhof – das Häuschen – meine Kabine! Alle Millionen Windrosen, Herr Nachbar, und Sie wohnen hier?«

»Ja, ja, Kapitän; und Sie wohnen hier?«

»Ei freilich«, rief er lachend, »und so wohnen wir alle beide hier! Rick!« und er wandte sich zu dem Knaben, »zünde die Spritflamme an und nimm eine Flasche aus dem Schränkchen! – Junge, hörst du denn nicht!«

»Ja, Ohm, ich höre ja schon!« rief der Knabe, setzte den Leuchter auf das Spiegeltischchen, daß das Licht aus der Röhre sprang, und vollbrachte dann das aufgetragene Geschäft. Meine Augen folgten ihm, und mit Verwunderung sah ich hier im neuen Hause ein gleiches Schränkchen wie in der Hamburger Baracke.

Der Kapitän hatte indessen mein Gesicht gemustert, als wolle er die Züge des einstigen Gymnasiasten herausstudieren. »Sie also sind der Doktor, der sich das große Haus dort auf der Höhe gebaut hat?«

»Ja freilich, Kapitän; und was für Abenteuerlichkeiten habe ich nicht hinter Ihrem stillen Neubau wittern müssen, aber freilich …«, meine Augen fielen auf den Knaben, und ich schwieg.

Er hatte eben den kochenden Kessel nebst Flasche, Gläsern, und was sonst nötig war, vor uns hingestellt. »Dank, mein Junge«, sagte der Alte. »Aber nun geh mit deinem Licht in deine Koje; es ist Kinderbettzeit.«

Aber der Junge fiel ihm um den Hals und flüsterte ihm eifrig bittend in das Ohr.

»Nein, nein, Rick, heute nicht«, sagte der Alte; »der Herr kommt schon mal wieder, und früher als die Hühner auf die Wiemen müssen.«

»Doch! doch!« rief der Knabe. »Ohm! Alter John, nur eine Viertelstunde!« Und er würgte ihn fast mit seinen Armen.

Da riß der Alte ihn heftig von sich und hielt ihn, nach des Knaben

Gesicht zu urteilen, nicht eben sanft an beiden Handgelenken vor sich. »Kalkuliere«, sagte er im ruhigen Kommandoton, »du gehst jetzt augenblicklich in deine Koje!« Dann ließ er ihn los, und der Knabe nahm, ohne ein Wort zu sagen oder uns nur anzusehen, sein Licht und ging zur Tür hinaus; ich hörte, wie er eine Treppe nach dem Oberhaus hinaufstieg.

John Riew' zog jetzt die Gläser an sich und begann den heißen Trank für uns zu mischen; als er aber die Flasche aufgezogen hatte, spürte ich an dem Duft, daß es Madeira oder Xeres sei, welchen er hineingoß. »Ei was, Kapitän«, sagte ich; »Sie trinken ja wie ich! Hat der Jamaika Sie jetzt verlassen?«

»Ich trinke ihn nicht mehr«, erwiderte er ernst; »doch wenn's Ihnen lieber, es wird noch eine alte Flasche da sein.«

»Ich danke, es ist mir so eben recht. Aber Sie? Vertragen Sie ihn nicht mehr? Sie sehen doch aus, als hätten Sie zeitlebens zusammenhalten müssen!«

»Es wäre auch sonst wohl so gewesen; aber – seit der Junge da geboren, haben wir uns geschieden. Doch – Sie schwiegen vorhin; jetzt ist frei Wasser; wonach wollten Sie denn fragen?«

»Nun, Kapitän, zunächst freilich nach dem Jungen! Waren Sie inzwischen verheiratet? Sind Sie Witwer? Ist der Junge Ihr eigen, oder wo haben Sie ihn aufgelesen? Und wie kommen Sie dazu, sich hier auf dem völlig trockenen Lande anzubauen?«

»Holla!« rief er dazwischen, »nun ist's genug für einmal! Aber Sie erlebten mit mir den Anfang, so mögen Sie auch das Ende wissen!«

»Wenn ein Mensch zu viel Tugenden hat« – so begann er sein Gespinst, indem er mir eins der dampfenden Gläser zuschob –, »dann ist der Teufel allemal dahinter.«

Ich mochte wohl gelacht haben. »Nein, Nachbar«, fuhr er fort, »das ist die simple Wahrheit; es ist gegen die Natur des unvollkommenen Menschen, den unser Herrgott nun einmal so geschaffen hat; denn irgendwo in unserem Blute sitzt es doch, und je dicker er mit Tugenden zugedeckt wird, desto eifriger bemüht er sich, die Hörner in die Höh' zu kriegen. Ich hatte so einen Freund, Rick Geyers hieß der Junge, und wir fuhren auf einem Schiff; glaubt nicht, daß er ein Duckmäuser war, nein, im Gegenteil ein wilder Kerl, aber dabei ein wahres Nest von Tugenden: seine halbe Heuer, so lange sie noch lebte, schickte er an seine Mutter, und saß und schrieb an sie, während wir an den festen Wall gingen und unseren Talern Flügel machten. Hatte ein armer Teufel Unheil angerichtet, Rick wollte an allem schuld sein; aber man glaubte ihm zuletzt nicht mehr, denn er verstand fast ohne Wind zu segeln, unser großmäuliger Kapitän ging selbst bei ihm zu Rathaus; und dabei war er ein halb Dutzend Jahre kürzer auf der Welt als ich. Vor den Weibern, wenn er einmal mit uns anderen an Land war, konnte er sich kaum bergen; in Hongkong, da ist eine Gasse – freilich ehrbare Leute sollten dort nicht hinkommen –, Ihr hättet nur sehen sollen, als wir einmal mit ihm hindurchgingen, wie das niedliche schlitzäugige Gesindel um ihn herum war! Rick Geyers aber sah mit seinen großen braunen Augen über sie weg, und wenn sie zu dicht an ihn herantänzelten und ihre Locktöne machten, dann räumte er sie schweigend wie eine Schar von Ungeziefer mit den Armen von sich. Die Dirnchen – denn sie sind zart und gelenkig – schlenkerten ihre feinen Händchen gegen ihn und flogen mit Angstgekreisch an ihre Haustüren, wo sie ihm wieder mit den Fingern winkten; uns andere plagte, *by Jove,* die Eifersucht. Rick aber ging stumm und zornig neben uns: ›Ein andermal, wenn ich bitten darf, gehen wir nicht durch die Menagerie hier!‹ sagte er, als wir hindurch waren.

Und so dauerte es denn nicht lange, und er war Kapitän, als ich noch das Rad am Steuer drehen mußte. Aber Freunde blieben wir auf Not und Tod, und der Wind wechselte nicht allzuoft, da hatte ich auch mein Schiff; aber trafen wir uns am Wall, so waren wir gleich beisammen.

Nun fand sich derzeit in Hamburg bei einer vornehmen alten Senatorstochter eine Art Mamsell, so gegen die Dreißig schon: Riekchen hieß sie und war ehrlich und zuverlässig, allzeit wie mit eben geplätteten Kleidern angezogen und, ganz egal, mit einer gelbblonden langen Locke hinter jedem Ohr. Sie konnte kochen und braten, sagte nie ein Wort entgegen und hatte niemals eine Meinung; die alte Dame behauptete, es gäbe auf der Welt keinen Mann für diese Perle, und wirklich, es begehrte sie auch keiner.

Und das war das Schicksal, für Rick Geyers mein' ich; denn in dieses Unmuster von Tugend mußte der unselige Junge sich vergaffen, und noch mehr, er wollte sie heiraten und kaufte sich sogleich zum

Schauplatz seines Eheglückes die Baracke, wo wir beide, Herr Nachbar, später einst gewohnt haben. Nun, sie haben ja das Riekchen selbst noch gekannt. – Ich packte den Rick eines Tages unter den Arm, ging mit ihm durch die Stadt und dann nach dem Stintfang hinauf, wo unten im Hafen seine stolze Brigg lag und die rot und weißen Wimpel im leichten Morgenwinde wehten. ›Rick! Rick!‹ sagte ich, ›besinne dich doch! Du bist verblendet, bete vierundzwanzig Vaterunser, und es wird vorübergehen! Was, willst du das einfältige Tugendmensch heiraten? Du hast ja selbst die volle Ladung davon; unter so viel Tugend geht dein Schiff zugrunde! Kann's nicht anders sein, so nimm dir eine schmucke wilde Katz', an der du deine Plage und doch auch dein Vergnügen hast! Was meinst du, Rick?‹

Aber er lüpfte nur den Hut, daß die Luft durch seine braunen Locken ging, und sah mich lachend aus seinen hellen Augen an. ›Dank für deine Weisheit, John‹, sagte er; ›aber was einer muß, das kann nur einer wissen.‹

Da sah ich wohl, daß er weitab von aller Vernunft sei, und so hat er die Perle Riekchen zu seinem Unheil dann geheiratet. Aber ich sage Ihnen, Nachbar, auch derzeit, da sie jünger war – zehn Jahre auf einer Robinson-Insel!« und der Kapitän spreizte abwehrend seine Hände vor sich. »Doch«, rief er dann wieder, »das Getränk nicht zu vergessen! *God bless you, Sir!*«

– – Schon einigemal hatte ich ein Rühren an der Türklinke vernommen; jetzt, während wir mit den Gläsern anklirrten und tranken, sah ich, daß die Tür, der ich zugewandt saß, um einen schmalen Spalt geöffnet wurde. »Kapitän!« sagte ich, »es ist jemand vor der Stube.«

Er wandte sich: »Das ist Rick!« sagte er. »Junge, warum schläfst du nicht?«

Aber die Tür öffnete sich weiter. »So komm herein«, rief er, »wenn du was auf dem Herzen hast!«

»Ich kann nicht«, kam es von der Tür; und ich gewahrte jetzt freilich, daß der arme Schelm barfuß und im blanken Hemde draußen stand.

Da stieß der Alte einen Seufzer aus, erhob sich und schritt nach der Tür: »Nun, Rick, was willst du denn?«

»Ohm«, sagte der Knabe leise und vor Kälte zitternd, doch so, daß

ich's verstehen konnte, »ich hab' dir ja noch gar nicht gute Nacht gesagt!«

»Und deshalb konntest du nicht schlafen?«

Ich glaubte nur zu sehen, wie Rick stillschweigend mit dem Kopfe
schüttelte. Und der Alte gab ihm einen herzhaften Schmatz: »Gute
Nacht, mein Kind! Aber nun schlaf und bitt' vorher unseren Herrgott,
daß er dein weiches Herz allzeit bei deinem harten Kopfe lasse!«

Da hörte ich, wie der Knabe behend die Treppen hinaufflief; der Alte aber setzte sich langsam wieder an seinen Platz. Wir saßen eine Weile schweigend. »So ist er immer«, sagte er dann; »der Grund ist gut; ich
dacht' schon, daß er kommen würde.«

»Und doch«, erwiderte ich – ich konnte es nicht zurückhalten –,
»haben Sie ihn neulich recht hart behandelt, Kapitän!«

Er blickte mich an: »Sie meinen das mit dem Armenhause! Ja, ja, es
mag auch so aussehen; aber er mußt' einmal erfahren, wohin er ohne
mich geraten würde.« Er trank einen Schluck und starrte vor sich hin.
»Doch«, hub er wieder an, »ich wollte Ihnen von meinem *alten* Rick
erzählen; der Junge ist ja noch gar nicht auf der Welt.«

Da fiel's mir bei, ich frug: »Ist er der Sohn von Ihrem Freunde? Ich
mein', es war doch nur das Mädchen da?«

»Geduld, Nachbar«, sagte der Kapitän und legte seine Hand auf
meinen Arm; »der Junge wird, leider, auch geboren werden; Ihr sollt
alles noch erfahren! – Also – wie in den ersten Ehejahren von Rick
Geyers der Seegang gewesen ist, das weiß ich nicht, denn ich war überall, nur nicht in Hamburg. Dann aber, in einem Junimonat, kam ich
wieder heim und hörte, auch Rick sei dort, er habe Havarie gehabt; sein
Schiff liege auf der Werfte, er selber warte in seinem Hause die Zeit ab.
Wer war fröhlicher als ich! Ich konnt' es nicht erwarten, bis ich bei ihm
war. Als ich die Tür seiner Baracke aufstieß, *by Jove,* da standen die
beiden Tugendmenschen schon auf dem Flur; aber freilich, allzu lustig
sahen sie nicht aus. Einen Augenblick noch, dann fiel Rick mir um den
Hals: ›*Hurra for John!*‹ rief er; ›gib ihm die Hand, Riekchen!‹ und mit
einem wunderlichen Blick auf seine Frau: ›Aber, nicht wahr, verteufelt elend sieht der Kapitän doch aus?‹

Ich glaubte, er sei toll geworden, denn ich platzte derzeit vor Gesundheit.

›Meinst du, Rick?‹ sagte die Frau und nickte mir halb traurig zu; ›ja, so rote Backen sind auch oft nicht von den besten.‹

›So? – Meinst du?‹ rief Rick ingrimmig. ›Ich meine das nicht. Sieht er nicht aus wie ein Berserker?‹

Die Frau gab mir die Hand: ›Freuen wir uns‹, sagte sie, ›daß Sie so gesund wieder ans Land gekommen sind!‹

Ich dankte ihr; Rick aber warf seine kurze Pfeife, die er in der Hand hielt, gegen die Wand, daß der Porzellankopf in hundert Stücken über die Fliesen flog, und ich hörte, wie er mit den Zähnen knirschte.

›O Rick!‹ rief die Frau; ›der schöne Pfeifenkopf; das hättest du nicht tun sollen!‹

›Endlich! Danke, Riekchen!‹ sagte er, und ich sah, wie er ihr voll Hohn die Hand preßte; ›aber freilich, Scherben müssen erst gemacht werden!‹ Dann gingen wir in die Wohnstube, während das Weib, als wäre nichts geschehen, die Porzellanbrocken auf dem Flur zusammensuchte.

›Nimm dich in acht, Rick‹, sagte ich, ›daß dein Teufel nicht die Hörner hochkriegt!‹

Aber er stieß ein Lachen aus, so fröhlich, als hätt' ich ihn nur mit dem Kinder-Bußemann erschrecken wollen. ›Komm‹, sagte er und zog mich in die Schlafstube nebenan, ›du weißt noch nicht, daß ich einen Engel in der Wirtschaft habe!‹

Wir waren an sein Ehebett getreten, von dem er jetzt das schwere Deckbett zurückschlug. ›Nun, John Riewe?‹ rief er triumphierend.

Und freilich, da lag – ich dacht' im selben Augenblick: ein Engel, aber es war doch nur ein schönes Kind, im tiefen Schlaf; ein Mädchen von kaum zwei Jahren wohl. Die eine Wange hatte es gegen sein Fäustlein gedrückt, über das die braunen Haare fielen; es war fast nackt, denn das Hemdlein hatte sich über die Brust hinaufgeschoben, und es glühte gleich einem Christkind wie von innerem Rosenlichte.

›Nun, John?‹ sagte Rick wieder, ›du schweigst? Ja, Alter, dem müssen alle Teufel weichen!‹

Und mit demselben schlug das Kind seine dunklen Augen auf, und die Ärmchen nach dem Vater streckend, rief es: ›Papa, mein Papa!‹

Da riß Rick es ungestüm aus den Kissen und preßte das schöne Ding an sein Herz und küßte es vielmal und flüsterte ihm heimliche Worte in sein Ohr, so leise, daß ich nichts davon verstand. Ich sah es wohl, sein Herz war voll, und was er seinem Weib nicht geben konnte, das verschwendete er an das unvernünftige kleine Wesen.

Und doch, Nachbar, in späteren Jahren, und auch jetzt noch kommt es mir oftmals, es habe derzeit das Kind ihn dennoch wohl verstanden und sei nichts davon verloren gegangen.

– – Am anderen Tage kam ich nach dem Abendbrote zu ihm. Er saß am Stubenfenster mit untergeschlagenen Armen und schaute auf die enge, stille Gasse; das Riekchen hatte ich bei meinem Eintritt in der Küche rumoren hören.

›Nun Rick‹, rief ich, ›was fängst du für Mäuse?‹

›Ich fange gar nichts, John‹, sagte er.

›Warum hast du denn deinen Engel nicht bei dir?‹

›Das ist's, John; der schläft allezeit von jetzt bis übers Morgenrot; aber für mich ist's noch nicht Schlafenszeit.‹

›So gehen wir ein Stück am Hafen!‹ sagte ich. ›Du bist noch nicht auf meinem Schiff gewesen.‹

Er schien eine solche Aufforderung nur erwartet zu haben, denn er sprang sogleich auf und riß seinen Hut vom Türhaken.

›Gehst du aus, Rick?‹ frug die Stimme seiner Frau, als wir durch den Flur gingen, und ihr geduldiges Haupt erschien aus der Küchentür.

›Ja, Riekchen; ich nehme den Schlüssel mit; wirst du müde, so schlie-ße mit dem anderen zu!‹

Sie nickte: ›Gute Nacht, Rick! Gute Nacht, Kapitän Riewe!‹

Wir gingen noch auf mein Schiff; aber es fing bald an zu dämmern, und so wanderten wir nach St. Pauli und gingen nach dem Trichter, wo wir bald zwei steife Gläser vor uns dampfen ließen. Wir sprachen erst von alten Zeiten; dann aber erzählte Rick von seinem Kinde, nur von seinem Kinde: er lachte selber wie ein Kind, es war wie eine lachende Freude, wenn er nur ihren Namen nannte; ich brauche Ihnen wohl nicht zu sagen, daß sie Anna hieß.

Als die Gläser leer waren, wollte ich aufstehen; aber er hielt mich zurück und zog seine Uhr. ›Noch nicht, John!‹ sagte er; ›es ist erst zehn: sie schläft noch nicht.‹

Ich verstand ihn wohl; und so tranken wir noch weiter, und es war nach elf, als wir davongingen.

Noch an ein paar anderen Abenden saßen wir dort, aber jedesmal ein Viertelstündchen länger; und auf meine zwei Gläser trank Rick allemal drei; ich sah so viel, er war schon satt von seinem Tugendmuster und schätzte sie am höchsten, wenn sie schlief.

›Rick‹, sagte ich, ›nimm dich in acht, das dritte Glas, das ist des Teufels!‹ Aber er lachte: ›Es ist nur ein Zeitvertreib, John; um ein paar Wochen ist mein Schiff wieder flott, und dann gibt's wieder Arbeit und guten Schlaf!‹

Am Tage darauf war meine Zeit in Hamburg abgelaufen; wir schüttelten uns die Hände, das Riekchen nickte sanft, und auch die kleine Anna gab mir ihr Patschchen und sagte kläglich: ›De, Ohm Jiew!‹ Dann begleitete Rick mich auf mein Schiff.

Noch einmal nach ein paar Jahren – es war in der Kapstadt – habe ich Rick Geyers wiedergesehen; aber er war es nicht mehr selber, es war nur noch ein Trunkenbold, der unter seinem Namen umging. Ich dachte damals, das sei mein größtes Leid, das ich erlitten, und vielleicht auch ist es jetzt noch so; nur daß über einen Mann uns das Erbarmen nicht so bitter faßt … aber ich will der Reihe nach erzählen.

Als ich an der Bai nach meinem Schiff hinuntertrabte, denn in der Nacht noch sollte ich die Anker lichten, sah ich einen Mann vor mir am Wasser stehen, der mich trübselig aus seinem gedunsenen Gesichte zu betrachten schien. Ich stutzte: ›Rick‹, rief ich, ›du bist es, Rick! Was fehlt dir? Bist du krank? Du siehst sehr übel aus!‹

Doch er schüttelte den Kopf und sagte schwerfällig: ›Mir fehlt nichts, John. Bleibst du noch lange hier?‹

›Nein, Rick; nur bis heut nacht, und ich muß noch wieder nach dem Gouvernementshaus. Aber sag' mir schnell: wie geht es bei dir zu Hause, deiner Frau, deinem kleinen Engel? Kommst du bald wieder zu ihnen?‹

›Ganz wohl, alles wohl!‹ Weiter antwortete er nicht; aber er seufzte tief, als ob er sie verloren hätte.

›Du fährst noch immer die Fortuna?‹ frug ich wieder.

›Ja, John, ich fahre sie noch; wir sind erst gestern angekommen.‹

›So lebe wohl, Rick! Ich habe leider keine Stunde mehr für dich; lebe wohl!‹

Ich ging, ganz vernichtet durch dies Wiedersehen. ›Er schämte sich‹, sprach ich zu mir selber; ›Rick Geyers, der beste aller Jungen, ist verloren.‹

Da fühlte ich mich plötzlich zurückgehalten: er war mir nachgelaufen; er lag in meinen Armen: ›John, John, mein Freund! Noch einen Augenblick, wir sehen uns zum letztenmal!‹

Und als er mich in seiner alten Liebe ansah, da waren seine Augen wieder jung und schön. ›Daß nicht, das wolle Gott nicht, Rick!‹ rief ich; ›aber auf ein baldig Wiedersehen in der Heimat, in deinem Hause und bei deiner kleinen Anna!‹

Er wiegte langsam seinen Kopf: ›Leb' wohl, John Riew'‹, sagte er, und leise, als ob auch hier es niemand hören dürfte, setzte er hinzu: ›Und wenn du einmal heimkommst, dann frage nicht mehr nach Rick Geyers!‹

Er riß sich los und war mir bald in einer Menschenmenge, die von der Stadt herkam, verschwunden. Das weiß ich noch, die heitere Sonne, die vom Himmel strahlte, hat mir damals wehgetan.

– – Nach ein paar Jahren – es war in Rio, und ich fuhr derzeit für eine Lübecker Firma das Schiff ›Die alte Hansa‹ – nahm ich einen deutschen Matrosen in Heuer, der krankheitshalber dort zurückgeblieben war. ›Wo stammst du her?‹ frug ich.

›Mein Vater‹, erwiderte er, ›wohnt am Johannisbollwerk!‹

›In Hamburg?‹

›Ja, Kapitän.‹

›So kennst du auch wohl Kapitän Rick Geyers?‹

›Ja, Herr; ich bin ein Jahr als Leichtmatrose mit ihm gefahren; aber –‹

›Was aber!‹

›Er ist kein Kapitän mehr!‹

›Hat er sich zur Ruh' gesetzt? Er ist noch jung!‹

Der Bursche schüttelte den Kopf: ›Es ging nicht mehr!‹ Und er warf den Kopf zurück und machte mit der Hand die Bewegung, als ob er ein Glas an den Mund setze. ›Er fährt jetzt mit dem Blankeneser Postewer.‹

Ich nahm den jungen Menschen auf mein Schiff, aber ich hatte genug vom Fragen.

– – Ein paar Jahre später kam ich denn doch wieder nach Hamburg;

ich hatte Überdruß am Seefahren, und mein Kopf war leidlich grau geworden. Ich ging nach Ricks Hause; aber Rick lag draußen auf dem Petrikirchhof: er war eines Nachts über eine in Reparatur begriffene Fletbrücke gegangen und durch eine Öffnung in das Wasser und in den Tod gestürzt. Ich denke wohl, er war mit einem schweren Kopf gegangen, der ihn hinabgerissen hatte; aber – allen Gerechtigkeit! – seine Frau hat nie davon geredet; nur die Nachbarn und der alte Doktor Snittger haben es später mir bestätigt.

Ich war inzwischen Makler geworden und mietete, nachdem ich mit meinem alten Herrn zu Lübeck ins reine gekommen war, die kleine Oberetage; schön war sie nicht, aber sie genügte, und Rick Geyers' Weib und Kind kam es zugute. Ein halb Jahr darauf fand sich auch noch ein Schüler des Johanneums für die untere Stube rechts, und das waren Sie, Herr Nachbar; ich denke, wir haben uns, bis Sie zur Universität gingen, leidlich genug in dem engen Haus vertragen!

Sie wissen, die Anna war damals schon ein gestrecktes Mädchen, nach dem wohl ein so junger Gesell', wie Sie es damals waren, sich einmal umschauen mochte!«

Der Kapitän sah mich schelmisch an, und es mag wohl nicht gefehlt haben, daß ich rot geworden bin.

»Du lieber Gott!« fuhr er dann fort, »wir wollen nicht darüber scherzen; aber ich darf wohl sagen, daß das Kind die Liebe zu seinem Vater auf dessen alten Freund übertragen hatte, und mir war oft, als sähe sie mich mit seinen jungen Augen an, wenn er – wie oftmals! – mich herzhaft auf die Schulter schlug und dann rief: ›Ja, John, du bist's, auf den man sich verlassen kann!‹«

Der Kapitän seufzte und schlug sich gegen die Stirn: »Das aber war zuviel gesprochen«, sagte er, »denn Dummheit ist auch eine arge Sünde! Ich plagte mich viel mit dem lustigen Mädchen; Sie haben es ja selbst gesehen, der Unband war mir lieb als wie mein eigen Blut, und wenn nach etwas ihr Gelüsten stand, Ohm Riew' mußte allzeit Rat wissen. Das alte Riekchen hatte seine unschuldige Freude daran, und das Kind übernahm bald fast meine ganze Bedienung; Ihnen, Nachbar, blieb nur das alte Weib: ich habe manches Mal darüber lachen müssen; aber der Kaffee von der Anna hätte Ihnen doch noch besser geschmeckt!«

Der Alte schwieg plötzlich und horchte nach oben hinauf. »Ja, der Junge schläft«, sagte er; dann trank er den kleinen Rest aus seinem Glase und machte sich daran, ein neues für sich zu mischen, denn der kleine Kessel sauste immerfort. Mir war, als ob ihm das Erzählen plötzlich widerstehe, oder als ob er sich besinnen müsse, wie er fortzufahren habe.

Aber er saß schon wieder auf seinem Platz, und ohne das dampfende Glas zu berühren, hub er aufs neue an: »Es sieht manches aus wie ein Kinderspaß; aber auch der Strauß hat erst in einem Ei gelegen! Sie wissen, Nachbar, es war meine alte Seemannsart, zwischen Nachmittag und Abend ein gutes Glas zu trinken, und was den Rum anlangt, so hatte ich allzeit was Echtes in meinem Schränkchen. Ich hatte die Anna gelehrt, nach meinem Maße mir das Glas zu mischen; aber wenn sie den Rum in das heiße Glas goß und nun der Dampf ihr in das feine Näschen stieg, dann begann sie ein Gehüstel, bog den Kopf zurück und machte allerlei Gesichter des Abscheues gegen mich.

Ich lachte darüber und sagte: ›Probier' es nur!‹ oder: ›Es wird dir doch noch schmecken!‹

Aber eines wie das andere Mal erwiderte sie: ›Ich habe es schon geschmeckt, Ohm; es ist abscheulich!‹ und schob mit ausgestrecktem Arm das Glas mir zu.

Es wurde allmählich eine stehende Neckerei zwischen der Jungen und dem Alten. ›Du sollst doch noch probieren!‹ rief ich endlich; ›ist das ein Koch, der nicht probieren kann?‹

›Ich bin kein Koch!‹ sagte sie schnippisch!

›So bist du doch mein Mundschenk!‹

›Ich tu's aber doch nicht!‹ rief sie und flog mir aus der Stube und die Treppe hinab.

Ich alter Tor, ich muß jetzt denken, daß ihre Natur uns habe warnen wollen; aber ich ging wie mit verbundenen Augen.

Nun war's an meinem Geburtstage, und ich hatte, mir selber zur Festfreude, dem Kinde ein Dutzend Schnupftücher von einer Extra-Qualität geschenkt, da ich ihre Lust an feinem Linnenzeuge kannte. Und wirklich, sie leuchtete vor Freude, als sie zur Mutter lief und ihr die schöne Ware zeigte; und über ein kleines saß sie auch schon am Fenster, um ihr kunstvolles Monogramm hineinzusticken. ›Mein Ohm!‹ rief sie mir zu; ›ich tu' dir alles zu Gefallen!‹

›Das ist schon mein Gefallen‹, sagte ich, ›daß du dich freust.‹

›Nein, noch was anderes, Ohm!‹ Sie sah mich geheimnisvoll mit ihren dunklen Augen an und stickte weiter an ihren Monogrammen.

Abends brachte sie mir, wie gewöhnlich, das Kesselchen mit heißem Wasser auf mein Zimmer; sie nickte mir zu, und als es kochte, begann sie mir mein Glas zu mischen. Sie tat das wie in Freude zitternd und doch so feierlich, als solle sie ein Opfer bringen. Dann hielt sie das dampfende Glas hoch vor ihrem Angesicht: ›Ohm‹, sagte sie, indem sie auf mich zutrat, ›mein Ohm, mögst du noch vielmal diesen Tag erleben!‹ Der herzlichste Strahl, den meine arme Seele je getrunken, flog aus ihren Kinderaugen in die meinen. Dann setzte sie das Glas an ihren Mund und tat einen starken Zug daraus.

Aber es war zuviel gewesen, was sie sich zugemutet hatte: wie im Krampf spien die jungen Lippen den scharfen Trank hinaus, und das Glas fiel aus ihrer Hand zu Boden, daß der Inhalt und die Scherben umherflogen; dann stürzte sie in den Alkoven, an meinen Waschtisch; ich hörte, wie sie Wasser in ein Glas goß, ein- und zweimal, und wie sie gurgelte und sprudelte, als gelte es, einen Gifttrank wegzuspülen.

Ich ging ihr nach; da fiel sie mir um den Hals: ›Ohm, mein süßer Ohm … ich konnte nicht dafür … verzeih mir, sei nicht bös!‹

Das Kind war außer sich; dennoch wollte sie mir ein neues Glas bereiten, aber ich litt es nicht, ich nahm sie auf meinen Schoß: ›Sei ruhig, Anna, du weißt es ja; wir beide können einander gar nicht böse sein!‹

Da preßte sie meinen Hals mit ihren Armen, als ob sie mich ersticken wollte: ›Du bist gut, mein Ohm; ich weiß es, du bist gut!‹ Und dann weinte sie sich noch ein braves Stückchen.

Aber auch das, Nachbar, öffnete mir nicht meinen vernagelten Verstandskasten. Am anderen Abend kam sie wieder mit ihrem Kesselchen. ›Zünd' nur die Lampe an‹, sagte ich; ›hernach mach' ich mir's schon selber.‹

Ich wollt', Sie hätten ihr bittend Angesicht gesehen. ›Laß mich, Ohm!‹ sagte sie. ›Ich weiß, ich kann es heute.‹

Ich wollte es dennoch wehren, aber jetzt stampfte sie mit ihrem Füßchen: ›Ich muß aber, Ohm; das ärgert mich, das von gestern!‹

Só litt ich's denn, und als sie mir: ›Zur Gesundheit!‹ sprach und dann ein Schlückchen aus dem Glase trank, hielt sie den Atem und Mund

und Augen gewaltsam offen; aber, ich sah es wohl, ein paar Tränen sprangen doch heraus. Bald danach sind Sie ins Haus gezogen, und – Sie haben es ja selbst gesehen, wie zierlich sie uns zu kredenzen wußte. Gott verzeihe mir! Das Kind steuerte Backbord, aber ich hätte Steuerbord halten sollen.

– – Im Winter, nachdem Sie fort waren, suchte mein Lübecker Reeder mich wiederum zu ködern; der schlaue Alte hatte es heraus, daß ich zu früh mich landfest gemacht hatte; er meinte, ich könnte wohl noch ein paar Jahre wieder laden und löschen. Von dem dazwischen sprach er nicht; aber er bot mir ein neugebautes Vollschiff und einen Part darin. Mir gefiel das schon; aber was sollte dann aus Riekchen Geyers und meiner Anna werden! Denn auch Ihr Quartier im Unterhause stand unvermietet. Da, als ich eines Tages in der Januarsonne mit Anna über den Gänsemarkt promenierte, blieb sie vor einem Weißwarengeschäft stehen und betrachtete begierig die Sauberkeiten, die hier alle in dem Ladenfenster ausgelegt waren. Ich wollte ungeduldig werden; aber sie hatte trotzdem immer ihren Finger noch nach etwas Neuem. Auf einmal kam mir die Erleuchtung: ›Komm‹, sagte ich, ›was meinst du, wenn ihr selber solchen Laden hättet?‹

Sie wurde schier dunkelrot vor Freude; aber gleich darauf sagte sie traurig, ihr dunkles Köpfchen schüttelnd: ›Das ist ja nicht möglich, Ohm!‹

›Nicht möglich, Anna? Aber was meinst du, wenn dein Ohm es dennoch möglich macht? Komm nur, wir wollen gleich zu Hause, und Mutter soll ihren Segen geben!‹

By Jove, ich hatte Not, daß sie mir nicht vor allen Leuten um den Hals fiel.

Und so kam es denn in Ordnung. Freilich, mein Maklerverdienst ging so zirka wohl darauf; aber wen hatte ich denn sonst, für den ich sorgen konnte! Die Stube rechts, wo Sie Ihre Lateiner studiert hatten, wurde zum Laden umgewandelt; die Einkäufe waren schon gemacht, Näherinnen außer dem Hause wurden in Arbeit genommen und eine Glocke über der Haustür angebracht; Anna selbst war das behendeste Ladenjüngferchen und saß fleißig mit der Nadel in der Hand. Wie ich nach ein paar Jahren aus einem Briefe der Mutter sah, gewann sie später noch besseren Verdienst, indem sie in fremde Häuser schneidern ging; damals aber warteten wir noch auf Käufer, und sie kamen auch: erst die Nachbarn und die Apothekertöchter, mit denen Anna damals wohl zusammen lief, dann auch von den Gästen aus dem Kaiserhofe. Ich hörte mit Behagen unsere Glocke läuten, wenn ich oben auf meinem Zimmer saß.

Und endlich eines Abends nahm ich mutig einen großen Briefbogen und schrieb darauf an meinen alten Herrn Richardi in Lübeck, daß ich sein neues Schiff ›Die alte Liebe‹ führen würde.

›Die alte Liebe‹ war so gut wie ihr Name; und wir hatten Glück, mein alter Herr und ich! Fünf Jahre lang bin ich gefahren, wie noch nie zuvor – aber wir haben noch andere Abende, davon zu reden –, nur bei der letzten Fahrt, in den englischen Nebeln, zwischen Plymouth und Southampton, da hätten wir bald, trotz Nebelhorn und Schüssen, das Schiff und auch uns selbst verloren. Das machte mich kopfscheu; mir schien's nun endlich doch genug vom Wasser und besser, das bißchen Lebensrest im Trockenen zu verzehren. Doch mein Herr Richardi in Lübeck war nicht solcher Meinung, und da er mich halten wollte, so wußte ich wohl, weshalb er mit unserer Abrechnung immer noch nicht fertig wurde. ›Herr‹, sagte ich endlich, ›ich besuche meinen alten Ohm in Holstein; indes wird hier wohl alles klar?‹

Er brummte etwas, und ich fuhr am anderen Tag hierher. Es war aber ein rechtes Doppelwrack, was ich hier fand: den geizigen Greis und sein großes, verfallenes Bauernhaus, worin einst eine weitläufige Wirtschaft war betrieben worden. Zwei Stuben mit vollen Schränken und hohen Wandbetten standen bestaubt und unberührt; der Eigentümer und eine verrunzelte zahnlose Magd hausten jetzt allein in einer Kammer. Freilich, auf dem Boden jungten die Marder in den Ecken und schleppten des Nachts ihre Beute heim und sprangen durch die Löcher des alten Strohdachs auf die Bretter, daß in der Stube unten nicht zu schlafen war. In einer Nacht, wir waren gegen August, kam unerwartet ein Sturm auf; das ganze Dach schüttelte sich, und ich hörte, wie ein Fach Mauerwerk herauspolterte; da sprang ich auf und ging die Nacht spazieren. ›Ohm‹, sagte ich am anderen Morgen, ›mein Schiff war doch noch sicherer als Euer Haus; Ihr müßt bauen, sonst begräbt's Euch noch!‹

Aber er lachte, indem er sich sein schlotteriges Wams über seinen hageren Leib zuknöpfte. ›Das verstehst du nicht, John; die alten Häuser sind zäh. Du kannst es flicken lassen, wenn sie mich hingetragen haben.‹

Ich hielt's nicht länger aus: mich überkam ein plötzliches Verlangen nach unserer kleinen Anna, und ich schrieb an Riekchen Geyers, daß ich kommen würde.

Am zweiten Tage danach fuhr ich mit dem Wochenwagen ab. Als mein Ohm mit seiner Magd, die ich mit einem unmäßigen Trinkgeld erfreut hatte, mich hinausbegleitete, gab er mir die Hand: ›Aber John!‹ sagte er, ›das in dem Kanal, das will mir nicht gefallen; bleib schmuck im Lande nun! Wenn du versöffest, ich müßt' mein Testament ummachen lassen; das sind teure Sachen!‹

Damit fuhr ich ab. Als ich vors Millerntor in Hamburg kam, ging just der Tag zu Ende; ich konnt's nicht lassen, stieg ab und spazierte nach dem Stintfang hinauf; da sah ich am Hafen längs den ganzen Mastenwald im braunen Abendrot. Langsam ging ich dort hinunter, und da überfiel's mich: ›Haus oder Schiff? Land oder See?‹ Ich schlenderte am Bollwerk entlang, den Kopf voll melancholischer Gedanken, da kam der Sohn unseres Nachbarn, des Apothekers, mir entgegen; er war in Kalifornien gewesen, kam aber jetzt von Hause und wollte nun wieder in die Minen. Die beiden Schwestern hatten den wilden Jungen weich gemacht, ich glaube, am liebsten wär' er mit mir umgekehrt; zuletzt aber häkelte er zwei Klümpchen Goldes los, die er als Berlocken an der Kette hängen hatte. ›*Good bye!*‹ sagte er, ›bringt's den Dirnen; wenn ich wiederkäme, sollt's ein Pfund sein!‹ Und damit drehte er ab und ging davon.

Ich steckte die Berlocken in die Tasche und wanderte jetzt rascher in die Stadt hinein. Als ich Ricks Häuschen erreicht hatte, brannte im Flur schon eine Lampe. Ein dunkelköpfiges Mädchen flog aus dem Laden, nicht groß, aber schlank, ein zierliches Stutznäschen und über der Stirn, nicht was die Frauenzimmer Simpelfransen nennen, nur so die feinen Stirnlocken, die mit dem Kamm nicht mehr zu bändigen waren; und vor der Brust hing ihr ein sauber Spitzentuch.

Ich zog sehr höflich meinen Hut und wußte nicht, war das feine Ding *sie* oder war's nur eine fremde Jungfer? Freilich, so auf Siebzehn schien auch die zu stimmen, die mich da mit ihren großen braunen Augen ansah; aber ich war doch nicht auf Nummer Sicher und sagte lieber vorsichtig: ›Guten Abend; wär' Frau Geyers wohl zu sprechen?‹ – ›Guten Abend‹, sagte sie – und mir war's, als ob sie innerlich lache – ›treten Sie nur näher!‹ – Aber ich kehrte mich zu ihr: ›Um Verzeihung, liebes Kind‹, sagte ich, ›wie heißen Sie denn?‹ Sie neigte den Kopf, daß ich vom Gesicht nur noch die Stirnlöckchen sehen konnte, und sagte: ›An-na!‹

Sie sagte das so eindringlich, so *very engaging;* es sang ordentlich was in den beiden Silben, und wieder auch, als wär' ein Mädchenlachen noch dahinter.

Dann aber, als Frau Riekchen jetzt aus der Stube trat, da lachte sie wirklich und warf den Kopf empor: ›Mutter‹, rief sie jubelnd, ›da ist Onkel Riew', und er kennt mich nicht mehr!‹ Und sie flog mir an den Hals, die junge Katze! In mir aber rief es: ›Land, Land! Nicht nochmals auf die Planken!‹

Ich wohnte schon wieder oben in meinem alten Quartier und hatte aus Lübeck und vom Schiff schon meine Sachen um mich. Es war fast wie früher, nur daß, weil die Frauen anderes zu tun hatten, eine kleine Magd mich jetzt bediente, und ich abends meist mein Glas im Kaiserhofe trank. Da fielen die goldenen Berlocken mir eines Vormittags in die Hand, die ich noch immer abzuliefern hatte, und ich machte mich sogleich jetzt auf den Weg.

Als ich eintrat, fand ich im Zimmer nur die beiden Mädchen, die vor einem Tische emsig an großen bunten Lappen nähten; da ich aber mein Gewerbe anbrachte und die Goldklümpchen in ihre Hände legte, *by Jove,* da ging das Gejammer los: ›Ach, Herzensbruder, o mein Peter, Peter!‹

Wisset, Herr Doktor, ich kann die Frauenzimmertränen nicht leiden, denn sie machen mich boshaft, was ich von Natur nicht bin; aber so wie eine wilde Gans aus der Tür rennen, das war doch auch nicht schicklich; ich blieb also vorderhand noch sitzen. Da öffnete sich die Tür, und eine alte Näherin trat herein, die mir von früher wohlbekannt war. Sie hatte wieder solchen Lappen in der Hand, wie die hier drinnen, es mußte also miteinander wohl ein Kleid ausmachen; auch paß-

ten sie es zusammen und strichen es sich an Hals und Schultern. Als
die Alte fortgegangen war, dachte ich für die Anna ein Wort einzule-
gen und sagte: ›Ist das Ihre Näherin? – Die könnten Sie ein Pfunds-
maß hübscher haben! Ich meinte, daß die Anna Geyers bei Ihnen nähte?‹

›Ja‹, sagte die Älteste und wischte sich den Tränenrest von ihren
Backen, ›die ist freilich hübscher.‹

– ›Steht Ihnen das Mädchen denn nicht an?‹

›O – wir haben sie ja schon gehabt.‹

– ›Und Sie wollen sie nicht wieder haben? Das tut mir leid, sie ist so
halbwege ja mein Ziehkind.‹

›Ja; aber …‹ Sie bückte sich über ihre Näherei und kam nicht an Bord
mit ihrem Satze.

– ›Schießen Sie los, Mamsellchen!‹ sagte ich. ›Helles Feuer ist das beste. Die Anna soll doch ihre Arbeit gut verstehen; hat sie gestohlen,
oder wo steckt denn sonst der Fehler?‹

›Nun, Herr Riew'‹, sagte die Jüngere und luvte mich mit ihren kleinen unverschämten Augen an: ›gestohlen nun wohl nicht; es ist nur
eins!‹

Die Ältere winkte ihr zu und schüttelte den Kopf, aber das schwarze
Ding ließ sich nicht übersegeln: ›Ich will es Ihnen sagen, Herr Riew',
sie hat für uns zu vornehme Bekanntschaften; wir sind ehrliche Bür-
germädchen, mit Grafen und Posamentiergesellen haben wir nicht
gern zu tun, auch nicht mal durch die dritte Hand! Und das noch nicht
allein!‹

›Liebes Mamsellchen‹, sagte ich, da sie innehielt, ›sparen Sie die Worte nicht; ich bin bereit zu hören.‹

Hierauf, während die Ältere sittsam auf ihre Arbeit sah, rückte das
beredte Mädchen sich einen Schemel unter die Füße und setzte sich
ordentlich in Positur. ›Es war im vorigen Herbste, Kapitän Riew'‹, sagte sie, ›und die Zentralhalle war eben eröffnet; man konnte in Familie
an kleinen Tischen sitzen, seinen Tee oder eine Tasse Schokolade trinken und dabei eine Komödie, oder was es sonst denn gab, mit ansehen, und die Kosten waren auch nicht schlimm. Alle gingen hin, und
groß wurde davon gesprochen. Wir, Herr Riew', gehören nicht zu denen, die nach allem Neuen laufen; aber die Gummi-Elastikum-Kerle,

als die angekündigt wurden, die mußten wir doch sehen! Wir beide gingen also eines Abends in die Zentralhalle, unsere Mutter war natürlich bei uns; der alten Dame schwindelte der Kopf, und sie hätte bald ihren Zufall bekommen, als wir in den ungeheuren Saal traten; doch es gab sich zum Glück, als wir erst an einem Tischchen unseren Tee tranken und dann der Vorhang aufging. Die Elastikum-Kerle waren freilich besser auf dem Zettel als auf der Bühne; aber als der eine sich rückwärts um den Tisch wickelte und der andere als Schlange über ihn wegkroch, ihre Faxen sahen sich doch lustig an. – Da, als wir im besten Lachen waren, entstand an einem Tische, ein Stückchen von uns, ein Rumoren, daß wir unwillkürlich unsere Augen dahin wenden mußten. Zwei Frauenzimmer hatten dort schon länger mit dem Rükken gegen uns gesessen; nun langten noch zwei leidlich junge Herren an; der eine sah wirklich vornehm aus, aber wer weiß das! Das Gesicht war ziemlich verkommerschiert, und die vielen Haare, die nicht mehr da waren, hatten wohl auch umsonst sich nicht empfohlen. Das gab ein Reden und Komplimentieren, ein Schurren mit den Stühlen; dann rief der Kleinere von den beiden nach dem Kellner. Ein blasser Schlingschlang mit weißer Binde drängte sich an den Tisch: ,Befehlen?' – ,Ja, was?' – Und der Kellner zählte her, was er zu bieten hatte. – Dazwischen rief der Kavalier: ,Genug, Kellner! Zum Vorschmack vier Gläschen schwedischen Punsch!' – Kennen Sie es, Kapitän? Es soll furchtbar stark sein!‹

Ich nickte.

›Nun, die Gläser kamen, und die Herren hatten's immer nur mit dem einen Frauenzimmer, als wenn die Gummi-Elastiker sie gar nichts angingen, und sie gingen auch mich bald nichts mehr an, denn ich sah immer nur nach diesen vier Menschen. Da stößt meine Mutter mich in die Seite: ,Du', sagt sie, ,kennst du das Frauenzimmer in der Lilahaube?' Und da ich nein sage –: ,Frau Geyers', flüstert sie mir zu, und als die andere just den Kopf wendet: ,Herr Jesus!' ruf' ich, ,und da ist auch die Anna!'

In diesem Augenblick stand der vornehmere der Herren auf. ,Ihr Glas ist leer, Fräulein', sagt er zu der Anna; aber, indem er sich wendet: ,Freund Jack, das war wohl eigentlich kein Getränk für Damen!'

Der andere lachte: ,Nur ein *gustus,* Edmund!'

‚Verzeihen Sie, meine Damen!' begann der Vornehmere wieder; und: ‚Kellner! Kellner!' rief er so laut, daß sie von allen Tischen ihn zornig ansahen und zu brummen anfingen; denn auf der Bühne ging jetzt ein Lustspiel vor sich. Aber er kehrte sich nicht daran, und als der Schling-schlang wieder vor ihm stand mit seinem atemlosen: ‚Herrschaften be-fehlen?', rief er: ‚Champagner! Zwei Flaschen auf Eis!'

Nun, Kapitän, das kann ich Sie versichern, Anna hat nicht am we-nigsten davon getrunken! Ihr schmuckes Lärvchen brannte ordent-lich, und daß sie mit der linken Hand sich auf den Tisch stützte, wenn sie sich erhob und mit den Herren anstieß, das war auch nicht von un-gefähr! Hätte die Mutter nicht mit ziemlich trockenem Munde dabei-gesessen, sie wäre nach dem Schauspiel wohl, Gott weiß, wohin ge-kommen; denn der am vornehmsten aussah, der schien viel Gutes nicht mit ihr im Sinn zu haben.‹

Als das lustige Mädchen mit ihrem Gespinst zu Ende war, sagte ich nichts, denn mir war nicht eben wohl ums Herz, Nachbar; ich hörte nur, daß jetzt die ältere Schwester der jüngeren bestimmte: ›Wir reden natürlich nicht davon‹, sagte sie, ›aber ins Haus nehmen, das geht doch nicht!‹

Und die Jüngere warf den Kopf zurück: ›Ich danke – wenn der Herr Graf sie abends vor unserer Haustür erwartete – da könnte am Ende ich noch in den Geruch einer Gräfin kommen!‹

›Sie haben völlig recht, Mamsell Nettchen, und das wäre wenig pas-send‹, sagte ich und empfahl mich höflichst.

– – Daß ich beim Nachhausekommen mir unsere alte Tugendhafte auf mein Zimmer bat, und was der Inhalt unseres Gespräches gewe-sen, brauche ich Ihnen wohl nicht zu erzählen; aber so viel sah ich, die Apothekermädchen hatten jedenfalls nur mäßig übertrieben: die Her-ren aus der Zentralhalle aber waren freilich Biedermänner, der eine ein Graf, der andere ein Baron.

›Riekchen, geht in Euch!‹ rief ich, ›besinnt Euch! Biedermänner, und Grafen und Barone, und mit Euch in der Zentralhalle?‹

Das war zuviel. ›Ohm Riew'‹, sagte sie, ›unsere Anna ist ein Kind – ich aber bin mein langes Leben hindurch eine ehrenwerte Frau gewe-sen! Wir werden sie nicht verunehrt haben!‹

Du lieber Gott! sie wußte nicht einmal, weshalb Rick Geyers in sein frühes Grab getaumelt war.

Nicht lange darauf kam ich eines Abends spät nach Hause; da die Straßentür noch offenstand, so trat ich, ohne daß es schellte, in den Flur. Es war schon dunkel hier, nur durch das Guckfenster in der Ladentür fiel ein Schein heraus. Ich stand einen Augenblick, denn ich hörte, wie drinnen eine Herrenstimme sprach, und allerhand, was ich erst nicht reimen konnte.

›Verzeihung, Madame‹, sagte der Jemand, ›die Toilette ist keineswegs kostbar, nur ein weißes, weiches Gewand und weiter nichts! Es darf sich keine vor der anderen auszeichnen; die Blumen wird die Gesellschaft den Damen liefern; und ich würde hier‹ – er sprach das wie mit einer zärtlichen Verbeugung – ›um die Erlaubnis bitten, dem Fräulein blaßrote Rosen anbieten zu dürfen!‹

Es entstand eine Pause; dann schien unsere tugendhafte Mutter eine leise Bedenklichkeit zu äußern, die ich nicht verstehen konnte. Aber der Unbekannte sprach sogleich: ›*Pardon, Madame;* das ist es ja; nicht Rang und Stand, denen unsereiner gern einmal entflieht, soll hier den Ausschlag geben, sondern Schönheit und gute Sitten; doch da dieselben selten beieinander sind, so wird der Zirkel nur ein kleiner sein, ein Dutzend Paare etwa. Sie wissen, in den richtig konstruierten Familien ist stets die Mutter die Schöpferin der Tugend ihrer Kinder; und nicht jede Tochter, Madame, ist so glücklich wie die Ihre!‹

›*Damned scoundrel!*‹ brummte ich bei mir selber, denn mir war, als sähe ich durch die Tür ihn jetzt sein nichtsnutziges Kompliment gegen unsere Alte machen. Und wer war denn der Monsieur? –Am Ende der Versucher in eigener Person; nur in Monaco beim Pharao und beim Roulette, unter dem vornehmen nichtsnutzigen Volk war mir solche Menschenstimme vorgekommen.

Unwillkürlich trat ich dem Guckfenster näher, denn ich hörte schon die Alte sagen: ›O, Herr Baron, wenn doch alle Ihresgleichen solche Grundsätze hätten!‹

Aber der Versucher war schon wieder da: ›Ich bitte, Madame, beurteilen Sie uns nicht voreilig! Der Präsident unserer Gesellschaft ist von einer Strenge, daß man sich ihm gegenüber um sich selber, ja fast um unsere Damen bangen dürfte; aber – *enfin,* er wurde gewählt, und zwar mit allen Stimmen!‹

Ein Ruf des Erstaunens entfuhr unserem alten Tugendmöbel, als ich eben in das Fenster sah. Ein großer, eleganter Herr saß beinbaumelnd vorne auf dem Ladentisch; wahrhaftig, Herr Nachbar, ich weiß noch heute, daß das Bein in perlgrauen Hosen steckte! Im übrigen alles, wie man's nur verlangen konnte: dünnes, aber modisch frisiertes schwarzes Haar, ein kleiner Schnurrbart in einem glattrasierten Angesicht; die eine Hand, in hellem, knappem Handschuh, lag mit dem Augenglas auf seinem Knie. Er sah nicht übel aus, beileibe nicht! Aber um Mund und Augen zuckte etwas – ich kannte es wohl, Herr Nachbar –, es macht die Weiber fürchten und fängt sie endlich doch, wie arme Vögelchen! Man soll nur wissen, daß nichts als böse Luft dahintersteckt.

Die Alte stand mit übergeschlagenen Händen vor ihm und sah in dummer Anbetung zu ihm auf. Für mich, das muß ich sagen, hatte der Geselle eine verflucht konfiszierte Physiognomie! Er hatte stets nur zu der Mutter geredet; aber Anna, die dort im Winkel stand, sah mit brennenden Augen auf ihn hin. War das am Ende ihre vornehme Bekanntschaft, von der jene Mädchen gesprochen hatten?

Ich ging zurück an die Haustür und stieß sie zu, daß die Glocke läutete; dann trat ich in den Laden. Mein Erscheinen mochte den drinnen eben kein groß Pläsier machen: Anna kam aus ihrer Ecke und ging daran, einige Bänder und Spitzen vom Tische in einen Pappkasten zu räumen; der fremde Musjö hob sein Glas an die Augen und sah auf mich herab, als ob ich unter seinem Blick verschwinden müßte.

Aber ich verschwand nicht, sondern setzte mich auf einen Stuhl neben der Tür und sagte: ›Schön warm hier drinnen; guten Abend, meine Herrschaften!‹

Das alte Weib drehte sich hin und her: ›Unser Onkel Riewe, Herr Baron!‹ sagte sie. ›Er wohnt bei uns im Hause.‹

›So?‹ erwiderte er gleichgültig und streckte das Kinn vor, und ich hörte ordentlich, wie das kleine Wort zu Boden fiel: ›Sehr angenehm!‹

›Lüg' du und der Teufel!‹ dachte ich; aber ich nickte ihm zu und sagte höflich: ›Dito, mein Herr; gleichfalls.‹

Und damit war unsere Unterhaltung zu Ende. Und da ich nun meinen Hut auf meinen Stock hing und diesen neben mir an die Wand stellte, so mochte er zu der Meinung kommen, ich sei so leicht nicht zu verjagen; wenigstens glitt er bald vom Ladentisch herunter. ›Madame!‹ sagte er, und mit einem langen Blick auf die Anna: ›Mein Fräu-

lein! Sie gestatten mir wohl, zu gelegenerer Zeit wieder vorzusprechen!‹ Dann, ohne mich auch nur anzusehen, war er bei mir vorbei und
zur Tür hinaus, und die Alte mit: ›Sehr angenehm!‹ und ›Allzeit willkommen, Herr Baron!‹ hinter ihm her. Anna hatte nur eine stumme
Verbeugung gemacht, aber es war gut, daß ihre Augen festsaßen in ihrem heißen Angesicht.

Als die Alte wieder eintrat, waren wir drei denn nun allein beisammen. ›Hm‹, sagte ich endlich, da die anderen beiden schwiegen, ›ein
feiner Maat, der euch da beehrt hat!‹

Die Alte nickte: ›Ein sittsamer, edler junger Herr! Aber ich glaube,
Onkel John, Ihr habt ihn fortgetrieben!‹

›Was hab' ich, Riekchen?‹ rief ich; denn so sanft sie das auch vorbrachte, solch eine Anklage hatte ich noch nie von ihr gehört. ›Ich habe ja in aller Ehrbarkeit auf diesem Stuhl gesessen!‹

›Ja, Riew', das haben Sie wohl; aber – Sie saßen so, als wollten Sie
den Herrn Baron zur Tür hinaus haben!‹

›Und das wollt' ich auch, Riekchen!‹ rief ich, ›und er ist denn auch
gegangen; und wisset Ihr, weshalb? – Weil er ein schlecht Gewissen
hatte! Weil er keinen Mann gebrauchen konnte beim Auswerfen seiner Angel, womit nur junge Dirnen und alte dumme Weiber zu ködern waren! Und wenn Ihr noch etwas Mutterwitz im Kopfe habt, so
beißt Ihr nicht daran!‹

Die Alte stieß einen sanften Klageton aus und ging händeringend
auf und ab, ich aber war zornig geworden, Nachbar, und wollte es nicht
noch mehr werden; deshalb nahm ich Hut und Stock und stieg hinauf
nach meiner eigenen Wirtschaft.

Am anderen Morgen mußte ich nach Lübeck, um endlich mit meinem
alten Reeder rein zu werden. Er ließ, als ich ankam, nicht ab, ich mußte bei ihm Quartier nehmen, in seinem großen Hause in der Wahm-
straße, wo die braun getäfelten Zimmer danach aussahen, als seien
Marx Meyer und Herr Jürgen Wullenweber dort noch aus und ein gegangen; der lange Hausflur stieg in das erste Stockwerk hinauf, und
oben lief eine Galerie herum, auf welche viele Türen, auch die von meinem Schlafkabinett, hinausgingen. Das alles hatte ein gar stattlich Ansehen.

Der alte Herr selber war etwas gebrechlich schon, ein wenig steif im Rücken und die Finger vom vielen Schreiben krumm; aber er saß noch immer an seinem Pult, denn er war der Letzte, er hatte keinen Sohn. Wir beide waren aber noch allzeit miteinander fertig geworden; nur etwas langsam ging es, und Geduld mußte man haben. So zog es sich denn auch jetzt wieder von einem Tag zum anderen. Die Sache war aber eigentlich, ihm fehlte immer noch der Kapitän für ›Die alte Liebe‹; er dachte wohl, hätte er mich im Hause, so wär' ich noch zu halten.

Als ich eines Morgens aus meiner Kammer getreten war und über die Galerie in den steinernen Flur hinabsah, schritt er dort eben aus einer der hinteren Stuben hervor, in seinem grauen Röckchen, das spärliche Haar zu einem dünnen Pull emporgekämmt. ›Nun, Kap'tän Riew'‹, rief er hinaufblickend, ›hat die letzte Nacht Euch besseren Rat gebracht?‹

›Nein, Herr; es muß bleiben, wie es ist‹, rief ich hinab.

›Ich glaube, Riew', Ihr wollt ein Weib nehmen!‹ sagte er lachend.

›Auch das nicht; ich habe Familiensorgen ohne das.‹

Da drohte der alte Kaufherr mir schelmisch mit dem Finger: ›Ja, ja, ihr alten Kapitäne! Ihr habt Familiensorgen in aller Welt, an jedem Ankerplatz, John Riewe! Seid Ihr denn auch von denen? Das wußte ich noch nicht!‹

›Daß ich selbst nicht wüßte, Herr‹, sagte ich; ›aber es ist ein Freundeserbe, und das hat auch sein Freud' und Leid.‹

›So, so! Verzeihet! Aber kommt nun herunter, daß der Kaffee uns nicht kalt werde.‹

So gingen wir denn zum Kaffee, und der alte Mann frug mich zum Schluß noch wacker aus und klopfte mir ein paarmal nickend auf die Schulter: ›Kann ich helfen?‹

›Dank, Herr; das mach' ich schon allein.‹

Am Abend – es war an einem Freitag – waren wir beide miteinander klipp und klar, und am anderen Morgen befand ich mich wieder auf dem Weg nach Hamburg. Damals gab's aber weder Chaussee noch Bahnzug; unser Wochenwagen, in dem wir wie die Heringe zwischen Ballen und Kisten verpackt waren, rumpelte auf dem verruchten Knüppeldamm, daß wir mitten auf dem Weg noch beide Stengen brachen; und so war's schon gegen zehn Uhr abends, da wir endlich in Hamburg einfuhren. Hundsmüde stieg ich sogleich die Treppe nach meinem Quartier hinauf, und im Augenblick kam auch das alte Riekchen hintennach. ›Nun, seid Ihr es?‹ frug ich.

›Ja, Onkel John; Ihr seid wohl müde? Soll ich Euch was zu essen machen, oder eine heiße Tasse Tee, oder ein Glas Grog? Das nehmt Ihr heut wohl lieber?‹

›Nein, nein, Alte; geht nur und grüßt die Anna, wenn sie noch die Augen auf hat! Ich muß schlafen.‹

Die Alte murmelte etwas und ging; ich kroch in meinem Alkoven unter die Decke, hörte noch, wie es von Michaelis elf schlug und wie der Wind aufkam und zwischen die losen Dachpfannen fuhr, dann hörte ich nichts mehr. Wie lange ich geschlafen, weiß ich nicht, aber es mußte mitten in der Nacht sein – mir träumte, ich fahre auf einem kleinen Schmack durch die norwegischen Schären, und ein Windstoß schlägt das Fahrzeug gegen einen Felsblock – wie von einem Ruck fahr' ich in die Höhe, und auf einmal fühl' ich, ich liege in meinem Bett und will mich eben behaglich wieder in mein Deckbett wickeln, da ruckt unten vor der Haustür ein Wagen auf dem Steinpflaster, ein Kutscher klatscht mit der Peitsche und stößt einen Fluch über seine unruhigen Pferde aus; eine Art Getümmel ist dabei, als würde einer vom Wagen herabgehoben.

Da fiel's mir plötzlich ein: ›Warum, als du heimkamst, war die Anna denn nicht da? Und die Alte, sie war um dich herum, als wollte sie das Mädchen dich vergessen machen; am Ende ist heut der Musterball!‹

Ich war aus dem Bett gesprungen und lief ans Fenster. Aber die Unruhe hatte sich schon ins Haus verloren, und ich sah nur noch, wie ein großer Herr im Mantel in den Wagen sprang.

›Vorwärts, Kutscher!‹ rief er, und mit Gepolter rasselte das Gefährt davon.

Mit selbigem kam es auch schon die Treppe zu mir herauf, daß ich mir kaum die Notdurft über den Leib ziehen konnte, und wieder stand die Alte, aber mit einem wahren Jammergesichte, vor mir.

›Nun, Riekchen‹, rief ich, ›was ist denn das für eine Komödie?‹

›Ach, Onkel John, scheltet nur nicht! Der Herr Baron hat sie selber vom Ball zurückgebracht; aber sie ist krank geworden beim Tanzen, ohnmächtig, ganz ohne Besinnung; ach, Onkel John, schier wie eine Leiche sieht sie aus! Die alte feine Frau, die mitkam, ist noch unten, aber sie weiß ja hier doch nicht Bescheid.‹

›Da soll ich wohl den Doktor holen?‹ frug ich.

›Ach, wenn Ihr wolltet, Onkel John?‹

›Hol' der Teufel Eure Bälle und Barone!‹ rief ich; ›aber geht nur hinunter zu dem armen Kind!‹ – Ich hatte mich schon völlig angekleidet, nahm meinen Hut und lief hinaus.

Bald war ich auch am Doktorhause und klingelte den alten Doktor Snittger aus den Federn, der nur eine Straße von uns wohnte und mir vor Jahren einmal das Marschfieber vertrieben hatte.

Er war sogleich auch diesmal bei der Hand und fertig. ›Sorget Euch nicht, Kapitän‹, sagte er, als wir miteinander die Gasse wieder hinaufgingen; ›ja, wenn's ein Mann wäre! Aber bei den jungen Frauenzimmern, da ist's meist erschreckender als schrecklich!‹

Als wir ins Haus getreten waren, ging der Doktor unten zu den Frauen, ich in mein eigen Zimmer und wanderte, Gott weiß wie lange, auf und ab. Da endlich hör' ich unten wieder die Stubentür knarren und das Riekchen auf dem Hausflur mit dem Doktor klöhnen. Als ich die Treppe hinabstieg, ruft er mir noch zu: ›Alles in Ordnung, Kapitän; wir können schlafen gehen!‹ und somit ist er zur Haustür hinaus und das Riekchen zur Stubentür hinein und alles still und dunkel.

Also ich auch wieder hinauf in meine Kabine und schlafe bis in den Tag hinein. Da vernehm' ich auf einmal aus meinem Alkoven, daß drinnen im Zimmer mein Kaffeegeschirr auf den Tisch gesetzt wird, und noch halb im Schlaf rief ich: ›Bist du es, Anna?‹

Ich fuhr ordentlich zusammen, als es von drinnen antwortete: ›Ja, Ohm.‹ Aber es war, *by Jove*, ihre Stimme.

›Komm doch, mein Kind!‹ rief ich wieder, ›und sag' mir guten Morgen!‹

Und als sie nun kam und die Alkoventüren zurückschlug, die ich wegen des Straßenlärms meist geschlossen hatte – Herr, wie war ich erschrocken, da der Morgenschein auf das junge Gesicht fiel! – Zerstört, ja ganz zerstört schien es mir; ich suchte darin nach etwas, und ich wußte nicht, wonach; die roten vollen Lippen schienen wie zum Spott daraus hervor.

›Guten Morgen, Ohm!‹ sagte sie kaum hörbar; aber ihre Hände zitterten, womit sie mir die volle Tasse reichte, daß ein Teil mir auf das Deckbett floß.

›Kind! Anna!‹ sagte ich und faßte ihre Hand; ›wo bist du gewesen? Du hast ja arge Havarie erlitten!‹

Sie antwortete nicht; sie zitterte nur noch stärker, und als ich in ihre sonst so fröhlichen Augen sehen wollte, schlug sie sie nieder oder wandte sie zur Seite.

›Anna! Anna!‹ sagte ich, ›du gehst mir nimmer wieder auf diese Bälle!‹

Da mußte ich nach der Tasse greifen, denn sie wollte die Hände über ihren Kopf erheben. ›Nein, Ohm!‹ schrie sie, ›nie – nie wieder!‹ Ihre schlanke Gestalt wollte sich aufrichten; aber sie sank wie ohnmächtig an meinem Bett zusammen.

Ich hatte meine Hand auf ihren Kopf gelegt. ›So ist es recht, mein Kind‹, sagte ich; ›nun gräme dich nur nicht; ich gehe mit dir, wohin du willst! Und wenn's erst Sommer ist, dann reisen wir zu meinem alten Ohm, der auf dem Lande wohnt! Da sind große stille Stuben und draußen Wald und grüne Wiesen!‹ *By Jove!* Ich hatte die Marder ganz vergessen!

Sie hatte meine Hände an ihre Stirn gepreßt und nickte ein paarmal leise, ohne aufzusehen; dann aber richtete sie sich empor. ›Laß mich nun, mein Ohm‹, sprach sie freundlich, ›ich muß nach unten.‹

Sie ging, und ich blieb, ohne meinen Kaffee anzurühren, noch lang' auf meinem Bette; ich wußte in der Sache mich nicht zurechtzufinden.

Einige Zeit verging; das Aussehen des Mädchens wurde freilich besser, aber innerlich war das Kind verwandelt. Wenn sie sonst um Mittag so fröhlich unten an der Treppe rief: ›Ohm! Ohm John! Serviert!‹ – Du lieber Gott, wie träg' und öde klang das jetzt! Mir war auch, als ob ihr Angesicht allmählich sich verändere: sie hatte sonst noch immer wie ein Kinderspiel um Mund und Wangen; das war wie weggeblasen.

Es ging mir arg im Kopf herum; von dem Herrn Baron war nicht der Zipfel seines Rockes mehr zu sehen, und als ich zu dem alten Riekchen davon sprach, erhielt ich zur Antwort, der Herr Baron habe auf seine Güter in Mecklenburg müssen und komme erst im Sommer wieder; das Mädchen aber, das daneben stand, wurde bei dieser Rede wie mit Blut übergossen und ging rasch zur Tür hinaus.

›Ei‹, dacht’ ich, ›liegt da der Has’ im Pfeffer? Sind die Gedanken unseres Kindes noch immer bei dem konfiszierten Kerl?‹ Und es fraß ordentlich in mir.

– – Wieder waren ein paar Monate vergangen, als ich an einem Spätnachmittage im März, da schon das Dunkel in die Häuser kroch, von einem Geschäftsgange zurückkam. Als ich am Laden vorüber wollte, sah ich durch das Guckfenster, daß dort die Lampe noch nicht brannte; aber, da ich stillstand, hörte ich drinnen jemand weinen. ›Mußt einmal revidieren!‹ sagte ich zu mir und ging hinein. Da fand ich die Anna in einer Ecke auf dem Ladentritt, mit beiden Händen vor den Augen. ›Bist du es, Anna?‹ frug ich. ›Wo ist deine Mutter?‹

›Ausgegangen‹, erwiderte sie leise.

›Aber du mußt ja die Lampe anzünden!‹

Sie stand langsam auf, und als die Lampe brannte, sah ich dicke Tränen über ihre Wangen rinnen.

›Bist du krank, Anna? Oder fehlt es dir sonst?‹ frug ich, während sie sich abwandte und die Fenstervorhänge herabließ.

Sie schüttelte nur den Kopf.

›Aber was ist denn? Warum weinst du?‹

›Ich weiß nicht, Ohm; es kommt nur manchmal so.‹

Da ergriff ich sie bei beiden Händen: ›Du sollst mir standhalten, Kind! Nicht wahr, du härmst dich nach deinem Tänzer, nach dem Baron, der jetzt auf seinen Gütern ist?‹

›Nein, nein, Ohm!‹ rief sie heftig.

›Nun, was ist’s denn? Kannst du’s deinem alten Ohm nicht sagen? Wir wollen sehen, daß wir Hilfe schaffen!‹

Aber ich sah nur, daß ihr die Tränen reichlicher aus den Augen rannen: ›Ich kann nicht!‹ Und sie stammelte das nur so. ›O lieber Gott! die Angst! die Angst!‹ schrie sie dann wieder.

›Aber so sag’ dir’s doch vom Herzen! Kind, wirf den Ballast über Bord! Oder, wenn nicht mir, so sag’ es deiner Mutter!‹

Sie starrte mit ihren schmucken Augen vor sich hin, als ob sie in ein schwarzes Wasser sähe, und sagte rauh: ›Nein, nicht der, nicht meiner Mutter.‹

›Versündige dich nicht‹, sprach ich; ›du hast ja nur uns beide auf der Welt!‹

Da warf sie sich auf die Knie und schrie: ›Mein Vater, o mein guter Vater! Ich will zu dir!‹

Und ich kniete neben ihr und wußte mir nicht zu helfen; denn, Nachbar, die Frauenzimmer haben nicht den Verstand, daß man ihnen damit beikommen könnte. Zum Glück klingelte jetzt die Haustür, und ihre Mutter mit einem Korb voll Brot und Kohl und Rüben trat herein; und so ließ ich die beiden und ging nach dem Römischen Kaiserhof und dort unten in das Gastzimmer. Aber mein Glas schmeckte mir nicht, denn immer sah ich das arme Kindergesicht in seiner Angst und Not.

– – Sie hatte sich denn endlich doch der Mutter kundgetan, aber, Herr Nachbar, helfen konnten wir nicht; nur, wir wußten es denn nun – ein vaterlos Kind sollte geboren werden, von ihr, die sie ja fast selber noch ein Kind war.

Herr du meines Lebens! Wie wurde die alte Tugendkreatur lebendig! Wie hat sie geschrien! Den Mund hab' ich ihr verhalten müssen, daß nur die ganze Gasse nicht zusammenlief: sie wollte den Baron verklagen, von seinem Gelde wollte sie nichts; aber heiraten sollte er ihre Tochter, noch Frau Baronin sollte sie werden! Ja, das sollte sie!

›Ja‹, sagte ich, ›Baronin! Aber wenn's nur ein Posamentiergeselle oder ein Balbierer gewesen ist!‹

Da schrie sie noch schlimmer. Und freilich, später erfuhren wir wohl: es war richtig so ein feiner Maat, ein Wasserschößling aus großer Familie gewesen, von denen, die von Schulden leben und deren Geschäft ist, anderer Leute Kinder zu verderben. Der Herrgott weiß, wo er geblieben ist; von seinen Gütern ist er nicht zurückgekommen.

Die Anna aber wurde immer stiller. Wenn die Mutter da war, besorgte diese den Laden, und sie saß im Hinterstübchen und nähte sich die Augen rot; war die Mutter aus dem Hause, so bediente das arme Kind die Käufer demütig und wie eine Sünderin, sprach nur, was nötig war, und ihre jungen Augen, die sonst so lustig in die Welt sahen, waren fast allezeit zu Boden geschlagen.

Nur, wenn jezuweilen abends die Mutter auswärts war, kam sie die Treppe zu mir heraufgeschlichen. Dann pochte sie leise an die Tür: ›Darf ich ein wenig bei dir sitzen, Ohm? Es ist so einsam unten.‹

Und ich rückte ihr einen Stuhl zum Tisch; ich selber las die Zeitung oder schrieb, wenn so was vorlag. Gesprochen aber wurde nicht viel; von dem, der ihre Jugend gebrochen hatte, hat sie nie ein Wort geredet; dagegen waren ihre Gedanken oft bei einem Toten. So sagte sie einmal und hielt ihre Nadel müßig in der Hand: ›Ohm, ich war doch schon sechs Jahre, als mein Vater starb; aber wenn ich an ihn denken will, ich kann mir sein Gesicht nicht mehr vorstellen – das ist doch wohl keine Sünde.‹

›Nein, Kind‹, erwiderte ich, ›warum sollte das eine Sünde sein?‹

›Ja, er hat mich doch so lieb gehabt; das fühl' ich wohl noch immer, aber sein Gesicht, das kann ich nicht mehr sehen!‹

Es tat mir weh, Nachbar, als das arme Kind so sprach, ich weiß nicht mehr, weshalb; ihr Vater konnte auch sein schmuckes Gesicht nicht mehr gehabt haben, als er verunglückte. Da fiel mir ein, ich bewahrte ja noch ein paar Briefschaften von ihm aus seiner besten Zeit, aus Rio einen, den anderen aus Hongkong, die waren so hell und jung geschrieben, als stünde er im Maiensonnenschein am Steuerrad und der Südwind wehte durch seine dunklen Locken. Die holte ich aus meiner Schatulle und legte sie vor ihr hin: ›Da, Anna, hast du deinen Vater; es war, *by Jove,* derzeit ein herrlicher Junge!‹

Ein heißes Rot flog über das blasse Gesicht, und ihre Augen strahlten für einen Augenblick. ›Darf ich sie lesen?‹ rief sie, und da ich nickte: ›Darf ich sie auch mit mir nach unten nehmen?‹

›Gern‹, sagte ich, ›wenn du sie hier nicht lesen willst.‹

Sie schüttelte den Kopf und sah mich mit ihren düsteren Augen bittend an; das hätte einen Stein erbarmen können. ›So geh!‹ sagte ich.

Da nahm sie die Briefe, raffte ihr Nähzeug zusammen, und ich hörte, wie sie draußen die Treppe hinabflog. Ich hörte die Stubentür im Unterhause öffnen und schließen; sie war wohl dort nicht mehr allein nun, denn die Toten – wer kann's wissen, wenn eine Kinderstimme so ins Grab hinunterschreit.

– – Es gingen wohl acht Tage hin, daß sie nicht zu mir kam; dann pochte eines Abends wieder ihre kleine Hand an meine Stubentür: ›Darf ich hineinkommen, Ohm?‹

›Gewiß, mein Kind.‹

Dann schritt sie leise herein. ›Da sind die Briefe wieder‹, sagte sie beklommen; ›ich danke dir tausendmal.‹

›Willst du sie nicht behalten?‹ frug ich.

›Darf ich?‹ rief sie und bückte sich über mich und küßte mich und drückte krampfhaft meine Hände.

›Gewiß, mein liebes Kind; aber setz' dich nun und bleib ein wenig!‹

›Ja, Ohm, ich will nur meine Arbeit holen!‹ Und dann ging sie mit den Briefen aus der Tür; aber bald war sie zurück und setzte sich mit ihrer Näherei an meine Seite; du lieber Gott, ich sah wohl, daß es kleine Kinderjäckchen waren. Wir sprachen erst nicht; ich sah auf ihr liebes vergrämtes Angesicht, und sie saß wie grübelnd, aber ihre fleißigen Finger rührten sich dabei, als gehörten sie nicht zu ihr.

›Ohm‹, sagte sie endlich und atmete stark dazwischen, ›hat mein Vater einen gewaltsamen Tod gehabt?‹

›Ja, Kind; er ist ertrunken, hier in Hamburg, in einem von den Fleten; weißt du das denn nicht?‹

Sie schüttelte den Kopf: ›Nicht recht; Mutter spricht ja nicht davon. Ohm, sag' mir: tat er das mit Willen?‹

›Mit Willen, Anna? Was red'st du denn! Er kam spät nachts nach Hause; an der Brücke, wo er vorüber mußte, ward gebaut, und mit den Laternen war es noch nicht wie heutzutage; da ist er fehlgetreten und verunglückt.‹

Sie schwieg, aber ich sah, wie ihre Brust sich vor innerer Aufregung hob und wie sie heftiger ihre Nadel führte. ›Ohm‹, hub sie wieder an und ließ nun ihre Hände ruhen, ›hat mein Vater auch von dem Schrecklichen getrunken, was du immer abends trinkst und – wo ich auch davon getrunken habe?‹

Ich erschrak, aber ich antwortete scheinbar ruhig: ›Das ist nicht schrecklich, Anna; das hat ja der Herrgott uns Seeleuten so recht zum Labsal gegeben! Hast du danach bei mir was Schreckliches gesehen?‹

›Bei dir nicht, Ohm‹ – und sie sah mich mit ganz großen Augen an; ›aber alle dürfen das nicht trinken: es bringt uns um den Verstand; die Bösen haben dann Gewalt über uns.‹

›Ja, Anna‹, sagte ich, ›das hat der Herrgott in der Welt so eingerichtet; wohl tut's mit Maßen und weh im Überfluß; mein alter Hochbootsmann hatte sich in starkem Kaffee den Säuferwahnsinn auf den Hals getrunken: ‚Kapitän‘, sagte er, als er den Atem wieder oben hatte; ‚ich bin der nüchternste Mensch, von Eurem gebrannten Zeuge habe ich fast nimmer noch ein Glas getrunken, aber Kaffee, das ist ja ein Getränk für Kinder!‹ – Und ich erzählte weiter und sprach wie ein Prediger, aber nur aus Angst und um der Anna ihre bösen Fragen aus dem Kopf zu schaffen. Da läutete zum Glück die Haustürglocke, und sie mußte in den Laden.

Als sie wiederkam, war davon nicht mehr die Rede, und so hatte ich ihr heilig Vaterbild nicht zu beschmutzen brauchen.

Und endlich kam die Nacht, in der das Kind geboren wurde; ein Knabe, derselbe, der jetzt oben hier im Hause schläft. Es ist die einzige Geburt gewesen, der ich in meinem Leben so nahe beigewohnt, aber Freude war nicht dabei. Anna freilich war gesund geblieben; nur nähren konnte sie ihr Kind nicht selber. Wenn man es ihr aufs Deckbett brachte, sah sie es jammervoll aus ihren dunklen Augen an; aber sie gab es kopfschüttelnd wieder fort, und ich sah nicht, daß sie es küßte oder nur sich zärtlich zu ihm niederbeugte. Sie lag in dem Wohnstübchen, und ihre Mutter ging seufzend aus und ein und mühte sich, das arme Kind aus einer Flasche trinken zu lehren; des Nachts nahm sie die Wiege mit in ihre Schlafkammer, welche, Sie wissen es ja, hinter dem Stübchen lag und durch eine Tür damit verbunden war.

Es mag am siebenten oder achten Tag gewesen sein, daß ich wieder abends mein Glas in der Gaststube des Kaiserhofes trank. Sie wissen, die Gelehrten müssen ja allezeit was Neues aushecken, und damals hatten sie es mit der Vererbung vor – es war just ein solcher Artikel, den ich an diesem Abend im Korrespondenten las, und ich muß sagen, obschon es mir Phantastereien schienen, ich vertiefte mich immer mehr darin, konnte nicht davon los. ›Dummes Zeug!‹ rief ich endlich laut, als es mir doch gar zu bunt wurde.

›Mein Gott, *capitano*‹, hörte ich eine Stimme mir gegenüber; ›Sie lesen ja heute über alle Maßen; was haben Sie denn da?‹

Als ich aufblickte, saß der alte Doktor Snittger vor mir und nickte mir lachend zu.

›Ja freilich, Doktor‹, sagte ich, ›verrücktes Zeug, was der Korrespondent uns heute auftischt!‹

›Hab's noch nicht gelesen‹, sagte der Alte; ›sind zu viel Lungenfieber in der Stadt jetzt.‹

›Auch vererbte?‹ frug ich.

›Wie meinen Sie?‹

›Lesen Sie es selbst‹, sagte ich und reichte ihm das Blatt, ›hier steht's: alles ist vererblich jetzt, Gesundheit und Krankheit, Tugend und Laster; und wenn einer der Sohn eines alten Diebes ist und stiehlt nun selber, so soll er dafür nur halb so lange ins Loch als andere ehrliche Spitzbuben, die es aber nicht von Vaters wegen sind!‹

›Ja so‹, sagte der alte Herr, nachdem er einen Blick in die Zeitung geworfen hatte; ›es sollte wohl so sein, aber so ist es bis jetzt noch nicht.‹

Ich sah ihn an: ›Ist das Ihr Ernst, Herr Doktor?‹

›Ei freilich, Kapitän; den mitschuldigen Vorfahren müßte gerechterweise doch wenigstens ein Teil der Schuld zugerechnet werden, wenn auch die Strafe an ihnen nicht mehr vollziehbar oder schon vollzogen ist. Wissen Sie nicht, daß selten ein Trinker entsteht, ohne daß die Väter auch dazugehörten? Diese Neigung ist vor allem erblich.‹

Ich wollte reden, aber er fuhr fort: ›Ja, ja, ich weiß wohl, die Erziehung der Jugend, wenn sie mit ausdauernder Sorgfalt die Reizung dieses entsetzlichen Keimes zu verhindern weiß, kann bei dem einzelnen das Unheil vielleicht niederhalten; aber darin wird nur zu arg gesündigt. Die hübsche Anna in Ihrem Hause, das arme Mädchen, das jetzt mit einem Kinde liegt, sie hatte ja wohl nicht den Fehler ihres unglücklichen Vaters, wie das bei Frauen denn auch seltener ist; aber doch – was meinen Sie, das ihr fehlte vor nun dreiviertel Jahr, in jener Nacht, da Sie mich aus dem besten Schlaf aufklopften? – Ich will es Ihnen sagen, Kapitän – das schöne Mädchen war in jener Nacht sinnlos betrunken! – Wer weiß, ob nicht ihr Unglück …‹

Aber ich hörte schon nicht mehr, was der Doktor sprach, denn in mir redete es mit hundert Stimmen durcheinander; aber eine darunter war die stärkste: ›Deine Schuld, deine Schuld!‹ rief sie stets dazwischen. Und das war Rick Geyers' Stimme, die ich gleich erkannte; und bald sah ich ihn vor mir in seiner schönen Jugendflottheit, die Bänder an seinem blanken Hute flatterten im Winde; bald aber mit dem gedunsenen Gesicht und den schweren Augen, die mich zornig ansahen. Dann wieder sah ich die Anna, das zehnjährige begehrliche Ding, wie sie voll Abscheu den heißen Trunk von sich sprudelte, zu dem ich so unbesonnen sie genötigt hatte; dann wieder, wie sie später mein halbes Glas mir vor der Nase wegschluckte. ›Deine Schuld! deine Schuld!‹ schrie die eine Stimme wieder. Ich sprang von meinem Stuhle auf: ›Ja, ja!‹ rief ich; ›aber ich will …‹ Ich besann mich; ich hatte das fast laut geschrien. Zum Glück war eben jetzt nur der verständige Doktor allein mit mir im Saale; seine Hand lag auf meinem Arm: ›Was wollen Sie, Kapitän?‹ frug er ruhig.

Ich setzte mich wieder. ›Helfen will ich‹, sagte ich, ›soweit eines ehrlichen Menschen Kraft nur reichen kann!‹

›Das tun Sie! Ich habe ja den Vater auch gekannt – daß nur nicht zwei solcher Menschenkinder hier zugrunde gehen! Und wenn Sie meiner dazu bedürfen, wir sind ja Nachbarn!‹

Ich drückte ihm kräftig seine gute Hand: ›*Good bye,* Doktor; ich werd' es nicht vergessen.‹ Dann stand ich auf und ging. Den Kopf voll guter Werke trabte ich über die Straße; ich begann in Gedanken schon an meinem Testament zu arbeiten.

Als ich zu Anna in die Stube trat, lag sie mit weitgestreckten Armen und sah starr auf die ineinandergeschlungenen Hände und das leise Bewegen ihrer Finger, als sei der Lebensknoten dort zu lösen; wie es Menschen machen, die ihren Kurs nicht mehr zu steuern wissen. Ich setzte mich zu ihr auf die Bettkante. ›Anna‹, sagte ich, ›du siehst so traurig aus; was machst du denn da?‹

Sie blickte langsam zu mir auf: ›Jetzt?‹ frug sie, und als ich nickte: ›Jetzt denke ich nur.‹

›Woran denn denkst du?‹

›An meinen Vater, Ohm.‹

›Nicht an dein Kind?‹

›Mein Vater – das ist sanfter. – Ohm, bitte‹, sagte sie dann, löste die Hände auseinander und wies nach der Schatulle am Fenster, in deren Klappe ein Schlüssel steckte; ›ich habe ja noch die Briefe, ich darf sie auch wohl noch behalten; die oberste Schublade! Wenn du so gut sein willst, so gib sie mir!‹

Ich reichte ihr die Briefe, und sie packte sie unter ihr Kissen und legte sich dann zur Seite und mit der Wange darauf. ›Ohm‹, sagte sie, ›wie kommt das, ich sehe jetzt wieder ganz deutlich sein Gesicht. – Vielleicht – er war so gut, er hat wohl Mitleid …‹ Sie warf sich unruhig im Bett empor: ›Ach, Ohm, ich darf nicht denken, nicht eine Spanne weit!

Aber heute nacht, da hört' ich seine Stimme, so sanft, als wollte sie mich an sich ziehen; du kannst dir das nicht denken! Nur als ich zu ihm wollte, war er fort, und es rauschte über mir, als wenn ich in ein Meer versänke. Und dann hörte ich das Kind weinen, und meine Mutter fing an zu singen.‹

›Das waren deine Träume, Anna‹, sagte ich.

›Ja, vielleicht, Ohm; aber‹ – und sie sprach das fast unhörbar – ›ich wär' so gern bei meinem Vater!‹

›Denk' lieber an dein Kind!‹ sagte ich, ›und laß Rick Geyers schlafen.‹

Sie starrte mich geheimnisvoll an: ›Das Kind, das ist eine Sünde‹, sagte sie, ›und darum ist mir auch die Brust für ihn vertrocknet.‹

›Ei, dummes Zeug! Sieh ihn nur mutig an. Der Junge ist wie jeder andere unseres Herrgotts Kind! Laß ihn erst ein paar Jahre älter werden; ich will dir helfen, Anna, wir wollen was Tüchtiges aus ihm machen, einen flotten Steuermann, einen Kapitän! Und wenn er dann mit seinem Vollschiff von der ersten großen Reise heimkommt: wir beide stehen am Hafen – er schwenkt den Hut – die Ankerkette rasselt – hurra für Kapitän ... ja, Kind, wie sollen wir ihn denn taufen? Ich denke doch wohl: Rick? Was meinst du zu Rick Geyers?‹

Ein Seufzer unterbrach mich: ›Ja, Ohm, und seine Mutter steht dann da und ist ein altes Mädchen!‹

›Deine Schuld! deine Schuld!‹ schrie es wieder in mir, so laut und schaurig wie aus einem Nebelhorn; man hört's und weiß in der grauen Finsternis nicht, woher es kommt. Da fuhr's in meiner Not mir durch den Kopf, ich sagte: ›Anna, ich weiß, ich bin nichts als dein alter Ohm, schon über sechzig, und morgen mach' ich mein Testament; was ich habe – es ist ein anständig Bürgerteil –, kommt dir und deinem Jungen zu; und willst du die paar Jahre noch meine Frau heißen – denn es bleibt trotzdem beim alten, Anna –, aber ein altes Mädchen brauchst du nicht zu werden!‹

Ich weiß nicht, Nachbar, es war vielleicht was ungeschlacht; ich wußte mir nur anders nicht zu helfen; es ist ja nun auch einerlei.

Aber Anna hatte sich strack emporgerichtet. ›Nein!‹ schrie sie, ›nein, das will ich nicht! Du bist so ehrenhaft und brav! Ach, Ohm‹ – und ich sah, wie sie in sich zusammenschauderte –, ›du weißt es doch – die

Schande ist so ansteckend!‹ Sie hatte krampfhaft meine Hand ergriffen und geküßt.

›Anna‹, sagte ich, ›ich kann dich hiezu nicht drängen, aber Schande ist nur unter den Menschen und verweht in einem guten Leben. Denk' an dein Kind und daß ich nichts für mich will!‹

– ›Nein, Ohm, nie – nie!‹ Ihre Augen bewegten sich zitternd, sie hatte die Arme ausgestreckt und rang die schmalen Hände umeinander. ›Aber – das andere, was du sagtest‹, begann sie schüchtern wieder, ›mein Kind, es wird zu leiden haben um seiner Mutter willen. Hilf ihm, Ohm! Kannst du es wirklich mir versprechen, mein Kind niemals, auch bei deinem Tode nicht zu vergessen?‹ Die großen Augen waren angstvoll auf mich gerichtet.

Da legte ich meine Hand auf ihr armes junges Haupt: ›Niemals, Anna‹, sagte ich, ›sonst vergesse mich unser Herrgott in der letzten Stunde! Schon morgen soll dein Sohn mein Erbe sein.‹

Wie mit einem Seufzer der Erlösung sank sie zurück in ihre Kissen: ›Ich danke dir, mein geliebter Ohm! Und nun geh! Nun möcht' ich schlafen!‹

Ich stand noch eine kurze Weile und blickte auf ihr jetzt so blasses Angesicht, in welchem die Augen schon geschlossen waren. ›Gute Nacht, liebe Anna!‹ sagte ich und küßte ihr die Stirn.

Sie schlug noch einmal ihre Augen zu mir auf und bewegte leis das Haupt; dann ging ich. Als ich auf den Hausflur trat, geleitete die Mutter eben einen späten Käufer an die Tür. ›Gute Nacht, Frau Geyers!‹ sagte ich und stieg nach meiner Stube.

Ich hörte die Haustür schließen, dann noch von nah und fern die Glocken aller Türme durcheinanderschlagen; innen und außen wurde es allmählich ruhig, und ich schlief; wie lange, weiß ich nicht. Aber mich weckte etwas; ich mußte erst völlig wach werden, bevor ich's fassen konnte; der erste Dämmerschein fiel eben in die Stube. Endlich glaubte ich es zu wissen: die Kette vor unserer Haustür mußte herabgeglitten sein; aber wie? – Sie wurde jeden Abend über eine hohe Klammer aufgehakt. Ich lag noch und grübelte darüber, sogar an Diebstahl und Einbruch streiften meine Gedanken; da drang noch ein zweites Geräusch vom Flur herauf: es klirrte, aber es war ein leiser Klang dabei, als käme er von einer Glocke.

Rasch war ich aus dem Bett gestiegen und kleidete mich völlig an; dann nahm ich meinen Revolver aus der Schatulle und stieg leise in den Flur hinab. Es war nichts zu sehen, nichts rührte sich, aber als ich an die Haustür ging, fand ich sie unverschlossen; bei dem Oberlichte, das darüber war, sah ich die Glocke mit einem Tuch bedeckt, und an der einen Seite hing die Kette los herunter.

Noch immer war Totenstille; auch das Kind schien zu schlafen. Ich faßte die Ladentür; sie war verschlossen; aber als ich mich dann wandte – die Tür der Wohnstube war nur angelehnt, und ich öffnete sie noch etwas weiter, so daß ich Annas Lager übersehen konnte. Die Nachtlampe knisterte nur noch, aber es drang schon Morgenhelle herein; das Bett war leer, die Decke hing halb herausgerissen über die Kante; aus der Kammer nebenan hörte ich das Riekchen schnarchen.

Und im selben Augenblick, Herr Nachbar, wußte ich alles, alles! Wie ein Krach war es durch meine alten Knochen hingefahren; barhäuptig, wie ich war, den Revolver in der Hand, lief ich aus dem Hause, aus einer Straße in die andere; mir war, als ob ich fortgetrieben würde, und endlich, da lag die Brücke und das Flet vor mir, wo einst mein armer Rick sein bißchen Leben eingebüßt hatte.

Das trübe Wasser zog langsam nach Osten unter der Brücke durch, und der erste Dunst des Morgenrots schillerte wie Blut darauf; die Rückseiten der hohen Speicher standen rechts und links in halbem Schatten; es war ein eiskalter Frühmorgen; nur ein paar Brotträger sah ich an mir vorbeipassieren.

Aber dort auf der Brücke stand schon eine Vierländerin, ein blutjunges Ding; sie hatte bei einem ihrer ersten Gänge in die Stadt wohl nichts versäumen wollen. Ich ging näher, ohne daß sie mich bemerkte; denn sie streckte ihr Köpfchen mit dem runden Strohhut weit über das Geländer und sah nur immer in das Wasser; am Arm hing ihr ein Korb, wie ihn solche Mädchen tragen, der von Maililien ganz gefüllt war. ›Was macht das Kind?‹ frug ich mich eben; da langte sie zurück in ihren Korb und warf einen der Sträuße in das Wasser. Betroffen war ich stehengeblieben. ›Hier ist es!‹ sprach etwas in mir; und ich sah noch, wie die kleine Hand ein zweites und drittes Mal in den Korb faßte, und jedesmal fiel eine Handvoll Frühlingsblumen in die Tiefe. Ich fuhr mir durch das Haar und steckte den Revolver, den ich gedankenlos noch in der Hand trug, in die Tasche; als ich dann aber zu ihr trat, da sah ich, daß zu den Blumen auch dicke Tränen aus den Kinderaugen fielen. ›Erschrick nicht!‹ sagte ich; ›aber wem streust du da denn Blumen?‹

Als sie mich so plötzlich sah, hub sie dennoch laut zu schreien an: ›Hilfe! Hilfe! O, die schöne, blasse Frau; sie nickkoppte mir noch so traurig zu!‹

›Was sagst du?‹ rief ich, ›sprich Kind! Liegt sie da unten?‹

Das Mädchen nickte heftig, und die Tränen stürzten ihr reichlicher aus den Augen. Ich lugte von der Brücke nach Osten aus, wohin das Wasser zog. Da, am Backbord eines Ewers, der hinter einem Speicher lag, sah ich etwas schimmern; der erste Morgenstrahl hob es eben aus dem Dunkel, aber das meiste war unter dem Wasser.«

Der Kapitän hielt inne und trank den Rest aus seinem Glase, indem er meine Hand faßte. »Wir wollen es kurz machen, Nachbar«, sagte er; »*sie* war es; ihr Nachtkleid hatte sich dort verfangen und den Körper aufgehalten, damit er bald zur Ruhe komme. Es waren jetzt auch Leute herzugelaufen; wir haben sie in ein Haus getragen, einen Doktor geholt und alle Versuche angestellt, aber die junge Seele war zum armen Rick gegangen, und ich will hoffen, daß ihnen beiden Gott verziehen hat.«

Er schwieg eine Weile; dann begann er wieder: »Als ich über die Brücke zurückging, stand die Kleine noch immer dort; nur daß sie aus ihrem runden Gesichtlein jetzt nach der Seite auf das Flet sah, wo wir vorhin unser liebes Kind herausgehoben hatten, wo aber jetzt nur noch der träge Zug des Wassers floß. Sie ließ sich ruhig bei der Hand fassen, als ich ihr sagte: ›Komm mit mir; ich will dir alle deine Blumen abkaufen, die sollen mit der toten Frau in ihren Sarg!‹

So gingen wir, und als wir in unser Haus kamen, wo alles noch zu schlafen schien, nahm ich sie mit in meine Stube und gab ihr zu essen und zu trinken; eine Rauchwurst und ein Stückchen Brot waren noch im Schrank und auch ein Schlückchen süßen Weines, denn mir war, ich müsse zuerst das verklommene Kind erquicken. Dann stieg ich hinab und ging in die Wohnstube, wo alles noch lag, wie ich es vorher verlassen hatte; aber durch die offene Kammertür sah ich das Riekchen jetzt in ihrem Bette sitzen, aufrecht und geschäftig: sie wickelte das Kind und sang dazu ihr ›Eiapopeia‹.

›Das ist recht, Frau Geyers‹, sagte ich; ›aber Ihr könnt jetzt alle Eure Tugend brauchen!‹

Sie fuhr ein wenig zusammen, denn sie hatte meinen Eintritt nicht bemerkt. ›Ja, Ohm Riew'‹, sagte sie, ›wenn wir unsere Sündenschuld abziehen, so müssen wir mit dem Rest schon fertigwerden.‹ Und das Weib, *by Jove,* Herr Nachbar, sah mich an wie ein Engel der Geduld; und mit der Trauer in meinem Herzen, die ich noch auf sie abladen sollte, ich hätt' ihr alles abbitten mögen, was ich sonst über sie geredet und gelacht hatte.

Als ich meine Todesbotschaft ihr verkündete, legte sie das Kind mit zitternden Händen in die Wiege, die vor ihrem Bette stand. ›Gott steh' mir armem, schwachem Menschen bei!‹ Das war alles, was sie sagte; und als sie Anstalt machte, aus dem Bett aufzustehen, ließ ich sie allein und ging auf mein Zimmer, wo ich die Vierländerin schier vergessen hatte.

Da stand sie mit ihrem leeren Korbe und ihrem Rundhut mitten auf der Diele; die Maililien aber hatte sie alle in meine große Waschschale geordnet und auf den Tisch gestellt. ›Bist du schon fertig?‹ frug ich.

›Ja, Herr; und ich dank' auch.‹

Und als ich ihr zwei Taler auf die Hand legte, lachte das ganze runde Gesichtlein.

›Wie heißt du?‹ frug ich noch, denn mir war, als dürfte ich das Kind nicht lassen, als trüge sie das letzte Lebewohl von Anna mit sich fort.

›Trienke!‹ sagte sie fröhlich.

›Und wo hast du denn deinen Stand?‹

›Am Jungfernstieg, Neuen Walls Ecke.‹

Und damit nickte sie und ging; aus dem Fenster sah ich noch, wie mutig sie in das Leben hinauslief.

Ich habe später noch manchen Strauß von ihr gekauft, und Trienke suchte immer das Schönste für mich aus, rote Nelken und Rosen, da es Sommer wurde, im Herbste weiße und violette Astern; sie wußte wohl, für welches Grab ich mir die Blumen kaufte.

– – Schon am anderen Tage aber lag unsere schöne Anna weiß und kalt in ihrem Sarge, da, wo sie gestern noch im warmen Bett geschlafen hatte, und um sie war alle Sorge aus. Die Mutter hatte das feuchte und verwirrte Haarwerk ihr getrocknet, und die langen dunklen Flechten lagen auf den feinen Linnen, worein wir sie gehüllt hatten; schon als sie noch Kind war, konnte die Wäsche ihr immer nicht fein und sauber genug sein; das Beste aus dem Laden hatten wir ihr gegeben. So lag sie denn noch einmal in *full dress,* Maiglöckchen um ihr schönes, stilles Angesicht und in ihren blassen Händen. In der Nacht habe ich die Wache bei ihr gehalten; ich hatte ihre Hand gefaßt, bis mir die Todeskälte in den Arm hinaufstieg, aber sie drückte meine Hand nicht mehr; die geschlossenen Augen, auf die ich lange Stunden sah, sie hatten sich rasch am Leben satt getrunken.«

Der Kapitän schwieg, langte nach seinem halbvollen Glase und trank es in einem Zuge aus. »Es ist kalt geworden, Nachbar«, sagte er, »und meine Geschichte ist aus. Wir wollen noch eins brauen und von anderen Dingen reden!«

»Aber Ihr wolltet mir noch sagen –«

»Was denn? – Nun ja, seit jener Nacht trinke ich mein Glas nur noch, wie wir es heute abend tun; und – ja, mein alter Ohm, zu dem ich damals mit der Anna wollte, der starb, ich war sein Erbe, und da die Anna nicht mehr zu haben war, so zog ich, nachdem wir die Hamburger Baracke verkauft hatten, mit ihrem Jungen und der Alten hier hinaus, baute aber für das alte Haus, das nicht mehr stehen konnte, erst ein neues. Die Großmutter, Sie wissen es, die haben wir neulich hier zur Ruh' gebracht; was aber aus dem jungen Rick Geyers noch werden soll – –«

»Nun Kapitän, das beraten wir noch mitsammen! Euer Testament ist hoffentlich in Ordnung?«

»Mit allen Klammern der Gesetze.«

Ich nickte. »Aber es ist spät; wir wollen heute nicht mehr trinken! Gute Nacht, Kapitän; das müßte doch mit allen Teufeln zugehen, wenn zwei Kerle wie wir nicht einen solchen Bengel nach unserem Kompaß steuern könnten!«

Ein dankbarer Händedruck des Alten, dann war ich auf dem Heimweg.

Seit dem hier Erzählten sind fast zehn Jahre vergangen, und es ist wieder einmal Herbst; aber erst im Anfang des September, und die Laubhölzer lassen nur noch hier und da ein gelbes Blatt zur Erde fallen.

Mein alter Kapitän Riewe ist noch ein munterer Greis, noch jetzt ein musterhafter Gärtner: in seinem Obstviertel stehen fast lauter junge Bäume; manches Pfropfreis haben wir getauscht und mancher trefflichen, fast vergessenen Art aus alten Gärten in den unseren zu neuem Glanz verholfen. *Périnette* und *Grand Richard, Beurre blanc* und Winterbergamotte stehen in unseren Gärten jetzt, und schon seit Jahren, mit Frucht beladen; aber bei dem Alten glänzen Stamm und Zweige wie die Rinde einer Silberweide, bei ihm muß alles sauber sein wie auf einem Schiffsdeck. Er lebt allein mit einer freundlichen und verständigen Haushälterin; aber an Sommernachmittagen, zumal des Sonntags, kommt er gern zur Kaffeestunde auf unsere Terrasse, und es stört ihn auch nicht, wenn der Südost dort einmal durch seine weißen Haare fährt. »Ich danke, Madame, den haben wir einstmals anders kennen lernen«, sagt er mit seiner gütigen Höflichkeit, wenn meine Frau eine Besorgnis um ihn kundgibt. – Nach dem Kaffee spazieren wir in unserem Garten und besehen die Fruchtbäume oder reden über unsere Nelken und Levkoien; denn darin sucht der eine dem anderen es zuvorzutun, und die Sache ist nicht ohne Eifersucht.

Wenn die Dämmerung anbricht, begleite ich ihn nach Hause, und dann reden wir von Rick – nur von Rick, denn von diesem ist das Herz ihm doch am vollsten; aber es ist auch eine Freude, über Rick zu sprechen.

Abends ist der Kapitän zu Hause und allein, außer wenn ich einmal ein Stündchen bei ihm sitze, wo mir mein Glas Madeira-Grog niemals entgeht. Sonst liest er dann seine Zeitung, den Hamburger Korrespondenten, am aufmerksamsten und mit seinem Herzen die Schiffsnachrichten, denn er segelt mit jedem Schiffe, und auf einem von den allen fährt sein Rick.

Wir hatten Glück mit dem Jungen damals, der Alte und ich: der tüchtige Sohn unseres Küsters hatte eben sein Examen auf dem Seminar bestanden, da fingen wir ihn ein, und für zwei Jahre wurde er der Lehrer Ricks. Es traf sich, daß bei beiden die angeborene Befähigung, man könnte sagen, eine wissenschaftliche Leidenschaft für die Mathematik vorhanden war. Das verband die beiderseits noch so jugendlichen Herzen, und auch in anderem mochte nun der lernfähige Schüler nicht zurückstehen. In freien Stunden streiften sie botanisierend durch Wald und Feld oder übten an den Stangen und Turnricken, die der Kapitän hinter seinem Hause aufschlagen ließ, die Gewandtheit ihrer Glieder. So wurden sie auch Freunde, und wenn jetzt Rick nach Hause kommt, der in unserem Dorfe angestellte junge Lehrer Fritz Oye ist seine erste Frage. Zwei Jahre war er noch auswärts auf einer Schule gewesen, dann ließ der Alte ihn konfirmieren und brachte ihn nach Hamburg auf ein gutes Schiff. Vor zehn Monaten wurde er Steuermann auf der »Alten Liebe«, die noch immer für die Lübecker Firma in See geht. Freilich, der alte Reeder meines Freundes ist nicht mehr; ein junger Vetter desselben ist jetzt Herr des Geschäftes und des alten Hauses.

Nur eines habe ich noch zu sagen: Eben, vor einer Stunde nur, öffnete sich meine Stubentür, und unser Freund, der Kapitän John Riew', trat zitternd und bleich zu mir herein; er legte seinen Hut auf einen Stuhl und wischte sich den Schweiß aus seinen weißen Haaren.

»Was ist, Kapitän?« rief ich erschrocken. »Ihr seht ja ganz verteufelt aus!«

Aber er ergriff meine beiden Hände und schüttelte den Kopf: »Vor Freude, Nachbar, nur vor Freude! *God bless you, Sir!* Der Junge ist Kapitän!«

»Alle Wetter!« rief ich, »das geht ja wie der Wind!«

»Ja, ja; hier steht's!« und er riß ein Telegramm aus der Tasche und hielt es mir triumphierend vor die Augen. »Sein Vorgänger starb drüben in Rio Janeiro am gelben Fieber, und nun ist er's und soll's auch bleiben – Kapitän der ›Alten Liebe‹! *By Jove!* Der junge Lübecker weiß sich seine Leute auszusuchen! – Aber – warum ich komme, Nachbar! – Sie fahren doch mit mir übermorgen?«

»Wohin? Doch nicht nach Rio, Kapitän?«

»Nein, nein!« sagte der Alte lächelnd, »nur nach Hamburg; denn da ankert dort im Haufen die ›Alte Liebe‹ unter dem Kapitän Rick Geyers! – O Anna, mein liebes Kind, du hast das nicht erleben wollen!«

Er wischte sich die Augen mit seinem großen blauen Schnupftuch. »Aber heute abend, Nachbar«, setzte er, sich ermutigend, hinzu, »trinken wir beide in meiner Koje ein Steifes miteinander, und – *God dam!* – von meinem alten Jamaika!«

»Topp«, rief ich, »Kapitän, ich trinke und ich fahre mit Ihnen. Hurra für unseren Jungen!«

– – Er ging; und ich habe nichts Weiteres zu erzählen: es ist jetzt alles gut, denn wir haben die Hoffnung, freilich auch nur diese, wenn wir des alten Ricks gedenken und die Knabenstreiche des jungen nicht auf Abschlag nehmen; aber die Hoffnung ist die Helferin zum Leben und meist das Beste, was es mit sich führt.